中华传世藏书

續資治通鑒

[清] 毕 沅 ◎ 著

線裝書局

续资治通鉴卷第二百三

【原文】

元纪二十一　起旃蒙赤奋若【乙丑】九月,尽强圉单阏【丁卯】十二月,凡二年有奇。

泰定帝

泰定二年　【乙丑,1325】　九月,戊申朔,分天下为十八道,遣使宣抚。

诏曰:"朕祗承洪业,夙夜惟寅,凡所以图治者,悉遵祖宗成宪。曩屡诏中外百官,宣布德泽,蠲赋详刑,赈恤贫民,思与黎元共享有土之乐。尚虑有司未体朕意,庶政或阙,惠泽未洽,承宣者失于抚绥,司宪者怠于纠察,俾吾民重困,朕甚愍焉。今遣奉使宣抚,分行诸道,按问官吏不法,询民疾苦,审理冤沈,凡可以兴利除害,从宜举行。有罪者,四品以上,停职申请;五品以下,就便处决。其有政绩尤异,暨晦迹丘园,才堪辅治者,具以名闻。"

太史院使齐履谦之江西、福建宣抚,黜罢官吏之贪污者四百馀人,蠲免括地虚加粮数万石,州县有以先贤子孙充防夫诸役者,悉罢遣之。福建宪司职田,每亩岁输米三石,民不胜苦,履谦命准令输之,由是召怨,及还京,宪司果诬以它事。未几,诬履谦者皆坐事免,履谦始得直,复为太史院使。

以郡县饥,诏:"运米十五万石,贮濒河诸仓,以备赈救。仍敕有司置义仓,募富民入粟拜官,二千石从七品,千石正八品,五百石从八品,三百石正九品,不愿仕者旌其门。"

己酉,海运江南粮百七十万石至京师。

癸丑,帝至自上都。

甲寅,禁饥民结扁(檐)〔担〕社,伤人者杖一百,著为令。

乙卯,享太庙。

己未,怀远大将军、来安路总管岑世兴上言,自明其不反,请置蒙古、汉人监贰官;优诏从之。

丁丑,浚河间陈玉带河。

礼部员外郎元永贞言:"特克实弑逆,皆由特们德尔始祸,请明其罪,仍录付史馆,以为人臣之戒。"

汉中道文州霖雨,山崩;开元路三河溢。

是秋,以太子宾客曹元用为礼部尚书兼经筵官,及大朝会为纠仪官,申卷班之令,俾以序退,无争门而出之扰。又谓太医、仪凤、教坊等官不当序正班,当自为一列,后皆行之。时宰执有欲罢科举者,元用以为国家文治正在于此,何可罢也！又有欲损太庙四时之祭,止存冬祭者,元用谓:"禘祀烝尝,四时之享,不可阙一,乃经礼之大者,其可惜费而废礼乎！"

冬,十月,戊寅朔,张珪归保定上冢,以病辞禄,不允。

岑世兴及子特穆尔率众寇上林等州,命抚谕之。

癸未,以都尔苏为御史大夫。

丁亥,享太庙。

翰林学士吴澄致仕。先是澄庙议不行,已有去志,会修《英宗实录》,命总其事。居数月,《实录》成,未上,即移疾不出,中书左丞许师敬奉诏赐宴国史院,仍致朝廷勉留之意。宴罢,即出城,登舟去,中书闻之,遣官驿追,不及而还,言于帝曰:"吴澄国之名儒,朝之旧德,今请老而归,不忍重劳之,宜有所褒异。"诏加资善大夫,仍以金织文绮二及钞五千贯赐之。

乙未,皇后受佛戒于帝师。

丁酉,广西猺酋何(重)〔童〕降,请防边自效,许之。

十一月,戊申朔,周王和实拉遣使以豹来献。

庚戌,舒玛尔节以岁饥,请罢皇后上都营缮,从之。

宁珠以病乞罢,不允。

丙辰,郭菩萨等伏诛,杖流其党。

丁巳,幸大承华普庆寺,祀昭献元圣皇后于影堂,赐僧钞千锭。

岑世兴结八番蛮班光金等合兵攻石头等寨,敕调兵御之。八番宣慰(使)〔司〕官以失备坐罪。

庚申,倭舶来互市。初,成宗遣僧使日本,而日本人竟不至。至是越二十馀年,始来互市。

壬戌,敕军民官荫袭者,由本贯图宗支,申请铨授。

丙寅,都尔苏复为中书左丞相、录军国重事。

都尔苏密专命令,不使中外预知,监察御史赵师鲁上言:"古之人君,将有言也,必先虑之于心,咨之于众,决之于故老大臣,然后行之,未有独出柄臣之意,不咨众谋者也。"不报。都尔苏虽刚狠,亦服其敢言。

丁卯,罢蒙山银冶提举司,命瑞州路领之。

壬申,诸王鄂尔多罕,以追捕广西猺寇上闻。帝曰:"朕自即位,累诏天下悯恤黎元,惟广猺屡叛,杀掠良民,故命鄂尔多罕等讨之。今闻迎降者甚众,宜更以恩抚之。若果不悛,严兵追捕。"

常德路水,民饥,赈之。

十二月,戊寅,以达实特穆尔为中书右丞相、录军国重事,监修国史,封蓟国公。

乙酉,帝复受佛戒于帝师。旋以帝师之弟将至,诏中书持羊酒郊劳。而其兄遂尚公主,封白兰王,赐金印,给圆符;其弟子之号司空、司徒、国公、佩金玉印章者,前后相望。为其徒者,怙势恣睢,气焰薰灼,延于四方,为害不可胜言。

监察御史李昌言："臣尝经平凉府、静、会、定西等州,见西番僧佩金字圆符,络绎道路,驰驱累百,传舍至不能容,则假馆民舍,因迫逐男子,奸污妇女。奉元一路,自正月至七月,往返者百八十五次,用马至八百四十馀匹,较之诸王行省之使,十多六七,驿户无所控诉,台察莫敢谁何。且国家之制圆符,本为边防警报之虞,僧人何事而辄佩之?请更正僧人给驿法,且令台宪得以纠察。"当时以为切论。

丁亥,修(盍)〔鹿〕顶殿。

镇南王图布哈薨,遣中书平章政事奈曼岱摄镇其地。

中书省言山东、陕西、湖广地接戎夷,请议选宗室往镇,从之。

申禁图谶,私藏不献者罪之。

京师多盗。癸巳,达实特穆尔请处决重囚,增调逻卒,仍立捕盗赏格,从之。

甲午,召张珪于保定。

壬寅,中书左丞赵简请行区田法于内地,以宋董煟所编《救荒活民书》颁州县。

是岁,御河水溢。

广西溪洞,自岑世兴而外,诸猺所在为寇,朝廷命行省督所属讨捕之。寻遣使奉诏分谕,或梗或降,终未能悉平也。

以故翰林学士布哈、中政使布延图、指挥使布延呼尔为特克实等所系死,赠功臣号及阶勋爵谥。

富珠哩翀以国子司业出为河南行省左右司郎中,丞相曰:"吾得贤佐矣!"翀曰:"世祖立法,成宪具在,慎守足矣。譬若乘舟,非一人之力所能运也。"翀乃开壅除弊,省务为之一新。

泰定三年　【丙寅,1326】　春,正月,丙午,播州宣慰使杨(萨)〔雅〕尔布哈招谕蛮酋黎平庆等来降。

戊申,元江路总管普双叛,命云南行省招捕。

壬子,封诸王宽彻布哈为威顺王,镇湖广;迈努为宣靖王,镇益都。

以山东、湖广官田赐民耕垦,人三顷,仍给牛具。

征前翰林学士吴澄,不起。

置都水庸田司于松江,掌江南河渠水利。

戊辰,缅国乱,遣使乞援。

安南国阮叩寇思明路,命湖广行省督兵备之。

赈大都属县饥。

二月,丁丑,购能首告谋逆厌魅者,立赏格,谕中外。

壬午,广西全茗州土官许文杰率诸猺以叛,寇茗盈州,杀知州事李德卿等,命湖广行省督兵捕之。

丁亥,中书省臣请罢征猺,敕诸王鄂尔多罕等班师,其镇戍者如故。

甲午,葺真定玉华宫。

丙申,建显宗神御殿于卢师寺,赐额曰大天源延寿寺。

敕以金书西番字《藏经》。

戊戌，爪哇来贡方物。

庚子，以通政院使察纳为中书平章政事。

甲辰，帝如上都。

归德府属县河决，民饥，赈之，复赈河间、建昌诸路饥。

三月，乙巳朔，帝以不雨自责，命审决重囚，遣使分祀五岳、四渎之神及名山大川并京城寺观。

丁未，敕百官集议急务。中书省臣等请汰卫士，节滥赏，罢营缮，防猛寇，诸寺官署坑冶等事归中书，并从之。

壬子，禜星于司天台。

癸丑，八番岩霞洞蛮来降，愿岁输布二千五百匹，设蛮夷官镇抚之。

乙卯，申禁民间龙文织币。

戊午，诏安抚缅国。

甲子，命功德使司简岁修佛事一百二十七。

丙寅，翰林承旨阿林特穆尔、许师敬译《帝训》成，更名曰《皇图大训》，敕授皇太子。

辛未，泉州民阮凤子作乱，寇陷城邑，军民官以失讨坐罪。

癸酉，怀王图卜特穆尔子伊勒哲伯生。

畿内、河北、山东诸路饥。张珪赴召入见，帝问曰："卿来时，民间如何？"珪曰："臣老矣，少宾客，不能远知。保定、真定、河间，臣乡里也，民饥甚；朝廷虽赈以金帛，惠未及者十五六。"帝恻然，命赈粮，至是复令免三路及济南等郡县民租之半。

夏，四月，丙戌，镇安路总管岑修广为弟修仁所攻，来告，命湖广行省办治之。

戊戌，米洞蛮田先什用等结十二洞蛮寇长阳县，湖广行省遣九姓长官彭忽多布哈招之。田先什用等五洞降，馀发兵讨之。

修夏津、武城河堤二十三所，役丁万七千五百人。

以虞集为翰林学士兼国子祭酒。集尝因讲罢，论京师恃东南海运，实竭民力以航不测，非所以宽远人而因地利也。乃与同列上言："京师之东，濒海数千里，北极辽海，南滨青齐，萑苇之场也，海潮日至，淤为沃壤。用浙人之法，筑堤捍水为田，听富民欲得官者，合其众，分授以地，官定其畔以为限，能以万夫耕者，授以万夫之田，为万夫之长，千夫、百夫亦如之，察其惰者而易之。一年勿征也，二年勿征也，三年视其成，以地之高下定额于朝廷；以次渐征之，五年有积蓄，命以官，就所储，给以禄；十年佩之符印，得以传子孙，如军官之法。则东方民兵数万，可以近卫京师，外御岛夷，远宽东南海运以纾疲民，遂富民得官之志而获其用，江海游食盗贼之类，皆有所归。"议者以为一有此制，则执事者必以贿成而不可为，事遂寝。其后海口万户之设，大略宗之。

五月，乙巳，修镇雷佛事三十一所。

罢造福建岁贡蔗糖。

禁西僧驰驿扰民，始从李昌奏也。

甲寅，八百媳妇蛮遣子来朝。

甲子,中书会岁钞出纳之数,请节用以补不足,从之。

监察御史劾宣抚使多尔济巴勒、学士李达喇哈、刘绍祖庸鄙不胜任。中书议:"三人皆勋旧子孙,罪无实状,乞复其职,仍敕宪台勿以空言妄劾。"从之。

丁卯,岑世兴及镇安路岑修文合山獠、角蛮六万馀人为寇,命湖广、云南行省招谕之。

遣指挥使乌图曼镌西番咒语于居庸关崖石。

庚午,乞住招谕永明县五洞猺来降。

征处士札实至上都。札实,其先大食国人,后家于真定,博极群籍,见诸践履,皆笃实之学。延祐初,诏以科举取士,有劝其就试者,札实不应;既而侍御史郭思贞,翰林学士刘赓,参知政事王士熙,交章论荐,及是以遗逸征,见帝于龙虎台,眷遇优渥。时都尔苏柄国,西域人多附焉,札实独不往见,都尔苏屡使人招致之,即以养亲辞归。

六月,癸酉朔,以图哈特穆尔为四川行省平章政事;请终母丧,从之。

癸未,播州蛮黎平爱复叛,合谢乌穷为寇,宣抚使杨雅尔布哈招平爱出降。乌穷不附,命湖广行省讨之。

丁酉,遣道士吴全节修醮事于龙虎、三茅、阁皂三山。

戊戌,遣使祀解州盐池神。

中书省臣言:"比来郡县旱蝗,臣等不能调燮,故灾异降戒。今当恐惧修省,力行善政,亦冀陛下敬慎修德,悯恤生民。"帝嘉纳之。

己亥,纳皇姊嘉宁公主之女于中宫。

道州路栎所源猺为寇,命奇珠督兵捕之。

大昌屯河决。

秋,七月,甲辰,车驾发上都,禁车骑践民禾。

造豢豹毡车三十两。

丙午,享太庙。

丁未,绍庆酉阳寨冉世昌及何惹洞蛮为乱。

甲寅,幸大(乾)〔元〕符寺,敕铸五方佛铜像。

乙卯,诏翰林侍讲学士阿噜卫、直学士雅克齐译《世祖圣训》,以备经筵进讲。

戊午,遣日本僧瑞兴等四十人还国。

作别殿于潜邸。

敕:"入粟拜官者准致仕铨格。"

乙丑,发兵修野狐、色泽、桑乾三岭道。

戊辰,太白经天。

河决郑州阳武县,漂万六千五百馀家,赈之。

大同浑源河溢;檀、顺等州两河决,温榆水溢。

八月,甲戌,乌伯都拉、许师敬,并以灾变饥歉乞解政柄,不允。

甲申,享太庙。

长春宫道士蓝道元,以罪被黜。诏:"道士有妻者悉给徭役。"

宁远州洞蛮刁用为寇,命云南行省备之。

辛卯,云南行省丞相伊尔吉岱,廉访副使萨图济岱,以使酒相(抵)〔诋〕,状闻,诏两释之。

甲午,以灾变罢猎,罢行宣政院及功德使,免武备寺逋负兵器。

辛丑,帝次中都。

(盝)〔鹿〕顶殿成。

户部尚书郭良坐赃免。

作天妃宫于海津镇。

诏谕廉州蜑户复业。

盐官州大风,海溢,坏堤防三十馀里,遣使祭海神,不止,徙民居千二百五十家。

大都昌平大风,坏居民九百家。

扬州、崇明州大风雨,海水溢,溺死者给棺敛之。

九月,庚申,帝还大都。

壬戌,以察纳领度支事。

(癸亥)〔戊辰〕,中书省言:"今国用不给,陛下当法世祖之勤俭以为永图。臣等在职,苟有滥承恩赏者,必当回奏。"帝嘉纳之。

汾州平遥县汾水溢。

冬,十月,辛未朔,发卒四千治通州道。

庚辰,享太庙。

辛巳,天寿节,遣道士祀卫辉太一万寿宫,敕中书省遣官从行,备供亿。

癸未,河水溢汴梁路,乐利堤坏,役丁夫六万四千人筑之。

京师饥,发粟八十万石,减价粜之。

赐大天源延(寿)〔圣〕寺钞二万锭,吉安、临江二路田千顷。

中书省言:"养给军民,必藉地利。世祖建大宣文弘教等寺,赐永业,当时已号虚费。而成宗复构天寿万宁寺,较之世祖,用增倍半。若武宗之崇恩福元,仁宗之承华普庆,租榷所入,抑又甚焉。英宗凿山开寺,损兵伤农,而卒无益。夫土地祖宗所有,子孙当共惜之。臣恐兹后藉为口实,妄兴工役,微福利以逞私欲,惟陛下察之。"帝嘉纳焉,然不能用也。

江西行省平章巴延迁河南行省平章政事。旧有赐田五千顷在河南,以二千顷奉帝师祝釐,八百顷助给宿卫,自取不及其半。

十一月,庚子〔朔〕,陕西行台中丞姚炜,请集世祖嘉言善行,以时省览,从之。

宣抚使玛谟哈、李让劾浙西廉访使鄂勒哲布哈受贿,对簿不服,诏遣刑部郎中索珠鞫其侵(夺)〔辱〕使者,笞之。

赈辽阳等路饥。

癸卯,中书省言西僧每假元辰疏释重囚,有乖政典,请罢之,诏:"自今当释者,令宗正府审覆。"

己酉,作鹿顶棕楼。

辛亥,追复前平章政事李孟官。

乙卯,广西透江(国)〔团〕猺为寇,宣慰使迈努谕降之。扶灵、青溪、栎头等洞蛮为寇,湖南道宣慰司遣使谕降之。

戊午,造中统、至元钞各十万锭。

封诸王特穆尔布哈为镇南王,镇扬州。

播州蛮宋王保来降。

己巳,徙上都清宁殿于巴伊勒行宫。

锦州水溢,坏田千顷,漂死者百人,人给钞一锭。崇明州海溢,漂民舍五百家,赈粮一月,死者钞二十贯。

十二月,壬午,监察御史贾垕,请祔武宗皇后于太庙,不报。

敕以来年元夕构灯山于内庭,御史赵师鲁以水旱请罢其事,从之。

丙戌,以回回阴阳家言天变,给钞二千锭,施有道行者及乞人、系囚,以禳之。

丁亥,宁夏路地震,有声如雷,连震者四。

庚寅,赦天下。

左丞相都尔苏与平章政事额卜德呼勒,以私意欲因赦酬累朝贾胡所献诸物之直,及擢用英庙至今为宪台夺官者,以诏稿示左司都事宋本,本曰:“今警灾异而畏献物未酬直者愤怨,此有司细故,形诸王言,必贻笑天下。司宪褫有罪者官,世祖成宪也。今上御位,累诏法世祖,今擢用之,是废成宪而反汗前诏也。后复有邪佞赃秽者,将治之耶,置不问耶?”明日,宣诏竟,本遂称疾不出。

召江浙行省右丞赵简为集贤大学士,领经筵事。

癸巳,作(盂)〔鹿〕顶殿。

己亥,命帝师修佛事,释重囚三人。

置大承华普庆寺总管府。

御史言:“比年营缮,以卫军供役,废武事不讲,请遵世祖旧制,教习五卫亲军,以备扈从。”不报。

是岁,亳州河溢,漂民舍八百馀家,坏田二千三百顷,免其租。大宁路大水,坏田五千五百顷,漂民舍八百馀家。死者人给钞一锭。

泰定四年 【丁卯,1327】 春,正月,乙巳,御史台请亲祀郊庙。先是监察御史赵师鲁,以大礼未举,言:“天子亲祀郊庙,所以通精诚,逆福釐,生蒸民,阜万物,百王不易之礼也。宜讲求故事,对越以格纯嘏。”至是台臣复以为言,帝曰:“朕遵世祖旧制,其命大臣摄之。”

庚寅,监察御史辛钧,言西商鬻宝,动以数十万锭,今水旱民贫,请节其费,不报。

壬子,以中政院金银铁冶归中书。

甲寅,鹰师托克托病,赐钞千锭。

戊午,命市珠宝首饰。

庚申,皇子允坦藏布受佛戒于智泉寺。

盐官州海水溢,坏捍海堤二千馀步。

丁卯,浚会通河。筑漷州护仓堤,役丁夫三万人。

赈辽阳诸路饥。

辛未,祀先农。

二月,甲戌,祭太祖、太宗、睿宗御容于大承华普庆寺,以翰林院官执事。

乙亥,亲王额森特穆尔出镇北边。

壬午,狩于漷州。

丙戌,诏同签枢密院事雅克特穆尔教阅诸卫军。

戊子,进袭封衍圣公孔思晦阶嘉议大夫。时山东廉访副使王鹏南,言思晦袭爵上公而阶止四品,于格弗称,且失尊崇之意,故有是命。

思晦以宗祀责重,恒惧弗胜,每遇祭祀,必敬必慎。先是庙毁于兵,后虽苟完,而角楼围墙未备,思晦竭力营度以复其旧;金丝堂坏,一新之,祭器礼服,悉加整饬。又以尼山乃毓圣之地,有庙已毁,民冒耕田且百年,思晦复其田,(里)〔且〕请置尼山书院以列于学官,朝廷从之。三氏学旧有田三千亩,占于豪民,子思书院旧有营运钱万缗,贷于民,取子钱以供祭祀,久之民不输子钱,并负其本,思晦皆理而复之。五季时,孔末之后方盛,欲以伪灭真,害宣圣子孙几尽,至是其裔复欲冒称宣圣后。思晦以为:"不早辨,则真伪久益不可明,彼与我不共戴天,乃列于族,与共拜殿庭,可乎?"遂会族人,稽典故,斥之。既又重刻宗谱于石,而孔氏族裔益明。

庚寅,八百媳妇蛮酋来献方物。

三月,辛丑,皇子允坦藏布出镇北边。

以纳哈齐为惠国公,商议内史府事。

癸卯,和宁地震,有声如雷。

丙午,廷试进士,赐阿拉齐、李黼等八十五人及第、出身。

潮州路判官钱珍,挑推官梁楫妻刘氏,不从,诬楫下狱,杀之。事觉,珍饮药死,诏戮尸传首。海北廉访副使刘安仁,坐受珍赂除名。

庚申,遣使往江南求奇花异果。

辛酉,召翰林学士承旨张珪,集贤大学士廉恂,太子宾客王毅,悉复旧职,陕西行台中丞敬俨为集贤大学士,并商议中书省事。珪(乃)〔仍〕预经筵事。遣使召俨,俨令使者先返,而挈家归易水。

壬戌,帝如上都。

浑河决,发军民万人塞之。

夏,四月,辛未,盗入太庙,窃武宗金主及祭器。以典守宗庙不严,罢太常礼仪院官。壬申,作武宗主。

太常博士东明李好文言:"在礼,神主当以木为之,金玉祭器,宜贮之别室。"又言:"祖宗建国以来七八十年,每遇大礼,皆临时取具,博士不过循故应答而已。往年有诏为《集礼》,而乃令各省及各郡县置局纂修,宜其久不成也。礼乐自朝廷出,郡县何有哉!"白长院者,选僚属数人,乃请出架阁文牍以资采录,三年书成,凡五十卷,名曰《太常集礼》。

甲戌,作棕毛鹿顶楼。

己卯,道州永明县猺为寇。

癸未,盐官州海水溢,侵地十九里,命都水少监张仲仁及行省官发工匠二万馀人,以竹落木栅实石塞之,不止;寻命天师张嗣成修醮禳之。

癸巳,高州猺寇电白县,千户张额力战,死之。邑人立祠,敕赐额曰旌义。

乙未,祭星于回回司天台。

湖广猺寇泉州义宁属县,命守将捕之。

赈河南、奉元诸路饥。

五月,己未,占城来贡。

丁卯,罢诸王分地州县长官世袭,俾如常调官,以三载为考。

元江路总管普双坐赃免,遂结蛮兵作乱,敕复其旧职。未几,复叛。

是月,睢州河溢;卫辉路大风九日,(木)〔禾〕尽偃;河南路洛阳县有蝗四五亩,群鸟食之既,数日蝗再集,又食之。

六月,辛未,翰林侍讲学士阿噜卫、直学士雅克齐等进讲,仍命译《资治通鉴》以进。

中书参知政事史惟良请解职归养,不允。

都尔苏等以灾变乞罢,诏留之。罢两都营缮工役;录诸郡系囚。

辛巳,造象舆六乘。

甲申,广西花脚蛮为寇,命所部讨之。

乙未,汴梁路河决。

秋,七月,己亥,御史台言内郡、江南旱、蝗洊至,非国细故,丞相达实特穆尔、都尔苏,参知政事布哈、史惟良,参议迈努,并乞解职。帝曰:“朕当自徼,卿等亦宜各钦厥职。”

修大明殿。

建横渠书院于郿县,祀宋儒张载。

丁未,敕:“经筵讲读官,非有代不得去职。”

诏谕宗正府,决狱遵世祖旧制。

庚戌,遣翰林侍读学士阿鲁卫还大都,译《世祖圣训》。

乙丑,周王和实拉及诸王雅济格台等来贡,赐金银、钞币有差。

是月,云州黑水河溢。

八月,戊辰,滹沱河水溢,发丁浚冶河以杀其势。

奉元路治中单鹄,言令民采捕珍禽异兽不便,请罢之,敕:“应猎者其捕以进。”

乙亥,苗人寇李陁寨,命湖广行省捕之。

庚辰,运粟十万石贮濒河仓,备内郡饥。

田州洞猺为寇,遣湖广行省捕之。

壬辰,御史李昌,言河南行省平章政事童童,世官河南,大为奸利,请徙它镇,不报。

癸巳,谥武宗皇后曰宣慈惠圣,英宗皇后曰庄静懿圣,升祔太庙。

发卫军八千,修白浮、瓮山河堤。

是月，崇明州海门县海水溢，扶沟、兰阳二县河溢，没民田庐，并赈之。通渭县山崩。碉门地震，有声如雷，昼晦。天全道山崩，飞石毙人。凤翔、兴元、成都、峡州、江陵地同日震。

九月，丙申朔，日有食之。

敕："国子监仍旧制岁贡生员业成者六人。"

禁僧道买民田，违者坐罪，没其直。

壬寅，宁夏地震。

甲子，御史言广海古流放之地，请以职官赃污者处之以示惩戒，从之。

帝特署敬俨为中正院使，复遣使召之，乃舆疾入见，赐食慰劳，亲为差吉日视事，朝会日无下拜。是月，拜中书平章政事，复以老疾辞，不从。

闰月，己巳，太白经天。

帝至自上都。壬申，以灾变赦天下，诏问所以弭灾者。礼部尚书曹元用，言"应天以实不以文，修德明政，应天之实也。宜撙浮费，节财用，选守令，恤贫民，严裸祀，汰佛事，止造作以纾民力，慎赏罚以示劝惩"，皆切中时弊。又论科举取士之法，当革冒滥，严考核，俾得真才之用。

广西两江猺为寇，命所部捕之。

甲戌，命祀天地，享太庙，致祭五岳、四渎、名山、大川。

赈建昌诸路饥。

冬，十月，丙申，享太庙。

己亥，御史德珠请择东宫官。

己酉，以治书侍御史王士点为参知政事。

癸丑，江浙行省左丞相托欢达喇罕，平章政事高昉，以海溢病民，请解职，不允。

丁巳，以御史中丞赵世延为中书右丞，以中书参议傅岩起为吏部尚书。御史韩镛言："吏部掌天下铨衡，岩起从吏入官，乌足知天下贤才！尚书三品秩，岩起累官四品，于法亦不得升。"制可。镛，济南人也。

壬戌，开南州土官阿只弄率蛮兵为寇，云南行省招捕之。

大都路诸州县霖雨，水溢，坏民田庐，赈粮二十四万九千石。

是月，中书平章政事致仕尚文卒，年九十二。追封齐国公，谥正献。文为刘秉忠所荐，受知世祖，历事五朝，才识弘远，尝曰："天下无难事，第恐处之失其要耳。"累召，必勇退。家居，缙绅造之，随其器量大小，必使受益。闻者称之。

十一月，丙子，平乐猺为寇，湖广行省督兵捕之。

辛卯，云南蒲蛮来附，置顺宁府宝通州庆甸县。

以岁饥，开内郡山泽之禁。

永平路饥，蠲其赋三年。

阳曲县地震。

十二月，庚子，发米三十万石赈京师饥。

定捕盗令，限内不获者，偿其赃。

癸(卯)〔丑〕,命中书右丞赵世延、参议韩让、左司郎中姚庸提调国子监。

乙卯,翰林学士承旨蔡国公张珪卒于家。

是岁,汴梁诸属县霖雨,河决。扬州路通州、崇明州大风,海溢。

平乐、梧州、静江诸猺并为寇,湖广行省督兵捕之。

前江南行台御史大夫哈喇托克托卒。延祐末,托克托为江西行省左丞相,英宗嗣位,召拜御史大夫。特齐尔先为大夫,阴忌之,奏改江南行台御史大夫;复嗾言者劾其擅离职守,将徙之云南,会特齐尔伏诛,乃解。家居不出者五年,及是卒。后追封和宁王,谥忠献。

托克托尝即宣德别墅延师以训子,乡人化之,皆向学。朝廷赐其精舍额曰景贤书院,为设学官。其没也,即于中祀焉。

前翰林学士承旨耶律希亮卒。希亮性至孝,困阨遐方,家赀散亡已尽,仅藏祖考画像,四时就(穷)〔穸〕庐陈列致奠,尽诚尽敬。朔漠之人,咸相聚来观,叹曰:"此中土之礼也!"虽疾病,不废书史。卒年八十一。追封漆水郡公,谥忠嘉。

【译文】

元纪二十一　起乙丑年(公元1325年)九月,止丁卯年(公元1327年)十二月,共二年有余。

泰定二年　(公元1325年)

九月,戊申朔(初一),将全国分成十八道,派遣使臣宣抚各地。

诏书说:"朕敬承洪大的基业,早晚小心谨慎,凡是用以把国家治理好的施政措施,全都遵从祖宗成法。过去屡次下诏告示天下百官,宣布施恩于民,减免赋税,审慎用刑,救济抚恤贫民,想与民众共享生活的快乐。还担心有关部门不能体察朕的心意,政事或有过错,恩泽未能普及,承旨宣恩者没有很好的安抚百姓,执行法律者失于纠察,致使我的百姓困苦重重,朕很是怜悯他们。现在派遣奉使宣抚百姓,分别前往各道,查问官吏的不法行为,询问百姓疾苦,审理沉积冤案,凡是可以兴利除害的事,均可便宜办理。凡有罪的官员,四品以上,停职申请听候处理,五品以下,就便处决。凡是政绩突出,以及隐居山丘园林而才能够得上辅佐朝廷、治理国家的人,都开列姓名上报朝廷。"

太史院使臣齐履谦到江西、福建宣抚,罢免贪官污吏四百多人,减免由于括算田地亩数不实而虚加的粮赋数万石,州、县有让先贤子孙充当房夫等役的,全部停止,把他们遣返回家。福建廉访司的职田,每亩每年交纳公粮三石,佃户不胜其苦,齐履谦命按标准赋税交纳,因此招来别人的怨恨,等到他回京,福建廉访司果然以别的事诬陷他。不久,诬陷齐履谦的人都因事免职,齐履谦才得清白,又担任太史院使。

因郡县发生饥荒,泰定帝下诏:"运大米十五万石,贮存于临近黄河的各粮仓,以备作救济用。仍旧命令有关部门设立义仓,招募富民捐粮买官,捐二千石,封官从七品,捐一千石,封官正八品,捐五百石,封官从八品,捐三百石,封官正九品,不愿做官的,表彰他们全家。"

己酉(初二),由海道运送江南粮食一百七十万石到京师。

癸丑(初六),泰定帝从上都回到京师。

甲寅(初七),朝廷禁止饥民结成扁担社,凡伤人者,打一百杖,并写成法令。

乙卯(初八),祭祀太庙。

己未(十二日),怀远大将军、来安路总管岑世兴上奏,声明自己不会造反,并请朝廷设置蒙古人和汉人的监贰官。泰定帝下优抚诏书同意他的意见。

丁丑(三十日),疏浚河间陈玉带河。

礼部员外郎元永贞上奏:"特克实弑上叛逆,皆由特们德尔开其祸端,请朝廷公开宣布其罪行,还应记录下来交付国史馆,作为臣子的警戒。"

汉中道文州久雨不停,山体崩塌。开元路三河水泛滥。

这年秋天,任命太子宾客曹元用为礼部尚书兼经筵官,到大朝会时,改为纠仪官,宣布收班的命令,使百官按顺序而退,而不会发生争门而出的混乱现象。又说太医、仪凤、教坊等官不应当与正班大臣同一序列,应当自成一行,以后都依此而行。当时宰相执政中有想停止科举的,曹元用认为国家文治的基础就在这里,怎么能停止呢!又有人想要减少太庙四时祭祀之制,只存冬祭,曹元用说:"禴祀烝尝,为四时之飨,不可缺一,这是经书中记载的最大的祭祀礼节,怎么能吝惜费用而废止礼仪呢?"

冬季,十月,戊寅朔(初一),张珪回保定上坟,因病辞职,未被允许。

岑世兴及其子特穆尔率众侵扰上林等州,朝廷命令招抚晓谕他们。

癸未(初六),任命都尔苏为御史大夫。

丁亥(初十),祭祀太庙。

翰林学士吴澄退休。原先吴澄因为自己关于太庙制度的建议未被接受,已有离职之意,适逢修纂《英宗实录》,命他总管这件事情。过了几个月,《英宗实录》修成,还没有向皇帝呈上,就称病不出,中书左丞许师敬奉皇帝之命在国史院赐宴招待,并转达朝廷挽留他的意思。宴会结束,吴澄立即出城,坐船而去。中书听到这个消息,派官员从驿道追赶,没有追上,只好返回,对泰定帝说:"吴澄是国家的名儒,对朝廷有过贡献,今日请老而归乡里,不忍心再劳累他,而应给予特殊的奖励。"泰定帝下诏加封他资善大夫,并赐给他两份金织文绮及钱钞五千贯。

乙未(十八日),皇后受佛戒于帝师。

丁酉(二十日),广西傜民首领何童投降,请求允许他守御边疆,为国家效力,朝廷同意了他的请求。

十一月,戊申朔(初一),周王和实拉派遣使者来进献豹子。

庚戌(初三),舒玛尔节因今年发生饥荒,请求停止皇后在上都的营建修缮工程,泰定帝同意。

宁珠因病请求免职,没有允许。

丙辰(初十),郭菩萨等服罪被杀,其党羽分别处以杖刑流放远方。

丁巳(十一日),泰定帝到大承华普庆寺,在影堂祭祀昭献元圣皇后,赏赐该寺僧人钱钞千锭。

岑世兴勾结八番蛮班光金等合兵攻打石头等寨,皇帝下诏调兵抵御。八番宣慰司官员因失职于防备而获罪。

庚申（十四日），日本商船前来贸易。当初，成宗皇帝派遣僧人出使日本，而日本人竟然不来。到此时已过了二十余年，才来开始贸易。

壬戌（十六日），泰定帝下诏，凡军民中要承袭官荫者，都由本籍官府勾画出宗支族谱关系，申请选授官职。

丙寅（二十日），都尔苏再次任中书左丞相、录军国重事。

都尔苏秘密独揽替皇帝起草命令之事，不让宫内外官员预先知道。监察御史赵师鲁上奏说："古代帝王在讲话之前，必定先在心中考虑成熟，再向众人咨询商议，最后和元老大臣一起做出决断，然后再付诸实行，没有只是出自权臣的意见，不听取众人谋划的道理。"没有得到答复。都尔苏虽然刚愎凶狠，也佩服监察御史赵师鲁敢于说话。

丁卯（二十一日），撤销蒙山银冶提举司，命瑞州路统领这项工作。

壬申（二十六日），诸王鄂尔多罕将追捕广西作乱傜民的情况奏报皇帝。泰定帝说："朕自即皇位以来，屡次下诏天下，要关心抚恤黎民百姓，只有广西傜民屡次叛乱，杀掠良民，所以命鄂尔多罕等领兵讨伐。现在听说到军前投降的甚多，应该更加推恩安抚他们。假若仍然不悔改，必加严兵追捕！"

常德路发生水灾，百姓饥荒，朝廷发粮救济他们。

十二月，戊寅（初二），任命达实特穆尔为中书右丞相、录军国重事，监修国史，封为蓟国公。

乙酉（初九），泰定帝又从帝师那里受佛戒。随即又因帝师的兄弟将到，下诏命中书省备羊、酒到郊外迎接慰劳。而帝师的哥哥就娶公主为妻，封为白兰王，赐给金印，发给乘驿站马匹的圆符。帝师的弟子赐号司空、司徒、国公，佩带金、玉印章的，前后相望。帝师的门徒，仗势欺人，气焰嚣张，蔓延到四方，为害不可胜言。

监察御史李昌上奏说："臣曾经过平凉府、静州、会州、定西州等地方，见到西番僧人佩带金字圆符，在路上接连不断，驰驱而行者有数百人，以至驿站房舍住不下，便借住民舍，于是强迫驱逐房中男子，奸污妇女。仅奉元一路，从正月到七月，西番僧人来往的就有一百八十五次，动用驿站马多达八百四十余匹，比起诸王、行省的使者来，十个中要多出六七个，驿站户无处控诉，检察官员也不敢过问。国家制作圆符，本来专供传送边防警报时急用，僧人因何事而动不动就佩带它？请求皇上更正僧人住驿馆的法令，而且令监察部门有权纠察。"当时人们认为是切中时弊的要论。

丁亥（十一日），修整鹿顶殿。

镇南王图布哈去世，朝廷派遣中书平章政事奈曼岱代理镇守他的辖地。

中书省上奏：山东、陕西、湖广地区和戎夷相接，请商议选派宗室前去镇守。泰定帝听从了这一建议。

宣布禁止方士用图谶隐语预言吉凶征兆，私自收藏图谶不交者加以罪罚。

京师盗贼众多。癸巳（十七日），达实特穆尔奏请处决重罪囚犯，增调巡逻士卒，并制定捕盗奖励办法。泰定帝听从了他的意见。

甲午(十八日),将张珪从保定召回京师。

壬寅(二十六日),中书左丞相赵简奏请在内地推行区田法,将宋朝董煟编写的《救荒活民书》颁发到各州县。

这一年,御河水泛滥。

广西溪洞地区,除岑世兴而外,其余各支徭民到处作乱,朝廷命行省督率所属部队加以讨捕。接着又派遣使臣奉诏分别告谕他们,徭民有的不服,有的投降,终究未能完全平定。

因为已故翰林学士布哈、中政使布延图、指挥使布延呼尔被特克实等囚禁致死,所以朝廷追赠给他们功臣称号和不同品级的勋爵谥号。

富珠哩翀以国子司业身份调任河南行省左右司郎中。行省丞相说:"我得到贤才辅佐了!"富珠哩翀说:"世祖皇帝创立的国法、制度都在,只要谨慎遵守它就足够了。譬如乘船,不是一个人的力量就能使之运行的。"富珠哩翀于是就打开堵塞的通道,兴利除弊,河南省务为之一新。

泰定三年　(公元 1326 年)

春季,正月,丙午(初一),播州宣慰使杨雅尔布哈招谕蛮人首领黎平庆等前来投降。

戊申(初三),元江路总管普双叛乱,朝廷命云南行省招抚追捕。

壬子(初七),封诸王宽彻布哈为威顺王,镇守湖广;封迈努为宣靖王,镇守益都。

将山东、湖广的官田赐给百姓耕种开垦,每人三顷,还发给耕牛、农具。

征召前翰林学士吴澄,吴澄不应召。

在松江设置都水庸田司,掌管江南河渠水利。

戊辰(二十三日),缅国发生内乱,派遣使者前来乞求援助。

安南国阮叩侵扰思明路,泰定帝命湖广行省督兵进行防备。

救济大都所属各县的饥荒。

二月,丁丑(初二),重赏征求能够首先告发图谋叛逆、厌魅之术的人,并定出奖赏的办法,告谕朝廷内外。

壬午(初七),广西全茗州土官许文杰率各支徭民叛乱,侵扰茗盈州,杀死知州事李德卿等人。朝廷命湖广行省督兵追捕他们。

丁亥(十二日),中书省大臣奏请停止讨伐徭民。泰定帝下诏命诸王鄂尔多罕等班师回朝,原先镇守戍卫地方的军队照旧留在原地。

甲午(十九日),修葺真定玉华宫。

丙申(二十一日),在卢师寺建造显宗神御殿,泰定帝赐匾额为大天源延寿寺。

泰定帝诏令用金粉书写西番文字的《藏经》。

戊戌(二十三日),爪哇国来进贡地方特产。

庚子(二十五日),任命通政院使察纳为中书平章政事。

甲辰(二十九日),泰定帝前往上都。

归德府所属县内黄河决口,百姓发生饥荒,朝廷进行救济。又对河间、建昌诸路饥荒进行救济。

三月,乙巳朔(初一),泰定帝因天不下雨而自我责备,命令审理处决重罪囚犯,派遣使臣分别祭祀五岳、四渎的神灵以及名山大川,和京师的寺庙道观。

丁未(初三),泰定帝诏令百官集体商议当前急需办的事情。中书省大臣等请求裁汰卫士,节制过分的赏赐,停止营建修缮,防备傜民侵扰,各寺庙、官署、采矿冶炼等事统归中书省管理。泰定帝均予同意。

壬子(初八),在司天台祭祀星辰。

癸丑(初九),八番岩霞洞蛮民前来投降,愿意每年交纳布二千五百匹。朝廷设置蛮夷官镇守,安抚百姓。

乙卯(十一日),再次禁止民间在丝织品上织绣龙纹图案。

五彩缝合锦　元

戊午(十四日),皇帝下诏安抚缅国。

甲子(二十日),朝廷命功德司检查一年修佛事数字,共一百二十七件。

丙寅(二十二日),翰林承旨阿林特穆尔、许师敬完成了翻译《帝训》的工作,改名为《皇图大训》。泰定帝下令把它授予皇太子。

辛未(二十七日),泉州百姓阮凤子作乱,攻陷城邑,军政、民政官员因失职于征讨而获罪。

癸酉(二十九日),怀王图卜特穆尔之子伊勒哲伯出生。

京畿之内、河北、山东各路发生饥荒。张珪应召晋见,泰定帝问他说:"卿来的时候,民间景况如何?"张珪说:"臣已老了,来往宾客很少,不知道远处的情况。保定、真定、河间,是臣的家乡,老百姓饥荒很严重。朝廷虽然拿出金钱布帛救济,但十分之五六的人没有得到好处。"泰定帝听了很难过,命令发粮救济。到此时,又下令减免这三路及济南等郡县百姓租税的一半。

夏季,四月,丙戌(十二日),镇安路总管岑修广遭到其弟岑修仁的攻击,来京告状,朝廷命湖广行省调查处理。

戊戌（二十四日），米洞蛮民田先什用等人联合十二洞蛮民侵扰长阳县，湖广行省派遣九姓长官彭忽多布哈前去招抚。田先什用等五洞投降，对其余五洞发兵讨伐。

修治夏津、武城黄河堤防二十三处，派民工一万七千五百人。

任命虞集为翰林学士兼国子祭酒。

虞集曾在经筵进讲之余，谈到京师依仗东南海运，实为耗费百姓财力物力而航行于祸害无法预测之中，这不是利用地利而使远方人民减轻负担的办法。于是与同朝官员上奏说："京师的东面，临海有数千里之广，北面远到辽海，南边滨临青齐，都是长芦苇的地方，海潮每天涌来，淤积成肥沃的土壤。采用浙江民众的办法，筑堤挡水为田，允许想做官的富民，召集民众，分别授以田地，由政府定出田界作为他们的区域，能够召集一万人的，分给他够万人耕种的田地，封他为万夫之长。能召集千人、百人的也照此办理。发现懒惰的就换掉他们。第一年不征税，第二年不征税，第三年时，根据收成情况，将地分成上下等级，由朝廷规定税额，按等次逐步征收。五年后，粮食有积蓄，就任命他为官，就其所储之粮，给以俸禄。十年授给符印，可以传给子孙，如同军官承袭之法。那么，东方这数万民兵，可以用来就近捍卫京师，外御海岛夷狄，放宽东南地方的海运，使疲乏的百姓得以宽松缓解，又遂了富民得官的志愿，用到了他们的力量。这样，在江海上的游民、盗贼也都有了归宿。"议论者认为一经有了这种制度，主事的必定要行贿才能成事，因此不便举办，事情就这样了结。后来设置海口万户，大体上就是依据虞集的意见。

五月，乙巳（初二），修镇雷佛事三十一所。

停止福建每年进贡蔗糖。

禁止西番僧人驰骋于驿站扰乱百姓，开始接受李昌的奏请。

甲寅（十一日），八百媳妇蛮派遣儿子前来朝见。

甲子（二十一日），中书省计算今年钱钞出纳数目，奏请节省钱财以弥补财用不足。泰定帝听从了他们的意见。

监察御史弹劾宣抚使多尔济巴勒、学士李达喇哈、刘绍祖平庸浅陋，不能胜任职务。中书省评论说："这三人都是功勋旧臣的子孙，并没有犯罪的真凭实据，请求恢复他们的职务，还应下诏给御史台，不要以空言任意弹劾。"泰定帝听从了这一意见。

丁卯（二十四日），岑世兴与镇安路岑修文联合山獠、角蛮六万余人作乱，朝廷命令湖广、云南行省进行招抚劝谕。

朝廷派遣指挥使乌图曼在居庸关的崖石上镌刻西番咒语。

庚午（二十七日），乞住（奇珠）招抚劝谕永明县五洞傜民前来投降。

征召处士札实到上都。

札实的祖先是大食国人，后来迁居于真定。他博览群书，并且见之于实践，都是讲求实际的学问。延祐初年，皇帝下诏举行科举考试，选拔人才，有人劝他应试，札实不去参加考试。不久，侍御史郭思贞，翰林学士刘赓、参知政事王士熙，一起上书推荐札实。到此时，札实以遗逸的身份接受征召，在龙虎台谒见泰定帝，受到特别的优待。这时都尔苏掌握朝廷大权，西域人多依附于他，只有札实不去拜见。都尔苏屡次派人去招他，札实就以奉养父母推辞归乡了。

六月,癸酉朔(初一),任命图哈特穆尔为四川行省平章政事。图哈特穆尔请求允许他为母守丧结束后再出仕,获准许。

癸未(十一日),播州蛮民黎平爱又叛变,联合谢乌穷作乱,宣抚使杨雅尔布哈招抚黎平爱出来投降。谢乌穷不肯归附,朝廷命湖广行省进行讨伐。

丁酉(二十五日),派遣道士吴全节到龙虎山、三茅山、阁皂山祭祀神灵。

戊戌(二十六日),派遣使臣祭祀解州盐池之神。

中书省大臣上奏:"近来郡县发生旱灾和蝗灾,臣等不能调和天时,所以上天降下灾异以示警诫。现在臣等心怀恐惧,自我反省,力行善政,也希望陛下严肃谨慎地治理德政,关心体恤生民百姓。"泰定帝高兴地采纳了他们的意见。

己亥(二十七日),泰定帝娶皇姐嘉宁公主之女为皇后。

道州路栎所源傜民作乱,朝廷命奇珠督兵剿捕。

大昌屯黄河决口。

秋季,七月,甲辰(初二),泰定帝的车驾卫队从上都出发回大都,下令禁止车马践踏百姓农作物。

建造养豹子的毡车三十辆。

丙午(初四),祭祀太庙。

丁未(初五),绍庆西阳寨冉世昌和何惹洞蛮民作乱。

甲寅(十二日),泰定帝游幸大元符寺,下令铸造五方佛铜像。

乙卯(十三日),泰定帝诏令翰林侍讲学士阿噜卫、直学士雅克齐翻译《世祖圣训》,以准备在经筵进讲时使用。

戊午(十六日),朝廷遣送日本僧人瑞兴等四十人回国。

在潜邸建造别殿。

泰定帝下令:"交粮食授给官职的人准许按退休的选授官职格式办。"

乙丑(二十三日),朝廷调发军队修筑野狐、色泽、桑乾三岭的道路。

戊辰(二十六日),太白星经过天空。

黄河在郑州阳武县决口,淹没一万六千五百余家,朝廷发粮救济。

大同浑源河泛滥;檀、顺等州两条河流决口,温榆河水泛滥。

八月,甲戌(初三),乌伯都拉、许师敬都以灾变饥歉请求解除职务,未获允准。

甲申(十三日),祭祀太庙。

长春宫道士蓝道元因犯罪被贬退。泰定帝下诏说:"道士有妻室的都要派给徭役。"

宁远州洞蛮民刁用作乱,朝廷命云南行省防备。

辛卯(二十日),云南行省丞相伊尔吉岱和廉访副使萨图济岱因酗酒相互诋毁,朝廷知道了这种情形,下诏书对两人进行劝解。

甲午(二十三日),因灾变停止围猎,撤销行宣政院和功德使司,免除武备寺欠交的兵器。

辛丑(三十日),泰定帝到中都。

户部尚书郭良因贪污被免职。

在海津镇建造天妃宫。

泰定帝下诏命廉州蜑户恢复采珠旧业。

盐官州刮大风,海水漫过堤岸,冲坏堤防三十多里,朝廷派遣使臣祭祀海神,大风水溢仍未止息,于是迁徙居民一千二百五十家。

大都昌平刮大风,毁坏居民九百家。

扬州、崇明州刮大风下大雨,海水泛滥,淹死者官府给棺材收敛埋葬。

九月,庚申(十九日),泰定帝回到大都。

壬戌(二十一日),任命察纳统领度支事。

戊辰(二十七日),中书省上奏:"现今国家财用不能自给,陛下应当仿效世祖皇帝的勤俭风尚作为永久之计。臣等在职,如果发现有无节制地冒领赏赐的,必当回奏给圣上。"泰定帝高兴地接受了这些意见。

汾州平遥县汾水泛滥。

冬季,十月,辛未朔(初一),朝廷派兵四千人修理通州道路。

庚辰(初十),祭祀太庙。

辛巳(十一日),为皇帝生日,派遣道士祭祀卫辉太一万寿宫,并命中书省派官员随行,准备提供用费。

癸未(十三日),黄河水泛滥汴梁路,乐利堤防被冲坏,役使民工六万四千人筑堤。

京师发生饥荒,朝廷拿出粟八十万石,减价卖出。

泰定帝赐给大天源延圣寺钱钞二万锭以及吉安、临江二路田地千顷。

中书省上奏:"供养军、民,必须凭借地利。世祖皇帝建造大宣文弘教等寺庙,赐给土地为永久的基业,当时已认为是浪费。而成宗皇帝又构筑天寿万宁寺,和世祖皇帝相比,费用增加了一倍半。像武宗皇帝建的崇恩福寺,仁宗皇帝建的承华普庆寺,所用租税和专卖的费用,恐怕就更多了。英宗皇帝凿山开寺,损兵伤农,而终究没有什么好处。土地本为祖宗所有,子孙都应珍惜它。臣恐怕以后借个口实,就胡乱兴建工程,动用劳役,借求福利于神灵而满足私欲。希望陛下鉴察。"泰定帝赞赏这一番话,然而却不能采用。

江西行省平章巴延迁任河南行省平章政事。巴延原来有赐田五千顷在河南,以二千顷奉献给帝师祝福,八百顷资助给宿卫,自己得到的不及一半。

庚子(三十日),陕西行御史台中丞姚玮,奏请收集世祖皇帝的嘉言善行,以便随时阅览。泰定帝听从了这个建议。

宣抚使玛谟哈、李让弹劾浙西廉访使鄂勒哲布哈受贿,受审不服。泰定帝下诏派刑部郎中索珠审讯他侵辱使者之罪,加以笞刑。

救济辽阳等路饥荒。

4906 十一月,癸卯(初三),中书省上奏说西番僧人常常借吉利的日子疏请释放重刑囚犯,这样做违背了国家法典,请禁止。泰定帝下诏:"从今以后应当释放的囚犯,由宗正府审察批复。"

己酉(初九),建鹿顶棕楼。

辛亥(十一日),恢复已故前平章政事李孟的官职。

乙卯(十五日),广西透江团傜民作乱,宣慰使迈努劝谕他们投降。扶灵、青溪、栎头等峒蛮作乱,湖南道宣慰司派遣使者劝谕他们投降。

戊午(十八日),印制中统、至元钞各十万锭。

册封诸王特穆尔布哈为镇南王,镇守扬州。

播州蛮民宋王保前来投降。

己巳(二十九日),把上都清宁殿迁到巴伊勒行宫。

锦州河水泛滥,冲坏田地千顷,淹死者百人,每人给钞一锭。崇明州海水泛滥,冲坏百姓房屋五百家,救济粮食一个月,死者给钞二十贯。

十二月,壬午(十二日),监察御史贾垕奏请把武宗皇后的神主迁于太庙。不予答复。

泰定帝下诏:明年元宵节在宫中构筑灯山。御史赵师鲁以水旱灾害严重,请求朝廷停办,泰定帝听从了这一建议。

丙戌(十六日),因回回阴阳家说天象将有变异,朝廷发给他钱钞二千锭,让他施舍给有道行的人及乞丐、在押的囚犯,以消除灾难。

丁亥(十七日),宁夏路发生地震,声响如雷,连震四次。

庚寅(二十日),大赦天下。

左丞相都尔苏和平章政事额卜德呼勒因私心想利用大赦的机会偿付列朝胡商所献宝物的价值,并提拔起用英宗以来被御史台治罪免职的官员。他们将诏书草稿给左司都事宋本,宋本说:"现在人们由于警惕灾异而害怕献宝物未获报偿的人怨愤,这都是有司经办的小事,但把这些事写进诏书,必定会贻笑天下。监察部门将有罪者罢官,这是世祖皇帝的成法。当今皇上即位以来,几次下诏书要效法世祖皇帝,现在要提拔被罢黜的人,这是废弃成法也违反了前诏。以后再有奸邪佞臣贪赃不廉洁之人,是将他治罪呢? 还是置之不问呢?"第二天,诏书宣读完毕,宋本便称病不出。

召江浙行省右丞赵简为集贤大学士,负责经筵进讲。

癸巳(二十三日),建鹿顶殿。

己亥(二十九日),泰定帝命帝师举行佛教仪式,释放重罪囚犯三人。

设立大承华普庆寺总管府。

御史上奏:"近年修建各种工程,都以侍卫亲军供差役,因而废弃了武事,不能进行军事训练,请遵守世祖皇帝的旧制,训练五卫亲军,为扈从皇帝出巡做好准备。"不回答。

这一年,亳州黄河泛滥,淹没百姓房屋八百余家,毁坏田地二千三百顷,朝廷免除他们的租税。大宁路发生大水,毁坏田地五千五百顷,淹没百姓房屋八百余家。淹死的人,每人给钱钞一锭。

泰定四年 (公元1327年)

春季,正月,乙巳(初五),御史台奏请皇帝亲自祭祀郊庙。原先,监察御史赵师鲁因没有举行祭祀大礼,上奏说:"天子亲自祭祀郊庙,是以此表达自己对上天和祖先的精诚,接受上天的福祉,使百姓生存,万物兴盛,这是历代帝王都不能改变的大礼啊。应该讲求过去的传统做法,使皇上德配于天以求得大福。"到此时御史台又以此上奏,泰定帝说:"朕遵从世祖皇帝的制度,那就任命大臣辅助我做好这件事情吧。"

庚戌(初十),监察御史辛钧上奏说:"西方商人出卖宝物,动辄数十万锭,现在水灾旱灾导致百姓贫穷,请节省买宝物的费用。"不答复。

壬子(十二日),将中政院金、银、铁冶炼的事务划归中书省办理。

甲寅(十四日),鹰师托克托病,泰定帝赐给他银钞千锭。

戊午(十八日),朝廷下令购买珠宝首饰。

庚申(二十日),皇子允坦藏布在智原寺接受佛教戒律。

盐官州海水泛滥,冲坏护海堤二千余步。

丁卯(二十七日),疏浚会通河。修筑潭州护仓堤坝,动用壮丁民夫三万人。

救济辽阳诸路饥荒。

二月,辛未(初二),祭祀先农。

甲戌(初五),在大承华普庆寺祭祀太祖、太宗、睿宗的御容,派翰林院官员去主持这件事。

乙亥(初六),亲王额森特穆尔去镇守北部边防。

壬午(十三日),泰定帝在潭州狩猎。

丙戌(十七日),泰定帝诏令同签枢密院事雅克特穆尔教练、检阅各禁卫亲军。

戊子(十九日),加袭封衍圣公的孔思晦为嘉议大夫。

当时山东廉访副使王鹏南上奏说:"孔思晦袭爵位为上公,而等级只有四品,于规格不相称,也有失于对孔门的尊崇之意。"所以有这一任命。

孔思晦因奉祀孔子责任重大,常担心不能胜任,每逢祭祀,必定肃敬谨慎。在此之前,孔庙毁于战乱,后来虽大致修复,但角楼、围墙尚未完备。孔思晦竭尽全力设法恢复孔府旧貌。损坏的金丝堂,修复一新,祭器礼服,全部加以整治完善。又因为尼山是圣人出生之地,原来的庙宇已经毁坏,百姓占地耕田已近百年,孔思晦收复了尼山庙田,并且请求设立尼山书院,把它列于学官管理,朝廷听从了他的意见。孔、孟、颜三氏学堂原有田产三千亩,被豪强之民强占。子思书院原有营运钱万缗,贷给百姓,收取利息以供祭祀之用,时间一久,百姓不但不交利息,连本钱也不认账。孔思晦都把它清理出来,恢复了借贷关系。五代时,孔末的后人正在鼎盛时期,想以假灭真,害得孔圣人的子孙几乎绝后,到此时,孔末的后代又想冒称孔圣人的后裔。孔思晦认为:"不及早辨别清楚,那么,时间愈久,真伪愈加难以辨明,他与我有不共戴天之仇,竟列于同族,与我共拜于殿庭,这可以吗?"于是就召集同族人,稽查典制和故实,将孔末的后裔排斥在外。接着又将宗谱重新刻在石碑上,从而孔氏一族的世系更加明了了。

庚寅(二十一日),八百媳妇蛮的首领来贡献地方物产。

三月,辛丑(初二),皇子允坦藏布去镇守北部边防。

任命纳哈齐为惠国公,商议内史府事。

癸卯(初四),和宁发生地震,声响如雷。

丙午(初七),泰定帝廷试进士,赐予阿拉齐、李黼等八十五人进士及第或进士出身。

潮州路判官钱珍挑逗推官梁楫的妻子刘氏,刘氏不从,钱珍便诬陷梁楫,将他关进监狱杀死。事情被发觉后,钱珍服毒自杀,泰定帝下诏斩钱珍之尸,将首级砍下传示四方。海北廉访副使刘安仁因受钱珍贿赂被除名。

庚申(二十一日),朝廷派遣使臣到江南搜求奇花异果。

辛酉(二十二日),朝廷召回翰林学士承旨张珪、集贤大学士廉恂、太子宾客王毅,全部恢复了他们的旧职;任命陕西行台中丞敬俨为集贤大学士,一并商议中书省的事情。张珪仍旧参与经筵进讲。朝廷派遣使臣召敬俨,敬俨让使臣先返回京城,而他自己却带着全家回到老家易水。

壬戌(二十三日),泰定帝前往上都。

浑河决口,调派军民万人堵塞河口。

夏季,四月,辛未(初三),盗贼进入太庙,偷走武宗皇帝的黄金牌位及祭祀用具。以管理、守卫宗庙不严,罢免太常礼仪院官员的职务。壬申(初四),制作武宗牌位。

太常博士东明人李好文上奏说:"按照礼仪来说,神主牌位应当用木质材料做成,金玉祭器,应贮存于另外的房间。"又说:"祖宗建国以来七八十年,每当举行重大典礼,都是临时取用祭祀用具,博士不过按照旧例应答言词而已。往年曾有诏书令编《集礼》,然而竟令各省及各郡县也设局纂修,旷日持久没有编成是必然的。礼乐都从朝廷出,郡县有什么呢!"他告诉太常礼仪院长官,选择僚属数人,并请求调出架阁文牍以供编书时采用。三年后书编成,共有五十卷,名为《太常集礼》。

甲戌(初六),建造棕毛鹿顶楼。

己卯(十一日),道州永明县傜民作乱。

癸未(十五日),盐官州海水泛滥,淹地九十里,朝廷命都水少监张仲仁和行省官员派调工匠二万余人,用竹篱木栅装满石块堵塞海水,没有堵住。不久,朝廷又命天师张嗣成设坛祭祀天神,禳除灾祸。

癸巳(二十五日),高州傜民侵扰电白县,千户张额奋力作战,死于战场。乡邑百姓为他立祠,泰定帝赐匾额曰:"旌义。"

乙未(二十七日),在回回司天台祭祀星辰。

湖广傜民侵扰全州属县和义宁县,朝廷命守将追捕。

救济河南、奉元路饥荒。

五月,己未(二十一日),占城国来进贡。

丁卯(二十九日),停止诸王领地内州县长官的世袭制度,使他们和常调官一样,三年考绩一次。

元江路总管普双因犯贪赃罪免职,于是勾结蛮兵作乱。泰定帝下诏恢复他的官制。不久,他又叛变了。

这一月,睢州黄河泛滥。卫辉路连刮九天大风,禾苗全都倒伏。河南路洛阳县有蝗虫集聚在四五亩田中,群鸟将它们吃光了。过几天蝗虫再次集聚,群鸟又吃了它们。

六月,辛未(初四),翰林侍讲学士阿噜卫、直学士雅克齐等向皇帝进讲,又命其翻译《资治通鉴》进献给皇上。

中书参知政事史惟良奏请辞职回家,不许。

都尔苏等因天灾请求免职,泰定帝下诏挽留。停止两都营缮工役。审查诸郡囚犯有无冤屈。

辛巳(十四日),造大象挽拉的车舆六乘。

甲申(十七日),广西花脚蛮民作乱,泰定帝命广西所属部队进行讨伐。

乙未(二十八日),汴梁路黄河决口。

秋季,七月,己亥(初三),御史台上奏说:"内地郡县和江南再次发生旱灾、蝗灾,这不是国家的小事。"丞相达实特穆尔、都尔苏,参知政事布哈、史惟良,参议迈努都请求解职。泰定帝说:"朕当自我戒备,卿等也应各自敬守自己的职责。"

修建大明殿。

在郿县修建横渠书院,祭祀宋代儒士张载。

丁未(十一日),泰定帝下诏:"经筵讲读官,除非安排了替代的人,否则不得离职。"

泰定帝下诏告谕宗正府,判决案件要遵从世祖皇帝旧制。

庚戌(十四日),派遣翰林侍读学士阿鲁卫回大都,翻译《世祖圣训》。

乙丑(二十九日),周王和实拉和诸王雅济格台等前来进贡,泰定帝分别赐给他们金、银、钞、币。

这一月,云州黑水河泛滥。

八月,戊辰(初二),滹沱河水泛滥,朝廷征发丁役疏浚治河,以减弱滹沱河的水势。

奉元路治中单鹄上奏说:"让百姓采捕珍禽异兽不方便,请求停止。"泰定帝下诏说:"应该猎获的,把它们捕了进献。"

乙亥(初九),苗人侵扰李陀寨,朝廷命湖广行省追捕他们。

庚辰(十四日),朝廷运送粮食十万石贮存于黄河沿岸粮仓,以准备内地饥荒时作救济用。

田州洞傜民作乱,朝廷命湖广行省追捕。

壬辰(二十六日),御史李昌上奏说:"河南行省平章政事童童,世代在河南做官,做了很多不法的事情以谋取私利,请求将他迁往他镇。"不予答复。

癸巳(二十七日),加封武宗皇后谥号为宣慈惠圣,英宗皇后为庄静懿圣,神主迁入太庙合享祭祀。

朝廷派遣禁卫军八千,修筑白浮、瓮山河堤。

这一月,崇明州海门县海水泛滥,扶沟县、兰阳县河水泛滥,淹没了百姓田产房屋,一并给予救济。通渭县发生山崩。硐门发生地震,响声如雷,白天变得昏暗。天全道发生山崩,飞石砸死了人。凤翔、兴元、成都、峡州、江陵地区同日发生地震。

九月,丙申朔(初一),出现日食现象。

泰定帝下诏:"国子监仍按过去规定每年选拔生员中修业完成的人六名。"

禁止僧人道士购买百姓田产,违者有罪,并没收他的买地钱。

壬寅(初七),宁夏发生地震。

甲子(二十九日),御史上奏说:"广海是古代流放犯人的地方,请将犯有贪污罪的官员流放到那里,以示惩戒。"朝廷采纳了这一建议。

泰定帝特意安排敬俨为中正院使,又派遣使臣召他进宫,敬俨便带病乘舆入见。泰定帝赐给他食物,以示慰劳,并亲自为他选择吉日办理公事。朝会时,敬俨可不下拜。这一月,敬俨官拜中书平章政事,又以年老多病为由推辞。未被允许。

闰九月,己巳(初四),太白星经过天空。

泰定帝从上都回到大都。壬申(初七),因灾变大赦天下,下诏寻问消除灾祸的办法。礼部尚书曹元用上奏说:"顺应天意应该以实际行动而不应该以空洞文辞,修德行明政刑,这就是顺应天意的实际行动。应该抑制虚浮的费用,节省财政开支,选拔合格的地方官员,抚恤贫苦的百姓,严格祭祀,减少佛事,停止建造制作以宽纾民力,慎用赏罚以示劝善惩恶。"这都是切中时弊的意见。又论及科举取士的办法,认为应当革除冒充和过滥的弊端,严格考核制度,使科举能选出真才实学之人供国家使用。

广西两江傦民作乱,朝廷命广西所属部队追捕。

甲戌(初九),泰定帝下令祭祀天地,祭飨太庙,并派人祭祀五岳、四渎、名山、大川。

救济建昌诸路饥荒。

冬季,十月,丙申(初二),祭祀太庙。

己亥(初五),御史德珠奏请选择东宫太子的属官。

己酉(十五日),任命治书侍御史王士点为中书省参知政事。

癸丑(十九日),江浙行省左丞相托欢达喇罕、平章政事高昉因海水泛滥,百姓受难,请求解除职务。不予允准。

丁巳(二十三日),任命御史中丞赵世延为中书右丞,中书参议傅岩起为吏部尚书。

御史韩镛上奏说:"吏部掌管天下官员的铨选,傅岩起从吏入官,怎么能充分了解天下的贤德之才! 尚书是三品俸禄,傅岩起累官为四品,从法规上讲也不能升迁。"泰定帝认可他的意见。韩镛是济南府人。

壬戌(二十八日),开南州土官阿只弄率领蛮兵作乱,云南行省招安、追捕他们。

大都路诸州县连日下大雨,雨水泛滥,冲坏百姓田地房屋,朝廷救济粮食二十四万九千石。

这一月,退休的中书平章政事尚文去世,享年九十二岁。追封齐国公,谥号正献。

尚文原为刘秉忠推荐,受到世祖皇帝的赏识,从政历经五朝。他的才能和见识都很弘大深远,曾说:"天下无难事,就怕处理时不能抓住要害。"屡次征召,都急流勇退。居家时,士大夫上门拜访,他都根据来访者度量的大小,一定让他得到益处。听到这些情况的人都称赞他。

十一月,丙子(十二日),平乐傜民作乱,湖广行省督率军队剿捕。

辛卯(二十七日),云南蒲蛮前来归附,在当地设置顺宁府宝通州庆甸县。

因本年发生饥荒,解除内地山林河湖的禁令。

永平路发生饥荒,朝廷免除当地田赋三年。

阳曲县发生地震。

十二月,庚子(初六),调拨三十万石大米救济京师饥荒。

制定追捕盗贼的法令,凡在限期内抓不到盗贼的,就要偿还强盗的赃物。

癸卯(初九),命中书右丞赵世延、参议韩让、左司郎中姚庸提调国子监。

乙卯(二十一日),翰林学士承旨蔡国公张珪在家中去世。

这一年,汴梁所属各县久雨不停,黄河决口。扬州路通州、崇明州刮大风,海水泛滥。

平乐、梧州、静江各地傜民一起作乱,湖广行省督率军队剿捕。

前江南行台御史大夫哈喇托克托去世。

延祐末年,托克托任江西行省左丞相,英宗即位,召他入朝,任御史大夫。特齐尔先他为御史大夫,暗中对托克托很忌妒,上奏将他改任江南行台御史大夫;又恐惠别人弹劾他擅离职守,将要远徙他到云南,恰好特齐尔因罪处死,才得解脱。从此居家五年不出,到此时去世。后追封他为和宁王,谥号忠献。

托克托曾在宣德别墅请教师教子,乡人受到感化,都问师求学。朝廷赐给他学舍匾额为景贤书院,并为之设置学官。他死后,就在书院中祭祀他。

前翰林学士承旨耶律希亮去世。

耶律希亮生性至孝,因穷困受阻于远方,家资散失已尽,仅留下祖父辈的遗像,一年四季就在毡帐中陈列祭奠,至诚至敬。北方荒漠中的人们都相聚前来观看,他们感叹说:"这是中原地区的礼仪啊!"耶律希亮虽身有疾病,仍不废弃对经书史书的学习。去世时八十一岁。朝廷追封他为漆水郡公,谥号忠嘉。

续资治通鉴卷第二百四

【原文】

元纪二十二　起著雍执徐【戊辰】正月，尽十二月，凡一年。

泰定帝

致和元年　【戊辰，1328】　春，正月，甲戌，享太庙。

命绘《蚕麦图》。

乙亥，诏："百司凡不赴任及擅离职者，夺其官；避差遣者，笞之。"

监察御史邹惟亨言："时享太庙，三献官旧皆勋戚大臣，而近以户部大臣为亚献，人既疏远，礼难严肃。请仍旧制，以省、台、枢密、宿卫重臣为之。"

丁丑，颁《农桑旧制》十四条于天下，仍厉有司以察勤惰。

帝将畋柳林。己卯，御史王献等以岁饥谏，帝曰："其禁卫士毋扰民家，命御史二人巡察之。"

占城来贡方物，且言为交趾所侵，诏谕解之。

禁僧道匿商税。

辛巳，静江猺寇灵川、临桂二县，命广西招讨之。

戊子，罢河南铁冶提举司归有司。

大都及河间、大名诸路饥，赈之。

二月，庚申，诏改元致和。

免河南自实钱粮一年，被灾州郡税粮一年，流民复业者差税三年，疑狱系三年不决者咸释之。

癸亥，解州盐池黑龙堤坏，调番休盐丁修之。

赈陕西诸路饥。

三月，庚午，云南安龙寨土官岑世忠与其弟世兴相攻，籍其民三万二千户来附，岁输布三千匹，请立宣抚司以总之，不允。置州一，以世兴知州事，知县二，听世忠举用。仍谕其兄弟共处。

达实特穆尔、都尔苏，言灾异未弭，由官吏以罪黜罢者怨怫所致，请量才叙用，从之。

辛未，大天源延(寿)〔圣〕寺显宗神御殿成，置总管府以司财用。

己卯，帝御(圣教)〔兴圣〕殿受无量佛戒于帝师。庚辰，命僧千人修佛事于镇国寺。

甲申，遣户部尚书李嘉努往盐官祀海神，仍集议修海岸。丙戌，帝师命僧修佛事于盐官州，造浮屠二百一十六，以厌海溢。

帝畋于柳林，以疾还宫。时签书枢密院事雅克特穆尔兼总环卫，以帝在位五年，根本未固，而都尔苏狡愎自用，人心不附，遂谋立武宗之子以徼大功。诸王〔满〕图、阿穆尔台、太常礼仪使噶海齐、宗正达噜噶齐库库楚等亦与雅克特穆尔谋曰："主上之疾日臻，今将往上都，如有不讳，吾党扈从者执诸王大臣杀之，居大都者即缚大都省台官，宣言太子已至，正位宸极，传檄守御诸关，则大事济矣。"

戊子，帝如上都，满图、库库楚等扈从，西安王喇特纳实哩居守，雅克特穆尔亦留京师。

赈河南、四川饥。

夏，四月，丙申，钦州猺黄焱等为寇，命湖广行省备之。

己亥，达实特穆尔、都尔苏请凡蒙古、色目人效汉法丁忧者除其名，从之。

己酉，御史杨倬等以民饥，请分僧道储粟济之，不报。

戊午，禁伪造金银器。

是月，崇明州大风，海溢。

五月，甲子，遣官分护流民还乡，仍禁聚至千人者杖一百。

丙寅，广西普宁县僧陈庆安作乱，僭号，改元。

癸酉，籍在京流民废疾者，给粮遣还。

大理怒江(匋)〔甸〕土官阿哀你寇乐辰诸寨，命云南行省督兵捕之。

庚辰，有流星大如缶，其光烛地。

秋，七月，辛酉朔，宁夏地震。

庚午，帝崩于上都，年三十六。葬起辇谷。

帝在位，灾异数见，然能守祖宗之法，天下号称治平。

己卯，大宁路地震。

乙酉，皇后、皇太子降旨谕安百姓。

雅克特穆尔闻帝崩，谋于西安王喇特纳实哩，阴结勇士。八月，甲午，黎明，百官集兴圣宫，雅克特穆尔率阿喇特穆尔、佛伦齐等一十七人，兵皆露刃，号于众曰："武宗皇帝有子二人，大统所在，当迎立之，敢有不顺者斩！"乃手缚平章政事乌巴图尔、巴延彻尔，分命勇士执中书左丞托多、参知政事王士熙、参议托克托、吴秉道、侍御史特默格、邱世杰、太子詹事丞王桓等，皆下狱。雅克特穆尔与西安王入守内庭，分处腹心于枢密，自东华门夹道重列军士，使人传命往来其中，以防泄漏。于是籍府库，录符印，召百官入内听命。时周王和实拉方远在沙漠，猝未能至，虑(他生)〔生他〕变，乃遣前河南行省参政明埒栋阿、前宣政使达里玛实勒，驰驿迎怀王图卜特穆尔于江陵，密以意谕河南行省平章政事巴延，令简兵以备扈从。

是日，推前湖广行省左丞相拜布哈为中书左丞相，太子詹事塔斯哈雅为中书平章政事，前湖广行省右丞苏苏为中书左丞，前陕西行省参知政事王布璘济达为枢密副使，与中书右丞赵世延、翰林学士承旨伊勒齐、通政院使达什分典机务。调兵守御关要，以诸卫兵屯京师，出府库犒军士。诸卫军无统属者，又有谒选及罢退军官，皆给之符牌以待调遣，既受命，未知所谢，乃指使南向拜，众皆愕然，始知有定向。

雅克特穆尔直宿禁中，达旦不寐，一夕或再徙，人莫知其处。弟萨敦、子腾〔斯吉〕〔吉斯〕，时留上都，密遣达实特穆尔召之，皆弃其妻子来归。

乙未，调诸卫兵守居庸关及卢儿岭。丙申，遣左卫率使图噜将兵屯白马甸，隆镇卫指挥使鄂图曼将兵屯泰和岭。丁酉，发中卫兵守迁民镇，又遣萨里布哈等往江陵趣怀王早发，且令达实特穆尔矫为使者自南来，言怀王已次近郊，使民无惊疑。

戊戌，征宣靖王〔迈奴、诸王〕雅克布哈于山东。

己亥，征兵辽阳。

明埓栋阿等至汴梁，以其谋密告巴延，巴延曰：“此吾君之子也。”即集僚属，告以故。于是会计仓廪府库谷粟金帛之数，乘舆供御牢饩膳羞、徒旅委积士马刍粮供亿之须，以及赏赉犒劳之用，靡不备至；不足，则檄州县募民折输明年田租及贷商人货资，约倍息以偿；又不足，则邀东南常赋之经河南者止之以给其费。征发民丁，增置驿马，补城橹，浚濠池，修战守之具，严徼逻斥堠，日披坚执锐，与僚佐属掾筹其便宜。即遣莽赉扣布哈以其事驰告怀王，又使罗勒报雅克特穆尔曰：“公尽力京师，河南事我当自效。”巴延别募勇士五千人以迎怀王，而躬勒兵以俟。

参政托克台曰：“今蒙古军马与宿卫之士皆在上都，而令特默齐军守诸隘，吾恐此事之不可成也。我等图保性命，它何计哉！”巴延不从其言。是夜，托克台怀刃欲杀巴延为变；巴延觉，拔剑杀之，夺其所部军器，收马千二百匹。

怀王命萨哩布哈拜巴延河南行省左丞相。

庚子，发宗仁卫兵增守迁民镇。

辛丑，遣万户彻里特穆尔将兵屯河中。

癸卯，河南行省杀平章济里、右丞济特穆尔。

是日，明埓栋阿等至江陵。甲辰，怀王发江陵，遣使召镇南王特穆尔布哈、威顺王宽彻布哈、湖广行省特穆尔布哈来会。执湖广行省左丞玛合谟送京师，以集赛代之。

丙午，遣前西台御史赍玛赫巴等谕陕西。

丁未，命萨敦以兵守居庸关，腾吉斯屯古北口。

戊申，复令奈曼台为北使，称周王从诸王兵整驾南来，中外乃安。

己酉，上都诸王们图、阿穆尔台、宗正达噜噶齐库库楚、前河南行省平章政事玛噜、集贤侍读学士乌鲁斯布哈、太常礼仪院使噶海齐等十八人，同谋援大都，事觉，都尔苏杀之。

庚戌，怀王至汴梁，前翰林学士承旨阿尔哈雅，以父忧家居，闻王来，即易服出迎。至汴郊，王命为河南行省平章政事。巴延属囊鞬，擐甲胄，与百官父老导入，咸俯伏称万岁，即叩首劝进，王解金铠、宝刀及海东白鹘、文豹赐巴延，明日，扈从北行。阿尔哈雅镇汴，高价籴粟以峙粮储，命近郡分治戎器，阅士卒，括马民间，以备不虞。

辛亥，萨里布哈至自江陵，言怀王已启涂。是日，拜雅克特穆尔知枢密院事。

壬子，阿苏卫指挥使托克托穆尔，帅其军自上都来归，即命守古北口。

癸丑,上都诸王及用事臣,以兵分道犯京畿,留辽王托克托、诸王博啰特穆尔、太师多岱、左丞相都尔苏、知枢密院事特穆尔图居守。

甲寅,赍玛赫巴等至陕西,皆见杀。

乙卯,托克托穆尔及上都诸王实喇、平章政事奈玛岱、詹事奇彻战于宜兴,斩奇彻于阵,擒奈玛岱,送京师杀之,实喇败走。

丙辰,雅克特穆尔率百官备法驾郊迎。丁巳,怀王至京师,入居大内。

贵赤卫指挥使托克实率其军自上都来归,命守古北口。

戊午,怀王以苏苏为中书平章政事,前御史中丞曹立为中书右丞,江浙行省参知政事张友谅为中书参知政事,河南行省左丞相巴延为御史大夫,中书左丞赵世延为御史中丞。

己未,以河南万户伊苏岱尔同知枢密院事。

上都梁王旺沁、右丞相达实特穆尔、太尉布哈、平章政事玛鲁、御史大夫宁珠等兵次榆林。

隆镇卫指挥使赫善,谋附上都,坐弃市,籍其家。

九月,庚申朔,雅克特穆尔督师居庸关,遣萨敦袭上都兵于榆林,击败之,追至怀来而还。

隆镇卫指挥使鄂多曼,以兵袭上都诸王明里托穆尔、托穆齐于陀罗台;执之,归于京师。

时都尔苏在上都,立皇太子喇实晋巴为皇帝,年方九岁,改元天顺。

命有司括马。

中书左丞相拜布哈言:"回回人哈哈迪,自至治间贷官钞,违制别往番邦,得宝货无算,法当没官,而都尔苏私其种人,不许。今请籍其家。"从之。

雅克特穆尔请释玛哈谟,从之。

陕西兵入河中府,劫行用库钞万八千锭,杀同知府事布(图伦)〔伦图〕。

壬戌,命苏苏宣谕中外曰:"昔在世祖以及列圣临御,咸命中书省纲维百司,总裁庶政,凡钱谷、铨选、刑罚、兴造,罔不司之。自今除枢密院、御史台,其馀诸司及左右近侍,敢有隔越中书奏请政务者,以违制论。监察御史其纠言之。"

以高昌王特穆尔布哈知枢密院事,额森特为宣徽院使。

征五卫屯田兵赴京师,赐上都将士来归者钞各有差。

枢密院言:"河南行省军列戍淮西,距潼关、河中不远;湖广行省军,唯平阳、保定两万户,号称精锐;请发蕲、黄戍军一万人及两万户军为三万,命湖广参政郑昂霄、万户托克托穆尔将之,并黄河为营,以便征遣。"从之。

召雅克特穆尔赴阙。

上都诸王额森特穆尔、辽东平章图们岱尔,以兵入迁民镇,遣萨敦往拒,至蓟州东流沙河,累战,败之。

丁卯,雅克特穆尔率诸王、大臣,请早正大位以安天下,怀王固辞曰:"大兄在朔漠,予敢紊天序乎!"雅克特穆尔曰:"人心向背之机,间不容发,一或失之,噬脐无及。"怀王曰:"必不得已,当明著吾意以示天下而后可。"

遣元帅阿图尔守居庸关。

上都军攻碑楼口,指挥使伊苏岱尔御之,不克。

戊辰,以大司农明垾栋阿、大都留守库库台并为中书平章政事。

募勇士从军,遣使分行河间、保定、真定及河南等路,括民马,征鄢陵县河西军赴阙。

命襄阳万户杨克忠、邓州万户孙节以兵守武关。

己巳,铸御宝成。

立行枢密院于汴梁,以同知枢密院伊苏岱尔知行枢密院事;将兵行视太行诸关,西击河中、潼关军,以折叠弩分给守关军士。

辛未,常服谒太庙。

是日,额卜德呼勒、特默格弃市。托多、王士熙、巴延彻尔、托欢等各流于远州,并籍其家。

壬申,怀王即皇帝位于大明殿,受诸王百官朝贺,大赦。

诏曰:"我世祖混一海宇,爰立定制,以一统绪,宗亲各受分地,勿敢妄生觊觎。世祖之后,成宗、武宗、仁宗、英宗,以公天下之心,以次相传,宗王贵戚,咸遵祖训。至于晋邸,具有盟书,愿守藩服,而与贼臣特克实、额森特穆尔等潜通阴谋,冒干宝位,使英宗不幸罹于大故。朕兄弟播越南北,遍历艰险,临御之事,岂复与闻!朕以叔父之故,顺承唯谨,于今六年,灾异迭见。权臣都尔苏、乌拜都喇,专权自用,疏远勋旧,废弃忠良,变乱祖宗法度,空府库以私其党类。大行上宾,利于立幼,显握国柄,用成其奸。宗王、大臣以宗社之重,统绪之正,协谋推戴,属于眇躬。朕以(非)〔菲〕德,宜俟大兄,固让再三。宗室、将相、百僚、耆老,以为神器不可以久虚,天下不可以无主,周王辽隔朔漠,民庶皇皇,已及三月,诚恳迫切。朕姑从其请,谨俟大兄之至,以遂朕固让之心。已于致和元年九月十三日,即皇帝位于大明殿。其以致和元年为天历元年,可大赦天下。"

癸酉,封雅克特穆尔为太平王,以太平路为食邑,赐平江官地五百顷,加开府仪同三司、上柱国、录军国重事、中书右丞相、监修国史。

时辽东图们岱尔兵至蓟州,即日命雅克特穆尔将兵击之。己亥,次三河,而旺沁等军已破居庸关,遂进屯三家。丙子,雅克特穆尔蓐食倍道而进,丁丑,抵榆河关。帝出齐化门视师,将亲督战,雅克特穆尔单骑请见曰:"陛下出,民必惊。凡剪寇之事,一以责臣,愿陛下亟还宫以安黎庶。"帝乃还。

先是征左右阿苏卫军老幼赴京师,不行者斩,籍其家。阿苏卫指挥呼图布哈、塔哈特穆尔等于是构变。事觉,械送京师,斩以徇。

戊寅,谕中外曰:"近以奸臣都尔苏、额卜德垾勒,潜通阴谋,变易祖宗成宪,既已明正其罪。凡回回种人不预其事者,其安业勿惧;有因而煽惑其人者,罪之。"

命留守司完京城,军士乘城守御。

雅克特穆尔与旺沁前军遇于榆河北,奋击,败之,追至红桥北。旺沁将枢密副使阿喇特(克)〔穆〕尔、指挥呼图特穆尔引兵会战。阿喇特穆尔执戈入刺,雅克特穆尔侧身以刀格其戈,就斫之,中其左臂;部将和尚驰击呼图特穆尔,亦中其左臂。二人,骁将也,敌为夺气,遂却,因据红桥。两军阻水而阵,命善射者射之,遂退师于白浮南。命知院伊苏岱尔、巴都尔、

4917

伊讷斯等分为三队,张两翼以角之,敌军败走。

庚辰,诏谕御史台:"今后监察御史、廉访司,凡有刺举,并著其罪,无则勿妄以言。廉访司书吏,当以职官、教授、吏员、乡贡进士参用。"

加封汉前将军关羽为"显灵义勇武安英济王",遣使祀其庙。

辛巳,雅克特穆尔与上都军大战于白浮之野,雅克特穆尔手毙七人。会日晡,对垒而宿,夜二鼓,遣阿(苏)〔喇〕特穆尔等将精锐百骑,鼓噪射其营,敌众惊扰,自相击,至旦始悟,人马死伤无数。壬午,天大雾,旺沁等窜身山谷;癸未,集散卒复来战。雅克特穆尔率师驻白浮西,坚壁不动。是夜,又命萨敦前军绕其后,部曲巴都尔压其前。夹营吹铜角以震荡之,敌乱,自相击,已乃西遁。迟明,追及于昌平北,斩首数千级,降者万馀人。

帝遣使赐雅克特穆尔上尊,谕旨曰:"丞相每临阵,躬冒矢石,脱有不虞,奈何?自今第以大将旗鼓凭高督战可也。"雅克特穆尔对曰:"凡战,臣必以身先之。若委之诸将,万一失利,悔将何及!"是日,敌军再战再北,旺沁单骑亡命,萨敦追之不及,还至昌平南。俄报古北口不守,上都军掠石槽,乃遣萨敦为先驱,雅克特穆尔以大军继其后。至石槽,敌军方炊,掩其不备,直捣之。大军并进,追击四十里,至牛头山,擒驸马博啰特穆尔等献阙下,戮之。各卫将士降者不可胜计,馀兵奔窜。夜,遣萨敦袭之,逐出古北口。

清安王库布哈等将陕西兵潜由潼关南水门入,万户博啰弃关走,库布哈等分据陕州诸县,引兵前进,河南告急之使狎至。丁亥,图们岱尔及诸王(伊苏)〔额森〕特穆尔军陷通州,将袭京师,雅克特穆尔急引军还,会京城里长,召募丁壮及百工合万人,与兵士为伍,乘城守御。命居庸关及冀宁、保德、灵石、代、崞、岚石、汾、隰、吉州诸关,皆穿堑垒石为固,调丁壮守之。

戊子,陕西行台御史大夫额森特穆尔引兵从大庆关渡河,擒河中府官,杀之。万户萨里特穆尔军溃而遁,官吏皆弃城走,额森特穆尔悉以其党代之。

有司持诏自江浙还,言行省臣意有不服者,诏遣使问不敬状,将悉诛之。中书左司郎中策丹言于雅克特穆尔曰:"上新即位,云南、四川犹未定,乃以使臣一言杀行省大臣,恐非盛德事。况江浙豪奢之地,使臣不得厌其所需,则造言以陷之耳。"雅克特穆尔以言于帝,事乃止。

冬,十月,己丑朔,日将昏,雅克特穆尔抵通州。乘图们岱尔等初至,击之,敌军狼狈走,渡潞河。庚寅,夹河而军,敌列植林秸,衣以毡衣,然火为疑兵夜遁。辛卯,渡河追之。

上都诸王(图)〔呼〕喇台等兵入紫荆关,将士皆溃,遣托克托穆尔等将兵四千援之。紫荆关溃卒南走保定,因肆剽掠,同知路事阿里锡及故蔡国公张珪子武昌万户景武等率民持梃击死数百人。壬辰,额森特军至保定,杀阿里锡及张景武兄弟五人,并取其家赀。

癸巳,雅克特穆尔及阳翟王太平、国王多罗岱等战于檀子山之枣林,腾吉斯陷阵,杀太平,死者蔽野。馀宵遁,遣萨敦追之,不及而还。

忽喇台等兵自紫荆关进逼涿州,至良乡,游骑犯南城。甲午,托克托穆尔、章吉与额森特合兵击之,转战至卢沟桥,呼喇台被创,据桥而宿。乙未,雅克特穆尔率诸将循北山而西,令脱衔系囊,盛菽豆以饲马,土行且食,晨夜兼程,至于卢沟河,呼喇台闻之,望风西走。是日,凯旋,入自肃清门,帝大悦。丙申,赐宴兴圣殿,尽欢而罢。

丁酉,以缙山县民十人尝为旺沁乡导,诛其为首者四人,馀各杖一百,籍其家赀,妻子分赐守关军士。

戊戌,诸将追阿喇特穆尔等至紫荆关,获之,送京师,皆弃市。

己亥,图们岱尔军复入古北口,雅克特穆尔以师赴之,战于檀州南野,败之。东路蒙古万户哈喇那怀率麾下万人降,馀兵皆溃,图们岱尔走还辽东。

〔乙未〕,使者颁诏于甘肃,至陕西行省,行台官涂毁诏书,械使者送上都。

湘宁王巴喇实里引兵入冀宁,杀掠吏民;时太行诸关守备皆缺,冀宁路来告急,救万户和尚将兵由故关援之。冀宁路官募民兵迎敌,和尚以师为殿,杀获甚众。会上都兵大至,和尚退保故关,冀宁遂陷。

初,齐王伊噜特穆尔,东路蒙古元帅布哈特穆尔,闻帝即位,乃趣上都,围之。上都屡败,势蹙。辛丑,都尔苏奉皇帝宝出降,梁王旺沁遁,辽王托克托为齐王所杀,遂收上都诸王符印;天顺帝喇实晋巴不知所终。

壬寅,以宣徽使额森特知行枢密院事,宣徽(制)〔副〕使章吉为行枢密院副使,与知枢密院事伊苏岱尔等将兵西行,击潼关军。以张珪女归额森特。

癸卯,额森特穆尔军至晋宁,本路军皆遁。

甲辰,晋邸及辽王所辖路府州县达噜噶齐并罢免禁锢,选流官代之。

丙午,中书省言:"凡有罪者,既籍其家赀,又没其妻子,非古者罪人不孥之意,今后请勿没人妻子。"制可。

丁未,告祭于南郊。

己酉,陕西兵夺武关,万户杨克忠等兵溃。

庚戌,帝御兴圣殿,齐王伊噜特穆尔及诸王大臣奉上皇帝宝。都尔苏等从至京师,下之狱。分遣使者檄行省内郡罢兵,以安百姓。

壬子,以河南、江西、湖广人贡驾鹅太频,令减其数以省驿传。

癸丑,雅克特穆尔辞知枢密院事,命其叔父东路蒙古元帅布哈特穆尔代之。

御史台言:"近北兵夺紫荆关,官军溃走,掠保定之民。本路官与故平章张珪子景武等五人,率其民以击官军,额森特不俟奏闻,辄擅杀官吏及珪五子。珪父祖三世,为国勋臣,即珪子有罪,珪之妻女又何罪焉!今既籍其家,又以其女归额森特,诚非国家待遇勋臣之意。"帝命中书革正之。

甲寅,罢徽政院,改立储庆使司。

湘宁王巴喇实尔之冀宁,还,次马邑,元帅伊苏岱尔执送京师。

丁巳,毁显宗室,升顺宗祔右穆第二室,成宗祔右穆第三室,武宗祔左昭第三室,仁宗祔左昭第四室,英宗祔右穆第四室。

加命雅克特穆尔为达喇罕,仍命子孙世袭其号。

戊午,诏廷臣曰:"凡今臣僚,惟丞相雅克特穆尔、大夫巴延许兼三职署事,馀者并从简省。百司事当奏者,共议以闻,不许独请。上都官吏,自八月二十一日以后擢用者,并追收其制。"

敕："天下僧道有妻者,皆令为民。"

盗杀太尉布哈。初,布哈乘国家多事,率众剽掠,居庸以北,皆为所扰,至是盗入其家,杀之。兴和路当盗死罪,刑部议,以为:"布哈不道,众所闻知,遇盗杀之,而本路隐其残剽之罪,独以盗闻,于法不当。"中书以闻,帝嘉其议。

是月,河南行省平章阿尔哈雅,集省宪官问御西兵之策,无有言者。阿尔哈雅曰:"汴在南北之交,使西人得至此,则江南三省之道,不通于畿甸,军旅应接,何日息乎!夫事有缓急轻重,今重莫如足兵,急莫如足食。吾征湖广之平阳、保定两翼军,与吾省之邓新翼、庐州、沂、郯炮弩手诸军以备虎牢;裕州哈喇鲁、邓州孙万户两军以备武关、荆子口;以属郡之兵及蒙古两都万户左右两卫诸部丁壮之可入军者,给马乘,资装,立行伍,以次备诸隘;芍陂等屯兵本自襄、邓诸军来田者,还其军,益以民之丁壮,使守襄阳;白土、峡州诸隘,别遣塔海以备自蜀至者,括汴、汝、荆、襄、两淮之马以给之。府库不足,则命郡县假诸殷富之家。安丰等郡之粟,溯黄河运至于陕,籴诸汴、汝,近郡者则运至荥阳以达于虎牢。吾与诸军各奋忠义以从王事,宜无不济者。"众曰:"唯命。"

即日部分行事,使廉访使董守忠、佥事锡苏往南阳,右丞图特穆尔、廉访使布延往虎牢,分遣兵马,听其调用,馈饷相望,阿尔哈雅亲阅实之,自虎牢之南至于襄汉,无不毕给。时朝廷置行枢密院以总西事,襄汉、荆湖、河南郡县皆缺官,阿尔哈雅便宜择才以使之,朝廷皆从其请。

已而西兵北行者,度河中以趋怀、孟、磁,南行者特默格过武关,残邓州,直趋襄阳,攻破郡邑三十馀,所过杀官吏,焚庐舍,且西结囊嘉特,以蜀兵至。阿尔哈雅谍知之,益督饷西行,遣行院官塔海领兵攻特默克,又设备江、黄,置铁绳于峡口,作舟舰以待战。十九日,与西兵遇于巩县之石渡,转战及暮,两军杀伤与堕涧谷死者相等,而虎牢遂为敌有,兵储巨万,一旦悉亡。诸军敛兵而退,二十二日,至汴,民大恐。阿尔哈雅前后遣使告于朝,辄为额(特森)〔森特〕所留,不得朝廷音问。阿尔哈雅亲出拊循其民,修城关以备冲突,戒卒伍以严守卫,虽当危急,怡然如平时,众赖以安。

十一月,庚申,以江南行台御史王琚仁言,汰近岁自身入官者。

敕行台:"凡有纠劾,必由御史台陈奏,勿径以封事闻。"

辛酉,额森特兵至武安,额森特穆尔以军降。河东州县闻之,尽杀其所署官吏。

癸亥,帝宿斋宫;甲子,服衮冕,享于太庙。

是日,西兵逼汴城,将百里而近。阿尔哈雅召行院、宪司、诸将吏告之曰:"吾荷国厚恩,惟有一死以报上。敌亦乌合之众,何所受命而敢犯我!诚使知圣天子之命,则众沮而散耳。吾今遣使告于朝,请降诏赦其胁众诖误,而整军西向以临之。别遣精骑数千上龙门,绕出其后,使之进无所投,退无所归,必成擒于巩、洛之间矣。"众皆曰:"善!"即日与行院出师。

会使者自大都还,言齐王已克上都,奉宝玺来归,刻日至京,阿尔哈雅乃置酒相贺,发书告属郡及江南三省。又募士得兰珠者,赍书谕之,朝廷亦遣都护伊噜特穆尔以诏放散西军之在虎牢者。西军多欲散走,且闻行省院以兵至,朝廷又使参政冯布哈亲谕之,靖安王乃遣使四辈与兰珠来请命,逡巡而去。阿尔哈雅乃解严,敛馀财以还民,从陕西求民之被俘掠者归其家,凡数千人,陕西官吏被获者亦皆遣还。朝廷迁阿尔哈雅为陕西行台御史大夫以绥定之。

庚午,命总宿卫官分简所募勇士,非旧尝宿卫者皆罢去。

日本舶商至福建博易者,浙江行省选廉吏征其税。

中书省言:"今岁既罢印钞本,来岁拟印至元钞一百一十九万二千锭,中统钞四万锭。"监察御史言:"户部钞法,岁会其数,易故以新,期于流通,不出其数。迩者都尔苏以上都经费不足,命有司刻板印钞;今事已定,宜急收毁。"从之。

监察御史萨里布哈、索诺木、于钦、张士弘言:"朝廷政务,赏罚为先,功罪既明,天下斯定。近因特们德尔擅权窃位,假刑赏以济其私,纲纪始紊,迨至泰定,爵赏益滥。比以兵兴,用人甚急,然赏罚不可不严,宜命有司,务合舆情,明示黜陟。功罪既明,赏罚攸当,则朝廷肃清,纪纲振举,而天下治矣。"帝嘉纳之。

辛未,特默格兵入襄阳,本路官皆遁。襄阳县尹谷廷珪、主簿张德独不去,西兵执之使降,不屈,死之。时金枢密院事塔海拥兵南阳不救。

壬寅,雅克特穆尔言:"向者上都举兵,诸王实喇、枢密同知阿奇喇等十人,南望宫阙鼓噪,其党拒命逆战,情不可恕。"诏各杖一百七,流远州,籍其家赀。

甲戌,居泰定后雍吉喇氏于东安州。

丙子,苏苏坐受赂,杖之,徙襄阳;以母年老,诏留之京师。

丁丑,以躬祀太庙礼成,御大明殿,受诸王、百官朝贺。

荆王伊苏布干遣使传檄至襄阳,特默格引兵走。

己卯,中书省言:"内外流官年及致仕者,并依阶叙授以制敕,今后不须奏闻。"从之。

诸卫汉军及州县丁壮所给甲胄兵仗,皆令还官。

庚寅,遣使奉迎皇兄周王和实拉于漠北。

以中政院使敬俨为中书平章政事。

壬午,第三皇子宝宁更为太平讷,命大司农迈珠保养于其家。

诏行枢密院罢兵还。

癸卯,上都左丞相都尔苏伏诛,磔其尸于市,梁王旺沁亦赐死,玛谟锡、宁珠、萨实密实、额森特穆尔等皆弃市。时朝议欲尽戮朝臣之在上都者,敬俨抗论,谓是皆循例从行,杀之非罪,众赖以获免。

甲申,命威顺王库春布哈还镇湖广。

先是,帝尝命王征八番,而蜀省襄嘉特拒命未平。南台御史秦起宗言:"武昌重镇,当备上流之师,亲王不可远去。"力止之。及王入见,帝谓曰:"八番之行,非秦元卿,几为失计。"遂遣王还镇。朝议以起宗治蜀,幕府忘其名,以其字称之曰秦元卿,尝引笔改曰"起宗",其眷注如此。未几,拜中台御史。起宗,广平深水人也。

御史中丞赵世延以老疾辞职,不许。用故中丞崔彧故事,加平章政事,居前职。

丙戌,以阿鲁辉特穆尔等六人在上都欲举义,不克而死,并赐赠谥,恤其家。

遣诸卫兵各还镇。

辽王托克托之子巴都聚党出剽掠,敕宣德府官捕之。

四川行省平章曩嘉特自称镇西王,以其省左丞托克托为平章,前云南廉访使杨静为左丞,杀其省平章宽春等,称兵烧绝栈道。乌蒙路教授杜岩肖,谓"圣明继统,方内大宁,省臣当还兵入朝,庶免一方之害",曩嘉特杖之一百七,禁锢之。

十二月,庚寅,命通政院整饬蒙古驿,诸关隘尝毁民屋以塞者,赐民钞,俾完之。

丙午,谒武宗神御殿。

御史台言额森特将兵所至,擅杀官吏,俘掠子女货财;诏刑部鞫之,籍其家,杖之,窜于南宁,命其妻归父母家。

庚子,赦天下。

辛丑,江南行台御史言:"辽王托克托,自其祖父以来,屡为叛逆,盖因所封地大物众。宜削王号,处其子孙远方,而析其元封分地。"诏中外与勋旧议其事。

甲寅,复遣使萨迪等奉迎皇兄于漠北。

丁巳,封西安王喇(实)〔特〕纳实哩为豫王。

戊午,诏:"蒙古、色目人愿丁父母忧者,听如旧制。"

是月,加谥颜真卿正烈文忠公,命有司岁时致祭。

陕西自泰定二年至是岁不雨,大饥,民相食。

朔漠诸王皆劝周王南还,王遂发,诸王察阿台、沿边元帅多拉特,万(方)〔户〕玛噜等,咸帅师扈行,旧臣博啰、尚嘉努、哈尔图皆从。至金山,岭北行省平章政事和尼奉迎,武宁王库库图命知枢密院事特穆尔布哈继至,乃命博啰如京师。两都之民闻王使者至,欢呼曰:"天子实自北来矣!"诸王旧臣争先迎谒,所至成聚。

是岁,两都构兵,漕舟后至直沽者不果输,复漕而南行。行省欲坐罪督运者,海道都漕运万户王克敬曰:"若平时而往返如是,诚为可罪。今蹈万死完所漕而还,岂得已哉! 请令其计石数,附次年所漕舟达京师。"从之。

雅克特穆尔议封巴延王爵,众论附之;参议中书省事策丹独不言,雅克特穆尔问故,策丹曰:"巴延已为太保,位列三公,而复加王封,后再有大功,将何以处之? 且丞相封王,出自上意。今欲加太保王封,丞相宜请于上,王爵非中书选法也。"遂寝其议。

前集贤直学上邓文原卒。文原内严而外恕,家贫而行廉,自致仕归,召为翰林侍讲学士,复拜岭北、湖南道肃政廉访使,皆以疾不赴。后谥文肃。

【译文】

元纪二十二　起戊辰年(公元 1328 年)正月,止十二月,共一年。

致和元年　(公元 1328 年)

春季,正月,甲戌(初十),祭祀太庙。

泰定帝下令画工绘《蚕麦图》。

乙亥(十一日),泰定帝下诏:"百司官员凡是不去上任以及擅离职守者,撤销他的官职;躲避差遣的,对他处以笞刑。"

监察御史邹惟亨上奏说："以前祭祀太庙,初献、亚献、终献官员都由功勋国戚大臣担任,而近来以户部尚书为亚献官,人事既显得疏远,礼仪也难以严肃。请求仍按旧制,由中书省、御史台、枢密院和宿卫的重臣来担任。"

丁丑(十三日),向全国颁发《农桑旧制》十四条,勉励有关部门以此考察百姓的勤惰。

泰定帝将要到柳林围猎。己卯(十五日),御史王献等人以饥荒为由进行劝阻,泰定帝说:"不如禁止卫士不要骚扰百姓,派两名御史巡视察看。"

占城国前来进贡地方物产,并且说受到交趾国的侵略。泰定帝下诏劝谕调解。

朝廷禁止僧人、道士隐藏应交的商税。

辛巳(十七日),静江傜民侵扰灵川、临桂二县,朝廷命广西招抚讨伐他们。

戊子(二十四),撤销河南铁冶提举司,其事务归有关部门管理。

大都及河间、大名诸路发生饥荒,朝廷发粮救济。

二月,庚申(二十七日),泰定帝下诏改年号为致和。

朝廷免收河南自实钱粮一年,免收受灾州郡税粮一年,免收复业流民的差税三年,扣押三年不能判决的犯人一律释放。

蒙古射猎图　元

癸亥(三十日),解州盐池黑龙堤毁坏,调遣轮番休息的盐丁进行修复。

救济陕西诸路饥荒。

三月,庚午(初七),云南安龙寨土官岑世忠与其弟岑世兴互相攻打,岑世忠登记其弟所辖百姓三万二千户前来归附朝廷,愿意每年交布三千匹,请求朝廷设立宣抚司来总管该地。朝廷没有允准。朝廷设置一个州,任命岑世兴为知州事,设知县二人,听任岑世忠推举任用。仍旧劝谕他们兄弟友好共处。

达实特穆尔、都尔苏上奏说:"灾害还未消除,是由于因罪被罢免贬职的官员怨恨之气造成的,请朝廷量才录用他们。"皇帝听从了这一建议。

辛未(初八),大天源延圣寺中的显宗神御殿落成,朝廷设置总管府掌管该寺的财产、费用。

己卯(十六日)，泰定帝御驾兴圣殿，从帝师那里接受无量佛戒。庚辰(十七日)，命派千名僧人在镇国寺举行佛教仪式。

甲申(二十一日)，朝廷派遣户部尚书李嘉努前往盐官州祭祀海神，并集体商议修筑海岸之事。丙戌(二十三日)，帝师命僧人在盐官州举行佛教仪式，建造佛塔二百一十六座，以压住海水内溢。

泰定帝在柳林围猎，因病还宫。当时签书枢密院事雅克特穆尔兼总侍卫，他认为泰定帝在位五年，根基尚未巩固，而都尔苏狡猾，刚愎自用，人心没有归附，于是谋划立武宗之子为帝，以求取大功。诸王满图、阿穆尔台、太常礼仪使噶海齐、宗正达噜噶齐库库楚等人也与雅克特穆尔相谋说："皇上的病日趋严重，现在要到上都去，如果不幸去世，我等随从就拘捕诸王大臣杀掉他们，在大都的，就将大都中书省、御史台官员捆起来，宣称太子已到，正式称帝即位，传令守御各关隘，那么大事就成功了。"

戊子(二十五日)，泰定帝去上都，满图、库库楚等随从，西安王喇特纳实哩居守京师，雅克特穆尔也留在京师。

救济河南、四川饥荒。

夏季，四月，丙申(初四)，钦州傜民黄焱等作乱，朝廷命湖广行省进行防备。

己亥(初七)，达实特穆尔、都尔苏奏请：凡蒙古、色目人仿效汉人的办法，父母亡故后回家守丧者，除其名。皇帝听从了他们的意见。

己酉(十七日)，御史杨倬等人因百姓饥饿，奏请分僧人、道士储存的粮食救济百姓。不予答复。

戊午(二十六日)，禁止伪造金银器。

这一月，崇明州刮大风，海水泛滥。

五月，甲子(初二)，朝廷派遣官员分头护送流民还乡，仍旧禁止流民聚集，聚众达千人的杖一百。

丙寅(初四)，广西普宁县僧人陈庆安作乱，自己称帝，改了年号。

癸酉(十一日)，登记在京师的残废和有病的流民，发给粮食，遣送他们回乡。

大理怒江甸土官阿哀你侵扰乐辰诸寨，朝廷命云南行省督兵剿捕。

庚辰(十八日)，有流星大如瓦罐，其光照亮了地面。

秋季，七月，辛酉朔(初一)，宁夏发生地震。

庚午(初十)，泰定帝在上都驾崩，享年三十六岁。安葬于起辇谷。

泰定帝在位期间，灾异数次出现，然而他能遵循祖宗之法，天下号称治理太平。

己卯(十九日)，大宁路发生地震。

乙酉(二十五日)，皇后、皇太子降旨安抚百姓。

雅克特穆尔听到泰定帝驾崩的消息，和西安王喇特纳实哩谋划，暗中集结勇士。八月，

甲午(初四)，黎明时分，百官集聚于兴圣宫，雅克特穆尔率阿喇特穆尔、佛伦齐等十七人，所带兵器都露出兵刃，对众官号令道："武宗皇帝有两个儿子，他们是正统所在，应当迎立为皇

帝,敢有不顺从者斩!"于是就亲手把平章政事乌巴图尔、巴延彻尔捆绑起来,分别命令勇士拘捕中书左丞托多、参知政事王士熙、参议托克托、吴秉道、侍御史特默格、邱世杰、太子詹事丞王桓等,都关进监狱。雅克特穆尔和西安王进入宫中镇守,分别安排心腹亲信到枢密院任职。在东华门夹道排列层层兵士,派人从中往来传命,以防泄露机密。于是登记府库财产,收录各署符印,召百官到宫内听候命令。

当时,周王和实拉正远在北方沙漠地带,仓促不能赶到京城。雅克特穆尔担心会发生变故,便派遣前河南行省参政明埒栋阿、前宣政使达里玛实勒乘驿站马匹前往江陵迎接怀王图卜特穆尔,并秘密将意图告诉河南行省平章政事巴延,令他选派兵士以准备作护卫扈从。

这一天,推举前湖广行省左丞相拜布哈为中书左丞相,推举太子詹事塔斯哈雅为中书平章政事,推举前湖广行省右丞苏苏为中书左丞,推举前陕西行省参知政事王布璘济达为枢密副使,与中书右丞赵世延、翰林学士承旨伊勒齐、通政院使达什分别掌管机要事务。调兵守御关口要塞,把诸卫兵调到京师,拿出府库中的钱物犒赏军士。各卫军中没有统领归属的人,以及前来京师等待任命和停职退役的军官,都发给他们符牌以待调遣。这些人受命以后,不知向哪个方向行礼致谢,便指向南方要他们跪拜,众人一时愕然,才知道皇帝已有定向。

雅克特穆尔在宫中值班住宿,通夜不得安睡,一晚有时搬迁两次,人们不知道他睡在何处。他的弟弟萨敦、儿子腾吉斯,当时留在上都,雅克特穆尔密派达实特穆尔召他们回京,他们都抛弃妻子儿女来京归附。

乙未(初五),雅克特穆尔调遣诸卫兵防守居庸关及卢儿岭。丙申(初六),派遣左卫率使图噜带兵屯驻白马甸,派隆镇卫指挥使鄂图曼带兵屯驻泰和岭。丁酉(初七),调中卫兵守卫迁民镇,又派遣萨里布哈等前往江陵催促怀王早日出发北上,并且命令达实特穆尔冒充怀王使者从南方来,说怀王已住在近郊,让百姓不要惊疑。

戊戌(初八),征召山东的宣靖王迈奴、诸王雅克布哈进京。

己亥(初九),在辽阳征兵。

明埒栋阿等到汴梁,把他们的密谋告诉巴延,巴延说:"这是我们皇帝的儿子啊!"立即集合僚属,告诉他们这些情况事因。于是统计仓廪府库中的谷粟金帛的数目,统计怀王乘坐的车马及其需要供给御用的食物、护送步兵旅途所需和士卒马匹粮草供应的大致数目,以及奖赏犒劳的费用,无一不周到细致。经费不足,就传令州县向百姓募集明年田租及借贷商人货资,约定以加倍的利息偿还。还不够,就半道拦截经过河南进京的东南地区的常年赋税以供给怀王北上的费用。征发民丁,增置驿马,修补城墙和望楼,疏浚护城河道,修理作战和防守的器具,严格边界巡逻,侦探敌情。巴延每天披坚执锐,与属官吏员相筹划,见机行事。并马上派遣莽赉扣布哈骑马南下,将情况告诉怀王,又派罗勒报告雅克特穆尔说:"公尽力于京师,河南的事情我一定效力。"巴延还另外招募勇士五千人以准备迎接怀王,自己亲自统兵等候。

参政托克台说:"现在蒙古军队的人马与宿卫的兵士都在上都,而让特默齐的军队把守各关隘,我担心此事不可能成功。我等为了保全性命,有什么其他计策呢!"巴延不听他的话。这天晚上,托克台带着兵器想杀巴延发动兵变,巴延发觉后,拔剑将他杀死,收缴了他的部队的武器,收缴战马一千二百匹。

怀王命萨哩布哈来任命巴延为河南行省左丞相。

庚子(初十),调拨宗仁卫兵增守迁民镇。

辛丑(十一日),派遣万户彻里特穆尔带兵屯驻河中。

癸卯(十三日),河南行省杀死平章济里、右丞相济特穆尔。

这一天,明埒栋阿等人到江陵。甲辰(十四日),怀王从江陵出发,派遣使者召镇南王特穆尔布哈、威顺王宽彻布哈、湖广行省特穆尔布哈前来相会。拘捕湖广行省左丞玛合谟送往京师,让集赛代替他的职务。

丙午(十六日),派遣前西台御史赍玛赫巴等告谕陕西。

丁未(十七日),命萨敦派兵把守居庸关,命腾吉斯屯兵古北口。

戊申(十八日),又令奈曼台冒充北方来的使者,称周王随从诸王兵马整驾南来,京城内外才安定下来。

己酉(十九日),上都诸王们图、阿穆尔台,宗正达噜噶齐库库楚,前河南行省平章政事玛噜,集贤侍读学士乌鲁斯布哈,太常礼仪院使噶海齐等十八人,同谋援助大都,事情被发觉,都尔苏杀了他们。

庚戌(二十日),怀王到达汴梁。前翰林学士承旨阿尔哈雅因父亲去世居丧在家,听说怀王到来,立即改换服装出外迎接。到汴梁郊外,怀王命他为河南行省平章政事。巴延腰挂弓箭,身披甲胄,与百官父老引导怀王进入城中,一起俯首称万岁,立即叩头劝怀王登帝位。怀王解下金铠、宝刀及海东白鹘、文豹赐予巴延。第二天,巴延随从怀王北行。阿尔哈雅镇守汴梁,高价购买粮食以增加储备,命令附近郡县分别打造兵器,汇集士卒,搜求民间的马匹,以防备意外事件。

辛亥(二十一日),萨里布哈从江陵回到京师,说怀王已启程上路。这一天,怀王任命雅克特穆尔为知枢密院事。

壬子(二十二日),阿苏卫指挥使托克托穆尔率领军队从上都来京归附,立即命令他防守古北口。

癸丑(二十三日),上都诸王及掌权大臣发兵分路进犯京畿,留辽王托克托、诸王博啰特穆尔、太师多岱、左丞相都尔苏、知枢密院事特穆尔图居守上都。

甲寅(二十四),赍玛赫巴等到陕西,都被杀死。

乙卯(二十五日),托克托穆尔和上都诸王实喇、平章政事奈玛岱、詹事奇彻在宜兴交战。奇彻阵前被杀,奈玛岱被擒获,送到京师斩首,实喇战败逃走。

丙辰(二十六日),雅克特穆尔率领百官准备好天子的车驾到郊外迎接怀王。丁巳(二十七日),怀王到京师,入宫居住于大内。

贵赤卫指挥使托克实率军从上都来京归附,怀王命令他防守古北口。

戊午(二十八日),怀王任命苏苏为中书平章政事,任命前御史中丞曹立为中书右丞,任命江浙行省参知政事张友谅为中书参知政事,任命河南行省左丞相巴延为御史大夫,任命中书左丞赵世延为御史中丞。

己未(二十九日),怀王任命河南万户伊苏岱尔为同知枢密院事。

上都梁王旺沁、右丞相达实特穆尔、太尉布哈、平章政事玛鲁、御史大夫宁珠等领兵驻扎在榆林。

隆镇指挥使赫善谋划归附上都,被处死,暴尸街头,抄没家产。

九月,庚申朔(初一),雅克特穆尔督师居庸关,派遣萨敦前去袭击在榆林的上都军队,打败了他们,一直追击到怀来才返回。

隆镇卫指挥使鄂图曼率兵袭击在陀罗台的上都诸王明里托穆尔、托穆齐,将他们抓住,送到京师。

这时,都尔苏在上都拥立皇太子喇实晋巴为皇帝,年方九岁,改元天顺。

朝廷命有关部门搜寻民间马匹。

中书左丞相拜布哈上奏说:"回回人哈哈迪,从至治年间借贷官钞,违反制度前往番邦,得宝货无数,按法律应当没收入官,而都尔苏因他与自己同种族而偏私于他,不许没收。现在请求抄没他的家产。"怀王同意。

雅克特穆尔请求释放玛哈谟,获同意。

陕西军队进入河中府,劫走通行库钞一万八千锭,杀死同知府事布伦图。

壬戌(初三),怀王命苏苏宣读上谕,告诫天下说:"以前世祖皇帝和列朝皇帝在位时,都令中书省统领所有衙门,总裁各种政务,凡是钱谷收入、铨选官员、刑罚、兴造工程,无不由它掌管。自今以后,除枢密院、御史台,其余诸司及左右近侍人员,敢于越过中书省向上奏请政务的,以违反制度论处。监察御史可以督察报告。"

任命高昌王特穆尔布哈为知枢密院事,任命额森特为宣徽院使。

征召五卫屯田兵赶赴京师,赏赐从上都归来的将士钱钞,数目多少不等。

枢密院上奏说:"河南行省的军队戍守淮西,离潼关、河中不远;湖广行省的军队,只有平阳、保定两万户号称精锐。请朝廷调遣蕲、黄戍军一万人及两万户军共三万人,命湖广参政郑昂霄,万户托克托穆尔统率,在黄河边扎营,以便随时调用。"怀王听从了这个意见。

怀王召雅克特穆尔入宫。

上都诸王额森特穆尔、辽东平章图们特尔带兵进入迁民镇。怀王派遣萨敦前去抵御,到蓟州东部流沙河,接连数战,击败了他们。

丁卯(初八),雅克特穆尔率领诸王、大臣,请求怀王早日即帝位,以安天下。怀王坚决推辞说:"长兄还在北方沙漠,我怎敢打乱帝王世系呢!"雅克特穆尔说:"人心向背的机遇,小到容不下一丝头发,一旦失去,就像自己咬不到脐带一样后悔莫及了。"怀王说:"如果非这样做不可,那要向天下表明我的心意而后才可行。"

怀王派遣元帅阿图尔防守居庸关。

上都军队进攻碑楼口,指挥使伊苏岱尔抵御,没有攻克。

戊辰(初九),任命大司农明埒栋阿、大都留守库库台同为中书平章政事。

招募勇士参军,派遣使臣分别到河间、保定、真定及河南等路搜求民间马匹。征调鄢陵县河西军赴京。

命令襄阳万户杨克忠、邓州万户孙节带兵守武关。

己巳(初十),皇帝宝印铸成。

在汴梁设立行枢密院,任命同知枢密院伊苏岱尔知行枢密院事;带兵巡视太行山诸关口,向西进攻河中、潼关的陕西军队,将折叠弩分发给守关军士。

辛未(十二日),怀王穿着平时的衣服到太庙谒见历代皇帝神主。

这一天,将额卜德呼勒、特默格公开处死,暴尸街头。托多、王士熙、巴延彻尔、托欢等分别被流放于远方州郡,并抄没他们的家产。

壬申(十三日),怀王在大明殿即皇帝位,接受诸王、百官朝贺,大赦天下。

诏书说:"我世祖皇帝统一海内,于是制定法令制度,以使皇统一脉相承,宗室亲王各受分地,不敢胡乱产生觊觎帝位之心。世祖皇帝之后,成宗皇帝、武宗皇帝、仁宗皇帝、英宗皇帝,以公心对天下,以次相传,宗王贵戚,都遵从祖宗遗训。至于晋王,曾写下盟书,愿意作为藩王遵守帝命,却与贼臣特克实、额森特穆尔等暗通阴谋,冒犯皇位,使英宗皇帝不幸罹难亡故。朕兄弟因此南北分离,经历了各种艰难险阻,临朝正位之事,怎么能够知晓! 朕因为泰定帝是叔父的缘故,顺承诏封,谨慎从事。至今已六年,灾异接连发生。权臣都尔苏、乌拜都喇,专权自用,疏远功勋旧臣,废弃忠良之臣,变乱祖宗法度,亏空府库以饱同党私囊。皇帝归天,他们拥立幼年的君主,把持国家权柄,以成其奸谋。宗王、大臣从宗庙社稷的重任考虑,从皇位的正位考虑,协同谋划拥戴我为皇帝。朕自以为德行不足,应由长兄承续大统,坚决辞让再三。宗室、将相、百僚、耆老都认为皇位不可以久虚,天下不可以无主,长兄周王远隔沙漠,而百姓惶惶不安已有三月,诚恳迫切求我即皇帝位。朕姑且依从他们的请求,谨慎小心地等待长兄到来,以遂朕坚决辞让大位的心意。我已于致和元年九月十三日即皇位于大明殿,改致和元年为天历元年,可以大赦天下。"

癸酉(十四日),封雅克特穆尔为太平王,以太平路为他的食邑,赏赐平江官地五百顷,加封开府仪同三司、上柱国、录军国重事、中书右丞相、监修国史。

这时,辽东图们岱尔的军队已到蓟州,当日皇帝命雅克特穆尔带兵前去攻打。乙亥(十六日),驻军三河,而旺沁等人的军队已攻破居庸关,于是雅克特穆尔率军进屯三家。丙子(十七日),雅克特穆尔在寝蓐上吃饭,兼程前进。丁丑(十八日),抵达榆河关。文宗图卜特穆尔出齐化门视察军队,将要亲自督战,雅克特穆尔单人骑马前来请求接见,他说:"陛下出宫,百姓必然惊恐。凡是消灭贼寇之事,全都由臣负责,愿陛下马上还宫以使百姓安定。"皇帝这才返回。

原先,朝廷征召左右阿苏卫军老幼赶赴京师,不肯走的杀头,抄没家产。阿苏卫指挥呼图布哈、塔哈特穆尔等因此谋划叛变。事情被发觉,用镣铐拘禁送往京师,斩首示众。

戊寅(十九日),皇帝告谕天下说:"近来,因奸臣都尔苏、额卜德埒勒暗通阴谋,妄想改变祖宗成法,已经依法治罪。凡回回种族的人,不参与其事的,都可以安居乐业,不必害怕;有因此煽动蛊惑人心的,一定要对他们治罪。"

朝廷命令留守司修缮京城,军士登城守御。

雅克特穆尔与旺沁的前军在榆河北岸相遇,雅克特穆尔奋力攻击,打败了他们,追到红桥以北。旺沁率枢密副使阿喇特穆尔、指挥呼图特穆尔引兵会战。阿喇特穆尔拿着戈来刺,雅克特穆尔侧身用刀将戈隔开,就势砍中他的左臂。部将和尚骑马冲过去攻击呼图特穆尔,也刺中了他的左臂。二人都是骁勇将领,敌兵士气为之沮丧,于是退却下来,雅克特穆尔因此占据了红桥。两军隔水摆开阵势,雅克特穆尔命善于射箭的兵士向敌军射箭,敌军便退兵于白浮以南。雅克特穆尔命知院伊苏岱尔、巴都尔、伊讷斯等分为三队,张开两翼以成犄角之势,敌军败走。

庚辰(二十一日),皇帝下诏告谕御史台:"今后监察御史、廉访司,凡是检举揭发,都要讲明具体罪行,没有事,就不要胡乱上言。廉访司书吏,应当从职官、教授、吏员、乡贡进士中任用。"

加封汉朝前将军关羽为显灵义勇武安英济王,派遣使臣前去祭祀其庙宇。

辛巳(二十二日),雅克特穆尔与上都军队在白浮郊外展开大战,雅克特穆尔亲手杀死七人。交战到下午申时,晚上对垒而宿。夜二更,派遣阿喇特穆尔等带领精锐骑兵百人,擂鼓呐喊,向敌营射击,敌众惊慌混乱,互相攻击,到天亮才明白过来,人马死伤无数。

壬午(二十三日),天下大雾,旺沁等窜至山谷;癸未(二十四日),集合溃散士卒又来战斗。雅克特穆尔率领军队驻扎在白浮以西,坚壁不动。这天晚上,雅克特穆尔又命令萨敦领前军绕到敌人的后面,部将巴都尔封锁前面,前后夹住敌人营垒,吹响铜角震荡敌营,敌营一片混乱,自相攻击,不久,就向西逃跑了。天快亮时,雅克特穆尔的军队在昌平北追上了敌人,斩首数千,降者万余人。

文宗皇帝派遣使臣赐给雅克特穆尔上等醇酒,降下圣旨说:"丞相每次临阵,身冒箭石,若发生意外怎么办?从今以后,只以大将旗在高处督战就可以了。"雅克特穆尔回答说:"凡是作战,臣一定要身先士卒。如果把这委托给诸将,万一失利,后悔也来不及了!"

这一天,敌军再战再败,旺沁单人匹马逃命,萨敦没有追上,回到昌平以南。一会儿,有报告说古北口失守,上都军队夺取石槽,雅克特穆尔便派萨敦为先锋前往,自己带领大军跟在后面。到石槽,敌军正在做饭,乘其不备,直捣军营。大军并进,追击四十里到牛头山,生擒驸马博啰特穆尔等送到京师,处死。各卫将士投降者不可计数,余兵逃奔鼠窜。晚上,派萨敦袭击逃兵,将敌军逐出古北口。

清安王库布哈等带领陕西兵暗中由潼关南水门入关,万户博啰弃关逃走,库布哈等分别占据陕州各县,引兵前进,河南告急的使臣不断到京。

丁亥(二十八日),图们岱尔及诸王额森特穆尔的军队攻陷通州,将要袭击京师。雅克特穆尔急忙引兵回京,命京城中的里长们招募丁壮及百工合计万人,与兵士合编为伍,登城守御。命令居庸关及冀宁、保德、灵石、代州、崞州、岚石州、汾州、隰州、吉州诸关口,都挖沟垒石加固城防,调集壮丁守卫。

戊子(二十九日),陕西行台御史大夫额森特穆尔带兵从大庆关渡河,擒获河中府官员,杀之。万户萨里特穆尔军队溃败逃走,官吏都弃城逃走,额森特穆尔全以自己的党羽代替他们。

有司持诏书传旨于南方,从江浙回来上奏说:行省大臣中有人表现出不服从圣上的意思。皇帝下诏派遣使臣去询问不敬的情状,准备将他们全部处死。中书左司郎中策丹向雅克特穆尔说:"圣上新即位,云南、四川还未安定,便因使臣一句话杀行省大臣,恐怕不是盛德之事。况且江浙是豪华奢侈之地,使臣的需求得不到满足,便造谣陷害他们。"雅克特穆尔把这些话告诉皇帝,事情才得以中止。

冬季,十月,己丑朔(初一),太阳将要落山,雅克特穆尔抵达通州,乘图门岱尔等刚到之机,进攻他们,敌军狼狈逃走,渡过潞河。庚寅(初二),双方军队夹河驻扎,敌军插上林秸,给林秸披上毡衣,燃火作为疑兵,乘夜逃跑了。辛卯(初三),雅克特穆尔军渡河追赶。

上都诸王呼喇台等率兵入紫荆关,守关将士都在战斗中溃散。朝廷派遣托克托穆尔等率兵四千前去援助。紫荆关溃散的士卒向南逃到保定,因大肆抢掠,同知路事阿里锡及已故蔡国公张珪之子、武昌万户张景武等率领民众拿木棒打死数百人。壬辰(初四),额森特的军队到保定,杀死阿里锡及张景武兄弟五人,并夺取他们的家产。

癸巳(初五),雅克特穆尔与阳翟王太平、国王多罗岱等在檀子山的枣林大战,腾吉斯攻陷敌阵,杀死太平,死者蔽野。其余人乘夜色逃跑,雅克特穆尔派萨敦追击,没追上返回。

呼喇台等率兵从紫荆关进逼涿州,至良乡;游散骑兵进犯南城。甲午(初六),托克托穆尔、章吉与额森特合兵攻击,转战至卢沟桥,呼喇台被刺受伤,占桥而宿。乙未(初七),雅克特穆尔率诸将顺北山向西行,命令解下马的嚼子,在马嘴上套口袋,装上切碎的草料和豆喂马,士兵边走边吃,日夜兼程,到达卢沟桥,呼喇台闻讯,望风西逃。这一天,雅克特穆尔凯旋,从肃清门入城。皇帝十为高兴。丙申(初八),皇帝在兴圣殿赐宴庆功,尽欢而罢。

丁酉(初九),因缙山县百姓十人曾为旺沁做向导,杀为首的四人,其余各杖一百,没收其家产,妻子儿女分别赐予守关军士。

戊戌(初十),诸将追击阿喇特穆尔等到紫荆关,将他们抓获,送到京师,都公开处死,暴尸街头。

己亥(十一日),图们岱尔的军队又进入古北口,雅克特穆尔带兵前往,战于檀州南野,将敌军打败。东路蒙古万户哈喇那怀率领部下万人投降,余兵都溃散,图们岱尔逃回辽东。

使者前往甘肃颁布皇帝诏书,走到陕西行省,行台官涂抹毁坏诏书,并将使者镣铐拘禁,送到上都。

湘宁王巴喇实里引兵进入冀宁路境内,杀害官吏,掠夺百姓。当时太行山诸关守备都很缺乏,冀宁路派人前来告急,皇帝命令万户和尚带兵从故关前去援助。冀宁路官员招募民兵迎敌,和尚以军殿后,杀获敌人甚多。适逢上都军队大批到来,和尚退兵保守故关,冀宁于是陷于敌手。

当初,齐王伊噜特穆尔、东路蒙古元帅布哈特穆尔听说文宗皇帝即位,便赶到上都,将它包围起来。上都军队屡次战败,形势紧迫。辛丑(十三日),都尔苏手捧皇帝宝印出城投降,梁王旺沁逃走,辽王托克托被齐王所杀。于是收缴上都诸王的符牌、印章。天顺帝喇实晋巴不知下落。

壬寅(十四日),任命宣徽使额森特为知行枢密院事,任命宣徽副使章吉为行枢密院副使,与知枢密院事伊苏岱尔等人率兵西行,进攻潼关的陕西军。把张珪的女儿嫁给额森特。

癸卯(十五日),额森特穆尔的军队到达晋宁,晋宁路的军队都逃跑了。

甲辰(十六日),晋王府及辽王所管辖的路、府、州、县达噜噶齐一并罢免、禁止做官,选派流官代替。

丙午(十八日),中书省上奏说:"凡是有罪的人,既抄没他们的家产,又没收其妻儿做官府的奴婢,不合于古代'罪人不及妻儿'之意,今后请求不要没收罪人的妻儿为奴婢。"皇帝认可。

丁未(十九日),皇帝在南郊告天祭祀。

己酉(二十一日),陕西兵夺取武关,万户杨克忠等人兵溃。

庚戌(二十二日),皇帝御驾兴圣殿,齐王伊噜特穆尔及诸王大臣献上皇帝宝印。都尔苏等人跟着齐王到京师,被关入牢中。分别派遣使者传檄行省、内郡停止军事行动,以安定百姓。

壬子(二十四日),因河南、江西、湖广进贡野鸭太频繁,下令减少进贡数量,以减轻驿站传送的任务。

癸丑(二十五日),雅克特穆尔辞去知枢密院事一职,皇帝任命他叔父东路蒙古元帅布哈特穆尔接替。

御史台上奏说:"最近北兵攻夺紫荆关,官军溃散逃走,抢掠保定的百姓。保定路官员和已故平章张珪之子张景武等五人,率领百姓抗击溃散抢掠的官军,额森特不等奏明皇上,就擅自杀害地方官吏和张珪的五个儿子。张珪父、祖三代,都是国家的有功之臣,即使张珪之子有罪,张珪的妻子儿女又有什么罪呢!现在既然抄没了他的家产,又将他的女儿嫁给额森特,这实在不是国家待遇功勋之臣的意思。"皇帝命中书省改正这件事。

甲寅(二十六日),撤销徽政院,改立储庆使司。

湘宁王巴喇实里去冀宁,返回时,住在马邑,元帅伊苏岱尔抓住他送到京师。

丁巳(二十九日),毁去太庙中的显宗室,将顺宗的神主升祔为右穆第二室,成宗的神主升祔为右穆第三室,武宗的神主升祔为左昭第三室,仁宗的神主升祔为左昭第四室,英宗的神主升祔为右穆第四室。

皇帝加封雅克特穆尔为达喇罕,还命他的子孙世袭这一封号。

戊午(三十日),皇帝下诏对朝廷官员说:"今后各臣僚,只有丞相雅克特穆尔、大夫巴延允许身兼三职办事,其余的人一并从简安排。百司官员有事要上奏的,经共同商议再上报,不允许单独奏请。上都官吏,自八月二十一日以后提拔任用的,都要追回任命的制书。"

皇帝下令:"天下僧人、道士有妻室的,都让他们还俗当老百姓。"

强盗杀死太尉布哈。

当初,布哈乘国家多事之机,率领部众抢掠,居庸关以北地区,都受到他的骚扰。到现在,强盗进入他家,将他杀死。兴和路官员判处强盗死罪。刑部复议,认为:"布哈不讲仁道,众所周知,遇到强盗被杀,而兴和路官员隐瞒了他残暴剽劫的罪行,只把强盗杀人的事情上报朝廷,在法律上是不恰当的。"中书省把刑部的意见奏报皇帝,皇帝嘉奖了刑部的意见。

　　这一月,河南行省平章阿尔哈雅召集行省和监察系统官员,询问抵御陕西兵的策略,没有人发言。阿尔哈雅说:"汴梁在南北交通的交叉点上,假使陕西兵占据了这里,那么,江南三省北上之道便被切断,达不到京畿,军事活动接连不断,不知何时才能停息! 事情有缓急轻重之分,今日重要的事情,没有超过充足军队的,今日紧急事情,没有超过充足粮食的。我征调湖广行省的平阳、保定两翼军,与我省的邓州新翼军、庐州、沂州、郯州炮弩手诸军以防备虎牢关口;调裕州哈喇鲁、邓州孙万户两军以防备武关、荆子口;以行省所属各郡的兵力及蒙古两都万户、左右两卫诸部丁壮中可以参军的,发给乘坐的马匹、物质、装备,成立队伍,作各关隘的预备卫队。芍陂等地的屯兵,凡是来自襄阳、邓州各军中从事耕作的,现在让他们都回到原来的部队,再增加百姓中的壮丁,让他们守襄阳、白土、峡州各关隘。另外派遣塔海的军队以防备从四川来的军队,搜寻汴梁、汝宁、荆州、襄阳和两淮的马匹供给他们。国库中的费用不够,就命郡县向殷实富有之家借贷。安丰等郡的粮食,经黄河上运到陕州,还可从汴梁、汝宁购买粮食,靠近郡县的就运到荥阳以便送到虎牢关。我和各军各以忠义之心效忠王事,应该是没有不成功的道理。"大家都说:"唯命是从。"

　　当天就部署安排,分头行事,派遣廉访使董守忠、佥事锡苏前往南阳,右丞图特穆尔、廉访使布延前往虎牢,分别派遣兵马,听从他们的调用。运送粮饷的队伍接连不断,阿尔哈雅亲自察看落实,从虎牢以南一直到襄汉,无不满足供应。当时,朝廷设置行枢密院以总管对陕西作战的事务,襄汉、荆湖、河南郡县都缺少官员,阿尔哈雅根据需要选择人才加以使用,朝廷都依从了他的安排。

　　不久,陕西军队的北路经过河中前往怀、孟、磁等地区,南路由特默格率领越过武关,破邓州,直奔襄阳,攻破城邑三十余座,所过之地,杀官吏,烧房屋,并且与西边的襄嘉特勾结,引来四川兵马。阿尔哈雅派间谍探知这一情报,更加督促粮饷西行,派遣行院官塔海带兵攻打特默格,又在长江、黄河上设防,在峡口水面安置铁绳,建造兵船准备作战。十九日,在巩县石渡与陕西军相遇,战斗延续到天黑,双方死伤及落入涧谷中跌死的数目相等,而虎牢关遂落入敌手。无数的军队、粮饷,全部丢失。各军收兵退却。二十二日,退到汴梁,百姓十分惊恐。阿尔哈雅前后派遣使者向朝廷告急,都被额森特扣留,得不到朝廷的音讯。阿尔哈雅亲自出来安抚慰问百姓,修补城关,准备战斗,告诫士卒从严守卫,虽然形势危急,但他却像平时一样从容不迫,众人才得以安定下来。

　　十一月,庚申(初二),根据江南行台御史王琚仁的建议,朝廷裁减了近年来没有功名却得到官职的人。

　　皇帝诏令行台:"凡有检举弹劾,一定要由御史台上奏,不要直接密封上奏。"

　　辛酉(初三),额森特的军队到武安,额森特穆尔率军投降。河东各州县听到这一消息,将他委派的官吏全部杀死。

　　癸亥(初四),皇帝在斋宫住宿。甲子(初五),皇帝穿戴好天子礼服,祭祀太庙。

　　这一天,陕西军队逼近汴梁城,还有百里就到城下。阿尔哈雅召集行枢密院、廉访司和

诸将吏,对他们说:"我们蒙受国家厚恩,只有一死来报答圣上。敌人不过是乌合之众,究竟接受谁的命令而敢侵犯我们! 若让他们知道圣天子的诏命,那么他们一定会沮丧而溃散。

我现在派遣使者向朝廷报告情况,请朝廷下诏赦免那些胁从受到牵连的人,从而整饬军队向西迎战敌人。另外派遣精锐骑兵数千人上龙门,绕到西军的后面,使他们进无所投,退无所归,必定在巩县、洛阳之间成为我们的俘虏。"众人都说:"好主意!"于是当天就与行枢密院人马一同出师。

正好使者从大都回来,说齐王已攻克上都,捧皇帝宝玺归来,马上就要到京师了。阿尔哈雅便摆酒庆贺,发信告知所属郡县和江南三省。又招募到一个名叫兰珠的人,携信前去告诉陕西军,朝廷也派遣都护伊噜特穆尔传诏释放遣散在虎牢的陕西军。陕西军多想散走,又听说行省、行院派兵来到,朝廷又派遣参政冯布哈亲自宣谕,靖安王便派遣四名使者与兰珠来京请求保全性命,很快离京而去。

阿尔哈雅于是宣布解除禁令,收集余财还给百姓,从陕西寻回被俘虏掠去的百姓数千人,让他们回家,俘获的陕西官吏也都遣送回去。朝廷调迁阿尔哈雅为陕西行台御史大夫,以安定陕西。

庚午(十二日),朝廷命令总宿卫官分别清理招募来的勇士,不是原来在宿卫营的,都除名。

日本商人用船运来货物到福建进行贸易,浙江行省选择廉洁的官员去征收他们的商税。

中书省上奏说:"今年已经停用印钱钞的版本,明年计划印至元钞一百一十九万二千锭,中铳钞四万锭。"监察御史上奏说:"户部钞法规定,每年统计印钞的数额,以旧换新,期望于流通,不能超过钞票总数。近来,都尔苏因上都经费不足,命有关部门刻板印钞。现在大局已定,应赶紧收回钞版销毁。"朝廷听从了这一建议。

监察御史萨里布哈、索诺木、于钦、张士弘上奏说:"朝廷的政务,赏罚是第一位的,功罪分明,天下才能安定。近来,因为特们德尔擅用权柄,私窃高位,借刑赏以济其私,朝廷的纲常法纪开始紊乱,到泰定帝期间,封爵赏赐更加没有节制。近来因为兴兵作战,用人甚为紧急,然而赏罚不可不严,应该命令有关部门,赏罚必合于舆论实情,明白表示贬黜还是提升。功罪既分明,赏罚得当,就会使朝廷清平,纲纪振举,天下就能治理好了。"皇帝嘉奖并采纳了他们的意见。

辛未(十三日),特默格的军队进入襄阳,襄阳本路的官员都逃走了。唯独襄阳县尹谷廷珪、主簿张德不逃,陕西兵抓住他们,要他们投降,他们不屈服,被杀死。当时,金枢密院事塔海拥兵南阳,不去相救。

癸酉(十五日),雅克特穆尔上奏说:"从前上都发兵,诸王实喇、枢密同知阿奇喇等十人,向南对着宫阙叫嚷,其党羽敢于抗拒皇命作战,这种情况不能宽恕。"皇帝下诏,各杖一百零七,流放到边远州县,抄没家产。

甲戌(十六日),把泰定帝的皇后雍吉喇氏迁居到东安州。

丙子(十八日),苏苏因受贿犯罪,受杖刑,迁徙到襄阳。因他母亲年迈,皇帝下诏让他留在京师。

丁丑(十九日),皇帝亲自到太庙祭祀,仪式告成后,御驾大明殿,接受诸王、百官朝贺。

荆王伊苏布干派遣使者传送檄文到襄阳,特默格领兵逃走。

己卯(二十一日)，中书省上奏说："朝廷内外的流官年龄到退休的，都依品阶授以制、敕，今后不须再奏闻。"皇帝听从了这一意见。

发给诸卫汉军和州、县丁壮的甲胄、武器，都让他们交还官府。

庚辰(二十二日)，皇帝派遣使臣到漠北去迎接皇兄周王和实拉。

任命中政院使敬俨为中书平章政事。

壬午(二十四日)，第三皇子宝宁更名为太平讷，命大司农迈珠将皇子接到家中抚养。

皇帝下诏命行枢密院罢兵回京。

癸未(二十五日)，上都左丞相都尔苏服罪被杀，在闹市肢解了他的尸体。梁王旺沁被赐死，玛谟锡、宁珠、萨实密实、额森特穆尔等都被处死，暴尸街头。

当时朝廷中讨论，想将在上都的朝臣全部处死，敬俨发表不同议论，说这些官员都是按惯例跟随前去的，把他们处死没有罪名。众人这才赖以获免。

甲申(二十六日)，朝廷命令威顺王库春布哈回镇湖广。

原先，皇帝曾命威顺王远征八番，而四川行省囊嘉特抗拒命令尚未平定。南台御史秦起宗说："武昌是国家重镇，应当防备上流来的军队，亲王不可远去。"竭力阻止威顺王离开。等到威顺王入见皇上，皇上说："八番之行，不是秦元卿，几乎失算。"于是派遣威顺王回去镇守。朝议让秦起宗前去治理四川，幕府忘记了他的名字，以他的字称之为秦元卿，皇帝曾提笔改为"起宗"，对他的眷恋关注到如此地步。不久，授秦起宗为中台御史。秦起宗是广平深水人。

御史中丞赵世延以年老多病辞职，不许。依照已故中丞崔彧的例子，加封平章政事，仍任前职。

丙戌(二十八日)，因阿鲁辉特穆尔等六人在上都准备举义投奔京师，没有成功而死，一并追赠谥号，抚恤他们的家属。

遣送诸卫兵各回其镇守之地。

辽王托克托之子巴都聚集党羽，到处抢掠，皇帝下令宣德府官捕捉。

四川行省平章囊嘉特自称镇西王，以该省左丞托克托为平章，前云南廉访使杨静为左丞，杀该省平章宽春等，举兵烧毁栈道。乌蒙路教授杜岩肖说："皇上圣明，继承大统，国中安宁，行省大臣应罢兵入朝，庶免一方之害。"囊嘉特将他杖一百零七，并禁止他做官。

十二月，庚寅(初二)，朝廷命通政院整顿蒙古驿站，诸关隘曾经毁民屋以充当驿站的，赐给百姓钱钞，让他们修理房屋。

丙申(初八)，文宗皇帝拜谒武宗神御殿。

御史台上奏说：额森特带兵所到之处，擅自杀害官吏，俘掠子女财物。皇帝下诏要刑部审讯他，抄没他的家产，处以杖刑，流放南宁，命他的妻子回自己父母的家。

庚子(十二日)，大赦天下。

辛丑(十三日)，江南行台御史上奏说："辽王托克托，自从他祖父以来，屡次叛逆，都是因他的封地广大物产丰富的缘故。应该削去他的王号，把他的子孙安置于远方，而将他的原有封地分割开来。"皇帝下诏中书省与功勋旧臣商议此事。

甲寅(二十六日),皇帝又派遣使臣萨迪等到漠北去迎接皇兄。

丁巳(二十九日),皇帝封西安王喇特纳实哩为豫王。

戊午(三十日),皇帝下诏:"蒙古、色目人愿意在父母亡故后回家守丧的,听从旧制。"

这一月,给颜真卿加封正烈文忠公谥号,命有关部门每年按时致祭。

陕西自泰定二年到现在没有下雨,发生大饥荒,百姓相互为食。

北方沙漠诸王都劝周王南返京都,周王于是出发南行。诸王察阿台、沿边元帅多拉特、万户玛噜等,都率师护卫随行。旧臣博啰、尚嘉努、哈巴尔图都随从前往。到金山,岭北行省平章政事和尼迎接,武宁王库库图、金枢密院事特穆尔布哈接着来到,于是命博啰前往京师。大都、上都的百姓听说周王使者来到,欢呼道:"天子真从北方来了!"诸王、旧臣争先迎拜,所到之处,人群成堆聚集。

这一年,上都与大都之间发生战争,漕运粮船后到直沽的,因战乱不能把漕运粮食运往大都,又漕运回南方。江浙行省想给督运者治罪,海道都漕运万户王克敬上奏说:"倘若平时像这样往返,实在可以定罪。今日冒着万死的危险将漕粮完整地运回来,岂得他们愿意这样做吗!请令他们统计好粮食石数,附在明年漕运粮船上运到京师。"皇帝听从了这一建议。

雅克特穆尔提议给巴延加封王爵,众人附议同意,唯独参议中书省事策丹不说话。雅克特穆尔问他为什么,策丹说:"巴延已封为太保,位列三公,再加王封,今后再有大功,将怎么安排?而且丞相您得到王爵,出自圣上的心意。今日想给太保加封王爵,丞相也应该向圣上请示,王爵的加封不是中书省法定的权限啊。"于是搁置了这个提议。

前集贤直学士邓文原去世。

邓文原对己严对人宽,家境贫寒而操行廉洁,自从退休归家,征召为翰林侍讲学士,又拜官岭北、湖南道肃政廉访使,都因病不赴任。后谥号文肃。

续资治通鉴卷第二百五

【原文】

元纪二十三　起屠维大荒落【己巳】正月，尽十二月，凡一年。

明宗翼献景孝皇帝

讳和实拉，武宗长子也，母曰仁献章圣皇后伊奇哩氏。帝以大德四年十一月壬子生。十一年，武宗入继大统，立仁宗为皇太子，命以次传于帝。武宗崩，仁宗立，延祐三年春，立英宗为皇太子，封帝为周王，出镇云南。行至陕西，从臣不欲南行，拥帝至金山之北，遂居焉。

天历二年 【己巳，1329】　春，正月，己未朔，立都督府，以总左右奇彻及龙（翔）〔翊〕卫，命雅克特穆尔兼统之。

庚申，遣前翰林学士承旨布达实哩赴周王行所，仍命太府太监实喇卜奉金币以往。

平章政事敬俨以伤足告归。

辛酉，以高昌王特穆尔布哈为中书左丞相，大司农王毅为平章政事。

周王遣和勒图达逊喇至京师。以巴特穆尔扈从有功，遣使以币帛百匹即行所赐之。

武宁王库库图遣使来言周王启行之期。

癸亥，以雅克特穆尔为御史大夫。初，雅克特穆尔乞解相印，还宿卫，帝勉之曰：“卿已为省院，惟未入台，其听后命。”至是迁御史大夫，依前录军国重事、达喇罕、太平王。

甲子，齐王伊噜特穆尔薨。

乙丑，命中书左丞伊勒特穆尔迎周王。

丙寅，帝幸大（承）〔崇〕恩福元寺。

戊辰，遣使献海东鹘于周王。

辛未，中书省言：“近籍没奇彻家，其子年十六，请令与其母同居；仍请自今臣僚有罪籍没者，其妻、其子，他人不得陈乞没为官口。”从之。

壬申，遣近侍星吉巴勒以诏往四川谕囊加特。

癸酉，以辽阳省、〔蒙古〕、高丽、肇州三万户将校从逆，举兵犯京畿，拘其符印制敕。

囊嘉特乞师于镇西武靖王绰斯班，绰斯班以兵守关隘。

甲戌，复命太仆卿嘉晖献海东鹘于周王。

丙子，皇后媵臣章珠图等七人，授集贤〔侍讲〕学士等官。

丁丑，囊嘉特攻破播州猫儿垭隘，宣慰使杨雅尔布哈开关纳之。陕西蒙古军都元帅布哈

4936

台者,囊嘉特之弟;囊嘉特遣使招之,布哈台不从,斩其使。

中书省言:"朝廷赏赉,不宜滥及幸功。鹰、鹘、狮、豹之食,旧支肉价二百馀锭,今增至万三千八百锭,控鹤旧止六百二十八户,今增至二千四百户;又,佛事岁费,以今较旧,增多金千一百五十两,银六千二百两,钞五万六千二百锭,币帛三万四千馀匹;请悉简汰。"从之。

壬午,周王遣常侍博啰及特珠勒先至京师,赏以金币、居宅,仍遣内侍图嘉珲如周王行所。

乙酉,萨题等见周王于行幄,致命辞劝进。

播州杨万户,引四川贼兵至乌江峰,官军击败之;八番元帅图楚克破乌江北岸贼兵,复夺关口;诸王伊噜特穆尔,统军五万五千至乌江,与(脱出)〔图楚克〕会,囊嘉特焚鸡武关大桥,又烧绝栈道。

丙戌,周王即皇帝位于和宁之北,是为明宗。扈行诸王大臣咸入贺,乃命萨题遣人还报京师。已而布达实里等辇金银币帛至,遂遣萨题等还京师。帝命之曰:"朕弟曩观书史,迩者得毋废乎?听政之暇,宜亲贤士大夫,讲论史籍,以知古今治乱得失。卿等至京师,当以朕意谕之。"

奉元蒲城县民王显政,五世同居;卫辉安寅妻陈氏,河间王成妻刘氏,冀宁李孝仁妻寇氏,濮州王义妻雷氏,南阳郜二妻张氏,怀庆阿鲁辉妻翟氏,皆以贞节闻;并旌其家。

二月,己丑,曲赦四川囊嘉特。

庚寅,大都复以雅〔克〕特穆尔为中书右丞相、监修国史、知枢密院事,馀如故。辛卯,御大明殿,册命皇妃永吉喇氏。

壬辰,宣靖王迈努自大都来觐于行在。

癸巳,大都遣翰林侍讲学士曹元用祀孔子于阙里。

囊嘉特据鸡武关,夺三叉、柴关等驿,以书诱巩总帅汪延昌,又进兵至金州,据白土关,陕西行省督军御之。大都枢密院言:"囊嘉特阻兵四川,其乱未已,请命镇西武靖王绰斯班等皆调军,以湖广行省官托欢、集赛博啰及郑昂霄总其兵进讨。"戊戌,命察罕托诺尔,宣慰使萨特密实,将本部蒙古军,会镇西武靖王讨四川。

颁行《农桑辑要》及《栽桑图》。

辛丑,大都中书省议追尊皇妣伊奇哩氏曰仁献章圣皇后,唐古氏曰文献昭圣皇后。伊奇哩,明宗母;唐古,文宗母也。

丙午,囊嘉特分兵逼襄阳,湖广行省调兵镇播州及归州。

辛亥,大都谕廷臣曰:"萨题还,言大兄已即皇帝位。凡二月二十一日以前除官者,速与制敕。后凡铨选,其诣行在以闻。"

庐州路合肥县地震。

壬子,命有司造行在帐殿。

癸丑,诸王伊噜特穆尔等至播州,招谕土官之从囊嘉特者,杨延里布哈及其弟等皆来降。

大都立奎章阁学士院,秩正三品,以翰林学士承旨呼图鲁都尔、集贤大学士赵世延并为大学士,侍御史萨题、翰林直学士虞集并为侍读学士;又置承制、供奉各一员,遣使以除目奏于行在,帝并从之。

三月，戊午朔，帝次洁坚察罕之地。

辛酉，大都遣右丞相雅克特穆尔奉皇帝宝于行在所，御史中丞巴实喇、知枢密院事图尔、哈特穆尔等各率其属以从。复命有司以金银、币帛诣行在所以备赐予。因谓其廷臣曰："宝玺既北上，继今国家政事，其遣人闻于行在所。"

癸亥，大都命有司造乘舆服御，北迎大驾。

大都改潜邸所幸诸路，名建康曰集庆，江陵曰中兴，琼州曰乾宁，潭州曰天临。

丙寅，耀里特穆尔自行在还大都，谕旨曰："朕至上都，宗王、大臣必皆会集，有司当备供帐。上都积贮，已为都尔苏所耗，大都府藏，闻亦尽虚，供亿如有不足，其以御史台、司农寺、枢密、宣徽、宣政等院所贮充之。"

戊辰，云南诸王达实布哈、图沁布哈及行省平章玛呼斯等，集众五万，数丞相额森吉尼专擅十罪，将杀之。额森(达尔)〔吉尼〕遁走八番。达实布哈伪署参知政事等官。

己巳，大都命改集庆潜邸，建大龙翔集庆寺，以来岁兴工。

夏，四月，壬辰，大都命浚潮州漕运河。

癸巳，雅克特穆尔见帝于行在，率百官上皇帝宝。帝嘉其勋，拜太师，仍命为中书右丞相、录军国重事、达喇罕、太平王，馀并如故。复谕雅克特穆尔等曰："凡京师百官，朕弟所用者，并仍其旧，卿等其以朕意谕之。"雅克特穆尔曰："陛下君临万方，国家大事所系者，中书省、枢密院、御史台而已，宜择人居之。"帝然其言，以武宗旧人哈玛尔图为中书平章政事，前中书平章政事巴特穆尔知枢密院事，常侍博啰为御史大夫。

甲午，立行枢密院，命昭武王知枢密院事，和锡领行枢密院事，赛特穆尔、迈努并同知行枢密院事。

是日，帝宴诸王、大臣于行殿，雅克特穆尔、哈玛尔图、巴特穆尔、博啰等侍。帝特命台臣曰："太祖皇帝尝训饬臣下云：'美色、名马，人皆悦之，然方寸一有系累，即能坏名败德。'卿等居风纪之司，亦尝念及此乎？世祖初立御史台，首命塔齐尔、宾达杰尔二人协司其政。天下国家，譬犹一人之身，中书则右手也，枢密则左手也。左右手有病，治之以良医，省院缺失，不以御史台治之，可乎？凡诸王、百司，违法越礼，一听举劾。风纪重则贪墨惧，犹斧斤重则入木深，其势然也。朕有缺失，卿亦以闻，朕不以责也。"

乙未，特命博啰等传旨，宣谕雅克特穆尔、巴特锡、和实、哈玛尔图、巴特勒等曰："凡省、院、台、百司庶政，询谋佥同，标译所奏，以告于朕。军务机密，枢密院当即以闻，毋以夙夜为间而稽留之。其它有所言，必先中书、院、台，其下百司及暬御之臣，毋得隔越陈请。宜宣谕诸司，咸俾闻知，倘违朕意，必罚无赦。"

丁酉，以陕西行台御史大夫御穆尔图为上都留守。

己亥，湖广行省参知政事博啰奉诏至四川赦囊嘉特罪。囊嘉特等听诏，蜀地悉定，诸省兵皆罢。

癸卯，遣使如京师，卜日命中书左丞相特穆尔布哈摄告即位于郊庙、社稷。遣武宁王库库图、平章政事(玛哈)〔哈玛〕尔图，立皇弟图卜特穆尔为皇太子，仍立詹事院，罢储庆司。

以彻尔特穆尔为中书平章政事，阔尔吉为中书右丞。

乙巳，监察御史言："岭北行省，控制一方，广轮万里，实为太祖肇基之地，国家根本系焉，方面之寄,岂可轻任！平章达锡济素非勋旧,奴事都尔苏,倔起宿卫,辄为右丞,俄升平章,年已七十,眊昏殊甚。右丞玛谟本晋邸部民,以女妻都尔苏,引为都水,遂除左丞。郎中罗勒,市井小人,呼鲁呼乃晋邸卫卒,不谙政务,并宜黜退。"帝曰:"御史言甚善,其并黜之。"又谕台臣曰:"御史劾岭北省臣,朕甚嘉之。继今所当言者,勿有所惮。被劾之人,苟营求申诉,朕必罪之。或廉非其实,毋辄以闻。"

五月,丁巳朔,帝次多勒巴津之地。

是日,皇太子赐雅克特穆尔父祖纪功碑铭。

戊午,遣豫王特纳实哩还大都。

己未,皇太子遣翰林学士承旨〔阿〕邻特穆尔来迎大驾。

庚申,帝次鄂尔(水)〔木〕东。癸亥,次拜萨济图之地。是日,皇太子复遣翰林学士承旨鄂尔多来迎大驾。

乙丑,命有司给行在宿卫士衣粮及马刍豆。

庚午,帝命雅克特穆尔升用岭北行省官吏,其馀官吏并赐散官一级。选用潜邸旧臣及扈从士,受制命者八十有五人,六品以下二十有六人。

甲戌,皇太子命中书省臣,拟用中书六部官,奏于行在所。

壬申,次温都尔海之地,以重嘉努为御史中丞。

乙亥,次呼图喇。敕大都省臣铸皇太子宝。时求太子故宝不知所在,近侍巴布哈言宝藏于上都行幄,遣人于上都索之,无所得,乃命更铸之。

丁丑,皇太子发京师,北迎大驾。镇南王特穆尔布哈及诸王、驸马、扈卫、百官悉从行,市马二百匹,载乘舆服御送行在所。

六月,丁酉,升都督府为大都督府。

壬寅,戒近侍毋得辄有奏请。

庚戌,皇太子次于上都之六十店。

辛亥,帝次哈尔纳图之地。诏中书省臣:"凡国家铨选、钱谷诸大政事,先启皇太子,然后以闻。"

陕西行台御史孔思迪言:"人伦之中,夫妇为重。内外大臣得罪就刑者,其妻妾即断付他人,似与国朝旌表贞节之旨不侔,夫亡终制之令相反。况以失节之妇配有功之人,又与前贤所谓'娶失节者以配身,是己失节'之意不同。今后凡负国之臣,籍没奴婢财产,不必罪其妻子。当典刑者,则孥戮之,不必断付他人,庶使妇人均得守节,请著为令。"

壬子,海运粮至大都,凡百四十万九千一百三十石。

是月,皇太子赐凤翔府岐阳书院额。书院祀周文宪王,仍命设学官,春秋释奠,如孔子庙仪。

秋,七月,丙辰朔,日有食之。自六月壬子雨,至是日乃已。

己未,皇太子更定迁徙法:"凡应徙者,验所居远近,移之千里,在道遇赦,皆得放还。如不悛再犯,徙之本省不毛之地,十年无过,则量移之。所迁人死,妻子愿归土者听。著为令。"

壬申,监察御史巴迪斯言:"朝廷自去秋命将出师,戡定祸乱,其供给军需,赏赉将士,所费不可胜计。况冬春之交,雪雨愆期,麦苗槁死,秋田未种,民庶遑遑,流移者众,此正国家节用之时也。如果有功必当赏赍者,宜视其官之崇卑而轻重之,不惟省费,亦可示劝。其近侍诸臣奏请恩赐,宜悉停罢,以纾民力。"帝嘉纳之,仍敕中书省,以其言示有司。

癸(西)〔亥〕,太白经天。

丙子,皇太子受新宝。

辛巳,冀宁阳曲县雨雹,大者如鸡卵。

八月,乙酉朔,帝次鸿和尔之地。丙戌,皇太子入见。是日,宴皇太子及诸王、大臣于行殿。庚寅,帝暴崩,年三十,葬起辇谷。

皇太子入临,哭尽哀。雅克特穆尔以皇后命,奉皇帝玺宝授皇太子。皇太子疾驱而还,雅克特穆尔从行,昼则率宿卫士以扈从,夜则躬擐甲胄,绕幄殿巡护。壬辰,次博啰察罕,以巴延为中书(省)〔左〕丞相,依前太保;奇彻台、阿尔斯兰哈雅、赵世延并中书(参知)〔平章〕政事;甘肃行省平章多尔济为中书右丞,中书参议阿荣、太子詹事丞赵世安并中书参知政事;前右丞相达实特穆尔、知枢密院事特穆尔布哈及上都留守特穆尔图并为御史大夫。

宣政院使回回闻明宗崩,流涕不能食,自是杜门不出者数年,以疾卒。回回与弟库库皆为时之名臣,世号双璧,皆博果密之子也。

癸巳,皇太子至上都,雅克特穆尔遂与诸王、大臣陈劝复进大位。

丙申,流诸王图喇楚于海南。

戊戌,四川囊嘉特以指斥乘舆,坐大不道弃市。

己亥,皇太子复即位于上都之大安阁。

诏曰:"晋邸违盟构逆,据有神器,天示谴告,竟陨厥身;于是宗戚旧臣,协谋以举义,正名以讨罪,揆诸统绪,属在眇躬。朕兴念大兄播迁朔漠,以贤以长,历数宜归,力拒群言,至于再四。乃曰艰难之际,天位久虚,则众志弗固,恐隳大业。朕虽从其请,初志不移,是以固让之诏始颁,奉迎之使已遣。寻命喇特纳实里、雅克特穆尔奉皇帝宝玺,远迓于途,受宝即位之日,即遣使授朕皇太子宝;朕幸释重负,实获素心,乃率臣民,北迎大驾。而先皇帝跋涉山川,蒙犯霜露,道路辽远,自春徂秋,怀艰阻于历年,望都邑而增慨,徒御弗慎,屡爽节宣,信使往来,相望于道。八月一日,大驾次鸿和尔,朕切瞻对之有期,兼程先进,相见之顷,悲喜交集。何数日之间,而宫车弗驾,国家多难,遽至于斯! 念之痛心,以夜继旦。诸王、大臣以为祖宗基业之隆,先帝付托之重,天命所在,诚不可违,请即正位,以安九有。朕以先皇帝奄弃方新,衔哀辞对,固请弥坚,执谊伏阙者三日,皆宗社大计,乃于八月十五日即皇帝位于上都。可大赦天下。"

辛丑,立宁徽寺,掌明宗宫分事。壬寅,以钞万锭,币帛二千匹,供明宗皇后费用。

乙巳,发诸卫军浚通惠河。

丙午,自庚子至是日,昼雾夜晴。

丁未,以玛萨尔岱为上都留守。玛萨尔岱前为陕西行台侍御史,坐涂毁诏书得罪,以其兄巴延有功,故特官之。

曹元用自曲阜代祀还,以司寇像及《代祀记》献,帝甚喜。值大禧宗禋院副使缺,中书请以元用为之,帝不允,曰:"此人翰林中所不可无者,将大用之。"会卒,帝嗟悼久之,追封东平郡公,谥文献。

己酉,车驾发上都。

庚戌,改詹事院为储政院,以巴延兼储政院使。

河东宣慰使哈克缴托朝贺为名,敛所属钞千锭入己,事觉,征钞还其主。敕:"自今有以朝贺敛钞者,以枉法论罪。"

甲寅,监察御史劾"前丞相齐布哈,昔以赃罢;天历初,因人成功,遂居相位。既矫制以玛间家资赐平章苏苏,又与苏苏等潜〔于〕〔呼〕日者推测圣算。今奉诏已释其罪,请窜诸海岛以杜奸萌。"帝曰:"流窜海岛,朕所不忍,其并妻子置之集庆。"

加封大都城隍为护国保宁王。

景州蓨县尹吕思诚,差民户为三等,均其徭役;刻孔子像,令社学祀事。每岁春,行田,树畜勤敏者赏以农器,人争趋事,地无遗力。民石安儿等,流离积年,至是闻风复业。印识文簿,俾社长藏之,季月报县,不孝弟、不事生业者悉书之,罚其输作。胥吏至社者何人,用饮食若干,多者责偿其直。豪猾者窜名职田户,思诚尽祛其弊。天旱,道士持青蛇曰:"卢师谷小青,谓龙也,祷之即雨。"思诚以其惑人,杀蛇,逐道士,雨亦随至,遂有年。县多淫祠,动以百馀计,刑牲以祭者无虚日,思诚悉命毁之,唯存汉董仲舒祠。

九月,乙卯朔,市故宋太后全氏田,赐大承天护圣寺。

辛酉,诏:"凡往明宗所送宝官吏,越次超升者,皆从黜降。"

丁卯,帝至自上都。

戊辰,敕翰林国史院官同奎章阁学士,采辑本朝典故,准唐、宋《会要》著为《经世大典》。

敕:"使者颁诏赦,率日行三百里。既受命,逗留三日及所至饮宴稽期者治罪;受赂者以枉法论。"

辛未,监察御史劾奏:"知枢密院事达实特穆尔,阿附都尔苏,又与旺沁举兵犯阙。今既待以不死,而又付之兵柄,事非便。"诏罢之。

癸酉,帝御大明殿,受诸王、百官朝贺。

特们德尔诸子索珠等,明宗尝敕流于南方。雅克特穆尔言天历初有劳于国,请各遣还田里,从之。

甲戌,命江浙行省明年漕运粮二百八十万石赴京师。

乙亥,史惟良上疏言:"今天下郡邑被灾者众,国家经费若此之繁,帑藏空虚,生民凋瘵,此正更新百度之时也。宜遵世祖成宪,汰冗滥蚕食之人,罢土木不急之役,事有不便者,咸厘正之。如此,则天灾可弭,祯祥可致;不然,因循苟且,其弊渐深,治乱之由,自此而分矣。"帝嘉纳之。

丙子,以卫辉路旱,罢苏门岁输米二千石。

论额森特以不忠不敬,伏诛。

癸未,建颜子庙于曲阜所居陋巷。

时方建龙翔集庆寺,命阿荣、赵世安督工,台臣监造。南台御史盖苗上封事曰:"臣闻使民以时,使臣以礼,自古未有不由斯道而致隆平者。陛下龙潜建业之时,居民困于供给;幸而获睹今日之运,百姓跂足举首以望非常之惠。今夺民时,毁民居,以创佛寺,岂圣人御天下之道乎?昔汉高祖兴于丰、沛,为复两县;光武中兴,南阳免税三年。今不务此而隆重佛氏,何以慰斯民之望哉？且佛以慈悲为心，方便为教，今尊佛氏而害生民，无乃违其方便之教乎？台臣职专纠察，表正百司，今乃委以修缮之役，岂其理哉？"书奏，为免台臣监役。

关中大饥，帝问奎章侍书学士虞集，何以救民之饥，对曰："承平日久，人情晏安，有志之士，急于近效，则怨讟兴焉。不幸大灾之馀，正君子为治作新之机也。若遣一二有仁术、知民事者，稍宽其禁令，使得有所为，随郡县择可用之人，因旧民所在，定城郭，修闾里，治沟洫，限畎亩，薄征敛，招其伤残老弱，渐以其力治之，则远去而来归者渐至，春耕秋敛，皆有所助。一二岁间，勿征勿徭，封域既正，友望相济，四面而至者，均齐方正，截然有法，则三代之民将见出于空虚之野矣。"帝称善。因进曰："幸假臣一郡，试以此法行之，三五年间，必有以报朝廷者。"左右有曰："虞伯生欲以此去耳。"遂寝其议。

以张养浩为陕西行台御史中丞。

初，养浩以父老，弃官归养，屡征不赴。及闻陕西中丞之命，即散其家之所有与乡里贫乏者，登车就道，遇饿者则赈之。道经华山，祷雨于岳祠，大雨如注，水三尺乃止，禾黍自生，秦人大喜。时斗米值十三缗，民持钞出籴，稍昏即不用，诣库换易，则豪猾党蔽，易十与五，累日不可得，民大困。养浩乃检库中未毁昏钞文可验者，得一千八十五万馀缗，悉以印记其背；又刻十贯、五贯为券，给散贫民，命米商视印记出粟，诣库验数以易之，于是吏弊不敢行。又率富民出粟，因请行纳粟补官之令。闻民间有杀子以奉（毋）〔母〕者，为之大恸，出私钱以济之。到官四月，未尝家居，止宿公署，夜则祷于天，昼则出赈饥民，终日无少息，每一念至，即抚膺恸哭，遂得疾不起。卒年六十。关中之人，哀之如失父母。追封济国公，谥文忠。

是月，太史院使齐履谦卒。

履谦少笃学勤苦，家贫无书。及为星历生，在太史局，会秘书监摹亡宋遗书留置本院，因昼夜讽诵，深究自得，故其学无不淹贯。时立国百有馀年，而郊庙之乐，沿袭宋、金，未有能正之者。履谦谓"乐本于律，律本于气，而气候之法，具在前史。可择僻地为秘室，取金门之竹及河内葭莩候之，上可以正雅乐，荐郊庙，和神人，下可以同度量，平物货，厚风俗。"列其事上之。又得黑石古律管一，长尺有八寸，其制与律家所说不同，盖古所谓玉律也。适迁它官，事遂寝，有志者深惜之。后追封汝南郡公，谥文懿。

冬，十月，甲申朔，帝服衮冕，享太庙。

辛卯，雅克特穆尔率群臣请上尊号，不许。

申饬海道转漕之禁。

籍四川囊嘉特家产；其党杨静等皆夺爵，杖之，籍其家，流辽东。

甲午，以登极恭谢，遣官代祀于南郊社稷。

中书省言："旧制，朝官以三十月为一考，外任则三年为满。比年朝官率不久于职，或数月即改迁，于典制不类，且治迹无从考验。请如旧制为宜。"敕："除风宪官外，其馀朝官，不许二十月内迁调。"

丙申，上大行皇帝尊谥曰翼献景孝皇帝，庙号明宗，国语曰齐雅尔皇帝。

己亥，申饬都水监河防之（害）〔禁〕。

辛丑，敕诸王公、官府、寺观拨赐田租；除鲁国大长公主听遣人征收外，其馀悉输于官，给钞酬其直。

壬寅,弛陕西山泽之禁以利民。

大宁路地震。

癸卯,监察御史劾奏:"张思明在仁宗朝,阿附权臣特们德尔,间谍两宫,仁宗灼见其奸,既行黜降。及英宗朝,特们德尔再相,复援为左丞,稔恶不悛,既以罢废。今又冒居是官,宜黜罢。"诏罢之。

戊申,征托多、王士熙等于贬所,放还乡里。

庚戌,罢大承天护圣寺工役。囚在狱三年疑不决者,释之;民欠官钱无可追征者,尽蠲免。

赈常德诸路饥。

十一月,乙卯,受佛戒于帝师,作佛事六十日。

甲子,赈庐州饥。

己巳,以萨迪为中书右丞。

命中书左丞赵世安提调国子监学。

丁丑,广源猺寇掠湖广州县,命行省招捕之。

己卯,翰林国史院言纂修《英宗实录》,请具都尔苏款伏付史馆,从之。

高丽国王王焘久病,不能朝,请命其子桢袭位。

以平江官田百五十顷赐大龙翔集庆寺及大崇(善)〔禧〕万寿寺。

壬子,诏豫王喇特纳实哩镇云南。

十二月,甲申,以帝师自西番至,命朝廷一品以下咸郊迎。大臣俯伏进觞,帝师不为动。国子祭酒富珠哩翀举觞立进曰:"帝师,释迦之徒,天下僧人师也。予,孔子之徒,天下儒人师也。请各不为礼。"帝师笑而起,举觞卒饮。众为之悚然。

诏:"僧尼徭役一切无有所预。"

丙戌,诏:"百官一品至三品,先言朝政得失一事,四品以下,悉听敷陈。"仍命赵世安、阿荣辑录所上章疏,善者即议举行。

追封雅克特穆尔曾祖班都察为溧阳王,祖托克托呼为升王,父绰和尔为扬王。

乙未,改封前镇南王特穆尔布哈为宣让王。初,镇南王托布哈薨,子博啰布哈幼,命特穆尔布哈袭其爵。博啰布哈既长,特穆尔布哈请以王爵归之,乃特封宣让王,以示褒宠。

诏谕群臣曰:"皇姑鲁国大长公主早寡守节,不从诸叔继尚,鞠育遗孤,其子袭其王,女配予一人。朕思庶民若是者犹当旌表,况在懿亲乎! 赵世延、虞集等可议封号以闻。"

诏:"诸僧寺田,自金、宋所有及累朝赐予者,悉除其租;其有当输租者,仍免其役;僧还俗者,听复为僧。"

壬寅,命江浙行省印《佛经》二十七藏。

丁未,造至元钞四十五万锭,中统钞五万〔锭〕。

是岁,中书平章政事彻尔特穆尔,出为河南行省平章政事。是时黄河清,有司以为瑞,请闻于朝,彻尔特穆尔曰:"吾知为臣忠,为子孝,天下治,百姓安为瑞,徐何益于治!"岁大饥,彻尔特穆尔议赈之,其属以为必自县上之府,府上之省,然后以闻,彻尔特穆尔曰:"民饥,死者已众,乃欲拘以常格耶! 往复累月,民存无几矣。此盖有司畏罪,将归怨于朝廷,吾不为也。"

大发仓廪赈之,乃请专擅之罪;帝嘉之,赐龙衣、上尊。

【译文】

元纪二十三 起己巳年(公元1329年)正月,止十二月,共一年。

元明宗名讳和实拉,元武宗的长子,母亲仁献章圣皇后伊奇哩氏。明宗于大德四年(公元1300年)十一月壬子(十一日)出生。十一年(公元1307年),武宗继承帝位,立仁宗为皇太子,命依次传位于明宗。武宗去世,仁宗即位,延祐三年(公元1316年)春天,立英宗为皇太子,封明宗为周王,出京镇抚云南。行进到陕西,随从的臣下不愿南行,拥护明宗到金山的北面,于是居留下来。

天历二年 (公元1329平)

春季,正月,己未朔(初一),设立都督府,以总管左右奇彻卫和龙翊卫,命雅克特穆尔兼任统领这项工作。

庚申(初二),朝廷派遣前翰林学士承旨布达实哩赶赴周王所在地,仍命太府太监实喇卜带着金、币前往。

平章政事敬俨因脚受伤辞官回家。

辛酉(初三),任命高昌王特穆尔布哈为中书左丞相,任命大司农王毅为平章政事。

周王派遣和勒图达逊喇到京师。因巴特穆尔随从护驾周王有功,文宗派遣使臣到周王所在地赏给他币帛百匹。

武宁王库库图派遣使者来告知周王启行的日期。

癸亥(初五),任命雅克特穆尔为御史大夫。起初,雅克特穆尔请求解除他的宰相职务,回到宿卫,文宗勉励他说:“卿已入中书省、枢密院,只是未入御史台,以后再听任命吧。”到此时,迁升为御史大夫,和以前一样为录军国重事、达喇罕、太平王。

甲子(初六),齐王伊噜特穆尔去世。

乙丑(初七),文宗任命中书左丞伊勒特穆尔前去迎接周王。

丙寅(初八),文宗亲临大崇恩福元寺。

戊辰(初十),文宗派遣使臣向周王送献海东鹘。

辛未(十三日),中书省奏:“近日抄没奇彻家产,他的儿子才十六岁,请允许他与他母亲居在一起;仍请自今以后臣僚有罪抄没家产的,其妻子、儿女,他人不得陈请收为官奴婢。”文宗听从了这个意见。

壬申(十四日),文宗派遣近侍星吉巴勒带着诏书前往四川告谕囊嘉特。

癸酉(十五日),因辽阳行省蒙古、高丽、肇州三万户将校附从上都逆党,举兵进犯京畿地区,朝廷拘收了他们的符牌、印信、制书和敕书。

囊嘉特向镇西武靖王绰斯班请求援助,绰斯班发兵防守关隘。

甲戌(十六日),文宗又命太仆卿嘉晖向周王献海东鹘。

丙子(十八日),皇后随嫁陪臣章珠图等七人,分别被授予集贤侍讲学士等官职。

丁丑(十九日),囊嘉特攻破播州猫儿垭关隘,宣慰使杨雅尔布哈打开关门迎他进去。陕西蒙古军都元帅布哈台是囊嘉特的弟弟。囊嘉特派遣使者召他归降,布哈台不听从,斩杀了来使。

中书省奏："朝廷赏赐，不应滥到无功也受赏的地步。鹰、鹘、狮、豹的食物费用，过去支付肉价二百余锭，现在增加到一万三千八百锭，控鹤过去只有六百二十八户，现在增加到二千四百户。又有，每年举办佛教仪式的费用，以现在和过去比较，增加黄金一千一百五十两，白银六千二百两，钱钞五万六千二百锭，币帛三万四千余匹。请求全部精简。"朝廷听从了他的意见。

壬午（二十四日），周王派遣常侍博啰及特珠勒先到达京师，文宗赏给他们金、币、住宅，仍旧派遣内侍图嘉珲前往周王行营所在地。

乙酉（二十七日），萨题等在行营觐见周王，传达了文宗劝他即皇帝位的命辞。

播州杨万户引导四川贼兵到乌江峰，被官军击败。八番元帅图楚克击破乌江北岸贼兵，夺回关口。诸王伊噜特穆尔统军五万五千到乌江，与图楚克会合。囊嘉特焚烧鸡武关大桥，又烧毁栈道。

丙戌（二十八日），周王在和宁以北即皇帝位，是为明宗。随行扈从的诸王、大臣都入内朝贺。明宗命萨题派人回京师报告。随即，布达实里等运金银、币帛到来，于是又派萨题等人回京师。明宗命令萨题说："朕弟过去阅读史书，近来没有放弃吧？听政之余，应该亲近贤士大夫，讲论史籍，以了解古今治、乱、得、失的缘由。卿等回到京师，应当把朕的这番意思告诉他。"

奉元蒲城县百姓王显政，五代同居一堂。卫辉县安寅的妻子陈氏，河间县王成的妻子刘氏，冀宁县李孝仁的妻子寇氏，濮州王义的妻子雷氏，南阳郑二的妻子张氏，怀庆阿鲁辉的妻子翟氏，都以贞节闻于皇上，朝廷一并对各家加以表彰。

二月，己丑（初二），因特殊情况赦免四川囊嘉特。

庚寅（初三），大都又任命雅克特穆尔为中书右丞相、监修国史、知枢密院事，其余和以前一样。辛卯（初四），文宗皇帝御驾大明殿，册命永吉喇氏为皇后。

壬辰（初五），宣靖王迈努从大都来行在觐见明宗。

癸巳（初六）大都派遣翰林侍讲学士曹元用到曲阜阙里祭祀孔子。

囊嘉特占据鸡武关，夺取三叉、柴关等驿站，用书信诱惑巩县总帅汪延昌，又进兵到金州，占据白土关，陕西行省督促军队进行抵御。大都枢密院上奏："囊嘉特倚仗四川的军队，作乱仍未停止，请下令镇西武靖王绰斯班等都调出军队，由湖广行省官托欢、集赛、博啰及郑昂霄总领他们的军队前去讨伐。"戊戌（十一日），朝廷命察罕托诺尔、宣慰使萨特密实率领本部蒙古军，会合镇西武靖王进讨四川。

颁行《农桑辑要》和《栽桑图》。

辛丑（十四日），大都中书省商议，追尊皇母伊奇哩氏为仁献章圣皇后，唐古氏为文献昭圣皇后。伊奇哩氏是明宗皇帝的母亲，唐古氏是文宗皇帝的母亲。

丙午（十九日），囊嘉特分兵进逼襄阳，湖广行省调兵镇守播州和归州。

辛亥（二十四日），大都文宗皇帝告诉朝廷大臣们说："萨题回来说，哥哥已即皇帝位。凡是二月二十一日以前任命官职的，迅速发给任命的制书、敕书，以后凡是选拔官员。都要到明宗皇帝的行在去奏闻。"

庐州路合肥县发生地震。

壬子(二十五日),朝廷命有关部门建造明宗行在用的帐殿。

癸丑(二十六日),诸王伊噜特穆尔等到播州,向依附囊嘉特的土官发出皇帝诏书,招抚他们,杨延里布哈及其弟弟等人都来投降。

大都设立奎章阁学士院,官品为正三品,任命翰林学士承旨呼图鲁都尔迷失、集贤大学士赵世延同为奎章阁学士院大学士,侍御史萨题、翰林直学士虞集同为学士院侍读学士;又设置承制、供奉两职各一人。文宗派遣使臣去行在将任职名单上奏明宗,明宗一并听从了上奏意见。

三月,戊午朔(初一),明宗皇帝到达洁坚察罕地方。

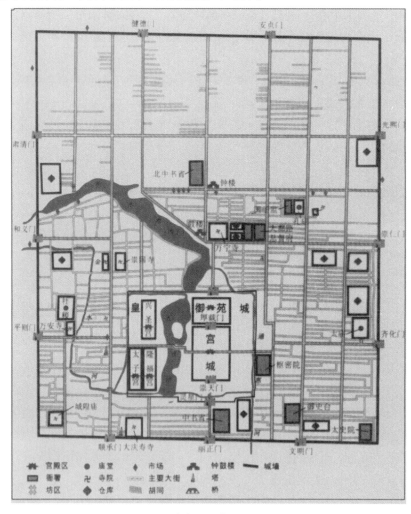

元大都平面复原图

辛酉(初四),大都派遣右丞相雅克特穆尔敬奉皇帝宝玺前往明宗行在,御史中丞巴实喇、知枢密院事图尔哈特穆尔等人各自率领部属随从。又命令有关部门把金银、币帛送往行在,以备作明宗皇帝赏赐之用。于是,文宗对朝廷大臣们说:"宝玺既然已经北上,自今以后国家政事,都派人到明宗皇帝行在去奏报。"

癸亥(初六),大都文宗皇帝命有关部门建造皇帝用的车辆、衣服,准备北上迎接明宗。

大都文宗将自己称帝前住过的地方和所经过的各条道路改名,改建康为集庆,改江陵为中兴,改琼州为乾宁,改潭州为天临。

丙寅(初九),耀里特穆尔从明宗行在回到大都,宣读圣旨说:"朕到上都,宗室诸王、大臣必然都来会集,有关部门应当准备供应帐幕。上都的积存,已被都尔苏所消耗,大都的府库,听说也很空虚,供应如有不足,可以御史台、司农寺、枢密院、宣徽院、宣政院等处贮存的钱物来补充。"

戊辰(十一日),云南诸王达实布哈、图沁布哈和行省平章玛呼斯等,聚集民众五万人,列举丞相额森吉尼专权擅政的十项罪状,将要杀死他。额森吉尼逃往八番。达实布哈非法任命了参知政事等官员。

己巳(十二日),大都文宗下令改建自己继位前的住所,建成大龙翔集庆寺,准备第二年动工。

夏季,四月,壬辰(初五),大都文宗命疏浚漕州漕运河道。

癸巳(初六),雅克特穆尔在行在觐见明宗皇帝,率领百官献上皇帝宝玺。明宗皇帝嘉奖他的功勋,拜授太师,仍任命他为中书右丞相、录军国重事、达喇罕、太平王,其余一概如旧。又告谕雅克特穆尔等人说:"凡京师百官,朕弟所任命的,一概照旧任职,卿等把朕的这个意思告诉他们。"雅克特穆尔说:"陛下君临万方,与国家大事有联系的就是中书省、枢密院、御史台,应选择适当的人担任。"明宗皇帝认为他的话是对的,任命武宗皇帝的旧臣哈玛尔图为中书平章政事,任命前中书平章政事巴特穆尔为知枢密院事,任命常侍博啰为御史大夫。

甲午(初七),明宗设立行枢密院,任命昭武王为知枢密院事,任命和锡领行枢密院事,任命赛特穆尔,迈努二人为同知行枢密院事。

这一天,明宗皇帝在行殿宴请诸王、大臣,雅克特穆尔、哈玛尔图、巴特穆尔、博啰等陪宴。皇帝特别告诫御史台官员说:"太祖皇帝曾训饬臣下说:'美色、名马,人们都喜欢它,然而心中被它牵累,就会损坏名声,败坏品德'。卿等在纠风察纪的机构工作,也曾经考虑过这个问题吗?世祖当初设立御史台,首先任命塔齐尔、宾达杰尔二人协同掌管御史台的政务。天下国家,好象一个人的身体,中书省是右手,枢密院就是左手。左、右手有病,要请名医治疗;中书省、枢密院有缺点过失,不请御史台来治理,可以吗?凡诸王、百司,违犯法令和不合礼仪,一律听凭检举弹劾。重视风纪则贪污的官史就会惧怕,就像重的斧子砍木就深,这是它的形势使它成这样的啊!朕有过失,卿等也可以告诉我,朕不会因此责备你们。"

乙未(初八),明宗皇帝特命博啰等传旨告谕雅克特穆尔、巴特锡、和实、哈玛尔图、巴特勒等人说:"凡是中书省、枢密院、御史台和各衙门的政务,商量得出共同的意见,择要上奏,以上报于朕。军务机密,枢密院要当即上报,不要因夜晚而扣留消息。其他有所建议,一定要先经过中书省、枢密院、御史台等正常呈递手续,其下各衙门及近侍之臣,不得超越陈述请求。应向各衙门宣谕,都让他们知晓。倘若违背朕的旨意,必定处罚不予赦免。"

丁酉(初十),任命陕西行台御史大夫特穆尔图为上都留守。

己亥(十二日),湖广行省参知政事博啰奉诏书到四川赦免囊嘉特的罪行。囊嘉特等接受了诏书,四川地区全部平定,诸省军队都撤回。

癸卯(十六日),明宗皇帝派遣使臣到京师去,占卜吉日,命中书左丞相特穆尔布哈代自己在郊庙、社稷祭天祀祖,把即皇帝位一事禀告于神灵祖先。派遣武宁王库库图、平章政事哈玛尔图立皇弟图卜特穆尔为皇太子,仍立詹事院,撤销储庆司。

任命彻尔特穆尔为中书平章政事,任命阔尔吉为中书右丞。

乙巳(十八日),监察御史奏:"岭北行省,控制一方,土地广袤万里,为太祖皇帝开创基业之地,也是国家的根本所在。一方重任的寄托,怎么可以轻率任用人呢!平章达锡济并非功勋旧臣,因奴颜婢膝侍奉都尔苏,从宿卫崛起,即刻当上右丞,不久又升为平章,年纪已经七十岁了,眼睛昏花得非常厉害。右丞玛谟,本是晋王府的属民,把自己的女儿嫁给都尔苏,引荐都水监任职,接着就担任左丞。郎中罗勒,是个市井小人,呼鲁呼也是晋王府的卫兵,不熟悉政务,都应该贬退免官。"明宗皇帝说:"御史说得很好,都应该罢免。"又告谕御史台官员说:"御史弹劾岭北省官员,朕很赞赏。今后凡应当说的,不要有所畏惧。被弹劾的人,如果营求申诉,朕必定惩处他。或许查访的并不是真实情况,不要立即上奏。"

五月,丁巳朔(初一),明宗皇帝到达多勒巴津地方。

这一天,皇太子赐给雅克特穆尔父亲、祖父纪功碑铭。

戊午(初二),明宗派遣豫王特纳实哩回大都。

己未(初三),皇太子派遣翰林学士承旨阿邻特穆尔来行在迎接明宗皇帝。

庚申(初四),明宗皇帝到达鄂尔木以东。癸亥(初七),到达拜萨济图地方。这一天,皇太子又派遣翰林学士承旨鄂尔多来行在迎接明宗皇帝。

乙丑(初九),皇太子命有关部门发给行在宿卫衣服、粮食和马匹所需的草料。

庚午(十四日),明宗皇帝命雅克特穆尔升用岭北行省的官吏,其余官吏都赐升散官一级。选用原来周王府旧臣和扈从卫士,受制命的有八十五人,六品以下的有二十六人。

甲戌(十八日),皇太子命中书省官员拟出中书六部预备任用的官员名单,到行在向皇帝奏报。

壬申(十六日),明宗皇帝到达温都尔海地方,任命重嘉努为御史中丞。

乙亥(十九日),明宗皇帝到达呼图喇。命令大都中书省官员铸造皇太子宝印。当时寻找原来的太子宝印,不知放在哪里。近侍巴布哈说宝印藏在上都的皇帝营帐之中,派人到上都去寻找,没有找到,于是下令改铸新印。

丁丑(二十一日),皇太子从京师出发,北上迎接明宗皇帝。镇南王特穆尔布哈及诸王、驸马、扈卫、百官全部随从而行。买马二百匹,用以运载皇帝的乘舆服饰用具,送往行在所在地。

六月,丁酉(十一日),升都督府为大都督府。

壬寅(十六日),明宗皇帝告诫近侍,不要随便有所奏请。

庚戌(二十四日),皇太子到达上都的六十店。

辛亥(二十五日),明宗皇帝到达哈尔纳图地方。下诏给中书省官员说:"凡是国家选用官员、钱粮等重大政事,先启奏皇太子,然后再奏报给我。"

陕西行台御史孔思迪奏:"人伦之中,夫妇关系最为重要。朝廷内外大臣犯罪接受刑罚的,他的妻妾就被判送他人,这好像和朝廷表彰贞节的宗旨不相符,也和丈夫去世妻子守制的命令相反。况且，把失节之妇女配给有功之人，又和前朝贤人所说的'娶失节者作配偶是自己失节'的意思不同。今后，凡是叛国之臣，没收他的奴婢、家产，不必处罚他的妻子。其妻子、儿女应当判处死刑的，就杀掉，不必判决给他人，这样使妇女都能守节，请起草为法令。"

壬子(二十六日)，由海道运粮到大都，共一百四十万九千一百三十石。

这一月，皇太子赐予凤翔府岐阳书院匾额。书院祀奉周文宪王，仍旧命设置学官，春秋举行祭祀仪式，如同祭祀孔子的仪式。

秋季，七月，丙辰朔(初一)，发生日食。从六月二十六日下雨，到今天才停止。

己未(初四)，皇太子修订迁徙法："凡是应该迁徙的人，验证他所居住地方的远近，移到千里之外，在路上遇到赦免，都可放还。如果不知悔改，再次犯罪，就迁徙到本省不毛之地。十年没有过失，则量情移动。所迁徙的人死亡，其妻子儿女愿回本土者听便。写成法令。"

壬申(十七日)，监察御史巴迪斯奏："朝廷自从去年秋天派遣将领带兵出征，平定祸乱，其军需供给、将士赏赐，所费难以统计。况且冬春之交，雪雨误期，麦苗枯死，秋季庄稼没有种上，民众惶惶不安，流动迁移的很多，这正是国家应该节省各项费用的时候。如果有功之人应当奖赏的，应根据官职的高下而给予轻重不同的赏赐，这样不只节省费用，也可以表现出劝勉进取之意。那些近侍诸臣奏请恩赐的，应全部停止，以宽松民力。"皇帝赞赏并采纳了他的建议，仍命中书省把他的上奏传给有关部门传阅。

癸亥(初八)，启明星经过天空。

丙子(二十一日)，皇太子接受新的宝印。

辛巳(二十六日)，冀宁路阳曲县下冰雹，大的如鸡蛋。

八月，乙酉朔(初一)，明宗皇帝到达鸿和尔地方。丙戌(初二)，皇太子入内觐见。这一天，皇帝在行在帐殿宴请皇太子和诸王、大臣。庚寅(初六)，明宗皇帝突然死亡，年三十岁，葬于起辇谷。皇太子入宫，痛哭尽哀。雅克特穆尔按照皇后的命令，将皇帝玺宝授给皇太子。皇太子迅速奔还大都，雅克特穆尔随从而行，白天率领宿卫士兵随从护卫，夜晚则身披甲胄，围绕帐殿巡逻守护。壬辰(初八)，临时住在博啰察罕，任命巴延为中书省左丞相，和从前一样为太保；任命奇彻台、阿尔斯兰哈雅、赵世延同为中书平章政事；任命甘肃行省平章多尔济为中书右丞，任命中书参议阿荣、太子詹事丞赵世安同为中书参知政事；任命前右丞相达实特穆尔、知枢密院事特穆尔布哈和上都留守特穆尔图同为御史大夫。

宣政院使回回听说明宗皇帝驾崩，痛哭流涕不能进食，从此闭门不出，长达数年，因病而亡。回回与他弟弟库库都是当时的名臣，世称"双璧"，都是博果密的儿子。

癸巳(初九)，皇太子到达上都，雅克特穆尔便和诸王、大臣规劝他重登帝位。

丙申(十二日)，将诸王图喇楚流放到海南。

戊戌(十四日)，四川囊嘉特因辱骂皇帝，犯了大逆不道的罪行而被诛杀，暴尸街头。

己亥(十五日)，皇太子又在上都大安阁即皇帝位。

皇帝下诏说："晋王违背盟约，犯上作乱，占据帝位，上天示以谴责警告，竟让他殒身而亡。于是宗戚旧臣，共同协谋举起义旗，正名兴师讨罪，依据帝王世系来度量，应由我继承帝位。朕念及兄长远在北方沙漠地区，从贤德和年龄来说，天命应归于他，因而力拒群言，至于再四。他们说：现在是时势艰难的时候，如果帝位长久空虚，则众人志向就不会牢固，恐毁了大业。朕虽然依从了他们的请求，但初衷没有改变，因此，在颁发坚决让位的诏书的同时，便已派出了北上奉迎的使者。不久，又命喇特纳实里、雅克特穆尔奉皇帝宝玺，远迎于路途。大兄接受宝玺即位之日，就派使臣授朕以皇太子的印玺。朕庆幸自己释出重负，实现了平素的心愿，于是率领大臣、百姓，北上恭迎先皇帝的到来。而先皇帝长途跋涉山川，蒙受风霜雨露之苦，道路遥远，从春到秋，心中想着历年的艰难险阻，远望京师无限感慨。随从侍奉不够谨慎，屡次遭遇寒暑爽节，以致信使往来，相望于道。八月一日，大驾到鸿和尔，朕热切盼望的朝觐奏对有了日期，便兼程前进，与皇兄相见之时，悲喜交集。奈何数日之间，而先皇帝突然去世，国家多难，竟至于此！一想到这里，真是令人日夜痛心。诸王、大臣认为祖宗基业的兴隆，先皇帝托付的重任，天命所在，不可违背，请求我即帝位，以安定天下。朕因先皇帝去世尚未几日，怀着悲伤的心情辞让，而诸王、大臣请求更加坚决，执此意向在宫殿前拜伏整整三天，这都是为祖宗社稷着想，于是才于八月十五日在上都即皇帝位。可大赦天下。"

辛丑(十七日)，设立宁徽寺，掌管明宗后宫事务。壬寅(十八日)，以钱钞万锭、币帛两千匹，供给明宗皇后作为费用。

乙巳(二十一日)，调发诸卫军疏浚通惠河。

丙午(二十二日)，从十六日到这一天，白天下雾，晚上晴朗。

丁未(二十三日)，任命玛萨尔岱为上都留守。

玛萨尔岱以前任陕西行台侍御史，因涂毁诏书而获罪，又因其兄巴延有功，文宗皇帝特封他这个官职。

曹元用从曲阜代表皇帝祭祀孔子后回京，把孔子像和《代祀记》献给皇帝，皇帝特别高兴。正好太禧宗禋院副使官职空缺，中书省奏请由曹元用任此职，皇帝不允许，说："此人是翰林院中不可缺少的人，将来要大用他。"恰巧，曹元用不久就去世了，皇帝嗟叹悼念了很久，追封他为东平郡公，谥号文献。

己酉(二十五日)，文宗皇帝从上都出发。

庚戌(二十六日)，将詹事院改为储政院，任命巴延兼任储政院使。

河东宣慰使哈克缴借朝贺为名，收敛所属人员钱钞千锭归自己，事发后，朝廷征收了他的钱钞还给原主。皇帝下令："自今以后有以朝贺为名收敛钱钞的，以违法论罪。"

甲寅(三十日)，监察御史弹劾："前丞相齐布哈，过去因贪赃被罢官。天历初年，因人成事，竟居于相位。他假传圣旨把玛闾家产赐给平章苏苏，又和苏苏等人暗地里找来算命的人推测皇帝的吉凶。今奉诏已赦免了他的罪行，请将他流放到海岛，以杜绝他奸心再次萌发。"皇帝说："流放海岛，朕有所不忍，还是把他同妻子儿女安置在集庆。"

皇帝加封大都城隍为护国保宁王。

景州蓨县县尹吕思诚，将民户分为三等，按等分摊徭役。刻孔子像，让地方学校祭祀。每年春季，都到田间去视察，对农牧勤敏者赏给农具，因此，人人努力干好农事，地无遗力。百姓石安儿等，流离失所多年，此时听说家乡情况都回家复业。吕思诚又在村社的文簿上打上印记，让社长保管，每个季度的最后一个月报到县里，凡是不孝顺父母，不友爱兄弟，不从事生产的都登记在文簿上，县府可罚他们交钱、做苦工。胥吏到村社的是谁，吃饭花多少钱，都有记载,超过标准的勒令补偿。强横的豪民列名职田佃户,吕思诚尽除其弊端。天旱,有道士拿着青蛇说:"卢师谷小青,它叫作龙,向它祈祷就会下雨。"吕思诚认为他是在蛊惑人心,把蛇杀掉,赶走了道士,雨也随后而到,于是有了一个好年成。县里有许多滥设的祠庙,常有一百多个,宰杀牲畜祭神天天不停,吕思诚下令全部拆毁,只保留汉代董仲舒的祠堂。

九月,乙卯朔(初一),朝廷购买已故宋太后全氏的田产,赐给大承天护圣寺。

辛酉(初七),皇帝下诏:"凡去明宗那里送宝的官吏而得到越级提升的,都要降级。"

丁卯(十三日),皇帝从上都回到大都。

戊辰(十四日),皇帝诏令翰林国史院官同奎章阁学士采辑本朝典章制度和掌故,以《唐会要》《宋会要》为标本,编著《经世大典》。

诏令:"使者颁布诏、敕,一般是日行三百里。接受命令后,若逗留三日以及所到之处因宴饮而误期者,治罪;接受贿赂者,以违法论。"

辛未(十七日),监察御史上奏弹劾:"知枢密院事达实特穆尔,阿谀依附都尔苏,又和旺沁兴兵进犯都城。现今,既然以不死对待他,又交给他兵权,这样做恐怕不合适。"皇帝下诏罢免了他的职务。

癸酉(十九日),皇帝御驾大明殿,接受诸王、百官朝贺。

特们德尔诸子索珠等人,明宗皇帝曾下令把他们流放到南方。雅克特穆尔说他们在天历初年对国家有功劳,请求把他们遣回乡里。皇帝听从了他的建议。

甲戌(二十日),皇帝命江浙行省明年漕运粮食二百八十万石到京师。

乙亥(二十一日),史惟良上奏说:"现今,天下郡县受灾的很多,国家经费开支如此之多,库藏空虚,百姓凋病,这正是更新各种制度的时候啊。应遵照世祖成法,裁汰冗员,停罢不急需的土木工程,有不利于国家民众的事情,都全部改正它。这样,则天灾可消除,吉兆就会发生;不然的话,因循苟且,弊病就会越来越深。是治还是乱,就是从此区分的。"皇帝高兴地采纳了他的意见。

丙子(二十二日),因卫辉路发生天旱,罢免苏门今年要上交二千石米的赋税。

判定额森特不忠不敬罪,处死。

癸未(二十九日),在曲阜颜回所居陋巷修建颜子庙。

此时正在建造龙翔集庆寺,皇帝命阿荣、赵世安督工,御史台官员监造。南台御史盖苗上密封奏折说:"臣听说,使民以时,使臣以礼,自古以来没有不按这些道理办而能使天下升平的。陛下当年在建业时,居民因供给而疲乏;幸而见到陛下今日的天运,百姓都踮起脚尖翘首盼望非常的恩惠。现今您占有了百姓的时间,毁坏了百姓的房屋,以修建佛教寺庙,这难道是圣人驾驭天下的道理吗?昔日,汉高祖从丰、沛起家,后来免除了两县的赋税;光武帝中兴,他的家乡南阳免税三年。今日,圣上不务这些实事而尊崇佛教,拿什么去慰藉百姓的厚望呢?而且佛以慈悲为心,主张与人方便,现在为尊佛教而损害生民,岂不是违背了佛教与人方便的教义了吗?御史台臣的职责是专管纠察,使百司依法办事,今日却委派他们修缮工役,难道有这个道理吗?"上书以后,皇帝免除了台臣的监工事务。

关中地区发生大饥荒,皇帝问奎章阁侍书学士虞集,怎样才能拯救百姓的饥饿,虞集回答说:"天下太平已久,人们都习惯于安逸的生活,有志之士,急于举办能够迅速见效的事业,所以怨愤、诽谤就兴起了。大灾是不幸的,但大灾之余,正是君子为治作新的时机。如果派遣一两位有仁爱之术、了解民情世事的人,适当放宽其禁令,使他们能有所作为,在郡县中选择可用之人,在原来居民居住的地方,确定城郭,整修里坊,浚治沟渠,划分田地的界限,减轻赋税,招回当地的伤残老弱,利用他们的力量逐渐加以治理,那么到远方流亡的人就会逐渐回来,春耕秋收,都会有所帮助。一两年间,不征赋税,不派徭役。田地的界域既已划定,近邻又能相助,从四面而来的人,分给土地,一律均齐方正,截然治理有方,那么,像夏、商、周三代时期那样的纯朴之民就会在空旷的田野上再度出现。”皇帝说:“好。”虞集进而上奏:“如果能让臣负责一郡,试行上述办法,三五年后,一定有好消息报告给朝廷。”左右侍从认为:“虞集想借此离开朝廷。”于是搁置了虞集的请求。

任命张养浩为陕西行台御史中丞。

起初,张养浩因父亲年老,辞官回家侍奉,屡次征召都不肯出来。等到听说自己被任命为陕西中丞的消息,立即把家中所有财产散发给同乡的贫苦百姓,登车上路,遇到饥饿民众就给予救济。路过华山时,在岳祠祷告神灵降雨,大雨如注,积水达三尺才停止,田地禾黍自然生长,秦人大喜。

当时,一斗米价值十三贯,百姓拿钱钞买粮,票面稍不清楚就不能用,到钱库去换钱,豪民猾吏结党营私,换十给五,数日不可得,百姓十分困窘。张养浩便检查钱库中尚未毁掉、钞面文字尚可辨认的旧钞,有一千零八十五万余贯,全部在钞背面上打上印记;又刻印十贯、五贯券,散给贫民,命米商看印记卖粮,然后到钱库验收,按数换回钱钞,于是吏员们不敢再作弊。张养浩又率领富民拿出粮食救济,接着又请求朝廷实行纳粮补官的法令。他听说民间有杀子侍奉母亲的事,非常悲哀,拿出自己的钱加以救济。任职四个月,没有回家住过,只在官署过夜,晚上向上天祷告,白天就出外救济灾民,终日没有一点儿松懈,每一想起饥民就抚胸大哭,因此得病,卧床不起。去世时年六十。关中百姓,哀悼他如同自己失去父母。朝廷追封他为济国公,谥号文忠。

这一月,太史院使齐履谦去世。

齐履谦少年时专心好学,以勤苦著称,家里贫穷没有藏书。到成为星历生,在太史局,正好秘书监将原宋朝遗留的书籍运来放置在本院,于是齐履谦日夜攻读,深入研究,自有体会,所以他的学识无不精深贯通。当时,元朝立国已一百余年,而郊庙祭祀的音乐,仍沿袭宋、金二朝,没有能纠正其中错误的人。齐履谦说:“音乐本于韵律,韵律本于气势,而气势变化的规律,在前代史书中均有记载。可以选择一偏僻之地建造秘室,用金门出产的竹子和河内芦苇中的薄膜调音,这样,上可以纠正雅乐,献于郊庙,使人神和睦,下可以统一度量,物货均平,风俗纯厚。”并书列其事上奏。又得到一支黑石古律管,长一尺八寸,其形制与音律家所说不同,大概是古代所说的玉律。适逢齐履谦迁任他职,这件事就搁置起来了,有志者都深深为之惋惜。后来朝廷追封他为汝南郡公,谥号文懿。

冬季,十月,甲申朔(初一),皇帝穿戴衮衣和冠冕,在太庙举行祭祀仪式。

辛卯(初八),雅克特穆尔率领群臣请求为皇帝上尊号,皇帝不允许。

重申海道转运漕粮的禁令。

抄没四川囊嘉特的家产。他的党羽杨静等都被剥夺官爵,处以杖刑,抄没家产,流放辽东。

甲午(十一日),因皇帝登极,恭谢神灵,皇帝派遣官员到南郊和社稷坛代皇帝祭祀。

中书省奏:"过去的制度,朝廷官员以三十个月为一个考核阶段,外任则以三年为任期考核。近年朝廷官员普遍任职时间不久,有的上任数月就改迁他职,与典章制度不合,而且他们的业绩无从考核。请按旧制任用官员才适宜。"皇帝下令:"除监察系统官员外,其余朝廷官员不许在二十个月内迁调。"

丙申(十三日),给已故皇帝上尊谥为翼献景孝皇帝,庙号明宗,蒙古语称为齐雅尔皇帝。

己亥(十六日),告诫都水监严格执行有关黄河堤防的禁令。

辛丑(十八日),皇帝下令:"拨赐给诸王公、官府、寺观的田租,除赐给鲁国大长公主的听凭她派人征收外,其余全都向官府交纳,然后折合成钱钞发给受赐者。

壬寅(十九日),取消陕西山泽的禁令以利百姓。

大宁路发生地震。

癸卯(二十日),监察御史弹劾上奏:"张思明在仁宗朝阿谀依附权臣特们德尔,离间刺探太后和皇帝,仁宗皇帝看清了他的奸诈,将他贬降。到了英宗朝,特们德尔再次为相,又提拔他当左丞,旧恶不改,也因此被罢官。今日又充当了此官,应予罢免。"皇帝下诏罢免了他。

戊申(二十五日),将托多、王士熙等从贬黜的地方召回,放还回乡。

庚戌(二十七日),停止大承天护圣寺的工程劳役。因禁在狱三年不能定罪的,释放他们;百姓欠官府钱银无法追征的,全部免除。

救济常德路饥荒。

十一月,乙卯(初三),皇帝从帝师受佛戒,作佛事六十日。

甲子(十二日),救济庐州饥荒。

己巳(十七日),任命萨迪为中书右丞。

皇帝命中书左丞赵世安提调国子监学。

丁丑(二十五日),广源猺民侵掠湖广州县,朝廷命行省招抚剿捕。

己卯(二十七日),翰林国史院奏:"为了纂修《英宗实录》,请将都尔苏的供词交付史馆。"朝廷依从了这个建议。

高丽国王王焘久病,不能上朝,请求朝廷让他的儿子王祯承袭王位。

朝廷把平江官田一百五十顷赐给大龙翔集庆寺和大崇禧万寿寺。

壬子(三十日),皇帝诏命豫王喇特纳实哩出镇云南。

十二月,甲申(初二),因帝师从西番到京,皇帝命朝廷一品以下官员都到郊外迎接。大臣们都俯伏进酒,帝师坐着不动。国子祭酒富珠哩翀举起酒杯站立着上前说道:"帝师,释迦牟尼的门徒,天下僧人的师长。我,孔子的门徒,天下儒生的师长。请各自不必致礼。"帝师笑着起身,举起酒杯一饮而尽。众人为之惊惧。

皇帝下诏:"僧尼徭役,一切无有所预。"

丙戌(初四),皇帝下诏:"百官之中,一品至三品,先上言朝政的一件得失,四品以下,听凭陈述。"仍命赵世安、陈荣辑录百官所上章奏,好的建议立即商议推行。

朝廷追封雅克特穆尔曾祖班都察为溧阳王,祖父托克托呼为升王,父亲绰和尔为扬王。

乙未(十三日),朝廷改封前镇南王特穆尔布哈为宣让王。

当初,镇南王托布哈死,其子博啰布哈年幼,皇帝命特穆尔布哈承袭爵位。博啰布哈长大以后,特穆尔布哈请求将王爵归还给他。皇帝于是特封他为宣让王,以示对他的褒奖和宠爱。

皇帝下诏告谕群臣说:"皇姑鲁国大长公主早年寡居守节,不从兄亡其妻为叔所继的风尚,抚育遗孤,其子承袭王位,其女配予一人。朕想庶民百姓像这样做的,尚且还要表彰,何况是皇室的至亲呢?赵世延、虞集等可商议封号上奏。"

皇帝下诏:"各佛寺的田地,自金、宋两朝已有以及元朝历代皇帝赐予的,一律免除租税。其中有应当交租税的,仍旧免除其徭役。僧人还俗的,听凭再次为僧。"

壬寅(二十日),朝廷命江浙行省印《佛经》二十七藏。

丁未(二十五日),印造至元钞四十五万锭,中统钞五万锭。

这一年,中书平章政事彻尔特穆尔外调任河南行省平章政事。这时,黄河水变清,有关部门认为这是祥瑞之兆,请上报朝廷。彻尔特穆尔说:"我只知道为臣忠心耿耿,为子孝敬父母,天下得到治理,百姓平安,这才是祥瑞,其余对治国有何益处?"这年发生大饥荒,彻尔特穆尔商议救济,下属认为一定要先把灾情由县上报到府,由府上报行省,然后上报朝廷。彻尔特穆尔说:"百姓饥饿,死去的已很多,还要想拘泥于常规吗!公文往返好几个月,百姓存活的就没有几个人了。这大概是有关部门惧怕出错吃罪,百姓将因此归怨于朝廷,我不做这样的事。"于是大开仓库发粮救灾,并上奏自请专擅之罪。皇帝嘉奖了他,赐给他龙衣、上等醇酒。

续资治通鉴卷第二百六

【原文】

元纪二十四 起上章敦牂【庚午】正月,尽玄黓涒滩【壬申】十二月,凡三年。

文宗圣明元孝皇帝

讳图卜特穆尔,武宗次子,明宗之弟也,母曰文献昭圣皇后唐古氏。大德八年春正月癸亥生。至治元年,出居海南;泰定元年,召还京师,封怀王。

至顺元年 【庚午,1330】 春,正月,丙辰,命赵世延、赵世安领纂修《经世大典》事。

辛酉,时享太庙。

甲子,雅克特穆尔、巴延并辞丞相职,不允,仍命阿荣、赵世安慰谕之。

丁卯,云南诸王图沁及万户布呼、阿哈等叛,攻中庆路,陷之,杀廉访司官,执左丞实都等,迫令署诸文牍。

辛未,中书省言:"科举会试日期,旧制以二月一日、三(月)〔日〕、五日,近岁改为十一、十三、十五;请依旧制。"从之。

壬申,衡阳猺为寇,劫掠湘乡州。

丁丑,追封三宝努为郓城王,谥荣敏。

赵世延请致仕,不允。

庚辰,陞群玉署为群玉内司,仍隶奎章阁学士院,以礼部尚书库库兼监群玉内司事。库库尝以秘书监丞奉命往核泉舶,芥视珠犀,不少留目。国制,大乐诸坊,咸隶礼部,遇公宴,众伎毕陈。库库视之泊如,僚佐以下皆肃然。

二月,壬午朔,以赵世安为御史中丞,史惟良为中书左丞。

癸未,籍张珪子五人家赀。

丁亥,命江南、陕西、河南等处富民输粟,补江南万石者官正七品,陕西千五百石、河南二千石、江南五千石者从七品,自馀品级有差;四川富民有能输粟赴江陵者,依河南例;其不愿仕,乞封父母者听。僧、道输粟者,加以师号。

己丑,图沁、布呼等攻陷仁德府,至马龙州。调八番元帅鄂勒哲将八番达喇罕军千人、顺元土军五百人御之。

庚寅,以修《经世大典》久无成功,专命奎章阁学士阿邻特穆尔、和塔拉、都哩默色等译国言所纪典章为汉语,纂修则赵世延、虞集等,而雅克特穆尔如国史例监修。

奎章阁学士和塔拉、都哩默色、萨题、虞集辞职，诏谕之曰："昔我祖宗睿知聪明，其于致治之道，自然生知。朕以统绪所传，实在眇躬，夙夜忧惧。自惟早岁跋涉艰阻，视我祖宗，既乏生知之明，于国家治体，岂能周知！故立奎章阁，置学士员，以祖宗明训、古昔治乱得失陈说于前，使朕乐于听闻，卿等宜推所学以称朕意，其勿复辞。"

〔甲午〕，图沁、布呼等攻晋宁州。图沁自立为云南王，布呼为丞相，阿哈、呼喇呼等为平章等官，立城栅，焚仓库以拒命。

乙未，中书省言："江浙民饥，今岁海运，为米二百万石，其不足者，来岁补运。"从之。

丙申，赈常德、澧州路饥。

丁酉，帝及皇后、皇子喇特纳达喇并受佛戒。

己亥，命明宗皇子受佛戒。

监察御史言："中书平章多尔济，职任台衡，不思报效，铨选之际，紊乱纲纪，贪污著闻，恬不知耻，宜行黜罢。"从之。

甲辰，流旺沁之子于吉阳军。

乙巳，封明宗皇子伊勒质伯为郿王。

赈淮安饥。

丙午，命中尚卿苏尔约苏从以兵讨云南。

御史台言："奇彻台天历初在上都，尝与库库楚等谋执都尔苏，事泄，同谋者皆死，奇彻台以出征获免。顷台臣疑而劾之，不称事情，宜雪其枉。"制可。

帝念雅克特穆尔拥戴之劳，既追封其三世，又命礼部尚书马祖常制文立石于北郊以昭其功；犹谓未足以报，命独为丞相以尊异之。丁未，以巴延知枢密院事，依前太保、录军国重事。诏中书曰："昔在世祖，尝以宰相一人总领庶务，故治出于一，政有所统。雅克特穆尔为右丞相，巴延既知枢密院事，左丞相其勿复置。凡号令、刑名、选法、钱粮、造作，一切中书政务，悉听雅克特穆尔总裁。诸王、公主、驸马、近侍人员、大小诸司，敢有隔越闻奏，以违制论。"

戊申，中书省言："旧制，正旦、天寿节，内外诸司各有赞献，顷者罢之。今江浙省臣言圣恩公溥，覆帱无疆，而臣等殊无补报，凡遇庆礼，进表称贺，请如旧制为宜。"从之。

征札实为应奉翰林文字，赐对奎章阁。帝问有所著述否，札实进所著《帝王心法》，帝称善，诏预修《经世大典》。以论议不合，求去，乃命奎章阁侍书学士虞集谕留之，札实坚以母老辞，遂赐币遣之。

（庚戌）〔辛亥〕，命市故瀛国公赵㬎田，赐龙翔集庆寺，御史台言不必予其直，帝曰："吾建寺为子孙黎民计，若取人田而不予直，非朕志也。"

赈茶陵等州饥。杭州火，恤之。

三月，〔甲寅〕，乖西犵蛮三千人入松桐山，烧沿边军营堡。

戊午，封皇子喇特纳达喇为燕王，立宫相府总其府事，雅克特穆尔领之。

廷试进士，赐特勒图、王文煜等九十七人及第、出身。

时宗藩暌隔，功臣汰侈，政教未立。帝将策士，虞集为读卷官，乃拟制策以进，首以劝亲亲、体群臣、同一风俗、协和万邦为问。帝不用。

命彰德路岁祭羑里周文王祠。

以河南行省平章奇珠为云南行省平章，八番、顺元宣慰使特穆尔布哈为云南行省左丞，从豫王由八番道讨云南。

己巳，议明宗升祔，序于英宗之上，视顺宗、成宗庙迁之例。

辛未，诸王伊苏台，部七百馀人入天山县，掠民财产，遣枢密院、宗正府官往捕之。

壬申，祔明宗神主于太庙。

夏，四月，壬午朔，命西僧作佛事于仁和殿，自是日始，至十二月终罢。

癸未，中书省言："各官分及宿卫士岁赐钱帛，旧额万人，去岁增四千人，迩者增数益广，请依旧额为宜。"诏阿布哈雅裁省以闻。

壬辰，以所籍张珪诸子田四百顷赐大承天护圣寺。

辛丑，明宗皇后必巴实崩，皇后鸿吉哩氏与宦者拜珠谋杀之也。

壬寅，括益都、般阳、宁海閒田十六万馀顷，赐大承天护圣寺。

乌蒙土官禄余杀乌撒宣慰司官吏，降于布呼。罗罗诸蛮俱叛，与布呼相应，平章特穆尔布哈为其所害。禄余以蛮兵七百馀人拒乌撒，顺元界，立关固守。重庆五路万户，军至云南境，值罗罗蛮万馀人遇害，千户祝天祥等引馀众遁还。

戊申，诏江浙、河南、江西三省调兵（三）〔二〕万，命诸王运图斯特穆尔及枢密判官洪浃将之，与湖广行省平章托欢会兵讨云南。

五月，戊午，帝御大明殿，雅克特穆尔率文武百官及僧道、耆老奉玉册玉宝，上尊号曰"钦天统圣至德成功大文孝皇帝"。是日，改元至顺。

丁卯，翰林国史院修《英宗实录》成。

戊辰，帝如上都。将立燕王喇特纳达喇为皇太子，乃以托欢特穆尔乳母夫言，明宗在日，素谓太子非其子，黜之江南，驿召翰林学士阿林特穆尔、奎章阁学士乌图噜笃勒哲书其事于《托布齐延》，召虞集使书诏，播告中外。

是月，以浙东宣慰使陈天祐、湖广参知政事樊楫死于王事，赠封特加一级。龙兴张仁兴妻邹氏、奉元李郁妻崔氏以志节，汴梁尹华以孝行，皆旌其门。

六月，辛巳朔，雅克特穆尔言："向有旨，惟许臣及巴延兼领三职。今赵世延以平章政事兼翰林学士承旨、奎章阁大学士，世延引疾以辞。"帝曰："朕重老成人，其令赵世延仍视事中书，果病，无预铨选可也。"

丙申，大名路黄河溢。

庚子，知枢密院事库春贝、托克托穆尔及通政使齐尔噶朗等十人，以雅克特穆尔权势崇重，谋诛之。页特密实托密以变告雅克特穆尔；即率奇彻军掩捕，按问，并弃市，籍其家。

乙巳，罗罗斯土官撒加伯，合乌蒙蛮兵万人攻建昌县，云南行省右丞跃里特穆尔拒之，斩首四百馀级；四川军亦败撒加伯于芦古驿。

秋，七月，己未，通渭山崩。

辛酉，以江西、建昌万户府军戍广海者，一岁更役，往来劳苦，诏仍至元旧制，二岁一更。

乙丑，调诸卫卒筑漷州、柳林海子堤堰。

庚午，中书省言："近岁帑廪空虚，其费有五：曰赏赐，曰作佛事，曰创置衙门，曰滥冒支领，曰续增卫士鹰坊，请与枢密院、御史台各集赛官同加汰减。"从之。

丁丑，特们德尔子将作使索珠与其弟观音努、姊夫太医使伊埒哈雅，坐怨望咒诅，事觉，诏中书鞫之。事连前刑部尚书乌讷尔、前御史大夫博啰、上都留守乌讷尔等，俱伏诛。

云南图沁、布呼等势愈猖獗，乌撒、禄余亦乘势连约乌蒙、东川、茫部诸蛮，欲令布呼弟拜延顺等兵攻顺元。诏即遣使督豫王喇特纳实哩及行枢密院、四川、云南行省亟会诸军分道进讨；以乌蒙、乌撒及罗罗斯地接西番，与碉门（按）〔安〕抚司相为唇齿，命宣政院督所属军民严加守备，又命巩昌都总帅府调兵千人戍四川。

闰月，癸未，监察御史葛明诚言：“中书平章政事赵世延，年逾七十，志虑耗衰，固位苟容，无补无事，请斥归田里。”诏中书议之。雅克特穆尔言：“世延向日陈致仕，不允所请。御史之言，盖不知有旨。”帝曰：“如御史言，世延固难任中书矣，其仍任以翰林、奎章之职。”

云南（芒）〔茫〕部路九村夷人阿斡阿里，诣四川行省自陈：“本路旧隶四川，今土官撒加伯与云南连叛，愿备粮四百石，民丁千人，助大军进征。”事闻，诏嘉其去逆效顺，厚慰谕之。

癸巳，行枢密院言：“征戍云南军士二人逃归，捕获，法当死。”诏曰：“如临战阵而逃，死宜也。非接战而逃，辄当以死，何视人命之易耶！其杖而流之。”

安南国王陈益稷，以天历二年卒于汉阳府。丁酉，制赠开府仪同三司、湖广行省平章政事，王爵如故，谥忠懿。

戊申，加封孔子父齐国公为启圣王，母鲁国太夫人颜氏为启圣王夫人。旋封孔子妻并官氏为大成至圣文宣王夫人，从衍圣公孔思晦之请也。又加封颜子兖国复圣公，曾子郕国宗圣公，子思沂国述圣公，孟子邹国亚圣公，河南伯程颢豫国公，伊阳伯程颐洛国公。

罗罗斯土官撒加伯及阿陋土官阿剌、里州土官阿答，以兵八千撒毁栈道，遣把事曹通潜结西番，欲据大渡河进寇建昌。四川行省调兵一千七百人，令万户周勘统之，直抵罗罗斯界，以控扼西番及诸蛮部。

广西猺于国安寇修仁、荔浦等县，广西元帅府发兵捕之，贼众溃走，生擒国安。

是月，江南大水，江浙、湖广尤甚。

八月，辛亥，云南跃里特穆尔以兵屯建昌，执罗罗斯把事曹通，斩之。

雅克特穆尔出西道田猎，未至，丁巳，诏以机务至重，遣使趣召之。

己未，帝至自上都。

有上言蔚州广灵县地产银者，诏中书、太禧院遣人莅其事，岁所得银，归大承天护圣寺。

辛酉，御史台臣请立燕王为皇太子。帝曰：“朕子尚幼，非裕宗为燕王时比，俟雅克特穆尔至，共议之。”

壬申，诏兴举蒙古字学。

中书省、枢密院、御史台言：“比奉旨裁省卫士，今定大内四宿卫之士，每宿卫不过四百人；累朝宿卫之士，各不过二百人。鹰坊万四千（四十二）〔二十四〕人，当减者四千人；内饔九百九十人，四集赛当留者各百人；累朝旧邸宫分饔人三千二百二十四人，当留者千一百二十人；媵臣、怯怜（只）〔口〕共万人，当留者六千人。其汰去者，斥归本部著籍应役。自裁省之后，各宿卫复有容匿汉、南、高丽人及奴隶滥充者，集赛官与其长杖五十七，犯者与典给散者皆杖七十七，没家赀之半，以籍人之半为告者赏。仍令监察御史察之。”制可。

九月，庚辰，罢入粟补官例。

大宁路地震。

甲申,命艺文监以《雅克特穆尔世家》刻板行之。

监察御史葛明诚劾奏:"辽阳行省平章哈喇特穆尔,尝坐赃被杖罪,今复任以宰执,控制东藩,亦足见国家名爵之滥,请行黜罢。"从之。

(己丑)〔辛卯〕,监察御史哆啰台、王文若言:"岭北行省,乃太祖肇基之地,武宗时,太师伊齐彻尔为右丞相,太傅达尔罕为左丞相,保安边境,朝廷无北顾之忧。今乃命哈玛尔图为平章政事,其人琐琐无正大之称,钱谷甲兵之事,懵无所知,岂能昭宣皇猷,赞襄国政!且以伊齐彻尔辈居于前而以斯人继其后,贤不肖固不待辨而明,理宜黜罢。"制可之。

置麓川路军民总管府。复立总管府于哈喇火州。

乙未,御史台臣劾奏:"前中书平章苏苏,叨居台鼎,专肆贪淫,两经杖断,方议流窜。幸蒙恩宥,量徙湖广,不复畏法自守,而乃携妻取妾,滥污百端。况湖广乃屯兵重镇,岂宜居此!请屏之远裔,以示至公。"诏永窜雷州,湖广行省遣人械送。

己亥,敕:"诸色人非其本俗,敢有弟收其嫂、子收庶母者,坐罪。"

丁未,敕有司缮治南郊斋宫。

辰州万户图克里布哈母舒穆噜氏以志节,漳州龙溪县陈必达以孝行,并旌其门。

冬,十月,辛酉,帝始服大裘、衮冕,亲祀昊天上帝于南郊,以太祖配。盖自世祖至是凡七世,而南郊亲祀之礼始克举焉。

乙丑,广西猺寇横州及永淳县,敕广西元帅府率兵捕之。

壬申,御史台言:"内外官吏令家人受财,以其干名犯义,罪止杖斥。今贪污者缘此犯法愈多,请依十二章,计赃多寡论罪。"从之。

乙亥,赐伯夷、叔齐庙额曰圣清,岁春秋祀以少牢。

遣使趣四川、云南行省兵进讨。于是四川行省平章达春引兵由永宁、左丞博啰引兵由青山(芒)〔茫〕部并进,陈兵周泥驿,及禄余等战,杀蛮兵三百馀人。禄余众溃,即夺其关隘,以导顺元诸军。时云南行省平章奇珠等俱失期不至。

十一月,辛巳,御史台臣言:"陕西行省左丞齐喇,坐受人僮奴一人及鹦鹉,请论如律。"诏曰:"位至宰辅,食国厚禄,犹受人生口,理宜罪之。但鹦鹉微物,以是论赃,失于太苛,其从重者议罪。今后凡馈禽鸟者,勿以赃论,著为令。"

丙戌,罗罗斯撒加伯、乌撒阿答等合诸部万五千人攻建昌,跃里特穆尔等引兵追战于木托山下,败之,斩首五百馀级。

广西廉访司言:"今讨叛猺,各行省官将兵二万人,皆屯住静江,迁延不进,旷日持久,恐失事机。"诏遣使趣之。

知枢密院事雅克布连,请依旧制全给鹰坊刍粟,使无贫乏,帝曰:"国用皆百姓所供,当量入为出,朕岂以鹰坊失其利,重困吾民哉!"不从。

辛丑,敕河南行省:"民间自实田土粮税,不通舟楫之处,得以钞代输。"

十二月,己酉,以董仲舒从祀孔子庙,位列七十子之下。

国子生积分及等者,省、台、集贤院、奎章阁官同考试,中式者以等第试官,不中者复入学肄业。

辛亥，立燕王喇特纳达喇为皇太子，诏天下。

戊午，以郊祀礼成，御大明殿受文武百官朝贺，大赦天下。

癸酉，诏宣忠扈卫亲军都万户府："凡立营司境内所属山林川泽，其禽兽鱼鳖悉供内膳，诸猎捕者坐罪。"

监察御史秦起宗，劾中丞和尚受人妇女，贱买县官屋，不报。起宗入见，跪辨久之，敕令起，起宗不起，会日暮，出。明日，立太子，有赦，起宗又奏："不罪和尚，无以正国法。"和尚乃伏辜。帝曰："为御史当如是矣。"元会，赐济逊服，令得与大宴。

甲戌，敕各行省："凡遇边防有警，许令便宜发兵，事缓则驿闻。"

清江范椁，以朝臣荐为翰林院编修官，秩满，擢海南、海北道廉访司照磨，巡历遐僻，不惮风波瘴疠，所至兴学教民，雪理冤滞甚众。迁福建闽海道知事，闽俗素污，文绣局取良家子为绣工，无别尤甚。椁作歌诗一篇述其弊，廉访使取以上闻，皆罢遣之，其弊遂革。未几，移疾归，是岁卒。

奎章阁初开，首擢翰林应奉揭傒斯为授经郎，以教勋戚大臣子孙。帝时幸阁中，有所咨访，奏对称旨，恒以字呼之而不名。每中书奏用儒臣，必问曰："其才何如揭曼硕？"间出所上《太平政要》四十九章以示台臣曰："此朕授经郎揭曼硕所进也。"其见亲重如此。

傒斯，富州人。地不产金，官民惑于奸民之言，募淘金户三百户而以其人总之，散往它郡采金以献，岁课自四两，累增至四十九两。其人既死，而三百户所存无什一，又贫不聊生；有司乃责民之受役于官者代输，民多以是破产。中书因傒斯言，遂蠲其征，民赖以苏。

至顺二年　【辛未，1331】　春，正月，己卯，御制《奎章阁记》，亲书，刻于石。

行枢密院使彻尔特穆尔等言："十一月，仁德府权达噜噶齐(田)〔曲〕术，纠集兵众以讨云南，首败布呼贼兵于马龙州，以是月十一日杀布呼弟拜延，献馘于豫王。十三日，战于马金山，获布呼及其弟巴延彻尔、其党拜布哈等十馀人，诛之，馀兵皆溃，独禄余据金沙江。"诏趣进兵讨之。

丁亥，以寿安山英宗所建寺未成，诏中书省给钞十万锭供其费，仍命雅克特穆尔、萨题等总督其工役。

戊子，造岁额钞本，至元钞八十九万五千锭，中统钞五千锭。

命兴和路建雅克特穆尔鹰棚。

辛卯，皇太子喇特纳达喇薨。壬辰，命宫相法哩等护灵輀北祔葬于山陵，仍命法哩等守之。

御史台臣劾奏福建宣慰副使哈济，前为广东廉访副使，贪污狼籍，宜罢黜，从之。

甲辰，建孔子庙于后卫。

乙巳，镇西武靖王绰斯班、豫王喇特纳实哩及行省、行院官同讨云南，兵十馀万，以去年十一月〔十一日〕，绰斯班师次罗罗斯，期跃里特穆尔会于曲靖、马龙等州；跃里特穆尔倍道兼进，夺金沙江。十二月十七日，大军击败阿哈兵，阿哈伪降，明日，率兵来袭我营，绰斯班等又击败之，阿哈窜走；大军直趋中庆，遇贼于安宁州，再战，大败之。二十八日，阿哈来逆战，遂就擒，斩于军前。三十日，将抵中庆，贼兵七千犹拒战于伽桥、古壁口，跃里特穆尔左颊中流矢，洞耳后，拔矢复战，大捷，遂复行省治，诸军皆会，驻于城中，分兵追捕残贼于嵩明州。捷闻,诏总兵官量度缓急,从宜区处。

行枢密院使彻尔特穆尔,治军有纪律,所过秋毫无犯;贼平,赏赉甚厚,悉分赐将士,囊装惟巾栉而已。

二月,戊申,立广教总管府,以掌僧尼之政,凡十六所,秩正三品。府设达噜噶齐、总管、同知府事、判官各一员,宣政院选流内官拟注以闻,总管则僧为之。

四川行省招谕怀德府驴谷、什(同)〔用〕等四洞及生蛮十二洞皆内附,诏升怀德府为宣抚司以镇之。诸〔洞〕各设长官司及巡检司,且命各还所掠生口。

湖广参政彻尔特穆尔与苏苏、班坦俱坐出怨言,刑部鞫实定罪,会赦,并流荒僻州郡,仍籍其家;苏苏禁锢终身。

己酉,枢密院言:"彻尔特穆尔、博啰以正月戊寅败乌撒蛮兵,射中禄余,降其民,乌蒙、东川、易良州蛮兵,夷獠等俱款附。绰斯班等驻中庆,复行省事。"又言:"澄江路蛮官(邵)〔郡〕容报贼古喇呼,及图沁之弟拜喇图密实等,伪降于豫王而反围之,至易龙驿,古喇呼等掩袭官军。四川平章达春顿兵不进,平章奇珠妻子孳畜为贼所掠。谍知图沁方修城堡,布兵拒守,无出降意。"诏速进兵讨之。

辛亥,建雅克特穆尔居第于兴圣宫之西南,诏萨题及留守司董其役。

乙卯,云南统兵官报诸蛮悉降,惟禄余追捕未获。

诸王齐齐克图、锡格,坐妄言不道,诏安置齐齐克图广州,锡格雷州。

三月,辛巳,御史台臣劾奏:"燕南廉访使布咱尔,前为闽海廉访使,受赃累万,虽遇赦原,宜追夺制命,籍没流窜。"诏如所言,仍暴其罪。

甲申,绘皇太子真容,(祀)奉安庆寿寺之东鹿顶殿,〔祀之〕如累朝神御殿仪。以宦者拜珠侍皇太子疾不谨,杖斥之。

冠州有虫食桑四十馀万株。

丙戌,雨土霾。

司徒锡沙言:"陶弘景《胡笳曲》,有'负扆飞天历,终是甲辰君'之语,今陛下生年、纪号适与之合,此实受命之符,请录付史馆,颁告中外。"诏翰林、集贤、奎章、礼部杂议之。翰林诸臣议以为:"唐开元间,太子宾客薛让进武后《鼎铭》云:'上元降监,方建隆基。'为玄宗受命之符。姚崇表贺,请宣示史官,颁告中外。而宋儒司马光斥其采偶合之文以为符瑞,乃小臣之谄,而宰相实之,是侮其君也。今弘景之曲,虽于生年、纪号若偶合者,然陛下应天顺人,绍隆正统,于今四年,薄海内外,罔不归心,固无待于旁引曲说以为符命。〔从其所言〕,恐启谶纬之端,非所以定民志。"事遂寝。

戊午,以龙庆州之流杯园池、水碾上田赐雅克特穆尔。

癸巳,修普天大醮。

豫王喇特纳实哩、镇西武靖王绰斯班等擒云南诸贼及其将校,磔以徇。

癸卯,中书省言:"嘉兴、平江、松江、江阴芦场、荡山、沙(土)〔涂〕、沙田之籍于官者,(赏)〔尝〕赐他人,今请改赐雅克特穆尔。"令有司如数给付。

夏,四月,丙午朔,全宁民王托欢献银矿。诏设银场提举司,隶中政院。

命西僧于五台及雾灵山作佛事各一月,为皇(太)子古噜达喇祈福。

戊申，皇姑鲁国大长公主薨。

以宫中高丽女子赐雅克特穆尔，高丽国王请割国中田为资送，诏遣使往受之。

发卫卒三千助大承天护圣寺工役。

庚戌，诏建雅克特穆尔生祠于红桥南，树碑以纪其勋。

真定武陟县地震，逾月不止。

戊午，命兴和建屋居海青，上都建屋居鹰鹘。

庚申，宁国路泾县民张道，杀人为盗，道弟吉从而不加功，拘囚七年不决。吉母老，无他子孙，中书省臣以闻，敕免死，杖而释之，俾养其母。

壬戌，枢密院言：“云南已平，镇西武靖王绰斯班奏（请）〔言〕：‘种人叛者虽已略定，其馀党逃窜山谷，不能必其无反侧，请留荆王额苏额布罕及诸王索诺木等各领所部屯驻一二岁，以示威重。’”从之。仍命豫王分兵共守一岁以镇辑之，馀军皆遣还所部，统兵官召赴阙。

甲子，诏：“故尚书省丞相托克托，可视三宝努例，以所籍家资还其家。”

御史台言同金中政院事殷仲容，奸贪邪佞，冒哀居官，诏黜之。

戊辰，奎章阁以纂修《经世大典》，请从翰林、国史院取《托布齐延》一书以纪太祖已来事迹，诏以命翰林学士承旨押布哈、塔斯哈雅。押布哈言：“《托布齐延》事关秘（集）〔禁〕，非可令外人传写，臣等不敢奉诏。”从之。

衡州路比岁旱蝗，仍大水，民食草木殆尽，又疫疠者十九。壬申，湖南道宣慰司请赈粮米万石，从之。

五月，甲午，以平江官田五百顷立稻田提举司，隶宫相都总管府。

乙未，纂修《皇朝经世大典》成。

丙申，帝如上都，敕在京百司日集公署，自辰至暮勿废事。

戊戌，次红桥，临视雅克特穆尔生祠。

六月，乙巳朔，监察御史韩元善言：“历代国学皆盛，独本朝国学生仅四百员，又复分辨蒙古、色目、汉人之额。请凡蒙古、色目、汉人，不限员额皆得入学。”又，监察御史陈守中言：“凡仕者亲老，别无他丁侍养，请不限地方名次，从优附近迁调，庶广忠孝之道。”皆不报。

乙卯，监察御史陈良，劾浙东廉访使托克托齐延：“阿附权奸都尔苏，又，其生母何氏，本父之妾而兄妻之，乃冒请封赠，请黜罢宪职，追还赠恩。”从之。

癸亥，诏：“诸官吏在职役或守代未任，为人行赇关说，其有所取者，官如十二章论赃，吏罢不叙终其身；虽无所取而讼起灭由己者，罪加常人一等。”

云南出征军悉还，乌撒、罗罗蛮复杀戍军黄海潮等，撒加伯又杀掠良民为乱。丙寅，命云南行省、院：“凡境上诸关戍兵，未可轻撤，宜俟缓急以制其变。”

秋，七月，辛巳，济尔哈达尔坐罪当流远，以腾吉斯舅氏故释之。

壬午，监察御史张益等言：“四川行省平章奇彻台为人反覆，不可信任，今云南未平，与蜀接境，宜削官远窜。”诏夺其制命、金符，同妻孥禁锢于广东。

丁亥，海南黎贼作乱，诏江西、湖广两省合兵捕之。

乙未，立闵子书院于济南。

庚子，广西猺贼平。

癸卯，知行枢密院事彻尔特穆尔以兵讨叛蛮，戮其党七百馀人。

大宁和众县何千妻殉夫，旌其门。

八月，甲辰朔，日有食之。

辛亥，帝至自上都。

甲寅，命宣课提举司毋收稚克特穆尔邸舍商货税。

江浙水，坏田四十八万八千馀顷。

诏皇子古噜达喇出居雅克特穆尔家；九月，癸酉朔，市鄂尔根萨哩宅，命雅克特穆尔奉皇子古噜达喇居之。

乙亥，命留守司发军士，筑驻跸台于大承天护圣寺东。

御史台臣劾奏："四川行省参政马镕，发粮六千石饷云南军，中道辄还，预借俸钞一十九锭以娶妾，又诟骂平章汪寿昌，罪虽蒙宥，难任宰辅。"帝曰："纲常之理，尊卑之分，憭无所知，其何以居上而临下！亟罢之！"

丙子，海南贼王周，纠率十九〔洞〕蛮二万馀人作乱。命调广东、福建兵隶湖广左丞伊喇四努统领讨捕。

湖州安吉县久雨，太湖溢，漂没居民，赈之。

丁亥，御史台言："江西行省参政李允中，乃故内侍李邦宁养子，器质庸下，误叨重选，宜黜罢。"从之。

云南禄余复叛，杀乌撒宣慰使伊噜、东川路总管府判官嘉珲迪等二十馀人，率兵击罗罗斯，寇顺元路。丁酉，云南行省遣都事诺海、镇抚栾智等奉诏往谕禄余及授以参政制命，至撒家关，禄余拒不受。俄而贼大至，诺海因与力战，贼乃退。及晚，乌撒兵入顺元境，左丞特穆尔布哈御贼，诺海复就阵宣诏招之，遂遇害，特穆尔布哈等敛兵还。

冬，十月，己酉，为皇子古噜达喇作佛事，释在京囚死罪者二人，杖罪者四十七人。

癸丑，蒙古都元帅齐喇引兵击阿哈贼党于靖江路海中山，为云梯登山，破其栅，杀贼五百馀人；图沁之弟必里克图库图齐，举家赴海死。

（戊午），吴江州大风雨，太湖溢，漂没庐舍。辛酉，命江浙行省赈之。

丙寅，雅克特穆尔取牦牛五（千）〔十〕于西域来献。

十一月，壬申朔，日有食之。

云南行省言："伊奇布锡之地所牧国马，岁给盐，以每月上寅日啖之，则马健无病。比因布呼叛乱，云南盐不可到，马多病死。"诏四川行省以盐给之。

乙亥，李彦通、萧布兰奚等谋反，伏诛。

癸未，诏养雅克特穆尔之子塔喇哈为子，赐居第。

隆祥司使晃忽尔布哈言："海南所建大兴龙普（时）〔明〕寺，工费浩穰，黎人不胜其扰，以故为乱。"诏湖广行省臣布哈及宣慰、宣抚二司领其役，仍命廉访司莅之。

十二月，戊申，陕西行台御史尼古巴、高（担）〔坦〕等劾奏："本台监察御史陈良，恃势肆毒，徇私破法，请罢职籍赃，还归田里。"诏："虽会赦，其准风宪例，追夺敕命，馀如所奏。"

以黄金符镌文曰"翊忠徇义、迪节同勋"，赐西域亲军副都指挥使奇彻，以旌其天历初红桥战功。

壬子,复命诸王呼喇春还镇云南。

癸丑,河南、河北道廉访副使僧嘉努言:"自古求忠臣必于孝子之门。今官于朝十年不省觐者有之,非无思亲之心,实由朝廷无给假省亲之制,而有擅离官次之禁。古律,诸职官父母在三百里,于三年听一给定省假二十日;无父母者,五年听一给拜墓假十日。以此推之,父母在三百里以至万里,宜计道里远近,定立假期。其应省觐而不省觐者坐以罪;若诈冒假期,规避以掩其罪,与诈奔丧者同科。"命中书省、礼部、刑部及翰林、集贤、奎章阁议之。

癸亥,雨木冰。

是岁,以集贤大学士岳柱为江西行省平章政事。时有诬告富民负永宁王官帑银八百馀锭者,中书遣使诸路征之。使至江西,岳柱曰:"事涉诬罔,不可奉命。"僚佐重违宰臣意,岳柱曰:"民为邦本,伤本以敛怨,亦非宰相福也。"令使者以此意复命。雅克特穆尔闻其言感悟,命刑部诘治,得诬罔状,坐告者罪,以其事闻,帝嘉之,特赐币帛及上尊酒。

桂阳州民张思进等,啸聚二千馀众,州县不能治,广东宣慰司请发兵捕之,岳柱曰:"有司不能抚绥边民,乃欲侥幸兴兵以为民害邪!"遣千户王英往问状。英直抵贼巢,谕以祸福,贼曰:"致我为非者,两巡检司耳,我等何敢有异心哉!"谕其众使复业,一方以宁。岳柱,鄂尔根萨理之子也。

监察御史陈思谦言:"铨衡之弊有四:入(任)〔仕〕之门太多,黜陟之法太简,州郡之任太淹,朝省之除太速。请设三策以救四弊:一曰至元三十年以后增设衙门,冗滥不急者,从实减并;其外有选法者,并人中书。二曰宜参酌古制,设辟举之科,令三品以下各举所知,得才则受赏,失实则受罚。三曰古者刺史人为三公,郎官出宰百里,盖使外职识朝廷治体,内官知民间利病。今后历县尹有能声善政者,授郎官、御史,历郡守有奇才异绩者,任宪使、书尚,其馀各验资品通迁。在内者不得三考连任京官,在外者须历两任乃迁内职;绩非出类,守不败官者,则循以年劳,处以常调。凡朝缺官员,须二十月之上,方许迁除。"帝命中书议行之。

时有官居丧者,往往夺情起复,思谦言:"三年之丧,谓之达礼,自非金革,不可从权。"遂著于令。有诏起报严寺,思谦曰:"兵荒之馀,当罢土木以舒民力。"帝嘉之曰:"此正得祖宗立台宪之意,继此事有当言者无隐。"赐缣绮旌之。思谦,祐之孙也。

帝幸奎章阁,命取国史阅之,左右舁匮以往,国史院长贰无敢言。编修吕思诚争曰:"国史纪当代人君善恶,自古天子无观阅之者。"乃止。

至顺三年 【壬申,1332】 春,正月,癸酉,命前高丽国王王焘仍为高丽国王,赐金印。初,焘有疾,命其子桢袭王爵。至是焘疾愈,故复位。

己卯,罢诸建造工役,惟城郭、河渠、桥道、仓库勿禁。

广西罗韦里叛寇马武冲等攻陷那马违等寨,命广西宣慰司严军御之。

伊阙彻尔冒请卫士乞粟,当坐罪,雅克特穆尔请释之。

戊子,万安军黎贼王奴罗等寇临水县。

己丑,四川行省言:"去年九月,左丞特穆尔布哈与禄余贼兵战被创,贼遂侵境,请调重庆、(钦)〔叙〕州兵二千五百人往救之。"顺元宣抚司亦言:"贼列行营为十六所,请调兵分道备御。"

诏上都留守司为雅克特穆尔建居第。

御史台言："选除云南廉访司官，多托故不行，今有如是者，风宪勿复用。"制可。

庚子，夔路忠信寨〔洞〕主阿具什用合〔洞〕蛮八百馀人寇施州。

二月，戊申，云南行省言："会通州(上)〔土〕官阿赛及河西阿勒等，与罗罗贼等千五百人，寇会川路之卜龙村；又，禄馀将引兵与(芒)〔茫〕部合寇罗罗斯，截大渡河、金沙江以攻东川、会通等州，请奉先所降诏书招谕之，不奉命则从宜进军。"制可。

己酉，禄余言于四川行省曰："自父祖世为乌撒土官宣慰使，佩虎符，素无异心。曩为布呼诱胁。比闻朝廷招谕，而今限期已过，乞再降诏敕，即率四路土官出降。仍乞改属四川省，隶永宁路，冀得休息。"行省以闻。诏中书、枢密、御史诸大臣杂议之。

集贤大学士致仕王约卒。

辛酉，雅克特穆尔兼奎章阁大学士、领奎章阁学士院事。

己巳，诏修曲阜先圣庙。

邛州有二井，旧名金凤、茅池。天历初地震，盐水涌溢，州民侯坤愿作什器煮盐而输课于官，诏四川转运盐司主之。

三月，庚午朔，中书省言："凡远戍军官死而归葬者，宜视民官例，给道里之费。又，四川驿户，比以军兴消乏，宜遣官同行省量济之。"制可。

雅克特穆尔言："平江、松江淀山湖圩田方五百顷有奇，当入官粮七千(五)〔七〕百石。其总田者死，颇为人占耕。今臣愿增粮为万石入官，令人佃种，以所得馀米赡臣弟萨敦。"从之。

洛水溢。

己丑，复立功德使司。

癸巳，皇子古噜达喇更名雅克特古斯。

夏，四月，戊申，大宁路地震。

戊午，国师必兰纳识里与故安西王子伊噜特穆尔等谋为不轨，伏诛。有司籍之，得其人畜、土田、金银、货贝、钱币、邸舍、书画、器玩以及妇人七宝装具，价值巨万万。

命有司为巴延建生祠，立纪功碑于涿州；仍别建祠，立碑于汴梁。

戊辰，免云南行省田租三年。

前中书右丞相太傅巴达锡卒。巴达锡清慎宽厚，号称长者，其殁也，贫无以为敛。赠太师，追封威平王。

五月，甲戌，萨题请备录登极以来固让明宗往复奏言，其馀训敕、辞命及雅克特穆尔等宣力效忠之迹，命多来续为《蒙古托布齐延》一书，置之奎章阁，从之。

戊寅，京师地震有声。

庚寅，帝如上都。

壬辰，太常博士王瓒言："各处请加封神庙，滥及淫祠。按《礼经》，以劳定国，以死勤事，能御大灾，能捍大患，则祀之。其非祀典之神，今后不许加封。"制可。

追封颜子父颜无繇为杞国公，谥文裕，母齐姜氏杞国夫人，谥端献；妻宋戴氏兖国夫人，谥贞素。

汴梁之睢州、陈州，开封之兰阳、封丘诸县河水溢。滹沱河决。

六月,己酉,以御史中丞赵世(延)〔安〕为中书左丞。

乙丑,禁诸卜筮、阴阳人毋出入诸王公大臣家。

江南行台监察御史苏天爵虑囚于湖北。

湖北地僻远,民獠所杂居,天爵冒瘴毒,遍历其地。囚有言冤状者,天爵曰:"宪司岁两至不言,何也?"皆曰:"前此虑囚者,应故事耳。今闻御史至,当受刑,故不得不言。"天爵为之太息,每事必究心,虽盛暑,犹夜篝灯治文书无倦。天爵,真定人也。

秋,七月,(戊辰)〔辛未〕朔,调军士修柳林海子桥道。

丁丑,湖广行省言:"黎贼势猖獗,请益兵三千以备调用。"命依前诏,促伊喇世努克日进兵。

八月,己酉,帝崩于上都。是日,陇西地震。癸丑,葬起辇谷。

初,帝大渐,召皇后及皇子雅克特古斯、丞相雅克特穆尔谓曰:"昔日鸿呼尼之事,为朕平生大错,悔之无及。雅克特古斯虽为朕子,然今日大位,乃明宗之大位也。汝辈如爱朕,立明宗之子,使绍兹大位,则朕见明宗于地下,亦可有辞以对。"鸿呼尼,明宗自北来饮毒而崩之地也。雅克特穆尔内惧,踌蹰者累日,念鸿呼尼之事,己实造谋,恐明宗之子立而治其罪,秘遗诏不发,因谓皇后曰:"阿婆且权守上位玉宝,我与宗戚诸王徐议之可也。"于是遣使征诸王会京师。中书百司政事,咸启中宫取进止。

乙卯,雅克特穆尔以中宫旨,赐驸马诸王大臣金银、币帛有差。

九月,辛巳,修皇太后仪仗。

是夜,地震有声来自北。

时大位犹虚,而雅克特穆尔礼绝百僚,威焰熏灼,宗戚诸王无敢言者。又久之,尚不立君,中外颇以为言,雅克特穆尔乃请立皇子雅克特古斯,皇后命立明宗第二子鄜王伊勒哲伯。雅克特穆尔不得已乃奉命。十月,庚子,鄜王即皇帝位于大明殿。

辛丑,以知枢密院事萨敦为御史大夫,中书右丞萨题为中书平章政事,宣政使奇尔济苏为中书左丞,中书平章政事图尔哈特穆尔知枢密院事。

丙寅,楚丘县河堤坏,发民丁修之。

十(二)〔一〕月,戊寅,尊皇后曰皇太后。

壬辰,帝崩,年七岁,在位四十三日。甲午,葬起辇谷,谥宁宗。

时燕有妄男子上变,言部使者谋为不轨,按问皆虚。法司谓《唐律》告叛者不反坐,参议中书省事张起岩奋谓同列曰:"方今嗣君未立,人情危疑,不急诛此人以杜奸谋,虑妨大计。"趣有司具狱,都人肃然。

皇太后临朝,雅克特穆尔复与群臣议立雅克特古斯。太后曰:"天位至重,吾儿方幼,岂能任耶!托欢特穆尔在广西,今年十三矣,且明宗之长子,礼当立之。"乃命中书左丞奇尔济苏迎托欢特穆尔于静江。

皇太后在兴圣宫,正旦,议循故事行朝贺礼,礼部尚书宋本,言宜上表兴圣宫,废大明殿朝贺,众是而从之。

【译文】

元纪二十四　起庚午年(公元 1330 年)正月,止壬申年(公元 1332 年)十二月,共三年。

元文宗名讳图卜特穆尔,武宗的次子,明宗的弟弟。母亲是文献昭圣皇后唐古氏。大德八年(公元 1304 年)春季正月癸亥(十一日)出生。至治元年(公元 1321 年),出京居住海南,泰定元年(公元 1324 年),应召回到京师,封为怀王。

至顺元年　(公元 1330 年)

春季,正月,丙辰(初四),文宗皇帝命赵世延、赵世安负责纂修《经世大典》工作。

辛酉(初十),按时祭祀太庙。

甲子(十二日),雅克特穆尔、巴延一同辞丞相职务,文宗不允许,仍旧命阿荣、赵世安安慰晓谕他们。

丁卯(十五日),云南诸王图沁和万户布呼、阿哈等叛乱,进攻中庆路,攻陷城池,杀死廉访司官员,拘捕左丞实都等人,强迫他们在公文上签名。

辛未(十九日),中书省上奏:"科举会试日期,旧制是二月一日、三日、五日,近年改为十一日、十三日、十五日。请依从旧制。"朝廷听从了这个意见。

壬申(二十日),衡阳徭民作乱,劫掠湘乡州。

丁丑(二十五日),文宗追封三宝努为郓城王,谥号荣敏。

赵世延请求退休,文宗不同意。

庚辰(二十八日),把群玉署升格为群玉内司,仍隶属于奎章阁学士院,任命礼部尚书库库兼管群玉内司事务。

库库曾以秘书监丞的身份奉命前往泉州核查海船,把船上装载的珠宝犀角看作细小芥子,一点也不留意。朝廷制度,大乐诸坊都隶属于礼部,遇有公宴,各种伎艺都来表演。库库对此看得很淡漠,僚佐以下都对他肃然起敬。

二月,壬午朔(初一),朝廷任命赵世安为御史中丞,任命史惟良为中书左丞。

癸未(初二),抄没张珪五个儿子的家产。

丁亥(初六),朝廷命江南、陕西、河南等处富民向国家交纳粮食来换取官职,江南交粮一万石的富民授正七品官,陕西交粮一千五百石的富民、河南交粮二千石的富民、江南交粮五千石的富民授从七品官,其余按交粮多少分别授予不同的官职。四川富民有能交粮到江陵的,照河南交粮买官的标准授官。那些不愿做官而请求封赠父母的,听便。僧人、道士交粮给国家的,赐加各种师的名号。

己丑(初八),图沁、布呼等攻陷仁德府,到马龙州。朝廷调八番元帅鄂勒哲率领八番达喇罕军千人和顺元土军五百人抵御。

庚寅(初九),因纂修《经世大典》许久没有成功,文宗专命奎章阁学士阿邻特穆尔、和塔拉、都哩默色等人把用蒙国语记录的典章制度译为汉语,纂修则由赵世延、虞集等人负责,雅克特穆尔按丞相监修国史的惯例监修《经世大典》。

奎章阁学士和塔拉、都哩默色、萨题、虞集提出辞职,文宗下诏告谕他们说:"从前,我的祖宗通达聪明,他们对于致治之道,天生就知道。朕按照皇位世系,继承大位,实在渺小,为此日夜忧惧。自己想来,早年跋涉艰阻,和祖宗相比,既缺乏生而知之的聪明,对于治国之道,怎么能完全了解! 所以设立奎章阁,设置学士人员,把祖宗明训、古代的治乱得失向我陈说,使朕乐于听闻,卿等应把各自所学讲出来以合朕的心意,不要再辞职了。"

甲午(十三日),图沁、布呼等进攻晋宁州。图沁自立为云南王,布呼为丞相,阿哈、呼喇呼等为平章等官,建立城栅,焚烧仓库,以示拒绝朝廷的命令。

乙未(十四日),中书省上奏:"江浙百姓饥饿,今年海运定米二百万石,其不足部分,来年补运。"朝廷依从了这个建议。

丙申(十五日),救济常德、澧州路饥荒。

丁酉(十六日),皇帝和皇后、皇子喇特纳达喇一同接受佛教戒律。

己亥(十八日),皇帝命明宗皇子接受佛教戒律。

监察御史奏:"中书平章多尔济,身居丞相要职,不思报效,借铨选官员之机,紊乱纲常法纪,贪污的名声远扬,真是恬不知耻,应该把他罢免。"皇帝同意。

甲辰(二十三日),将旺沁之子流放到吉阳军。

乙巳(二十四日),封明宗皇子伊勒质班为鄜王。

救济淮安饥荒。

丙午(二十五日),朝廷命中尚卿苏尔约苏率兵讨伐云南。

御史台奏:"天历初年,奇彻台在上都曾与库库楚等人密谋捉拿都尔苏,事情泄露,同谋者都被处死,奇彻台因出征得免。近来,御史台官员对他发生怀疑而弹劾他,与事实不符,应该昭雪他的冤枉。"皇帝下令纠正。

文宗皇帝惦念雅克特穆尔拥戴的功劳,既已追封他的祖先三代,又命礼部尚书马祖常在北郊写成文章刻在石碑上,以昭明他的功勋。还认为未足以报答,又任命他一人独为丞相,以示对他的特别尊重。丁未(二十六日),任命巴延为知枢密院事,和以前一样为太保、录军国重事。皇帝诏谕中书省说:"从前,在世祖皇帝时,曾以宰相一人总领各种事务,因而治事出于一人,政务有人统领。雅克特穆尔为右丞相,巴延既已为知枢密院事,左丞相就不再设置了。凡号令、刑名、选法、钱粮、造作,一切中书省的政务,都由雅克特穆尔总裁。诸王、公主、驸马、近侍人员、大小衙门,敢有越过雅克特穆尔上奏,以违反制度论处。"

戊申(二十七日),中书省奏:"旧制,元旦和皇帝诞辰的天寿节,朝廷内外各衙门各有礼物进献,近来停止了。现在江浙省臣说,皇帝的恩惠广大,覆帱无边,而臣等没什么可以补报的,凡遇庆典之礼,进表称贺,请恢复旧制为宜。"朝廷听从了这个意见。

朝廷征召札实为应奉翰林文字,赐他在奎章阁召见。皇帝问他有无著述,札实献上自己著的《帝王心法》,皇帝说很好。便命他参与修订《经世大典》。因与众人议论不合,请求离去,皇帝命奎章阁侍书学士虞集挽留,札实坚决以母亲年老为由辞职,于是就赏赐给他礼物让他回家。

辛亥(三十日),皇帝命令购买已故瀛国公赵㬎的田产,赐给龙翔集庆寺。御史台说不必给他钱。皇帝说:"我建寺庙是为子孙后代和黎民百姓考虑,倘若取人田产而不给钱,这不是朕的意愿。"

救济茶陵等州饥荒。杭州发生火灾,朝廷加以抚恤。

三月，甲寅（初三），乖西鱄蛮三千人进入松梇山，烧毁了沿边境线的军营堡垒。

戊午（初七），皇帝封皇子喇特纳达喇为燕王，设立宫相府总管燕王府事务，由雅克特穆尔负责。

文宗皇帝廷试进士，赐特勒图、王文烨等九十七人为进士及第或进士出身。

当时，皇室宗族与藩王之间存在隔阂，功臣生活过分奢侈，政教风俗未立。皇帝将举行廷试，虞集为读卷官，乃拟出以皇上名义发布的策问上奏，首先问的是宗亲和睦、体察群臣、同一风俗、协和万邦。皇帝没有采用。

朝廷命彰德路每年祭祀羑里周文王祠。

朝廷任命河南行省平章奇珠为云南行省平章，任命八番、顺元宣慰使特穆尔布哈为云南省左丞，跟从豫王由八番道讨伐云南。

己巳（十八日）廷议为明宗皇帝的祭祀神位升祔，次序调整在英宗皇帝之上，按顺宗皇帝、成宗皇帝庙迁之例办理。

辛未（二十日），诸王伊苏台部属七百余人进入天山县，抢劫百姓财产。朝廷派遣枢密院、宗正府官员前往剿捕。

壬申（二十一日），将明宗神主迁入太庙。

夏季，四月，壬午朔（初一），皇帝命西僧在仁和殿作佛事，从这一天开始，到十二月底结束。

癸未（初二），中书省奏："历朝皇后的侍从和宿卫每年都要赏赐钱钞和衣帛，过去定额为一万人，去年增加四千人，近来增数更广。请依旧额为宜。"皇帝下诏命阿布哈雅加以裁减，然后上报。

壬辰（十一日），将没收张珪诸子的田产四百顷赏赐给大承天护圣寺。

辛丑（二十日），明宗皇后必巴实去世。她是被皇后鸿吉哩氏和宦官拜珠合谋杀害的。

壬寅（二十一日），搜求益都、般阳、宁海的无主土地十六万余顷，赏赐给大承天护圣寺。

乌蒙土官禄余杀害乌撒宣慰司官吏，向布呼投降。罗罗地区诸蛮全部叛变，与布呼相呼应，平章特穆布哈被他们所害。禄余以蛮兵七百余人拒守乌撒、顺元边界，设立关卡固守。重庆五路万户领兵到云南境内，正遇上罗罗蛮，万余人被杀，千户祝天祥等带领剩余人马逃回。

戊申（二十七日），皇帝诏令江浙、河南、江西三省调兵二万，由诸王运图斯特穆尔和枢密判官洪浃率领，与湖广行省平章托欢合兵，讨伐云南。

五月，戊午（初八），皇帝御驾大明殿，雅克特穆尔率领文武百官及僧人、道士、耆老奉玉册、玉宝，为皇帝上尊号"钦天统圣至德成功大文孝皇帝"。这一天，改元至顺。

丁卯（十七日），翰林国史院完成编修《英宗实录》的工作。

戊辰（十八日），皇帝前往上都。准备立燕王喇特纳达喇为皇太子，于是便以托欢特穆尔乳母丈夫所说："明宗皇帝生前向来说太子不是他的亲生儿子"为理由，将他贬逐到江南，并通过驿站征召翰林学士阿林特穆尔、奎章阁学士乌图噜笃勒哲，将这件事记录在《托布齐延》上。又召虞集将此事写成诏书，通告朝廷内外。

这一月，因浙东宣慰使陈天祐、湖广参知政事樊楫为国事而死，封赠时特加一级。龙兴张仁兴的妻子邹氏、奉元李郁的妻子崔氏有志于节操,汴梁尹华有孝行,都表彰其家庭。

六月,辛巳朔(初一),雅克特穆尔奏:"以往皇帝有旨,只许我和巴延兼领三项职务。今赵世延以平章政事兼翰林学士承旨、奎章阁大学士,所以,赵世延称病辞职。"皇帝说:"朕看重年高有德的人,那就令赵世延仍到中书省视事,果然有病,可以不参预铨选工作。"

丙申(十六日),大名路黄河水泛滥。

庚子(二十日),知枢密院事库春贝、托克托穆尔和通政使齐尔噶朗等十人,因雅克特穆尔权势崇重,密谋杀死他。页特密实托密把这一变故告诉雅克特穆尔。雅克特穆尔立即率领奇彻军围捕,审问,全部处死,暴尸街头,并抄没其家产。

乙巳(二十五日),罗罗斯土官撒加伯,会合乌蒙蛮兵万人进攻建昌县。云南行省右丞跃里特穆尔进行抵抗,斩首四百余级。四川军也在芦古驿击败撒加伯。

秋季,七月,己未(初十),通渭发生山崩。

辛酉(十二日),因江西、建昌万户府军士卒戍守广海,一年更换一次,往来劳苦,皇帝下诏仍按元旧制,二年一换。

乙丑(十六日),朝廷征调诸卫士卒修筑漷州柳林海子堤堰。

庚午(二十一日),中书省奏:"近年库藏空虚,其费用有五项:一是赏赐,二是举行佛教仪式,三是创立新衙门,四是滥冒支领,五是续增卫士、鹰坊。请求同枢密院、御史台及各集赛官一同加以裁汰、精简。"皇帝听从了这个意见。

丁丑(二十八日),特们德尔的儿子将作使索珠与其弟观音努、姐夫太医使伊垱哈雅因怨恨而咒诅,事情被发觉,皇帝诏令中书省审讯。事情牵连到前刑部尚书乌讷尔、前御史大夫博啰、上都留守乌讷尔等,都服罪被杀。

云南图沁、布呼等人势力愈益猖獗,乌撒、禄余也乘机联合乌蒙、东川、茫部诸蛮,想让布呼之弟拜延顺等领兵攻打顺元。皇帝下诏立即派遣使臣督促豫王喇特纳实哩和行枢密院、四川、云南行省,迅速集合各路军队,分路进兵讨伐。因乌蒙、乌撒以及罗罗斯地区与西番相连,与碉门安抚司唇齿相依,特令宣政院督促所属军民严加守备,又命巩昌都总帅府调兵千人戍守四川。

闰七月,癸未(初四),监察御史葛明诚奏:"中书平章政事赵世延,年龄已过七十岁,志虑耗衰,固守虚位,苟且安生,于事无补。请勒令他回家。"皇帝下诏要中书省商议这件事。雅克特穆尔说:"赵世延曾奏请退休回家,皇上不允许他的请求。御史这番话,大概是不知道皇上有过圣旨。"皇帝说:"像御史所说的那样,赵世延很难胜任中书省的职务了,但仍可任翰林国史院、奎章阁的职务。"

云南茫部路九村夷人阿翰阿里到四川行省报告:"我们路过去隶属四川,现今土官撒加伯与云南勾结叛乱,我自愿准备粮食四百石,民丁千人,协助大军进讨。"此事闻于皇上,下诏嘉奖他能够离开叛逆前来归顺,让有司重重地慰劳、安慰他。

癸巳(十四日),行枢密院奏:"征戍云南的军士中有二人逃回家,已捕获,按军法应处死。"皇帝下诏说:"如果临阵惧战而逃命,处死是适宜的。没有交战而逃,便处以死罪,怎能把人命看得这样轻率呀!还是处以杖刑再流放。"

安南国王陈益稷,在天历二年死于汉阳府。丁酉(十八日),皇帝命令追封他开府仪同三司、湖广行省平章政事的称号，王爵和原来一样，谥号忠懿。

戊申(二十九日)，皇帝加封孔子父亲齐国公为启圣王，母亲鲁国太夫人颜氏为启圣王夫人。接着又加封孔子妻并官氏为大成至圣文宣王夫人。这是依从衍圣公孔思晦的请求加封的。又加封颜子为兖国复圣公，加封曾子为郕国宗圣公，加封子思为沂国述圣公，加封孟子为邹国亚圣公，加封河南伯程颢为豫国公，加封伊阳伯程颐为洛国公。

罗罗斯土官撒加伯和阿陋土官阿刺、里州土官阿答，领兵八千人撤毁栈道，派遣把事曹通暗中勾结西番，企图占据大渡河进犯建昌。四川行省调兵一千七百人，命万户周勘统领，直抵罗罗斯界，以便控制西番和各蛮部。

广西瑶民于国安骚扰修仁、荔浦等县，广西元帅府发兵剿捕，贼众溃散逃走，活捉于国安。

这一月，江南发大水，江浙、湖广尤其严重。

八月，辛亥(初三)，云南跃里特穆尔领兵屯驻建昌，拘捕罗罗斯把事曹通，将他斩首。

雅克特穆尔出西道打猎，未到猎场。丁巳(初九)，皇帝下诏，因国家政务至为重要，派使臣催促他赶快回京。

己未(十一日)，皇帝自上都回到大都。

有人上奏说蔚州广灵县地产白银，皇帝下诏中书省、太禧院派人亲临察看此事，每年所得白银，归大承天护圣寺。

辛酉(十三日)，御史台官员请求立燕王为皇太子。皇帝下诏说："朕的儿子年纪尚小，不能和裕宗为燕王时的情况相比，等雅克特穆尔来了，共同商议此事。"

壬申(二十四日)，皇帝下诏兴举蒙古字学。

中书省、枢密院、御史台奏："近日奉旨裁减卫士，现在确定皇宫内四宿卫的士卒，每宿卫不超四百人；以往各朝宿卫士卒，各不超过二百人。鹰坊一万四千零二十四人，应当减少四千人。宫内厨师有九百九十人，四集赛应当各留一百人。以往各朝后宫厨师三千二百二十四人，应当保留一千一百二十人。陪嫁人员、怯怜口共万人，应留六千人。那些裁汰下去的人，勒令他们回本部登记应役做事。自裁省之后，各宿卫再有收容隐匿汉人、南人、高丽人和奴隶滥充宿卫者，集赛官与其长官杖五十七，犯人与负责发放钱物的都杖七十七，抄没一半家产，将没收所得的一半赏给举报人。仍令监察御史检察这项工作。"皇帝认为可行。

九月，庚辰(初二)，停止纳粮授官的制度。

大宁路发生地震。

甲申(初六)，皇帝命艺文监刻版印行《雅克特穆尔世家》。

监察御史葛明诚上弹劾奏章："辽阳行省平章哈喇特穆尔曾经因贪污罪被处以杖刑，现在又被任命为宰相，控制东方藩国，由此可见国家名爵的赐予是何等之滥。请把他罢免。"皇帝听从了这一建议。

辛卯(十三日)，监察御史哆啰台、王文若奏："岭北行省是太祖皇帝开创基业之地，武宗皇帝时期，太师伊齐彻尔为右丞相，太傅达尔罕为左丞相，保卫安定北部边境，朝廷无北顾之忧。现在任命哈玛尔图为平章政事，此人卑微细小没有正大之相，对钱谷甲兵这些重大事情懵然无知，怎能昭宣皇帝的治国谋略，赞襄国家大政！且伊齐彻尔等有声望有才能的人任职在前,而让他这种无德无才的人继任于后,贤与不贤不用分辨就很清楚,按理应该罢免他。"皇帝下令可以这么办。

朝廷设置麓川路军民总管府。又在哈喇火州设立总管府。

乙未(十七日),御史台上弹劾奏章:"前中书平章苏苏贪居台鼎要位,专肆贪婪淫逸,经两次犯法断以杖刑,才议定将他流放。幸好得到皇帝的宽大,酌情迁到湖广,但他却不畏法自守,竟携妻娶妾,又生百端滥污。况且,湖广是屯驻兵力的重镇,怎能让他住在此地! 请把他屏除到边远地方,以显示朝廷赏罚公允。"皇帝下诏将他永远流放雷州,湖广行省派人给他加上刑具押送前往。

己亥(二十一日),皇帝下令:"各色人不是本民族固有风俗,而敢于在兄亡之后弟收其嫂,或父亡之后,于收娶其非亲生母亲的,治罪。"

丁未(二十九日),皇帝下令,要有关部门修缮南郊斋宫。

辰州万户图克里布哈的母亲舒穆噜氏因坚贞守节,漳州龙溪县陈必达因孝敬父母,朝廷旌表了他们的家庭。

冬季,十月,辛酉(十四日),文宗皇帝开始穿大皮衣、披衮戴冕,亲自到南郊祭祀昊天上帝,并配祭太祖皇帝。这是自世祖皇帝至文宗皇帝凡七世来首次完成的皇帝亲祀南郊之礼。

乙丑(十八日),广西徭民侵扰横州及永淳县,皇帝下令要广西元帅府率兵剿捕。

壬申(二十五日),御史台奏:"朝廷内外官吏让家人接受财礼,因这种行为冒犯了名节、触犯了道义,但定罪只列杖斥。今日那些贪婪污行的人犯此种法的愈来愈多。请依照《十二章》规定,计算贪赃多少论罪。"皇帝听从了这意见。

乙亥(二十九日),皇帝赐伯夷、叔齐庙匾额为"圣清",每年春、秋二季用少牢之礼祭祀。

朝廷派遣使臣催促四川、云南行省军队进兵讨伐造反的瑶民。于是四川行省平章达春引兵由永宁、左丞博啰引兵由青山茫部齐头并进,在周泥驿摆开阵势,和禄余等交战,杀死蛮兵三百余人。禄余的军队溃散,官兵随即夺取了他们的关隘,以引导顺元各军前进。这时,云南行省平章奇珠等都逾期不到。

十一月,辛巳(初五),御史台臣上奏:"陕西行省左丞齐喇,犯了接受别人送来的一名僮奴和鹦鹉的错误,请皇上按法律论处。"皇帝下诏说:"齐喇位至宰辅,享受国家的厚禄,还接受别人的僮奴,按理应该治罪。但鹦鹉是很细小的物品,把它作赃物论处,失之于太苛刻,还是以收受僮奴议罪。今后凡馈赠飞禽小鸟的,不要以贪赃论罪,把这条写成法令。"

丙戌(初十),罗罗斯撒加伯、乌撒阿答等联合诸部兵马共一万五千人进攻建昌,跃里特穆尔等领兵追赶,在木托山下交战,打败了他们,斩首五百余级。

广西廉访司奏:"现今讨伐叛乱的瑶民,各行省官员统兵二万人,都驻扎在静江,互相观望拖延,不肯前进,这样旷日持久,恐失去良机。"皇帝下诏派遣使臣催促他们进兵。

知枢密院事雅克布连请求朝廷依从旧制全部发给鹰坊粮草,使鹰坊不再贫乏。皇帝说:"国家的用费都是由百姓供给的,应当量入为出,朕难道会因鹰坊失去利益而重困我的百姓!"没有听从他的意见。

辛丑(二十五日),皇帝敕令河南行省:"百姓自己交纳田土粮税,不通舟楫无法运送粮食的地方,可用钱钞代交。"

十二月,己酉(初三),朝廷将董仲舒的神位放到孔子庙中祭祀,位列孔子的七十位弟子之后。

国子监的生员成绩积分够格的,由中书省、御史台、集贤院、奎章阁官员共同进行考试,合格的分等授官,不合格的再入国子监学习。

辛亥(初五),立燕王喇特纳达喇为皇太子,并诏告天下。

戊午(十二日),因郊祀祭天大礼告成,皇帝御驾大明殿,接受文武百官朝贺,大赦天下。

癸酉(二十七日),皇帝诏谕宣忠扈卫亲军都万户府:"凡是设立营司的地方,其境内山林川泽出产的禽兽鱼鳖全部供宫廷膳食之用,其他猎捕者治罪。"

监察御史秦起宗,弹劾中丞和尚接受了别人的妇女,低价购买县产官屋。皇上不予答复。秦起宗入宫晋见,跪着申辩了很久,皇帝令他站起来,他不起来。适逢太阳落山,他才出宫。第二天,策立太子,有大赦。秦起宗又奏:"不给和尚定罪,不足以正国法。"和尚才服罪。皇帝说:"做御史的就应该这样。"元宵节君臣聚会,皇帝赐给他济逊服,让他能赴皇宫大宴。

甲戌(二十八日),皇帝敕谕各行省:"凡遇边防有紧急情况,允许地方官根据实际情况自行发兵迎敌,事情不紧急就通过驿道向朝廷上报。"

清江人范梈,因朝臣推荐任翰林院编修官,任期满后,被提升为海南、海北道廉访司照磨,巡历偏僻的地方,不怕风波瘴疠,所到之处,兴办学校,教化民众,昭雪审理了许多冤案、积案。后迁任福建闽海道知事。福建风俗一向污秽,文绣局常取良家女子为绣工,特别严重的是不加区别。范梈便作歌诗一篇,叙述其中的弊端,廉访使以此诗上报给皇上,都把良家女遣送回家,这一弊端于是得以革除。不久,因病辞职回家,这一年去世。

奎章阁初建时,首先提拔翰林应奉揭傒斯为授经郎,让他教授功勋国戚和大臣们的子孙。皇帝有时来到阁中,有所咨询了解,他的对答皆合旨意,皇帝常以字称呼他而不呼名。每当中书省上奏任用儒臣,皇帝一定会问:"此人的才能和揭曼硕相比,怎么样?"有时会拿出揭傒斯送上的《太平政要》四十九章给御史台臣看,说:"这是朕的授经郎揭曼硕送上的啊!"对他的亲近看重到如此程度。

揭傒斯是富州人。当地本不产金,官府为奸民的言语所惑,招募淘金户三百户,由奸民负责,分散到其他郡采金上献朝廷。每年课税从四两累增加到四十九两。那奸民总管死后,那三百户淘金者所存不到十分之一,又贫困得难以维持生活。有关部门于是责令那些在官府当差役的百姓代为交纳,百姓多因此破产。中书省根据揭傒斯的报告,免除了这项金税,百姓才得以复苏。

至顺二年 (公元1331年)

春季,正月,己卯(初三),皇帝亲撰《奎章阁记》,并亲自书写,刻在石碑上。

行枢密院使彻尔特穆尔等上奏:"十一月,仁德府权达噜噶齐曲术,纠集兵力讨伐云南,首战在马龙州打败布呼贼兵,又在本月十一日杀死布呼之弟拜延,并割下他的左耳朵献给豫王。十三日,与贼兵在马金山交战,捕获布呼及其弟巴延彻尔,其党羽拜布哈等十余人,全部处死,余兵都溃散,只有禄余占据金沙江。"皇帝下诏催促进兵讨伐。

丁亥(十一日),因寿安山英宗皇帝所建造的寺庙未完成,文宗皇帝诏令中书省拨给钱钞十万锭作为建寺费用,仍旧命雅克特穆尔、萨题等总督这项工程役作。

戊子(十二日)，印造岁额钞本：至元钞八十九万五千锭，中统钞五千锭。

朝廷命兴和路建造雅克特穆尔使用的鹰棚。

辛卯(十五日)，皇太子喇特纳达喇死。壬辰(十六日)，朝廷命官相法哩等护送太子的灵柩北上，祔葬于山陵，仍命法哩在那里守护。

御史台臣弹劾上奏："福建宣慰副使哈济以前任广东廉访副使，贪污腐化，声名狼藉，应该罢免。"皇帝听从了这个意见。

甲辰(二十八日)，在后卫建孔子庙。

乙巳(二十九日)，镇西武靖王绰斯班、豫王喇特纳实哩及行省、行院官一同讨伐云南，兵力十余万人。去年十月十一日，绰斯班的军队驻扎在罗罗斯，和跃里特穆尔约期在曲靖、马龙等州会合。跃里特穆尔兼程前进，夺取金沙江。十二月十七日，大军击败阿哈的军队，阿哈假装投降。第二天，率兵来偷袭官兵营地，绰斯班等人又将他们打败，阿哈逃走。大军直驱中庆，在安宁州遇到贼军，再战，把贼军打得大败。二十八日，阿哈来迎战，被擒获，斩于军前。三十日，大军将要抵达中庆，贼兵七千仍在伽桥、古壁口一带进行抵抗。跃里特穆尔左脸被流箭射中，穿洞到耳后，他拔出箭继续战斗，此战大捷。于是恢复行省所在地，各路军队都会合，驻扎在城中，分兵在嵩明州追捕残余贼党。捷报闻于朝廷，皇帝诏令总兵官量度轻重缓急，根据相宜情况处理事务。

行枢密院使彻尔特穆尔，治军有纪律，所过之处秋毫无犯。贼军平定之后，朝廷给他很重的奖赏，他全部分赐给将士，自己的囊袋中只有头巾和梳头用具而已。

二月，戊申(初三)，朝廷设立广教总管府，以掌管僧、尼事务，共有十六所，官秩为正三品。总管府设达噜噶齐、总管、同知府事、判官各一员，宣政院选流内官上报朝廷，总管则由僧人担任。

四川行省招谕怀德府驴谷、什用等四峒和生蛮十二峒，他们全都归附。皇帝下诏迁升怀德府为宣抚司，以镇守这一地区。各峒各设长官司及巡检司，并且命令他们各自归还所掠夺的人口。

湖广参政彻尔特穆尔与苏苏、班坦都因口出怨言获罪，刑部审讯核实定罪，正好遇上大赦，一并流放到荒僻州郡，仍抄没其家产。苏苏终身不许为官。

己酉(初四)，枢密院上奏："彻尔特穆尔、博啰在正月初二击败乌撒蛮兵，射中禄余，收降他的百姓，乌蒙、东川、易良州蛮兵、夷獠等都诚心归附。绰斯班等人驻守中庆，重新恢复行省的政务。"又奏："澂江路蛮官郡容报告叛贼古喇呼及图沁之弟拜喇图密实等向豫王假投降，又反叛围困豫王，到易龙驿，古喇呼等偷袭官军。四川平章达春按兵不进，平章奇珠妻子儿女及牲畜遭贼抢掠。侦察得知图沁正在修理城堡，布置军队防守，没有出来投降的意思。"皇帝下诏迅速进兵讨伐。

辛亥(初六)，在兴圣宫西南建造雅克特穆尔的府第，诏命萨题和留守司监督这项工程。

乙卯(初十)，云南统兵官报告诸蛮全部投降，只有禄余没有追捕到。

诸王齐齐克图、锡格因犯妄言不道罪，皇帝下诏将齐齐克图安置在广州，锡格安置在雷州。

三月，辛巳(初六)，御史台臣弹劾上奏："燕南廉访使布咱尔，以前任闽海廉访使的时候,受赃数万金,虽遇赦免原谅了他,但还应追回颁发给他的授官制命,抄没家产,流放远方。"皇帝下诏按御史台臣所奏办理,并公开他的罪行。

甲申(初九),描绘皇太子真容像,供奉于安庆寺东面的鹿顶殿,按列朝神御殿的规格举行祭祀仪式。因宦官拜珠侍奉皇太子的病不谨慎,加以杖刑斥退。

冠州发生虫害,吃光了四十余万株桑树叶子。

丙戌(十一日),天降土雨。

司徒锡沙奏:"陶弘景的《胡笳曲》中有'负扆飞天历,终是甲辰君'的话,现在,陛下的生年、纪号正好与之相合,这实在是承受天命的祥瑞征兆。请将此事记录下来交付史馆,宣告天下。"皇帝下诏,命翰林院、集贤院、奎章阁、礼部共同商议这件事。翰林院诸臣商议后认为:"唐朝开元年间,太子宾客薛让向武后进献《鼎铭》说:'上元降监,方建隆基。'是玄宗受天命登极的瑞兆。姚崇上表称贺,请把《鼎铭》的瑞兆给史官看,并颁告天下。而宋代大儒司马光斥责这件事是选择偶然巧合的文字作为吉兆,是低级官员的谄媚之言,而宰相把它当真事看待,这是侮辱自己的君主。现在,陶弘景的《胡笳曲》中的语句,虽然和陛下在生年、纪号上有偶然巧合的地方,然而陛下上应天命,下顺民心,继承正统,至今已有四年,天下无不归心,根本不需要从旁引用《胡笳曲》中的言语作为吉兆。如果同意此说,恐怕要开谶纬迷信之端,不是安定民心的正当作法。"此事因此中止了。

戊子(十三日),朝廷把龙庆州的流杯园池、水碓上田赐给雅克特穆尔。

癸巳(十八日),举行道教的普天大醮。

豫王喇特纳实哩、镇西武靖王绰斯班等擒获云南诸叛贼及其部下将领,车裂示众。

癸卯(二十八日),中书省奏:"嘉兴、平江、松江、江阴的芦场、竹山、沙涂、沙田中没收归于官府的,曾赏赐给别人,现在请改赐雅克特穆尔。"皇帝命令有关部门如数付给。

夏季,四月,丙午朔(初一),全宁路百姓王托欢向朝廷进献银矿。皇帝下诏设立银场提举司,隶属于中政院管辖。

皇帝命西番僧人在五台山及雾灵山合作一个月佛事,为皇子古噜达喇祈福。

戊申(初三),皇姑鲁国大长公主去世。

皇帝将宫中高丽女子赐给雅克特穆尔,高丽国王请求割国中田产作为陪送资产,皇帝下诏派遣使者去接受这份礼物。

发宿卫士卒三千人协助大承天护圣寺的建造工程。

庚戌(初五),皇帝下诏在红桥南为雅克特穆尔建造生祠,树碑刻记他的功勋。

真定武陟县发生地震,一个多月不停止。

戊午(十三日),命令在兴和建鸟舍安放海青雕,在上都建鸟舍安放鹰鹘。

庚申(十五日),宁国路泾县百姓张道,杀人做强盗,他弟弟张吉跟从哥哥,但没有出过力,被拘留后囚禁七年不能结案。张吉的母亲年老,没有其他子孙。中书省臣将这件事情上报,皇帝下令张吉免死,处以杖刑后释放他回家,让他奉养他的母亲。

壬戌(十七日),枢密院奏:"云南已经平定,镇西武靖王绰斯班上奏建议:'种族叛乱的人虽已平定,但其余党逃入山谷,不能保证他们就不会再叛乱,请求留下荆王额苏额布罕及诸王索诺木等人,各领所部兵马屯驻一二年,以显示威重。'"皇帝听从了这个意见。仍命豫王分兵与他们共同守卫一年，以镇守、安定当地，其余军队都遣还原来驻地，统兵官召回朝廷。

甲子(十九日)，皇帝下诏："已故尚书省丞相托克托，可按三宝奴的例子，将原来抄没的家产还给他家。"

御史台奏："同佥中政院事殷仲容，奸贪邪佞，掩盖亲丧依旧占据官位。"皇帝下诏罢免他。

戊辰(二十三日)，奎章阁因纂修《经世大典》，请求从翰林国史院取出《托布齐延》一书，以便记述太祖皇帝以来的事迹。皇帝下诏命翰林学士承旨押布哈、塔斯哈雅办理此事。押布哈奏："《托布齐延》事关皇家绝密，不可令外人传写，臣等不敢奉诏。"皇帝听从了这个意见。

衡州路连年发生旱灾、蝗灾，又有大水，百姓把草木都吃光了，十分之九的人又得了传染病。壬申(二十七日)，湖南道宣慰司请求朝廷拨救济粮米万石。皇帝听从了这个建议。

五月，甲午(二十日)，将平江官田五百顷设立稻田提举司，隶属于宫相都总管府。

乙未(二十一日)，纂修《皇朝经世大典》告成。

丙申(二十二日)，皇帝前往上都，敕令在京百司官员每日会集公署办公，从早到晚不要荒废政务。

戊戌(二十四日)，皇帝到红桥，亲临观看雅克特穆尔的生祠。

六月，乙巳朔(初一)，监察御史韩元善奏："历代国学都很兴盛，唯独只有本朝国学仅有四百名生员，又分出蒙古、色目、汉人的名额。请求不论蒙古、色目、汉人，不限名额，都可入学。"又，监察御史陈守中奏："凡是官员双亲年老，家中别无成年男子可以侍养的，请不限地方、名次，从优迁调到离家近的地方任职，这样以广播忠孝之道。"都不予答复。

乙卯(十一日)，监察御史陈良弹劾浙东廉访使托克托齐延："阿谀投靠权奸都尔苏，又，他的生母何氏，本是他父亲的姜，而其兄又收之为妻，却冒请封赠，请朝廷罢免他的监察职务，追还对他母亲的封赠恩典。"皇帝依从了他的意见。

癸亥(十九日)，皇帝下诏："官吏们在职期间或是等候任命时，被人行贿，为人说情，从中取利者，官员按《十二章》中的受赃论罪，吏员罢免后终身不再录用。虽然没有受贿，但由此引起词讼的，比普通人罪加一等。"

云南出征军全部回其所部后，乌撒、罗罗蛮又杀死戍守军人黄海潮等，撒加伯也杀掠良民百姓作乱。丙寅(二十二日)，皇帝命云南行省、行枢密院："凡是边境上各关口戍守的士卒，不可轻易撤走，应等候缓急情况以应其变。"

秋季，七月，辛巳(初八)，济尔哈达尔犯罪，应当流放边远地区，因他是腾吉斯的舅舅，所以释放了他。

壬午(初九)，监察御史张益等奏："四川行省平章奇彻台为人反复无常，不可信任。现在云南尚未平定，云南与四川接壤，应削去奇彻台的官职，流放到远方。"皇帝下诏，夺回赐给他的制命、金符，同妻子儿女一起禁锢于广东，不许做官。

丁亥(十四日)，海南黎贼作乱，皇帝诏命江西、湖广两省联合派兵剿捕。

乙未(二十二日)，在济南建立闵子书院。

庚子(二十七日),广西瑶贼平定。

癸卯(三十日),知行枢密院事彻尔特穆尔用兵讨伐叛变的蛮民,杀其党羽七百余人。

大宁路和众县何千的妻子以死殉夫,朝廷对这一家加以旌表。

八月,甲辰朔(初一),发生日食。

辛亥(初八),皇帝从上都回到京师。

甲寅(十一日),皇帝命宣课提举司不要收雅克特穆尔邸舍的商货税。

江浙发大水,毁坏农田四十八万八千余顷。

皇帝下诏:皇子古噜达喇出宫居住在雅克特穆尔家。九月,癸酉朔(初一),购买鄂尔根萨哩的住宅,命雅克特穆尔事奉皇子古噜达喇居住。

乙亥(初三),皇帝命大都留守司调发军士,在大承天护圣寺东侧建造驻跸台。

御史台臣弹劾上奏:"四川行省参政马镕,发粮六千石给云南军作军饷,走到半道就回去了,预借俸钞一十九锭娶妾,又辱骂平章汪寿昌。其罪虽得到皇帝的宽宥,但难以担任宰相辅臣的要职。"皇帝说:"这种人对三纲五常的道理,上下尊卑的区别,都懵然不知,他怎么能居上临下处理政事!赶快罢免他!"

丙子(初四),海南贼人王周,纠集十九峒蛮人二万余人作乱,皇帝命调广东、福建军队隶属于湖广左丞伊喇四努统领,讨伐追捕贼寇。

湖州安吉县长时间下雨,太湖水泛滥,淹没居民。加以救济。

掐丝珐琅缠枝莲纹兽耳三环尊 元

丁亥(十五日),御史台奏:"江西行省参政李允中是已故内侍李邦宁的养子,才能和资质都很低下,误被重选,应该罢免。"皇帝同意了他的意见。

云南禄余再次叛变,杀死乌撒宣慰使伊噜、东川路总管府判官嘉珲迪等二十余人,率兵袭击罗罗斯,骚扰顺元路。丁酉(二十五日),云南行省派遣都事诺海、镇抚栾智等奉皇帝诏书前往告谕禄余,并授给他参政制命,到撒家关,禄余拒不接受。不久,贼兵大批来到,诺海于是与贼兵力战,贼兵才退去。到晚上,乌撒贼兵进入顺元境内,左丞特穆尔布哈抵御贼兵,诺海又到阵前宣读皇帝诏书进行招抚,于是被杀害,特穆尔布哈等收兵返回。

冬季,十月,己酉(初七),为皇子古噜达喇作佛事,释放在京师的死罪囚犯二人,杖罪囚犯四十七人。

癸丑(十一日),蒙古都元帅齐喇率兵到澂江路海中山攻打阿哈贼党,造云梯登山,攻破贼兵的寨栅,杀贼五百余人。图沁之弟必里克图库图齐全家跳海而死。

戊午(十六日),吴江州大风雨,太湖水泛滥,淹没房舍。辛酉(十九日),朝廷命江浙行省加以救济。

丙寅(二十四日),雅克特穆尔从西域取牦牛五十头献给文宗皇帝。

十一月,壬申朔(初一),发生日食。

云南行省奏:"在伊奇布锡地区放牧的国家马匹,每年都供给盐,在每月的上旬寅日喂给马吃,则马就健壮无病。近因布呼叛乱,云南的盐运不到,马多病死。"皇帝诏四川行省把盐送给牧场。

乙亥(初四),李彦通、萧布兰奚等阴谋叛乱,伏罪被诛。

癸未(十二日),皇帝下诏:收养雅克特穆尔之子塔喇哈为自己的儿子,并赐给他居宅。

隆祥司使晃忽尔布哈奏:"海南所建大兴龙普明寺,工程费用浩大,当地黎族百姓不胜其扰,因此作乱。"皇帝下诏:湖广行省臣布哈和宣慰、宣抚二司负责这项工程,仍命廉访司亲临工地监督。

十二月,戊申(初七),陕西行台御史尼古巴、高坦等弹劾上奏:"本台监察御史陈良,恃仗官势、肆虐毒辣,徇私乱法,请罢免他的官职,没收他的赃款,让他回家为民。"皇帝下诏:"虽遇上大赦,还是按监察部门的做法,追夺授予官职的敕命,其余按所奏办理。"

皇帝把刻有"翊忠徇义、迪节同勋"字样的黄金印符赐予西域亲军副都指挥使奇彻,以表彰他天历初年在红桥的战功。

壬子(十一日),又命诸王呼喇春回去镇守云南。

癸丑(十二日),河南、河北道廉访副使僧嘉努奏:"自古以来求忠臣必从孝子之家寻求。现在,在朝廷做官十年不回家拜望父母的有之,不是他们没有思念父母的心意,实在是由于朝廷没有给官员假期回家探亲的制度,反而有不准擅离职守的禁令。古代的法律:父母在三百里之外的各种职官,三年之内给省亲假二十日;没有父母的官员,五年之内给一次扫墓假十日。以此推算,父母在三百里以至万里之外者,应计算路途的远近,定立假期。那些应该省亲而不省亲的,以罪论处。假如诈冒假期,来逃避、掩盖自己的罪行的,与诈奔丧者同科处罚。"皇帝命中书省、礼部、刑部及翰林院、集贤院、奎章阁商议。

癸亥(二十二日),雨水沾在树木上结冰。

这一年,任命集贤大学士岳柱为江西行省平章政事。当时有人诬告富民欠永宁王官库银八百余锭,中书省派遣使臣到各路查核。使臣到江西,岳柱说:"这件事涉及诬罔不实之处,不可奉命。"僚佐对违背宰相的意思深感不安,岳柱说:"百姓是国家的根本,伤害根本而引起怨恨,也不是宰相的福气啊。"命使臣以这个意思回秉宰相。雅克特穆尔听到他的话醒悟过来,命刑部责问这件事情,得到诬陷富民的实情,将诬告者治罪,并把这件事奏报给皇帝,皇帝嘉奖了岳柱,特赐给币帛及上等醇酒。

桂阳州百姓张思进等,啸聚二千余人,州、县不能平定,广东宣慰司请求发兵剿捕。岳柱说:"有司不能安抚边民,竟想侥幸兴兵为害百姓吗!"派遣千户王英前去了解情况。王英直抵贼人的巢穴,告谕他们造反之祸与受招之福,贼民说:"导致我们为非作歹的,是两巡检司,我等怎么敢有造反的念头呢!"王英告谕他们回乡复业,这一方得以安宁。岳柱是鄂尔根萨理的儿子。

监察御史陈思谦奏:"选拔官员的弊病有四种:做官的门路太多,升降的办法过简,州郡的任期太久,朝、省官员的提升太快。请求用三种计策来补救四弊:一是至元三十年以后增设的衙门中,不是急需而滥设的,根据实际情况裁减合并;其外有选法者,并入中书省。二是应参酌古代的制度,设立辟举人才的科目,令三品以下官员各自推举自己所了解的人才,得到的确是人才就受赏,失实就受罚。三是古代地方刺史入朝为三公,朝中的郎官出朝主宰百里,这是为了使地方官员懂得朝廷的施政体制,让朝内官员了解民间利弊。今后凡是任县尹有才能声望和良好政绩者,授予郎官、御史;历任郡守有奇才异绩者,任命为宪使、尚书,其余各检验他们的资历、品行升迁;在朝内为官的,不得三考连任京官;在地方任官的,必须经历两任才可调迁朝内官职。政绩不算出类拔萃,但谨守职责没有过错的,则按年限劳绩,正常调动。凡是朝中官员,必须二十个月以上,才许迁任他职。"皇帝命中书省商议执行。

当时有在家居丧的官员,往往不到守制时间,朝廷就令他们出来做官。陈思谦奏:"守丧三年之制,是通行不变的常礼,不是遇到战争这样特殊情况,不可随便改变。"于是将它写成法令。皇帝有诏要建造报严寺,陈思谦说:"兵荒之后,应当停止土木工程,以宽舒民力。"皇帝嘉奖他说:"这正是祖宗设立监察机构的本意,从这件事之后,应当说的不必隐瞒。"赐给他缣、绮作为嘉奖。陈思谦是陈祐的孙子。

皇帝御驾奎章阁,下令取来国史观阅。左右抬着盛放国史的柜子送去,国史院的长官、副官没有人敢说话。编修吕思诚争辩道:"国史记载当代人君的善恶,自古以来没有天子观阅国史的。"于是便中止了。

至顺三年　（公元 1332 年）

春季,正月,癸酉(初三),皇帝命前高丽国王王焘仍旧做高丽国王,并赐给金印。起初,王焘有病,皇帝命他的儿子王祯承袭王爵。到现在王焘病愈,所以恢复了他的王位。

己卯(初九),停止各项建造工役,只有城郭、河渠、桥道、仓库的建造工程没有禁止。

广西罗韦里叛寇马武冲等攻陷那马迷等寨,朝廷命广西宣慰司紧急督军防御。

伊阙彻尔冒领卫士的粮草,应当治罪,雅克特穆尔请求释放了他。

戊子(十八日),万安军黎贼王奴罗等骚扰临水县。

己丑(十九日),四川行省奏:"去年九月,左丞特穆尔布哈与禄余贼兵交战时受伤,贼兵于是进犯边境,请求调重庆、叙州兵二千五百人前去援救。"顺元宣抚司也上奏:"贼兵列行营十六所,请求朝廷调兵分道准备防御。"

皇帝下诏令上都留守司为雅克特穆尔建造府第。

御史台奏:"选择担任云南廉访司官的人,多托故不去上任,现在如果再有这种情况,不能再在监察系统任职。"皇帝下令同意。

庚子(三十日),夔路忠信寨峒主阿县什用联合峒蛮八百余人侵扰施州。

二月,戊申(初八),云南行省奏:"会通州土官阿赛及河西阿勒等,与罗罗贼等一千五百人,骚扰会川路的卜龙村。此外,禄余将带兵与茫部联合骚扰罗罗斯,截断大渡河、金沙江以攻东川、会通等州,请求允许臣等奉原先下的诏书前去招抚,他们不听命就根据具体情况进军讨伐。"皇帝认为可行。

己酉(初九),禄余对四川行省说:"自我父祖以来,世代任乌撒土官宣慰使,佩带虎符,从来没有二心。从前被布呼引诱胁迫,才参与反叛。近来听说朝廷下诏招谕我们,而如今限期已过,乞求朝廷再降诏赦免,我立即率四路土官出营投降。仍请求把我们改属四川行省,隶属永宁路,希望得到休养生息。"行省把他的话上报皇帝。皇帝下诏命中书省、枢密院、御史台诸大臣共同商议此事。

已退休的集贤大学士王约去世。

辛酉(二十一日),雅克特穆尔兼任奎章阁大学士,并负责奎章阁学士院的事务。

己巳(二十九日)皇帝下诏修建曲阜先圣庙。

邛州有两口井,过去名为金凤、茅池。天历初年地震,盐水从井中涌出,邛州百姓侯坤愿意自己准备什器煮盐,向官府交纳盐税。皇帝下诏由四川转运盐司主持这项工作。

三月,庚午朔(初一),中书省奏:"凡是驻防边远地区的军官死后归葬家乡者,应该与民官同等看待,供给道路费用。另外,四川驿户,近来因军事活动而消耗很大以至疲乏,应派遣官员协同行省量情救济他们。"皇帝下令可以。

雅克特穆尔奏:"平江、松江的淀山湖有圩田五百余顷,应当交纳官粮七千七百石。那总管田产的人死了,相当一部分圩田被人侵占耕种。现在,臣愿增加租粮一万石入官,让人租佃耕种,以所得余粮赡养臣弟萨敦。"皇帝听从了他的意见。

洛水泛滥。

己丑(二十),重新设立功德使司。

癸巳(二十四日),皇子古噜达喇改名为雅克特古斯。

夏季,四月,戊申(初九),大宁路发生地震。

戊午(十九日),国师必兰纳识里与已故安西王子伊噜特穆尔等图谋不轨,伏罪被杀。有关部门抄没他的家产,得到人畜、土田、金银、货贝、钱币、邸舍、书画、器玩以及妇女的七宝梳妆用具,价值大到万万两以上。

皇帝命有关部门为巴延建造生祠,在涿州立纪功碑,仍旧在别的地方建祠,在汴梁立碑。

戊辰(二十九日),免去云南行省田租三年。

前中书右丞相太傅巴达锡去世。

巴达锡清廉谨慎,为人宽厚,号称长者。他死后,穷得没有办法装敛。皇帝赠封太师,追封威平王。

五月,甲戌(初六),萨题请求派人详细登录皇帝即位以来坚持让位给明宗的往复奏章、言论,以及其他训敕、辞命和雅克特穆尔等人尽力效忠的事迹,命多来续编为《蒙古托布齐延》一书,放在奎章阁。文宗皇帝听从了他的意见。

戊寅(初十),京师发生地震,有响声。

庚寅(二十二日),皇帝前往上都。

壬辰(二十四日),太常博士王瓒奏:"各处请求给神庙加封,无节制地扩展到不合礼制的祠庙。按照《礼经》,只有那些有安定国家的功劳、为国事牺牲,能够抗御大灾大患的人,才能立庙祭祀。那些不合祭礼标准的神灵,今后不许加封。"皇帝认为可以。

朝廷追封颜子父亲颜无繇为杞国公,赠谥为文裕;追封颜子母亲齐姜氏为杞国夫人,赠谥为端献;追封颜子妻子宋戴氏为兖国夫人,赠谥为贞素。

汴梁的睢州、陈州,开封的兰阳、封丘诸县黄河水泛滥。滹沱河决口。

六月,己酉(十一日),任命御史中丞赵世安为中书左丞。

乙丑(二十七日),禁止各类卜筮、阴阳先生出入王公大臣家中。

江南行台监察御史苏天爵到湖北向囚犯讯察决狱的情况。

湖北地方偏远，汉民和僚人混杂而居。苏天爵冒着瘴毒的危险，走遍了这一地区。囚犯中有人诉说自己冤枉，苏天爵说："廉访司官员每年来两次，你不说话，是什么原因？"囚犯都说："以前调查审案情况，都是虚应故事走过场罢了。今日听说御史驾到，按过去判决，应当受刑，所以不得不说。"苏天爵为此深深叹息，处理每件事情都认真探究当事者的动机、意念，虽然是盛暑天气，仍然晚上点灯审阅文书案卷，毫无倦意。苏天爵是真定府人。

秋季，七月，戊辰朔（初一），朝廷调遣士兵修建柳林海子桥梁、道路。

丁丑（初十），湖广行省奏："黎贼声势猖獗，请朝廷增加三千士兵，以备调用。"皇帝下令，依照上次诏书，催促伊喇世务按期进兵。

八月，己酉（十二日），皇帝驾崩于上都。这一天，陇西发生地震。癸丑（十六日），安葬皇帝于起辇谷。

起初，皇帝病重，召见皇后及皇子雅克特古斯、丞相雅克特穆尔，说："过去鸿呼尼那件事，是朕平生最大的错误，后悔莫及。雅克特古斯虽然是朕的儿子，然而今日的皇位是明宗皇帝的皇位啊！你们如果爱护我，就立明宗之子为帝，让他续此大位，那么，朕到地下见到明宗皇帝，也有话可以回答他了。"鸿呼尼是明宗皇帝从北方来饮毒酒而死的地方。雅克特穆尔内心恐惧，犹豫了好几天，想到鸿呼尼之事实际上是自己制造的阴谋，害怕明宗之子即位后治他的罪，就秘藏文宗皇帝的遗诏不公开，而对皇后说："阿婆暂且守护皇帝的玉玺，我与皇家宗族贵戚诸王慢慢商议就可以了。"于是派遣使臣召集诸王到京师聚会。中书省和各御门的政务，都启奏中宫皇后做决定。

乙卯（十八日），雅克特穆尔根据中宫皇后的旨意，赐给驸马、诸王、大臣多少不等的金银、币帛。

九月，辛巳（十四日），装饰皇太后的仪仗。

这天晚上，从北方传来地震的声音。

这时，皇位仍然空着，而雅克特穆尔地位在百官之上，威焰熏灼，宗戚诸王没有敢说话的。又过了很久时间，还不立国君，朝廷内外颇有议论。雅克特穆尔于是请求立皇子雅克特古斯，皇后下令立明宗第二子鄜王伊勒哲伯。雅克特穆尔不得已才奉命。十月，庚子（初四），鄜王在大明殿即皇帝位。

辛丑（初五），任命知枢密院事萨敦为御史大夫，任命中书右丞萨题为中书平章政事，任命宣政使奇尔济苏为中书左丞，任命中书平章政事图尔哈特穆尔为知枢密院事。

丙寅（三十日），楚丘县河堤损坏，调发民丁修理。

十一月，戊寅（十二日），尊文宗皇后为皇太后。

壬辰（二十六日），皇帝驾崩，年仅七岁，在位四十三日。甲午（二十八日），安葬于起辇谷，谥号宁宗。

当时，燕地有一狂妄男子上奏，说朝廷部门的使者图谋不轨，审讯结果都是假的。刑部认为《唐律》中规定，告发叛乱者不反坐，参议中书省事张起岩激动地对同事说："现在继位的皇帝没有确立，人情危疑，不赶紧杀掉此人以杜绝奸谋，恐怕要妨害国家大计。"催促有关部门处理定罪，都城中人们由此谨慎小心。

皇太后临朝听政,雅克特穆尔又与群臣商议立雅克特古斯为帝。皇太后说:"皇位至关重要,我的儿子年幼,怎能胜任呢! 托欢特穆尔在广西,今年已十三岁,而且是明宗皇帝的长子,按礼制应立他为帝。"于是命中书左丞奇尔济苏到静江迎接托欢特穆尔。

皇太后住在兴圣宫。正月初一,大臣们商议按旧例举行朝贺礼。礼部尚书宗本说:"应向兴圣宫献上贺表,废除大明殿朝贺。"众人认为很对,便按此办理。

续资治通鉴卷第二百七

【原文】

元纪二十五　起昭阳作噩【癸酉】二月,尽著雍摄提格【戊寅】十二月,凡六年。

顺　　帝

讳托欢特穆尔,明宗之长子,母南富鲁氏,延祐七年四月丙寅,生帝于北方。天历二年,明宗崩。至顺元年四月,徙帝于高丽;明年,移于广西之静江。

元统元年　【癸酉,1333】　春,二月,托欢特穆尔北行至良乡,京师具卤簿迎之。雅克特穆尔并马而行,于马上举鞭指画,告以国家多难,遣使奉迎之故,而托欢特穆尔一无酬答。雅克特穆尔疑其意不可测,且恐追理明宗暴崩之故,心志日以督乱。会太史亦言托欢特穆尔不可立,立则天下乱,以故议未决。迁延者数月,国事皆决于雅克特穆尔,奏皇太后而行之。

雅克特穆尔自文宗复辟,遂秉大权,挟震主之威,肆意无忌,一宴或宰十三马。取泰定帝后为夫人,前后尚宗室之女四十人,或有交礼三日遽遣归者。后房充斥,不能尽识,一日宴赵世延家,男女列坐,名为鸳鸯会,见坐隅一妇色甚丽,问曰:"此为谁?"意欲与俱归,左右曰:"此太师家人也。"至是荒淫日甚,体赢,溺血而死。

太后乃与大臣定议立托欢特穆尔,且曰:"万岁之后,其传位于雅克特古斯,若武宗、仁宗故事。"诸王、宗戚奉上玺绶劝进。六月,己巳,托欢特穆尔即皇帝位于上都。诏赦天下。

辛未,命巴延为太师、中书右丞相、监修国史,萨敦为太傅、左丞相。

时有阿鲁辉特穆尔者,明宗亲臣也,言于帝曰:"天下事重,宜委宰相决之,庶可责其成功。若躬自听断,则必负恶名。"帝信之,由是深居宫中,每事决于宰相,而己无所专焉。

是月,大霖雨,京畿水,平地丈余。泾水溢,关中水灾。黄河大溢,河南水灾。两淮旱,民大饥。

帝初受佛戒时,见玛哈喇佛前有物为供,因问学士实喇卜曰:"此何物?"曰:"羊心。"帝曰:"曾闻用人心肝者,有诸?"曰:"闻之,而未尝目睹。请问赖嘛。"赖嘛者,帝师也。帝遂命实喇卜问之,答曰:"有之,凡人萌歹心害人者,事觉,则以其心肝作供耳。"曰:"此羊曾害人乎?"帝师不能答。

前翰林学士吴澄卒。澄答问亹亹,使人涣若冰释。四方之士,来学者不下千数百人,称为草庐先生。卒年八十五。赠江西行省左丞,追封临川郡公,谥文正。

秋,七月,霖雨。

八月,壬申,巩昌徽州山崩。

是月,立奇彻氏为皇后。后,雅克特穆尔之女也。

奎章阁侍书学士虞集谢病归。

初,御史中丞马祖常,求集荐引其客龚伯璲,集曰:"是子虽小有才,然非远器,恐不得令终。"祖常固请,集固拒之,祖常不悦。宁宗崩,大臣将立帝,用至大故事,召诸老臣赴上都议政,集在召列,祖常使人告之曰:"御史有言。"乃谢病归临川。初,文宗黜帝居江南,使集书诏播告中外。时省、台臣皆文宗素所信用,御史亦不敢斥言其事,意在讽集速去而已。伯璲后坐事见杀,世乃服集知人。

九月,甲寅,中书省言:"官员递升,窒碍选法,请自省、院、台官外,其馀不许递升。"从之。

庚申,诏太师、右丞相巴延,太傅、左丞相萨敦,专理国家大事,馀皆不得兼领三职。

诏免儒人役。

秦州山崩。

冬,十月,丙寅,凤州山崩。

戊辰,诏改至顺四年为元统元年。

中书省臣言:"凡朝贺遇雨,请便服行礼。"从之。

丁丑,依皇太后行年之数,释放罪(状)〔囚〕二十七人。

戊子,封萨敦为荣王,腾吉斯袭父封为太平王。

庚(子)〔寅〕,中书省臣请集议武宗、英宗、明宗三朝皇后升祔。

衍圣公孔思晦卒,子克坚袭。

十一月,丙申,巩昌成纪县地裂山崩,令有司赈被灾人民。

(丁)〔辛〕丑,起棕毛殿。

辛亥,追谥济雅尔皇帝为圣明元孝皇帝,庙号文宗。时寝庙未建,于英宗室次权结彩殿以奉安神主。

封巴延为秦王。

江西、湖广、江浙、河南复立榷茶运司。

是日,秦州山崩地裂。

乙卯,以雅克特穆尔平江所赐田五百顷,复赐其子腾吉斯。

诏秦王、右丞相巴延,荣王、左丞相萨敦,总百官,总庶政。

十二月,乙丑,广西猺寇湖南,陷道州,千户郭震战死,猺焚掠而去。

壬申,遣省台官分理天下囚,罪状明者处决,冤者辨之,疑者谳之,淹滞者罪其有司。

乙亥,为皇太后置徽政院,设官属三百六十有六员。

监察御史多尔济巴勒,上疏陈时政五事:其一曰太史言明年三月癸卯望,日食既,四月戊午朔,日又食。皇上宜奋乾纲,修刑政,疏远邪佞,专任忠良,庶可消弭灾变以为祯祥。二曰亲祀郊庙。三曰博选勋旧之子端谨正直者,前后辅导,使嬉戏之事不接于目,俚俗之言不及于耳,则圣德日新矣。四曰枢机之臣固宜尊宠,然必赏罚公则民心服。五曰弭安盗贼,赈救饥民。多尔济巴勒,穆呼哩七世孙也。

是月,河南、江北行省平章政事岳柱卒。

岳柱天资孝友,嗜经史,自天文、医药之书,无不究极。度量弘廓,有欺之者,恬不为意,或问之,则曰:"彼自欺也,我何与焉!"母郜氏亦尝称之曰:"吾子,古人也。"

是岁,以刑部尚书达尔玛为辽阳行省参知政事。高丽国使朝京,道过辽阳,谒行省官,各奉布四匹,书一幅,用征东省印封之。达尔玛诘其使曰:"国家设印,以署公牍,防奸伪,何为封私书?况汝出国时,我尚在京,未为辽阳省官,今何故有书遗我?汝君臣何欺诈如是耶?"使辞屈,还其书与布。(答里麻)〔达尔玛〕,高昌人也。

国制,日进御膳用五羊,而帝自即位以来,日减一羊,以岁计之,省羊三百五十有奇。

起前史部尚书王克敬为江浙行省参知政事。

克敬至,请罢富民承佃江、淮田。松江大姓有岁漕米万石献京师者,其人既死,子孙贫且行乞,有司仍岁征,弗足则杂置松江田赋中,令民包纳,克敬曰:"匹夫妄献米,侥名爵以荣一身,今身死家破,又已夺其爵,不可使一郡之人均受其害。国用宁乏此耶!"具论免之。岭海猺贼窃发,朝廷调兵戍之在行省者往讨之。会提调兵马官缺,故事,汉人不得与军政,众莫知所为,克敬抗言:"行省任方面之寄,假令万一有重于此者,亦将拘法坐视耶!"乃调兵往捕之。军行,给粮有差。事闻于朝,即令江西、湖广二省给粮亦如之。

视事五月,请老,年甫五十九,谓人曰:"穴趾而峻塘必危,再实之木,必伤其根。无功德而忝富贵,何以异此!故常怀止足之分也。"又曰:"世俗喜言勿认真,此非名言,临事不认真,岂尽忠之道乎?"故其历官所至,俱有政绩可纪。

元统二年 【甲戌,1334】 春,正月,庚寅朔,朝贺大明殿。监察御史多尔济巴勒上言:"百官逾越班次者,当同失仪论,以惩不敬。"

先是教坊班位在百官后,御史大夫萨迪传旨,俾入班。多尔济巴勒执不可。萨(勒)〔迪〕曰:"御史不奉诏耶!"多尔济巴勒曰:"事不可行,大夫复奏可也。"

是日,雨血于汴梁,著衣皆赤。

以御史大夫托勒岱为中书平章政事,阿尔哈雅为河南行省左丞相。

丁酉,享于太庙。

甲寅,立行宣政院于杭州。

二月,己未朔,诏内外兴举学校。

癸亥,广西猺寇边,杀官吏。广海官已除而未上者罪之。

甲申,太庙木陛坏,遣官告祭。

是月,滦河、漆河溢,永平诸县水灾。

三月,己丑朔,诏:"科举取士,国子监积分、膳学钱粮,儒人免役,悉依累朝旧制。学校官选有德行学问之人以充。"

辛卯,以阴阳家言,罢造作四年。

癸巳,广西猺贼复起,杀同知元帅吉赖斯,掠库物。遣右丞图噜密实将兵讨之。

癸卯,日食既。

乙巳,中书省言:"益都、真定盗起,请选省、院官往督捕之,仍募能擒获者倍其赏,获三人者与一官。"从之。

壬子,广西庆远府猺寇全州,诏平章政事特默齐统兵二万人击之。

丁巳,诏:"蒙古、色目犯奸盗诈伪之罪者,隶宗正府;汉人、南人犯者,属有司。"

湖广旱,自是月不雨至于八月。

夏,四月,戊午朔,日有食之。

壬申,命腾吉斯为总管高丽、女直、汉军万户府达鲁花赤,与满济勒噶台,并为御史大夫。

丁丑,太白经天。

己卯,奉文宗神主祔于太庙,躬行告祭之礼,乐用宫悬,礼三献。先是御史台言:"郊庙,国之大典,王者必行亲祀之礼,所以尽尊尊、亲亲之诚,宜因升祔有事于太庙。"帝从之。

是日,罢夏季时享。

壬午,帝命录许衡孙从宗为章佩监异珍库提点。

癸未,立盐局于京师南北城,官自卖盐,以革专利之弊。

乙酉,中书省言佛事布施费用太广,请除累朝期年忌日之外,馀皆罢,从之。

是月,帝如上都。

集贤大学士陈颢扈从至龙虎台,帝命颢造膝前,握其手曰:"卿累朝老臣,更事多矣,凡政事宜极言无隐。"颢顿首谢。颢每集议,其言无不剀切。

河南旱,自是月不雨至于八月。

五月,己丑,宦者博啰特穆尔传皇后旨,取盐十万引入中政院。

辛卯,以腾吉斯代萨敦为中书左丞相,萨敦仍商量中书省事。

戊申,诏文济王曼济镇大名,云南王阿噜镇云南。

是月,赠故中书平章政事王泰亨谥清宪。

旧令,三品以上官,立朝有大节及有大功勋于王室者,得赐功臣号及谥。时寖冗滥失实,惟泰亨在中书时,安南请佛书,请以《九经》赐之,使高丽不受礼遗,为尚书贫不能自给,故特赐是谥。

赠漳洲万户府知事阚文兴英毅侯,妻王氏贞烈夫人,庙号双节。

六月,戊午,淮水涨,山阳县满浦、清(江)〔冈〕等处民畜房舍多漂溺。

乙亥,腾吉斯辞左丞相不拜,复命萨敦为左丞相。

辛巳,诏蒙古、色目人行父母表。

癸未,复立缮工司,造缯帛。

乙酉,追封雅克特穆尔为德王,谥忠武。

是月,彰德雨白毛。民谣云:"天雨线,民起怨,中原地,事必变。"

秋,七月,丁亥,戒阴阳人毋得于贵戚之家妄言祸福。

辛卯,祭太祖、太宗、睿宗三朝御容,罢秋季时享。

壬辰,帝幸大安阁。是日,宴侍臣于奎章阁。

壬寅,诏:"蒙古、色目人犯盗者免刺。"

是日至九月,太白屡经天。

监察御史多尔济巴勒条陈九事:"〔一〕曰比日幸门渐启,刑罚渐差,无功者觊觎希赏,有罪者侥幸求免。恐刑政渐弛,纪纲渐紊,劳臣何以示劝,奸臣何以警惧!二曰天下之财皆出于民,民竭其力以佐公上,而用犹不足,则嗟怨之气,上干阴阳之和,水旱灾变所由生也。宜专命中书省官二员,督责户部,议定减省,罢不急之工役,止无名之赏赐。三曰禁中常作佛事,权宜停止。四曰官府日增,选法愈敝,宜省冗员。五曰均公田。六曰铸钱币。七曰罢山东田赋总管府。八曰蠲河南自实田粮。九曰禁取姬妾于海外。"

八月,辛未,赦天下。

京师地震,鸡鸣山崩,陷为池,方百里,人死者甚众。

癸未,中书平章政事阿尔哈雅罢。

是月,南康路旱蝗,赈之。

九月,辛卯,帝至自上都。

甲午,猺贼陷贺州,发河南、江浙、江西、湖广诸军及八番义从军,命广西宣慰使都元帅章巴延将以击之。

壬子,赈吉安路水灾。

冬,十月,乙卯朔,正内外官朝会仪班次,一依品从。

戊午,享于太庙。

辛酉,以侍御史许有壬为参知政事,知经筵事。

丁卯,立湖广黎兵屯田万户府。

己卯,上皇太后尊号曰"赞天开圣仁寿徽懿昭宣皇太后"。赦天下,免今年民租之半,内外官四品以下减一资。

先是监察御史台布哈率同列上章,言婶母不宜加徽称,太后怒,欲杀言者,台布哈语众曰:"此事自我发之,甘受诛戮,决不敢累诸公也。"已而太后怒解,曰:"风宪有臣如此,岂不能守祖宗之法乎!"赐金币二匹以旌其直,然其言终不用也。

却献天鹅。

十一月,戊子,中书省臣请发两艘船下番,为皇后营利。

是月,集贤直学士兼国子祭酒宋本卒。本制行纯白,不可干以私,而笃朋友之义,人有片善,称道不少置。尤以植立斯文自任,知贡举,取进士满百人额;为读卷官,增第一甲为三人。父官南中,贫,卖宅以去;居官清慎,饘粥至不给。本未弱冠,聚徒以养亲,殆二十年,历仕通显,犹僦屋以居。

十二月,甲戌,诏整治学校。

是岁,始以珍格皇后配享武宗。时议三朝皇后升祔未决,巴延以问太常博士逯鲁曾曰:"先朝既以珍格皇后无子,不为立主,今所当立者,明宗母耶,文宗母耶?"对曰:"珍格皇后在武宗朝,已膺宝册,则明、文二母皆为妾。今以无子之故不得立主,而以妾母为正,是为臣而废先君之后,为子而封先父之妾,于礼不可。昔燕王慕容垂即位,追废其母后,而立其生母为后以配享先皇,为万世笑。岂可复蹈其失乎?"集贤学士陈颢素嫉鲁曾,乃曰:"唐太宗册曹王明之母为后,是亦二后也,奚为不可?"鲁曾曰:"尧之母为帝喾庶妃,尧立为帝,未闻册以为后而配喾。皇上为大元天子,不法尧、舜而法唐太宗耶?"众服其议,而巴延亦是之,遂以珍格皇后配享武宗,擢鲁曾为监察御史。

禁私创寺观庵院。僧道人钱五十贯,给度牒,方听出家。

至元元年 【乙亥,1335】 春,正月,癸巳,申命廉访司察郡县劝农勤惰,达大司农司以凭黜陟。

二月,甲寅朔,革冗官。

乙卯,帝将畋于柳林,御史台臣谏曰:"陛下春秋鼎盛,宜思文皇付托之重,致天下于隆平。况今赤县之民,供给繁劳,农务方兴而驰骤冰雪之地,脱有衔橛之变,如宗庙社稷何!"遂止。

三月,壬辰,河州路大雪十日,深八尺,牛羊驼马冻死者十九,民大饥。

庚子,御史台言:"高丽为国首效臣节,而近年屡遣使往选取媵妾,至使生女不举,女长不嫁,宜赐(止禁)〔禁止〕。"从之。

中书省臣言帝生母太后神主宜于太庙安奉,命集议其礼。

(己)〔乙〕巳,以中书左丞王结参知政事。中宫命僧尼于慈福殿作佛事,已而殿灾,结言僧尼亵渎,当坐罪。左丞相萨敦疾革,家人请释重囚禳之,结极陈其不可。先是有罪者,北人则徒广海,南人则徒辽东,去家万里,往往道死;结请移乡者止千里外,改过听还其乡,因著为令。职官坐罪者多从重科,结曰:"古者刑不上大夫。今贪墨虽多,然士之廉耻不可以不养也。"闻者谓其得体。

封安南世子陈端午为安南国王。

夏,四月,癸丑朔,诏:"诸官非节制军马者,不得佩金虎符。"

己卯,诏翰林国史院纂修累朝《实录》及后妃、功臣《列传》。

庚辰,禁犯御名。

五月,戊子,帝如上都。

遣使者诣曲阜孔子庙致祭。

壬辰,命严谥法以绝冒滥。

甲辰,巴延请以右丞相让腾吉斯,诏不允,命腾吉斯为左丞相。

六月,辛酉,有司言甘肃撒里畏产金银,请遣官税之。

癸酉,禁服色不得僭上。

乙亥,罢江淮财赋总管府所管杭州、平江、集庆三处提举司,以其事归有司。

庚辰,巴延奏左丞相腾吉斯及其弟塔喇海谋逆,诛之。

初,萨敦已死,巴延独秉政,腾吉斯忿然曰:"天下,吾家之天下,巴延何人而位吾上!"遂与其叔父句容郡王达朗达赉潜蓄异心,谋立诸王鸿和特穆尔。帝数召达赉不至,郯王齐齐克图发其谋。腾吉斯伏兵东郊,率勇士突人宫阙,巴延及鄂勒哲特穆尔、定珠、奇尔济苏等捕获之。腾吉斯、塔喇海并伏诛,而其党北奔达赉所,达赉即应以兵。帝遣使谕之,达赉杀使者而率其党逆战,为绰斯戬等所败,遂奔鸿和特穆尔。帝命追袭之,执达赉等送上都,鸿和特穆尔自杀。

先是巴延、腾吉斯二家之奴,怙势为民害,多尔济巴勒巡历潥州,悉捕其人置于法。及还,腾吉斯怒曰:"御史不礼我已甚,辱我家人,我何面目见人耶!"答曰:"多尔济巴勒知奉法而已,它不知也。"腾吉斯从子玛克锡为奇彻亲军指挥使,恣横不法,多尔济巴勒劾奏之。玛克锡因集无赖子欲加害,会腾吉斯被诛,乃罢。

是月,大霖雨。

中书省员外郎陈思谦上言:"强盗但伤事主者,皆得死罪。而故杀从而加功之人与斗而杀人者,例杖一百七,得不死,与私宰牛马之罪无异,是视人与牛马等也。法有加重,因奸杀夫,所奸妻妾同罪,律有明文。今坐所犯,似失推明。"遂令法曹议,著为定制。

初,腾吉斯事败被擒,攀折殿槛不肯出。塔喇海走匿皇后座下,后匿蔽之以衣,左右拽出斩之,血溅后衣。巴延使人并执后,后呼帝曰:"陛下救我!"帝曰:"汝兄弟为逆,岂能相救!"乃迁后出宫。秋,七月,壬午,巴延鸩杀之于开平民舍。

壬寅,专命巴延为中书右丞相,罢左丞相不置。

乙巳,罢雅克特穆尔、腾吉斯举用之人。

戊申,诛达朗达赉等于市。

诏曰:"曩昔文宗皇帝,以雅克特穆尔尝有劳伐,父子兄弟,显立朝廷,而辄造事衅,出朕远方。文皇寻悟其妄,有旨传次于予。雅克特穆尔贪利幼弱,复立朕弟伊勒哲伯,不幸崩殂。今丞相巴延,追奉遗诏,迎朕于南,既至大都,雅克特穆尔犹怀两端,迁延数月,天陨厥躬。巴延等同时翊戴,乃正宸极。后萨敦、达赉、腾吉斯相袭用事,交通宗王鸿和特穆尔,图危社稷,阿喇楚亦尝与谋,赖巴延等以次掩捕,明正其罪。元凶构难,贻我太皇后震惊,朕用兢惕。永惟皇太后後其所生之子,一以至公为心,亲挈大宝,畀予兄弟,迹其定策两朝,功德隆盛,近古罕比。虽尝奉上尊号,揆之朕心,犹为未尽,已命大臣特议加礼。巴延为武宗捍御北边,翼戴文皇,兹又克清大憝,明饬国宪,爰赐达尔罕之号,至于子孙,世世永赖。可赦天下。"

八月,己卯,议尊皇太后为太皇太后,许有壬曰:"皇上于太后,母子也,若加太皇太后,则为孙矣。且今制,封赠祖父母,降父母一等,盖推恩之法,近重而远轻。今尊皇太后为太皇太后,是推而远之,乃反轻矣。"不从。

是月,广西猺反,命湖广行省左丞鄂勒哲讨之。

九月,庚辰朔,车驾驻扼胡岭。

丙戌,赦〔天下〕。

〔庚子〕,御史台言:"国朝初用宦官,不过数人,今内府执事不下千馀。请依旧制,裁减冗滥,广仁爱之心,省(糜)〔靡〕费之意。"从之。

丙午,诏以乌撒、乌蒙之地隶四川行省。

是月,帝至自上都。

冬,十月,丁巳,流鸿和特穆尔、达朗达赉及腾吉斯子孙于边地。

帝既除权奸,思更治化,翰林学士承旨知经筵事库库,日劝帝务学,帝辄就之习授,欲宠以师礼,库库力辞不可,凡《四书》《五经》所载治道,为帝细绎而言,必使辞达,感动帝衷而后已。若柳宗元《梓人传》,张商英《七臣论》,尤常所诵说,尝于经筵,力陈商英所言七臣之状,左右错愕。帝暇日欲观古名画,库库即取郭忠恕《比干图》以进,因言商王受不听忠臣之谏,遂亡其国。帝一日览宋徽宗画称善,库库进言:"徽宗多能,惟一事不能。"帝问:"何一事?"对曰:"独不能为君尔。身辱国破,皆由不能为君所致。人君贵能为君,它非所尚也。"或遇天变民灾,必忧见于色,乘间则进告于帝曰:"天心仁爱人君,故以变示儆。譬如慈父于子,爱则教之戒之,子能起敬起孝,则父怒必释;人君侧身修行,则天意必回。"帝察其真诚,虚己以听,特赐济逊燕服九袭及玉带、楮币。库库尝言:"天下事在宰相当言;宰相不得言,则台谏言之;

台谏不敢言,则经筵言之。备位经筵,当言人所不敢言于天子之前,志愿足矣。"故于时政得失有当匡救者,未尝缄默。

癸亥,流御史大夫鄂勒哲特穆尔于广海。鄂勒哲特穆尔,额森特穆尔骨肉之亲也,监察御史以为言,故斥之。

选省、院、台、宗正府通练刑狱之官,分行各道,与廉访〔司〕审决天下囚。

十一月,庚辰,敕以所在儒学贡士庄田租给宿卫粮。

诏罢科举。初,彻尔特穆尔为江浙平章,会科举,驿请考官,供张甚盛,心不能平。及复入中书,首议罢科举,乃论学田租可给卫士衣粮,动当国者以发其机,又欲损太庙四祭为一。吕思诚等劲之,不报,彻尔特穆尔持议益坚。

时罢科举诏已书而未用玺,参政许有壬力争之,巴延怒曰:"汝风台臣言彻尔特穆尔耶?"有壬曰:"太师擢彻尔特穆尔在中书,御史三十人,不畏太师而听有壬,岂有壬权重于太师耶?"巴延意稍解。有壬乃曰:"科举若罢,天下才人觖望。"巴延曰:"举子多以赃败。"有壬曰:"科举未行时,台中赃无算,岂尽出于举子?"巴延曰:"举子中可任用者惟参政耳。"有壬曰:"若张起岩、马祖常辈,皆可任大事,即欧阳原功之文章,亦岂易及!"巴延曰:"科举虽罢,士之欲求美衣食者,自能向学,岂有不至大官者耶?"有壬曰:"为士者初不事衣食,其事在治国平天下耳。"巴延曰:"科举取人,实妨选法。"有壬曰:"今通事、知印等,天下凡三千三百馀名。今岁自四月至九月,白身补官受宣者亦且七十三人,而科举一岁仅三十馀人,选法果相妨乎?"巴延心然其言,而其议已定,不可中辍,乃温言慰解之。翊日,宣诏,特令有壬为班首以折辱之,有壬惧祸不敢辞。治书侍御史布哈诮有壬曰:"参政可谓过桥(折)〔拆〕桥者矣!"有壬以为大耻,移疾不出。

甲申,太白经天。

乙酉,巴延请内外官悉循资铨注,今后无得保举,涩滞选法,从之。

丙戌,太白经天。

甲午,以雅克特穆尔、腾吉斯、达朗达赉所夺高丽田宅还其王喇特纳实里。

戊戌,召前知枢密院事福鼎实喇布哈、萨尔迪格还京师。初,二人以帝未立,谋诛雅克特穆尔,为所诬贬,故正之。

太史屡言星文示儆,帝以世祖在位久,欲祖述之,辛丑,下诏改元。诏略曰:"惟世祖皇帝,在位长久,天人协和,诸福咸至,祖述之意,良切朕怀。今特改元统三年为至元元年。"

监察御史李好文言:"年号袭旧,于古未闻;袭其名而不蹈其实,未见其益也。"因言时弊不如至元者十馀事,不报。

好文录囚河东,有李拜拜者杀人,而行凶之状不明,凡十四年不决,好文曰:"岂有不决之狱如是其久乎?"立出之。王傅萨都喇以足蹋人而死,众皆曰:"杀人非刃,当杖之。"好文曰:"怙势杀人,甚于用刃。况因有所求而杀之,其情为尤重。"乃置之死,河东为之震肃。

立常平仓。

赵世延自至顺中移疾归,旋有诏征还朝,不能行,仍除奎章阁大学士、翰林学士承旨、中书平章政事。

十二月,戊午,日色如赭。

乙丑，上太皇太后尊号曰"赞天开圣徽懿宣昭贞文慈佑储善衍庆福元太皇太后"。

丙子，安庆、蕲、黄地震。

丁丑，西番贼起，遣兵击之。

戊寅，蒙古国子监成。

闰月，丁亥，日赤如赭，凡二日。

中书平章政事彻尔特穆尔尝指斥武宗，于是台臣复劾之，而巴延亦恶其忤己，壬寅，流之于安南，人皆快之，寻卒。

是岁，赐天下田租之半。

诏："凡有妻室之僧，还俗为民。"既而复听为僧。

山东盗起。陈马骡及新李白昼杀掠，山东廉访使达尔玛以为吏贪污所致，先劾去之，而后上擒贼方略，朝廷嘉纳之。即遣兵擒获，齐、鲁以安。

至元二年【丙子，1336】 春，正月，乙丑，宿松县地震，山裂。

是月，置都水庸田使司于平江。

前中书左丞王结卒，追封太原郡公，谥文忠。结立言制行，皆法古人。故相张珪曰："王结非圣贤之书不读，非仁义之言不谈。"识者以为名言。

二月，甲申，太白经天。

戊子，诏以世祖所赐王积翁田八十顷，还其子都中。初，积翁赍诏谕日本，死于王事，尝受赐，后收入官，故复赐之。

己丑，立穆陵关巡检司。

丁西，追尊帝生母玛勒岱为贞裕徽圣皇后。

三月，丁巳，以累朝珠衣、七宝项牌赐巴延。

庚申，日赤如赭；壬戌，复如之。

乙丑，以萨敦上都居第赐太保定珠，仍敕有司籍萨敦家财。

甲戌，复四川盐茶之禁。

夏，四月，丁丑朔，日赤如赭。

丁亥，禁服麒麟、鸾凤、白兔、灵芝、双角五爪龙、八龙、九龙、万寿、福寿、赭黄等服。

戊戌，帝如上都。

五月，丙午朔，黄河复于故道。

乙卯，南阳、邓州大霖雨，自是日至六月甲申，湍河、白河大溢，水为灾。

壬申，秦州山崩。

六月，丁丑，禁诸王、驸马从卫服济逊衣，系绦环。

辛卯，以汴梁、大名诸路图卜台地土赐巴延。

礼部侍郎呼勒岱请复科举取士之制，不听。

庚子，泾水溢。

秋，七月，庚申，禁隔越中书口传敕旨，冒支钱粮。

庚午，敕赐上都孔子庙碑，载累朝尊崇之意。

是月，黄州蝗，督民捕之，日有五斗。

八月，甲戌朔，日有食之。

诏："云南、广海、八番及甘肃、四川边远官，死而不能归葬者，有司给粮食舟车护送还乡；无亲属者，官为瘗之。"

庚子，诏："强盗罪皆死；盗牛马者劓；盗驴骡者黥额，再犯劓；盗羊豕者墨项，再犯黥，三犯劓；劓后再犯者死。盗诸物者，照其数估价。省、院、台、五府官三年一次审决。著为令。"

九月，戊辰，帝至自上都。

冬，十月，己亥，诏："每日，右丞相巴延、太保定珠、中书平章政事昂吉尔聚议于内廷。平章政事塔斯哈雅、右丞相衮巴布勒、参知政事纳琳、许有壬等聚议于中书。"

十一月，壬子，武宗、英宗、明宗三朝皇后升祔入庙，命官致祭。

丁巳，遣河南行省平章政事勒格布哈于西番为僧。

是月，中书平章政事赵世延卒，年七十七，追封鲁国公，谥文忠。世延历官省、台五十馀年，凡军国利病，生民休戚，知无不言，而于儒者名教尤拳拳焉。

十二月，江州诸县饥，总管王大中贷富人粟以赈贫民，免富人杂徭以为息，约年丰还之，民不病饥。

陕西行台监察御史札实上封事十条，曰法祖宗，揽权纲，敦宗室，礼勋旧，惜名器，开言路，复科举，罢数军，一刑章，宽禁网。时巴延等变乱成宪，帝方虚己以听，札实所言，皆一时群臣所不敢言者。侍御史赵承庆见之，叹曰："御史言及此，天下福也！"戚里有执政陕西行省者，恣为不道，札实发其罪而按之；弃职夜遁，有诏勿逮问，然犹杖其私人。

是岁，江浙旱，自春至于八月不雨，民大饥。

至元三年 【丁丑，1337】 春，正月，癸卯，广州增城县民朱光卿反，其党石昆山、钟大明率众从之，伪称大金国，改元赤符；命指挥纽萨尔、江西行省左丞锡谛讨之。

辛亥，升祔伊勒哲伯皇帝于太庙，谥曰冲圣嗣孝，庙号宁宗。

豫王喇特纳实里买池州铜陵产银地一所，请用私财锻炼，输纳官课，从之。

戊午，帝猎于柳林，凡三十五日。监察御史绰迪、宋(诏)〔绍〕明进谏，帝嘉纳之，赐金币。绰迪等固辞，帝曰："昔魏征进谏，唐太宗未尝不赏，汝其受之。"

二月，壬申朔，日有食之。

棒胡反于汝宁、信阳州。棒胡本陈州人，名闰儿，好使棒，棒长六七尺，进退技击如神，故称"棒胡"。至是以烧香惑众，妄造妖言作乱，破归德府、鹿邑，焚陈州，屯营于杏冈，命河南行省左丞庆图以兵讨之。

丙子，立船户提举司十处，提领二十处。定船户科差船一千，料之上者岁纳钞六锭，以下递减。

甲申，定服色、器皿、舆马之制。

己丑，汝宁献所获棒胡弥勒佛、小旗、伪宣敕并紫金印、量天尺。时大臣有忌汉官者，取所献班地上，问曰："此欲何为耶？"意汉官讳言反，将以罪中之。侍御史许有壬曰："此曹建年号，称李老君太子，部署士卒以敌官军，反状甚明，尚何言！"其语遂塞。

辛卯，发钞四十万锭，赈江浙等处饥民四十万户，开所在山场、河泊之禁，听民樵采。

广西猺贼复反，命湖广行省平章诺海、江西行省平章图尔密实哈雅总兵捕之。

庚子,中书参知政事纳琳等请立采珠提举司。先是尝立提举司,泰定间以其烦扰罢去,至是复立之,且以蜑户四万赐巴延。

三月,戊午,立鸿吉哩氏为皇后。因雨辍贺。后,武宗宣慈惠圣皇后之侄,毓德王博啰特穆尔之女也。

夏,四月,癸酉,禁汉人、南人、高丽人不得执持军器,有马者拘入官。

己卯,帝如上都。

辛卯,合州大足县民韩法师反,自称南朝赵王。

己亥,惠州归善县民聂秀卿、谭景山等造军器,拜戴甲为定光佛,与朱光卿相结为乱,命江西行省左丞锡迪捕之。

是月,诏:"省、院、台、部、宣慰司、廉访司及部府幕官之长,并用蒙古、色目人。禁汉人、南人不得习学蒙古、色目文字。"

五月,辛丑,民间讹言朝廷拘刷童男、童女,一时嫁娶殆尽。

(庚)〔戊〕申,诏:"汝宁棒胡,广东朱光卿、聂秀卿等,皆系汉人,汉人有官于省、台、院及翰林、集贤者,可讲求诛捕之法以闻。"

甲寅,西番贼起,杀镇西王子丹巴。立行宣政院,以额森特穆尔为院使,往讨之。

壬戌,命四川行省参政举理等捕反贼韩法师。

丁卯,彗见于东北,大如天船星,色白,约长尺馀,彗指西南,至八月庚午始灭,凡六十三日,自昂至房,凡历十五宿。

六月,戊寅,赠丞相安图推忠佐运开国元勋、东平忠宪王,于所封城内建立(嗣)〔祠〕庙,官为致祭。

辛巳,大霖雨,自是日至癸巳不止。御河、黄河、沁河、浑河水皆溢,没人畜、庐舍甚众。

戊子,加封尹子、庚桑子、徐甲、列子、庄子各为真君。

壬辰,彰德府大水,平地深一丈。

秋,七月,癸卯,帝出猎。丙午,幸实喇鄂尔多。丁未,幸龙冈,洒马乳以祭。

庚戌,河南武陟县禾将熟,有蝗自东来,县尹张宽仰天祝曰:"宁杀县尹,毋伤百姓。"俄有鱼鹰群飞啄食之。

庚申,诏:"除人命重事之外,凡盗贼诸罪,不须候五府官审录,有司依例决之。"

是月,纽萨尔、锡谛擒朱光卿,寻追擒石昆山、钟大明。

卫辉府自六月淫雨至是月,平地水深二丈馀,漂没人民房舍,民皆栖于树木。郡守僧嘉努以舟载饭食之,移老弱居城头,日给粮饷。月馀,水方退。

八月,辛巳,京畿盗起。壬午,京师地大震,太庙梁柱裂,各室墙壁皆坏,压损仪物,文宗神主及御床尽碎;西湖寺神御殿壁仆,压损祭器。自是累震,至丁亥方止,所损人民甚众。

癸未,河南地震。

弛高丽执持军器之禁。

是月,帝至自上都。

九月,己酉,立皮货所于宁夏,设提领使、副主之。

立四川、湖广、江浙行枢密院。

冬,十月,癸酉,日赤如赭。

乙亥,命江浙行省丞相绰斯戬提调海运。国用所倚,海运为重。绰斯戬措置有方,所漕米三百馀万石,悉达京师,无耗折者。

是月,金华处士许谦卒。当时学者,称何基、王柏、金履祥及谦为金华四子。

十一月,丙午,立屯田于雄州。

是月,太白屡经天。

十二月,以满济勒噶台为太保、分枢密院,镇北边。满济勒噶台,巴延弟也,时议进爵为王,辞曰:"兄封秦王,弟不宜并受王爵。"故有是命。

是岁,巴延请杀张、王、刘、李、赵五姓汉人,帝不从。

诏赐孝子靳昺碑。昺,绛州曲沃人,兄荣,为奎章阁承制学士,奉母王氏官于朝,母殁,昺与荣护丧还家。至平定,大雷雨,流水骤至,昺伏枢上,荣呼之避水,昺不忍舍去,遂为水所漂没。后得王氏枢于三里外,得昺尸于五里外,故特赐碑以旌之。

札实除金浙西廉访司事。至,即按问都转运盐使、海道都万户、行宣政院等官赃罪,由是郡县无敢为贪墨者。又以诸僧寺私芘猾民,有所谓道人、道民、行童者,类皆渎伦常,隐徭役,使民力日耗,契勘嘉兴一路,为数已二千七百。建议请勒归本族,俾供皇赋,庶少宽民力,朝廷是之,即著为令。

诏知岭北行枢密院事奈曼台袭国王,授以金印。继又以安边睦邻之功,赐珠络半臂并海东名鹰、西域文豹,国制以此为极恩云。

至元四年 【戊寅,1338】 春,正月,丙申,以地震,赦天下。

诏:"内外廉能官,父母年七十无侍丁者,附近铨注,以便就养。"

宣政院使布埒齐以年七十致仕,授大司徒,给全俸终身。

是月,诏修曲阜孔子庙。

二月,丁卯,罢河南等五省行枢密院。

庚午,帝畋于柳林。

乙酉,奉圣州地震。

三月,辛酉,命中书平章政事昂吉尔监修《至正条格》。

夏,四月,辛未,京师天雨红沙,昼晦。

癸酉,以御史中丞托克托为御史大夫。托克托,满济勒噶台之子也,早为文宗所器,曰:"此子可大用。"至是掌风宪,大振纲纪,中外肃然。

己卯,帝如上都。

河南执棒胡至京师,诛之。

癸巳,帝薄暮至八里塘,雨雹,大如拳,其状有小儿、环块、狮、象、鱼卵之形。

五月,命佛嘉律为考功郎中,乔林为考功员外郎,魏宗道为考功主事,考校天下郡县官属功过。

六月,辛巳,袁州民周子旺反,僭称周王,改年号。寻擒获,伏诛。

己丑,邵武路大雨,水入城郭,平地二丈,漂民居殆尽。

是月,信州路灵山裂。

漳州路南胜县民李志甫,聚众围漳州城,守将绰斯戬与战,失利。贼转掠龙溪,县民萧景茂结乡兵拒之,战败,被执,贼胁使从己,景茂骂曰:"狗盗,我生为大元民,死作隔州鬼,岂从汝为逆耶!"隔州,其居里所也。贼怒,缚景茂于树,脔其肉,使自啖,景茂益愤骂,贼以刀抉其口至耳傍,景茂骂不绝声而死。有司上其事,朝廷命褒表之,仍给钱以葬。时贼势益盛,诏江浙平章拜布哈发闽、浙、江西、广东四省兵讨之,不克。龙岩尉黄佐才与贼战,妻子四十馀口皆被害;事闻,授佐才龙岩县尹。

秋,七月,壬寅,诏以巴延有功,立生祠于涿州、汴梁。

己酉,奉圣州地大震,损坏人民庐舍。

丙辰,巩昌府山崩,压死人民。

八月,癸亥朔,日有食之。

己巳,申取高丽女子及阉人之禁。

辛未,宣德府地大震。丙子,京师地震,日二三次,至乙酉乃止。

癸未,改宣德府为顺宁府,奉圣州为保安州,以其地数震故也。

是月,帝至自上都。

闰月,戊戌,日赤如赭;己亥、壬寅复如之。

九月,癸酉,奔星如杯大,色白,起自右旗之下,西南行,没于近浊。

冬,十月,辛卯,享于太庙。

十一月,丁卯,立绍熙府军民宣抚都总使司。绍熙府本领六州、二十县、一百五十二镇。国初,以其地荒而废之,至是居民二十馀万,故立府治之。命御史大夫托克托兼都总使,治书侍御史吉当普为副都总使。

初,帝发上都,至鸡鸣山之浑河,将畋于保安州,马蹶。托克托谏曰:"古者帝王端居九重之上,日与大臣、宿儒讲求治道,至于飞鹰、走狗,非其事也。"帝纳其言。

壬午,四川散毛峒蛮反,遣使赈被寇人民。

十二月,戊戌,立邦牙等处宣慰司都元帅府并总管府。先是世祖既定缅地,以其处云南极边,就立其酋长为帅,令三年一贡;至是来贡,故立官府。

是月,太白屡经天。

是岁,集贤大学士陈颢致仕,命食全俸于家。

前枢密副使马祖常卒,追封魏郡公,谥文贞。

祖常立朝既久,多所建明,尝议:"今国族及诸部,既诵圣贤之书,当知尊诸母以厚彝伦。"又议:"将家子弟骄脆,有孤任使,而庶民有挽强蹻张,老死草野者,当建武学、武举,储材以备非常。"时虽弗用,识者韪之。

【译文】

元纪二十五　起癸酉年(公元1333年)二月,止戊寅年(公元1338年)十二月,共六年。

元顺帝名讳托欢特穆尔,元明宗的长子,母亲南富鲁氏,延祐七年(公元1320年)四月丙寅(十七日),生顺帝于北方。天历二年(公元1329年),明宗逝世。至顺元年(公元1330年)四月,迁徙顺帝到高丽;第二年,迁移到广西的静江。

元统元年 （公元 1333 年）

春季,二月,托欢特穆尔北行到良乡,京师准备好天子仪仗迎接他。雅克特穆尔与他并马而行,在马上举鞭指画,告诉他国家多难,以及派遣使臣迎接他北上的缘故,而托欢特穆尔一次也没有应答。雅克特穆尔怀疑他的心意不可揣测,又害怕他追查明宗皇帝突然死亡的原因,心志一天比一天烦乱。正逢太史也说托欢特穆尔不可立,立则天下乱,因此,议论未决。迁延达数月,国家政事都由雅克特穆尔决断,奏请皇太后施行。

雅克特穆尔自文宗皇帝复辟以后,掌握了朝廷大权,具有使君主畏忌的威势,任意作为,毫无顾忌,一次宴会有时宰马十三匹。娶泰定帝的皇后为夫人,前后娶宗室之女四十人为妾,有的举行婚礼仅三日就急忙遣送回娘家。后房妻妾成群,他自己都不能全部认识。一天,宴请赵世延全家,男女序列而坐,名为鸳鸯会。雅克特穆尔看见坐在一角的一位妇女姿色甚为美丽,问道:"这位是谁?"意思是想把她带回家。左右的人说:"这是太师家的人啊。"至此荒淫日甚,身体虚弱,尿血而死。

太后于是和大臣商议决定立托欢特穆尔为帝,并且说:"托欢特穆尔去世之后,他传位给雅克特古斯,就像武宗、仁宗兄弟相继的旧例"。诸王、宗戚奉上宝玺,绶带劝托欢特穆尔即位。六月,己巳(初八),托欢特穆尔在上都即皇帝位。下诏大赦天下。

辛未(初十),皇帝任命巴延为太师、中书右丞相、监修国史,任命萨敦为太傅、左丞相。

这时有个叫阿鲁辉特穆尔的,是明宗皇帝的亲信之臣,对皇帝说:"天下事情重大,应该委托宰相决定,这样可以要求他办好。若亲自处理,则必然背负恶名。"皇帝相信了他的话,从此深居宫中,每件事情都由宰相裁决,而自己从不专断。

这一月,大雨久下不停,京畿地区发生大水,平地水深一丈多。泾水泛滥,关中发生水灾。黄河水大泛滥,河南发生水灾。两淮旱灾,百姓遭受严重饥荒。

皇帝初受佛戒时,看见玛哈喇佛前有一件供物,于是就问学士实喇卜说:"这是什么东西?"回答说:"羊心。"皇帝说:"曾听说有用人的心肝当祭品的,有这种事吗?"回答说:"听说过,但不曾亲眼见过。请问赖嘛。"赖嘛就是帝师。皇帝于是命实喇卜去问赖嘛,赖嘛回答说:"有这种情况,凡是有人萌发歹心谋害他人的,事情发觉以后,就用此人的心肝作供品祭佛。"皇帝说:"这只羊曾害过人吗?"帝师不能回答。

前翰林学士吴澄去世。

吴澄回答人家的请教时总是勤勉不倦,使人的疑虑完全消除,有如坚冰融解。四面八方的士子前来求学者不下千数百人,称他为草庐先生。去世时八十五岁。朝廷追赠他为江西行省左丞,追封为临川郡公,谥号文正。

秋季,七月,大雨久下不停。

八月,壬申(十一日),巩昌徽州发生山崩。

这一月,立奇彻氏为皇后。皇后是雅克特穆尔的女儿。

奎章阁侍书学士虞集因病辞职回家。

当初,御史中丞马祖常求虞集向朝廷推荐他的门客龚伯璲,虞集说:"这位先生虽小有才气,但不是久远之器,恐怕不得善终。"马祖常再三请求,虞集坚决拒绝,马祖常不高兴。宁宗皇帝驾崩,大臣们准备拥立新帝,依武宗至大年间的旧例,召集诸位老臣赶赴上部议政,虞集在应召之列。马祖常派人告诉他说:"御史有奏。"虞集于是称病辞职回到临川。当初,文宗皇帝贬黜顺帝于江南,派虞集起草诏书播告朝廷内外。这时,中书省、御史台大臣都是文宗皇帝一向所信用的,御史也不敢指责这件事,意在讽劝虞集赶快离开朝廷而已。龚伯璲后来因事犯罪被杀,世人才佩服虞集知人。

九月,甲寅(二十三日),中书省奏:"官员顺次升迁,阻碍选举办法,请求除中书省、枢密院、御史台官以外,其余不许顺次迁升。"皇帝听从了这个意见。

庚申(二十九日),皇帝下诏:"太师、右丞相巴延和太傅、左丞相萨敦,专心处理国家大事,其余的人都不得兼领三职。"

皇帝下诏免除儒生的差役。

秦州发生山崩。

冬季,十月,丙寅(初六),凤州发生山崩。

戊辰(初八),皇帝下诏改至顺四年为元统元年。

中书省大臣奏:"凡朝贺时遇到下雨,请允许大臣们穿便服向皇帝行礼。"皇帝听从了这个意见。

丁丑(十七日),依照皇太后年龄,朝廷释放有罪囚犯二十七人。

戊子(二十八日),皇帝封萨敦为荣王,腾吉斯承袭其父的封爵为太平王。

庚寅(三十日),中书省大臣请求集议武宗、英宗、明宗三朝皇后升入太庙合祭问题。

衍圣公孔思晦去世,其子孔克坚承袭衍圣公的称号。

十一月,丙申(初六),巩昌路成纪县地裂山崩,朝廷令有关部门救济受灾人民。

辛丑(十一日),建棕毛殿。

辛亥(二十一日),追谥济雅尔皇帝为圣明元孝皇帝,庙号文宗。当时,安放皇帝神主的寝庙尚未建成,在英宗的祭室临时搭起绵殿,以安放文宗神主。

皇帝封巴延为秦王。

江西、湖广、江浙、河南重新建立榷茶运司。

这一天,秦州山崩地裂。

乙卯(二十五日),将原来赐给雅克特穆尔的平江官田五百顷,再赐给他的儿子腾吉斯。

皇帝下诏:秦王、右丞相巴延和荣王、左丞相萨敦总管百官,总理政务。

十二月,乙丑(初六),广西瑶民侵扰湖南,攻陷道州,千户郭震战死,瑶民焚烧抢掠后退走。

壬申(十三日),朝廷派遣行省御史台官员分别清理天下囚犯,罪状明显的处决,有冤情的辩证,有怀疑的重新审讯,拖延不办的,则将有关部门官员治罪。

乙亥(十六日),为皇太后设置徽政院,设官属三百六十六员。

监察御史多尔济巴勒上疏陈述了五件时政方面的事:一是太史说明年三月癸卯十五日日食过后,四月戊午初一又有日食。皇上应该奋振纲纪,修明刑政,疏远奸邪之徒,专任忠良,这样才可以消除灾变,转为祯祥。二是皇帝亲自到郊庙祭祀天地祖宗。三是广泛选用功勋旧臣之子中为人端正谨慎正直的人,前后给予辅导,使皇上看不到嬉戏之事,听不到俚俗之言,那么,皇上的圣德就可以日见增新了。四是枢密机要之臣固然应该得到尊崇宠爱,然

4997

而一定要赏罚公正,这样民心才会信服。五是消除、招安盗贼,救济灾民。多尔济巴勒是穆呼哩的七世孙。

这一月,河南江北行省平章政事岳柱去世。

岳柱天性孝敬父母,友爱兄弟,爱好经史书籍,从天文到医药之类的书籍,无不研究精到。他度量宽宏广大,有人欺骗他,他却心神安适,毫不在意。有人问他为什么,他却说:"他自己欺骗自己,与我有何关系!"岳柱的母亲郜氏也曾经称赞他说:"我的儿子是古代圣人啊!"

这一年,朝廷任命刑部尚书达尔玛为辽阳行省参知政事。高丽国的使者朝拜京师,路过辽阳,拜访行省官员,送给每位官员四匹布和一封用征东省印封记的书信。达尔玛责问使者说:"国家设印,是用来加盖公文书信,以防奸伪,为什么要用它来加封私人书信?况且,你出国时,我还在京师,还没有任辽阳行省官,今日为什么有书信给我?你们君臣为何弄虚作假到这种程度呢?"使者理屈词穷,达尔玛退还了书信和布匹。达尔玛是高昌人。

国家制度,皇帝每日进膳要用羊五只,而皇帝自即位以来,每日减少一只羊,以一年来计算,节省羊三百五十余只。

起用前史部尚书王克敬为江浙行省参知政事。

王克敬到任后,请求朝廷停止富民承租江、淮田土。松江大姓中有人每年漕运大米万石献给京师,这个人死后,其子孙穷得以行乞为生。有关部门仍旧每年向他征粮,不足部分则杂摊在松江田赋之中,令百姓负责交纳。王克敬说:"那个人妄称献米,邀名爵以荣一身,现在身死家破,又已夺回官爵,不能让全郡的百姓都遭受其害。国家的费用难道就缺这点粮食吗?"列举理由上奏,得以免除。

岭海瑶民暗地里兵作乱,朝廷调驻守在江浙行省的军队前往征讨,正好提调兵马官出缺,按照以往惯例,汉人不得参与军政,众人不知道该怎么办,王克敬抗议说:"行省官员担负着一个地方的重托,假如万一有比此更为重要的事情,难道也拘泥于常法而坐视不管吗!"于是调兵前往剿捕叛贼。军队出发后,军粮供给不够,朝廷得到报告后,立即令江西、湖广二省也同样供给军粮。

王克敬上任五个月,以年老请求辞职,年龄刚五十九岁。他对人说:"墙基有穴,高峻的城墙必定危险,一年结两次果实的树木,其根必会受伤。没有功德而愧享富贵,与这有什么不同!所以我常怀让自己止步的想法。"又说:"世俗之人喜欢说:不要认真,这不是名言。遇事不认真,这难道是对国家的尽忠之道吗?"所以他历任官职所到之处,都有可记载的政绩。

元统二年 (公元 1334 年)

春季,正月,庚寅朔(初一),在大明殿举行朝贺典礼。监察御史多尔济巴勒奏:"百官超越自己所在班次的,应按失仪论处,以惩戒不敬的行为。"

原先,教坊司的班位在百官之后,御史大夫萨迪传旨,让教坊司与百官同班朝贺。多尔济巴勒坚持认为不可这样做。萨迪说:"御史不接受皇帝的诏令吗!"多尔济巴勒说:"事情不可这样做,大夫再向皇上禀奏好了。"

这一天,汴梁天降血雨,沾在衣上都变成红色。

朝廷任命御史大夫托勒岱为中书平章政事,任命阿尔哈雅为河南行省左丞相。

丁酉(初八)，皇帝祭祀太庙。

甲寅(二十五日)，在杭州设立行宣政院。

二月，己未朔(初一)，皇帝下诏全国兴办学校。

癸亥(初五)，广西瑶民骚扰边境，杀死官吏。广海官员已经任命而没有到任的都被定罪。

甲申(二十六日)，太庙的木台阶坏了，皇帝派遣官员告祭祖宗。

这一月，滦河、漆河水泛滥，永平等县发生水灾。

三月，己丑朔(初一)，皇帝下诏："科举取士，国子监学员的积分办法，供应学校的钱粮，读书人

蒙古长子骑兵图　伊朗　志费尼

免除差役的规定，都依照各朝旧有的制度。学校官员要挑选有德行学问的人充任。"

辛卯(初三)，根据阴阳家的话，停止建造工程四年。

癸巳(初五)，广西瑶贼又兴起作乱，杀死同知元帅吉赖斯，抢掠国库财物。朝廷派遣右丞图噜密实率兵征讨。

癸卯(十五日)，发生月全食。

乙巳(十七日)中书省奏："益都、真定盗贼起事，请求选派中书省、枢密院官员前往督军剿捕，并以加倍的奖赏招募能擒获盗贼的人，捕获三个盗贼的，朝廷给他一个官职。"皇帝听从了这个意见。

壬子(二十四日)，广西庆远府瑶民骚扰全州，皇帝诏令平章政事特默齐统兵二万人前去攻打。

丁巳(二十九日)，皇帝下诏："蒙古、色目人犯有奸、盗、诈、伪之罪的，由宗正府处理。汉人、南人犯同样罪行的，由地方政府处理。"

湖广发生旱灾，从这个月到八月没下雨。

夏季，四月，戊午朔(初一)，发生日食。

壬申(十五日)，皇帝任命腾吉斯为总管高丽、女真、汉军万户府的达鲁花赤，与满济勒噶台同为御史大夫。

丁丑(二十日)，启明星经过天空。

己卯(二十二日)，将文宗皇帝的神主迁入太庙祔祭，皇帝亲自举行告祭仪式，用宫悬乐，行三献礼。起先，御史台奏："郊庙之祭，是国家的大典礼，帝王必须亲自去行祭祀之礼，用以表示尊重尊长、亲近亲人的诚意，应该乘升祔之机在太庙举行祭祀仪式。"皇帝听从了这个意见。

这一天,停止夏季的太庙祭祀。

壬午(二十五日),皇帝下令录用许衡之孙许从宗为章佩监异珍库提点。

癸未(二十六日),朝廷在京师南北城设立盐局,官员自己卖盐,以此革除商人专利的弊端。

乙酉(二十八日),中书省奏:在佛教仪式中布施的费用太多,请求除了列朝皇帝周年忌日之外,其余都停止。皇帝听从了这个意见。

这一月,皇帝前往上都。

集贤大学士陈颢随从皇帝到龙虎台,皇帝命陈颢到自己面前,握着他的手说:"卿是几朝老臣,经历的事情很多。以后,凡是政事应该知无不言,不要隐瞒。"陈颢叩头谢恩。陈颢每次集议政事,其言论无不切中事理。

河南发生旱灾,从这个月到八月没下雨。

五月,己丑(初三),宦官博啰特穆尔传皇后旨意,取十万引盐税给中政院。

辛卯(初五),任命腾吉斯代替萨敦为中书左丞相,萨敦仍旧商议中书省的事情。

戊申(二十二日),皇帝下诏:文济王曼济镇守大名府,云南王阿噜镇守云南。

这一月,赠已故中书平章政事王泰亨谥号清宪。

以前法令:三品以上官员,在朝任职期间有大的气节和对王室有大功勋的,才能赐给他功臣称号以及死后赐给谥号。当时,这种赠赐冗滥失实。只有王泰亨在任中书平章政事时,安南国请赐佛书,他请求朝廷把《九经》赐给安南。他出使高丽国时不接受礼物,任尚书时却贫困得不能自给。所以皇帝特意赐给他清宪这个谥号。

追封漳州万户府知事阘文兴为英毅侯,追封其妻王氏为贞烈夫人,庙号为双节。

六月,戊午(初二),淮水上涨,山阴县满浦、清冈等处许多百姓、牲畜、房屋被淹没。

乙亥(十九日),腾吉斯不肯接受左丞相的任命,皇帝又任命萨敦为左丞相。

辛巳(二十五日),皇帝下诏:蒙古、色目人实行为父母守丧之制。

癸未(二十七日),重新设立缮工司,制造丝织品。

乙酉(二十九日),朝廷追封雅克特穆尔为德王,谥号忠武。

这一月,彰德地区下白毛雨。民谣说:"天雨线,民起怨,中原地,事必变。"

秋季,七月,丁亥(初二),朝廷警告阴阳人不得在贵戚之家妄言祸福。

辛卯(初六),皇帝祭祀太祖,太宗、睿宗三朝皇帝御容,停止秋季的太庙祭礼。

壬辰(初七),皇帝到大安阁。这一天,皇帝在奎章阁宴请侍从大臣。

壬寅(十七日),皇帝下诏:"蒙古、色目人犯偷盗罪的,免予刺字。"

从这一月到九月,启明星屡次经过天空。

监察御史多尔济巴勒向朝廷条陈九件事:"一是近日侥幸的门路逐渐开启,刑罚逐渐出现差错,无功之人企求得到奖赏,有罪之人侥幸地寻找宽免。恐怕朝廷刑政逐渐松弛,纪纲逐渐紊乱,用什么来劝勉有功劳的官员,又用什么来警惧奸贼之臣!二是天下的财富都出自百姓,百姓竭尽全力供奉政府的费用,而费用还不够,则百姓的怨苦之气,便会上升而冲犯阴阳之和,水旱灾变就由此而发生。应该专门任命中书省两位官员,督责户部,议定减省赋税的办法,停止不是急需的工程役作,禁止没有名目的赏赐。三是宫中经常举行佛教仪式,应暂时停止。四是官府衙门日益增多,选任官员的办法愈来愈坏,应裁减多余的人员。五是均分公田。六是铸造钱币。七是撤销山东田赋总管府。八是蠲免河南百姓自报田土的税粮。九是禁止从海外娶姬妾。

八月,辛未(十六日),大赦天下。

京师发生地震,鸡鸣山崩塌,下陷为池,方圆有百里,死了很多人。

癸未(二十八日),中书平章政事阿尔哈雅被免职。

这一月,南康路发生旱灾、蝗灾,进行救济。

九月,辛卯(初六),皇帝从上都回到京师大都。

甲午(初九),傜贼攻陷贺州,朝廷调发河南、江浙、江西、湖广诸军及八番义从军,命广西宣慰使都元帅章巴延统领这些军队前去攻打。

壬子(二十七日),救济吉安路水灾。

冬季,十月,乙卯朔(初一),纠正朝廷内外官员朝会时的礼仪班次,一律依据品级高低排列。

戊午(初四),皇帝祭祀太庙。

辛酉(初七),任命侍御史许有壬为中书省参知政事,知经筵事。

丁卯(十三日),设立湖广黎兵屯田万户府。

己卯(二十五日),向皇太后献上尊号为:"赞天开圣仁寿徽懿昭宣皇太后。"大赦天下,免除今年百姓的一半田租,朝廷内外四品以下官员升迁时减一任计算。

原先,监察御史台布哈率同班官员向皇帝上奏章说,婶母不应该加美好的称谓。太后大怒,要杀上奏的人。台布哈对众人说:"这件事由我发起,甘愿被处死,绝不敢连累各位。"不久,太后的怒气消失了,说:"监察部门有这样的大臣,难道还不能遵守祖宗之法吗!"赐给绣金丝织品二匹,以表彰他的耿直,但终究没有采用他的意见。

退却献来的天鹅。

十一月,戊子(初四),中书省大臣请求调发两支船队到海外贸易,为皇后营利。

这一月,集贤直学士兼国子祭酒宋本去世。

宋本品行高洁,不寻求私利,而对朋友之义却厚道忠诚,别人有一点善言善行,他都不停地加以称赞。尤以培育人才为己任,主持进士考试时,录取进士满百人名额。任读卷官,增进士第一甲为三人。他的父亲到南中做官,贫穷得卖掉住宅才能动身。为官清廉谨慎,甚至连稠粥有时也喝不上。宋本还未成年,就聚徒讲学来奉养双亲,持续了近二十年。后虽历任显贵的官职,仍然租屋而居。

十二月,甲戌(二十日),皇帝下诏整治学校。

这一年,开始在祭祀武宗皇帝时,配祭珍格皇后。

当时讨论三朝皇后升到太庙受祭之事没有做出决定,巴延问太常博士逯鲁曾说:"先朝既然因为珍格皇后没有儿子,不给她在太庙立神主牌位,现在应当立神主牌位的,是明宗皇帝的母亲呢,还是文宗皇帝的母亲呢?"逯鲁曾回答说:"珍格皇后在武宗朝已获得册封皇后的宝册,那么明宗皇帝、文宗皇帝的母亲都是武宗皇帝的妾。现在因为没有儿子之故不在太庙立神主牌位,而以妾母为正位,这是为臣而废弃先帝的皇后,为子而封先父之妾,在礼仪上是不可行的。过去，燕王慕容垂即位，追废自己的母后，而立自己的生母为皇后来配祭先皇，被万世耻笑。难道可以重蹈覆辙吗？"集贤学士陈颢平素一向嫉妒逯鲁曾，于是说："唐太宗册立曹王李明之母为皇后，这也是二位皇后，为什么不可以？"逯鲁曾说："尧的母亲是帝喾的庶妃，尧被拥立为帝后，没有听说册立其母为皇后而配祭帝喾。皇上是大元天子，不效法尧、舜而会效法唐太宗吗？"众人信服他的议论，而巴延也认为他的话对，于是以珍格皇后配祭武宗皇帝。朝廷提升逯鲁曾为监察御史。

朝廷禁止私自建造寺庙、道观、庵院。要做僧人、道士，需交钱五十贯，发给其出家身份证明的度牒后，才可出家。

至元元年　（公元 1335 年）

春季，正月，癸巳（初十），朝廷再三命廉访司考查郡县官员劝农的好坏，上报大司农司，以此作为升降的凭据。

二月，甲寅朔（初一），朝廷革除冗官。

乙卯（初二），皇帝将往柳林打猎，御史台臣进谏道："陛下正春秋鼎盛、年富力强，应该想想文宗皇帝托付的重任，使天下达到兴隆太平。何况现在全国的老百姓供给朝廷的赋税劳役繁重，农耕正兴，而陛下要出猎，奔驰在冰雪之地，如果发生衔橛之变，宗庙社稷将怎么办呢！"于是停止了这次出猎。

三月，壬辰（初十），河州路连下十日大雪，雪深八尺，牛羊驼马冻死了十分之九，百姓遭到大灾荒。

庚子（十八日），御史台奏："高丽首先向大元皇帝效忠，尽为臣之节，而近年屡次派遣使臣前往高丽国选取媵妾，致使当地百姓生女不养，女儿长大了不嫁。应该禁止。"皇帝听从了他的意见。

中书省大臣奏：皇帝生母太后的神主牌位应放到太庙奉祀。皇帝命大臣们集体商议奉祀的礼仪。

乙巳（二十三日），任命中书左丞王结为参知政事。

中宫皇后命僧、尼在慈福殿作佛事，不久，慈福殿发生火灾。王结说这是因为僧、尼亵渎了神灵，应该治罪。左丞相萨敦病重，家人请求朝廷释放重罪囚犯以消灾，王结极力陈述此事不可以做。原先，凡是有罪的人，北方人被迁徙到广海，南方人则被迁往辽东，离家万里之遥，往往死在路上。王结请求迁移者离乡限在千里之外，改过之后，听凭其还乡，从此作为法令规定下来。在职官员犯罪的，大多从重处理，王结说："古时候，刑罚不上大夫。现在，贪图财利的虽多，然而士人的廉耻之心不可不培养啊。"听到的人都认为他的意见很得体。

朝廷封安南国世子陈端午为安南国王。

夏季，四月，癸丑朔（初一），皇帝下诏："官员中凡不是指挥管辖军马的，不得佩带黄金虎符。"

己卯（二十七日），皇帝下诏，命翰林国史院纂修列朝实录以及后妃、功臣列传。

庚辰（二十八日），禁止触犯皇帝的名字。

五月，戊子（初七），皇帝前往上都。

皇帝派遣使臣到曲阜祭祀孔子庙。

壬辰(十一日),皇帝下令,严格赠谥办法,以杜绝冒充和滥赠。

甲辰(二十三日),巴延请求将右丞相职位让给腾吉斯。皇帝下诏不许可,任命腾吉斯为左丞相。

六月,辛酉(十一日),有关部门奏:甘肃撒里畏兀出产黄金、白银,请求朝廷派遣官员前去征税。

癸酉(二十三日),朝廷禁止衣服颜色超越等级。

乙亥(二十五日),撤销江淮财赋总管府所管辖的杭州、平江、集庆三处的提举司,把它的事务归到有关部门办理。

庚辰(三十日),巴延奏:左丞相腾吉斯及其弟塔喇海密谋叛逆。皇帝杀了他们。

起初,萨敦已死,巴延独揽朝政,腾吉斯怨愤地说道:"天下是我家的天下,巴延是什么人,竟然位居我之上!"于是与他叔父句容郡王达朗达赍暗地里有了异心,阴谋立诸王鸿和特穆尔为帝。皇帝数次召见达赍,他都不来,郯王齐齐克图揭发了他们的阴谋。腾吉斯在东郊埋伏军队,率领勇士突然冲入皇宫,巴延及鄂勒哲特穆尔、定珠、奇尔济苏等人捕获了他们,腾吉斯、塔喇海一同服罪被杀,他们的党羽向北逃到达赍处,达赍立即出兵接应。皇帝派遣使臣晓谕他们,达赍杀死使者,率领其党羽迎战,被绰斯戬等打败,于是逃往鸿和特穆尔处。皇帝命令追击他们,捉住达赍等人解送到上都,鸿和特穆尔自杀。

原先,巴延、腾吉斯二家的家奴,仗势为害百姓,多尔济巴勒巡经漷州,将他们全部捕获并依法处置。多尔济巴勒回来后,腾吉斯怒气冲冲对他说:"御史你对我不礼遇已到了极点,羞辱我的家人,我还有什么面目见人呢!"多尔济巴勒回答说:"我多尔济巴勒只知道按法办事,其他就不知道了。"腾吉斯的侄子玛克锡任奇彻亲军指挥使,恣意横行,不守法规,多尔济巴勒上奏弹劾。玛克锡于是纠集无赖之徒想加害多尔济巴勒,适逢腾吉斯被杀,才停止这个阴谋。

这一月,连日下大雨。

中书省员外郎陈思谦上奏:"强盗只伤害事主的,都得判处死罪。而因故杀死随从而争功之人与因争斗而杀人者,照例杖一百零七下,得以不死,与私宰牛马罪无异,这是把人与牛马看成一样的了。法律上也有加重处罚的,因奸情杀夫,通奸妻妾同罪,这在法律上都有明文规定。现在对其所犯所定的罪行,推究起来,似乎有失于严明。"朝廷于是让司法部门议论,并写成定制。

当初,腾吉斯事败被擒,攀住宫殿的栏杆不肯走。塔喇海跑到皇后座位下藏匿起来,皇后用衣服遮蔽他,左右把他拉出斩首,鲜血溅到了皇后的衣服上。巴延派人一并捉拿皇后,皇后向皇帝呼救:"陛下救我!"皇帝说:"你的兄弟叛逆,怎么能救你!"于是把皇后迁出皇宫。秋季,七月,壬午(初二),巴延在开平百姓家中将皇后毒死。

壬寅(二十二日),皇帝专命巴延为中书右丞相,并撤销左丞相一职。

乙巳(二十五日),朝廷罢免雅克特穆尔、腾吉斯推举选用的官员。

戊申(二十八日),在市中处死达朗达赍等人。

皇帝下诏说:"过去,文宗皇帝因雅克特穆尔曾有功劳,父子兄弟都在朝廷中担任要职,而他们却制造事端,将朕流放远方。文宗皇帝不久就发觉了他们的狂妄,有旨传位给我。雅克特穆尔认为立幼小之人对自己有利,又拥立朕的弟弟伊勒哲伯,不幸去世。现在丞相巴延,追奉皇帝遗诏,到南方迎接朕北上。已经到了大都,雅克特穆尔还怀有二心,拖延了数月,上天让他死亡。巴延等同时辅佐、拥戴,朕才得以登极。后来萨敦、达赉、腾吉斯相继掌权,勾结宗王鸿和特穆尔,图谋危害社稷,阿喇楚也曾经参与密谋。幸亏巴延等将他们一一拘捕,才明正其罪。元凶作乱,使皇太后震惊,朕因此深自警惕。幸好皇太后将所生之子排列在后,一切以至公为心,亲自将皇帝的宝玺传给了我们兄弟。从她定策两朝这件事来看,可谓功德隆盛,近古罕比。虽然朕曾经奉上尊号,但若问之于朕心,仍觉不能尽意,已命大臣特议加礼。巴延为武宗捍卫守御北部边境,辅佐、拥戴文宗皇帝,这次又清除了大奸恶,申明整饬了国法,于是赐予达尔罕称号,直至子孙,世世承袭。可大赦天下。”

八月,己卯(二十九日),朝廷议尊皇太后为太皇太后。许有壬说:“皇上和皇太后是母子关系,若加称太皇太后,则成为祖孙关系。而且当今制度,封赠祖父母,比父母要降一等,因为推恩法规定,应近重而远轻。今尊皇太后为太皇太后,是把近重推而远之,反而显轻了。”皇帝不听从他的意见。

这一月,广西瑶民作乱,朝廷命湖广行省左丞鄂勒哲讨伐他们。

九月,庚辰朔(初一),皇帝驻在扼胡岭。

丙戌(初七),大赦天下。

庚子(二十一日),御史台奏:“本朝初年用宦官,不过数人,现在宫内宦官不下千余人。请依照旧制,裁减多余人员,推广仁爱之心,节省糜费造成的灾祸。”皇帝听从了这个意见。

丙午(二十七日),皇帝下诏,把乌撒、乌蒙地区划归四川行省管辖。

这一月,皇帝从上都回到大都。

冬季,十月,丁巳(初九),将鸿和特穆尔、达朗达赉和腾吉斯的子孙,流放到边远地区。

皇帝在清除了掌权的奸臣之后,想进行改革。翰林学士承旨、知经筵事库库每天规劝皇帝努力学习,皇帝总是靠近他学习,并想以师礼恩宠于他,库库极力推辞说:“不可。”凡是《四书》《五经》上所载治国的道理,他都理出头绪,向皇帝解说,一定使语言达意充分,使皇帝内心受到感动才停止。像柳宗元的《梓人传》、张商英的《七臣论》,尤其是他经常所背诵讲说的文章。他还曾经在经筵进讲时,极力陈述张商英所说的七位大臣的情状,左右侍从都感到很惊讶。皇帝闲暇时想观赏古代名画,库库就取郭忠恕的《比干图》献上,趁时对皇帝说:商王不肯听取忠臣的劝谏,以至亡国。皇帝有一天观览宋徽宗的画,并很赞赏,库库进言道:“徽宗多能,只有一件事不行。”皇帝问:“哪一件事?”库库回答说:“唯独不会做皇帝。国家破灭,自己遭辱,都是由于他不会做皇帝造成的。皇帝最可贵的就在于会当皇帝,其他的都不是皇帝所应该崇尚的。”有时遇到天变,百姓受灾,一定可以看到库库面带忧虑之色,利用机会向皇帝进告说:“上天对人间的君主是仁爱的,所以用天象的变异来以示告诫。就像慈父对于儿子,因爱他才教育他,告诫他,如果儿子能够尊敬和孝顺父亲,那么,父亲的怒气必然会消释。皇帝躬身修正自己的行为,那么,天意必然回转。”皇帝觉察到库库是一片真诚,虚心听取他的意见,特赐予他济逊燕服九套及玉带、钱钞。库库曾说:“天下事在于宰相应当向皇帝上言;宰相不能上言,那么御史台可以上言;御史台不敢上言,那么经筵可以上言。我担任经筵进讲的工作,就是应当在天子面前讲出他人所不敢讲的话,我的志愿就达到了。”所以对于时政得失有需要补救的话,库库从不沉默不言。

癸亥(十五日),将御史大夫鄂勒哲特穆尔流放到广海。鄂勒哲特穆尔是额森特穆尔的骨肉之亲。监察御史以其所作所为上奏皇帝,所以贬斥了他。

从中书省、枢密院、御史台、宗正府选择精通刑政、做事干练的官员,分头前往各道,和廉访司官员一起审决天下囚犯。

十一月,庚辰(初二),皇帝下令:将当地儒学贡士庄田的田租作为宿卫的食粮。

皇帝下诏,停止科举。

当初,彻尔特穆尔为江浙平章,正逢科举,通过驿站敦请考官,供应很丰盛,彻尔特穆尔心中很不服气。等到他再次在中书省任职,首先提议停止科举,又说学田田租可移做卫士的衣粮费用,鼓动掌权者寻找发难的机会,又想减少太庙一年四祭为一祭。吕思诚等人弹劾他,皇帝不回答。彻尔特穆尔持此观点更加坚定。

当时,停止科举的诏书已经写好还没有加盖皇帝的印玺,参政许有壬极力争辩。巴延发怒说:"你指使台臣攻击彻尔特穆尔吗?"许有壬说:"太师提拔彻尔特穆尔到中书省,御史三十人,不怕太师而听有壬的意见,难道我许有壬的权威比太师还重吗?"巴延的怒意才有所消转。许有壬于是说:"科举如果停止了,天下有才能的人都会失望。"巴延说:"举子为官多以贪赃败露。"许有壬说:"科举没有举行时,御史台中没收的赃款赃物无数,难道都是举子所为吗?"巴延说:"举子中可以任用的只有参政你。"许有壬说:"像张起岩、马祖常等人,都可以担任重要职务,就是欧阳原功的文章,也不是容易达到的!"巴延:"科举虽然停止,读书人中想追求美衣美食者,自然能趋向学问,难道有当不上大官的吗?"许有壬说:"读书人的初衷不在于衣食,他所从事的是治国平天下。"巴延说:"用科举方法选拔人才,实在妨碍正常的选官办法。"许有壬说:"现今各衙门的通事、知印等吏员,天下共有三千三百多名。今年从四月至九月,普通百姓由皇帝下令补官的也有七十三人,而科举选士一年才三十余人,这对正常选官有妨碍吗?"巴延心里认为他的话对,但停止科举的意见已成定局,不可中途废止,于是就用温和的语言劝解、安慰许有壬。第二天,宣布停止科举的诏书,特别让许有壬排在官员的行列前面,以此来侮辱他,许有壬惧怕得祸不敢说话。治书侍御史布哈责备许有壬说:"参政可以说是过河拆桥的人啊!"许有壬认为这是奇耻大辱,上书称病不出。

甲申(初六),启明星经过天空。

乙酉(初七),巴延建议:朝廷内外官员都按资历选拔任用,今后不得保举官员升迁,以妨碍正常的升迁。皇帝听从了他的意见。

丙午(初八),启明星经过天空。

甲午(十六日),朝廷将雅克特穆尔、腾吉斯、达朗达赉所掠夺的高丽国的田地、房屋归还给高丽国王喇特纳实里。

戊戌(二十日),皇帝将前知枢密院事福鼎、实喇布哈、萨尔迪格召回京师。

当初,这三人因皇帝尚未即位,谋划杀死雅克特穆尔,被雅克特穆尔诬陷贬逐,所以给予纠正。

太史屡次上奏说天上星象发出警告,皇帝因为世祖皇帝在位长久,想效法他,辛丑(二十三日),下诏更改年号。

诏书大略说:"世祖皇帝在位长久,天人协和,各种福分都到来了,效法之意,正合朕的心怀。今特改元统三年为至元元年。"监察御史李好文奏:"年号袭用过去的名字,在古代没有听说过;袭用其年号名而不践行其实际做法,不见得有什么好处。"接着讲了不如世祖至元年间的时弊十余件,皇帝没有答复。

李好文到河东审核囚犯的案卷,有个叫李拜拜的犯了杀人罪,但行凶的情况不清楚,十四年没有判决。李好文说:"哪里有不判决案件达如此之久呢?"马上释放了囚犯。王傅萨都喇用脚踢死了人,众人都说:"杀人没有用刀,应当判杖刑。"李好文说:"仗势杀人,比用刀子还厉害。何况是有所企求而杀人,其情节更为严重。"于是判处死刑。河东地区为之震动肃然。

设立常平仓。

赵世延从至顺年间称病回家,不久皇帝下诏征召他回朝,因病不能成行,仍旧任命他为奎章阁大学士、翰林学士承旨、中书平章政事。

十二月,戊午(初十),太阳颜色如土红色。

乙丑(十七日),为太皇太后献上尊号"赞天开圣徽懿宣昭贞文慈佑储善衍庆福元太皇太后"。

丙子(二十八日),安庆、蕲州、黄州发生地震。

丁丑(二十九日),西番强盗作乱,朝廷派兵攻打。

戊寅(三十日),蒙古国子监建成。

闰十二月,丁亥(初九),太阳色赤如同红土,并持续了二天。

中书平章政事彻尔特穆尔曾指责武宗皇帝,于是御史台臣又弹劾他,而巴延也厌恶他忤逆自己,壬寅(二十四日),将他流放到安南,人们都以之为快。不久,他便死了。

这一年,赐天下田租的一半与百姓。

皇帝下诏:"凡是有妻室的僧人,要还俗为民。"不久,又听任为僧。

山东盗贼兴起。陈马骡及新李在白天杀人抢掠,山东廉访使达尔玛认为是官吏贪污所致,先弹劾免去了贪官的职务,然后向皇上提出擒贼的方略,朝廷表彰并采纳了他的意见。随即派兵捉拿贼人,齐、鲁地区得以安定。

至元二年 (公元1336年)

春季,正月,乙丑(十八日),宿松县发生地震,山体断裂。

这一月,在平江设置都水庸田使司。

前中书左丞王结去世,朝廷追封他为太原郡公,谥号文忠。

王结的言行都仿效古人。已故丞相张珪说:"王结不是圣贤的书不读,不是仁义之言不谈。"有识之士认为这是名言。

二月,甲申(初七),启明星经过天空。

戊子(十一日),皇帝下诏,将世祖皇帝所赐给王积翁的八十顷田还给他的儿子王都中。

当初,王积翁奉诏书告谕日本,为国牺牲,曾经受到恩赐,后没收入官。所以现在又重新赐给。

己丑(十二日),设立穆陵关巡检司。

丁酉(二十日),追赠皇帝生母玛勒岱为贞裕徽圣皇后。

三月,丁巳(十一日),将各朝皇帝的珠衣、七宝项牌赐给巴延。

庚申(十四日),太阳色赤如土红色。壬戌(十六日),又是这样。

乙丑(十九日),将萨敦在上都的住宅赐给太保定珠,仍下令要有关部门抄没萨敦的家产。

甲戌(二十八日),恢复四川盐、茶不许私营的禁令。

夏季,四月,丁丑朔(初一),太阳色赤如土红色。

丁亥(十一日),禁止百姓穿绣有麒麟、鸾凤、白兔、灵芝、双角五爪龙、八龙、九龙、万寿、福寿等图案字样以及赭黄色的衣服。

戊戌(二十二日),皇帝前往上都。

五月,丙午朔(初一),黄河回到原来的河道。

乙卯(初十),南阳、邓州连日下大雨,从这一天到六月甲申(初十),湍河、白河大泛滥,发生水灾。

壬申(二十七日),秦州发生山崩。

六月,丁丑(初三),朝廷禁止诸王、驸马的侍从卫士穿济逊衣,系绦环。

辛卯(十七日),将图卜台在汴梁、大名各路的土地赐给巴延。

礼部侍郎呼勒岱请求恢复科举取士的制度。朝廷没有听取他的意见。

庚子(二十七日),泾水泛滥。

秋季,七月,庚申(十七日),朝廷禁止越过中书省口传圣旨,冒领钱粮。

庚午(二十七日),皇帝下令赐立上都孔子庙碑,记载各朝尊崇孔子的内容。

这一月,黄州发生蝗灾,督促百姓捕捉,每人每日能捕五斗。

八月,甲戌朔(初一),出现日食。

皇帝下诏:"云南、广海、八番及甘肃、四川等边远地区的官员,死后不能运回家乡安葬的,有关部门供给粮食、船、车护送灵枢还乡;没有亲属的,官府负责安葬。"

庚子(二十七日),皇帝下诏:"凡强盗都处死刑;偷盗牛马的处割鼻之刑;偷盗驴骡的额上刺字,再犯处割鼻之刑;偷盗羊猪的在颈上刺字,再犯在额上刺字,三犯处割鼻之刑;割鼻后再犯的处死。盗其他物品的,照偷盗的数量估价。中书省、枢密院、御史台、五府官员三年一次审核判决。把这些写成法令。"

九月,戊辰(二十六日),皇帝从上都回到大都。

冬季,十月,己亥(二十七日),皇帝下诏:"每天,右丞相巴延、太保定珠、中书平章政事昂吉尔在内廷聚议国事。平章政事塔斯哈雅、右丞相衮巴布勒、参知政事纳琳、许有壬等在中书省聚议国事。"

十一月,壬子(初十),武宗、英宗、明宗三朝皇后的神主升祔于太庙,朝廷命官员致祭。

丁巳(十五日),朝廷派遣河南行省平章政事勒格布哈去西番当僧人。

这一月,中书平章政事赵世延去世,终年七十七岁,皇帝追封他为鲁国公,谥号文忠。

赵世延在中书省、御史台为官五十余年,凡有关军国利弊,生民休戚的大事,知无不言,而对儒生和名教伦理,更有拳拳诚恳相待之心。

十二月，江州各县发生饥荒，总管王大中向富人借贷粮食救济贫民，免除富人的杂徭作为利息，约定年成好时归还，百姓不再为病饥所困。

陕西行台监察御史札实向皇帝上密封奏折十条，即效法祖宗，总揽朝权纲纪，和睦宗室，礼敬功勋旧臣，珍惜名器，广开言路，恢复科举，停止扩充军队，统一刑法典章，宽松禁令法网。当时巴延等人变乱成法，皇帝正虚心听从他们的意见。札实所说，都是当时群臣所不敢讲的话。侍御史赵承庆见到他之后，叹息到："御史你讲到这些问题，是天下的福气啊！"

皇室外戚中有人在陕西行省执政，恣意胡行，札实揭发他的罪行而加以审查，那人弃职乘夜逃走，皇帝下诏不要逮问他，然而札实还是将他的亲信处以杖刑。

这一年，江浙干旱，自春季到八月不下雨，百姓发生大饥荒。

至元三年 （公元1337年）

春季，正月，癸卯(初二)，广州增城县百姓朱光卿造反，其同党石昆山、钟大明率领众人跟随他造反，伪称"大金国"，改元赤符。朝廷命指挥纽萨尔、江西行省左丞锡谛讨伐他们。

辛亥(初十)，将伊勒哲伯皇帝的神主迁入太庙受祭，谥号冲圣嗣孝，庙号宁宗。

豫王喇特纳实里在池州铜陵购买一处产银地，向朝廷请求用自己私人的钱开矿炼银，交纳官税。朝廷依从了他的请求。

戊午(十七日)，皇帝到柳林狩猎，共三十五天。监察御史绰迪、宋绍明进谏规劝，皇帝高兴地接受了他们的意见，赐给他们金、币。绰迪等坚决辞谢，皇帝说："过去魏征进谏，唐太宗没有不赏赐的，你们就收下吧。"

二月，壬申朔(初一)，发生日食。

棒胡在汝宁、信阳州造反。

棒胡本是陈州人，名闰儿，喜好使棒，棒长六、七尺，进退技击出神入化，所以称他为"棒胡"。到此时以烧香迷惑群众，制造妖言作乱，攻破归德府、鹿邑县，焚烧陈州，在杏冈屯营扎寨。朝廷命河南行省左丞庆图率兵讨伐。

丙子(初五)，设立船户提举司十处，提领二十处。给一千只船户的船定下科差标准，船料上等的每年交纳钱钞六锭，以下递减。

甲申(十三日)，朝廷制定服色、器皿、舆马的等级制度。

己丑(十八日)，汝宁地方官向朝廷献上所缴获的棒胡弥勒佛、小旗、伪宣敕及紫金印、量天尺。当时有忌妒汉官的大臣，把所献物品排列在地上，问道："这是想干什么呀？"意思是

刘福通铸"龙凤通宝"

汉官忌讳说造反，想以此罪名中伤汉官。侍御史许有壬说："这些人建立年号，自称李老君太子，部署士卒对抗官军，谋反的情况很清楚，还有什么可说！"大臣的话就被堵住了。

辛卯(二十日)，朝廷拨钱钞四十万锭，救济江浙等地饥民四十万户，开放当地的山场、河泊禁令，任凭百姓打柴采集。

广西瑶民又造反，朝廷命湖广行省平章诺海、江西行省平章图尔密实哈雅领兵剿捕。

庚子(二十九日),中书参知政事纳琳等人请求设立采珠提举司。

以前,曾设立采珠提举司,泰定年间,因为它扰害百姓被撤销。到这时又重新设立,而且将采珠的蜑户四万户赐给巴延。

三月,戊午(十七日),立鸿吉哩氏为皇后。因天下雨停止庆贺活动。皇后是武宗宣慈惠圣皇后的侄女,毓德王博啰特穆尔的女儿。

夏季,四月,癸酉(初三),禁止汉人、南人、高丽人执拿军器,有马的拘入官府。

己卯(初九),皇帝前往上都。

辛卯(二十一日),合州大足县百姓韩法师造反,自称南朝赵王。

己亥(二十九日),惠州归善县百姓聂秀卿、谭景山等打造军器,拜戴甲为定光佛,和朱光卿互相勾结作乱。朝廷命江西行省左丞锡迪剿捕他们。

这一月,皇帝下诏:"中书省、枢密院、御史台、六部、宣慰司、廉访司及路、府衙门的长官,都用蒙古人、色目人。禁止汉人、南人学习蒙古、色目文字。"

五月,辛丑朔(初一),民间谣传朝廷拘收童男、童女,一时间童男童女几乎全部结婚。

戊申(初八),皇帝下诏:"汝宁棒胡,广东朱光卿、聂秀卿等,均为汉人。汉人中有在中书省、御史台、枢密院做官及在翰林院、集贤院任职的,可商讨、寻求诛灭剿捕他们的办法上奏。"

甲寅(十四日),西番叛贼起事,杀镇西王之子丹巴。朝廷设立行宣政院,任命额森特穆尔为院使,前往讨伐。

壬戌(二十二日),朝廷命四川行省参政举理等追捕反贼韩法师。

丁卯(二十七日),彗星见于东北,大小象天船星,白色,长约尺余,彗头指向西南,到八月庚午(初三)才消失,共六十三日,从昴宿到房宿,共经历了十五个星宿。

六月,戊寅(初九),朝廷追赠丞相安图为推忠佐运开国元勋、东平忠宪王,在所封城内建立祠庙,官员致祭。

辛巳(十二日),连日大雨,从这天起到癸巳(二十四日)一直不停。御河、黄河、沁河、浑河水泛滥,淹没人畜、房屋甚多。

戊子(十九日),加封尹子、庚桑子、徐甲、列子、庄子为真君。

壬辰(二十三日),彰德府发生大水,平地水深一丈。

秋季,七月,癸卯(初五),皇帝外出打猎。丙午(初八),皇帝到达实喇鄂尔多。丁未(初九),到龙冈,洒马奶祭祀。

庚戌(十二日),河南武陟县庄稼即将成熟,蝗虫从东方飞来,县尹张宽仰天祈祷说:"宁可杀我县尹,不要伤害百姓。"一会儿,有一群鱼鹰飞来啄食蝗虫。

庚申(二十二日),皇帝下诏:"除了涉及人命干系的重大案件之外,凡是盗贼等案件,不用等候五府官审核记录,有关部门可按例判决。"

这一月,纽萨尔、锡谛擒获朱光卿,不久又追擒到石昆山、钟大明。

卫辉府从六月连绵不断下雨,一直到这一月,平地水深二丈余,淹没百姓房舍,百姓皆栖居在树上。郡守僧嘉努用船载饭供应灾民,将老弱百姓转移到城头居住,每天供给粮食。一个多月后,大水才退。

八月,辛巳(十四日),京畿地区盗贼兴起。壬午(十五日),京师发生大地震,太庙的梁柱震裂,各房间的墙壁都被震坏,压坏了各种仪仗器物,文宗皇帝的神主和御床也被压碎。西湖寺神御殿墙壁倒塌,压坏了各种祭器。从此不断发生地震,到丁亥(二十日),才停止,死伤百姓甚多。

癸未(十六日),河南发生地震。

放宽高丽人持拿军器的禁令。

这一月,皇帝从上都回到大都。

九月,己酉(十二日),在宁夏设立皮货所,设提领使、副使主持工作。

设立四川、湖广、江浙行枢密院。

冬季,十月,癸酉(初七),太阳色赤如土红色。

乙亥(初九),朝廷命江浙行省丞相绰斯戬提调海运。

国家费用所倚仗的运输途径,海运最为重要。绰斯戬安排有方,漕运大米三百余万石,全部运抵京师,没有损耗。

这一月,金华隐士许谦去世。

当时学者称何基、王柏、金履祥和许谦为金华四子。

十一月,丙午(初十),朝廷在雄州设立屯田。

这一月,启明星屡次经过天空。

十二月,任命满济勒噶台为太保、分枢密院,镇守北部边防。

满济勒噶台是巴延的兄弟,当时朝议要进封他为王,他推辞说:"兄封秦王,弟不宜同样接受王爵。"所以有这一任命。

这一年,巴延请求杀张、王、刘、李、赵五姓汉人,皇帝不同意。

皇帝下诏:赐予孝子靳曷墓碑。

靳曷是绛州曲沃人,兄长靳荣为奎章阁承制学士,以在朝为官奉养母亲王氏。母亲去世后,靳曷与靳荣护送灵柩回家。到平定,遇上大雷雨,流水突然冲来,靳曷伏在灵柩上,靳荣呼喊他躲避水流,靳曷不忍心离去,于是被大水淹没。后来,在三里外找到王氏灵柩,在五里外找到靳曷的尸体。所以,特赐给碑以表彰他。

札实授职浙西廉访司佥事。

札实到任后,立即查问都转运盐使、海道都万户、行宣政院等官员的贪赃罪,从此郡县官员没有敢贪污受贿的了。又因各佛寺私自庇护奸诈狡猾之徒,有所谓道人、道民、行童的这类人,都亵渎伦常,隐瞒徭役,致使民力日益消耗,经调查,仅嘉兴一路,这类人总数已达二千七百人之多。札实建议朝廷勒令他们回归本族为民,使他们供应皇赋,以稍微宽松民力。朝廷肯定了这个意见,就写成了法令。

皇帝下诏:由知岭北行枢密院事奈曼台承袭国王的爵位,授以金印。接着又因他有安边睦邻之功,赐给珠络半臂和海东名鹰、西域文豹。元朝制度,这些是最高的恩宠。

至元四年 (公元1338年)

春季,正月,丙申(初一),因发生地震,大赦天下。

皇帝下诏:"朝廷内外廉洁能干的官员,凡父母年过七十而家中没有成年男子侍养者,调到家乡附近任职,以便就近奉养双亲。"

宣政院使布埒齐因年七十辞官归里,皇帝授予他大司徒的头衔,终身供给他全部俸禄。

这一月,皇帝下诏修治曲阜孔子庙。

二月,丁卯(初二),撤销河南等五省行枢密院。

庚午(初五),皇帝在柳林打猎。

乙酉(二十日),奉圣州发生地震。

三月,辛酉(二十六日),皇帝命中书平章政事昂吉尔监修《至正条格》。

夏季,四月,辛未(初六),京师天降红沙,白天昏暗。

癸酉(初八),任命御史中丞托克托为御史大夫。托克托是满济勒噶台的儿子,早就被文宗皇帝所器重,说:"此子可以大用。"至此掌管监察,大振纲纪,朝廷内外肃然。

己卯(十四日),皇帝前往上都。

河南官员拘捕棒胡送到京师,处死。

癸巳(二十八日),皇帝在傍晚时到达八里塘,天降冰雹,大如拳头,其形状有的像小儿,有的像环玦、有的像狮、象、鱼卵的形状。

五月,任命佛嘉律为考功郎中,乔林为考功员外郎,魏宗道为考功主事,考核天下郡县官员的功过。

六月,辛巳(十二日),袁州百姓周子旺造反,僭称周王,更改年号。不久被擒获,处死。

己丑(二十日),邵武路降大雨,水冲入城郭,平地水深二丈,淹没了所有居民住宅。

这一月,信州路灵山断裂。

漳州路南胜县百姓李志甫,聚众围攻漳州城,守将绰斯戬迎战失利。贼兵转而抢掠龙溪县,县民萧景茂集结乡兵抵抗,战败被擒。贼兵胁迫他归顺自己,萧景茂骂道:"狗强盗,我生为大元民,死作隔州鬼,难道会跟随你作叛逆吗!"隔州是他家所在地。贼人大怒,把萧景茂绑在树上,割他的肉让他吃,萧景茂更加愤怒大骂,贼兵用刀戳进他口中直割到耳朵傍,萧景茂骂不绝声而死。有关部门向朝廷上报其事,朝廷命令褒扬表彰他,并给钱安葬。这时贼兵声势益盛,皇帝下诏,命江浙平章拜布哈调闽、浙、江西、广东四省兵前去讨伐,没有取胜。龙岩县尉黄佐才与贼兵作战,妻子儿女四十余口都被杀。事迹上报朝廷,授黄佐才为龙岩县尹。

秋季,七月,壬寅(初九),皇帝下诏:因巴延有功,在涿州、汴梁为他建立生祠。

己酉(十六日),奉圣州发生大地震,损坏了百姓的房屋。

丙辰(二十三日),巩昌府山崩,压死百姓。

八月,癸亥朔(初一),发生日食。

己巳(初七),申明不许娶高丽女子及用阉人的禁令。

辛未(初九),宣德府发生大地震。丙子(十四),京师发生地震,每日两三次,到乙酉(二十三日)才停止。

癸未(二十一日),将宣德府改为顺宁府,奉圣州改为保安州,因为这两个地区数次发生地震的缘故。

这一月,皇帝从上都回到大都。

5011

闰八月,戊戌(初六),太阳色赤如土红色。己亥(初七)、壬寅(初十)又出现这种情况。

九月,癸酉(十二日),有一颗流星如茶杯大小,白色,从右旗下出来,向西南而行,在近浊消失。

冬季,十月,辛卯朔(初一),祭祀太庙。

十一月,丁卯(初七),设立绍熙府军民宣抚都总使司。

绍熙府原来管辖六州、二十县、一百五十二镇。元朝初年,因其地荒凉而撤销了行政建制,到此时居民有二十余万,所以立府管理这一地区。任命御史大夫托克托兼任都总使,治书侍御史吉当普为副都总使。

原先,皇帝从上都出发,到达鸡鸣山的浑河,准备到保安州打猎,坐马跌倒。托克托进谏道:"古代的帝王端居于九重之上,每天与大臣、宿儒讲求治国之道,至于飞鹰、走狗,不是帝王应关心的事啊。"皇帝采纳了他的意见。

壬午(二十二日),四川散毛峒蛮造乱,朝廷派遣使臣救济被侵扰的人民。

十二月,戊戌(初八),设立邦牙等处宣慰司都元帅府并总管府。

先前,世祖皇帝平定缅地之后,因它地处云南最边远之处,就立其酋长为帅,命他每三年向朝廷进一次贡。到这次来进贡,所以设立了官府。

这一月,启明星屡次经过天空。

这一年,集贤大学士陈颢辞官归里,皇帝命令让他享受全俸在家养老。

前枢密院副使马祖常去世,追封魏郡公,谥号文贞。

马祖常在朝廷为官很久,有很多高明的建议,曾提议:"现在蒙古族及诸部,既然读圣贤之书,就应当知道尊敬他母亲,以看重伦理纲常。"又议论说:"将家的子弟骄横脆弱,有辜负所任使命的现象,而庶民百姓中有的挽强蹶张的大力勇士,却只能老死乡间。应当建立武学、武举,储备人才,以准备非常之时使用。"当时虽未被采用,有识之士却认为是对的。

续资治通鉴卷第二百八

【原文】

元纪二十六　起屠维单阏【己卯】正月,尽旃蒙作噩【乙酉】十二月,凡七年。

顺　帝

至元五年　【己卯,1339】　春,正月,癸亥,禁滥予僧人名爵。

二月,庚寅,信州雨土。

庚子,免广海添办盐课万五千引,止办元额。

集贤大学士致仕陈颢卒。颢出入禁闼数十年,乐谈人善,荐牍累数百。有讥之者,颢曰:"吾宁以谬举受罚,蔽贤诚所不忍。"士大夫因其荐拔以至通显,有终身莫知所自者。追封蓟国公,谥文忠。

夏,四月,癸巳,立巴延南口、过街塔二碑。

乙未,加封孝女曹娥为慧感灵孝昭顺纯懿夫人。

己酉,申汉人、南人、高丽人不得执军器、弓矢之禁。

是月,帝如上都。

镇江丹阳县雨红雾,草木叶及行人衣裳皆濡成红色。

六月,庚戌,长汀大水,没民庐八百家,赈恤之。

秋,七月,戊寅,诏:"诸王位下官毋入常选。"

甲申,常州宜兴山水出,势高(二)〔一〕丈,坏民庐。

八月,丁亥,帝至自上都。

九月,丁巳,赈沈阳饥。

自七月至是月,太白屡经天。

冬,十月,辛卯,享于太庙。

壬辰,禁倡优盛服,许男子裹青巾,妇女服紫衣,不许戴笠、乘马。

甲午,命巴延为大丞相,加元德上辅功臣之号,赐七宝玉书、龙虎金符。

十一月,戊辰,河南行省掾杞县范孟端谋不轨,诈为诏使,入行省,杀平章政事伊禄特穆尔、廉访使鄂勒哲布哈等,召官属及去位者署而用之。执大都路儒学提举归旸,俾北守黄河口;旸力拒不从,贼怒,系之狱。既而官军捕孟端,诛之,凡污贼者皆得罪,惟旸独免。旸同里有吴炳者,尝以翰林待制征不起,贼召司卯酉历,炳惧不敢辞。时人为之语曰:"归旸出角,吴炳无光。"旸之名用是大著。寻由国子博士拜监察御史,入谢,台臣奏曰:"此河南抗贼不屈者。"帝曰:"好事卿尝数为之。"赐以上尊。

癸酉,瑞州路、新昌路雨木冰,至明年二月始解。

十二月,巴延构陷郯王齐齐克图,请赐之死,帝未允,辄传旨杀之;又奏贬宣让王特穆尔布哈、威顺王库春布哈,不俟命即遣之。帝为之不平。

至元六年 【庚辰,1340】 春,二月,己亥,黜中书大丞相巴延为河南行省左丞相。

诏曰:"朕践位以来,命巴延为太师、秦王、大丞相,而巴延不能安分,专权自恣,欺朕年幼,轻视太皇太后及朕弟雅克特古斯,变乱祖宗成宪,虐害天下。加以极刑,允合舆论。朕念先朝之故,尚存悯恤,今出为河南行省左丞相。所有元领诸卫亲军并集赛丹人等,诏书到时,即许散还本卫。"

初,巴延既诛腾吉斯,独秉国钧,渐有异谋,帝患之。巴延素养其侄托克托为己子,欲令宿卫,侦帝起居,惧涉物议,乃以知枢密院旺嘉努、翰林学士承旨实喇卜同侍禁近。巴延自领诸卫精兵,以杨珠布哈为羽翼,导从之盛,填溢街衢,而帝之仪卫反落落然,天下之人知有巴延而已。托克托深忧之,私请于其父满济勒噶台曰:"伯父骄纵已甚,万一天子震怒,吾族赤矣,曷若于未败图之!"其父亦以为然。托克托复质于其师浦江吴直方,直方曰:"传有之,大义灭亲。大夫果欲忠于国,馀复何顾!"一日,乘间于帝前自陈忘家徇国之意,帝犹未之信。时帝前后左右皆巴延之党,独沙克嘉本、阿噜为帝腹心,乃遣二人与托克托游,日以忠义之言相与往复论辨,乃悉其心靡他。二人以闻于帝,帝始信之不疑。及巴延擅贬二王,帝决意逐之,一日泣语托克托,托克托亦泣下。归与直方谋,直方曰:"此大事,议论之际,左右为谁?"曰:"阿噜及托克托穆尔。"直方曰:"子之伯父,挟震主之威,此辈苟利富贵,其语一泄,则主危身戮矣。"托克托乃延二人于家,置酒张乐,昼夜不令出。遂与沙克嘉本等谋,欲俟巴延入朝擒之,戒卫士,严宫门出入,蟠坳皆置兵。巴延见之大惊,召托克托责之,对曰:"天子所居,防禁不得不尔。"然遂疑托克托,亦增兵自卫。

至是,巴延以所领兵卫请帝出畋,托克托劝帝称疾不往;巴延固请,乃命太子雅克特古斯与巴延出次柳林。托克托遂与阿噜等合谋,悉拘京城门钥,命所亲信列布城门下。是夜,奉帝居(王)〔玉〕德殿,召省、院大臣先后入见,出五门听命。夜二鼓,遣集赛伊彻察喇率三十骑抵营中,奉太子入城,又召杨珮、范汇入,草诏数巴延罪状,命平章政事珠尔噶岱赍赴柳林。黎明,巴延遣骑士至城下问故,托克托踞城上,宣言:"有旨黜丞相一人,诸从官无罪,可各还本卫。"巴延乞陛辞,不许。道出真定,父老奉觞酒以进,巴延曰:"尔曹见子杀父事乎?"对曰:"不曾见子杀父,惟闻有臣弑君。"巴延俯首,有惭色。

以太保满济勒噶台为太师、中书右丞相,太尉塔斯哈雅为太傅、知枢密院事,特默齐为太保,御史大夫托克托为知枢密院事,旺嘉努为中书平章政事,岭北行省平章政事额森特穆尔为御史大夫。额森特穆尔,托克托之弟也。

壬寅,诏:"除托克托之外,诸王侯不得悬带弓箭、环刀辄入内府。"

乙巳,罢各处船户提举、广东采珠提举二司。

丁未,罢通州、河西务等处抽分。

己酉,彗星如房星大,色白,状如粉絮,尾迹约长五寸馀。彗指西南,渐向西北行。

三月，甲寅，漳州义士陈君用，袭杀反贼李志甫，授君用同知漳州路总管府事。

丙辰，赦漳、潮二州民为李志甫、刘虎仔胁从之罪，褒赠军将死事者。

辛未，诏徙巴延于南恩州阳春县安置；行至龙（舆）〔兴〕路驿舍，病死。

庚辰，彗灭，自二月己酉至是日，凡三十二日。

夏，四月，丙午，诏封满济勒噶台为忠王，赐号达尔罕，固辞不受。御史请示天下以劝廉让，从之。

五月，癸丑，禁民间藏军器。

甲子，庆元奉化州山崩，水涌出平地，溺死人甚众。

丙子，帝如上都。

六月，丙申，诏废文宗庙主，迁太皇太后鸿吉哩氏于东安州安置，放雅克特古斯于高丽。

诏曰："自武宗升遐，太后惑于憸慝，皇考出封云南。英宗遇害，皇考以武宗之嫡，逃居沙漠，宗王大臣同心翊戴，以地近先迎文宗暂总机务。继知天理人伦所在，假让位之名，以宝玺来上，皇考推诚不疑，即立为皇太子。文宗当躬迓之际，乃与其臣伊噜布哈、额勒雅、〔明〕埒栋阿等谋为不轨，使我皇考饮恨上宾。归而再御宸极，又私图传子，乃构流言，嫁祸于必巴实皇后，谓朕非明宗之子，遂俾出居遐陬，内怀愧歉，则杀额勒雅以杜口；上天不佑，随降殒罚。叔婶布达实哩，怙其势焰，不立明宗之冢嗣，而立孺稚之弟伊埒哲伯，奄复不年，诸王大臣以贤以长，扶朕践位。赖天之灵，权奸屏黜，尽孝正名，不得复缓，永惟鞠育罔极之恩，忍忘不共藏天之意。既往之罪，不可胜诛，其命太常彻去图卜特穆尔在庙之主，布达实哩削太皇太后之号，徙东安州安置，雅克特古斯放诸高丽。当时贼臣布哈、额勒雅已死，其以明埒栋阿等明正典刑。"

监察御史崔敬言："文皇获不轨之愆，已撤庙祀，叔母有阶祸之罪，亦削鸿名。尽孝正名，斯亦足矣。惟念皇帝雅克特古斯太子，年方在幼，罹此播迁，天理人情，有所不忍。方明皇上宾，皇弟尚在襁褓，未有知识，义当矜悯。盖武宗视明、文二帝，皆亲子也，陛下与太子，皆嫡孙也。以武皇之心为心，则皆子孙，固无亲疏；以陛下之心为心，未免有彼此之论。臣请以世喻之，常人有百金之产，尚置义田，宗族困厄者，为之教养，不使失所，况皇上贵为天子，富有四海，子育黎元，当使一夫一妇无不得其所。今乃以同气之人置之度外，适足贻笑边邦，取辱外国；况蛮夷之心，不可测度，倘生它变，关系非轻，兴言及此，良为寒心！望陛下遣归太后、太子，以全母子之情，尽骨肉之义。天意回，人心悦，则宗社幸甚！"书奏，不报。未几，太后崩于东安州，雅克特古斯于中道遇害。

己亥，秦州成纪县山崩地坼。

庚戌，处州松阳、龙泉二县积雨，水涨入城中，深丈馀，溺死者五百馀人。遂昌县尤甚，平地二丈馀。桃源乡山崩，压死者三百六十馀。

秋，七月，甲寅，诏封微子为仁靖公，箕子为仁献公，比干加封为仁显忠烈公。

戊午，以星文示异，地道失宁，蝗旱相仍，颁罪己诏于天下。

戊寅，命翰林学士承旨腆哈、奎章阁学士库库等删修《大元通制》。

是月，禁色目人勿妻其叔母。

八月，帝至自上都。

九月,辛亥,明垲栋阿伏诛。

癸丑,加封汉张飞"武义忠显英烈灵惠助顺王"。

丙寅,诏:"今后有罪者,毋籍其妻女以配人。"

冬,十月,甲申,尊皇考为"顺天立道睿文知武大圣孝皇帝",亲裸太室。

壬辰,立曹南王阿喇罕、淮安王巴延、河南王阿珠祠堂。

壬寅,满济勒噶台辞右丞相职,仍为太师;以托克托为中书右丞相,宗正达噜噶齐特穆尔布哈为左丞相。

满济勒噶台使人于通州开酒馆、糟房,日卖至万石,又广贩长芦、淮南盐,托克托不以为然,属参政佛家律曰:"吾父喜君,君所言无不听,盍谏吾父使解职!不然,人将议我家逐其兄而攘其位,众口甚可畏也。"佛嘉律如其言,乘间讽之。满济勒噶台遂辞职家居,而托克托代其位。

是月,河南府宜阳等县大水,漂没民庐,溺死者众;人给殡葬钞一锭,仍赈义仓粮两月。

十一月,辛未,以孔克坚袭封衍圣公。

十二月,诏复行科举。国子监积分生员,三年一次,依科举入会试,中者取一十八人。初,中书参知政事阿荣,精于数学,逆推多奇中。天历三年,策士之日,与虞集会于直庐,语集曰:"更一科后,科举当辍,辍两科而复,复则人材彬彬大出矣。"已而果然。

戊子,罢天历以后增置官属。初,文宗设太禧宗禋等院及奎章阁、艺文监,至是大臣议悉革罢。翰林学士承旨库库曰:"民有千金之产,尚设家塾以延馆阁,堂堂天朝,一学房乃不能容耶?"帝然之,改奎章阁为宣文阁,艺文监为崇文监,就命库库董治,馀悉罢之。库库又请置检讨等职十六员以备进讲,帝皆俞允。

虞集既谢病归,帝尝遣使赐上尊酒,金织文锦二,召还禁林。集病作,不能行,屡有敕即家撰文以褒锡勋旧,至是侍臣有以旧诏为言者,帝不怿曰:"此我家事,岂由彼书生耶?"

是岁,立奇氏为第二皇后。后,高丽人,徽政院使图们岱尔进为宫女,主供著饮以事帝,性颖黠,日见宠幸。奇彻皇后方骄妒,数棰辱之。奇彻后既遇害,帝欲立之,丞相巴延争不可。巴延死,实喇卜遂请立为第二皇后,居兴圣宫,置资正院使以掌其财赋。后无事则取《女孝经》、史书,访问历代皇后之有贤行者为法。四方贡献,或有珍味,辄先遣使荐太庙,然后敢食。奇氏在高丽家微,用后贵,三世皆追封王爵。

至正元年 【辛巳,1341】 春,正月,己酉朔,诏改至元七年为至正元年,与天下更始。

癸亥,诏天寿节禁屠宰六日。

是月,命右丞相托克托领经筵事。

免天下税粮五分。

命永明寺写金字经一藏。

二月,印造至元钞九十九万锭,中统钞一万锭。

三月,己未,汴梁地震。

夏,四月,丁丑,道州土贼蒋丙等反,破江华县,掠明远县。

戊寅,彰德有赤风自西北起,忽变为黑,昼晦如夜。

庚寅,帝幸护圣寺。

命中书右丞特穆尔达实为平章政事,阿噜为右丞,许有壬为左丞。特穆尔达实,国王托克托之子也。巴延罢相,庶务多所更张,特穆尔达实尽心辅赞,每入番直,帝为出宿宣文阁,赐坐榻前,询以政道,必夜分乃罢。

己亥,立吏部司绩官。

庚子,复封太师满济勒噶台为忠王。

罢漷州河西务行用库。

是月,帝如上都。

五月,戊申,以崇文监属翰林国史院。

闰月,甲午,赏赐扈从明宗诸王官属八百七人金银、币帛各有差。

壬寅,诏刻宣文、至正二宝。

六月,戊午,禁高丽及诸处民以亲子为宦者,因避赋役。

是月,扬州路崇明、通、泰等州,海潮涌溢,溺死一千六百馀人,赈钞万一千八百馀锭。

时帝在上都,不御内殿,监察御史崔敬上疏曰:“世祖以上都为清暑之地,车驾行幸,岁以为常。阁有大安,殿有鸿禧、睿思,所以保养圣躬,适起居之宜,存敬畏之心也。实勒鄂尔多斯,乃先皇所以备晏游,非常时临御之所。今国家多故,天道变更,愿大驾还大内,居深宫,严宿卫,与宰臣谋治道,万几之暇,则命经筵进讲,究古今盛衰之由,缉熙圣学,乃宗社之福也。”帝又数以历代珍宝分赐近侍,敬复上疏曰:“臣闻世皇时,大臣有功,所赐不过馨带,重惜天物,为后世虑至远也。今山东大饥,燕南亢旱,海潮为灾,天文示儆,地道失宁,京畿南北蝗飞蔽天,正当圣主恤民之时。近侍之臣,不知虑此,奏禀承请,殆无虚日,甚至以府库百年所积之宝物,遍赐仆御、阉寺之流,乳稚、童孩之子,帑藏几空。万一国有大事,人有大功,又将何以为赐乎?宜追回所赐,以示恩不可滥,庶允公论。”

秋,八月,帝至自上都。

九月,壬寅,许有壬进讲明仁殿,帝悦,赐酒宣文阁中,仍赐豹裘、金织文币。

冬,十月,戊午,月食既。

十一月,猺贼寇边,湖广行省平章袞巴布勒总兵讨平之。

十二月,乙卯,诏:“民年八十以上,蒙古人赐缯帛二表里,其馀州县,旌以高年耆德之名,免其家杂役。”

道州路民何仁甫等兵起,土贼蒋丙等与之合,攻破江华等州县,溪洞猺二百馀寨亦相率入边抄掠。

山东、燕南,强盗纵横,至三百馀处,选官捕之。

是月,复立司禋监,加封真定路滹沱河神为昭佑灵源侯。

太常博士逯鲁曾复拜监察御史,劾太尉达实哈雅昂吉尔,右丞袞巴布勒,刑部尚书鄂都玛勒,御史吉当普,院使哈(剩)〔剌〕、鄂(哲勒)〔勒哲〕、伊鲁布哈,郎中吕思诚,皆黜之。八人之中,惟思诚少过,亦变祖宗选法,馀皆巴延之党,朝廷肃然。除枢密院都(士)〔事〕上言:“前巴延专杀大臣,其党利其妻女,巧诬以罪。今大小官及诸人有罪,止坐其身,不得籍其妻女,郯王为巴延构陷,妻女流离,当恤其无辜,给复子孙。”从之,除刑部员外郎,悉辨正横罹巴延所诬者。

时国子监蒙古、回回、汉人生员凡千馀,然祭酒、司业、博士多非其人,惟粉饰章句,补葺时务,以应故事。在监诸生,日啖笼炊粉羹,一人之食,为钞五两。而十百为群,恬嬉玩偈,以嫚侮嘲谑相尚;或入茶酒肆,则施屏风以隔市人,饮罢不偿直,掉臂而出,莫敢谁何。

至正二年 【壬午,1342】 春,正月,丙戌,托克托用人言,于都城外开河置闸,引金口浑河之水,东达通州以通舟楫,深五十尺,广一百五十尺,役夫十万人。时廷臣多言不可,而托克托排群议不纳。左承许有壬言:"浑河之水,湍悍易决,足以为害;淤浅易塞,不可行舟。况西山水势高峻,金时在城北,流入郊野,纵有冲决,为害亦轻。今则在都城西南,若霖潦涨溢,加以水性湍决,宗社所在,岂容侥幸!即成功一时,亦不能保其永无冲决之患。"托克托终不听。

是月,大同饥,人相食,运京师粮赈之。

二月,壬寅,颁《农桑辑要》。

乙卯,李沙的伪造御宝圣旨,称枢密院都事,伏诛。

三月,戊寅,亲试进士七十八人,赐拜珠、陈祖仁等及第、出身。

夏,四月,辛丑,冀宁路平晋县地震,声如雷,裂地尺馀,民居皆倾。

是月,帝如上都。

金口河工毕,启闸放水,湍急沙壅,船不可行。而开挑之际,毁民庐舍、坟茔,夫丁死伤甚众,费用不赀,卒以无功。既而御史纠劾建言者,中书参议博啰特穆尔、都水傅佐并伏诛。

五月,甲申,太白经天。

丁亥,东平雨雹,如马首。

六月,戊申,命江浙拨赐僧道田,运官征粮以备军储。

壬子,济南山崩,水涌。

是月,汾水大溢。

秋,七月,庚午,惠州路罗浮山崩。

己亥,庆远路莫八聚众反,攻陷南丹、左、右两江等处,命托克托赤颜讨平之。

立司狱司于上都,比大都兵马司。

是月,佛郎国贡异马,长一丈一尺三寸,高六尺四寸,身纯黑,后蹄皆白。

八月,庚子朔,日有食之。

九月,己巳,诏遣湖广行省平章政事衮卜布勒领河南、江浙、湖广诸军讨道州贼,平之,复平溪峒堡塞二百馀处。

辛未,帝至自上都。

丁丑,京城强贼四起。

是月,归德府睢阳县因黄河为患,民饥,赈粜米万三千五百石。

冬,十月,己亥朔,日有食之。

壬戌,诏遣官致祭孔子于曲阜。

罢织染提举司。

甲子,权免两浙额盐十万引,福建馀盐三万引。

十二月,己酉,京师地震。

癸亥，阿鲁、图们等以谋害宰臣，图为叛逆，伏诛。

是岁，以御史大夫博尔济布哈为江浙行省左丞相。行至淮东，闻杭城大火，烧官廨民庐几尽，仰天挥涕曰：“杭，江浙省所治，吾被命出镇而火如此，是吾不德累杭人也！”疾驰赴镇，即下令，录被灾者二万三千馀户，户给钞一锭，焚死者亦如之，人给月米一斗，幼稚给其半。又请日减酒课，为钱千二百五十缗，织坊减元额之半，军器、漆器权停一年，泛税皆停。事闻，朝廷从之。又大作省治，民居附其旁，增直买其基，募民就役，则厚其佣直。又请岁减江浙、福建盐课十三万引。或遇淫雨亢旱，辄祷于神祠，无不应。在镇二年，虽儿童、妇女，莫不感其恩。

以户部郎中盖苗为御史台都事。御史大夫欲以故人居言路，苗曰：“非其才也。”大夫不悦而起。其晚，邀至私第以谢，人两贤之。寻出为山东廉访副使。益都、淄、莱地旧称产金，朝廷建一府、六所综其事，民岁买金以输官，至是六十年矣。民有忤其官长意，辄谓所居地有金矿，掘地及泉而后止。猾吏为奸利，莫敢谁何，苗建言罢之，其害遂息。

监察御史成遵扈从至上都，上封事言：“天子宜慎起居，节嗜欲，以保养圣躬，圣躬安则社稷安矣。”言甚迫切，帝改容称善。又言台察四事：一曰差遣台臣，越职问事；二曰左迁御史，杜塞言路；三曰御史不思尽言，循叙求进；四曰体覆廉访，声迹不实，贤否混淆。帝皆嘉纳，谕台臣曰：“遵所言甚善，皆世祖风纪旧规也。”特赐上尊旌其忠。遵又言江浙火灾当赈恤，及劾达噜噶齐不法十事，皆从之。复上封事言时务：一曰法祖宗，二曰节财用，三曰抑奔竞，四曰明激劝。奏入，帝称善久之，命中书速议以行。一岁之中，言事并举劾凡七十馀章，皆指讦时弊。执政者恶之，改刑部员外郎，寻出为陕西行省员外郎，以母病辞归。遵，穰县人也。

至正三年 【癸未，1343】 春，正月，丙子，中书左丞许有壬罢。

先是，有壬父熙载仕长沙日，设义学训诸生，既没而诸生思之，为立东冈书院，朝廷赐额设官，以为育才之地。南台监察御史穆巴喇锡，缘睚眦之怨，言书院不当立，并构浮辞诬蔑有壬及其二弟有仪、有孚，有壬遂称病归。

二月，丁未，辽阳沃济野人叛。

是月，汴梁新郑、密二县地震。秦州成纪县、巩昌府宁远、伏羌县山崩，水涌，溺死者无算。

三月，壬申，造鹿顶殿。

监察御史成遵等，请用终场下第举人充学正、山长，国学生会试不中者，与终场举人同。

戊寅，诏：“作新风宪。在内之官有不法者，监察御史劾之；在外之官有不法者，行台监察御史劾之。岁以八月终出巡，次年四月中还司。”

是月，诏修辽、金、宋三史。初，世祖立国史院，首命王鹗修辽、金二史。宋亡，又命史臣通修三史。延祐末，国史院编修官袁桷请购求辽、金、宋遗事，从之。然义例未定，有欲如《晋书》例，以宋为本纪而辽、金为载记者，或又谓辽立国先于宋五十年，宋南渡后尝称臣于金，以为不可；又有待制王理者，著《三史正统论》，欲以辽、金为《北史》，建隆至靖康为《宋史》，建炎以后为《南宋史》；一时士论不决，至是诏厘为三史，而各统其所统。以中书左丞相托克托为都总裁官，平章政事特穆尔达实、右丞贺惟一、御史中丞张起岩、翰林学士欧阳玄、侍御史吕思诚、翰林侍讲学士揭傒斯为总裁官。惟一，胜之子也。

托克托问修史以何为本，偰斯曰："用人为本，有学问文章而不知史事者不可与，有学问文章知史事而心术不正者不可与，用人之道，又当以心术为本也。"又与僚属言："欲求作史之法，须求作史之意。古人作史，虽小善必录，小恶必记。不然，何以示惩劝!"由是毅然以笔削自任，凡政事得失、人才贤否，一律以是非之公。至于物论之不齐，必反复辨论，以求归于至当而后止。

起岩熟于金源典故，宋儒道学原委，尤多究心。有露才自是者，每立言未当，起岩据理审定，深厚醇雅，理致自足。

玄发凡举例，俾论撰者有所据依。史官中有悻悻露才，议论不公者，玄不以口舌争，俟其呈稿，援笔审定之，统系自正。其于论赞、表奏，皆玄属笔。

夏，四月，丙申朔，日有食之。

是月，帝如上都。

六月，壬子，命经筵官月进讲者三。

是月，中书户部以国用不足，请撙节浮费。

回回剌里五百馀人，渡河寇掠解、吉、隰等州。

秋，七月，戊辰，修大都城。

是月，兴国路旱。河南自四月至是月，霖雨不止。

八月，山东有贼焚掠兖州。

帝至自上都。

九月，甲子，湖广行省平章袤巴布勒，擒道州、贺州猛贼首唐大二、蒋仁五至京师，诛之。其党蒋丙，自号顺天王，攻破连、桂二州。

冬，十月，戊戌，帝将祀南郊，告祭太庙。至宁宗室，遣阿噜问同知太常礼仪院事李好文曰："朕，宁宗兄也，当拜否?"好文与博士刘闻对曰："宁宗虽弟，其为帝时，陛下为之臣。春秋时，鲁闵公，弟也，僖公，兄也，闵公先为君，宗庙之祭，未闻僖公不拜。为人后者，为之子也。陛下当拜。"帝乃拜。由是每亲祀，必命好文摄礼仪使。

己酉，帝亲祀上帝于南郊，以太祖配。

己未，以南郊礼成，大赦天下，蠲民间田租五分，赐高年帛。

十二月，丙申，诏写金字《藏经》。

丁未，以翰林学士承旨博尔济布哈为中书左丞相，特穆尔布哈罢。

是月，胶州及属县高密地震。

是岁，诏立常平仓，罢民间食盐。

征遗逸托音巴延、张瑾、杜本。本辞不至。本，清江人，在武宗时，尝被召至京师，即归武夷山中，文宗闻其名，征之，不起。至是右丞相托克托荐之，召为翰林待制兼国史院编修官。使者致君相意，趣之行，至杭州，称病固辞，而致书于托克托曰："以万事合为一理，以万民合为一心，以千载合为一日，以四海合为一家，则可言制礼作乐，而跻五帝、三王之盛矣。"遂不行。时有金华张枢，亦屡征不起。

既又征隐士鄂勒哲图、济尔噶朗、董立、李孝光，诏以鄂勒哲图、济尔噶朗为翰林待制，立修撰，孝光著作郎。或疑其太优，右丞相特穆尔达实曰："隐士无求于朝廷，朝廷有求于隐士，名爵岂足吝惜耶!"识者诵之。

卫辉、冀宁、忻州大饥,人相食。

监察御史李稷劾奏宦官高龙卜"恃赖恩私,侵挠朝政,擅作威福,交通时相,为国基祸,请窜逐之"。章上,流龙卜于征东。又言:"御史封事须至御前开拆,以防壅蔽之患;言事官须优加擢用,以开谏诤之路;殿中侍御史、给事中、起居注须任端人直士,书百司奏请及上所可否,月达省台,付史馆,以备纂修之实。"承天护圣寺火,诏更作之,稷言水旱相仍,公私俱乏,不宜妄兴大役,议遂寝。稷,滕州人。

监察御史乌古逊良桢,以帝方揽万几,不可不求贤自辅,乃上疏言:"祈天永命之术,在乎敬身修德而已。今经筵多领以职事臣,数日一进讲,不逾数刻已罢,而蛰御小臣,恒侍左右,何益于盛德哉!请招延宿儒若许衡者数人,置于禁密,常以唐、虞、三代之道启沃宸衷,日新其德。"又以国俗父死则妻其后母,兄弟死则收其妻,父母死无忧制,遂上言:"纲常皆出于天而不可变。议法之吏,乃云国人不拘此例,诸国人各从本俗,是汉人、南人当守纲常,国人、诸国人不必守纲常也。名曰优之,实则陷之;外若尊之,内实侮之;推其本心,所以待国人者不若汉人、南人之厚也。请下礼官有司及右科进士在朝者会议,自天子至于庶人,皆从礼制,以成列圣未遑之典,明万世不易之道。"奏入,皆不报。

至正四年 【甲申,1344】 春,正月,辛巳,诏:"定守令黜陟之法,六事备者升一等,四事备者减一资,三事备者平迁,六事俱不备者降一等。"

庚寅,河决曹州,雇夫万五千八百修筑之。

是月,河又决汴梁。

三月,壬寅,特授巴图玛多尔济征东行省左丞相,嗣高丽国王。王本名昕,高丽国王王祯之长子也。祯在国淫暴无道,帝以槛车征至,流之于揭阳,无一人从行者;祯手持衣袂以去,至岳阳而死。帝乃命昕嗣其位。

夏,四月,帝如上都。

五月,甲辰,中书右丞相托克托罢,以知枢密院事阿噜图为右丞相。托克托固辞相位,帝问谁可代者,以阿噜图对,遂擢用之。封托克托为郑王,食邑安丰,赐金印及海青、文豹等物,俱辞不受。

阿噜图既为相,议除一人为刑部尚书,或难之曰:"此人柔软,于刑部非所宜。"阿噜图曰:"选(侩)〔刽〕子邪?若选(侩)〔刽〕子,须用强壮人。尚书详谳刑狱,不枉人坏法,即是好官,何用强壮者为!"其为治知大体如此。

是月,大霖雨二十馀日,黄河暴溢,北决白茅堤。

六月,己巳,赐托克托松江田,为立松江等处稻田提领所。

是月,黄河又北决金堤,曹、濮、济、兖皆被灾,民老弱昏垫,壮者流离四方。水势北侵安山,沿入会通、运河,延袤济南、河间,将坏两漕司盐场,省臣以闻。朝廷患之,遣使体量,仍督大臣访求治河方略。

秋,七月,戊子朔,温州飓风大作,海水溢,地震。

益都濒海盐徒郭火你赤作乱。

是月,滦河水溢。

八月,丁卯,山东霖雨,民饥相食,赈之。

丙戌,赐托克托金银钞帛,辞不受。

是月,莒州蒙阴县地震。

郭火你赤上太行,由陵川入壶关,至广平,杀兵马指挥,复还益都。

帝至自上都。

九月,丁亥朔,日有食之。

丙午,命中书平章政事贺惟一提调都水监。

冬,十月,乙酉,议修黄河、淮水堤堰。

十一月,丁亥朔,令民入粟补官以备赈济。有匿奸罪而输粟得七品杂流者,为怨家所告,有司议,输粟例无有过不与之文。中书右司郎中成遵以为:"卖官鬻爵,已非令典;况又卖于奸淫之人,其何以为治!必夺其敕,还其粟,著为令。"从之。又有议赃吏丧不许归葬,须竟其狱者,遵曰:"恶人固可怒,然与人伦孰重?国家以孝治天下,宁失罪人,不可使天下有无亲之子。"议遂寝。

十二月,戊寅,猺贼寇靖州。

是月,汉阳、东平皆地震。

是岁,《辽史》成,仍督早成金、宋二史。总裁官翰林侍读学士揭傒斯留宿史馆,朝夕不敢休,因得寒疾,七日卒。

先是傒斯数求去,不许,命丞相托克托及执政大臣面谕毋行,傒斯曰:"使揭傒斯有一得之献,诸公用其言而天下蒙其利,虽死于此何恨!不然,何益之有!"托克托因问:"方今致治何先?"傒斯曰:"储材为先。养之于名位未隆之时,而用之于周密庶务之后,则无失材废事之患矣。"一日,集议朝堂,傒斯抗言当兼行新旧铜钱以救钞法之弊,执政言不可,傒斯持之益力。托克托虽称不阿,而竟莫行其言也。至是卒,给驿护丧归江南,追封豫章郡公,谥文安。

猺贼寇浔州,同知府事保董率民兵击走之。

至正五年 【乙酉,1345】 春,正月,蓟州地震。

三月,辛卯,帝亲试进士七十有八人,赐巴布哈、张士坚等及第、出身。

是春,东平路及徐州路大饥,人相食。

以陈思谦参议中书省事。先是思谦建言:"所在盗起,盖由岁饥民贫,宜大发仓廪赈之以收人心,仍分布重兵镇抚中夏。"不听。

夏,四月,募富户出米五十石以上者,旌以义士之号。

帝如上都。

五月,己丑,诏以军士所掠云南子女千一百人放还乡里,仍给其行粮,不愿归者听。

辛卯,翰林学士承旨库库卒,年五十一,谥文忠。库库在帝左右,论思献纳,多所匡救。以重望居高位,而雅爱儒士,甚于饥渴,以故四方士大夫翕然萃于其门。达官有怙势者,言曰:"儒有何好,君酷爱之?"库库曰:"世祖以儒足以致治,命裕宗学于赞善王恂。今秘书所藏裕宗仿书,当时御笔于'学生'之下,亲署'御名习书谨呈',其敬慎若此。世祖尝暮召我先人坐寝榻下,陈说《四书》及古史治乱,至丙夜不寐,世祖喜曰:'朕所以令卿从许平仲学,正欲卿以嘉言入告朕耳。卿益加懋敬以副朕志。'今汝言不爱儒,宁不念圣祖神宗笃好之意乎!

且儒者之道，从之则君仁、臣忠、父慈、子孝，人伦咸得，国家咸治；违之则人伦咸失，国家咸乱。汝欲乱而家，吾弗能御；汝慎勿以斯言乱吾国也。儒者或身若不胜衣，言若不出口，然腹中贮储，有过人者，何可易视也！"

既而出为江浙行省平章政事，明年，复以翰林学士承旨召还。时中书平章政事阙员，近臣欲有所荐用，以言觇帝意，帝曰："平章已有人，今行半途矣。"近臣知帝意在库库，不复荐人。至京七日，感热疾卒。家贫，几无以为敛。帝闻，震悼，赐赙银五锭，其所负官中营运钱，台臣奏以罚布为之代偿。

六月，庐州张顺兴出米赈饥，旌其门。

秋，七月，丁亥，河决济阴，漂官民庐舍殆尽。

丙午，命额森特穆尔、特穆尔达实并为御史大夫。诏作新风纪。

八月，帝至自上都。

九月，壬午朔，日有食之。

辛丑，以中书右丞达实特穆尔为翰林学士承旨，中书参知政事绰斯戬为右丞，资政院使多尔济巴勒为中书参知政事。旋命多尔济巴勒同知经筵事、提调宣文阁。时纂集《至正条格》，多尔济巴勒曰："是书上有祖宗制诰，安得独称今日年号；又律中条格，乃其一门耳，安可独以为书名！"时相不能从，唯除制诰而已。

冬，十月，壬子，以中书平章政事贺惟一为御史大夫。初，惟一迁宣徽院使，宣徽典饮膳，权势多横索，惟一取簿阅之，惟太常礼仪使阿喇布哈一无所需，惟一因言于帝，请擢居近职，且厚赐之。故事，台端非国姓不以授，惟一固辞，诏特赐蒙古氏，而改其名曰泰费音。

辛酉，命诸臣奉宣抚巡行天下。

集贤侍讲学士苏天爵巡京畿道，究民所疾苦，察吏之奸贪，其兴除者七百八十有三事，其纠劾者九百四十有九人。都人有包、韩之誉。然以忤时相意，竟坐不称职，罢归。

辛未，辽、金、宋三史成。右丞相阿噜图进之，鼓吹导从，自史馆进至宣文阁，帝具礼服接之，因谓群臣曰："史既成书，前人善者取以为法，恶者取以为戒，非独为君者当然，人臣亦宜知之。"是日，大宴群臣于宣文阁。托克托进曰："给事中、殿中侍御史所纪录陛下即位以来事迹，亦宜渐加修撰，收入金縢。"帝曰："待朕它日归天，令吾儿修之可也。仍以御图书封藏金縢，自今以后，不许有所入。"托克托遂不复言。时给事、殿中之职，皆纨袴子弟为之，备员而已，全无所书，史事遂废。

己卯，监察御史布达实里请罢造作不急之务。

十一月，甲午，《至正条格》成。

奉元路民陈望叔，伪称雅克特古斯太子，伏诛。

十二月，丁巳，诏定荐举守令法。

是岁，以河决，遣礼部尚书台哈布哈奉珪玉、白马致祭于河神。台哈布哈还，言："淮安以东，河入海处，宜仿宋置撩清夫，用辊江龙铁埽撼荡沙泥，随潮入海。"朝廷从其言。会用夫屯田，其事中废。

【译文】

元纪二十六　起己卯年(公元 1339 年)正月,止乙酉年(公元 1345 年)十二月,共七年。

至元五年　(公元 1339 年)

春季,正月,癸亥(初四),禁止胡乱赐予僧人名号爵位。

二月,庚寅朔(初一),信州天上降下尘土。

庚子(十一日),免去广海增缴的盐课一万五千引,只办理原定的数额。

卸任的集贤大学士陈颢去世。陈颢出入朝廷数十年,喜欢称颂别人的优点,推荐文书累计有数百篇。有人以此来攻击他,陈颢说:"我宁愿因为举荐错误而受罚,也不忍心埋没了贤才。"士大夫由于他的推荐提拔而至显赫之位,有的终生都不知道原因所在。陈颢被追封为蓟国公,谥号文忠。

夏季,四月,癸巳(初五),树立了巴延南口、过街塔两座碑。

乙未(初七),加封孝女曹娥为慧感灵孝昭顺纯懿夫人。

己酉(二十一日),申明汉人、南人、高丽人不准持有兵器、弓箭的禁令。

这个月,顺帝到上都。

镇江丹阳县降红雾,草木叶和行人的衣服都被染成红色。

六月,庚戌(二十三日),长汀发大水,淹没百姓房屋八百家,朝廷加以赈济抚恤。

秋季,七月,戊寅(二十一日),颁发诏书:"诸王下属的官员不在经常升迁之列。"

甲申(二十七日),常州宜兴山洪涌出,水势高达二丈,毁坏百姓房屋。

八月,丁亥(初一),顺帝从上都回来。

九月,丁巳(初二),赈济沈阳的饥荒。

从七月到这个月,太白星屡次经过天空。

冬季,十月,辛卯(初六),在太庙举行祭祀。

壬辰(初七),禁止倡优盛装打扮,只允许男子头裹青巾,妇女穿紫色衣服,不准戴笠、骑马。

甲午(初九),任命巴延为大丞相,加封元德上辅功臣称号,赏赐七宝玉书、龙虎金符。

十一月,戊辰(十四日),河南行省掾史杞县的范孟端图谋不轨,假称是传送诏书的使者,进入了行省衙门,杀死平章政事伊禄特穆尔、廉访使鄂勒哲布哈等人,召集下属官员和已离职的人加以任用。他抓来大都路儒学提举归旸,命他在北边镇守黄河口;归旸极力抗拒不从,叛贼大怒,把他关进监狱。不久之后官军捉住范孟端,把他杀了,凡是与叛贼同流合污的人都落下罪名,只有归旸一人幸免。归旸的同乡有个叫吴炳的,曾经被征召为翰林待制而他不肯去,叛贼召他管理卯酉历,吴炳畏惧不敢推辞。当时的人们对这件事评论说:"归旸出角,吴炳无光。"归旸的名声因此大振。不久他由国子博士升为监察御史,在入朝谢恩时,台臣启奏说:"这就是河南抗拒叛贼不屈服的人。"顺帝说:"卿曾做过几次好事。"赐给他上等美酒。

癸酉(十九日),瑞州路、新昌路降下的雨雪使树木上结了冰,直到第二年二月份才消融。

十二月,巴延罗织罪名诬陷郯王齐齐克图,要求皇上将他赐死,顺帝没有同意,巴延就假传圣旨把郯王杀了；他又上奏章要求贬谪宣让王特穆尔布哈、威顺王库春布哈，没等王命下达就遣走了二人。顺帝为此心中感到不平。

至元六年 （公元1340年）

春季，二月，己亥（十六日），贬谪中书大丞相巴延为河南行省左丞相。

诏书说："朕即位以来，任命巴延为太师、秦王、大丞相，然而巴延不能安于本份，独揽大权任意妄为，欺负朕年幼，轻视太皇太后和朕的弟弟雅克特古斯，更改搞乱了祖宗原定的制度，戕害天下百姓。对他处以极刑，才符合天下公论。朕顾念到先朝旧情，对他还存有怜悯，现在外放为河南行省左丞相。所有他原来统领的各护卫亲军和集赛丹人等，在诏书下达时，允许马上遣散回归本卫。"

当初，巴延杀死腾吉斯后，独掌国家大权，渐渐起了异心，顺帝对此感到忧虑。巴延一向教养自己的侄儿托克托像自己的儿子一样，想让他当宿卫，侦查顺帝的起居生活，但又害怕引起别人议论，就让托克托和知枢密院旺嘉努、翰林学士承旨实喇卜一起守卫禁宫。巴延自己统率各护卫精兵，把杨珠布哈作为亲信，开道的人和侍从之多，挤满了街道，而顺帝的仪仗护卫反而稀稀落落，天下的百姓只知道有个巴延而已。托克托对此深感忧虑，暗地里向他的父亲满济勒噶台请示说："伯父骄横放纵得太过分了，万一天子发怒，我们全族都要被杀，何不在事情未败露之前想法解决！"他的父亲也这么认为。托克托又向他的老师浦江人吴直方请教，吴直方说："《左传》说过，'大义灭亲'。大夫你果真想对国效忠，还有什么可顾虑的！"一天，托克托找机会在顺帝面前表白自己舍家报国的心意，顺帝还没信任他。当时顺帝的前后左右都是巴延的同党，只有沙克嘉本、阿噜是顺帝的心腹，于是派二人和托克托交往，天天用忠义的言辞与他反复辩论，才了解他没有异心。二人向顺帝报告这一情况，顺帝才信任他而不怀疑。等到巴延擅自贬逐二王，顺帝决心赶走他，一天顺帝向托克托哭诉，托克托也哭了。托克托回家和吴直方商议，直方说："这是大事，议论的时候，左右有什么人？"托克托说："阿噜和托克托穆尔。"直方说："你的伯父，拥有震慑皇上的权威，这些人如果贪图富贵，把你们的话泄露出去，那么皇上有危险你也要丢掉性命。"托克托于是把他们二人请到家中，摆设酒筵，表演歌舞，日夜都不让他们出去。托克托就和沙克嘉本等人谋划，想等巴延入朝的时候捉住他，告诫卫士，严格控制出入宫门，螭首前的平地也安排了卫兵。巴延见了很吃惊，召来托克托责问，托克托回答说："皇上居住的地方，守卫不能不这样。"但巴延便怀疑托克托，也增加兵员保卫自己。

这时，巴延统领自己的军队护卫请顺帝出外打猎，托克托劝顺帝借口有病不去；巴延坚持一再请求，于是叫太子雅克特古斯和巴延同去柳林。托克托就和阿噜等共同谋划，全部收起京城城门的钥匙，派自己的亲信遍布在城门下。这天晚上，托克托侍奉顺帝住在玉德殿，召来中书省、枢密院的大臣先后入殿谒见，然后遣出五门外听候命令。夜里二更时分，派集赛伊彻察喇率领三十骑兵到营中，侍奉太子回城，又召来杨瑀、范汇进宫，起草诏书历数巴延罪状，命令平章政事珠尔噶岱送往柳林。黎明，巴延派骑士到城下问原因，托克托盘坐城头上，宣称："有圣旨只贬黜丞相一人，各随从的官员无罪，可以各自归回本卫。"巴延请求入殿辞别，托克托不准许。巴延途经真定，父老百姓进献杯酒，巴延说："你们看见过儿子杀父亲的事吗？"回答说："没见过儿子杀父亲，只听说有臣子犯上杀死君王。"巴延低下头，面上有惭愧之色。

任命太保满济勒噶台为太师、中书右丞相,太尉塔斯哈雅为太傅、知枢密院事,特默齐为太保,御史大夫托克托为知枢密院事,旺嘉努为中书平章政事,岭北行省平章政事额森特穆尔为御史大夫。额森特穆尔,是托克托的弟弟。

壬寅(十九日),下诏说:"除托克托以外,诸位王侯不准悬挂携带弓箭、环刀入宫。"

乙巳(二十二日),撤去各处船户提举和广东采珠提举两司。

丁未(二十四日),取消通州、河西务等处抽分。

己酉(二十六日),彗星象房星一样大,白色,形状像粉絮,彗尾的痕迹大约五寸多长。彗星指向西南,渐渐向西北飞去。

三月,甲寅朔(初一),漳州义士陈君用,袭击诛杀叛贼李志甫,任命陈君用为同知漳州路总管府事。

丙辰(初三),赦免漳州、潮州两州的百姓做李志甫、刘虎仔胁从的罪责,褒奖追赠为此牺牲的将士。

辛未(十八日),下诏调巴延到南恩州阳春县安置;巴延走到龙兴路驿馆,得病死了。

庚辰(二十七日),彗星消失,从二月己酉(二十六日)到这天,共三十二天。

夏季,四月,丙午(二十四日)顺帝下诏封满济勒噶台为忠王,赐称号达尔罕,满济勒噶台再三推辞不肯接受。御史请求将此事昭示天下以倡导谦让的风气,顺帝同意了。

五月,癸丑朔(初一),禁止民间收藏兵器。

甲子(十二日),庆元奉化州发生山崩,洪水涌出地面,淹死了许多人。

丙子(二十四日),顺帝到上都。

六月,丙申(十四日),下诏废弃文宗神主,迁移太皇太后鸿吉哩氏到东安州安置,放逐雅克特古斯去高丽。

诏书说:"自从武宗升天之后,太后被奸徒所迷惑,皇父被封在云南。英宗遭杀害,皇父以武宗嫡子的身份,逃居沙漠,宗王大臣都齐心拥戴他,因为居地较近的缘故,先迎请文宗暂时总管政务。文宗因知道按照天理、人伦应由皇父继位,就假借让位的名义,奉宝玺来献上,皇父诚意对待,没有怀疑,马上册立他为皇太子。文宗在亲自迎接的时候,便和他的臣下伊噜布哈、额勒雅、明埒栋阿等图谋不轨,使我的皇父含恨升天。文宗回来以后再次登上帝位,又私下想把皇位传给自己的儿子,于是编造流言蜚语,嫁祸给必巴实皇后,说朕不是明宗的儿子,于是让朕出宫迁居到远方。文宗内心怀有愧意,就杀了额勒雅来堵人们的口;上天不保佑他,随即就降下了殒命的惩罚。朕的叔婶布达实哩,仗恃自己的势力气焰,不立明宗的嫡长子而立年幼的弟弟伊埒哲伯,可没几年又死了,诸王和大臣因为我年长而贤德,扶持朕即位。有赖上天之灵,弄权的奸臣被排除废黜,尽孝道正名位,不能再拖延了,永记皇父的养育之恩,怎能忘记不共戴天的仇恨!他们以前的罪过,一死不足弥补,现在命令太常撤去图卜特穆尔在太庙的神主,削去布达实哩的太皇太后的封号,迁往东安州安置,雅克特古斯放逐到高丽。当时的贼臣布哈、额勒雅已经死了,现在将明埒栋阿等人昭告天下处以死刑。"

监察御史崔敬说:"文宗犯了图谋不轨的罪行,已经撤去宗庙中的祭祀,叔母犯了引起灾祸的罪过,也削去了封号。尽孝道正名位,这样也就足够了。只是想到皇弟雅克特古斯太子,年龄尚幼,便遭到这样的放逐,从天理和人情来说,都有些不忍心。在明皇升天的时候,皇弟还在襁褓之中,还不懂事,按道理应当怜悯照顾。因为武宗看待明宗和文宗两人,都是亲生儿子,陛下和太子,都是嫡孙。从武皇的心看来,都是自己的子孙,原本没有亲疏之分;而从陛下的心看来,免不了有彼此亲疏之分。臣请求用俗人的生活来做比喻,平常百姓有百金的家产,还要设置义田,宗族里生活贫困的人,给予教育抚养,不让他流离失所,况且皇上贵为天子,富有四海,养育老百姓像子女一样,应当使天下男女各得其所。现在却把同宗的人置之度外,这样只会让邻国耻笑,受外国人污辱;况且蛮夷之人的心思,无法猜测,如果发生其他变故,关系不轻,说到这里,实在寒心!希望陛下召回太后、太子,以成全母子之情,尽到骨肉之义。陛下心意回转,百姓也会高兴,那么就是国家的幸运了!"奏章呈上去,没有回复。不久,太后死在东安州,雅克特古斯在途中遇害。

己亥(十七日),秦州成纪县山崩地裂。

庚戌(二十八日),处州松阳、龙泉两个县连续下雨,水涨进城里,有一丈多深,淹死了五百多人。遂昌县尤其严重,水高出地面两丈多。桃源乡发生山崩,压死了三百六十多人。

秋季,七月,甲寅(初三),下诏封微子为仁靖公,箕子为仁献公,比干被加封为仁显忠烈公。

戊午(初七),天上的星象呈现异常,地上也不平静,蝗灾和旱灾相继发生,顺帝向天下颁发罪己诏。

戊寅(二十七日),命令翰林学士承旨腆哈、奎章阁学士库库等人删改修订《大元通制》。这个月,禁止色目人娶自己的叔母为妻。

八月,顺帝从上都回来。

九月,辛亥朔(初一),明垛栋阿被处死。

癸丑(初三),加封汉朝的张飞为"武义忠显英烈灵惠助顺王"。

丙寅(十六日),下诏说:"今后有罪的人,不要没收他的妻子女儿配给别人。"

冬季,十月,甲申(初四),尊奉皇父为"顺天立道睿文知武大圣孝皇帝",顺帝亲自到太室祭奠。

壬辰(十二日),建立曹南王阿喇罕、淮安王巴延、河南王阿珠祠堂。

壬寅(二十二日),满济勒噶台辞去右丞相职务,仍然是太师;任命托克托为中书右丞相,宗正达噜噶齐特穆尔布哈为左丞相。

满济勒噶台派人在通州开酒馆、糟房,每天卖出的酒耗粮多达万石,又大量贩卖长芦、淮南盐,托克托认为这样不合适,对参政佛家律说:"我的父亲喜欢您,您所说的话他没有不听从的,您何不劝说我的父亲让他辞职!不这样的话,别人就会议论我家赶走自己的兄长抢占了他的职位,众人的议论很可怕。"佛嘉律按他说的那样,找机会劝说满济勒噶台。满济勒噶台于是辞去职务在家闲居,而托克托代替了他的职位。

这个月,河南府宜阳等县发大水,淹没冲走百姓房屋,淹死了很多人;淹死的人每个发给殡葬费一锭,还发放义仓粮食赈济了两个月。

十一月,辛未(二十二日),让孔克坚继承衍圣公的名位。

十二月,下诏恢复实行科举考试。国子监的积分生员,每三年一次,按科举制度参加会试,考中的取十八人。起初,中书参知政事阿荣,精通历数之学,推算事情多半很准。天历三年,科举取士的那天,他和虞集在值班的地方碰面,他对虞集说:"再过一次后,科举考试会停止,停两次后又将恢复,恢复后人才就会纷纷出现。"此后果然如此。

戊子(初九),简化天历以后增设的机构官员。起初,文宗设置太禧宗禋等院和奎章阁、艺文监,到这时大臣们议论都要撤除。翰林学士承旨库库说:"百姓有千金的家产,还建立家塾来请老师,堂堂的天朝,连一个学堂都不能容吗?"顺帝同意他的看法,把奎章阁改为宣文阁,艺文监改为崇文监,便派库库全权管理,其余的都撤销。库库又请求设置检讨等职位十六个人为进讲做准备,顺帝都同意了。

虞集已经因病辞官回家,顺帝曾经派使者去赏赐给他上等好酒,二匹金织文锦,召他回翰林院。虞集发病,不能前往,屡次有诏令到他家中要他撰写文章褒奖功臣元老,这时侍臣中有人说起虞集曾起草的旧诏书,顺帝不高兴地说:"这是我家中的事,怎能由得他一介书生呢?"

这一年,册立奇氏为第二皇后。奇氏是高丽人,徽政院使图们岱尔进献她为宫女,专管供应茶水服侍顺帝,性情聪明慧黠,越来越受宠幸。奇彻皇后正骄横妒忌,多次鞭打羞辱她。奇彻皇后遇害后,顺帝想要册立她,丞相巴延主张不可以。巴延死后,实喇卜就请求立奇氏为第二皇后,住在兴圣宫,设置资正院使来掌管她的财物。奇氏没事时便看《女孝经》、史书,考察历代皇后中有贤德的人作为榜样。各地进贡的东西,如果有珍奇的食物,就先派使者送去供奉太庙,然后才敢吃。奇氏在高丽的家族地位低微,因为奇氏的缘故尊贵起来,三代都追封王爵。

至正元年　(公元 1341 年)

春季,正月,己酉朔(初一),下诏改至元七年为至正元年,天下开始新纪年。

癸亥(十五日),下诏在天寿节禁止屠宰六天。

这个月,命令右丞相托克托管理经筵事务。

免除全国粮食税五分。

命令永明寺抄写金字经一藏。

二月,印制至元钞九十九万锭,中统钞一万锭。

三月,己未(十二日),汴梁发生地震。

夏季,四月,丁丑朔(初一),道州土贼蒋丙等人造反,攻破江华县,掳掠了明远县。

戊寅(初二),彰德有红色的风暴从西北刮来,忽然变为黑色,白天昏暗得像夜晚一样。

庚寅(十四日),顺帝驾幸护圣寺。

任命中书右丞特穆尔达实为平章政事,阿噜为右丞,许有壬为左丞。特穆尔达实是国王托克托的儿子。巴延被罢去相位,朝廷政务有很多改变,特穆尔达实全心全意辅佐顺帝,每次进宫里轮值,顺帝都为他而住到宣文阁,赐他坐在座榻前,询问他治理政务的方法,一定要到半夜才休息。

己亥(二十三日),设立吏部司绩司。

庚子(二十四日),又封太师满济勒噶台为忠王。

撤销漷州河西务行用库。

这个月，顺帝去上都。

五月，戊申（初二），把崇文监归属翰林国史院。

闰五月，甲午（十八日），赏赐跟随明宗的诸王和官员八百零七人金银、币帛各不等。

壬寅（二十六日），下诏刻宣文、至正两个印。

六月，戊午（十三日），禁止高丽和各地百姓送亲生儿子做宦官来逃避赋税兵役。

这个月，扬州路崇明、通州、泰州等地，海潮泛滥，淹死一千六百多人，赈济钱钞一万一千八百多锭。

当时顺帝在上都，不到内殿住宿，监察御史崔敬上疏说："世祖把上都作为避暑的地方，驾车马临幸，每年都如此，成为惯例。宫中有大安阁、鸿禧殿和睿思殿，用来保养圣体，适宜起居生活，还能使臣民产生敬畏之心。实勒鄂尔多斯，是先皇用来娱乐游玩的地方，不是平时临幸居住的地方。现在国家多变故，天道变更，希望圣驾回到宫里，居住深宫，严加护卫，和宰相大臣讨论治国之道，日理万机之余，就命人举行经筵进讲，探究古今盛衰的原因，增进圣上的学问，这就是国家的福气了。"顺帝又多次把历代的珍宝分别赐给近侍，崔敬又上疏说："臣听说世祖的时候，大臣有功，所赏赐的只不过是腰带，珍惜天赐之物，是为后代考虑得长远。现在山东大饥荒，燕南大旱，海潮成灾，天上星象示儆，地上失去平静，京师南北蝗虫飞起来遮天蔽日，正是圣明的君主体恤百姓的时候。近侍的臣子，不知道为这些忧虑，奏请赏赐，没有一天停止，甚至把府库中百年来珍藏的宝物，遍赐给仆人、宦官之类和幼稚的孩童，库藏几乎空虚。万一国家有了大事，有人立了大功，又拿什么来赏赐呢？应该下旨追回所赏赐的东西，以显示皇恩不能太滥，这才符合公论。"

秋季，八月，顺帝从上都回来。

九月，壬寅（二十八日），许有壬在明仁殿进讲，顺帝很高兴，赐他在宣文阁饮酒，还赏赐了豹裘、金织文币。

冬季，十月，戊午（十四日），发生月食。

十一月，瑶贼侵犯边境，湖广行省平章衮巴布勒带兵征讨并平定了它。

十二月，乙卯（十二日），下诏说："百姓年龄在八十岁以上，是蒙古人的赏赐缯帛衣料两套，其他州县，以高年耆德的名义旌表他们，免除他家的杂役。"

道州路百姓何仁甫等人起兵，土贼蒋丙等和他们会合，攻破江华等州县，溪洞瑶族二百多个山寨也相继侵入边境抢掠。

山东、燕南，强盗横行，有三百多处，选派官员捕捉他们。

这个月，恢复设立司禋监，加封真定路滹沱河神为昭佑灵源侯。

太常博士逯鲁曾再次被任命为监察御史，弹劾太尉达实哈雅昂吉尔，右丞衮巴布勒，刑部尚书鄂都玛勒，御史吉当普，院使哈剌勒哲、伊鲁布哈，郎中吕思诚，都被贬黜了。八个人当中，只有吕思诚罪过较轻，但也改变了祖宗选拔官员的制度，其余几人都是巴延的党羽，朝廷为之肃然。担任枢密院事时进谏说："以前巴延专权杀害大臣，他的党羽看中了大臣的妻子女儿，就设法以罪名诬陷他们。现在大小官员和平民犯了罪，只惩罚他自己，不准籍没他的妻子女儿。郯王被巴延罗织罪名诬陷，妻子儿女流离失所，应当体恤他的无辜，让他们团聚。"顺帝听从了，他担任刑部员外郎时，一一辨清纠正遭巴延诬陷的人。

当时国子监有蒙古人、回回、汉人生员一千多人，然而祭酒、司业、博士大多不胜任，只是修饰辞句，美化时务，以旧例来应付。在国子监中的生员，每天吃馒头粉条羹汤，一个人吃的饭，要花五两钞。他们十人、百人成群结队，嬉闹玩乐，以相互讽刺戏谑为乐趣，有时进茶馆酒楼，就摆放屏风和老百姓隔开，喝完之后不付钱，甩手扬长而去，没有谁敢把他们怎么样。

至正二年（公元1342年）

春季，正月，丙戌（十四日），托克托听了别人的话，在都城外开挖河渠设置水闸，从金口引入浑河水，向东流到通州以便通行船只，河深五十尺，宽一百五十尺，役使民工十万人。

绣金花卉绫长袍　元

当时朝廷大臣多数都说这样做不行，但托克托不采纳众人的意见。左丞许有壬说："浑河的水流，湍急汹涌容易决堤，会发生灾害；淤积容易造成堵塞，不能通行船只。况且西山水势高峻，金朝时西山在都城北边，河水流入郊外野地，即使发生水冲决河堤，所造成的危害也轻微。现在西山在都城西南，如果下暴雨引起河水猛涨泛滥，加上水性湍急，国家宗庙所在的地方，怎能心抱侥幸！即使一时成功，也不能保证它永远没有决堤的危险。"托克托还是不听从。

这个月，大同发生饥荒，人吃人，运京师的粮食去赈济。

二月，壬寅朔（初一），颁发《农桑辑要》。

乙卯（十四日），李沙因伪造盖有御宝的圣旨，自称为枢密院都事，被处死。

三月，戊寅（初七），顺帝亲自考七十八个进士，赐给拜珠、陈祖仁等人进士及第、进士出身。

夏季，四月，辛丑朔（初一），冀宁路平晋县发生地震，声音像打雷一样，地面裂开一尺多宽，百姓的房屋都倒塌了。

这个月，顺帝去上都。

金口河工程结束，开闸放水，水流湍急，泥沙淤塞，没法行船。在开河挑土时，冲毁百姓房屋、坟墓，民工死伤很多，花了很多钱，最后还是没有效果。后来御史弹劾提建议的人，中书参议博啰特穆尔、都水监傅佐都被处死。

五月，甲申（十四日），太白星经过天空。

丁亥（十七日），东平下冰雹，形状像马头。

六月，戊申（初九），命令江浙拨田地赐给僧庙道观，运官征粮作为军队储备。

壬子（十三日），济南发生山崩，水流涌出。

这个月，汾河大泛滥。

秋季，七月，庚午朔（初一），惠州路罗浮山崩。

己亥（三十日），庆远路莫八聚众造反，攻陷南丹、左江、右江等地，命令托克托赤颜讨伐、平定。

在上都设立司狱司，和大都的兵马司一样。

这个月，佛郎国进贡异马，身长一丈一尺三寸，高六尺四寸，全身纯黑色，后蹄都是白色。

八月，庚子朔（初一），发生日食。

九月，己巳朔（初一），下诏派湖广行省平章政事衮卜布勒统领河南、江浙、湖广各路官兵讨伐道州叛贼，平定了它，又平定了溪峒堡寨二百多处。

辛未（初三），顺帝从上都回来。

丁丑（初九），京城中到处有劫贼活动。

这个月，归德府睢阳县因为黄河造成灾害，百姓闹饥荒，赈济卖米一万三千五百石。

冬季，十月，己亥朔（初一），发生日食。

壬戌（二十四日），下诏派官员到曲阜祭祀孔子。

撤除织染提举司。

甲子（二十六日），暂时减免两浙定额盐十万引，福建余盐三万引。

十二月，己酉（十二日），京师发生地震。

癸亥（二十六日），阿鲁、图们等人因为谋害宰相，阴谋造反，被处死。

这一年，任命御史大夫博尔济布哈为江浙行省左丞相。他走到淮东时，听说杭州城发生大火，把官府衙门和百姓房屋几乎都烧光了，他仰天哭泣说：“杭州城，是江浙省治所所在地，我被任命去镇守却发生这样的火灾，是我德行有亏连累了杭州城的百姓啊！”他兼程赶去就职，马上下令，记下受灾百姓二万三千多户，每户发给钞一锭，被烧死的人也同样，每人每月发一斗米，小孩发一半。又请求减免每天的酒税钱一千二百五十贯，织坊减免原来定额的一半，军器、漆器暂停生产一年，一般的税都停收。这件事上报到朝廷，朝廷同意了。又大规模兴建行省治所，在附近的百姓的房屋，都提高价格买下他们的地基，招募百姓服劳役，多给他们佣金。又请求每年减免江浙、福建盐税十三万引。有时遇上阴雨连绵或者大旱，就到神庙中祷告，没有不灵验的。在杭州任职两年，就连儿童、妇女也没有不感戴他的恩德的。

任命户部郎中盖苗为御史台都事。御史大夫想让老朋友当监察御史，盖苗说：“他不适合担任这个职务。”御史大夫不高兴地站起来走了。当天晚上，御史大夫邀请盖苗到自己家中向他致谢，人们认为他们两人都德行高尚。不久派出任山东廉访副使。过去认为益都、淄、莱地区出产黄金，朝廷在那里建立一府、六所总管此事，百姓每年买黄金交纳给官府，到这时已经有六十年了。百姓有违反官长的意思的，就说他的住处下有金矿，直到挖出泉水才停止。奸吏谋取私利，没人敢把他们怎么样，盖苗建议撤除这些机构，它的危害才停止。

监察御史成遵随从顺帝到了上都，呈上密封奏章说：“天子应该谨慎对待自己的起居生活，节制欲念，以保养圣体，圣体安康那么国家也就安定了。”言辞很恳切，顺帝改变脸色说好。又提出监察的四个问题：一是派遣监察官员，超越职权范围过问其他事务；二是贬谪御史，堵塞进谏之路；三是御史不想全部说出应说的话，只想按次序升官；四是考察各处廉访官员，情况不实，贤恶混淆。顺帝都高兴地接受了，对御史说：“成遵所说的很对，这都是世祖时旧的风纪制度。"特地赏赐上等好酒以褒奖他的忠诚。成遵又说江浙地区的火灾应当赈济抚恤,还弹劾了达噜噶齐十件违法的事,顺帝都听从了。成遵又呈上密封奏章谈论当前工作:一是效法祖宗,二是节约开支,三是抑止竞相钻营,四是明确激励奖赏。奏章呈上,顺帝久久称好,命令中书省马上商议实施。一年之中,他提出建议和推举、弹劾的奏章共七十多件,都是抨击当时的弊病。当政的权贵讨厌他,将他改任刑部员外郎,不久调出任陕西行省员外郎,因为母亲生病辞官回家。成遵是穰县人。

至正三年 （公元 1343 年）

春季,正月,丙子(初九),中书左丞许有壬被罢免。

当初,许有壬的父亲许熙载在长沙当官时,设立义学教育学生,他死后,学生怀念他,因此建立了东冈书院,朝廷赏赐匾额,设立官员,把它作为培育人才的地方。南台监察御史穆巴喇锡,由于一点小小的嫌隙,就说不应当建书院,并且编造假话诬蔑许有壬和他的两个弟弟有仪、有孚,许有壬于是称病回家。

二月,丁未(十一日),辽阳沃济野人造反。

这个月,汴梁新郑县、密县发生地震。秦州成纪县、巩昌府宁远县、伏羌县发生山崩,洪水涌出,淹死的人无法计算。

三月,壬申(初六),建造鹿顶殿。

监察御史成遵等人,请求任用在最后一场考试中未入选的举人充当学正、山长,国学生员参加会试没中选的,也和他们一样。

戊寅(十二日),下诏说:"要整顿监察工作。在朝廷内的官员有违法的,监察御史弹劾他;在地方的官员有违法的,行台监察御史弹劾他。廉访司官员每年在八月底出外巡视,第二年四月中旬回归本司。"

这个月,下诏编写辽、金、宋三史。原先,世祖设立国史院,首先命令王鹗编写辽史、金史。宋朝灭亡后,又命令史官一起编写三史。延祐末年,国史院编修官袁桷请求购买记载有辽、金、宋事迹的书,朝廷同意了。然而体例没有确定,有的想象《晋书》的体例一样,以宋朝为本纪而辽、金为载纪,有的又说辽国建立时间早于宋朝五十年,宋的朝廷迁到南方后曾经向金称臣,认为上述体例不合适。又有个待制叫王理的,写《三史正统论》,想以辽、金为《北史》,建隆至靖康为《宋史》,建炎以后为《南宋史》;一时间士人议论纷纷,难以决定,这时下诏分为三史,各写各的。任命中书左丞相托克托为都总裁官,平章政事特穆尔达实、右丞贺惟一、御史中丞张起岩、翰林学士欧阳玄。侍御史吕思诚、翰林侍讲学士揭傒斯为总裁官。贺惟一是贺胜的儿子。

托克托问编纂历史什么是根本,揭傒斯说:"用人为本,有学问会写文章但不懂历史的人不能参加,有学问会写文章又懂历史但心术不正的人不能参加,用人之道,又应当以心术为根本。"又对下属说:"想知道写作史书的方法,必须知道写作史书的意图。古人写作史书,即使是很小的善事也都记录,很小的恶行也都记载。不这样,怎么显示惩恶劝善的作用呢!"因此他毅然承担修改的任务,凡是政事的得失、人才的贤恶,一律根据公论判断是非。至于议论意见不一致的,一定经过反复辩论,直到完全恰当为止。

张起岩熟知金朝的典章制度,对宋代儒生的道学源流,尤其有心得。有的人炫露才华自以为是,议论常常不妥当,张起岩据理修改,文章深厚醇雅,理由论证充足。

欧阳玄拟定体例,以使撰写的人有所依据。史官中有的人喜欢炫露才华,议论不公正的,欧阳玄不和他争论,等他送上稿子后,拿起笔修改定稿,观点自然正确了。史书的论赞、表奏,都是欧阳玄的手笔。

夏季,四月,丙申朔(初一),发生日食。

这个月,顺帝去上都。

六月,壬子(十八日),命令经筵官每月进讲三次。

这个月,中书户部因为国家财用不足,请求削减多余的开支。

回回剌里五百多人,渡过黄河抢劫解、吉、隰等州。

秋季,七月,戊辰(初五),修大都城。

这个月,兴国路发生旱灾。河南从四月到这个月,雨下个不停。

八月,山东有贼人放火抢劫兖州。

顺帝从上都回来。

九月,甲子(初二),湖广行省平章衮巴布勒,捉拿道州、贺州瑶贼首领唐大二、蒋仁五到京城,处死。他们的党羽蒋丙,自称顺天王,攻下连州、桂州。

冬季,十月,戊戌(初六),顺帝准备到南郊祭祀,去太庙告祭。到放置宁宗神主的房间,派阿噜去询问同知太常礼仪院事李好文说:"朕是宁宗的兄长,应当向他下拜吗?"李好文和博士刘闻回答说:"宁宗虽然是弟弟,他做皇帝时,陛下是他的臣子。春秋时,鲁闵公是弟弟,僖公是兄长,闵公先做皇帝,祭祀宗庙时,没听说僖公不下拜。继位之人,相当于儿子。陛下应当下拜。"顺帝于是下拜。自此顺帝每次亲自祭祀,一定命令李好文当礼仪使。

己酉(十七日),顺帝亲自在南郊祭祀上帝,同时祭祀太祖。

己未(二十七日),因为南郊祭祀完成,大赦天下,减免民间田租五分,赏赐高龄老人布帛。

十二月,丙申(初四),下诏抄写金字《藏经》。

丁未(十五日),任命翰林学士承旨博尔济布哈为中书左丞相,特穆尔布哈被罢免。

这个月,胶州和它的属县高密发生地震。

这一年,下诏设立常平仓,停止在民间收盐税。

征召遗人逸士托音、巴延、张瑾、杜本。杜本推辞不来。杜本是清江人,在武宗时,曾被征召到京师,很快就回到武夷山中,文宗听说他的名声,征召他,他不肯出来。这时右丞相托克托推荐,召他为翰林待制兼国史院编修官。使者传达了皇帝和丞相的意思,催促他动身,到了杭州,称病坚决推辞,写信给托克托说:"将万事合为一理,将万民合为一心,将千年合为一日,将四海合为一家,才可以谈到制作礼乐,而达到五帝、三王时的盛世。"于是不去了。当时还有金华人张枢,也是屡次征召不来。

不久又征召隐士鄂勒哲图、济尔噶朗、董立、李孝光,下诏任命鄂勒哲图、济尔噶朗为翰林待制,董立为修撰,李孝光为著作郎。有人认为这种待遇太优厚,右丞相特穆尔达实说:"隐士对朝廷无所要求,朝廷有求于隐士,名号爵位有什么值得吝惜的呢!"有见识的人都称颂这句话。

卫辉、冀宁、忻州发生大饥荒，人吃人。

监察御史李稷弹劾宦官高龙卜："仗恃皇上的恩宠，干涉朝廷政务，作威作福，勾结丞相，是国家的祸害，请求皇上把他放逐。"奏章呈上，流放高龙卜去征东。又说："御史的密封奏章应该到皇上面前开拆，以防有人隐瞒扣押；监察官员应当优先提拔录用，以便广开进谏之路；殿中侍御史、给事中、起居注应当由正人君子担任，写下各司的进奏请求以及皇上同意与否，每月送到中书省、御史台，交给史馆，以作为编纂史书的依据。"承天护圣寺失火，顺帝下诏重新建造，李稷说水灾旱灾相继发生，国家和百姓都很贫困，不应随便大兴土木，这个计划就中止了。李稷是滕州人。

监察御史乌古逊良桢，认为顺帝总揽国事，不能不求助于贤人辅佐，就上疏说："祈求上天永保我朝的办法，只在于严格要求自己，提高道德修养。现在经筵多数由有职务的大臣负责，几天进讲一次，没过多长时间就结束了，而皇上的近侍，却总在皇上的身边，这样怎会有益于提高皇上的德行！请延请几位象许衡那样的饱学之士，居住在宫中，常常用唐、虞、三代的治国之道启发皇上，使皇上的德行不断提高。"又因为国人风俗是父亲死后就娶后母为妻，兄弟死了也收他的媳妇为自己的妻室，父母死了没有守丧制度，于是上疏说："三纲五常都源于天理不可变更。制订法度的官员，却说国人不受这风俗约束，各国人各自遵照本族的风俗，也就是说汉人、南人应该遵守三纲五常，而国人、其他各国人不必遵守纲常。这名义上是优待，实际上是陷害；外表像是尊重，内心里实际是侮辱；推究他们的真正心意，是对待国人不如对待汉人、南人优厚。请让礼官机构和在朝中的右科进士会同讨论，从天子到老百姓，都应遵守礼制，以成就列朝皇帝未完成的典章制度，阐明万世不变的天理。"奏章呈上，都没有回复。

至正四年 （公元1344年）

春季，正月，辛巳（二十日），下诏说："制定地方官升迁的办法，六个条件都具备的升一等，具备四个条件的减一考，具备三个条件的平级调动，六个条件都不具备的降一等。"

庚寅（二十九日），黄河在曹州决口，雇用民工一万五千八百修筑河堤。

这个月，黄河又在汴梁决口。

三月，壬寅（十二日），特任命巴图玛多尔济为征东行省左丞相，继承高丽国王位。他本名昕，是高丽国王王桢的长子。王桢在国内荒淫残暴，顺帝用槛车把他拘来，流放到揭阳，没有一个人随行；王桢手拿包袱前往，走到岳阳就死了，顺帝于是命令王昕继承王位。

夏季，四月，顺帝去上都。

五月，甲辰（十六日），中书右丞相托克托离职，任命知枢密院事阿噜图为右丞相。托克托坚决辞去丞相职位，顺帝问谁可以代替他，托克托答阿噜图可以，于是提拔任用了阿噜图。封托克托为郑王，食邑是安丰，赏赐给他金印和海青、文豹等东西，他全部推辞不接受。

阿噜图担任丞相以后，提议任用一个人为刑部尚书，有人责难说："这个人很软弱，到刑部不合适。"阿噜图说："这是选刽子手吗？如果是挑选刽子手，必须要用强壮的人。尚书详察案件，不冤枉人破坏法纪，就是好官，何必要由强壮的人来做！"他治理国家就是这样识大体。

这个月，下了二十多天大雨，黄河暴涨，在北边冲决了白茅堤。

六月,己巳(十二日),赐给托克托松江田,并为此设立了松江等处的稻田提领所。

这个月,黄河又在北边冲决了金堤,曹、濮、济、兖等地区都受灾,百姓中年老体弱的人无处可逃,青壮年四处流浪。洪水向北流过安山,流入会通、运河,流到济南、河间,将要冲坏两省漕司的盐场,中书省大臣呈报了这一情况。朝廷很担心,派使者勘察,还督促大臣寻求治河的办法。

秋季,七月,戊子朔(初一),温州飓风大作,海水泛滥,还发生了地震。

益都临海地区盐贩郭火你赤作乱。

这个月,滦河水泛滥。

八月,丁卯(十一日),山东连续下雨,百姓饥饿,人吃人,朝廷给予赈济。

丙戌(二十日),赏赐给托克托金银钞布帛,托克托推辞不接受。

这个月,莒州蒙阴县发生地震。

郭火你赤上太行山,由陵川进入壶关,到广平,杀了兵马指挥,又回到益都。

顺帝从上都回来。

九月,丁亥朔(初一),发生日食。

丙午(二十日),命令中书平章政事贺惟一提调都水监。

冬季,十月,乙酉(二十九日),讨论修补黄河、淮水堤坝。

十一月,丁亥朔(初一),命令百姓交纳粮食,授予他们官职,粮食用来赈济。有人隐瞒罪行通过交纳粮食得到七品的闲杂官职,被仇家告发,官府认为,纳粮向来没有有过失的人不给官职的规定。中书右司郎中成遵认为:"出卖官职爵位,已经不符合国家法规;况且又卖给奸淫的人,这样怎么能治理国家! 一定要收回敕封,退还他的粮食,并制定为法令。"顺帝同意了。又有人提议赃官的父母去世不准他回家安葬,必须等他的案子审判结束,成遵说:"恶人固然可恨,然而和人伦相比哪个重要? 国家用孝道来治理天下,宁可跑掉了罪人,不能使天下有不孝的儿子。"这个提议就中止了。

十二月,戊寅(二十三日),瑶贼侵犯靖州。

这个月,汉阳、东平都发生地震。

这一年,《辽史》完成,又督促尽早完成金史和宋史。总裁官翰林侍读学士揭傒斯住在史馆,早晚都不敢休息,因而得了寒病,七天之后就去世了。

当初,揭傒斯多次请求辞职,顺帝不准许,命令丞相托克托和执政大臣当面劝他不要走,揭傒斯说:"假如揭傒斯有一点意见贡献,能使诸位采纳从而天下得到好处,即使死在这里也没什么遗憾! 不然,有什么益处!"托克托因而问道:"现在治理国家哪件事为先?"揭傒斯说:"储备人才是首要的。在名声没有显赫时培养他,在了解具体事务以后再任用,就没有遗漏人才耽误事务的忧虑了。"一天,大臣共同在朝中讨论,揭傒斯极力主张应当通用新旧铜钱来解决钞法的弊病,执政大臣说不行,揭傒斯更加坚持主张。托克托虽然称赞他的正直不阿,但还是没有采用他的意见。到这时他去世了,通过驿站护送他的棺木回江南,追封为豫章郡公,谥号文安。

瑶贼侵犯浔州,同知府事保董带领民兵把他们打退。

至正五年 (公元 1345 年)

春季,正月,蓟州发生地震。

三月,辛卯(初七),顺帝亲自主持考试七十八名进士,赐给巴布哈、张士坚等人进士及第、进士出身。

这年春,东平路和徐州路发生大饥荒,人吃人。

任命陈思谦参议中书省事。原先陈思谦建议:"盗贼出现的地方,是由于当年饥荒百姓贫困,应当大开仓库发放粮食赈济百姓来收买人心,并且布置重兵镇守安抚中原地区。"顺帝不听从。

夏季,四月,招募出米五十石以上的富户,以义士的名称加以旌表。

顺帝去上都。

五月,己丑(初六),下诏把官军掳掠来的云南子女一千一百人放回家乡,还给他们路上吃的粮食,不愿回去的听便。

辛卯(初八)翰林学士承旨库库去世,时年五十一岁,谥号文忠。库库在顺帝身旁,发表评论提出建议,做了许多匡扶补正的工作。由于德高望重而身居高位,并且特别赏识儒士,胜过饥渴的人对于饮食的渴求,因此四方的士大夫都汇集于他的门下。有依仗权势的大官说:"儒生有什么好处,你这样喜欢他们?"库库说:"世祖认为儒学足以治理天下,命令裕宗向赞善王恂学习。现在秘书监所收藏的裕宗仿书,当时他在'学生'的下面亲笔写上'御名习书谨呈',他是这样恭敬谨慎。世祖曾在晚上召我的父亲坐在床榻下,讲解《四书》以及历史上治乱的情况,到半夜还没睡,世祖高兴地说:'朕之所以叫你跟随许平仲学习,正是想你把有价值的话告诉朕。你要更加勤勉恭敬才符合朕的心意。'现在你说不喜欢儒生,难道就不想想祖宗喜欢他们的深意吗!而且儒生们的理论,照着去做就能做到君主仁慈,臣子忠心,父亲慈爱,儿子孝顺,人伦完备,国家大治;违背它就会人伦尽丧,国家大乱。你想要弄乱自己家,我管不了;你不要用这种话搞乱我们的国家。儒生中有的人身体好象很柔弱,话好象也不会说,但是腹中的学问,有胜过别人的地方,怎么能轻视呢!"

不久库库外放为江浙行省平章政事,第二年,又召他回来担任翰林学士承旨。当时中书平章政事职务缺人,近臣想推荐人,用言辞来试探顺帝的意思,顺帝说:"平章一职已经有人选,现在走到半路了。"近臣知道顺帝属意库库,就不再推荐别人。库库到京城七天,感染热病去世了。家里贫穷,几乎无法殓葬。顺帝听说后,十分震惊,赐给丧葬费银五锭,他所拖欠的官府营运费,御史台臣启奏提议用处罚得到的布匹来替他偿还。

六月,庐州人张顺兴拿出米来赈济饥民,朝廷旌奖他。

秋季,七月,丁亥(初六),黄河在济阴决口,把官府衙门和百姓房屋都冲走了。

丙午(二十五日),任命额森特穆尔、特穆尔达实一起担任御史大夫。下诏整顿监察工作。

八月,顺帝从上都回来。

九月,壬午朔(初一),发生日食。

辛丑(二十日),任命中书右丞达实特穆尔为翰林学士承旨,中书参知政事绰斯戬为右丞,资政院使多尔济巴勒为中书参知政事。随后又任命多尔济巴勒同知经筵事、提调宣文阁。当时正编纂《至正条格》,多尔济巴勒说:"这本书上有祖宗的制诰,怎能光说现在的年号;而且律中的条格,只是其中的一门,怎能单单用它作书名!"当时丞相不听从,只是去掉制诰就算了。

冬季,十月,壬子(初二),任命中书平章政事贺惟一为御史大夫。起初,贺惟一调任宣徽院使,宣徽主管膳食,有权势的人多半强行索要,贺惟一拿过登记簿来看,只有太常礼仪使阿喇布哈没要过一样东西。贺惟一于是告诉了顺帝,请求把阿喇布哈提拔到皇上身边任职,而且重重地赏赐他。按照惯例,御史台官员不能由非蒙古人担任,贺惟一坚决推辞,顺帝下诏特别赐他为蒙古人,并且改他的名字为泰费音。

辛酉(十一日),命令各大臣奉旨宣抚,巡行天下。

集贤侍讲学士苏天爵巡行京畿道,探究百姓疾苦,考察官吏的贪污情况,他发起和中止了共七百八十三件事,检举弹劾了九百四十九人。京都的人把他誉为包拯、韩琦。然而因为违背了当时的丞相的意思,竟然诬以不称职的罪名,罢官回家。

辛未(二十一日),辽、金、宋三史完成。右丞相阿噜图献给顺帝,鼓吹乐队前导跟随,从史馆直到宣文阁,顺帝身穿礼服迎接,因而对群臣说:"史书既然已编成,前人好的东西可以学习,不好的东西引以为戒,不但当皇帝的要这样,做臣子的也应懂得。"当天,在宣文阁大规模宴请众大臣。托克托建议说:"给事中、殿中侍御史所记录的陛下即位以来的事迹,也应当逐渐加以修撰,收入金匮。"顺帝说:"等朕归天以后,叫朕的儿子编撰好了。还是把御图书密封收藏在金匮中,从今以后,不准再增加。"托克托便不再说了。当时给事中、殿中的职务,都由纨绔子弟担任,充数而已,没写任何东西,修史的事就这样中止了。

己卯(二十九日),监察御史布达实里请求停止执行不急需的事项。

十一月,甲午(十四日),《至正条格》完成。

奉元路百姓陈望叔,假称雅克特古斯太子,被处死。

十二月,丁巳(初八),下诏制订推荐提拔地方守令的办法。

这一年,因为黄河决堤,派遣礼部尚书台哈布哈进献玉珪、白马,祭祀河神。台哈布哈回来说:"淮安以东黄河流入海的地方,应该仿照宋朝设置撩清夫,用辊江龙铁埽振荡沙土,让它随着潮水流入海中。"朝廷采纳了他的建议。不久雇佣民夫屯田,这件事就中止了。

续资治通鉴卷第二百九

【原文】

元纪二十七　起柔兆掩茂【丙戌】二月,尽上章摄提格【庚寅】十二月,凡五年。

顺　帝

至正六年　【丙戌,1346】　春,二月,庚戌朔,日有食之。

辛未,兴国雨雹,大者如马尾首。

是月,山东地震,七日乃止。

司天监奏:"天狗星坠地,血食人间五千日,始于楚,遍及齐、赵,终于吴,其光不及两广。"后天下之乱,皆如所言。

三月,辛未,盗扼李开务之闸河,劫商旅船。两淮运使宋文瓒言:"世皇开会通河千有馀里,岁运米至京者五百万石。今骑贼不过四十人,劫船三百艘而莫能捕,恐运道阻塞,请选能臣率壮勇千骑捕之。"不听。

戊申,京畿盗起,范阳县请增设县尉。

山东盗起,诏中书参知政事索诺木巴勒至东平镇遏。

是月,高苑县地震,坏民居。

夏,四月,壬子,辽阳为捕海东青烦扰,沃济野人及硕达勒达皆叛;万户迈珠等讨之,遇害,诏恤其家。

癸丑,颁《至正条格》于天下。

甲寅,以中书参知政事吕思诚为左丞。

乙卯,享于太庙。

丁卯,帝如上都,中书平章政事特穆尔达实留守。

旧法,细民籴于官仓,出印券月给之者,其直三百文,谓之"红帖米";赋筹而给之,尽三月止者,其直五百文,谓之"散筹米";贪民买其筹帖以为利。特穆尔达实请别发米二十万石,遣官坐市肆,使人持五十文即得米一斗,奸弊遂绝。

以中书左丞吕思诚知经筵事。命左右二司、六部吏属于午后讲习经史。

五月,壬午,广西象州盗起。

江西田赋提举司扰民,罢之。

丁亥,盗窃太庙神主。

遣和尔呼达讨沃济野人。

辛卯，绛州雨雹，大者二尺馀。

丁酉，以黄河决，立河南、山东都水监。

六月，己酉，汀州连城县民罗天麟、陈积万叛，陷长汀县；福建元帅府经历真(实)〔宝〕、万户廉和尚等讨之。

丁巳，诏以云南贼死可伐盗据一方，侵夺路甸，命伊图珲为云南行省平章政事，讨之；旋降诏招谕。

是月，罗浮山崩，水涌，溺死百馀人。

秋，七月，己卯，享于太庙。

癸巳，诏选集赛官为路、府、县达噜噶齐。

丙申，以参知政事多尔济巴勒为中书左丞。

时有善音乐得幸者，帝命为崇文监丞，多尔济巴勒他拟一人以进，帝怒曰：“选法尽由中书邪？”多尔济巴勒顿首曰：“用幸臣居清选，恐后世以此议陛下。今选他人，臣实有罪，省臣无与焉。”帝悦，擢为右丞。

甲辰，京畿奉使宣抚鼎鼎奏御史萨巴尔等罪，杖黜之。时诸道奉使，皆与台宪互相掩蔽，惟鼎鼎与湖广道巴实纠举无避。

是月，郿州雨白毛如马鬃。

八月，丙午，命江浙行省右丞呼图克布哈、江西行省右丞图噜统军合讨罗天麟。

是月，帝至自上都。

益都临淄县雨雹，大如杯盂，野无青草，赤地如赭。

九月，乙酉，克复长汀。

戊子，邵武地震，有声如鼓，至夜复鸣。

冬，十月，思靖猺寇武冈；诏湖广省臣及湖南宣慰元帅鄂勒哲特穆尔讨之，俘斩数百级，猺贼败走。

闰月，乙亥，诏赦天下，免差税三分，水旱之地全免。

靖州猺贼吴天保陷黔阳。

癸未，汀州贼徒罗德用杀罗天麟、陈积万，以首级送官，馀党悉平。

十二月，丁丑，省臣改拟明宗母寿章皇后徽号曰“庄献嗣圣皇后”。

辛卯，有司以赏赉泛滥，奏请恩赐必先经省、台、院定拟。

壬寅，山东、河南盗起，遣左右阿苏卫指挥布尔国等讨之。

是岁，尚书李(洞)〔絧〕以河灾，请躬祀郊庙，近正人，远邪佞，以崇阳抑阴，不报。

以侍御史盖苗为中书参知政事。

时大臣以两京驰道狭隘，请毁民田庐广之，已遣使督有司治之矣，苗议曰：“驰道创自至元初，何今日独为隘乎？”力辨，乃罢。时议以宿卫士悉出为郡长官，俾以养贫，苗议曰：“郡长所以牧民，岂养贫之地哉！果有不能自存，赐之钱可也。若任郡寄，必择贤才而后可。”议遂寝。又欲以钞万贯与角觝者，苗曰：“诸处告饥，不蒙赈恤；力戏何功，获此重赏乎！”又签四川廉访司事家人违例收职田，奉使宣抚直坐其主，宰相命奉使即行遣，苗请付法司详议，勿使宪司以为口实。于是宰相顾谓僚佐曰："所以引盖君至枢机者，欲其相助也，乃每事相抗，何耶？今后有公务，毋白参政。"苗叹曰："猥以非才，待罪执政，中书之事，皆当与闻。今宰相言若此，不去何俟！"将引去，适诏拜江南行台御史中丞，宰相怒苗终不解，比至，即除甘肃行省左丞。时苗已致仕归田里，宰相复奏，旨趣赴任，苗舁疾就道。至镇，即上言："西土诸王，为国藩屏，赐赉虽有常制，而有司牵于文法，遂使恩泽不以时(乃)〔及〕，有匮乏之忧，大非隆亲厚本之意。"又言："甘肃每岁中粮奸弊百端，请以粮钞兼给，则军民兼利矣。"从之。迁陕西行台中丞，到官数日，即上疏乞骸骨，归，逾年而卒。追封魏国公，谥文献。

苗学术淳正，性孝友，喜施与，置义田以赡宗族。平居恂恂谦谨，及至遇事，〔张目〕敢言，虽经挫折，无少回挠，有古遗直之风焉。

至正七年　【丁亥，1347】　春，正月，甲辰朔，日有食之。大寒而风，朝官仆者数人。

壬子，以中书左丞相博尔济布哈为右丞相。

先是，博尔济布哈与右丞相阿噜图谋挤害托克托，阿噜图曰："我等岂能久居相位，当亦有退休之日，人将谓我何！"博尔济布哈屡以为言，终不从。博尔济布哈遂讽御史劾奏阿噜图不宜居相位。阿噜图即避出城。其姻党皆为之不平，请曰："丞相所行皆善，而御史言者无理，丞相何不见上自陈？上必辨焉。"阿噜图曰："我，开国四杰博尔济之世裔，岂丞相为难得邪？但命我，不敢辞。今御史劾我，我宜即去。御史乃世祖所设，我若与御史抗，即与世祖抗矣。尔等无复言。"阿噜图遂罢去。博尔济布哈寻亦辞职而罢。

二月，己卯，山东地震，坏城郭，棣州有声如雷。河南、山东盗蔓延济宁、滕、邳、徐州等处。

丙戌，以宦者拜特穆尔为司徒。

是月，猺贼吴天保寇沅州。

三月，甲辰，中书省(言臣)〔臣言〕："世祖之朝，省、台、院奏事，给事中专掌之，以授国史纂修。近年废弛，恐万世之后，一代成功无从稽考，请复旧制。"从之。

乙巳，遣使铨选云南官员。

庚戌，试国子监，会食弟子员，选补路府及各卫学正。

戊午，诏编《六条政类》。

庚申，监察御(使)〔史〕王士点劾集贤大学士吴直方躐进官阶，夺其宣命。

乙丑，云南王(鄂)〔博〕啰来献死可伐之捷。

夏，四月，己卯，享于太庙。

辛巳，以通政院使多勒奇尔为辽阳行省参知政事，讨沃济野人。

庚寅，复以博尔济布哈为中书右丞相，以平章政事特穆尔达实为左丞相。

特穆尔达实天性忠亮，学术正大。帝尝问："为治何先？"对曰："法祖宗。"又问："王文统，奇才也，恨不得如斯人者用之！"对曰："世祖有尧、舜之资，文统不告以王道，而乃尚霸术，要近利，世祖之罪人也。使今有文统，正当远之，又何足取乎！"

临清、广平、滦河等处盗起，遣兵捕之。

通州盗起，监察御史言："通州密迩京城而贼盗蜂起，宜增兵讨之，以杜其源。"不报。

是月，河东大旱，民多饥死，遣使赈之。

帝如上都。

五月,庚戌,猺贼吴天保陷武冈路,诏遣湖广行省右丞实保统军讨之。实保坚不欲往,左右司郎中余阙曰:"右丞受天子命,为方岳重臣,不思执弓矢讨贼,乃欲自逸邪?右丞当往。"实保曰:"郎中语固是,如刍饷不足何?"阙曰:"右丞第往,此不难致也。"阙遂下令趣之,三日皆集,实保乃行。

乙丑,右丞相博尔济布哈以调燮失宜、灾异迭见罢,诏以太保就第。

是月,临淄地震,七日乃止。河东地坼泉涌,崩城陷屋,伤人民。

六月,诏免太师满济勒噶台官,安置西宁州。时博尔济布哈以宿憾谮满济勒噶台,故有是诏。其子托克托力请与父俱行,时相欲倾之,因有告变者,复移于西域萨克苏之地。御史大夫额琳沁巴勒曰:"托克托父子无大过,奈何迫之于险?"乃召还甘肃。

复以御史大夫泰费音为中书平章政事。

彰德路大饥,民相食。

秋,七月,猺贼吴天保复寇沅州,陷溆浦、辰溪县,所在焚掠无遗。

八月,壬午,杭州、上海浦中午潮退而复至。

九月,癸卯,八怜内哈喇诺海、图噜和伯贼起,断岭北驿道。

戊申,帝至自上都。

甲寅,诏举才能学业之人,以备侍卫。

丁巳,中书左丞相特穆尔达实薨。特穆尔达实之为相也,修饬纲纪,立内外通调之法,朝官外补,许得陛辞,亲受帝训,责以成效,郡邑贤能吏,次第甄拔,入补朝阙。分海漕米四十万石,置沿河诸仓,以备凶荒;先是僧人与齐民均受役于官,其法中变,至是奏复其旧;孔子后袭封衍圣公,阶止四品,奏升为三品;岁一再诣国学,进诸生而奖励之。中书故事,用老臣豫议大政,久废不设,特穆尔达实奏复其规,起腆合、张元朴等四人为议事平章,曾未半年,补偏救弊之政,以次兴举。从幸上都还,入政事堂甫一日,感暴疾而卒,年四十六,赠太师,追封冀宁王,谥文忠。

辛酉,以御史大夫多尔济为中书左丞相。

甲子,集庆路盗起,镇南王博啰布哈讨平之。

丁卯,猩贼吴天保复陷武冈,延及宝庆,杀湖广行省右丞实保于军中。

冬,十月,庚辰,诏建穆呼里、巴延祠堂于东平。

丙戌,额琳沁济达勒反,遣兵讨之。

辛卯,开东华射圃。

戊戌,西蕃盗起,凡二百馀所,陷哈剌火州,劫供御葡萄酒,杀使臣。

是月,猺贼吴天保复寇沅州,州兵击走之。

十一月,辛丑,监察御史(庫庫)〔库库〕,以宦者陇普凭藉宠幸,骤升荣禄大夫,追封三代,田宅逾制,上疏劾之。

甲辰,沿江盗起,剽掠无忌,有司莫能禁。两淮运使宋文瓒上言:"江阴、通、泰,江海之门户,而镇江、真州次之,国初设万户府以镇其地。今戍将非人,致贼舰往来无常;集庆花山劫贼才三十六人,官军万数,不能进讨,反为所败,后竟(手假)〔假手〕盐徒,虽能成功,岂不贻笑！宜亟选智勇,任兵柄,以图后功;不然,东南五省租税之地,恐非国家有矣。"不报。

拨山东十六万二千馀顷地,属大承天护圣寺。

乙巳,中书户部言:"各处水旱,田禾不收,湖广、云南,盗贼蜂起,兵费不给,而各位集赛冗食甚多,请加分拣。"帝牵于众请,令三年后减之。

庚戌,猺贼吴天保复陷武冈,命湖广行省平章政事纽勒领兵讨之。

以河决,命工部尚书密勒玛哈谟行视金堤。

甲寅,猺贼吴天保陷靖州,命威顺王库春布哈、镇南王博啰布哈及湖广、江西二省以兵讨之。

戊午,命河南、山东都府发兵讨湖广洞蛮。

丁卯,海北、湖南猺贼窃发两月馀,有司不以闻,诏罪之,并降散官一等。

是月,满济勒噶台卒。满济勒噶台所至,不以察察为明,赫赫为威,僚属各效其勤,至于事功既成,未尝以为己出也。以仁宗宠遇之深,忌日必先百官诣原庙致敬,或一食一果之美,必持献庙中。至是卒于甘肃。帝念托克托勋劳,召还京师。

十二月,庚午,以中书左丞相多尔济为右丞相,平章政事泰费音为左丞相。先是多尔济请于帝曰:"臣藉先臣之荫,早袭国王,昧于国家之理。今备位宰相,非得泰费音不足与共事。"至是遂拜泰费音左丞相,多尔济为右丞相。

多尔济为人,宽洪有度。留守司行致贺礼,其物先陈鸿禧观,将馈二相,多尔济家臣察知物有丰杀,其致左相者特丰,家臣具白其事,请却之,多尔济曰:"彼纵不送我,亦又何怪!"即命受之。

时顺江酉长乐孙求内附,请立宣抚司及置郡县一十三处,省臣将许之,右司都事归旸曰:"古人有言曰:'鞭虽长,不及马腹。'使郡县果设,有事不救,则孤来附之意,救之,则疲中国以事外夷,所谓获虚名而受实祸也。"与左丞吕思诚抗辨甚力。泰费音问:"其策安出?"旸曰:"其酉长可授宣抚,勿责其贡赋,使者赐以金帛遣归足矣。"卒从旸言。京师苦寒,有丐诉丞相马前者,丞相索皮服予之,仍核在官所藏皮服之数,将悉给贫民,旸曰:"宰相当以广济天下为心,皮服能几何,而欲给之耶? 莫若录饥寒者赈之。"丞相悟而止。

多尔济为相,务存大体,而泰费音则兼理庶务。一时政权颇出于泰费音,趋附者众,多尔济处之凝然,不与较,然泰费音亦能推让尽礼,中外皆号为贤相云。

丙子,以连年水旱,民多失业,选台阁名臣二十六人出为守令,许以民间利害实封呈省。参知政事魏中立言于帝曰:"必欲得贤守,无如参议韩镛者。"帝乃特书镛姓名,授饶州路总管。饶俗尚鬼,有觉山庙者,能祸福人,盗将行劫,必往卜之。镛至,即撤其祠宇,沈土偶人于江,凡境内淫祠皆毁之;人初大骇,已而皆叹服。镛乃选民俊秀入学,求尊宿有学行为《五经》师,朔望,幅巾深衣谒先圣,每月课试,以示劝勉,由是人人自励于学。镛居官,自奉澹泊,僚属化之。先是朝使至外郡者,所奉一不厌其欲,还即腾谤于朝。其使饶者,镛延见郡舍中,供以粝饭,退,终无后言。寻有旨,以织币脆薄,遣使笞行省臣及诸郡长吏,独镛无预焉。

丙戌,中书省建议:"以河南盗贼出入无常,宜分拨达勒达军与扬州旧军于河南水陆关隘戍守,东至徐、邳,北至夹马营,遇贼掩捕。"从之。

湖广行省右丞实保,既为猺贼所害,其子实迪方为中书掾,请奔丧。丞相以实迪有兄弟,不许,归昫曰:"孝者,人子之同情,以其有兄弟而沮其请,非所以孝治天下也。"乃许之。

是月,陕西行御史台臣,劾奏博尔济布哈乃逆臣之亲子,不可居太保之职,不报。

是冬,卫辉路天鼓鸣。

是岁,隆福宫三皇后鸿吉哩氏薨。

鄱阳朱公迁,以遗逸征至京师,授翰林直学士,每劝帝亲贤远奸,抑豪强,省冗费,修德恤民,庶天意可回,民志可定,不然,恐国家之忧,近在旦夕,帝嘉纳之。当国者恶其切直,不能容,公迁亦力辞;章七上,乃出为金华路学正。

至正八年 【戊子,1348】 春,正月,戊戌朔,命额森特穆尔知枢密院事。

丁未,享于太庙。

辛亥,黄河决,迁济宁路于济州。

诏:"各官府谙练事务之人,毋得迁调。"

诏翰林国史院纂修后妃、功臣列传,学士承旨张起岩、学士杨宗瑞、侍讲学士黄溍为总裁官,左丞相泰费音、左丞吕思诚领其事。

是月,诏给铜虎符,以宫尉鄂(哲勒)〔勒哲〕布哈、贵赤卫副指挥使寿山监湖广军。命湖广行省右丞图齐、湖广宣慰都元帅鄂勒哲特穆尔,讨莫磐洞诸蛮,斩首数百级,其馀二十馀洞,缚其洞酋杨鹿五赴京师。

二月,〔丙子〕,命皇子阿裕实哩达喇习读辉和尔文字。

甲申,以宣政院使桑节为江南行台御史大夫。

时承平日久,内外方以观望为政,桑节独持风裁,御史行部,必饬厉而遣之。湖(东)〔广〕签事三宝珠,性廉介,所至搏贪猾无所贷;御史有以私请者,拒不纳,则诬以事劾之。章至,桑节怒曰:"若人之廉,谁不知之,乃敢为是言耶?"即奏杖御史而白其诬。执政者恶之,移湖广行省平章政事。

湖广地连江北,威顺王岁尝出猎,民病之;又起广乐园,多萃名倡巨贾以网大利,有司莫敢忤。桑节至,谒王,王阖中门,启左扉,召以入。桑节引绳床坐王中门而言曰:"吾受天子命来作牧,非王私臣也,焉得由不正之道入乎?"阍者入告王,王命启中门。桑节入,责王曰:"王,帝室之懿亲,古之所谓伯父、叔父者也。今德音不闻,而骋猎、宣淫,贾怨于下,恐非所以自贻多福也。"王急握桑节手谢之,为悉罢其所为。有胡僧曰小住持者,服三品服,恃宠横甚,数以事陵轹官府,桑节掩捕之,得妻、妾、女乐、妇女十有八人,狱具,罪而籍之,由是豪强敛手。桑节,河西人也。

是月,以前奉使宣抚贾惟贞称职,特授永平路总管。会岁饥,惟贞请降钞四万馀锭赈之。

诏济宁郓城立行都水监,以工部郎中贾鲁为之。鲁,高平人也。

三月,丁酉,诏以束帛旌守令之廉勤者。

辽东索和努反,诈称大金子孙,命将讨擒之。

壬寅,土番盗起,有司请不拘资级,委员讨之。

福建盗起,地远,难于讨捕,诏汀、漳二州立分元帅府辖之。

癸卯,帝亲试进士二十有八人,赐阿噜辉特穆尔、王宗哲等及第、出身。

己酉,湖广行省遣使献石壁洞蛮捷。

辛酉，辽阳乌延达噜欢，妄称大金子孙，受玉帝符文，作乱；官军讨斩之。

壬戌，《六条政类》书成。

是月，猺贼吴天保复寇沅州。

夏，四月，辛未，河间等路以连年河决，水旱相仍，户口消耗，乞减盐额，诏从之。

乙亥，帝幸国子学，赐衍圣公银印，升秩从二品。

定弟子员出身及奔丧、省亲等法。

诏："守令选立社长，专一劝课农桑。"

诏："京官三品以上，岁举守令一人，守令到任三月，亦举一人自代。"

平江、松江水灾，给海运粮十万石赈之。

丁丑，辽阳董哈喇作乱，镇抚奇彻讨擒之。

己卯，海宁州、沭阳县等处盗起，遣翰林学士图沁布哈讨之。

是月，帝如上都。

命托克托为太傅，提调宫傅，综理东宫之事。

湖广平章巴延引兵捕土寇莫（五万）〔万五〕、蛮雷等。已而广西峒贼乘隙入寇，巴延退走。

五月，丁酉朔，大霖雨，京城崩。

庚子，广西山崩，水涌，漓江溢，平地水深二丈馀，屋宇、人畜漂没。

乙卯，钱塘江潮比之八月中高数丈，沿江民皆迁居以避之。

己未，奎章阁侍书学士致仕虞集卒。集从吴澄游，授受具有原委。性孝友，抚庶弟，嫁孤妹，恩义备至。当权门赫奕，未尝有所附丽；集议中书，正言谠论，多见容受。屡以片言解疑误，出人于濒死，亦不以为德也。

是月，永嘉大风，海舟吹上平陆二三十里，死者千数。

六月，丙戌，立司天台于上都。

己丑，中兴路松滋县骤雨，水暴涨，平地深丈有五尺，漂没六十馀里，死者一千五百人。

是月，山东大水，民饥，赈之。

秋，七月，丙申朔，日有食之。

乙巳，享于太庙。

壬子，量移窜徙官于近地安置，死者听归葬。

乙卯，遣使祭曲阜孔子庙。

以江州总管刘恒有政绩，擢山东宣慰使。

八月，帝至自上都。

冬，十月，丁亥，广西蛮掠道州。

十一月，辛亥，猺贼吴天保率众六万掠全州。

是岁，设分元帅府于沂州，以迈博齐为元帅，备山东寇。

礼部郎中成遵，奉使山东、淮北，察守令贤否，得循良者九人，贪懦者二十一人，奏之。九人者赐上尊、币帛，仍加显擢；其二十一人悉黜之。

台州黄岩民方国珍，入海为乱。

国珍世以贩盐浮海为业,时有蔡乱头者,行剽海上,有司发兵捕之。国珍怨家告其通寇,国珍杀怨家,遂与兄国璋、弟国瑛、国珉亡入海,聚众数千人,劫掠漕运,执海道千户德流于实。事闻,诏江浙参政多尔济巴勒总舟师捕之。追至福州五虎门,国珍知事危,焚舟将遁,官军自相惊溃,多尔济巴勒遂被执;国珍迫其上招降之状。朝议授国珍定国尉,将治多尔济巴勒之罪,枢密参议归旸曰:"将臣失利,罪之固当;然所部皆北方步骑,不习水战,是驱之死地耳,宜募海滨之民习水利者擒之。今国珍遣人请降,决不可许;国珍已败我王师,又拘我王臣,力屈而来,非真降也,必讨之以示四方。"朝廷方事姑息,卒从其请。国珍竟不肯赴,势益猖獗。帝遣礼部尚书台哈布哈察实以闻。台哈布哈既得其状,遂上招捕之策,不听。

监察御史张桢言:"明埒栋阿、额尔佳、伊噜布哈,皆陛下不共戴天之仇;巴延贼杀宗室嘉王、郯王一十六口,法当族诛,而其子孙兄弟尚皆仕于朝,宜急行诛窜。右丞相博尔济布哈,阿附权奸,亦宜远贬。今灾异迭见,盗贼蜂起,海寇敢于要君,闽帅敢于玩寇,若不振举,恐有唐末藩镇噬脐之祸。"奏上,徽政院使高陇布力为博尔济布哈解,帝乃出御史大夫额琳沁巴勒为江浙左丞相中丞,馀皆辞职。诏复加博尔济布哈太保,于是两台各道言章交至,博尔济布哈益不自安,寻谪居渤海县。

监察御史李泌上言:"世祖誓不与高丽共事,陛下践世祖之位,何忍忘世祖之言,乃以高丽奇氏为皇后?今河决、地震,盗贼滋蔓,皆阴盛阳微之象,请仍降为妃,庶几三辰奠位,灾异可息。"不听。

至正九年 【己丑,1349】 春,正月,丁酉,享于太庙。

癸卯,立山东、河南等处行都水监,专治河患。

乙巳,广西猺贼复陷道州,万户郑均击走之。

三月,丁酉,坝河浅涩,以军士、民夫各一万浚之。

是月,黄河北溃。

胶州大饥,人相食。

猺贼吴天保复寇沅州。

夏,四月,丁卯,享于太庙。

丁丑,知枢密院事奇彻台,为中书平章政事。

己卯,以燕南廉访使韩元善为中书左丞。

是月,帝如上都。

五月,丙辰,定守令督摄之法:路督摄府,府督摄州,州督摄县。

是月,白茅河东注沛县,遂成巨浸,诏修金堤,民夫日给钞三贯。

蜀江大溢,浸汉阳城,民大饥。

六月,丙子,刻小玉印,以"至正珍秘"为文,凡秘书监所掌书,尽以识之。

秋,七月,庚寅,监察御史沃勒海寿,劾奏殿中侍御史哈玛尔及其弟舒苏罪恶,御史大夫韩吉纳以闻。哈玛尔者,宁宗乳母之子也,与舒苏早备宿卫,帝深眷宠之。而哈玛尔有口才,尤为帝褒幸,累官殿中侍御史,舒苏亦累官集贤学士,帝每即内殿,与哈玛尔以双陆为戏。一日,哈玛尔服新衣侍侧,帝方啜茶,噀茶于其衣,哈玛尔视帝曰:"天子固当如是耶?"帝一笑而已。其被爱幸,无与为比。由是哈玛尔声势日盛,自藩王、戚里皆赂遗之。

至正初，托克托为丞相，其弟额森特穆尔为御史大夫，哈玛尔日趋附其兄弟之门。会托克托去相位，而博尔济布哈为丞相，与托克托有旧怨，欲中伤之，哈玛尔每于帝前营护，故得免。

初，博尔济布哈与泰费音、韩吉纳、图们岱尔等情好甚密，及博尔济布哈罢，泰费音、韩吉纳乃谋黜哈玛尔，讽御史劾奏之。其小罪则受宣让王等驼马诸物，其大者则设账房于御幄之后，无君臣之分；又恃以提调宁徽寺为名，出入托果斯皇后宫，犯分之罪尤大。宁徽寺者，掌托果斯皇后钱粮；托果斯皇后，帝庶母也。哈玛尔知御史有所言，先于帝前析其非罪，事皆泰费音、韩吉纳所摭拾。及韩吉纳以御史所言奏，帝大怒，斥弗纳。明日，章再上，帝不得已，仅夺哈玛尔、舒苏官，居之草地，而沃垍海寿出为陕西廉访副使。于是泰费音罢为翰林学士承旨，韩吉纳为宣政院使。

壬辰，诏皇太子阿裕实哩达喇习学汉人文字，以翰林学士李好文兼谕德，归旸为赞善。

好文力辞，上书宰相曰："三代帝王，莫不以教世子为先务，盖帝王之治本于道，圣贤之道存于经，而传经期于明道，出治在于为学，关系至重，要在得人。自非德堪范模，则不足以辅成德性；非学臻阃奥，则不足以启迪聪明；宜求道德之鸿儒，仰成国家之盛事。好文天资本下，人望素轻，草野之习，久与性成，章句之学，寝以事废，骤以重托，负荷诚难。必别加选抡，庶几国家有得人之助，而好文免妨贤之讥。"丞相以其书闻，帝嘉叹之，而不允其辞。好文言："欲求二帝、三王之道，必由于孔氏，其书则《孝经》《大学》《论语》《孟子》《中庸》。"乃摘其要略，释以经义，又取史传及先儒论说有关治体而协经旨者，加以己见，仿真德秀《大学衍义》之例，为书十一卷，名曰《端本堂经训要义》，奉表以进。

帝师闻之，言于奇皇后曰："向者太子学佛法，顿觉开悟，今乃使习孔子之教，恐坏太子真性。"后曰："吾虽居深宫，不明道德，尝闻自古及今治天下者，须用孔子之道，舍之他求，即为异端。佛法虽好，乃馀事耳，不可以治天下。安得使太子不读书耶？"

甲午，以额森特穆尔为御史大夫。

乙未，以湖广行省左丞相额琳沁巴勒知枢密院事。

甲寅，以巴延为集贤大学士。

乙卯，右丞相多尔济罢，依前为国王。

是月，大霖雨，水（沿）〔没〕高唐州城，江、汉溢，漂没民居、禾稼。归德府霖雨浃十旬。

闰月，辛酉，以太傅托克托复为中书右丞相，出韩吉纳为江浙行省平章政事。

初，托克托自甘州还上都，将复相，中书参议赵期颐，员外郎李稷，谒翰林直学士兼赞善归旸私第，致托克托之命，属草诏，旸辞曰："丞相将为伊、周事业，入相之诏，当命词臣视章。今属笔于旸，恐累丞相之贤也。"期颐曰："若上命为之，奈何？"旸曰："事理非顺，亦当固辞。"期颐知不可屈，乃已。

庚午，以额尔克达噜噶齐绰斯戬为中书右丞。

辛巳，诏赦湖南猺贼讵误者。

初，满济勒噶台卒，泰费音请令托克托归葬，左右以为难，泰费音为之固请，托克托得还，且拜太傅，然不知泰费音之有德于己也，因汝中柏谗间成隙，欲中伤之。是时中书参知政事孔思立等，皆一时名人，泰费音所拔用者，悉诬以罪黜去。泰费音既罢，又诬劾之，而并论其子额森呼图不宜僭娶宗室女。托克托之母闻之，谓托克托兄弟曰："泰费音，好人也，何害于汝而欲去之？汝兄弟若违吾言，非吾子也。"侍御史萨玛特扬言于朝曰："御史欲害正人，坏台纲，如天下后世何！"即卧病不起。故吏田复劝泰费音自裁，泰费音曰："吾无罪，当听于天。若自杀，则诚有慊矣！"遂还奉元，杜门谢客，以书史自娱。

托克托以哈玛尔尝为己营护，深德之，遂援引哈玛尔复为同知枢密院事。

八月，甲辰，以巴延为中书平章政事。

是月，帝至自上都。

九月，甲子，诏："凡建言中外利害者，委官选其可行之事以闻。"

丙子，中书平章政事定珠以病辞职，不可。

是月，遣御史中丞李献代祀河渎。

冬，十月，辛卯，享于太庙。

丁酉，皇太子入端本堂肄业。命托克托、雅克布哈领其事。端本堂虚中坐以俟至尊临幸，太子与师傅分东西向坐授书，其下僚属以次列坐，从归旸议也。

诏以李好文所进《经训要义》付端本堂，令太子习焉。好文又集《历代帝王故事》，总百有六篇：一曰圣慧，如汉孝昭、后汉明帝幼敏之类；二曰孝友，如舜、文王、唐玄宗友爱之类；三曰恭俭，如汉文帝却千里马、罢露台之类；四曰圣学，如殷宗绎学及陈、隋诸君不善学之类；以为太子问安余暇之助。又取古史自三皇迄金、宋，历代授受，国祚久速，治乱兴废为书，名曰《大宝录》；又取前代帝王是非善恶之所当法戒者为书，名曰《大宝龟鉴》，皆录以进。复上书曰："殿下以臣所进诸书，参之《贞观政要》《大学衍义》等篇，果能一一推而行之，则太平之治，不难致矣。"

十一月，戊午朔，日有食之。

托果斯皇后以沃埒海寿之言侵己，泣诉于帝。帝怒，乃夺沃埒海寿官，屏归田里，禁锢之，并诬韩吉纳赃罪，杖流纽尔干以死；而图们岱尔自中书右丞出为四川右丞，亦诬以罪，追至中道杀之。

十二月，丁未，猺贼吴天保陷辰州。

是岁，诏汰冗官，均俸禄，赐致仕官及高年帛。

漕运使贾鲁建言便益二十馀事，从其八事：其一曰京畿和籴，二曰优恤漕司旧领漕户，三曰接运委官，四曰通州总治预定委官，五曰船户困于坝夫，海粮坏于坝户，六曰疏浚运河，七曰临清运粮万户府当隶漕司，八曰宜以宣中船户付本司节制。

冀宁平遥等县曹七七反，命刑部郎中巴克什、兵马指挥锡布军讨平之。

沅、靖、柳、桂等路猺獠窃发，朝廷以溪洞险阻，下诏招谕之。湖广行省平章达实特穆尔谓"寇情不可料，请置三分省：一治静江，一治沅、靖，一治柳、桂，以左、右丞、参政兵镇其地；罢靖州路总管府，改立靖州军民安抚司，设万户府，益以戍兵。"从之。达实特穆尔，特穆尔达实之弟也。

至正十年【庚寅，1350】 春，正月，丙辰朔，以中书右丞绰斯戬为平章政事。

甲戌，陨石隶州，色黑，中微有金星，先有声自西北来，至州北二十里乃陨。

是月，前太保、中书右丞相博尔济布哈卒于渤海县。

三月,奉化州山石裂,有禽鸟、山川、人物之形。

是春,彰德大寒,近清明节,雨雪三尺,民多冻馁死。

夏,四月,丁酉,赦天下。

是月,帝如上都。

五月,右丞相托克托居母忧,帝遣近臣谕之,俾出理庶务。于是托克托用乌库逊良桢、龚伯璲、汝中柏、拜特穆尔等为僚属,皆委以腹心之寄,小大之事皆与之谋,事行而群臣不知也。

六月,壬子,有星大如月,入北斗,震声若雷,三日复还。

甲子,宁州大雨,山崩。

丙寅,上高县蒙山崩。

八月,〔壬寅〕,帝至自上都。

九月,辛酉,祭三皇如祭孔子礼。先是岁祀以医官行事,江西廉访使文殊讷建言,礼有未备,乃敕工部具祭器,江浙行省造雅乐,太常定仪式,翰林撰乐章,至是用之。

庚午,命枢密院以军士五百修筑白河堤。

壬午,右丞相托克托以吏部选格条目繁多,莫适据依,铨选者得以高下之,请编类为成书,从之。

冬,十月,乙酉,安溪县后山鸣。

乙未,托克托欲更钞法,乃集省、台、两院共议之。

先是左司都事武祺,以钞法不行,请如旧,凡合支名目,于总库转支,从之。至是与吏部尚书偰哲笃俱欲迎合丞相意,请以楮币钞一贯文省权铜钱一千文,钞为母而钱为子,众皆唯唯,不敢出一语。中书左丞兼国子祭酒吕思诚曰:“中统、至元,自有母子,上料为母,下料为子,譬如达勒达人乞养汉人为子,是终为汉人之子而已,岂有以故纸为母而以铜钱为过房儿子者乎!”思诚又曰:“钱钞用法,以虚换实,其致一也。今历代钱与至正钱、中统钞、至元钞、交钞分为五顶,虑下民知之,藏其(贯)〔实〕而弃其虚,恐不为国家利。”偰哲笃曰:“至元钞多伪,故更之。”思诚曰:“至元钞非伪,人为伪尔,交钞若出,亦有为伪者矣。且至元钞人犹识之,交钞人未之识,伪将滋多。”偰哲笃曰:“钱钞兼行何如?”思诚曰:“钱钞兼行,轻重不伦,何者为母,何者为子?汝不通古今,徒以口舌取媚大臣,可乎?”偰哲笃怒曰:“我等策既不可行,公有何策?”思诚曰:“我有三字策,曰行不得,行不得!”又曰:“丞相勿听此言,如向日开金口河,成则归功汝等,不成则归罪丞相矣。”托克托见思诚之言直,狐疑未决。御史大夫额森特穆尔曰:“吕祭酒之言亦有是者,但不当在廊庙上大声厉色耳。”御史劾思诚狂妄,左迁湖广行省左丞。

遂定更钞之议,以中统、交钞一贯省权铜钱一千文,准至元宝钞二贯,仍铸至元通宝钱与历代钱并用,以实钞法。行之未久,物价腾踊至逾十倍。及兵兴,所在郡县皆以物货相贸易,公私所积者皆不行,国用由是大乏。

是月,南阳、大名、东平、济南、徐州,各立兵马指挥司,以捕上马贼。时南阳路总管庄文昭言:“本郡鸦路有上马贼百十为群,突入富家,计其家赀,邀求金银为撒花。或劫州县官库,取轻资,约束装载毕,拘妓女,置酒高会,三日乃上马去。州郡无武备,无如之何。”于是始命立兵马分司五处,然终不能禁。

十一月,壬子朔,日有食之。

辛酉,罢辽阳滨海民煎熬野盐。

是月,三星陨于耀州,化为石,如斧形,削之有屑,击之有声。

十二月,壬午朔,修大都城。

右丞相托克托慨然有志于事功,时河决五年不能塞,方数千里,民被其患,托克托请躬任其事,帝嘉纳之。辛卯,以大司农图噜等兼领都水监。

集群臣议黄河便益事,言人人殊,唯都漕运使贾鲁昌言必当治。先是鲁尝为山东道奉使宣抚首领官,循行被水郡邑,具得修捍成策。后又为都水使者,奉旨诣河上相视,验状为图,以二策进献:一议修筑北堤以制横溃,其用功省;一议疏塞并举,挽河东行,使复故道,其功费甚大。至是复以二策进,取其后策,且以其事属鲁,鲁固辞,托克托曰:"此事非子不可。"乃入奏,大称旨。托克托出告群臣曰:"皇帝方忧下民,为大臣者,职当分忧。然事有难为,犹疾有难治。自古河患,即难治之疾也。今我必欲去其疾,而人人异论,何也?"然廷议终莫能决。帝乃命工部尚书成遵偕大司农图噜行视河,议具疏塞之方以闻。

命前同知枢密院事布延布哈等讨广西猺贼。

方国珍复叛,己酉,寇温州。

是冬,温暖,霹雳暴雨时行,衢、饶、处等处雨黑黍,内白如粉,草木皆萌芽吐花,大雪而雷电。

是岁,京师丽正门楼上,忽有人妄言灾祸,鞫问之,自称蓟州人,已而不知所往。

【译文】

元纪二十七　起丙戌年(公元 1346 年)二月,止庚寅年(公元 1350 年)十二月,共五年。

至正六年　　(公元 1346 年)

春季,二月,庚戌朔(初一),发生日食。

辛未(二十二日),兴国地区下冰雹,大的像马头。

这个月,山东发生地震,七天才停止。

司天监上奏:"天狗星坠落地上,将要血食人间五千日,开始在楚,遍及齐、越,到吴中止,它的光芒不到两广。"后来天下变乱,都像他所说的一样。

三月,辛未(疑误),盗匪控制住李开务的闸河,抢劫商人船只。两淮运使宋文瓒说:"世祖皇帝开凿会通河一千多里,每年运米到京城有五百万石。现在骑马的贼人只不过四十人,抢劫了三百艘船,却没法捉到他们,恐怕运输路线会被阻塞。请求选派能干的官员率领一千骑强壮士兵去捉拿他们。"朝廷没有听从。

戊申(二十九日),京城地区出现盗贼,范阳县请求增设县尉。

山东盗贼闹事,下诏派中书参知政事索诺木巴勒去东平镇压。

这个月,高苑县发生地震,损坏百姓房屋。

夏季,四月,壬子(初四),辽阳因为捕捉海东青骚扰了百姓,沃济野人和硕达勒达都发起叛乱;万户迈珠等人讨伐他们,被杀害,下诏抚恤他家。

癸丑(初五),向天下颁发《至正条格》。

甲寅(初六),任命中书参知政事吕思诚为左丞。

乙卯(初七),在太庙举行祭祀。

丁卯(十九日),顺帝去上都,中书平章政事特穆尔达实留守京城。

按原来的办法,百姓到官仓买粮,每月发给印券的,价格为三百文,叫作"红帖米";发给赋筹,三个月为限的,价格为五百文,叫作"散筹米";贪心的百姓买下赋筹和印券来牟利。特穆尔达实请求另外发放二十万石米,派官吏坐在市场里,让人拿五十文钱就能买到一斗米,舞弊谋利的事就此绝迹了。

由中书左丞吕思诚管理经筵之事。命令中书省左右二司、六部官员在午后讲习经史。

五月,壬午(初四),广西象州盗贼起事。

江西田赋提举司骚扰百姓,被罢官。

丁亥(初九),盗贼偷走太庙里的神主。

派和尔呼达讨伐沃济野人。

辛卯(十三日),绛州下冰雹,大的有二尺多。

丁酉(十九日),因为黄河决堤,设立河南、山东都水监。

六月,己酉(初二),汀州连城县百姓罗天麟、陈积万反叛,攻下长汀县;福建元帅府经历真宝、万户廉和尚等人讨伐他们。

丁巳(初十),顺帝下诏,因为云南叛贼死可伐霸占一方,侵占土地,任命伊图珲为云南行省平章政事,讨伐贼人;不久下诏招降。

这个月,罗浮发生山崩,大水涌出,淹死一百多人。

秋季,七月,己卯(初三),在太庙进行祭祀。

癸巳(十七日),下诏选拔集赛官为路、府、县的达噜噶齐。

丙申(二十日),任命参知政事多尔济巴勒为中书左丞。

当时有因擅长音乐而得到顺帝宠幸的人,顺帝任命他为崇文监丞,多尔济巴勒另外选了一个人呈报,顺帝生气地说:"选拔官员难道都由中书省决定吗?"多尔济巴勒叩头说:"任用宠幸的臣子担任清闲的职务,恐怕后世会因此非议陛下。现在选用别人,臣实在有罪,与中书省大臣无关。"顺帝很高兴,提拔他为右丞。

甲辰(二十八日),京畿奉使宣抚鼎鼎上书奏明御史萨巴尔等人的罪行,杖责后贬黜了他们。当时各道奉使都和御史台官员互相掩护,只有鼎鼎和湖广道巴实毫不回避地检举弹劾。

这个月,鄜州天降白毛象马鬃一样。

八月,丙午朔(初一),命令江浙行省右丞呼图克布哈、江西行省右丞图噜统领军队共同讨伐罗天麟。

这个月,顺帝从上都回来。

益都临淄县下冰雹,象杯盂一样大,野地没有了青草,地面红得呈赭石色。

九月,乙酉(初十),收复长汀。

戊子(十三日),邵武发生地震,有向敲鼓一样的声音,到夜里又响起来。

冬季,十月,思靖瑶贼侵犯武冈;下诏派湖广省臣和湖南宣慰元帅鄂勒哲特穆尔去讨伐,俘获并斩首了数百人,瑶贼失败退走。

闰十月，乙亥朔(初一)，下诏大赦天下，减免差税三分，遭受水灾旱灾的地方全部免除。靖州瑶贼吴天保攻陷黔阳。

癸未(初九)，汀州贼徒罗德用杀死罗天麟、陈积万，把他们的首级献给官府，其余的党羽全部平定。

十二月，丁丑(初四)，中书省臣改拟明宗母亲寿章皇后的徽号为"庄献嗣圣皇后"。

辛卯(十八日)，有关部门的官员因为赏赐过多，上奏请求皇帝赏赐应该先由中书省、御史台、枢密院拟定。

壬寅(二十九日)，山东、河南出现盗贼，派左右阿苏卫指挥布尔国等去讨伐。

这一年，尚书李綗因为黄河发生水灾，请求皇上亲自到南郊和太庙祭祀，亲近正人君子，疏远奸佞之徒，以便增长阳气压抑阴气，没有回复。

任命侍御史盖苗为中书参知政事。

当时大臣因为两京之间的车马道路狭窄，请求摧毁百姓田地、房屋以扩展道路，已经派使者监督有关部门施工了，盖苗建议说："车马道路是至元初年建成的，为什么唯独现在才觉得狭窄呢？"极力争辩，工程于是停止了。当时提议把宿卫士全部外放担任郡长官，以便解决他们的贫困问题。盖苗建议说："郡的长官是管理百姓的，怎么能用来解决贫困呢！果真有人无法维持生活，赏赐给他们钱就可以了。如果要任命郡的长官，应当挑选贤德的人才行。"这个提议就中止了。又想把一万贯钞赏给角斗士，盖苗说："各处都报告饥荒，没得到赈济抚恤，摔跤有什么功劳，获得这样的重赏！"又报上四川廉访司事的家仆违反规定征收职田田租，奉使宣抚直接把主人定了罪，宰相命令奉使马上执行办理，盖苗请求交司法部门详细审议，不要使廉访司以此作为把柄。于是宰相对下属官员说："之所以推荐盖君到中书省，是想得到他的帮助，但他却每件事都要作对，这是为什么？今后有公事，不要报告参知政事。"盖苗叹息说："我才力不济，勉力担当执政之职，中书省的事，都应当报告我知道。现在宰相这么说，我不走还等什么！"将要辞官离去，恰巧下诏任命他为江南行台御史中丞。宰相对盖苗的恼怒始终没消除，他刚到，就又被任命为甘肃行省左丞。当时盖苗已经卸职回归家乡，宰相又上奏，下旨催他上任，盖苗抱病上路。到了镇守之处，马上上疏说："西域的诸王，是国家的屏障，赏赐虽然有制度，但有关部门受文书往来的成规限制，使恩泽不能及时到达，有匮乏的担忧，这绝不是尊崇亲族优待根本的用意。"又上奏："甘肃每年在中粮问题上弊端极多，请求同时发给粮食和钱，那么军民都有好处。"顺帝同意了。调任陕西行台中丞，到任几天，就上疏请求辞职还乡，回家后，过了一年就去世了。被追封为魏国公，谥号文献。

盖苗学问醇正，生性孝顺友善，乐善好施，设置义田来赡养宗族中的人。平时生活中谦虚谨慎，等到遇上事情，却敢于直陈自己的意见，虽然遭受挫折，仍不屈不挠，有古人正直的遗风。

至正七年　(公元1347年)

春季，正月，甲辰朔(初一)，发生日食。天气非常寒冷并且刮风，朝廷官员有几个摔倒在地。

壬子(初九)，任命中书左丞博尔济布哈为右丞相。

原先，博尔济布哈和右丞相阿噜图商议要排挤陷害托克托，阿噜图说："我们怎么可能长时间担任丞相,也会有退休的一天,人们将会怎么说我呢!"博尔济布哈屡次跟他谈这事,他始终不同意。博尔济布哈于是暗示御史弹劾阿噜图不适合当丞相,阿噜图立即回避出城。他的亲戚朋友都为他感到不平,劝他说:"丞相所做的都是好事,而御史所说的都没有道理,丞相为什么不谒见皇上自己陈述?皇上一定会分辨清楚。"阿噜图说:"我是开国四杰之一博尔济的后裔,丞相有什么了不起!但皇上任命我担任,不敢推辞。现在御史弹劾我,我应当马上离开。御史之职是世祖设立的,我如果和御史对抗,就是和世祖对抗。你们不要再说了。"阿噜图于是罢官离去。博尔济布哈不久也辞职而去。

二月,己卯(初六),山东发生地震,损坏城墙,棣州有像打雷一样的声音。河南、山东的盗贼蔓延到济宁、滕州、邳州、徐州等地方。

丙戌(十三日),任命宦官拜特穆尔为司徒。

这个月,瑶贼吴天保侵犯沅州。

三月,甲辰(初二),中书省大臣上奏:"世祖的时候,中书省、御史台、枢密院上奏言事,由给事中专门掌管,交给国史院编纂。近年来这件事废止了,恐怕万世之后,一代的成就无从查证,请求恢复旧的制度。"听从了。

乙巳(初三),派遣使者选拔云南的官员。

庚戌(初八),在国子监举行考试,生员们会餐,挑选递补路、府和各侍卫军的学正。

戊午(十六日),下诏编写《六条政类》。

庚申(十八日),监察御史王士点弹劾集贤大学士吴直方越过官阶得到提升,顺帝收回他的成命。

乙丑(二十三日),云南王博啰来呈上讨伐死可伐的捷报。

夏季,四月,己卯(初七),在太庙举行祭祀。

辛巳(初九),任命通政院使多勒奇尔为辽阳行省参知政事,讨伐沃济野人。

庚寅(十八日),又任命博尔济布哈为中书右丞相,平章政事特穆尔达实为左丞相。

特穆尔达实天性忠贞诚信,学问正大。顺帝曾经问:"治国哪样是根本?"回答说:"效法祖宗。"又问:"王文统是奇才,恨不得能任用像他那样的人!"回答说:"世祖皇帝有尧、舜的才能,王文统不对世祖讲述王道,而是崇尚霸术,急功近利,是世祖的罪人。如果现在有王文统,正应当疏远他,有什么可取之处呢!"

临清、广平、滦河等地盗贼兴起,派官兵捉拿他们。

通州盗贼兴起,监察御史上奏说:"通州邻近京城而出现大量盗贼,应该增派兵员讨伐,以便杜绝它的发展。"没有答复。

这个月,河东发生大旱灾,很多百姓饿死,派使者前去赈济。

顺帝去上都。

五月,庚戌(初九),瑶贼吴天保攻陷武冈路,下诏派湖广行省右丞实保统领军队讨伐他。实保坚持不想去,左右司郎中余阙说:"右丞身负天子的使命,是一方的重臣,不打算拿弓箭去讨伐贼人,还想自己享乐吗?右丞应当去。"实保说:"郎中说的话虽然对,但粮草军饷不够怎么办?"余阙说:"右丞如果前往,这不难得到。"余阙于是下令催促,三天就收集齐了,实保这才出发。

乙丑(二十四日),右丞相博尔济布哈因为措施不当、灾异频频出现而罢官,下诏赐给太保名号回家。

这个月,临淄发生地震,七天才停止。河东地面裂开泉水涌出,城墙崩塌,房屋下陷,百姓受伤。

六月,下诏免去太师满济勒噶台官职,安置在西宁州。当时博尔济布哈因旧怨诬陷满济勒噶台,所以有这个诏书。他的儿子托克托坚决请求和父亲一起前往,当时丞相想陷害他,趁着有人告发,又把他们迁移到西域萨克苏地区。御史大夫额琳沁巴勒说:"托克托父子没有大的过失,为什么迫使他们居于险地?"于是召回甘肃。

又任命御史大夫泰费音为中书平章政事。

彰德路发生大饥荒,人吃人。

秋季,七月,瑶贼吴天保又侵犯沅州,攻陷溆浦县、辰溪县,所到的地方都被烧光抢光。

八月,壬午(十二日),杭州、上海浦中午潮水退了又涨回。

九月,癸卯(初四),八怜内哈喇诺海、图噜和伯盗贼兴起,阻断岭北的驿道。

戊申(初九),顺帝从上都回来。

甲寅(十五日),下诏推荐有才能学问的人,作为侍卫后备人选。

丁巳(十八日),中书左丞相特穆尔达实去世。特穆尔达实担任丞相,整顿纲纪,订立内外官员相互调动的办法。朝廷官员外调补缺,允许上朝辞别,亲自领受顺帝的训话,要求要有成效,地方郡县中有才德的官吏,依次挑选提拔,到朝中任职。调拨海道漕运米四十万石,放在沿河各粮仓,以防备凶年饥荒;原先僧人和普通百姓都承担官府差役,这个制度中途发生变化,这时上奏恢复旧制;孔子后人袭封衍圣公,官阶只是四品,上奏升为三品;每年都多次到国学,召见生员奖励他们。中书省旧例,召集老臣商议国家大政,很久以来已停止实行,特穆尔达实上奏恢复这一制度,起用腆合、张元朴等四人为议事平章,还没到半年,补救偏颇改正弊端的各种措施,相继实行。跟随顺帝从上都回来,进入政事堂才一天,感染暴病而死,年四十六岁。赠太师之号,追封为冀宁王,谥号文忠。

辛酉(二十二日),任命御史大夫多尔济为中书左丞相。

甲子(二十五日),集庆路盗贼兴起,镇南王博啰布哈讨伐平定了它。

丁卯(二十八日),瑶贼吴天保又攻下武冈,打到宝庆,在军队中杀死了湖广行省右丞实保。

冬季,十月,庚辰(十二日),下诏在东平修建穆呼里、巴延祠堂。

丙戌(十八日),额琳沁济达勒造反,派兵征讨他。

辛卯(二十三日),开东华射圃。

戊戌(三十日),西蕃盗贼兴起,共有二百多处,攻占哈剌火州,抢走进贡皇帝的葡萄酒,杀死使臣。

这个月,瑶贼吴天保又侵犯沅州,沅州守军打退了他。

十一月,辛丑(初三),监察御史库库因为宦官陇普凭借皇帝宠爱,突然升任荣禄大夫,追封三代,拥有的田地房屋超过规定,上疏弹劾他。

甲辰(初六),长江沿岸盗贼兴起,肆无忌惮地抢劫掳掠,有关部门无法制止。两淮运使宋文瓒上奏说:"江阴、通州、泰州,是长江入海的门户,而镇江、真州是其次,本朝初年设置万户府来镇守这个地方。现在戍守的将领不胜任,以致贼人船只随便来往;集庆花山的劫贼才三十六人,官军一万多人,不能讨伐平定,反而被他们打败,后来竟然借助盐贩子,尽管成功了,难道不惹人笑话!应当立即挑选智勇双全的人,担任军队将领,以便保证往后成功;不然,上缴租税的东南五省,恐怕就不是国家所有的地方了。"不予回复。

拨出山东十六万二千多顷地,归属大承天护圣寺。

乙巳(初七),中书省户部上奏说:"各地发生水旱灾害,没有收获粮食。湖广、云南,盗贼大量出现。军费不足,而各位集赛超编领口粮很多,请求加以精简。"顺帝碍于众人的请求,下令三年后裁减。

庚戌(十二日),瑶贼吴天保又攻陷武冈,命令湖广行省平章政事纽勒统率军队讨伐他。

因为黄河决堤,命令工部尚书密勒玛哈谟前去视察金堤。

甲寅(十六日),瑶贼吴天保攻下靖州,命令威顺王库春布哈、镇南王博啰布哈和湖广、江西两省起兵征讨。

戊午(二十日),命令河南、山东都府发兵讨伐湖广的峒蛮。

丁卯(二十九日),海北、湖南瑶贼暗地里作乱有两个多月了,有关部门不报告,下诏降罪,一起降散官官阶一等。

这个月,满济勒噶台去世。满济勒噶台所到之处,不以考察苛刻为精明,不以声势显赫为威风,下属都仿效他的勤勉,等事情办成功了,他从不曾认为是自己的功劳。因为仁宗对他非常宠幸优待,到仁宗忌日他必定在百官之前到原庙致敬,有时有美味的食物或水果,必定拿去供在庙中。到这时死在甘肃。顺帝顾念到托克托的功劳,召他回京师。

十二月,庚午(初三),任命中书左丞相多尔济为右丞相,平章政事泰费音为左丞相。此前多尔济向顺帝请求说:"臣凭借先人的余荫,早早继承了国王之位,不懂得治国的方法。现在担任宰相,没有泰费音就没法共事。"这时于是任命泰费音为左丞相,多尔济为右丞相。

多尔济为人,宽宏有度量。留守司送致贺礼,礼物先陈列在鸿禧观,将要送给两位丞相。多尔济的家仆看到礼物有厚薄之分,送给左丞相的特别丰厚,家仆把这件事告诉了主人,请求拒绝接受,多尔济说:"他们即使不送给我,又有什么可奇怪的!"随即命令收下。

当时顺江酉长乐孙请求归附本朝,要求设立宣抚司和设置十三个郡县,中书省大臣准备答应他,右司都事归旸说:"古人说道:'马鞭虽长,不及马腹。'假使果真设置郡县,出了事不去救援,那就辜负了归附者的心意,救援他,那就会为了外夷使中国疲敝,这就是为了赢得虚名而遭受事实上的损害。"和左丞吕思诚极力反对。泰费音问:"那怎么办呢?"归旸说:"那个酉长可以授予宣抚之名,不要求他交贡赋,使者赐给他金帛遣他回去就行了。"最后听从了归旸的话。京城严寒,有名乞丐在丞相马前诉苦,丞相要来皮袍给他,还计算在官仓中收藏的皮袍的数目,准备全部分给贫民,归旸说:"宰相应当把恩惠施于天下为念,皮袍能有多少,打算分给贫民解决多少问题?不如登记饥寒的人给予赈济。"丞相醒悟,就放弃了这件事。

多尔济担任丞相,主要从大局着眼,而泰费音则兼管理日常事务。一时政务多数由泰费音处理,趋炎附势者很多,多尔济处之泰然,不和他们计较,然而泰费音也能谦让,遵守礼节,朝廷内外都称赞他们为贤相。

丙子(初九),因连年发生水旱灾害,百姓很多流浪在外,挑选二十六位台阁名臣外放担任地方守令,允许他们把地方的利弊密封呈送中书省。参知政事魏中立对顺帝说:"要想得到有才能的地方长官,谁也比不上参议韩镛。"顺帝于是特地写下韩镛的名字,任命他为饶州路总管。饶州的风俗迷信鬼,有座觉山庙,能给人带来祸福,盗贼将要有所行动,一定要去庙里占卜。韩镛到任,马上拆除这所寺庙,把泥像沉入江中,辖境内所有过多的祠庙都摧毁。人们开始很震惊,接着都很佩服。韩镛于是在百姓中挑选聪明的少年入学,寻求有学问德行的长者作为《五经》的老师,初一和十五,他穿戴幅巾深衣拜谒圣人牌位,每月举行考试,以表示勉励,因此人人都努力学习。韩镛身居官位,自甘淡泊,下属也被他感化了。原先朝廷的使者到外地,地方的供给有一点不能令他满意,回去就在朝中大肆诽谤。出使饶州路的,韩镛在郡舍中会见他,供给他粗陋的饭菜,使者回朝,始终没有怨言。不久皇帝有旨,因为织造的帛脆薄,派使者答责行省大臣和各郡长官,只有韩镛例外。

丙戌(十九日),中书省建议:"由于河南的盗贼出没无常,应当分拨达勒达军和扬州旧军在河南水陆两路的关隘驻守,东到徐州、邳州,北到夹马营,碰到盗贼就伏击提拿。"同意了。

湖广行省右丞实保,已经被瑶贼杀害,他的儿子实迪正担任中书省的官员,请求奔丧。丞相认为实迪有兄弟,不允许,归旸说:"尽孝心,是人子共有的感情,因为他有兄弟就拒绝他的请求,这不是以孝道治理天下的做法。"于是允许了。

这个月,陕西行省御史台大臣,弹劾博尔济布哈是逆臣的亲生儿子,不能担任太保的职务,不予回复。

这年冬季,卫辉路天鼓鸣响。

这一年,隆福宫三皇后鸿吉哩氏去世。

鄱阳人朱公迁,作为遗老隐逸被征召到京师,授予翰林直学士,经常劝顺帝亲近贤人疏远奸臣,压制豪强,节约多余的开支,提高道德修养,体恤百姓,那么天意能挽回,百姓的心能安定,否则,恐怕国家危在旦夕,顺帝高兴地接受了他的意见。执掌朝政的人讨厌他的直率,不能容忍他,朱公迁也极力辞职;呈上了七道奏章,便外放任金华路学正。

至正八年　(公元 1348 年)

春季,正月,戊戌朔(初一),任命额森特穆尔为知枢密院事。

丁未(初十),在太庙中举行祭祀。

辛亥(十四日),黄河决堤,迁移济宁路治到济州。

下诏:"各官府熟悉事务的人,不准调动。"

下诏要求翰林国史院编写后妃、功臣列传,学士承旨张起岩、学士杨宗瑞、侍讲学士黄溍为总裁官,左丞相泰费音、左丞吕思诚主管这件事。

这个月,下诏发给铜虎符,派宫尉鄂勒哲布哈、贵赤卫副指挥使寿山监督湖广军队。命令湖广行省右丞图齐、湖广宣慰都元帅鄂勒哲特穆尔,讨伐莫磐洞的蛮人,斩了数百人,其余二十多洞,绑缚他们的首领杨鹿五到京师。

二月,丙子(初九),命令皇子阿裕实哩达喇学习辉和尔文字。

甲申(十七日),任命宣政院使桑节为江南行台御史大夫。

当时天下太平已有很长时间,朝廷内外处理政事都采取观望的态度,桑节坚持自己的做法,御史巡按各地,他一定要严厉训话后才派遣。湖广佥事三宝珠,性格清廉耿直,所到之处毫不容情地打击贪污奸猾的官吏;有的御史私下为人求情,三宝珠拒不接受,御史就捏造事实弹劾他。奏章呈上,桑节生气地说:"他的廉洁,谁不知道,还敢说这样的话?"马上上奏杖责御史,推翻了他的诬陷之词。执掌朝政的大臣厌恶他,把他调任湖广行省平章政事。

湖广和长江北岸相连,威顺王曾经每年出外打猎,百姓为此感到忧虑;他又建广乐园,聚集了许多名妓富商来牟取暴利,有关部门不敢违背他。桑节到任,拜见威顺王,威顺王关闭中门,打开左边的门,召桑节进去。桑节拿来绳床坐在中门前说:"我受天子之命来治理百姓,不是王爷的属下,怎能从旁门左道进去呢?"看门人入内报告了威顺王,威顺王下令打开中门。桑节进去,责备威顺王说:"王爷是皇室近亲,古人所说的伯父、叔父。现在听不到您有道德修养的言行,而是打猎、淫乐,和百姓结怨,恐怕不是给自己积德的做法。"威顺王急忙握着桑节的手感谢他,由此全部停止了自己的所作所为。有个胡僧叫小住持,穿三品官服,仗恃皇帝宠爱十分骄横,多次借故欺压官府,桑节突袭捉拿了他,捉获妻、妾、歌女等妇女十八人,判定罪名,抄没家产。自此以后豪强都收敛了。桑节是河西人。

这个月,因为原任奉使宣抚贾惟贞称职,特别任命他为永平路总管。正遇上饥荒之年,贾惟贞请求拨下钞四万多锭来赈济。

下诏命在济宁郓城设立行都水监,由工部郎中贾鲁负责此事。贾鲁是高平人。

三月,丁酉朔(初一),下诏拿束帛奖励清廉勤勉的地方守令。

辽东索和努造反,假称是大金子孙,命令将领讨伐并捉住了他。

壬寅(初六),吐蕃盗贼兴起,有关部门请求不管官阶资历,派人讨伐。

福建盗贼兴起,地处偏远,难以征讨捉拿,下诏在汀州、漳州设立分元帅府来管辖此地。

癸卯(初七),顺帝亲自考试二十八名进士,赐给阿噜辉特穆尔、王宗哲等人进士及第、进士出身。

己酉(十三日),湖广行省派使者来献上讨伐石壁洞蛮的捷报。

辛酉(二十五日),辽阳人乌延达噜欢,假称是大金子孙,得到玉帝的符文,制造叛乱;官军前去讨伐,把他斩了。

壬戌(二十六日),《六条政类》完成。

这个月,瑶贼吴天保再次侵犯沅州。

夏季,四月,辛未(初五),河间路等地区因连年黄河决堤,水旱灾害相继发生,人口减少,请求减免盐税,下诏表示同意。

乙亥(初九),顺帝临幸国子学,赐给衍圣公银印,升为从二品官。

制定国学生员出仕和奔丧、省亲等制度。

下诏:"地方守令挑选任命社长,专门鼓励督促农桑生产。"

下诏:"三品以上的京官,每年推荐一个地方守令,守令到任三个月,也推荐一个人代替自己。"

平江、松江发生水灾,拨给十万石海运粮进行赈济。

丁丑(十一日),辽阳人董哈喇造反,镇抚奇彻前去讨伐,捉住了他。

己卯(十三日),海宁州、沭阳县等地盗贼兴起,派翰林学士图沁布哈去讨伐。

这个月,顺帝去上都。

任命托克托为太傅,提调宫傅,总管东宫的事务。

湖广平章巴延领兵捉拿土寇莫万五、蛮雷等人。不久广西峒贼趁机侵入,巴延退走。

五月,丁酉朔(初一),下暴雨,京城城墙崩塌。

庚子(初四),广西发生山崩,洪水涌出,漓江水涨溢,平地的水有二丈多深,房屋、人、牲畜被冲走淹没。

乙卯(十九日),钱塘江潮浪头比八月中旬高数丈,沿江的百姓都搬家来躲避。

己未(二十三日),卸任的奎章阁侍书学士虞集去世。虞集跟随吴澄学习,学问都有所依据。性情孝顺友善,抚养庶出的兄弟,操持妹妹的出嫁,仁爱到极点。在权贵声势显赫的时候,不曾前去巴结逢迎;在中书省集会讨论时,正确的议论、建议,多数被接受。屡次用只言片语解决疑难和错误,把人从濒死的境地解救出来,也不认为是自己的功劳。

这个月,永嘉刮大风,海船被吹上平地二、三十里,死的人以千计。

六月,丙戌(二十一日),在上都设立司天台。

己丑(二十四日),中兴路松滋县突然下大雨,水暴涨,平地水有一丈五尺深,淹没六十多里,死了一千五百人。

这个月,山东发大水,百姓饥饿,给予赈济。

秋季,七月,丙申朔(初一),发生日食。

乙巳(初十),在太庙举行祭祀。

壬子(十七日),酌量将流放的官员迁移到就近地区安置,已死的可以归葬。

乙卯(二十日),派使者祭祀曲阜的孔子庙。

因为江州总管刘恒有政绩,提拔为山东宣慰使。

八月,顺帝从上都回来。

冬季,十月,丁亥(二十四日),广西蛮人抢劫道州。

十一月,辛亥(十九日),瑶贼吴天保带领六万人劫掠全州。

这一年,在沂州设置分元帅府,任命迈博齐为元帅,防备山东的盗匪。

礼部郎中成遵,奉命出使山东、淮北,查访地方官吏是否贤能,获知奉公守法的有九人,贪污懦弱的有二十一人,奏知朝廷。九人赐给上等美酒、币帛,还加以显著提拔;那二十一人全被罢官。

台州黄岩的百姓方国珍,到海上作乱。

方国珍世代以在海上贩盐为职业,当时有名叫蔡乱头的人,在海上抢劫,有关部门派兵捉拿他。方国珍的仇家告发他勾结贼人,国珍杀死仇家,便和兄长国璋、弟弟国瑛、国珉逃入海中,聚集了数千人,抢劫漕运,捉住了海道千户德流干实。此事上报,下诏令江浙参政多尔济巴勒统领水军捉拿他。追击到福州五虎门,国珍知道情况危急,焚烧船只准备逃走,官军却自己惊恐溃逃,多尔济巴勒于是被捉住;国珍逼迫他上奏请求招降。朝中商议授给方国珍定海县尉职务,准备治多尔济巴勒的罪,枢密参议归旸说:"将领失利,治罪固然应当;但他所统领的都是北方步兵、骑兵,不熟悉水战,这是把他们赶向死地,应该招募沿海熟习水性的居民去擒拿他。现在方国珍派人请求招降,绝不能允许;国珍已经打败我们的官军,又拘押朝廷大臣,力量不足才来请求招降,不是真心归降,一定要讨伐他给天下人看。”朝廷正打算息事宁人,最终听从了方国珍的请求。方国珍竟然不肯前来归降,气焰更加猖獗。顺帝派礼部尚书台哈布哈查访实际情况报告。台哈布哈调查得知了有关情形,就献上招捕的计策,顺帝不听从。

监察御史张桢说:“明埒栋阿、额尔佳、伊噜布哈,都是陛下不共戴天的仇人;贼人巴延杀死宗室嘉王、郯王十六人,按照法律应当全族处死,但他的子孙兄弟还都在朝中做官,应该赶紧处死或流放。右丞相博尔济布哈,奉迎依附权贵奸臣,也应当贬谪到远处。现在灾异连续发生,盗贼一齐作乱,海盗敢于要挟君主,统兵在外的将帅敢于放松征讨贼寇,如果不振作奋起,恐怕会有唐末藩镇割据的祸患。”奏章呈上,徽政院使高陇布极力为博尔济布哈开脱,顺帝于是外放御史大夫额琳沁巴勒为江浙左丞相中丞,其余的人全都辞职。下诏又授博尔济布哈太保头衔,于是两台和各道的奏章轮流呈上,博尔济布哈更加坐立不安,不久贬谪到渤海县。

监察御史李泌上奏说:“世祖皇帝发誓不和高丽共事,陛下继承了世祖皇帝的王位,怎能忘记世祖的话,把高丽的奇氏立为皇后?现在黄河决堤、地震、盗贼滋生蔓延,都是阴盛阳衰的表现,请求还将奇氏降为妃子,这样也许日月星就能归于正位,灾异将会消失。”顺帝不听从。

至正九年 (公元1349年)

春季,正月,丁酉(初六),在太庙中举行祭祀。

癸卯(初十),设立山东、河南等地的行都水监,专门治理黄河水患。

乙巳(十二日),广西瑶贼再次攻陷道州,万户郑均打退了他们。

三月,丁酉(初六),坝河水浅淤塞,用军士、民夫各一万人疏浚河道。

这个月,黄河在北边决堤。

胶州发生大饥荒,人吃人。

瑶贼吴天保再次侵犯沅州。

夏季,四月,丁卯(初七),在太庙中举行祭祀。

丁丑(十七日),任命知枢密院事奇彻台为中书平章政事。

己卯(十九日),任命燕南廉访使韩元善为中书左丞。

这个月,顺帝去上都。

五月,丙辰(二十六日),制定地方守令监督管理的办法;路监察管理府,府监察管理州,州监察管理县。

这个月,白茅河向东流入沛县,形成巨大的湖泊,下诏修筑金堤,民夫每天给钞三贯。

蜀江大泛滥,浸汉阳城,百姓发生大饥荒。

六月,丙子(十七日),雕刻小玉印,所刻文字为“至正珍秘”,秘书监所掌管的所有书籍,全部盖上这个印。

秋季,七月,庚寅朔(初一),监察御史沃勒海寿,上奏章弹劾殿中侍御史哈玛尔和他的弟弟舒苏的罪恶,御史大夫韩吉纳将此事奏知顺帝。哈玛尔是宁宗乳母的儿子,和舒苏早就担任宿卫,顺帝很宠爱他们。而哈玛尔有口才,更得到顺帝的宠幸,逐渐升任殿中侍御史,舒苏也升任集贤学士。顺帝每次到内殿,和哈玛尔玩双陆的游戏。一天,哈玛尔穿新衣侍立顺帝身旁,顺帝正喝茶,把茶吐到他的衣服上,哈玛尔看着顺帝说:"天子就应当这样吗?"顺帝一笑作罢。他受宠幸的程度,没有人能和他相比。因此哈玛尔的势力越来越大,从藩王、皇亲国戚以下都贿赂他。

至正初年,托克托担任丞相,他的弟弟额森特穆尔担任御史大夫,哈玛尔每天奔走依附在他们兄弟门下。不久托克托不再任丞相,而博尔济布哈担任了丞相,和托克托有旧仇,想要陷害他,哈玛尔每每在顺帝面前回护托克托,他才得幸免。

起初,博尔济布哈和泰费音、韩吉纳、图们岱尔等人交往密切,等到博尔济布哈被罢免,泰费音、韩吉纳于是密谋贬黜哈玛尔,暗示御史弹劾他。他的罪行小的有接受宣让王等人的驼马等物品,大的有在皇帝帐幕后设账房,没有君臣之分;又借着提调宁徽寺的名义,出入托果斯皇后宫,违反名分的罪行更为严重。宁徽寺是掌管托果斯皇后钱粮的机构;托果斯皇后是顺帝的庶母。哈玛尔得知御史的奏章,先在顺帝面前表白自己无罪,所有罪名都是泰费音、韩吉纳捏造的。等到韩吉纳把御史的弹劾上奏,顺帝大为生气,加以斥责,没有接受。第二天,奏章又再呈上,顺帝不得已,只是剥夺哈玛尔、舒苏的官职,使他们居住在草地,而沃垿海寿外放为陕西廉访副使。于是泰费音免去原职,改任翰林学士承旨,韩吉纳改任宣政院使。

壬辰(初三),下诏让皇太子阿裕实哩达喇学习汉人文字,由翰林学士李好文兼任谕德,归旸任赞善。

李好文极力推辞,上书给宰相说:"三代帝王,没有不把教育世子作为首要的事情,因为帝王治理国家的根本是道,圣贤之道存在于经书之中,而传经的目的在于懂得道,治理国家在于学习,关系重大,关键在于选择老师。假如不是品德能作为楷模的人,就不足以辅佐世子提高品德修养;不是学问达到了博大精深的人,就不足以启发世子的才智;应当寻求有道德的大儒,以成就国家的盛事。好文本来天资低下,一向没有什么名望,长久以来已经养成了草野之民的习性,章句之学,时间长了也因事务耽搁而荒废了,突然委以重任,实在难以承担。一定要另外挑选人才,这样国家得到合适的人才,而好文又避免了妨碍贤才的讥笑。"丞相将他的奏章呈上,顺帝很赞赏他,但没有同意他辞掉。好文说:"想要知道二帝、三王的治国之道,必须通过孔子,他的著作有《孝经》《大学》《论语》《孟子》《中庸》。"于是摘录它们的要点,用经义加以注释,又选择史传和以前的儒者的论说中有关治理国家而又和经书要旨相一致的,加上自己的见解,仿照真德秀的《大学衍义》的体例,编成书十一卷,取名叫《端本堂经训要义》,上表呈送。

帝师听说这件事,对奇皇后说:"以前太子学习佛法,顿时感到悟性开通,现在却让他学习孔子的说教,恐怕会破坏太子的真性。"皇后说:"我虽然居住在深宫,不懂得道德,也曾经听说从古到今治理天下的人,必须用孔子之道,舍弃它追求其他的东西,就是异端。佛法虽然好,只不过是较次要的事,不可以用来治理天下。怎能叫太子不读书呢?"

甲午(初五),任命额森特穆尔为御史大夫。

乙未(初六),任命湖广行省左丞相额琳沁巴勒知枢密院事。

甲寅(二十五日),任命巴延为集贤大学士。

乙卯(二十六日),右丞相多尔济罢官,和从前一样做高丽国王。

这个月,降大暴雨,水淹没高唐州城,长江、汉水涨溢,淹没百姓房屋、庄稼。归德府下了一百天大雨。

闰七月,辛酉(初二),再次任命太傅托克托为中书右丞相,外放韩吉纳为江浙行省平章政事。

当初,托克托从甘州回到上都,将要复任丞相,中书参议赵期颐、员外郎李稷,到翰林直学士兼赞善归旸的家中拜见,传达托克托的意思,委托归旸起草诏书,归旸推辞说:"丞相将成就象伊尹、周公那样的功业,授予相位的诏书,应当命翰林学士来起草。现在委托我来写,恐怕连累丞相的贤名。"赵期颐说:"如果皇上命你来写,又怎样?"归旸说:"不合情理的事,也应该坚决推辞。"赵期颐知道不能让他听从,便作罢了。

庚午(十一日),任命额尔克达噜噶齐、绰斯戬为中书右丞。

辛巳(二十二日),下诏赦免湖南瑶贼中无辜受连累的人。

当初,满济勒噶台去世,泰费音请求让托克托回来安葬父亲。左右侍从觉得为难,泰费音为此一再请求,托克托得以回来,而且被授予太傅头衔,但是不知道泰费音对自己有恩,因为汝中柏挑拨离间而对泰费音产生了嫌隙,想要陷害他。这时中书参知政事孔思立等人,都是当时名人,是泰费音所提拔任用的,全都被诬告罪名贬黜走。泰费音罢官后,又诬告弹劾他,并且说他的儿子额森呼图不应当犯上娶宗室女子。托克托的母亲听说此事,对托克托兄弟说:"泰费音是个好人,有什么地方妨害了你而要赶走他? 你们兄弟如果违背了我的话,就不是我的儿子。"侍御史萨玛特在朝中扬言:"御史想要害正人君子,破坏御史台的规章,天下百姓和后世人会怎么说!"就此称病不起。原来的下属官吏田复劝泰费音自杀,泰费音说:"我没有罪,应当听天由命。如果自杀,那就真的有嫌疑了!"于是回到奉元,闭门谢客,用书、史来自我消遣。

托克托因哈玛尔曾经回护自己,对他非常感激,便推荐他再担任同知枢密院事。

八月,甲辰(十六日),任命巴延为中书平章政事。

这个月,顺帝从上都回来。

九月,甲子(初六),下诏:"凡是对朝廷内外的利弊提出建议的,派官员选择可以实行的事上报。"

丙子(十八日),中书平章政事定珠称病辞职,不同意。

这个月,派御史中丞李献代表皇帝祭祀黄河。

冬季,十月,辛卯(初四),在太庙中举行祭祀。

丁酉(初十),皇太子进端本堂学习。命令托克托、雅克布哈负责这件事。端本堂空出中间的座位等待皇帝的临幸,太子和师傅分东西方向面对面坐着讲课,那些下属按次序坐着,这是听从了归旸的提议。

下诏把李好文献上的《经训要义》交给端本堂,叫太子学习。李好文又编成《历代帝王故事》,总计有一百零六篇:一是圣慧,像汉孝昭帝、后汉明帝自幼聪敏之类;二是孝友,象舜、文王、唐玄宗友爱之类;三是恭俭,象汉文帝拒绝要千里马、停建露台之类;四是圣学,象殷代帝王勤于学习和陈朝、隋朝各位君王不爱学习之类;作为太子向皇帝问安以外的闲暇时间阅读。又选取古代史书中从三皇到金、宋,历代更替,国统久暂,治乱兴废的情况编成书,取名叫《大宝录》;又选取前代帝王所做的是非善恶、应当效法或警戒的编成书,取名叫《大宝龟鉴》,都收录呈上。又上书说:"殿下对臣所献上的各种书,参照《贞观政要》《大学衍义》等篇,果真能够一一推行,那么太平盛世不难达到。"

十一月,戊午朔(初一),发生日食。

托果斯皇后因为沃埚海寿的言语冒犯了自己,向顺帝哭诉。顺帝大怒,便罢了沃埚海寿的官职,让他退回家乡,禁锢起来;还诬告韩吉纳有贪污罪行,杖打后流放纽尔干而死;而图们岱尔由中书右丞外放为四川右丞,也被诬告罪名,追到中途杀死。

十二月,丁未(二十一日),瑶贼吴天保攻陷辰州。

这一年,下诏精简多余的官吏,平均俸禄,赐帛给卸任官员和年老的人。

漕运使贾鲁提出二十多条有利的建议,同意了八条:一是京畿地区实行和籴,二是优待抚恤漕运司以前管理的漕户,三是委派官员接运,四是通州总治要预先委派官员,五是船户受坝夫困扰,海运粮被坝户破坏,六是疏通运河,七是临清运粮万户府应当归属于漕司,八是应当把宣中船户交由漕运司管制。

冀宁平遥县等地曹七七造反,命令刑部郎中巴克什、兵马指挥锡布罕讨伐平定他。

沅、靖、柳、桂等路猛贼暗中造反,朝廷因为溪洞地势险要难行,下诏招安他们。湖广行省平章达实特穆尔说"敌情难以预料,请求设置三个分省:一个管辖静江,一个管辖沅、靖,一个管辖柳、桂,派左、右丞、参政领兵镇守这些地方;撤除靖州路总管府,改设靖州军民安抚司,设置万户府,增加戍守的军队。"同意了。达实特穆尔是特穆尔达实的弟弟。

至正十年 (公元1350年)

春季,正月,丙辰朔(初一),任命中书右丞绰斯戬为平章政事。

甲戌(十九日),棣州落陨石,黑色,中间稍微有金星,先有声音从西北来,到棣州北二十里才坠落。

这个月,前任太保、中书右丞相博尔济布哈在渤海县去世。

三月,奉化州山石裂开,有禽鸟、山川、人物的形状。

这年春季,彰德天气严寒,将近清明节时,下了三尺厚的雪,很多百姓冻死饿死。

夏季,四月,丁酉(十三日),大赦天下。

这个月,顺帝去上都。

五月,右丞相托克托为去世的母亲守丧,顺帝派近侍去告诉他,让他出来处理政事。于是托克托把乌库逊良桢、龚伯璲、汝中柏、拜特穆尔等人作为自己的下属,把心腹的事都委托给他们,大小事情都和他们商议,有时事已施行而众大臣还不知道。

六月,壬子(二十九日),有颗星星像月亮那么大,进入北斗,声震如雷,三天后才又返回。

甲子(十一日),宁州降大雨,发生山崩。

丙寅(十三日),上高县蒙山发生山崩。

八月,壬寅(二十日),顺帝从上都回来。

九月,辛酉(初九),按祭祀孔子的仪式祭祀了三皇。原先每年祭祀三皇由医官进行,江西廉访使文殊讷建议,认为仪式不够完备,于是顺帝下旨命工部准备祭器,江浙行省制作雅乐,太常拟定仪式,翰林撰写乐章,到这时使用。

庚午(十八日),命令枢密院派五百名军士修筑白河堤。

壬午(三十日),右丞相托克托认为吏部选拔官吏的条件繁多,不知依据哪一条合适,选拔官吏的人便可以随意左右,请求分类汇集成书,同意了。

冬季,十月,乙酉(初三),安溪县后山发出鸣叫声。

乙未(十三日),托克托想更改钞法,于是召集中书省、御史台和集贤院、翰林院两院共同商议。

原先,左司都事武祺,因为钞法不能实行,请求按照旧的办法,凡是要支出的项目,从总库转支,顺帝听从了。到这时他和吏部尚书偰哲笃都想迎合丞相的意思,请求用纸币钞一贯相当于铜钱一千文,以钞为母而钱为子,众人都唯唯诺诺,不敢说一句话。中书左丞兼国子祭酒吕思诚说:"中统钞、至元钞,自有母子之分,上料为母,下料为子,譬如达勒达人请求收养汉人为儿子,到最后是汉人的儿子,哪有用旧纸币为母而用铜钱做过房儿子的!"吕思诚又说:"钱钞的用法,以虚换实,是一致的。现在历代钱和至正钱、中统钞、至元钞、交钞分为五种,恐怕百姓得知,收藏起实钱丢弃虚钞,只怕对国家不利。"偰哲笃说:"至元钞有很多假的,所以要改变。"吕思诚说:"至元钞不是假的,是人们造假钞,如果使用交钞,也有造假钞的人。而且至元钞人们还认识,交钞人们不认识,造假的会更多。"偰哲笃说:"同时使用钱和钞怎么样?"吕思诚说:"钱钞同时使用,轻重不合,哪个是母,哪个是子?你不懂古今的事,只是用言辞来讨好大臣,这样行吗?"偰哲笃生气地说:"我们的办法既然行不通,你又有什么办法?"吕思诚说:"我有三个字的办法,就是行不得,行不得!"又说:"丞相不要听这些话,像以前开凿金口河,成功了就归功于他们,不成功就归罪于丞相。"托克托见吕思诚言语直率,犹豫不决。御史大夫额森特穆尔说:"吕祭酒说的话也有对的地方,但不应当在朝廷上疾言厉色。"御史弹劾吕思诚狂妄,贬官为湖广行省左丞。

于是通过改变钞法的提议,用中统钞、交钞一贯等于铜钱一千文,相当于至元宝钞二贯,还铸造至元通宝钱和历代铜钱通用,使钞法充实。实行不久,物价上涨超过十倍。等到发生战争时,所有的郡县都以货易货,公家和私人收存的钱钞都不能使用,国家财用因此十分缺乏。

这个月,南阳、大名、东平、济南、徐州,分别设立兵马指挥司,用来捉拿上马贼。当时南阳路总管庄文昭说:"本郡鸦路有上马贼百十人结成一群,冲入富人家中,计算他的财产,要求拿出金银作为撒花。有的抢劫州县官家仓库,拿去金银财宝,穿戴好,召来妓女,摆酒作乐,三天后才上马离去。州郡没有武器装备,对他们无可奈何。"于是才命令设立五处兵马分司,但始终不能制止他们。

十一月,壬子朔(初一),发生日食。

辛酉(初十),禁止辽阳海边的百姓煎熬私盐。

这个月,三颗星坠落在耀州,变成石头,形状像斧,削它有碎屑,敲击时有声音。

十二月,壬午朔(初一),修缮大都城。

右丞相托克托踌躇满志地想建立功业,当时黄河决堤五年了还没法堵塞,方圆数千里,百姓都遭受水患,托克托请求亲自负责这件事,顺帝赞许地同意了。辛卯(初十),任命大司农图噜等人兼管都水监。

召集众大臣商议治理黄河的事,各有各的说法,只有都漕运使贾鲁主张必须治理。原先贾鲁曾经担任山东道奉使宣抚的首领官,巡视被水淹没的郡县,形成了治理黄河抵御水患的整套方案。后来又担任都水使者,奉旨到黄河上视察,检查真实情形绘制成图,呈上两个方案:一是提议修筑北堤来防止河水横向流出,这样做节省劳力;一是提议疏浚和堵塞同时进行,引导河水向东流,使它回到原来的河道,这样做很耗费工夫。到这时他又把两个方案献上,采纳了他的第二个方案,并且把这件事委托给贾鲁,贾鲁坚决推辞,托克托说:"这件事非你不可。"于是奏知顺帝,顺帝非常满意。托克托出来对众大臣说:"皇帝正为百姓担忧,身为大臣,理当为皇帝分忧。然而有的事很难办,就像有的病不好治一样。自古黄河水患,就是难治的疾病。现在我想一定要治好这一疾病,然而各人却意见不同,这是为什么?"但朝廷的讨论始终不能做出决定。顺帝于是命令工部尚书成遵和大司农图噜巡视黄河,商议制订疏浚堵塞的方案来上报。

命令前同知枢密院事布延布哈等人讨伐广西瑶贼。

方国珍再次造反,己酉(二十八日),侵犯温州。

这年冬季,气候温暖,雷电暴雨经常发生,衢州、饶州、处州等地区天降黑黍,里面像粉一样白,草木都发芽开花,下大雪而伴有雷电。

这一年,京都丽正门楼上,忽然有人胡乱谈论灾祸之事,审问他,自称是蓟州人,不久不知他的去向。

续资治通鉴卷第二百十

【原文】

元纪二十八　起重光单阏【辛卯】正月,尽玄黓执徐【壬辰】六月,凡一年有奇。

顺　帝

至正十一年　【辛卯,1351】　春,正月,庚申,命江浙行省左丞博啰特穆尔讨方国珍。

丁卯,兰阳县有红星大如斗,自东南坠西北,其声如雷。

己卯,命绰斯戬提调大都留守司。

是月,清宁殿火,焚宝玩万计,由宦官熏鼠故也。

二月,命游皇城。

初,世祖至元七年,以帝师帕克斯巴之言,于大明殿御座上置白伞盖一顶,用素缎泥金书梵字于其上,谓镇伏邪魔,护安国利。自后每岁二月十五日,于大殿启建白伞盖佛事,与众袚除不祥。中书移文诸司,拨人异监坛汉关羽神轿及供应三百六十坛幢幡、宝盖等,以至大乐鼓吹、番部细乐,男女杂扮队戏;凡执役者万馀人,皆官给铠甲、袍服、器仗,俱以鲜丽整齐为尚,珠玉锦绣,装束奇巧,首尾排列三十馀里,都城士女聚观。先二日,于西镇国寺迎太子游四门,异高塑像,具仪仗入城。十四日,帝师率梵僧五百人,于大明殿内建佛事。至十五日,请伞盖于御座,奉置宝舆,诸仪卫导引出宫,至庆寿寺,具素食;食罢,起行,从西宫门外垣、海子南岸,入厚载红门,过延春门而西。帝及后妃、公主,于玉德殿门外搭金脊吾殿彩楼以观览焉。事毕,送伞盖,复置御座上。帝师、僧众作佛事,至十六日罢散,谓之游皇城,岁以为常。至是命下,中书省臣以其非礼,谏止之,不听。

立湖南元帅分府于宝庆路。

三月,庚戌,立山东元帅分府于登州。

丙辰,亲策进士八十三人,赐多勒图、文允中等及第、出身。

壬戌,征建宁处士彭炳为端本堂说书,不至。

是月,遣使赈湖南、北被寇人民,死者钞五锭,伤者三锭,毁所居屋者一锭。

是春,成遵与图噜自济、濮、汴梁、大名行数千里,掘井以量地之高下,测岸以究水之浅深,遍阅史籍,博采舆论,以为河之故道断不可复。且曰:“山东饥馑,民不聊生,若聚二十万众于其地,恐他日之忧,又有重于河患者。”时托克托先入贾鲁之言,闻遵等议,怒曰:“汝谓民将反耶?”自辰至酉,论辨终莫能入。明日,执政谓遵曰:“挽河之役,丞相意已定,且有人任其责。公勿多言,幸为两可之议。"遵曰:"腕可断,议不可易!"遂出遵为河间盐运使。

夏,四月,壬午,诏开黄河故道,命贾鲁以工部尚书为总治河防使,发汴梁、大名等十三路民十五万,庐州等戍十八翼军二万,自黄陵冈南达白茅,放于黄固、哈齐等口,又自黄陵西至杨青村,合于故道,凡二百八十里有奇,仍命中书右丞玉枢呼尔图哈、同知枢密院事哈斯以兵镇之。

冀宁路属县多地震,半月乃止。

乙酉,诏加封河渎神为灵源神祐灵济王,乃重建河渎及西海神庙。

丁酉,孟州地震,有声如雷,圮民屋,压死者甚众。

乙巳,彰德府雨雹,形如斧,伤人畜。

是月,罢沂州分元帅府,改立兵马指挥使司,复分司于胶州。

帝如上都。

五月,己酉朔,日有食之。

辛亥,颍州妖人刘福通为乱,以红巾为号,陷颍州。初,栾城人韩山童祖父,以白莲会烧香惑众,谪徙广平永年县。至山童,倡言天下大乱,弥勒佛下生,河南及江、淮愚民皆翕然信之。福通与杜遵道、罗文素、盛文郁、王显忠、韩雅尔复鼓妖言,谓"山童实宋徽宗八世孙,当为中国主"。福通等杀白马、黑牛,誓告天地,欲同起兵为乱,事觉,县官捕之急,福通遂反。山童就擒,其妻杨氏,子韩林儿,逃之武安。惟福通党盛不可制,时谓之"红军",亦曰"香军"。

壬申,命同枢密院事图克齐领阿苏军六千并各支汉军讨之,授以分枢密院印。图克齐者,回回部人也,素号精悍,善骑射,至是与河南行省徐左丞俱进军。二将皆耽酒色,军士但以剽掠为事,剿捕之方,漫不加省。图克齐望见红军阵大,扬鞭曰:"阿布,阿布。"阿布者,译言走也,于是所部皆走,淮人传以为笑。其后图克齐死于上蔡,徐左丞为朝廷所诛,阿苏军不习水土,病死者过半。

先是庚寅岁,河南、北童谣云:"石人一只眼,挑动黄河天下反。"及贾鲁治河,果于黄陵冈掘得石人一眼,而汝、颍盗起,竟如所言。

六月,发军一千,从直沽至通州,疏浚河道。

是月,刘福通据朱皋,攻破罗山、真阳、确山,遂犯舞阳、叶县。

前监察御史藁城张桓,避乱之确山,贼久知桓名,袭获之,罗拜,请为帅,弗听。囚六日,拥至渠魁前,桓直趋据榻坐,与之抗论逆顺。其徒捽桓起跪,桓仰天大呼,詈叱弥厉,且屡唾贼面。贼犹不忍杀,谓桓曰:"汝但一揖,亦恕汝死。"桓瞋目曰:"吾恨不能手斩逆首,肯听汝诱胁而折腰哉!"贼知终不可屈,遂杀之,年四十八。贼后语人曰:"张御史真铁汉,害之可惜。"事闻,赠礼部尚书,谥忠洁。

丞相托克托议军事,每回避汉人、南人;方人奏事,目顾同列韩伯高、韩大雅随后来,遽令门者勿纳,人言曰:"方今河南汉人反,宜榜示天下,令一概剿捕。诸蒙古、色目因迁谪在外者,皆召还京师,勿令讹误。"于是榜出,河北之民亦有变而从红军者矣。

方国珍兄弟入海,烧掠沿海州郡。博啰特穆尔兵至大闾洋,国珍夜率劲卒,纵火鼓噪,官军不战皆溃,赴水死者过半。博啰特穆尔被执,反为国珍饰辞上闻。朝廷复命大司农达实特

5065

穆尔、江浙参政樊执敬、浙东廉访使董守悫同招谕国珍，至黄岩，国珍兄弟皆登岸罗拜，退，止民间小楼。绍兴总管台哈布哈欲命壮士袭杀之，达实特穆尔曰："我受诏招降，公欲擅命耶?"乃止。仍檄台哈布哈亲至海滨，散其徒众，授国珍兄弟官有差。

八月，丁丑朔，中兴路地震。

丙戌，萧县李二及老彭、赵君用陷徐州。

李二号"芝麻李"，以岁饥，其家惟有芝麻一仓，尽以济人，故得此名。时河工大兴，人心不安，芝麻李与其社长赵君用谋曰："颍上兵起，官军无如之何，此男子取富贵之秋也。"君用曰："我所知，惟城南老彭，其人勇悍有胆略，不得其人，不可举大事，我当为汝致之。"即访其家，见老彭，讽以起事，老彭曰："其中有芝麻李乎?"曰："有。"老彭即欣然从之，与俱见芝麻李，共得八人，歃血而盟。是夕，伪为挑河夫，仓皇投徐州城宿，四人在内，四人在外。夜四更，城内火发，城外亦举火应之，夺守门军仗，斩关而入，内外呼噪。民久不见兵革，一时惊惧，皆束手听命。天明，竖大旗，募人为军，从之者十馀万人，四出略地，徐州属县皆下。

是月，帝至自上都。

蕲州罗田人徐寿辉举兵为乱，亦以红巾为号。寿辉体貌魁岸，木强无他能，以贩布为业，往来蕲、黄间，因烧香聚众。

初，袁州慈化寺僧彭莹玉，以妖术惑人；其徒周子旺，因聚众欲作乱，事觉，江西行省发兵捕诛子旺等。莹玉走之淮西，匿民家，捕不获。既而黄州麻城人邹普胜，复以其术鼓妖言，遂起兵为乱。以寿辉貌异于众，乃推为主。沔阳陈友谅往从之。友谅，渔家子，略通文义，尝为县小吏，非其好也。有术者相其祖墓当大贵，友谅心窃喜，至是欲从乱，其父普才曰："奈何为灭族事?"友谅曰："术者之言验矣。"遂从寿辉。

九月，壬子，丞相托克托奏以其弟御史大夫额森特穆尔知枢密院事，及卫王库春格尔总率大军，出征河南妖寇；诏从之。

壬戌，诏以高丽国王布答实里之弟巴延特穆尔袭其王封。布答实里本名祯，巴延特穆尔本名祺。时国王王昕无道，祯之庶子也，立三年，遇鸩卒，国人请立祯弟祺，遂从之。

是月，刘福通陷汝宁府及息州、光州，众至十万。

徐寿辉陷蕲水县及黄州路，卫王库春格尔与其二子帅师击之，为寿辉将倪文俊所败，二子被获。文俊，沔阳渔家子也。

冬，十月，癸未，命知枢密院事老章以兵同额森特穆尔讨河南妖寇。

辛卯，立中书分省于济宁。

癸卯，以宗王神保克复睢宁、虹县有功，赐金带一，从征者赏银有差。

是月，天雨黑子于饶州，大如黍菽。

徐寿辉据蕲水为都，国号天完，僭称皇帝，建元曰治平，以邹普胜为太师。

十一月，己酉，有星孛于西方，见(丁)〔于〕娄、胃、昂、毕之间。

壬子，中书省言："河南、陕西腹里诸路，供给繁重，调兵讨贼，正当春首耕作之时，恐农民不能安于田亩，守令有失劝课。宜委通晓农事官员，分道巡视，督勒守令，亲诣乡村，省谕农民，依时播种，务要人尽其力，地尽其利。其有曾经盗贼、水患、供给之处，贫民不能自备牛种者，所在有司给之。仍命总兵官禁止屯驻军马，毋得踏践，以致农事废弛。"从之。

以资政院使多尔济巴勒为中书平章政事。

多尔济巴勒首言治国之道，纲常为重，前西台御史张桓，仗节死义，不污于寇，宜首旌之以劝来者；又言宜守荆襄、湖广以绝后患。又数论祖宗之用兵，非专于杀人，盖必有其道焉，今倡乱者止数人，顾乃尽坐中华之民为叛逆，岂足以服人心！其言颇忤丞相托克托意。时托克托倚信左司郎中汝中柏、员外郎拜特穆尔两人，因擅权用事。而多尔济巴勒正色立朝，无所附丽，适陕州危急，因出为陕西行台御史大夫。

工部尚书总治河防使贾鲁，以四月二十二日鸠工，七月疏凿成，八月决水故河，九月舟楫通行。是月，水土工毕，河复故道，南汇于淮，又东入于海。帝遣贵臣报祭河伯，召鲁还京师。鲁以《河平图》献，超拜荣禄大夫、集贤大学士，赏赉金帛；都水监及宣力诸臣三十七人，皆予迁秩。敕翰林承旨欧阳玄制《河平碑》，以旌托克托劳绩，具载鲁功，宣付史馆。并赠鲁先臣三世，赐托克托世袭达尔罕之号，仍赐淮安路为其食邑。

玄既撰《河平碑》，又自以为司马迁、班固记河渠、沟洫，仅载治水之道，不言其方，使后世任事者无所考则，乃从鲁访问方略，及询过客，质史牍，作《至正河防记》。

其略曰："治河一也，有疏，有浚，有塞，三者异焉。酾河之流，因而导之，谓之疏；去河之淤，因而深之，谓之浚；抑河之暴，因而扼之，谓之塞。疏浚之别有四：曰生地，曰故道，曰河身，曰减水河。生地有直有纡，因直而凿之，可就故道；故道有高有卑，高者平之以趋卑，高卑相就，则高不壅，卑不潴，虑夫壅生溃，潴生埋也；河身者，水虽通行，身有广狭，狭难受水，水益悍，故狭者以计辟之，广难为岸，岸善崩，故广者以计御之；减水河者，水放旷则以治其狂，水隳突则以杀其怒。治堤一也，有创筑、修筑、补筑之名。有刺水堤，有截河堤，有护岸堤，有缕水堤，有石船堤。治埽一也，有岸埽、水埽，有龙尾、栏头、马头等埽。其为埽台及推卷、牵制、薧挂之法，有用土、用石、用铁、用草、用木、用栈、用绠之方。塞河一也，有缺口，有豁口，有龙口。缺口者，已成川；豁口者，旧尝为水所豁，水退则口下于堤，水涨则溢出于口；龙口者，水之所会，自新河入故道之淤也。"

又曰："决河势大，南北广四百馀步，中流深三丈馀，益以秋涨，水多故河十之八。两河争流，近故河口，水刷岸北行，洄漩湍激，难以下埽。且埽行或迟，恐水尽涌入决河，因淤故河，前功遂隳。鲁乃精思障水入故河之方，以九月七日癸丑，逆流排大船二十七艘，前后连以大桅或长〔桩〕，用大麻索、竹绠绞缚，缀为方舟，又用大麻索、竹绠将船身缴绕上下，令牢不可破；乃以铁〔锚〕于上流硾之水中，又以竹绠绝长七八百尺者，系两岸大橛上，每绠硾二舟或三舟，使不得下。船腹略铺散草，满贮小石，以合子板钉合之，复以埽密布合子板上，或二重，或三重，以大麻索缚之急，复缚横木三道于头桅，皆以索维之。用竹编笆，夹以草石，立之桅前，约长丈馀，名曰水帘，桅复以木榰拄，使帘不偃仆。然后选水工便捷者，每船各二人，执斧凿，立船首尾，岸上捶鼓为号，鼓鸣，一时齐凿，须臾舟穴，水入舟沈，遏决河，水怒溢，故河水暴增，即重树水帘，令后复布小埽、土牛、白阑、长稍，杂以草木等物，随宜填垛以继之，石船下诣实地，出水基址渐高，复卷大埽以压之。前船势略定，寻用前法沉馀船以竟后功。昏晓百刻，役夫分番甚劳，无少间断。

"鲁尝言，水工之功视土工之功为难，中流之功视河滨之功为难，决河口视中流又难，北岸之功视南岸为难。用物之效，草虽至柔，柔能狎水，水渍之生泥，泥与草并，力重如碇；然维持夹辅,缆索之功居多。盖由鲁习知河事,故其功之所就如此。"

十二月,己卯,立河防提举司,隶行都水监。

丁酉,命托克托于淮安立诸路打捕鹰房、民匠、钱粮总管府。

辛丑,额森特穆尔复上蔡县,擒韩雅尔等送京师,诛之。

是岁,盗蔓延于江浙;江西之饶、信、徽、宣、铅山、广德,浙西之常、湖、建德,所在不守。江浙行省平章庆通分遣僚佐往督师,以次克复。既乃令长吏按视民数,讹误者悉置不问;招徕流离,发官粟以赈之。

蕲、黄贼造船北岸,锐意南攻。九江、江州路总管李黼,治城壕,修器械,募丁壮,分守要害,且上攻守之策于江西行省,请兵屯江北以扼贼冲,不报。黼叹曰:"吾不知死所矣!"乃椎牛享士,激忠义以作其气,数日之间,纪纲粗立。

庐州盗起,淮西廉访使陈思谦言于宣让王特穆尔布哈曰:"承平日久,民不知兵。王以帝室之胄,镇抚淮甸,岂得坐视!思谦愿与王戮力殄灭之。且王府属集赛人等,数亦不少,必有能摧锋陷阵者。"王曰:"此吾责也。但鞍马、器械未备,奈何?"思谦括官民马,置兵甲,不日而集,分道并进,遂擒渠贼,庐州平。既而颍寇将渡淮,思谦又言于王曰:"颍寇东侵,亟调芍陂屯卒用之。"王曰:"非奉诏不敢调。"思谦言:"非常之变,理宜从权。擅发之罪,思谦坐之。"王感其言,从之。

其侄立本,为屯田万户,召语曰:"吾祖宗以忠义传家,汝之职,乃我先人力战所致。今国家有难,汝当身先士卒以图报效,庶无负朝廷也。"寻召人为集贤侍讲学士,修订《国律》。

济宁路总管董抟霄,奉诏从江浙平章嘉珲进征安丰,至合肥定林站,遇贼,大破之。

时朱皋、固始贼复猖獗,军少不足以分讨,有大山民寨及芍陂屯田军,抟霄皆奖劳而约束之,遂得障蔽朱皋。官军屯朱家寺,贼至,追杀之。乃遣进士程明仲往谕贼中,招徕者千二百家,因悉知其虚实。夜,缚浮桥于淝水,既渡,贼始觉。贼数万据硐南,官军渡者,辄为其所败;抟霄乃麾骑士别渡浅滩袭贼后,贼回东南向,与骑士迎敌。抟霄忽跃马渡硐,扬言于众曰:"贼已败!"诸军皆渡,一鼓而击之,贼大败,复追杀之,相藉以死者二十五里,遂复安丰。抟霄,磁州人也。

方国珍兵起,江浙行省檄前沿海上副万户舒穆噜宜逊守温州,宜逊即起任其事。已而闽寇犯处州,复檄宜逊以兵平之,以功升浙东宣慰使,复分府于台州。顷之,处之属县,山寇并起,宜逊复奉省檄往讨之,至则筑处州城为御敌计。宜逊,其先辽人也。

太傅阿噜图出守和林,寻卒。

至正十二年 【壬辰,1352】 春,正月,丙午朔,诏印造中统元宝交钞一百九十万锭,至元钞十万锭。

戊申,竹山县贼陷襄阳路,同知额森布哈等惊溃。达鲁噶齐博罗特穆尔领义兵二百人,且战且引,至监利县,遇沔阳府达噜噶齐耀珠等军。时滨江有船千馀,乃纠合诸义兵、丁壮、水工五千馀人,畀以军号,给刀稍,具哨马五十,水陆继进。比至石首县,闻中兴路亦陷,乃议趣岳州就元帅特克嘉,而道阻不得前,仍趋襄阳。贼方驻杨湖港,乘其不虞击之,获其船二十七艘,生擒贼党刘雅尔,讯得其情。进次潜江县,又斩贼数百级,获三十馀船,枭贼将刘万户、许堂主等。甫止兵未食,而贼大至,与战,抵暮,耀珠等军各当一面,不能救。博罗特穆尔被重创，麾从子玛哈实勒使去，曰："吾以死报国，汝无留此。"玛哈实勒泣曰："死生从叔父。"既而博罗特穆尔被执，贼请同为逆，博罗特穆尔怒骂之，遂遇害。玛哈实勒帅家奴求其尸，复与贼战，俱没于阵，举家死者凡二十六人。博罗特穆尔，高昌人也。是日，荆门州亦陷。

初，妖贼起，陷邓州，人情恟恟。俄而贼锋自邓抵南阳境，南阳县达噜噶齐喜同，以计获数贼，诘之，云贼将大至，喜同乃悉斩之以安众心，昼夜督丁壮巡逻守备。时大司农钱木尔以兵驻于诸葛庵，为贼所袭，死之，贼遂乘锐取南阳，喜同守西门，望见贼势盛，即与家人诀曰："吾与汝等不能相顾矣！但各逃生，吾分死此，以报国也。"已而城中皆哭。喜同策厉义兵，奋力与贼搏，贼退去，明日复至，与战甚力，杀贼凡数百。贼知无援，战愈急，南阳遂陷。喜同突围将自拔，贼横刺其马，马蹶，喜同鞭马跃而起，手斩刺马者，他贼追之，身被数创，不能斗，遂为所杀。妻邢氏，骂贼见杀，一家死者二十馀人。事闻，赠南阳路判官。喜同，河西人也。

时富珠哩远调襄阳县尹，须次居南阳，贼起，远以忠义自奋，倾财募丁壮，得千馀人，与贼拒战。俄而贼大至，远被害。远妻雷氏为贼所执，贼欲妻之，雷曰："我参政家妇，且令嫡妻，肯从汝狗彘以生乎！"贼将污之，雷号哭大骂不从，乃见杀，举家皆被害。远，䴙之子也。

丙辰，徐寿辉遣其将丁普郎、徐明远陷汉阳；丁巳，陷兴国府。

己未，徐寿辉将邹普胜陷武昌。

先是贼氛日炽，湖广行省平章桑节会僚属议之。或曰："有郑万户，老将也，宜起而用之。"桑节乃命募士兵，完城池，修器械，严巡警，悉以其事属郑。贼闻之，遣其党二千来约降，桑节与郑谋曰："此诈也，然降而却之，于事为不宜，受而审之可也。"果得其情，乃歼之，械其渠魁数十人以俟命。适召入为大司农，桑节去，同僚受贼略，且嫉其功，乃诬郑罪，释其所械者。明日贼大至，内外响应，威顺王库春布哈、行省平章和尚，皆弃城走，城遂陷。武昌之人骈首夜泣曰："大夫不去，吾岂为俘囚乎！"

有冯三者，湖广省公使也，素不知书；武昌陷，皂隶辈拉三共为盗，三固辞曰："贼名恶，我等岂可为！"众怒，将杀之，三遂唾骂，众乃缚诸十字木，舁以行而刲其肉，三益骂不止，抵江上，断其喉，委之去。其妻随三号泣，俯拾刲肉纳布裙中，伺贼远，收三血骸，脱衣裹之，大哭，投江而死。

命刑部尚书阿噜收捕山东贼，给敕牒十一道，使分赏有功者。

辛酉，徐寿辉将鲁法兴陷安陆府，知府绰噜死之。

法兴之来攻也，绰噜募兵得数百人，帅以拒贼，败贼前队，乘胜追之。而贼自他门入，亟还兵，则城中火起，军民溃乱，计不可遏而归，服朝服，出坐公堂。贼胁以白刃，绰噜犹喻以逆顺，一贼排绰噜下使拜，不屈，且怒骂，贼渠不忍害，拘之。明日，又逼其从乱，绰噜疾叱曰："吾守土臣，宁从汝贼乎！"贼怒，以刀斫绰噜，左胁断而死。贼愤其不降，复以布囊缠其尸，舁置其家，绰噜妻侯氏出，大哭，且列酒肉满前，渴者令饮酒，饥者令食肉，以给贼使不防己，至夜自经死。事闻，赠绰噜河南行省参知政事，侯氏宁夏郡夫人，表其门曰双节。

丙寅，以河复故道，大赦天下。

辛未，徐寿辉兵陷沔阳府，壬申，陷中兴路。沔阳推官象山俞述祖，领民兵守绿水洪，城陷，被执，械至寿辉所，述祖骂不辍，寿辉怒，支解之。其犯中兴也，山南宣慰司同知伊古轮实出战，众溃，宣慰使锦州布哈弃城走。山南廉访使济尔克敦以兵与抗，射贼多死，明日，贼益兵来,袭东门,力战,被执,不屈而死。

武昌既陷,江西大震,贼舳舻蔽江而下,行省右丞博罗特穆尔方驻兵江州,闻之,亦遁去。总管李黼,虽孤立,辞气愈奋厉。时黄梅县主簿伊苏特穆尔愿出击贼,黼大喜,向天沥酒与之誓。言始脱口,贼游兵已至境,急檄诸乡落聚木石于险塞处,遏贼归路,仓卒无号,乃墨士卒面,统之出战;黼身先士卒,大呼陷阵,伊苏特穆尔继进,贼大败,逐北六十里。乡丁依险阻,乘高下木石,横尸蔽路,杀获二万馀。黼还,谓左右曰:"贼不利于陆,必由水道以舟薄我。"乃以长木数千,冒铁锥于杪,暗植沿岸水中,逆刺贼舟,谓之"七星桩"。会西南风急,贼舟数千,果扬帆顺流鼓噪而至,舟遇桩不得动,进退无措,黼帅将士奋击,发火翎箭射之,焚溺死者无算,馀舟散走。行省上黼功,拜江西行省参政,行江州、南康等路军民都总管,便宜行事。

二月,乙亥朔,定远人郭子兴,集少年数千人,自称节制元帅。子兴兄弟三人,皆善殖赀产,由是豪里中。子兴知天下有变,乃散家财,椎牛醯酒,与壮士结纳,至是与孙德崖及俞某、鲁某、潘某等以众攻城。

甲申,邹平县马子昭为乱,官军捕斩之。

乙酉,徐寿辉兵陷江州,总管李黼死之,遂陷南康路。

时贼势愈盛,西自荆湖,东际淮甸,守臣往往弃城遁,黼中外援绝。贼将薄城,分省平章政事图沁布哈自北门遁。黼引兵登陴,布战具,贼已至甘棠湖,焚西门,乃张弩射之。贼转攻东门,黼救之,而贼已入,与之巷战,知力不敌,挥剑叱贼曰:"杀我,毋杀百姓!"贼刺黼堕马,黼与兄冕之子秉昭俱骂贼而死,郡民哭声震天,相率具棺葬于东门外。黼死逾月,参政之命始下。冕居颍,亦死于贼。事闻,赠黼淮南、江北行省左丞,追封陇西郡公,谥(文忠)〔忠文〕,立庙江州,赐额曰崇烈,官其子秉方集贤待制。

丙戌,霍州灵石县地震。

房州贼陷归州。

戊子,诏:"徐州内外群聚之众,限二十日,不分首从,并与赦原。"

置安东、安丰分元帅府。

己丑,游皇城。

庚子,郭子兴陷濠州,据之。

辛丑,邓州贼王权、张(桩)〔椿〕陷澧州,龙镇卫指挥使谙都喇哈曼等帅师复之。

褒赠仗节死义者宣徽使特穆尔等二十七人。

是月,贼侵滑、溶,命德珠为河南右丞,守东明。德珠时致仕于家,闻命,即驰至东明,浚城隍,严备御,贼不敢犯。

徐寿辉将欧普祥陷袁州。普祥,黄冈人,以烧香聚众,从寿辉起兵为元帅,人称"欧道人"。至是引兵掠江西诸郡县,攻破袁州,焚室庐,掠人民以去,令别将守之。

三月,乙巳朔,追封太师、忠王满济勒噶台为德王。

丁未,徐寿辉将许甲攻衡州,洞官黄安抚败之。

壬子,河南左丞相台哈布哈,克复南阳等处。

癸丑,中书省请行纳粟补官之令:"凡士庶为国宣力,自备粮米供给军储者,照依定拟地方实授常选流官,依例升转、封荫;及已除茶盐钱谷官有能再备钱粮供给军储者,验见授品级,改授常流。"从之。

甲子,徐寿辉将项普略陷饶州路,遂陷徽州、信州。

时官军多疲懦不能拒,所在无赖子乘间窃发,不旬日众辄数万,皆短衣草屦,齿木为杷,削竹为枪,截绯帛为巾襦,弥野皆赤。饶州守臣魏中立,率丁壮分塞险要,戒守备,俄而贼至,达噜噶齐马来出战,不能发矢,贼愈逼,中立以义兵击却之。已而贼复合,遂为所执,以红衣被其身,中立叱之,须鬣尽张。信州总管于大本以土兵备御,贼又陷其城而执之,并送蕲水。寿辉欲使从己,二人皆大骂不屈,遂被害。中立,济南人;大本,密州人也。

丁卯,以出征马少,出币帛各二十万匹,于迤北万户、千户所易马。

戊辰,诏:"南人有才学者,依世祖旧制,中书省、枢密院、御史台皆用之。"于是吏部郎中宣城贡师泰、翰林直学士饶州周伯琦,同擢监察御史。南士复居省台自此始。

中书省臣言:"张理献言,饶州、德兴(三)〔二〕处,胆水浸铁,可以成铜,宜即其地各立铜冶场,直隶宝泉提举司,以张理就为铜冶场官。"从之。

是月,方国珍复劫其党下海,浙东道宣慰使都元帅台哈布哈发兵扼黄岩之澄江,而遣义士王大用抵国珍示约信,使之来归。国珍拘大用不遣,以小舸二百突海门,入州港,犯马鞍诸山,台哈布哈语众曰:"吾以书生登显要,诚虑负所学。今守海隅,贼甫招徕,又复为变。君辈助我击之,其克,则汝众功也,不克,则我尽死以报国耳。"众皆踊跃愿行。时国珍戚党陈仲达,往来计议,陈其可降状,台哈布哈率部众张受降旗乘潮,而船触沙不能行。垂与国珍遇,呼仲达申前议,仲达目动气索,台哈布哈觉其心异,手斩之。即前搏贼船,射死五人,贼跃入船,复斫死一人,贼举桨来刺,辄斫折之。贼群至,欲抱持过国珍船,台哈布哈瞋目叱之脱,起夺贼刀,又杀二人,贼攒桨刺之,中颈死,犹植立不仆,投其尸海中,年四十九。僮名抱琴,及临海尉李辅德,千户赤盏,义士张君璧,皆死之。后追赠江浙行省平章政事,封魏国公,谥忠介,立庙台州,赐额曰崇节。台哈布哈尚气节,不随俗浮沉。泰费音为(奸)〔台〕臣劾去相位,台哈布哈独饯送都门外,泰费音曰:"公且止,勿以我累公!"台哈布哈曰:"士为知己者死,宁畏祸耶!"

诏定军民官不守城池之罪。

陇西地震百馀日,城郭颓移,陵谷迁变,定西、会州、静宁、庄浪尤甚。会州公宇中墙崩,获弩五百馀张,长者丈馀,短者九尺,人莫能挽。改定西为安定州,会州为会宁州。

闰月,甲戌朔,钟离人朱元璋从郭子兴于濠州。

元璋先世家沛,后自句容、泗州徙钟离。昆弟四人,元璋其季也。少苦疾,比长,姿貌雄杰,既就学,聪明英武,沈几大度,人莫能测也。年十七,值四方旱蝗,民饥疫,父母兄相继殁,遂入皇觉寺为僧,逾月,西至合肥,又适六安,历光、固、汝、颍诸州,凡三年,复还皇觉寺。久之,寺为乱兵所焚,僧皆逃散,元璋亦出避兵,不知所向,人有招以起事者,元璋意不决。是时彻尔布哈率兵欲复濠城,惮不敢进,惟日掠良民为盗以徼赏,民皆恟惧。元璋恐不免于难,乃诣伽蓝卜珓,问避乱,不吉,即守故,又不吉,因祝曰:"岂欲予从群雄倡义乎?"果"大吉"。复自念从群雄非易事,祝曰:"盍许我以避兵!"投之,珓跃而立,意乃决。抵濠城,门者疑为谍,执之,以告子兴,子兴奇其貌,问所以来,具告之故,子兴喜,遂留置左右。寻命长九夫,常召与谋事,久之,甚见亲爱,凡有攻讨,即命以往,往辄胜,子兴由是兵益盛。

初，宿州人马公，与子兴为刎颈交，马公卒，以季女属子兴，子兴因抚为己女。至是欲以妻元璋，与其妾张氏谋，张氏曰："吾意亦如此。今天下乱，君举大事，正当收豪杰，一旦彼为他人所亲，谁与共功业者!"子兴意遂决，乃以女妻元璋。

乙酉，徐寿辉将陈普文陷吉安路，乡民罗明远起义兵复之。

立淮南、江北等处行中书省，治扬州。

丁酉，湖广行省参政铁杰以湖南兵复岳州。

是月，诏："江西行省左丞相策琳沁班，淮南行省平章政事鸿和尔布哈，江浙行省左丞遵达特哩，湖广行省平章政事额森特穆尔，四川行省平章政事巴实呼图，及江南行台御史大夫纳琳与江浙行省官，并以便宜行事。"

陕西行台御史大夫多尔济巴勒，行至中途，闻商州陷，武关不守，即轻骑昼夜兼程至奉元，而贼已至鸿门。吏白涓日署事，不许，曰："贼势若此，尚顾阴阳拘忌哉!"即就署。省、台素以举措为嫌，不相聚论事，多尔济巴勒曰："多事如此，毋得以常例论。"乃与行省平章托多约五日一会集。寻有旨命与托多同讨贼，即督诸军复商州。乃修筑奉元城垒，募民为兵，出库所藏银为大钱，射而中的者赏之，由是人皆为精兵。金、商义兵以兽皮为矢房，状如瓠，号"毛葫芦"，军甚精锐，列其功以闻，赐敕书褒奖之，由是其军遂盛。金州由兴元、凤翔达奉元，道(理)〔里〕回远，乃开义谷，创置七驿，路近以便。

时御史大夫额森特穆尔驻兵沙河，军中夜惊，额森特穆尔尽弃军资、器械，(牧)〔收〕散卒，北奔汴梁。时文济王在城头，遥谓之曰："汝为大将，见贼不杀而自溃，吾将劾汝，此城必不容汝也。"遂离城南四十里朱仙镇屯焉。朝廷以其不习兵，诏别将代之。额森特穆尔径归，昏夜入城，明日仍为御史大夫。西台监察院御史蒙古鲁哈雅、范文等十二人，劾其丧师辱国之罪，多尔济巴勒当署字，顾谓左右曰："吾其为平章湖广矣。"奏上，丞相托克托怒，果左迁多尔济巴勒，而御史十二人皆谪为各路添设佐贰官。

多尔济巴勒赴湖广，关中人遮路涕泣曰："生我者公也，何遽去我而不留乎!"多尔济巴勒慰遣之，不听，乃从间道得出。

夏，四月，癸卯朔，日有食之。

江西临川贼邓忠陷建昌路。

乙卯，铁杰及万户陶梦祯复武昌、汉阳，寻再陷。

丙辰，江西宜黄贼涂佑与邵武、建宁贼应必达等攻陷邵武路，总管吴按摊布哈以兵讨之，千户魏淳用计擒佑、必达，复其城。

贼自邵武间道逼福宁州，知州霭化王巴延乃与监州阿萨都喇，募壮兵五万，分(阨)〔扼〕险阻，贼至杨梅岭立栅，巴延与其子相驰破之。贼帅王善，俄拥众直压州西门，胥隶皆解散，巴延麾下唯白梃市儿数百人。巴延射贼，不复反顾，贼以长枪(桩)〔舂〕马，马仆，遂见执。善说巴延从己，仍领州，巴延呵善曰："我天子命官，不幸失守，义当死，肯从汝反乎!"善怒，叱左右扼以跪，弗屈，遂(欧)〔殴〕之，巴延嚼舌出血喷善面，骂曰："反贼，杀即杀，何以(欧)〔殴〕为! 吾民，天民也，汝不可害。大丞相统百万之师亲讨叛逆，汝辈将无遗种矣。"贼又执阿萨都喇至，善厉声责其拒斗，嗫不能对，巴延复唾善曰："我杀贼，何言拒耶? 我死，当为神以杀汝。"言讫，挺颈受刃，颈断，涌白液如乳，暴尸数日，色不变，州人哭声连巷，贼并杀阿萨都喇,欲释相官之,相骂曰:"吾与汝不共戴天,恨不寸斩汝,我受汝官耶!"贼杀之。相妻潘氏挈二女,为贼所获,亦骂贼,母子同死。

甲子,翰林学士承旨欧阳玄以湖广行省右丞致仕,赐玉带及钞一百锭,给全俸终其身。

是月,帝如上都。

永怀县贼陷桂阳。

四川行省平章耀珠以兵复归州,进攻峡州,与峡州总管赵余褫大破贼兵,诛贼将李太素等,遂平之。

诏天下完城郭,筑堤防。

五月,戊寅,命龙虎山张嗣德为三十九代天师,给印章。

命江南行台御史大夫纳琳给宣敕与台州民陈子由、杨恕卿、赵士正、戴甲,令其集民丁夹攻方国珍。

己卯,四川行省平章耀珠复中兴路,参政达实巴都鲁请自攻襄阳,许之,进次荆门。时贼十万,官军止三千馀,遂用宋廷杰计,招募襄阳官吏及土豪避兵者,得义丁二万,遍排部伍,申其约束。行至蛮河,贼守要害,兵不得渡,即令屈万户率奇兵间道出其后,首尾夹攻,贼大败。追至襄阳城南,大战,生擒其伪将三十人,要斩之,贼自是闭门不敢出。达实巴都鲁乃相视形势,内列八翼,包络襄城;外置八营,军岘山、楚山以截其援;自以中军四十据虎头山以瞰城中,署从征人李复为南漳县尹,黎可举为宜城县尹,拊循其民。城中之民,受围日久,夜半,二人缒城叩营门,具告虚实,愿为内应,达实巴都鲁与之定约,以五月朔日四更攻城,授之密号而去,至期,民垂绳以引官军,先登者近十人。时贼船百馀艘在城北,阴募善水者凿其底。天将明,城破,贼巷战不胜,走就船,船坏,皆溺水死;伪将王权领千骑而走,遇伏兵,被擒,襄阳遂平。

庚辰,监察御史彻彻特穆尔等言:"河南诸处群盗,辄引亡宋故号以为口实。宜以瀛国公子和尚赵完普及亲属徙沙州安置,禁勿与人交通。"从之。

癸未,建昌民戴良起乡兵,克复建昌路。

六月,丙寅,红巾周伯颜陷道州。

是月,大名路旱蝗,饥民七十馀万口,给钞十万锭赈之。

中兴路松滋县雨水暴涨,漂民舍千馀家,溺死七百人。

【译文】

元纪二十八　起辛卯年(公元 1351 年)正月,止壬辰年(公元 1352 年)六月,共一年有余。

至正十一年　(公元 1351 年)

春季,正月,庚申(初十),命令江浙行省左丞博啰特穆尔讨伐方国珍。

丁卯(十七日),兰阳县有红星象斗一样大,从东南向西北坠落,声音像打雷。

己卯(二十九日),命令绰斯缙提调大都留守司。

这个月,清宁殿失火,烧毁珍宝数以万计,是因为宦官熏鼠的缘故。

二月,下令游皇城。

5073

当初，世祖至元七年，听从了帝师帕克斯巴(八思巴)的话，在大明殿御座上放了一顶白伞盖，用白缎做顶，用泥金在上面书写梵字，说是能镇伏邪魔，保卫国家安宁。此后每年二月十五日，在大殿举行白伞盖佛事，为众人消除不祥。中书省发下文书给各衙门，派人抬着监坛汉代关羽的神轿和供应三百六十坛幢幡、宝盖等物，以及鼓吹大乐，番部细乐，男女混合的杂戏；参加者共一万多人，都是官府发给铠甲、袍服、器杖，全部要达到鲜亮、艳丽、整齐，穿戴珠玉锦绣，装束新奇巧妙，队伍头尾排列三十多里，都城里的男女围着观看。此前两天，在西镇国寺迎接太子巡游四门，抬高塑像，摆开仪仗进城。十四日，帝师率领僧侣五百人，在大明殿内举行佛事。到十五日，从御座上请下伞盖，放置在宝车上，各仪仗、侍卫引导出宫，到了庆寿寺，准备好素食；吃过后，仪仗队出发，从西宫门外墙、海子南岸，入厚载红门，穿过延春门向西。顺帝和后妃、公主，在玉德殿门外搭建金脊吾殿彩楼来观看。仪式结束，送回伞盖，再放置到御座上。帝师和众僧人举行佛事，到十六日才结束，把这称为游皇城，每年都如此。到这时命令下达，中书省大臣认为这不符合礼仪，劝谏停止此事，顺帝不听从。

在宝庆路设立湖南元帅分府。

三月，庚戌(初一)，在登州设立山东元帅分府。

丙辰(初七)，顺帝亲自考核八十三名进士，赐给多勒图、文允中等人进士及第、进士出身。

壬戌(十三日)，征召建宁的处士彭炳为端本堂说书，彭炳不来。

这个月，派遣使者赈济湖南、湖北被侵掠的百姓，死了的每人发给钞五锭，受伤的每人三锭，房屋被毁的一锭。

这年春季，成遵和图噜行经济宁、濮州、汴梁、大名走了数千里，挖井来计量地势的高低，测量河岸来探究河水的深浅，广泛阅读史书，多方听取众人意见，认为绝对不能恢复黄河的旧河道。而且说："山东发生饥荒，民不聊生，如果聚集二十万人在那里，恐怕以后的问题，还会比黄河水患更加严重。"当时托克托先采纳了贾鲁的建议，听到了成遵等人的意见，生气地说："你是说百姓将会造反吗？"从辰时到酉时，辩论多时，最终托克托也没听进去。第二天，执政大臣对成遵说："使黄河恢复故道的工程，丞相主意已定，而且有人负责此事。你不要再多说了，最好能表示两者都可以的意见。"成遵说："手腕可以断，意见不能更改！"于是外调成尊为河间盐运使。

夏季，四月，壬午(初四)，下诏开挖黄河故道，任命贾鲁以工部尚书身份兼任总治河防使，派汴梁、大名等十三路民夫十五万，庐州等地戍守的十八翼兵士二万人，从黄陵冈向南到白茅，在黄固、哈齐等口放水，又从黄陵向西到杨青村，和故道汇合，共二百八十多里，还命令中书右丞玉枢呼尔图哈、同知枢密院事哈斯领兵镇守。

冀宁路属县多发生地震，半个月才停止。

乙酉(初七)，下诏加封河渎神为灵源神祐灵济王，于是重建河渎和西海神庙。

丁酉(十九日)，孟州发生地震，声音像打雷一样，震塌百姓房屋，压死很多人。

乙巳(二十七)，彰德府下雹，形状像斧，砸伤人畜。

这个月，撤销沂州分元帅府，改设立兵马指挥使司，又在胶州设分司。

顺帝去上都。

五月，乙酉朔(初一)，发生日食。

辛亥(初三)，颍州妖人刘福通作乱，用红巾作标志，攻陷颍州。起初，栾城人韩山童的祖父，用白莲会为名烧香迷惑众人，被发配到广平永年县。到了韩山童，宣传天下大乱，弥勒佛降生，河南和江、淮地区愚昧无知的百姓都纷纷听信他。刘福通和杜遵道、罗文素、盛文郁、王显忠、韩雅尔又鼓吹妖言，说"韩山童实际是宋徽宗八世孙，应当是中国的君主。"刘福通等人宰杀白马、黑牛，向天地发誓，想要一同起兵叛乱，事情被发觉，县里官吏追捕他很紧，刘福通就造反了。韩山童被捕，他的妻子杨氏，儿子韩林儿，逃往武安。只有刘福通的党羽气势旺盛没法抑制，当时称他们为"红军"，也叫"香军"。

壬申(二十四日)，命令同枢密院事图克齐带领阿苏军六千人和各支汉军讨伐刘福通，授给他分枢密印。图克齐是回回部人，向来以精悍著称，擅长骑射，这时和河南行省徐左丞一起进军。两位将领都喜欢酒色，士兵只忙于抢掠，对剿捕的方法，根本不加考虑。图克齐看到红军阵势强大，扬起鞭子说："阿布，阿布。"阿布就是走的意思，于是所率领的军队全部退走，淮地百姓传为笑谈。此后图克齐死在上蔡，徐左丞被朝廷处死，阿苏军水土不服，病死了一半多人。

先前在庚寅年，河南、河北的童谣说："石人一只眼，挑动黄河天下反。"等到贾鲁治理黄河，果真在黄陵冈挖出一只眼的石人，而汝州、颍州盗贼起事，竟然像童谣所说的一样。

六月，派军士一千人，从直沽到通州，疏通河道。

这个月，刘福通占据朱皋，攻破罗山、真阳、确山，于是进犯舞阳、叶县。

原任监察御史藁城人张桓，到确山躲避叛乱。贼人早听说过张桓的名声，袭击捉住了他，团团围住拜倒，请求他担任统领，张桓不听。囚禁了六天，把他带到头领面前，张桓径直走上前盘坐在榻上，和头领争论造反和归顺的是非曲直。头领的手下揪起张桓要他下跪，张桓仰天大叫，咒骂得更加厉害，还屡次将口水吐到贼人脸上。贼人还不忍心杀害他，对张桓说："你只要作一个揖，也可以免你一死。"张桓瞪着眼睛说："我恨不能亲手斩下逆贼的脑袋，怎能听你的诱惑要挟就向你弯腰！"贼人知道终究不能使他屈服，就杀害了他，他时年四十八岁。后来贼人对别人说："张御史真是铁汉，杀了他可惜。"此事报到朝廷，追赠他为礼部尚书，谥号忠洁。

丞相托克托商议军事，总是回避汉人、南人；正要入宫奏事时，看到同事韩伯高、韩大雅随后走来，急忙命令守门人不要让他们进来，他入宫启奏说："现在河南汉人造反，应当张榜告示天下，下令一律剿捕。因为被贬谪而流放外地的各蒙古人、色目人，都召回京师，不要延误。"因此榜文一贴出，河北的百姓也有转向跟随红军的了。

方国珍兄弟入海，焚烧抢掠沿海州郡。博啰特穆尔的军队到了大闾洋，方国珍在夜里带领精锐兵卒，放火喊叫，官军没有应战就溃逃了，落水淹死的有一多半。博啰特穆尔被捉住，反而为方国珍说好话上报朝廷。朝廷又命令大司农达实特穆尔、江浙参政樊执敬、浙东廉访使董守悫一起招降方国珍，到了黄岩，国珍兄弟都上岸团拜，退出，停留在民间的小楼。绍兴总管台哈布哈想叫壮士去袭击杀死他们，达实特穆尔说："我们接受皇上诏书招降他们，你想要擅作主张吗？"于是停止了。又派台哈布哈亲自到海边，遣散方国珍的手下，授给方国珍兄弟各种官职。

八月,丁丑朔(初一),中兴路发生地震。

丙戌(初十),萧县人李二和老彭、赵君用攻陷徐州。

李二绰号"芝麻李",因为饥荒的那年,他家只有一仓芝麻,全部用来救济他人,所以得到这一绰号。此时大规模兴建黄河工程,人心不安,芝麻李和他家所在的社长赵君用谋划说:"颍上百姓起兵,官军对他们无可奈何,这正是男子汉获得富贵的好时机。"赵君用说:"据我所知,只有城南的老彭,他勇悍而又有胆略,没有他,不能举行大事,我会为你邀请他。"马上便去拜访他家,见到老彭,暗示要起事,老彭说:"这里面有芝麻李吗?"说:"有。"老彭立即高兴地同意跟随,和赵君用一同见芝麻李,共有八人,歃血盟誓。这天夜里,假扮作挑河民工,匆忙到徐州城住下,四人在城内,四人在城外。半夜四更时,城里点起火,城外也点火响应,夺取守城门军士的武器,打破城门冲入,内外呼喊。百姓长时间没见过战争,一时都又惊又怕,全都垂手听从命令。天亮了,竖起大旗,招募人参加队伍,加入的有十多万人,向四方进攻抢占土地,徐州属县都被攻陷。

这个月,顺帝从上都回来。

蕲州罗田人徐寿辉起兵作乱,也用红巾作为标志。徐寿辉体格魁梧,质朴强壮没有其他才能,以贩布为职业,往来于蕲州、黄州之间,用烧香来召聚众人。

起初,袁州慈化寺僧人彭莹玉,用妖术来迷惑人;他的徒弟周子旺,因为聚集众人想作乱,事情被发觉,江西行省派兵捕杀周子旺等人。彭莹玉逃到淮西,躲在百姓家中,没捉到。不久黄州麻城人邹普胜,又用他的妖术鼓吹妖言,并起兵作乱。因为徐寿辉相貌不同于众人,就推举他为首领。沔阳陈友谅前往追随他。陈友谅是渔民的儿子,稍微有点文化,曾经任县里的小官吏,这不是他所喜欢的职业。有个术士看他家的祖墓认为会出大贵人,友谅心中暗暗高兴,到这时便准备跟随造反,他的父亲普才说:"你为什么要做诛灭全族的事?"友谅说:"术士的话应验了。"于是追随徐寿辉。

九月,壬子(初六),丞相托克托上奏由他的弟弟御史大夫额森特穆尔担任知枢密院事,和由卫王库春格尔统领大军,征讨河南贼寇;顺帝下诏同意。

壬戌(十六日),下诏让高丽国王布答实里的弟弟巴延特穆尔承袭王位。布答实里本名叫祯,巴延特穆尔本名叫祺。当时的国王王昕荒淫无道,是王祯的庶子,即位三年,被毒死,国里百姓请求立王祯的弟弟王祺,于是同意了。

这个月,刘福通攻陷汝宁府和息州、光州,党徒多达十万人。

徐寿辉攻陷蕲水县和黄州路,卫王库春格尔和他的两个儿子带领军队去攻打他们,被徐寿辉手下的将领倪文俊打败,两个儿子被捉。倪文俊是沔阳渔民的儿子。

冬季,十月,癸未(初七),命令知枢密院事老章带兵和额森特穆尔讨伐河南妖寇。

辛卯(十五日),在济宁设立中书分省。

癸卯(二十七日),因为宗王神保收复睢宁、虹县有功,赐给一条金带,跟随出征的人分别赏给银两。

这个月,饶州天降黑子,大小象黍菽。

徐寿辉占据蕲水为都城,国号为天完,擅自犯上自称皇帝,建元叫治平,任命邹普胜为太师。

十一月，己西(初三)，西方出现彗星，在娄、胃、昂、毕等星宿之间。

壬子(初六)，中书省上奏说："河南、陕西内部地区各路，供给任务繁重，征调军队讨伐贼寇，正是开春耕作的时候，恐怕农民不能安心耕作，地方守令难于鼓励生产。应当委派懂得农事的官员，分道进行巡视，督促地方守令，亲自前往乡村，视察劝导农民，按时播种，一定要人尽其力，地尽其利。其中有曾遭受盗贼、水灾、供给物资的地方，贫困的百姓不能自己备有牛、种的，所在地有关部门拨给他们。还要命令总兵官禁止屯驻军马践踏庄稼，以致农事荒废。"同意了。

任命资政院使多尔济巴勒为中书平章政事。

多尔济巴勒提议，治国之道以三纲五常为重，前任西台御史张桓，坚持节操，为忠义身死，不与贼寇同流合污，应当加以旌表来劝勉后来的人；又建议应当守住荆襄、湖广来杜绝后患。又几次指出祖宗用兵，不是专门杀人，杀人都必定有其道理，现在领头叛乱的只是几个人，却将中原的百姓都看作叛逆，这怎能使人心服！他的话违背了丞相托克托的意思。当时托克托倚赖信任左司郎中汝中柏、员外郎拜特穆尔两人，这两人因此就专权处事。而多尔济巴勒在朝中为官清正，不依附任何人，恰好陕州形势危急，因而被外放为陕西行台御史大夫。

工部尚书总治河防使贾鲁，在四月十二日开工，七月疏浚开凿完成，八月决堤将河水导入故道，九月通行船只。这个月，水土工程完毕，黄河恢复旧河道，向南汇入淮河，又向东流入大海。顺帝派使臣祭祀河伯，召贾鲁回京师。贾鲁把《河平图》献上，被破格提拔为荣禄大夫、集贤大学士，赏赐给金银布帛；都水监和出力的众大臣三十七人，都得以提升。命翰林承旨欧阳玄制作《河平碑》用来表彰托克托的功绩，详细记录贾鲁的功劳，交给国史馆。并且追赠贾鲁三代祖宗，赐给托克托世袭达尔罕的称号，还赐淮安路作为他的封地。

欧阳玄撰写完《河平碑》后，又自认为司马迁、班固记载河渠、沟洫，只记下了治水的道理，不说明治理的具体方法，使后代负责此事的人无从考察，于是向贾鲁询问治河方案，又访问过往客人，查考官方记录，写了《至正河防记》。

记中大略说："同是治河，有疏、浚、塞三种不同的方法。将黄河分流，因势顺导，叫作疏；去掉河床的淤积，从而使河加深，叫作浚；抑制黄河的水势，从而扼住它，叫作塞。疏和浚的区别有四点，即生地、故道、河身、减水河。生地有直有曲，利用直处加以开凿，可以和故道相通。故道有高有低，铲平高处使与低处相接，高低相就，那就可以使高处不堵塞，低处不积水，这是为了防止堵塞产生崩溃，积水导致沉没。就河身而言，水虽则通行，但河身有广狭不同之处，狭处容水有限，水势更加凶悍，所以狭者要设法加宽，河身广处则河岸易于崩坏，因此广处要设法加固。减水河指的是，水势到处流散则用它制止水的狂势，水势冲击破坏则用它减低水的猛烈程度。同是堤防，有创筑、修筑、补筑等名目。有刺水堤、截河堤、护岸堤、缕水堤、石船堤。同是埽，有岸埽、水埽，又有龙尾、栏头、马头等埽。做埽台和推卷、牵制、鎚挂的方法，有用土、用石、用铁、用草、用木、用木桩、用绳索的区别。同是河道堵塞，有缺口、豁口、龙口之不同。缺口是已有水流成河；豁口是过去为水冲开，水退时口低于堤，水涨时便由豁口流出；龙口是水的会合处，也即由新河流入故道的口子。"

又说："河口决处水势大，南北宽四百余步，中流深三丈余，加上秋天涨水，比故道之水多十分之八。两河争流，靠近故道河口，水冲刷河岸北流，回旋急促，难以下埽。而埽如果下得不及时,则担心水全部涌入故河口,从而淤积故河,前功尽弃。

"贾鲁于是精心设计使河水顺利进入故河的方法,在九月七日,逆流排列大船二十七艘,前后用木椇或长木桩连起来,用大麻索、竹绳绞紧,连成方形的巨船,又用大麻索、竹绳将船身上下捆紧,使之牢不可破。然后用铁锚将其沉入上流水中,又用竹绳长达七八百尺者,系在两岸的大桩上,每条竹绳上挂两只或三只船,使之不能下。船腹中铺一些草,装满小石子,用合子板钉在合上,再用埽密布在合子板上,有的二层,有的三层,用大麻索捆紧,再绑三道横木在头椇上,都用大麻索捆紧。将竹编成笆,里面夹草、石,立在椇前,约长一丈余,叫作水帘椇。又用木支撑,使帘不至于倒下来。然后选择利索的水手,每船二人,拿着斧凿,分别站在船的头尾,岸上敲鼓为号,鼓声一响,同时凿船,转眼就在船上凿开洞,水灌进来,船身下沉,将河决口堵住。水势猛涨,于是黄河水暴增,便立即重树水帘,又布放小埽。土牛、白阑、长稍,加上草木等物,根据需要随时填入。装满石子的船沉到河底,水面上露出的基础逐渐增高,又卷成大埽压在上面。前面各船基本稳定,接着用前面办法沉入其余船只,以使工程完毕。白天黑夜,民工分批劳动,没有一点间断。"

"贾鲁曾说,水工工程比土工工程要难,中流工程比河岸工程难,决河口的工程比中流又难,北岸工程比南岸工程难。就所用物品的效果而言,草虽然最柔软,但柔则能适合水性,水浸草生泥,泥与草合在一起,力量如碇一样重。但捆绑夹辅,主要靠绳索。因为贾鲁熟悉黄河情况,所以能取得这样的成就。"

十二月,己卯(初四),设立河防提举司,隶属于行都水监。

丁酉(二十二日),顺帝命托克托在淮南设立诸路打捕鹰房民匠钱粮总管府。

辛丑(二十六日),额森特穆尔收复上蔡县,抓住韩维尔等送到京师,处死。

这年,反贼在江浙行省境内到处蔓延,江西的饶、信、徽、宣、铅山、广德,浙江的常、湖、建德,到处失守。江浙行省平章庆通派遣属官出去协助督师,先后收复。接着命官吏调查民数,无辜受牵累者一概不问,招回流散的百姓,发放官粮予以救济。

蕲、黄一带的反贼在长江北岸造船,立下决心向南岸进犯。镇守九江的江州路总管李黼,修治城壕,整理器械,招募壮丁,分头驻守险要之处,并向江西行省献上攻守之策,请求派兵屯守江北以扼制敌人的要冲,不被理睬。李黼叹道:"我不知死在哪里。"于是杀牛给士兵吃,以忠义来鼓动士气,几天之间,初步建立了纪律。

庐州反贼兴起,淮西廉访使陈思谦对宣让王特穆尔布哈说:"天下太平日久,百姓不了解战争。王爷是皇室贵胄,镇守两淮,怎能坐视。思谦愿与王爷同心协力消灭反贼。再说王府所属的集赛人马,为数不少,里面一定有能够冲锋陷阵的人。"宣让王说:"这是我的职责。但鞍马、器械没有准备,怎么办?"思谦便征用官私马匹,置办兵器、盔甲,立即就准备好了。分路进兵,于是抓住了反贼头目,庐州平定。接着颍州的反贼要渡过淮河,思谦又对宣让王说:"颍州反贼将东犯,赶紧调动芍陂的驻军用。"宣让王说:"不奉皇帝的诏令不敢调用。"思谦说:"遇上不寻常的变故,理当灵活办理。擅自发兵之罪,由我来承担。"宣让王为他的话所感动,依他说的办。

思谦的侄子陈立本,任屯田万户,思谦召他来,说道:"我家历代以忠义传家,你的官职是祖上力战得来的。现在国家有难,你应当身先士卒,以报国家,才能对得住朝廷。"思谦随即被召入朝任集贤侍讲学士,修定《国律》。

济宁路总管董抟霄,奉皇帝之命跟随江浙行省平章嘉珲出征安丰,到合肥定林站,遇上反贼,将之打得大败。

这时朱皋、固始一带的反贼又猖獗起来,官军人少不足分兵讨伐。正好有大山民寨和芍陂驻屯军,抟霄对他们予以奖励慰劳,并加以整顿,于是保卫了朱皋。官军屯守朱家寺,贼兵一到,便予以追杀。于是派进士程明仲前往贼中劝降,招附的人有一千二百家,因而完全了解了贼军的虚实。晚上,在淝水上构造浮桥,军队渡完了,贼军才发觉。反贼数万据守水涧之南,过渡的官军都被他们打败。抟霄于是派遣骑兵从浅滩分渡袭击贼军之后,贼军回到东南方向,与骑兵对敌。抟霄忽然跃马渡涧,对众扬言说:"贼军已败!"各军全渡越水涧,一鼓进攻,贼军大败,又乘胜追击,贼兵被杀死的遍布二十五里,于是收复安丰。抟霄是磁州人。

方国珍起兵,江浙行省下文书命前沿海上副万户舒穆噜宜逊守温州,宜逊立即出发前往任职。接着福建贼兵进犯处州,行省又通知宜逊率兵去平定,因功升任浙东宣慰使,又在台州设分府。不久,处州所属各县,山盗到处闹事,宜逊又受行省委派前去征讨,到处州后,为了防御敌人,修筑城池。宜逊的祖先是辽人。

太傅阿噜图出守和林,不久去世。

至正十二年 (公元 1352 年)

春季,正月,丙午朔(初一),顺帝诏令印造中统元宝交钞一百九十万锭,至元钞十万锭。

戊申(初三),竹山县反贼攻陷襄阳路,同知额森布哈等惊慌逃跑。达噜噶齐博啰特穆尔率义兵二百人边战边走,到监利县,遇上沔阳府达噜噶齐耀珠等人的军队。当时长江边有船千余只,于是纠合义兵、壮丁、水工五千余人,发给军号、刀稍,准备哨马五十,水陆并进。到达石首县时,听说中兴路也已沦陷,就商定往岳州投奔元帅特克嘉,但道路不通,无法前进,只好仍往襄阳。贼军正驻守杨湖港,乘其不备发动袭击,夺得贼船二十七艘,生擒贼人刘雅儿,审得实况。前进到潜江县,又杀死贼军数百人,俘获三十余艘船,将贼将刘万户、许堂主等斩首示众。军队刚停下来还没吃饭,贼军大至,与之交战。到傍晚,耀珠等军各当一面,不能相救。博啰特穆尔受重伤,命侄子玛哈实勒离开,说:"我以死报国,你不要留在这里。"玛哈实勒哭着说:"是死是活都跟随叔父。"接着博啰特穆尔被俘虏,贼军请他一同造反。博啰特穆尔大怒骂之,于是遇害。玛哈实勒率家奴寻找他的尸体,又与贼兵交战,都死在阵中,全家共死二十六人。博啰特穆尔是高昌人。这一天,荆门州也失陷。

当初,妖贼起事,攻陷邓州,人心惶惶不安。接着贼人前锋从邓州进入南阳境内。南阳县达噜噶齐喜同,用计抓住几名贼兵,审问他们,他们说大批贼兵将至。喜同把他们全部斩了,以安定人心,日夜督促丁壮巡逻守备。当时大司农钱木尔带兵驻在诸葛庵,遭到贼军的袭击,钱木尔被杀,贼军便乘胜进取南阳。喜同防守西门,看见贼兵势大,就和家中人诀别说:"我和你们不能相顾了。你们各自逃生,我本分应当死在这里,以报国家。"这时城中一片哭声。喜同督促义兵,奋力与贼军搏斗,贼兵退去。第二天贼兵又来,喜同率兵努力作战,杀贼数百人。贼兵知道没有援军,进攻更急,南阳于是陷落。喜同准备突围出逃,贼兵横刺他的马,马失足倒下。喜同鞭打坐马,马跳起来,亲手杀死刺马人,其他贼人追上,喜同身上数处受伤,不能再战斗,于是被杀。他的妻子邢氏,骂贼被杀。一家死了二十余人。事迹上报当时富珠哩远调任襄阳县尹,住在南阳等待赴任。贼兵起,远以忠义自命,倾家荡产招募丁壮,集合千余人,与贼军交战。很快贼军大批来到,远被杀。他的妻子雷氏被贼军所捉,贼人要娶她为妻,她说:"我是参政的儿媳妇,且令的嫡妻,难道会为了求生而跟你们这种猪狗吗!"贼人要强奸她,雷氏边哭边骂,不从,于是被杀,全家都被害。富珠哩远是富珠哩翀的儿子。

丙辰(十一日),徐寿辉派将领丁普郎、徐明远攻陷汉阳;丁巳(十二日),攻陷兴国府。

己未(十四日),徐寿辉部将邹普胜攻陷武昌。

当初,贼军声势愈来愈大,湖广行省平章桑节招集同僚、属官一起商议。有人说:"有一位郑万户,是一员老将,应当起用他。"桑节于是下令招募士兵,整治城池,修理器械,严密巡逻,并将这些事全都委任给郑万户。贼兵听说,派党羽二千人来商定投降。桑节和郑万户商量说:"这是诈降,但来投降而加以拒绝,不合情理,接受以后加以审查就行了。"果然审出实情,便将他们歼灭,关押首领数十人等待上面处理。正在这时,朝廷召桑节为大司农。他离开后,同僚受贼人的贿赂,而且妒忌郑万户的功劳,便诬陷郑万户有罪,释放了关押的贼人。第二天,贼兵大队来到,内外响应,威顺王库春布哈、行章和尚都弃城逃走,武昌城陷落了。武昌的人一起在晚上哭泣说:"如果桑节大夫不离开,我们怎会成为俘虏呢?"

有一个名叫冯三的人,是湖广行省的公使人,从来不识字。武昌沦陷,小吏们拉他一起为贼兵,冯三坚决推辞说:"贼名不好听,我们岂能去做?"众人怒了,将杀死他。冯三便唾骂他们。众人将他绑在十字架上,边抬着走边割他的肉。冯三更加痛骂不止。到江边,割断他的喉管,丢下他去了。他的妻子跟着哭,弯腰拾起割下的肉放在布裙中,等贼人走远了,收拾冯三的遗骸,脱下衣服包好,大哭,投江而死。

顺帝命刑部尚书阿噜收捕山东的反贼,发给敕牒十一道,让他用来分赏有功的人。

辛酉(十六日),徐寿辉部将鲁法兴攻陷安陆府,知府绰噜被杀。

鲁法兴进攻时,绰噜募到数百名兵士,率领他们抵抗贼兵,打败贼军前队,乘胜追击。这时贼军从其他门进入城中,绰噜赶紧回兵,城已起火,军民溃乱。绰噜估计无法阻止就回来了,穿上朝服,出来坐在公堂上,贼兵用刀威胁他,绰噜还跟他们讲顺逆之理。一贼兵推绰噜下拜,他不屈,而且怒骂。贼兵首领不忍杀害,将他扣押起来。第二天,又逼他随同作乱,绰噜痛骂说:"我是守土之臣,岂能跟从你们这些盗贼?"贼兵大怒,用刀砍断他的左臂,因而死亡。绰噜妻子侯氏出来大哭,准备了许多酒食,贼人喝了就请饮酒,饿了就请吃肉,为的是欺骗贼人使不提防自己。到夜间,她自缢而死。事迹上报,赠绰噜为河南行省参知政事,侯氏为宁夏郡夫人,表彰他家为"双节"。

丙寅(二十一日),因黄河回到故道,大赦天下。

辛未(二十六日),徐寿辉的部队攻陷沔阳府。壬申(二十七日),攻陷中兴路。沔阳推官象山人俞述祖领民兵驻守绿水洪,城陷被俘,押送到徐寿辉那里。俞述祖大骂不止,寿辉发怒,将他肢解而死。当贼军进攻中兴时,山南宣慰司同知伊古轮实出战,被击溃,宣慰使锦州布哈弃城逃跑。山南廉访使济尔克敦带领军队对抗,射死很多贼兵。第二天,贼军增兵前来,攻打东门,济尔克敦力战,被俘,不屈而死。

武昌沦陷后，江西大为震动，贼军船只满江而下，行省右丞博啰特穆尔正驻守江州，听到后逃走。江州总管李黼虽然孤立无援，言辞气概却更为激烈。这时黄梅县主簿伊苏特穆尔愿带兵出城击贼，李黼大喜，对天洒酒和他立誓。话刚出口，贼军的哨兵已到境内，赶紧通知各乡村用树木、石头堵住险要之处，阻止贼人归路。事出突然，士兵没有标记，便用墨涂面，带着出战。李黼身先士卒，大呼冲锋，伊苏特穆尔跟着向前，贼兵大败，追赶了六十里。乡丁依靠险阻，从高处扔下树木、石头，贼兵尸体布满道路，杀死和俘虏了二万余人。李黼回来，对左右说："贼兵陆路进攻不利，必然用船从水路进攻。"便用长木头几千根，顶上加铁锥，暗地里树在沿岸水中，用来刺穿敌人船只，叫"七星桩"。正好西南风急，贼船数千果然扬帆顺风叫喊而来，船碰上桩不能动，进退两难，李黼率将士奋勇出击，发火翎箭射敌，贼军烧死、淹死的不计其数。余下的船只退走。行省上报李黼的功劳，任命他江西行省参政，行江州南康等路都总管，便宜行事。

二月，乙亥朔（初一），定远人郭子兴，集合少年几千人，自称节制元帅。子兴兄弟三人，都善于经营，因而成为地方上的富豪。子兴知道天下将有大变，便拿出家财，杀牛斟酒，结纳壮士。到这时便和孙德崖以及俞某、鲁某、潘某等带着部众攻城。

甲申（初十），邹平县马子昭作乱，官军捉住他斩首。

乙酉（十一日），徐寿辉部队攻陷江州，总管李黼被杀死。又攻陷南康路。

当时，贼军势力越来越大，西起荆湖，东到西淮，官员们纷纷弃城逃跑，李黼得不到外援。贼军将攻城，分省平章政事图沁布哈从北门逃走。李黼带兵登上城墙，设置作战器具，贼军已到甘棠湖，焚毁西门。守兵张弩射敌，贼军转攻东门，李黼前去救助，贼军已入城，双方展开巷战。李黼知道难以抵挡，挥剑骂贼说："杀我，不要杀百姓！"贼军刺中了他，掉下马来，和兄李冕之子李秉昭都骂贼而死。城中百姓哭声震天，一起用棺木将他们葬在东门外。李黼死后过了一个月，参政的任命才下达。李冕住在颍州，也死于贼军之手。事迹上报，赠李黼为淮南江北行省右丞，追封陇西郡公，谥忠文。在江州立庙，赐匾，上写"崇烈"。任命他儿子李秉方为集贤待制。

丙戌（十二日），霍州路灵石县地震。

房州贼兵攻陷归州。

戊子（十四日），顺帝下诏："徐州内外聚合的百姓，限二十日内，不分首从，均赦免回家。"

设置安东、安丰分元帅府。

己丑（十五日），游皇城。

庚子（二十六日），郭子兴攻陷并占据濠州。

辛丑（二十七日），邓州反贼王权、张椿攻陷澧州，龙镇卫指挥使谙都喇哈曼等带领队伍收复了它。

表彰追赠为国牺牲的宣徽使特穆尔等二十七人。

这一月，反贼侵犯滑州、浚州，朝廷任命德珠为河南行省右丞，驻守东明。德珠当时退休在家，接到命令，立即赶到东明，修治城池，严加防备，贼兵不敢来犯。

徐寿辉的部将欧普祥攻陷袁州。普祥是黄冈人，用烧香聚集群众，跟徐寿辉起兵，任元帅,人称他"欧道人"。到这时率兵掠夺江西各郡县,攻破袁州,焚毁房屋,带走百姓,命别的将领镇守。

三月,乙巳朔(初一),追封太师、忠王满济勒噶台为德王。

丁未(初三),徐寿辉部将许甲进攻衡州,被峒官黄安抚击败。

壬子(初八),河南左丞相台哈布哈收复南阳等处。

癸丑(初九),中书省建议推行纳粟补官之法:"凡是士民为国出力,自办粮米供应军备的,照依已定办法,授予地方现任行政官职,依例升转、封荫。已任茶盐钱谷而有能力再备钱粮供应军备的,按现授品级,改授行政官职。"同意施行。

甲子(二十日),徐寿辉部将项普略攻陷饶州路,接着又攻陷徽州路、信州路。

当时官军大多疲惫软弱不能拒敌。到处都有无赖子弟乘机起事,不到九天就集合起几万人,都穿短衣、草鞋,用木制成钯、削竹为枪,截开红帛做头巾、衣服,满地都是一片赤色。饶州路官员魏中立率领丁壮分守险要,严加守备。不久贼兵来了,达噜噶齐马来出战,不能发箭,贼军更加逼近。中立带义兵将其击退。接着贼军又聚合,于是被抓住。贼军拿红衣披在他身上,中立大骂,胡须都竖了起来。信州总管于大本率士兵防御,贼军又攻陷信州城捉住了他。二人一起被送到蕲水。寿辉想让二人跟随自己,二人都大骂不屈,于是被害。魏中立是济南人,于大本是密州人。

丁卯(二十三日),由于出征马匹不足,政府拿出币、帛各二十万,到北方万户、千户所换马。

戊辰(二十四日),顺帝下诏:"南人有才学的,依照世祖时的旧制,中书省、枢密院、御史台都可任用为官。"于是吏部郎中宣城人贡师泰、翰林直学士饶州人周伯琦一同升任监察御史。南人又进入中书省、御史台由此开始。

中书省臣说:"张理建议,饶州路德兴县三处地方,用胆水浸铁,可以成铜。应该就在当地各立铜冶场,直属宝泉提举司,即以张理为铜冶场官。"顺帝同意。

这一月,方国珍又胁迫他的党羽下海,浙东道宣慰使都元帅台哈布哈发兵扼守黄岩的澄江,派遣义士王大用到国珍处传信,要他来归顺。国珍拘留王大用不放归,用小船二百只冲击海门,进入黄岩州港,侵犯马鞍山等地。台哈布哈对众人说:"我出身书生而置身高位,实在担心辜负了所学的东西。现在镇守海边,贼兵刚归附,又起来叛变。你们助我进攻,如果胜了,是你们的功劳;如果失败,则由我尽忠报国。"众人都争着愿去。当时国珍亲戚陈仲达往来传信,说国珍会投降。台哈布哈率领部属打着受降旗乘潮前往,但是船触沙不能动。将要和国珍相遇,叫仲达过来重申前议,仲达眼睛转动而气喘,台哈布哈察觉他有异心,亲手将他杀死。接着冲向敌船,射死五人,贼徒跳入船中,又砍死一人。贼兵举橹束刺,都被他斫断。贼兵大群拥到,想抱住他到国珍船上去,台哈布哈张大眼睛怒斥,起来夺过贼刀,又杀两人。贼兵一齐用橹刺他的头颈,台哈布哈死了,仍直立不倒。贼兵把尸体投入海中,死时四十九岁。他的僮仆抱琴和临海尉李辅德、千户赤盏、义士张君璧,全都战死。后来追赠台哈布哈为江浙行省平章政事,封魏国公,谥忠介,立庙于台州,赐匾"崇节"。台哈布哈崇尚气节,不随俗浮沉。泰费音被御史台官员弹劾罢相,台哈布哈独自在都门外给他饯行。泰费音说:"你不要这样,不要因我连累你。"台哈布哈说:"士为知己者死,岂能畏祸呢!"

顺帝下诏,定军民官不守城池之罪。

陕西地震一百余日,城郭倒塌,山谷变迁,定西、会州、静宁、庄浪尤为严重。会州官署的墙壁倒塌,从中发现五百余张弩,长的丈余,短的九尺,没有人拉得开。改定西为安定州,会州为会宁州。

闰三月,甲戌朔(初一),钟离人朱元璋到濠州投奔郭子兴。

元璋祖先住在沛县,后来从句容、泗州徙居钟离。兄弟四人,元璋排行第四。少时多病,长大后姿貌雄伟。上学后,聪明英武,深沉大度,别人不能了解他的想法。十七岁时,碰上到处发生旱灾、蝗灾,百姓遭上饥馑瘟疫。他父、母、兄相继死亡了,于是到皇觉寺做和尚。过了一月,他往西到合肥,又到六安,经光州、固始、汝州、颍州,三年以后,又回到了皇觉寺。过了段时间,皇觉寺被乱兵烧毁,和尚全部逃散,元璋也外出躲避,但不知往何处去。有人招他去造反,元璋心意不定。这时彻尔布哈率兵想收复濠州,但又害怕不敢进攻,只知天天抓老百姓充当反贼去领取赏赐,百姓都很害怕。元璋担心不免于难,便到佛寺中掷珓占卜。问出外避乱如何,不吉;问照原样子如何,又不吉。于是祷告说:"难道要我跟群豪造反吗?"果然掷珓大吉。又自己考虑跟随群豪也不是容易的事,祷告说:"是否允许我躲避兵祸?"投珓,珓跳起来立在那里。于是便下定了决心。前往濠州城,守门的人怀疑他是间谍,抓了他来报告郭子兴。子兴对他的相貌感到惊奇,问他来干什么。元璋告诉他缘故。子兴很高兴,便留他在自己身边。接着命他带领九名士兵,常召他来谋划事情。过了段时间,他很受宠爱,凡有用兵攻讨之事,便派他前往,一去就取胜,子兴的部队越来越兴盛。

当初,宿州人马公和郭子兴是生死之交,马公死,将小女儿托付给子兴,子兴把她养为自己女儿。到这时想把她嫁给朱元璋,便和妾张氏谋划。张氏说:"我也有这意思。现在天下大乱,你要成大事业,正当收罗豪杰。一旦他被别人拉去,还有谁和你共建功业呢!"子兴于是下定决心,将马氏嫁给元璋。

乙酉(十二日),徐寿辉部将陈普文攻陷吉安路。乡民罗明远召集义兵予以收复。

设立淮南江北行中书省,省治设在扬州。

丁酉(二十四日),湖广行省参政铁杰用湖南兵收复岳州。

这一月,顺帝下诏:"江西行省左丞相额琳沁巴勒,淮南行省平章政事鸿和尔布哈,江浙行省左丞遵达特哩,湖广行省平章政事额森特穆尔,四川行省平章政事巴实呼图,及江南行台御史大夫纳琳与江浙行省官,都可便宜行事!"

陕西行台御史大夫多尔济巴勒在上任途中,听说商州沦陷,武关失守,便轻装骑马日夜兼程到奉元,这时贼军已到鸿门。属吏提议选择吉日正式上任办事,他不同意,说:"贼军势头已这样,还考虑得了阴阳禁忌吗?"立即到官署办公。行省、行台平日处理公务时有嫌隙,不在一起商议事情,多尔济巴勒说:"现在这样多事,不得像平常那样。"于是与行省平章托多约定五日聚会一次。接着有圣旨命多尔济巴勒与托多一同讨贼,他便督各军收复了商州。又修筑奉元的城垒,招募百姓当兵,拿出官仓中所藏银子铸成大钱,凡射箭中目标的就赏给他,因此人人都成为精兵。金州、商州的义兵用兽皮制作箭囊,形状如葫芦,号称"毛葫芦",部队很精锐。多尔济巴勒将他们的功劳上报,皇帝降敕书加以表彰,因此这些义兵声势更盛。金州经过兴元、凤翔到奉元,路途遥远,于是开辟义谷,创设七个驿站,道路缩短而且便利多了。

这时御史大夫额森特穆尔驻兵沙河，军中夜间发生惊扰，额森特穆尔丢下所有军资、器械，收集散兵，向北逃到汴梁。文济王在城头远远对着他说："你身为大将，看见贼军不杀而自己溃逃，我将弹劾你的罪行，这城是决不收留你的。"额森特穆尔于是屯驻城南四十里的朱仙镇。朝廷因他不懂兵事，诏命别的将领代替。额森特穆尔径自回来，天黑入城，次日依旧担任御史大夫。西台监察御史蒙古噜哈雅、范文等十二人上书劾他丧师辱国之罪，多尔济巴勒应当签字，他对身边的人说："我该做湖广平章了。"奏疏送上，丞相托克托发怒，果然将多尔济巴勒贬职，十二名御史都降为各路添设的副官。

多尔济巴勒到湖广去，关中人拦路哭泣说："让我们活下来的是您，为什么突然离我们而去呢？"多尔济巴勒进行安慰，让他们回去，他们不听，只好自己从小路离开。

夏季，四月，癸卯朔（初一），发生日食。

江西临川反贼邓忠攻陷建昌路。

乙卯（十三日），铁杰和万户陶梦祯收复武昌、汉阳，接着再次沦陷。

丙辰（十四日），江西宜黄反贼涂佑和邵武、建宁反贼应必达等攻陷邵武路，总管吴按摊布哈率兵讨伐，千户魏淳用计抓住涂佑、应必达，收复邵武。

贼军从邵武小道进逼福宁州，知州霑化人王巴延就和监州阿萨都喇招募壮士五万，分别扼守险要之地。贼军进到杨梅岭，树立木栅，巴延和儿子王相骑马将它攻破。贼军统帅王善突然带人直压州城西门，官府小吏全都逃散了。巴延手下只有几百个拿木棒的市民。巴延发箭射贼，不回头看，贼兵用长枪撞马，马倒了，于是巴延被捉。王善劝巴延归顺自己，继续任州官，巴延骂王善说："我是天子任命的官员，不幸州城失守，按理当死，会跟你造反吗！"王善大怒，命左右拉他跪下，他不屈，便打他。巴延嚼烂舌头把血吐在王善脸上，骂道："反贼，要杀就杀，打我干吗！我的百姓是上天的百姓，你不可伤害。大丞相统领百万之师亲自讨伐逆贼，你们将没有后代了。"反贼又把阿萨都喇抓到，王善厉声训斥他不该抗拒，阿萨都喇说不出话来，巴延又对王善唾骂说："我杀贼，怎能说是抗拒？我死了，当成为神来杀你。"说完，挺着脖子受刀，脖子断了，涌出象奶一样的白色液体。尸体露天放了几天，颜色不变。州城中人哭声连巷。贼兵又杀死阿萨都喇，准备释放王相让他做官，王相骂道："我和你不共戴天，恨不得把你斩碎，我会接受你的官职吗！"贼军又将他杀死。王相妻潘氏带着两个女儿，被贼人捉住，也骂贼，母女同死。

甲子（二十二日），翰林学士承旨欧阳玄以湖广行省右丞的身份退休，顺帝赐给他玉带和一万锭钞，并终身发给他全俸。

这一月，顺帝前往上都。

永怀县贼兵攻陷桂阳。

四川行省平章耀珠率兵收复归州，进攻峡州，与峡州总管赵余襕一起大破贼兵，杀死贼将李太素等，于是峡州平定。

顺帝下诏全国，修好城郭，筑好堤防。

五月，戊寅（初六），任命龙虎山张德嗣为三十九代天师，发给印章。

命令江南行台御史大夫纳琳发宣敕给台州百姓陈子由、杨恕卿、赵士正、戴甲，令他们召集民兵夹攻方国珍。

己卯(初七),四川行省平章耀珠收复中兴路。参政达实巴都鲁请求自己前去攻打襄阳,被允许。他进军到荆门,这时贼军十万,官军仅有三万余。于是采用宋廷杰的计策,招募襄阳官吏以及避兵的土豪,得到二万人,编成部队,申明纪律。进军到蛮河,贼军扼守要害,官军不能渡过,便命屈万户率奇兵从小路抄到敌人后方,首尾夹攻,贼军大败。追到襄阳城南,大战,活捉敌人伪将三十人,予以腰斩。贼军从此闭上城门不敢出战。达实巴都鲁于是观察形势,内列八翼,包围襄阳城;外设八营,驻守岘山、楚山以断其援路;自己率中军四千占据虎头山,观看城中动静。委任追随出征的李复为南漳县尹,黎可举为宜城县尹,安抚百姓。城中百姓受包围的时间久了,在一天夜半,两个人拉着绳子从城上下来,前来军营具体报告城中虚实,表示愿为内应。达实巴都鲁和他们约定:在五月初一四更攻城,告诉他们秘密信号,让他们回去。到时候,那两百姓垂下绳索接引官军,有近千人先登城。这时贼船百余艘在城北,巴都鲁暗里招募水性好的人将船底凿穿。天将亮,城被攻破。贼军巷战不能取胜,跑到船上去,船已坏了,都被淹死。贼将王权率千余骑兵逃走,遇到伏兵被俘,襄阳于是平定。

庚辰(初八),监察御史彻彻特穆尔等说:"河南等处盗贼,都以亡宋为号召。应将瀛国公之子和尚赵完普和亲属迁到沙州安置,禁止他们与别人往来。"顺帝听从。

癸未(十一),建昌百姓戴良发动乡兵,收复建昌路。

六月,丙寅(二十四),红巾军周伯颜部攻陷道州。

这个月,大名路发生旱灾、蝗灾,有饥民七十余万口,政府给了十万贯钞赈济他们。

中兴路松滋县雨水暴涨,漂去民房千余家,淹死七百人。

续资治通鉴卷第二百十一

【原文】

元纪二十九　起玄黓执徐【壬辰】七月,尽昭阳大荒落【癸巳】十二月,凡一年有奇。

顺　　帝

至正十二年　【壬辰,1352】　秋,七月,庚辰,徐寿辉将项普略,引兵自徽、饶犯昱岭关,攻杭州。城中仓猝无备,参政樊执敬,遽上马率众出,中途与贼遇,射死贼四人,贼逐之,复射死三人,已而贼来益众,填咽街巷,且纵火,众皆溃去。贼呼执敬降,执敬怒叱之曰:"逆贼,守关吏不谨,汝得至此,恨不碎汝万段,何谓降邪!"乃奋力斫贼,因中创死。仆田也先驰救之,亦中枪死。

时董抟霄从江浙平章嘉珲征安丰,乘胜攻濠州,会朝廷命移军援江南,遂渡江至德清,而杭州已陷。嘉珲问计,抟霄曰:"贼见杭州子女玉帛必纵掠,不暇为备,宜急攻之。今欲退保湖州,设贼乘锐趣京口,则江南不可为矣。"嘉珲犹豫未决,诸将亦难其行。抟霄正色曰:"江浙,相君方面,既陷而及今不取,谁任其咎!"复拔剑顾诸将曰:"诸君荷国厚恩,而临难苟免。今相君在是,敢有慢令者斩!"遂进兵薄杭州。贼迎敌至盐桥,抟霄麾壮士突前,诸将相继夹击,凡七战,追杀至清河坊。贼奔接待寺,塞其门而焚之,贼皆死,遂复杭州,馀杭、武康、德清次第以平,抟霄亦受代去。

贼之入城也,伪帅项葵、杨苏,一屯明庆寺,一屯北关门妙行寺,称弥勒佛出世以惑众,不杀不淫,招民投附者,注姓名于籍,库中金帛,悉辇以去。平章嘉珲自湖州统军还,举火焚城,残伤殆尽,诛附贼充伪职者范县尹等,里豪施尊礼,顾八迎敌官军,剐于市,家产并没入官;省都事以下,坐失守城池,罢黜不叙;省官复任如故。

贼复自昱岭关寇於潜,行省乃假抟霄为参知政事,复提兵讨之。抟霄即日引兵至临安新溪,新溪为入杭要路,分兵守之,而以大军进至叫口,及虎槛,遇贼,皆大破之,追击至於潜,遂复其县治,既又复昌化及昱岭关,降贼将潘大渊二千人。贼又有犯千秋关者,抟霄还军守於潜,而贼兵大至,焚倚郭庐舍。抟霄按军不动,左右请出兵,抟霄曰:"未也。"遣人执白旗登山望贼,约曰:"贼以我为怯,必少懈,伺其有隙,则麾所执旗。"又伏兵城外,皆授以火炮,复约曰:"见旗动,炮即发。"已而旗动炮发,兵尽出,斩首数千级,遂复千秋关。

未几,贼复攻独松、百丈、幽岭三关,抟霄乃先以兵守多溪,多溪,三关要路也。既又分为三军,一出独松,一出百丈,一出幽岭,然后会兵捣贼巢,遂乘胜复安吉。贼帅梅元等来降,且言复有帅十一人欲降者,即遣偏将余思忠至贼寨谕之。贼皆入暗室潜议,思忠持火投入室内,拔剑语众曰:"元帅命我来活汝,汝复何议!"已而火起,焚其寨,叱贼党散去,而引贼帅来降。明日,进兵广德,克之。

时蕲、饶诸贼复犯徽州,贼中有道士,能作十二里雾,抟霄引兵击之。已而妖雾开豁,诸伏兵皆起,贼大溃,斩首数万级,擒道士,焚其妖书而斩之,徽州遂平。

辛巳,命通政院使达尔玛实哩与枢密副使图沁布哈讨徐州贼,给救牒三十道以赏功。

己丑,湘乡贼陷宝庆路,丁酉,湖南元帅副使小云实哈雅率兵复之。

托克托为相,讳言兵乱,哈玛尔从而媒蘖其短,帝怒,召托克托责之曰:"汝尝言天下太平无事,今红军一宇内,丞相以何策待之?"托克托汗流夹背。庚寅,自乞督军讨徐州,许之。兵部尚书穆尔哈玛穆特等言:"大臣,天子之股肱,中书,庶政之根本,不可一日离。请留托克托以弼亮天工,庶内外有兼治之宜。"不报。遂诏托克托以达尔罕、太傅、右丞相分省于外,总制诸路军马,爵赏诛杀,悉听便宜行事。

是月,徐寿辉将王善、康寿四、江二蛮等陷福安、宁德等县。

八月,癸卯,方国珍率其众攻台州,浙东元帅页特密实、福建元帅赫迪尔击退之。

甲辰,以同知枢密院事哈玛尔为中书添设右丞。

丁未,日本国白高丽贼过海剽掠,身称岛民,高丽国王合巴延特穆尔调兵剿捕之。

己酉,命知枢密院事耀珠、中书平章政事绰思戬、额楚克达噜噶齐福寿,并从托克托出师徐州。丁卯,托克托发京师。

安陆贼将俞君正,复陷荆门州,知州聂炳死之。荆门之初陷也,炳出募民兵,得众七万,复州城。既而君正复来攻,炳率孤军昼夜血战,援绝,城复陷,为贼所执,极口骂不绝,贼以刀抉其齿尽,乃支解之。炳,江夏人也。

贼将党仲达陷岳州。

九月,乙亥,俞君正复陷中兴,耀珠率兵与战于楼台,败绩,奔松滋。本路判官上都统兵出击之,既而东门失守,上都仓皇反斗,被执,大骂,贼刳其腹而死。

己卯,监察御史及河南分御史台、行枢密院、廉访司等官,交章言额森特穆尔出征河南功绩,帝从其言,赐额森特穆尔金系腰及金银钞币。

癸未,中兴义士范中,偕荆门僧李智率义兵复中兴路,俞君正败走,龙镇卫指挥使谙都剌哈曼领兵入城,耀珠自松滋还,屯兵于石马。

乙酉,托克托至徐州,有淮东元帅逯善之者,言官军不习水土,宜募场下盐丁,可使攻城,乃以礼部郎中逯曾为淮南宣慰使,领征讨事,募濒海盐丁五千人从征徐州。又有淮东豪民王宣者,言盐丁本野夫,不如募市中趫勇便捷者可用,托克托复从之。前后各得三万人,皆黄衣黄帽,号曰黄军。

托克托知城有必克之势,辛卯,下令攻其西门。贼出战,以铁翎箭射其马首,托克托不为动,麾军奋击之,大破其众,入其郛。明日,大兵四集,亟攻之,城坚,不可猝拔,托克托用宣政院参议伊苏计,以巨石为炮,昼夜攻之不息。贼不能支,城破,芝麻李遁,获其黄伞、旗、鼓,烧其积聚,追擒其千户数十人,遂屠其城。

帝遣中书平章政事布哈等,即军中命托克托为太师,依前右丞相,趣还朝,而以枢密院同知图济等进师平颍、毫。师旋，赐上尊、珠衣、白金宝鞍，皇太子锡燕于私第。是役也，托克托以得芝麻李奏功，及班师后，伊彻察喇代之，月馀始获芝麻李，械送京师，托克托密令人就雄州杀之。

己亥，贼攻辰州，达噜噶齐和尚击走之。

是月，帝至自上都。

蕲、黄贼陷湖州、常州。

徐州既平，彭大、赵君用率芝麻李馀党奔濠州，托克托命贾鲁追击之。

孙德崖等与郭子兴不协，互相猜防，会彭、赵奔濠州，德崖纳之。二人本以穷蹙来奔，德崖与子兴反屈己下之，事皆禀命，遂为所制。彭大颇有智数，揽权专决，君用唯唯而已。子兴礼彭大而易君用，君用衔之，德崖等遂与君用谋，伺子兴出，执之通衢，械于孙氏，将杀之。朱元璋时在淮北，闻难亟归，念子兴素厚彭而薄赵，祸必赵发，非彭不可解，乃与子兴子往诉于彭大，彭大怒曰：“我在此，谁敢尔！”即命左右呼兵以出，元璋亦被甲持短兵与俱，至孙氏家，围其宅，发屋破械，使人负子兴以归，子兴遂得免。

江西行省平章政事桑节，受命出师湖广，行至江东，更令守江州。

时江州已陷，赵普胜、周驴等据池阳，太平官军止有三百人。贼号百万，众皆走，桑节曰：“畏贼而逃，非勇也；坐而待攻，非智也。汝等皆有妻子、财物，纵逃，其可免乎？”乃贷富人钱，募人为兵。先是行台募兵，人给百五十千，无应者；至是桑节募兵，人五十千，众争赴之，一日得三千人。乃具舟楫直趋铜陵，克之，又破贼白马湾。贼败走，分兵蹑之。抵白湄，贼穷急，回拒官军，官军乘胜奋击，贼尽殪，擒周驴，夺船六百艘，军声大振，遂复池州。乃命诸将分道讨贼，复石埭诸县。贼复来攻，命王惟恭列阵待之。锋始交，出小舰从旁横击，大破走之，进据清水湾，伺者告贼舰至自上流，顺风举帆，众且数十倍，诸将失色，桑节曰：“无伤也。风势盛，彼仓猝必不得泊。但伏横港中，偃旗以待，俟过而击之，无不胜矣。”风怒水驶，贼奄忽而过，乃命举旗张帆，鼓噪攻之，官军殊死战，风反为我用，又大破之。时贼久围安庆，捷闻，遽烧营走。进复湖口县，克江州，留兵守之。命王惟恭栅小孤山，而桑节自据鄱阳口，缀江湖要冲，以图恢复。

时湖广已陷，江西被围，淮、浙亦多故，卒无援之者。日久，粮益乏，士卒咸困。或曰：“东南完实，盍因粮以图再举乎？”桑节曰：“吾受命守江西，必死于此。”众莫敢复言。顷有贼乘大船四集来攻，取兼苇编为大筏，塞上下流，火之。官军力战，众死且尽，桑节之从子拜布哈与亲兵数十人死之。桑节犹坚坐不动，贼发矢射桑节，乃昏仆。贼素闻桑节名，不忍害，舁置密室中，至旦乃苏。贼罗拜，争馈以食，桑节斥之，遂不复食，凡七日，乃自力而起，北面再拜曰：“臣力竭矣！”遂绝。桑节为人，公廉明决，在军中，能与将士同甘苦，以忠义感激人心，故能以少击众，得人死力云。

冬，十月，霍山崩。前三日，山如雷鸣，禽兽惊散，陨石数里。

是月，蕲、黄贼陷江阴州。州大姓许普与其子如章，聚恶少，资以饮食，贼四散抄掠，诱使深入，殪而埋之。战于城北之祥符寺，父子皆死。

十一月，乙亥，以桑节为江西行省平章政事，出师湖广，时犹未闻桑节死事也。

丙子，中书省臣请为托克托立《徐州平寇碑》及加封王爵。

癸未，命江浙行省右丞特里特穆尔总兵讨方国珍。

是月，蕲、黄贼悉众寇安庆，水陆并进。上万户蒙古绰斯连破之，轻舟追北，中流矢，卒。

十二月，辛亥，诏以杭、常、湖、信、广德诸路皆已克复，赦诖误者，蠲其夏税、秋粮，命有司抚恤其民。

癸亥，托克托言京畿近地水利，召募江南人耕种，岁可得粟麦百万馀石，不烦海运而京师足食，帝曰："此事有利于国家，其议行之。"

是月，贾鲁以兵围濠州。

先是中书左司郎中田本初言："江南漕运不至，宜垦内地课种。昔渔阳太守张堪种稻八百馀顷，今其迹尚存，可举行之。"于是起山东益都、般阳等十三路农民种之，秋收课，所得不偿其所费。是岁，农民皆罢散，乃复立都水庸田司于汴梁，掌种植之事。

以察罕特穆尔为汝宁府达噜噶齐。察罕特穆尔者，系出北庭，其祖父徙河南，为颍州沈丘人。察罕特穆尔幼笃学，尝应进士举，有时名，身长七尺，修眉覆目，左颊有三毛，怒则毛皆直指。居常慨然有大志，及汝、颍盗发，乃奋义起兵，沈丘子弟愿从者数百人，与信阳州罗山人李思齐同设奇计，袭破罗山县。事闻，授察罕特穆尔汝宁府达噜噶齐，思齐知府事。于是所在义士俱将兵来会，得万人，自成一军，屯沈丘，数与贼战，辄克捷。

改淮东宣慰司为都元帅府，移治淮西，起余阙为宣慰副使，佥府事，分兵守安庆。

时南北音问隔绝，兵食俱乏，阙抵官十日而寇至，拒却之。乃集有司，与诸将议屯田战守计，环境筑堡寨，选精甲外捍，而耕稼于中，属县灊山八社，土壤沃饶，悉以为屯。

湖广行省平章政事多尔济巴勒卒于黄州兰溪驿。

多尔济巴勒自陕西问道行至重庆，闻江陵陷，道阻不可行，或请少留以俟之，不从。湖广行省时权治澧州，既至，律诸军以法而授纳粟者以官，人心翕然。

汝中柏、拜特穆尔言于丞相曰："不杀多尔济巴勒，则丞相终不安。"盖谓其帝意所属，必复用耳。乃命多尔济巴勒职，专供给军食。时官廪所储无几，即延州民有粟者，亲酌酒谕劝之而贷其粟，约俟朝廷颁钞至，即还其直，民无不从者。又遣官籴粟河南、四川之境，民闻其名，争输粟以助军饷。右丞巴延布哈方总兵，承顺风旨，数侵辱之，多尔济巴勒不为动。会官军复武昌，至蕲、黄，巴延布哈百计征索无不给，或犹言其供需失期，达尔罕军〔师〕〔帅〕王布哈奋言："平章，国之贵臣，今坐不重茵，食无珍味，徒为我曹军食耳。今百需立办，顾犹欲诬之，是无人心也，我曹便当散还乡里矣！"托克托又遣国子助教鄂勒哲至军中，风使害之。鄂勒哲反加敬礼，语人曰："平章，旧勋之家，国之祥瑞，吾苟伤之，则人将不食吾馀。"

多尔济巴勒素有风疾，军中感雾露，所患日剧，遂卒，年方四十。

多尔济巴勒立朝，以扶持名教为己任，荐拔人才而不以为私恩。留心经术，凡伊、洛诸儒之书，未尝去手；喜为诗及书画，翰林学士承旨临川危素，尝客于多尔济巴勒，谏之曰："明公之学，当务安国家，利社稷，毋为留神于末艺。"多尔济巴勒深服其言。其在经筵，开陈大义为多，兼采前贤遗言，各以类次，为书凡四卷：一曰《学本》，二曰《君道》，三曰《臣职》，四曰《国政》，帝览而善之，赐名曰《治原通训》，藏于宣文阁。

蕲、黄贼之犯江东、西也，诏江浙行省平章布延特穆尔率兵讨之。布延特穆尔益募壮健为兵，得骁勇士三千，战舰三百艘。贼方聚丁家洲，官军猝与遇，奋击，败之，遂复铜陵县，擒其贼帅,复池州。分遣万户普贤努屯陵阳,王建中屯白面渡,闾尔讨无为州,而自率镇抚布哈、万户明安驻池口,以防遏上流,为之节度。

已而江州再陷,安庆被围益急,遣使求救,诸将皆欲自守信地,布延特穆尔曰:"何言之不忠也!安庆与池隔一水,今安庆固守,是其节也。救患之义,我岂可缓!上流官军虽溃,然皆百战之馀,所乏者钱谷、器具而已。吾受命总兵,安可坐视而不恤哉!"即大发帑藏以周之。溃军皆大集,而两军之势复振,安庆之围遂解。

江浙行省左丞相策琳沁巴勒,移官江西,时蕲、黄贼据饶州,饶之属邑安仁,与龙兴接壤,其民皆相挺为乱。策琳沁巴勒道出安仁,驻兵招之,来者厚加赏赉,不从则乘高纵火攻散之。馀干久为盗区,亦闻风顺服。先是江西平章道通,以宽容为政,军民懈弛;策琳沁巴勒既至,风采一新,威声大振,所在群盗多有谋归款者。

江浙行省参知政事苏天爵,总兵于饶、信,所克复一路六县,忧深病积,遂卒于军中。天爵为学,博而知要,长于纪载,著《名臣事略》。时中原前辈,凋谢殆尽,人称天爵独任一代文献之寄。

翰林学士承旨张起岩卒,谥文穆。

起岩眉目清扬,望而知其为雅量君子。及其临政决疑,意所背向,屹然不可回夺。或时面折人过,面颈发赤不少恕。识者谓其外和中刚,不受人笼络如欧阳修。安南修贡,其陪臣致其世子之辞,必候起岩云。

蕲、黄二州大旱,人相食。

至正十三年 【癸巳,1353】 春,正月,庚(子)〔午〕朔,用帝师请,释放在京罪囚。

中书添设右丞哈玛尔正除右丞。

诏印造中统元宝交钞一百九十万锭,至元钞一十万锭。

辛未,以托克托先言京畿近地水利,立分司农司,以中书右丞乌兰哈达、左丞乌古逊良桢兼大司农卿,给分司农司印,西自西山,南至保定、河间,北抵檀、顺州,东及迁民镇,凡系官地及元管各处屯田,悉从分司农司立法佃种,给钞五百万锭,以供工价、牛具、农器、谷种之用。

癸酉,以皇第二子育于太尉众嘉努家,赐众嘉努及乳母钞各一千锭。

甲戌,重建穆清阁。

乙亥,命中书右丞图图以兵讨商州贼。

庚辰,中书省言:"近立分司农司,宜于江浙、淮东等处,召募能种水田及修筑围堰之人各一千名为农师,教民播种。宜降空名添设职事敕牒一十二道,遣使赍往其地,有能募农民一百名者授正九品,二百名者正八品,三百名者从七品,即书填流官职名给之,就令管领所募农夫,不出四月十五日,俱至田所,期年为满,即放还家。其所募农夫,每名给钞十锭。"从之。

丙戌,以武卫所管盐台屯田八百顷,除军见种外,荒闲之地,尽付分司农司。

二月,丁未,祭先农。

甲寅,中书省言徐州民愿建庙宇,生祠右丞相托克托,从之,诏仍立托克托《平徐勋德碑》。

三月,己卯,命托克托领大司农司。

甲申,诏修大承天护圣寺,赐钞二万锭。

丁亥，命托克托以太师开府、提调太史院、回回汉儿司天监。

己丑，以各衙门系官田地及宗仁等卫屯田地，并付分司农司播种。

是月，会州、定西、静宁、庄浪等州地震。

命江浙行省左丞〔特里〕特穆尔、江南行台侍御史遵达实哩招谕方国珍。

贼众十万攻池州，布延特穆尔会诸将分番与战，大败之，乘胜率舟师以进。

夏，四月，戊戌朔，特命中书左丞乌古逊良桢得用军器。

庚子，以礼部所辖掌薪司并地土，给付分司农司。

己酉，诏取勘徐州、汝南、南阳、邓州等处荒田并户绝籍没入官者。

立司牧署，掌分司农司耕牛，又立玉田屯署。

降徐州路为武安州，以所辖县属归德府，其滕州、峄州仍属益都路。

是月，帝如上都。

五月，己巳，命东安州、武清、大兴、宛平三县正官添给河防职名，从都水监官巡视浑河堤岸，或有损坏，即修理之。

辛未，江西行省左丞相策琳沁巴勒、江浙行省左丞老老引兵取道自信州，元帅韩邦彦、哈密取道自徽州、浮梁，同复饶州，蕲、黄贼闻风皆奔溃。

壬午，中书左丞贾鲁卒于军中。

鲁攻濠州，同总兵官平章伊撒察喇督战，鲁誓师曰："吾奉旨统八卫汉军，顿兵于濠七日矣，尔等同心协力，必以今日巳午时取城池然后食。"鲁上马麾进，抵城下，忽头眩，下马，且戒兵马弗散。病愈亟，却药不肯汗，遂卒，官军解围去。

乙未，泰州贼张士诚陷高邮，据之。

士诚，泰州白驹场亭民也，以操舟贩盐为业。少有膂力，无赖，诸富家陵侮之，或弗酬其直，弓兵邱义屡辱之。士诚怨，欲报之，与其弟士义、士德、士信，结壮士李伯升等十八人，杀邱义及所仇富家，焚其庐舍，延烧居民甚众。自惧获罪，乃入旁近场，招集少年起兵。行至丁溪，大姓刘子仁集众拒之，士义中矢死，士诚益怒，决战，子仁众溃，入海。士诚遂乘势攻泰州，有众万馀，克兴化，结寨于德胜湖。朝廷遣使以万户告身招之，士诚不受。命淮东宣慰司掾纳苏喇鼎以兵捍德胜湖，贼船七十馀柂，乘风而来，即前击之，焚其二十馀船，贼溃去。

既而士诚袭高邮，屯兵东门，纳苏喇鼎麾兵挫其锋，贼鼓噪前，乃发火筒、火镞射之，死者蔽流而下。贼缭船于背，尽力来攻，而阿苏卫军及真、滁万户府等官，见贼势炽，皆遁走，纳苏喇鼎知必死，谓其三子曰："汝辈可出走。"二子不肯去，遂皆死之。士诚陷高邮，据以为都，僭国号大周，自称诚王，建元曰天祐。

是月，布延特穆尔以舟师与贼战于望江，又战小孤山及彭泽，又战龙开河，皆败走之，进复江州。

濠州围解，军士多死伤，朱元璋乃归乡里，募兵得七百馀人；六月，丙申朔，还至濠，郭子兴喜，以元璋为镇抚。

时彭大、赵君用驭下无道，所部多横暴，元璋恐祸及己，乃以七百人属他将，而独与徐达等二十四人南去略定远，中途遇疾复还。闻定远张家堡有民兵号驴牌寨者，孤军乏食，欲来降未决，元璋曰："此机不可失也！"乃强起，白子兴，选骑士费聚等从行，至宝公河，其营遣二将出,大呼曰:"来何为?"聚恐,请益人,元璋曰:"多人无益,滋之疑耳。"乃直前下马,渡水而往。其帅出见,元璋曰:"郭元帅与足下有旧,闻足下军乏食,他敌欲来攻,特遣吾相报,能相从,即与俱往,否则移兵避之。"帅许诺,请留物示信,元璋解佩囊与之,寨中以牛脯为献,令诸军促装,且申密约。元璋还,留聚俟之,越三日,聚还报曰:"事不谐矣,彼且欲他往。"元璋即率兵三百人抵营,诱执其帅。于是营兵焚旧垒悉降,得壮士三千人,又招降秦把头,得八百馀人。

缪大亨以义兵二万屯横涧山,元璋命花云夜袭破之,大亨举众降,军声大振。达,濠州人。云,怀远人,体长大,面铁色,骁勇绝人。

丁酉,立皇子阿裕实哩达喇为皇太子,授以金宝,诏天下,大赦。命右丞相托克托兼詹事院詹事。

庚子,知枢密院事实喇巴图总河南军,平章政事达实巴都鲁总四川军,自襄阳分道而下,克复安陆府。

癸卯,沃济野人以皮货来降。

辛亥,命前河西廉访副使额森布哈为淮西添设宣慰副使,以兵讨泰州。

初,张士诚陷泰州,河南行省遣知高邮府李齐往招降,被拘久之,贼酋自相杀,始纵齐来归。俄而兴化陷,行省以左丞偰哲笃偕宗王镇高邮,使齐出守氁社湖。已而高邮破,省宪官皆遁,有诏赦凡叛逆者。诏至高邮,不得入,贼绐曰:"请李知府来,乃受命。"行省强齐往,至则下之于狱。官军谍知之,乃进攻城。士诚呼齐使跪,齐叱曰:"吾膝如铁,岂肯为贼屈!"士诚怒,扼之跪,齐立而诟之,乃曳倒,捶碎其膝而剐之。齐,广平人也。

诏淮南行省平章政事福寿讨张士诚。

秋,七月,丁卯,泉州天雨白丝,海潮日三至。

壬申,湖广行省参政阿噜辉复武昌及汉阳。

是月,布延特穆尔进兵攻蕲州,擒伪帅鲁普恭,遂克其城。进兵道士洑,焚其栅,抵兰溪口,歼黄连寨贼巢,分兵平巴河,于是江路始通。

朱元璋率兵略滁阳,道遇李善长,与语,悦之,留置幕下,俾掌书记,语之曰:"方今群雄并争,非有智者不可与谋议。吾观群雄中持案牍及谋事者,多毁左右将士,将士弗得效其能,以至于败。羽翼既去,主者安得独存!汝宜鉴其失,务协诸将以成功,毋效彼所为也。"善长,定远人也。

是月,进攻滁阳,花云为先锋,单骑前行,遇官军数千人,云提剑跃马,横冲其阵而过。敌大惊曰:"此黑将军勇甚,不可与争锋。"遂克滁阳,因驻师焉。

彭大、赵君用挟郭子兴往泗州,遣人邀共守盱眙,元璋以二人粗暴浅谋,不可与共事,辞弗往。未几,二人自相吞并,战士多死,而彭大亦亡,君用专兵柄,很戾益甚,将图子兴。元璋忧之,遣人说君用曰:"公昔困于彭城,南趋濠,使郭公闭壁不相纳,死矣。得濠而据其土,更欲害之,背德不祥。且郭公易与耳,其别部在滁者,兵势重,可虑也。"君用闻之,心颇恐,待子兴稍以礼,子兴乃得间将万人至滁州,阅元璋所部兵三万馀,号令严明,军容整肃,乃大悦。

八月,帝至自上都。

资(正)〔政〕院使托和齐以众兵复江州路。

左迁四川行省平章耀珠为淮西元帅,供给乌撒军,进讨蕲、黄。

九月,乙丑朔,日有食之。

乙丑,建皇太子鹿顶殿于圣安殿西。

是月,太白再经天。

是秋,大旱,溪涧皆涸。

冬,十月,庚戌,诏授方国珍徽州路治中,国璋广德路治中,国瑛信州路治中,督遣之任。国珍等疑惧,不受命,仍拥船千艘据海道,阻绝粮运,复遣江浙右丞阿尔珲锡等率兵讨之。

先是江浙左丞特哩特穆尔议招抚,浙东元帅府都事刘基持不可,曰:"国珍首乱,赦之无以惩后。"左丞称善,进基行省都事,闻之朝。而国珍使人浮海至京,贿用事者,许国珍官,听其降。坐基擅持威福,夺职羁管绍兴,并罢左丞特哩特穆尔。国珍遂不可制。

基,青田人,初举进士,揭傒斯深爱重之,曰:"子,魏元成流也。"尝入行省幕府,与其长抗议不合,投劾去。寻补浙江儒学副提举,上言御史失职数事,受台评归,至是又被谪,遂放浪山水间。

命立水军都万户府于昆山州,以浙东宣慰使纳琳哈喇为正万户,宣慰副使董抟霄为副万户。

是月,撤世祖所立毡殿,改建殿宇。

郭子兴居滁再阅月,惑于谗言,悉夺朱元璋兵;又欲收李善长置麾下,善长涕泣自诉,不肯从。自是征讨之权,元璋皆不得与,且日疏远,而事之愈恭。既而官军围滁,有谮元璋战不力者,子兴信之,即令其人与元璋俱出战;其人出未十步,即被矢反走,元璋直前奋击,众皆披靡,徐还,了无所伤,子兴颇内愧。时诸将各有所献,元璋所至禁剽掠,即有获,以分下,无所献,子兴不悦。元璋妻马氏知其意,悉所有遗子兴妻张氏,张氏喜,由是疑衅渐释。

十一月,丁亥,江西右丞和尼齐以兵平富州临江,遂复瑞州。

是月,立义兵千户、水军千户所于江西,事平,愿为民者听。

十二月,癸卯,托克托请以赵完普家产田地,赐知枢密院事僧格实哩。

庚戌,京师天无云而雷鸣,少顷,火见于东南。怀庆路及河南府西北有声如击鼓者数四,已而雷声震地。

是月,大同路疫,死者大半。

江浙行省平章布延特穆尔、南台中丞曼济哈雅及四川行省参政哈临图、左丞桑图实里、西宁王索哈尔哈呼军,讨徐寿辉于蕲水,拔其伪都,寿辉遁入黄梅山中,获伪官四百馀人。

陕西行省平章博啰、四川行省右丞达实巴都鲁复均、房等州,诏博啰等守之,达实巴都鲁讨东正阳。

是冬,彭大之子早住自称鲁淮王,赵君用称永义王。

是岁,自六月不雨至于八月。

造清宁殿、前山子、月宫诸殿宇,以宦官留守额森特穆尔等董其役。

托克托信任汝中柏,由郎中参议中书事,独右丞哈玛尔与之竞。托克托出哈玛尔为宣政院使,又位居第三,哈玛尔由是深衔托克托。

初,哈玛尔尝阴进西天僧,以运气数媚帝,帝习为之,号延彻尔法。延彻尔,译言大喜乐也。哈玛尔之妹婿集贤学士图鲁特穆尔，故有宠于帝，与娄都尔苏、巴朗等十人，俱号伊纳克。图鲁特穆尔性奸狡，帝爱之，言听计从，亦荐西蕃僧策琳沁于帝。其僧善秘密法，谓帝曰："陛下虽尊居万乘，富有四海，不过保有一世而已。人生能几何，当受此秘密大喜乐禅定。"帝又习之，其法亦名双修法，曰延彻尔，曰秘密，皆房中术也。帝乃诏以西天僧为司徒，西蕃僧为大元国师，取良家女奉之，谓之供养，于是帝日从事于其法。伊纳克辈用高丽女为耳目，刺探贵人之命妇及士庶之室家，择其美而善淫者媒入宫中，数日乃出。巴朗者，帝诸弟也，与诸伊纳克皆在帝前，相与亵狎，甚至男女裸处，号所处室曰色济克乌格依，译言事事无碍也。君臣宣淫，而群僧出入禁中，无所防闲，丑声秽行，著闻于外，虽市井之人亦恶闻之。皇太子年日以长，尤深疾图鲁特穆尔等所为，欲去之，未能也。

江西贼帅王善寇闽，官军守罗源县拒之。

罗源与连江接壤，势将迫连江。宁善乡巡检刘浚妻真定史氏，故相家女也，有才识，谓浚曰："事急矣，可聚兵以捍一方。"于是尽出奁中物，募壮士百馀，命仲子健将之，浃旬间众至数万。

贼寻破罗源，分两道攻福州，浚拒之辰山，三战三捷。俄闻福州陷，众多溃去，浚独率健兵进，遇贼于中麻，突其阵，斩前锋五人。贼兵大至，鏖战三时顷，浚中箭坠马，健下马掖之，俱被获。浚愤，戟手大骂，贼缚浚阶下，先斫手一指，骂弥厉，再斫一指，亦如之，指且尽，斫两腕，次及两足，浚色不变，骂声犹不绝，遂割其喉舌而死。健亦以死拒贼，善义之，舍健，使殓浚尸瘗之。健归，请兵于帅府以复父仇，弗听，健尽散家资，结死士百人，诈为工商、流丐，入贼中，夜半，发火大噪，贼惊扰，自相屠戮，健手斩杀其父者张破四，并擒善及寇首陈伯祥来献，磔之。事闻，赠浚福建行省检校官，授健古田县尹，为浚立祠福州北门外，有司岁时致祭。浚，河南人也。

知福宁州王巴延既死，贼时睹其引兵出入。及林德诚起兵讨贼，乃望空呼曰："王州尹，王州尹，宜率阴兵助我斩贼！"时贼正祠神，睹红衣军来，以为伪帅康将军，亟往迎之，无有也，四面皆青衣官军，贼大败，斩其酋江二蛮，福宁遂平。事闻，赠巴延济宁路总管，追封太原郡侯。

泉州大饥，死者相枕籍，其能行者，皆老幼扶携，就食永春，永春尹卢琦命分诣浮屠及大家使食之，所存活不可胜计。

先是琦任永春，初下车，即赈饥馑，止横敛，均赋役，减口盐一百馀引，蠲包银、榷铁之无征者。已而讼息民安，乃新学宫，延帅儒，课子弟。邻邑仙游盗发，琦适在彼境，盗遥见之，迎拜曰："此永春大夫也。为大夫百姓者何幸甚！吾邑长乃以暴毒驱我，故至此耳。"琦因立马谕以祸福，众皆投刃稽，请缚其酋以自新，琦许之，酋至，械送元帅府。自是威惠行于境外，故泉民皆来就食。

【译文】

元纪二十九　起壬辰年（公元1352年）七月，止癸巳年（公元1353年）十二月，共一年有余。

至正十二年　（公元1352年）

秋季,七月,庚辰(初十),徐寿辉的部将项普略,领兵从徽州、饶州进犯昱岭关,攻打杭州。事出仓促,城中毫无防备,参政樊执敬,急忙上马带兵迎击,半路里与贼军相遇,射死贼兵四人,贼兵追赶他,又射死三人,一会儿贼兵越来越多,堵塞了街道,而且又放起火来,手下兵士都逃散而去。贼兵呼喊执敬投降,执敬愤怒地呵叱他们说:"叛贼,把守要塞的官员不谨慎,你们才能到得这里,恨不得将你们碎尸万段,还说什么投降呢!"于是奋力砍杀贼兵,身受重伤而死。仆人田也先骑马飞奔去救他,也受伤死去。

当时董抟霄跟从江浙平章嘉珲征伐安丰,乘胜攻打濠州,适逢朝廷下令调兵援助江南,于是渡过长江,来到德清,可是杭州已经失陷。嘉珲询问计策,抟霄说:"贼兵看到杭州的少男少女和财富定会大肆抢夺,没有时间防备,应该赶快攻打。现在想要退军保守湖州,假若贼兵乘着锐气直逼京口,那么江南就不可收拾了。"嘉珲犹豫不决,其他将领也为进军之举犯难。抟霄表情严肃地说道:"江浙,是平章您管辖的地方,已经失陷却至今不收复,谁来承担罪责!"又拔剑对众将领说:"各位承受着国家

龙泉窑青釉龙纹大盘 元

的大恩,然而面临危难却苟且求免。现在平章在此,胆敢有怠慢军令的斩首!"于是进兵迫近杭州。贼军前至盐桥迎敌,抟霄指挥壮士突击向前,众将官相继夹击,一共交战七次,追杀到清河坊。贼兵逃奔到接待寺,官兵堵住寺门放火焚烧,贼兵全死无遗,于是收复了杭州。余杭、武康、德清相继平定,抟霄也由新官替代而离去。

贼军进入杭州城,伪帅项葵、杨苏,一个驻扎在明庆寺,一个驻扎在北关门妙行寺,自称是弥勒佛出世来迷惑群众。他们不杀人,不奸淫妇女,招集前来归顺依附的百姓,在册子上登记姓名,府库中的金银财宝,全部用车子运走。平章嘉珲从湖州率军归来,放火烧城,城中人几乎都或伤或残,诛杀了投靠贼兵而担任伪职的范县尹等人,当地豪民施尊礼、顾八与官军对抗,被凌迟处死在街市上,家中财产全都没收入官;行省都事以下的官吏,因为失守城池,都被罢免不用;行省要员都依旧复职。

贼军又从昱岭关侵犯于潜,行省权且让抟霄做了参知政事,再次带兵讨伐贼寇。抟霄当日领兵到达临安新溪,新溪是进入杭州的要道,抟霄分兵驻守,却将大军挺进叫口,到了虎槛,遇到贼兵,都打得惨败,追击到于潜,于是收复了县城,后来又收复了昌化和昱岭关,迫使贼将潘大爾等二千人投降。贼兵又进犯千秋关,抟霄回军驻守于潜,贼寇大兵纷然而来,焚烧靠近县城的房屋。抟霄按兵不动,手下人请求出兵,抟霄说:"不到时候。"派人手拿白旗登山瞭望贼军,相约说:"贼兵认为我军怯弱,定会有些松懈,等到他们有机可乘,就挥动手里拿着的旗帜。"又在城外埋伏军兵,都发给火炮,并相约说:"看到旗帜挥动,就放炮。"不久旗动炮发,驻兵全部杀出,砍掉贼兵首级几千颗,于是收复了千秋关。

过不多久,贼寇又攻打独松、百丈、幽岭三关,抟霄于是先派兵驻守多溪,多溪,是三关的要道。随后又兵分三路,一支出击独松,一支出击百丈,一支出击幽岭,然后合兵直捣贼军巢穴,于是乘胜收复安吉。贼兵将帅梅元等前来投降,并说还有十一位想要投降的将领,抟霄

就委派副将余思忠到贼营去晓谕众人。贼寇都进入暗室偷偷商议，思忠拿火把丢进暗室里，拔剑对众人说："元帅派我来拯救你们，你们还商谈什么!"一会儿火烧起来，焚毁贼军营寨，思忠呵斥贼众离开，而带领贼将前来投降。第二天，进军广德，并攻克了它。

当时蕲州、饶州各路贼兵又进犯徽州，贼军当中有一个道士，能够兴起十二里大雾，抬霄领兵攻打。不多久妖雾散开，各路伏兵都冲出，贼军大败，斩下几万颗首级，抓获那个道士，烧毁妖书并将之处斩，徽州于是得以平定。

辛巳(十一日)，下令通政院使达尔玛实哩与枢密副使图沁布哈征讨徐州贼寇，发给敕牒三十道供赏赐有功之人。

己丑(十九日)，湘乡贼寇攻占了宝庆路，丁酉(二十七日)，湖南元帅副使小云实哈雅率兵收复宝庆路。

托克托担任丞相，隐讳贼兵作乱之事，哈玛尔因此抓住他的短处挑拨是非，顺帝大怒，召来托克托责备他说："你曾经说天下太平无事，现在红军遍及国内，丞相用什么办法来对付他们?"托克托汗流浃背。庚寅(二十日)，自己请求督军讨伐徐州，顺帝答应了他。兵部尚书穆尔哈玛穆特等说："大臣，是天子的手足，中书，是各种政务的根本，不能离开一天。请求留下托克托来辅佐天子，希望朝廷内外能够一同得到治理。"皇帝未给答复。于是下诏托克托以达尔罕、太傅、右丞相的身份巡视各地，总管各路军马，赐爵、行赏、惩罚、斩首，都由他斟酌利害得失，自行定夺。

这个月，徐寿辉的部将王善、康寿四、江二蛮等攻陷福安、宁德等县。

八月，癸卯(初三)，方国珍率领部众攻打台州，浙东元帅页特密实、福建元帅赫迪尔打退了他们。

甲辰(初四)，任命同知枢密院事哈玛尔担任中书添设右丞。

丁未(初七)，日本国告知高丽贼寇过海抢劫，自称是岛上居民，高丽国王合巴延特穆尔调集军队剿灭了他们。

己酉(初九)，皇帝下令枢密院事耀珠、中书平章政事绰思戬、额楚克达噜噶齐福寿，一同跟随托克托出兵征讨徐州。丁卯(二十七日)，托克托从京都发兵。

安陆贼将俞君正，又攻陷荆门州，知州聂炳死于此难。荆门刚刚失陷的时候，聂炳招募民兵，共得七万人，收复了州城。不久俞君正又来攻城，聂炳率领孤军昼夜死战，没有外援，城池再度失陷，聂炳被俘，破口大骂不止，贼寇用刀把他的牙齿全都挖掉，然后肢解了他。聂炳是江夏人。

贼军将领党仲达攻陷岳州。

九月，乙亥(初五)，俞君正又攻陷中兴，耀珠带兵在楼台跟他们交战，打了败仗，奔走松滋。中兴路判官上都率兵出击贼兵，不久东门失守，上都急忙回兵作战，被俘，大骂，贼兵将他剖腹而死。

己卯(初九)，监察御史和河南分御史台、行枢密院、廉访司等府官员，接连呈上奏章陈说额森特穆尔征伐河南的功劳，顺帝听从他们所言，赏赐额森特穆尔金系腰和金、银、钞、币。

癸未(十三日)，中兴义士范中，同荆门僧李智一道率领义兵收复中兴路，俞君正战败逃走，龙镇卫指挥使谙都剌哈曼领兵进城，耀珠从松滋返回，在石马驻扎。

乙西(十五日)，托克托到达徐州，淮东元帅逯善之说官兵不服水土，应该招募盐场的工人，派他们攻打城池，于是任命礼部郎中逯鲁曾为淮南宣慰使，接受征讨的任务，招募沿海盐工五千人跟随征讨徐州。又有淮东豪民王宣，说盐工本是村夫俗子，不如招募城内矫健勇敢、灵活敏捷的人来使用，托克托又采纳了他的建议。前后各招三万人，都一色黄衣黄帽，号称黄军。

托克托知道徐州城一定能攻克得下来，辛卯(二十一日)，下令攻打西门。贼兵出来迎战，用铁翎箭射托克托的马头，托克托不动摇，指挥兵士奋勇冲击，大破贼兵，攻入外城。第二天，大部队从四方会合，紧急攻城，城池坚固，一时攻克不下，托克托采纳了宣政院参议伊苏的计策，用炮发射巨石，日夜炮攻不停。贼寇支持不了，徐州城被攻破，芝麻李逃走，缴获了他的黄伞、旗、鼓等物品，焚毁了他聚敛来的东西，追捕到贼寇千户几十人，将城中人杀光。

顺帝派遣中书平章政事布哈等，到军中任命托克托为太师，兼任原来右丞相的职务，催促他回朝，而派枢密院同知图济等进军平定颍州、亳州。军队凯旋归来，顺帝赏赐托克托御酒、珠衣、白金宝鞍，皇太子在自己私宅设宴款待他。这场战役，托克托上奏时把抓获芝麻李当为自己的功劳，等到班师回朝后，伊彻察喇接替他领兵，一个多月后才俘获芝麻李，加戴刑具送往京师，托克托暗中派人到雄州杀掉了他。

己亥(二十九日)，贼兵攻打辰州，达噜噶齐和尚打跑了他们。

这个月，顺帝从上都回到京城。

蕲州、黄州贼兵攻陷湖州、常州。

徐州平定之后，彭大、赵君用率领芝麻李的余党逃奔濠州，托克托下令贾鲁追击他们。

孙德崖等和郭子兴不和，相互猜忌防范，这时彭、赵逃往濠州，德崖收留了他们。二人本来是因为走投无路才来投靠，德崖和子兴反而屈居在他们之下，凡事都向他们请命，于是便被他们所控制。彭大很有智谋，专权独断，君用唯命是从。子兴礼遇彭大而薄待君用，君用怀恨在心，德崖等就同君用合谋，等候子兴外出，在大街上将他抓住，枷铐在孙德崖家，准备杀掉他。朱元璋这时在淮北，听说子兴之难急忙赶回，想到子兴向来厚待彭大而轻视赵君用，灾祸一定是由赵发动的，除了彭大没人可以解救，于是同子兴的儿子一道前去向彭大控诉，彭大大怒道："有我在此，谁敢这样！"当即下令左右传呼士兵出来，朱元璋也身披铠甲、手持短刀同他们一道前去，到得孙家，包围了他的住宅，打破房门、砸开枷锁，派人背着子兴回来，子兴才得免于死难。

江西行省平章政事桑节，奉命出兵湖广，走到江东，又命令他守卫江州。

当时江州已经失陷，赵普胜、周驴等占据池阳，太平的官兵只有三百人。贼军号称百万，众人都想逃跑。桑节说："害怕贼兵而逃跑，是没有勇气；坐守着等他们攻打，是没有智谋。你们这些人都有妻儿、财物，即算逃走，能免于难吗？"于是向富人借钱，招募百姓当兵。当初行台招募兵丁，每人发一百五十千钱，没人应征；到这时桑节招募兵士，每人五十千钱，众人争着赶去，一天就招得三千人。于是备好船只直奔铜陵，攻下铜陵，又在白马湾大败贼军。贼兵战败逃窜，桑节又分兵追踪。到了白湄，贼兵无路可走，反过头来抵抗官兵，官军乘胜奋勇攻击，贼兵全部被消灭，抓获了周驴，夺得船只六百艘，军威大振，于是收复池州。又命令众将官分路讨伐逆贼，收复石埭等几县。贼兵又来攻打，桑节命令王惟恭排好阵势等待贼兵。刚交锋时,派小船从侧面出击,贼兵大败而逃,于是进兵占领清水湾。负责侦察的兵士报告说贼兵的船只从上游奔来,顺风扬帆,士兵比官军多几十倍,众将都惊慌失色,桑节说:"没有关系。风力很大,他们匆忙间定然不能停泊。只要埋伏在港口中,收起旗帜等待他们,等他们驶过再攻打,没有不获胜的。"风大水急,贼兵急遽驶过,于是下令高举大旗、扬起风帆,击鼓呐喊着攻打贼军,官军拼死而战,风反而对我军有利,又大败贼兵。当时贼军包围安庆很久了,听说官兵大胜的消息,急忙烧掉营寨逃跑。官军又挺进收复湖口县,攻取江州,驻兵防守。下令王惟恭在小孤山扎寨,而桑节自己据守鄱阳湖口,连接长江和鄱阳湖的要害地带,以求收复失地。

　　当时湖广已经失陷,江西被围困,淮、浙一带也多变故,却始终没有救援的人。时间长了,粮食更为缺乏,士兵都困苦不堪。有人说:"东南完好,粮食充足,何不凭借充足的粮食以求再举大业呢?"桑节说:"我受命保卫江西,定要死守在这里。"众人不敢再说什么。不久有贼兵乘坐大船四面会合夹攻,拿芦苇编成大筏子,堵塞上下水流,放火焚烧。官军奋勇作战,士兵死亡殆尽,桑节的侄子拜布哈及几十名亲兵都战死了。桑节仍然坚坐不动,贼兵放箭射中他,于是昏过去倒在地上。贼兵向来听说桑节的名声,不忍心杀害他,抬放在密室里,到第二天早晨才苏醒过来。贼兵列拜于前,争相送给食物,桑节呵斥他们,于是不再吃东西,一连七天,自己尽力站起来,向北拜了两拜说:"我的气力尽了!"终于死去。桑节为人,公正廉明,行事果断,在军队里,能与士兵同甘共苦,用忠义来鼓舞人心,所以能够以少战多,得到众人效力死战。

　　冬季,十月,霍山崩塌。前三天,山中发出雷鸣般的响声,鸟兽都惊慌逃散,山裂时落下的石头有几里远。

　　这个月,蕲州、黄州的贼寇攻陷江阴州。州中大户许普和他的儿子如章,聚集一帮品行恶劣的少年子弟,提供饮食,贼寇四处抢掠,许普等引诱他们深入,杀死埋掉。他们与贼众在城北的祥符寺交战,父子二人都战死了。

　　十一月,乙亥(初六),任命桑节为江西行省平章政事,出兵湖广,当时还没有听知桑节死难的消息。

　　丙子(初七),中书省大臣请求替托克托树立《徐州平寇碑》并加封王爵。

　　癸未(十四日),下令江浙行省右丞特里特穆尔统兵讨伐方国珍。

　　这个月,蕲州、黄州的贼寇倾巢出动进犯安庆,水陆两路同时进发。上万户蒙古绰斯相继打败他们,轻舟追赶败兵,被流矢射中,死去。

　　十二月,辛亥(十二日),顺帝下诏因杭州、常州、湖州、信州、广德各路都已经收复,赦免受连累的人,免去他们夏税、秋粮,下令官府安抚百姓。

　　癸亥(二十四日),托克托奏言京郊附近的地区水源便利,招募江南的人耕种,每年可以获得粟、麦一百多万石,不需要烦劳海运而京城的粮食足够食用,顺帝说:"这件事情对国家有好处,可以商议施行。"

　　这个月,贾鲁用兵包围濠州。

　　此前中书左司郎中田本初说:"江南水道运粮到不了京都,应该开垦内地试行耕种。当初渔阳太守张堪种稻谷八百多顷,现在遗迹还在,可以推行这种办法。"于是动员山东益都、般阳等十三路的农民耕种，秋季征收赋税，所得不够补偿费用。这一年，农民都放弃了耕种，又重新在汴梁设立都水庸田司，掌管种植的事务。

任命察罕特穆尔为汝宁府达噜噶齐。察罕特穆尔，祖籍北庭，他的祖父迁徙河南，成了颍州沈丘人。察罕特穆尔从小好学，曾经参加进士考试，当时颇有名气，身高七尺，长眉盖目，左颊有三根长毛，发怒时毛都竖直。平时慷慨有大志向，汝州、颍州盗贼兴起的时候，就激于义愤而兴兵，沈丘子弟愿意跟随的有几百人，同信阳州罗山县人李思齐一起设想妙策，攻破罗山县。事迹传闻开去，皇帝授命察罕特穆尔汝宁府达噜噶齐，思齐知汝宁府事。于是各方义士都率兵前来会合，共得一万人，自立一军，屯兵沈丘，多次和贼寇交战，都取得胜利。

改淮东宣慰司为都元帅府，治所迁移到淮西，起用余阙为宣慰副使，佥府事，分兵保卫安庆。

当时南北音讯隔绝，兵源、粮食都缺乏，余阙到任十天贼寇就来了，击退了他们。于是召集官员，同众将商议屯田战守的办法，环绕安庆境内修筑堡垒营寨，选精兵在外捍卫防守，而在境内耕种，所属之县灊山八社，土壤肥沃，都用来屯田。

湖广行省平章政事多尔济巴勒死于黄州兰溪驿。

多尔济巴勒从陕西抄小路来到重庆，听说江陵失陷，道路阻隔不可通行，有人请求稍做停留以等待时机，他没有听从。湖广行省当时的临时治所设在澧州，他到达之后，就用法令整顿军队而授官给缴纳粮食的人，使得众人之心都团结一致。

汝中柏、拜特穆尔对丞相说道："不杀掉多尔济巴勒，那么丞相始终不得安宁。"意思是说顺帝倾心于多尔济巴勒，一定会重新起用他。于是规定多尔济巴勒的职务，是专门提供军队的粮食。当时官仓储备的粮食已所剩无几，于是多尔济巴勒就请来州里剩有粮食的百姓，亲自斟酒劝说他们出借粮食，相约等到朝廷发给的货钞下来，就偿还他们的钱，百姓没有不听从的。又派官到河南、四川境内籴米，百姓听说他的名字，争相输送粮食以助军粮。右丞相巴延布哈正总领军队，顺从丞相旨意，多次凌辱他，多尔济巴勒并不计较。恰碰上官军收复武昌，到达蕲州、黄州境内，巴延布哈想尽办法索取军需都没有不提供的，有时还说供应有违期限，达尔罕军统帅王布哈愤激地说道："平章，是国家的重臣，而今坐不安席，食无美味，一心为着我等的军粮。现在各种需求的物资都立即备办了，却还要诬陷他，是没有良心，我等也要散伙回乡去了！"托克托又派国子助教鄂勒哲到军中去，暗示他陷害多尔济巴勒。鄂勒哲反而更加敬重多尔济巴勒，对人说："平章，历代有功之家，这是国家吉祥的征兆，我如果伤害他，那么我将难度残生。"

多尔济巴勒向来患有风疾，在军中为雾气露水所感，病日益加剧，因而死去，年仅四十岁。

多尔济巴勒在朝为官时，把扶持名教视为己任，推荐选拔人才而不认为是有恩于人。关心经学，凡有伊、洛各位儒家学者的书籍，从不离手；喜好写诗以及书法、绘画，翰林学士承旨临川人危素，曾经在多尔济巴勒处做客，规劝他说："您做学问，应该力求安定国家，有利社稷，不要关心那些雕虫小技。"多尔济巴勒非常佩服他的话。他在为皇帝讲解经传史鉴的讲席上，总是以阐发经典大义为主，兼采前贤的遗言，按类编排，成书共四卷：一名《学本》，二为《君道》，三为《臣职》，四名《国政》，顺帝阅后很欣赏，赐名为《治原通训》，藏在宣文阁内。

蕲州、黄州两地的贼众进犯江东、江西时，顺帝下诏江浙行省平章布延特穆尔带兵讨伐他们。布延特穆尔增募壮健之民为兵，征得骁勇兵士三千人，战船三百艘。贼兵正聚集在丁家洲，官军突然与之相遇，奋勇攻打，打败了贼兵，于是收复铜陵县，抓获贼军统帅，收复池州。分派万户普贤努驻扎陵阳，王建中屯兵白面渡，闾尔讨伐无为州，而自己则带领镇抚布哈、万户明安驻兵池口，来防止上流的贼兵，为他们节制一方。

不久江州再度失陷，安庆被围困得更紧急，派使者来求取救援，众将都想自保防地，布延特穆尔说：“为什么说这么不忠的话！安庆与池州只有一水之隔，如今安庆顽强抵抗，是他们有气节。救难的义举，我们怎么能迟缓！上流的官军虽然溃败，但他们都是身经百战过来的，所缺乏的只是钱财、粮食和器具罢了。我奉命统兵，怎么能坐视不顾呢！”于是大开国库来救济他们。败军又都会集一道，因而江州、安庆两军的威势重新振奋起来，安庆之围就解除了。

江浙行省左丞相策琳沁巴勒，调任到江西，当时蕲州、黄州的贼寇占据饶州，饶州的属县安仁，和龙兴交界，那里的百姓作乱。策琳沁巴勒从安仁经过，驻兵招抚他们，归顺的重加赏赐，不从的就居高临下放火攻散。余干长期以来就是盗贼横行的地方，也闻风归顺。当初江西平章道通，用宽容之法治理百姓，军民都懈怠松弛，策琳沁巴勒到达之后，风气大变，威声大震，各地的盗贼大多有盘算着想归顺的。

江浙行省参知政事苏天爵，在饶州、信州统兵，收复了一路六县，忧多病重，终于死在军中。天爵做学问，广博而懂得重点，擅长记叙事件，著有《名臣事略》。当时中原一带的前辈学者大都去世了，时人称许天爵为独任一代文献著录的能手。

翰林学士承旨张起岩去世，谥号文穆。

起岩眉清目秀，一看便知他是度量宽宏的君子。在他行政决断疑难的时候，赞成或反对的看法，都坚定不可动摇。有时当面指责他人的过失，弄得对方面红耳赤也不肯轻易饶恕。了解他的人说他是表面柔和而秉性刚直，就像欧阳修一样不受人拉拢。安南进贡时，随从官员转达安南王太子的言辞，定会有问候起居之语。

蕲、黄二州大旱，饥民相食。

至正十三年 （公元 1353 年）

春季，正月，庚午朔（初一），皇帝采纳帝师的请求，释放京城关押的囚徒。

中书省添设右丞哈玛尔正式为右丞拜官授职。

皇帝下诏印制中统元宝交钞一百九十万锭，至元钞一十万锭。

辛未（初二），因为托克托曾说京郊近地水源便利，设立分司农司，任命中书右丞乌兰哈达、左丞乌古逊良桢兼大司农官，授予分司农司的印信，西到西山，南到保定、河间，北到檀州、顺州，东到迁民镇，凡属官地以及原来管辖的各处屯田，都按分司农司定的法规租佃耕种，发给钞银五百万锭，用来提供工费、牛具、农器、谷种的用度。

癸酉（初四），将第二个皇子送到太尉众嘉努家去抚养，赏给众嘉努和乳母各一千锭钞。

甲戌（初五），重新修建穆清阁。

乙亥（初六），命令中书右丞图图带兵讨伐商州的贼寇。

庚辰（十一日），中书省上奏：“近来设立分司农司，应该在江浙、淮东等地，招募善于耕种水稻和修筑堤堰的人各一千名作为师傅,教导百姓播种之事。应该发放空着名字的添设职事敕牒一十二道,选派使者拿到各地,能够招募一百名农夫的授给正九品官位,招到二百名的为正八品官,三百名的为从七品官,当即填写流官职名给他们,就派他们管理招募来的农民,在四月十五日之前,都到达耕种地点,满了一年之后,就放他们回去。招募来的农民,每位给十锭钞。"皇帝采纳了这个建议。

丙戌(十七日),将武卫管辖的盐台屯田八百顷,除了军队正在耕种的土地外,其余荒着的土地,全部交付给分司农司。

二月,丁未(初九),祭祀先农。

甲寅(十六日),中书省奏言徐州百姓愿意为右丞相托克托建造生祠,皇帝同意了,诏令还树立托克托《平徐勋德碑》。

三月,己卯(十一日),派托克托总领大司农司。

甲申(十六日),下诏修建大承天护圣寺,赏赐钞银二万锭。

丁亥(十九日),命令托克托以太师开府、提调太史院、回回汉儿司天监。

己丑(二十一日),将衙门掌管的官田以及宗仁等卫屯田的土地,一并交付司农司去耕种。

这个月,会州、定西、静宁、庄浪等州发生地震。

皇帝派江浙行省左丞特里特穆尔、江南行台侍御史遵达实哩招安方国珍。

贼军十万大兵攻打池州,布延特穆尔招集众将轮番和他们交战,大败贼兵,乘胜率领水兵进发。

夏季,四月,戊戌朔(初一),特命中书左丞乌古逊良桢可以使用兵器。

庚子(初三),将礼部管辖的掌薪司和土地,交付给分司农司管辖。

己酉(十二日),皇帝下诏勘查徐州、汝南、南阳、邓州等地的荒田和全家死尽没收入官的土地。

设立司牧署,掌管分司农司的耕牛,又设立玉田屯署。

将徐州路降为武安州,将原徐州管辖之县划归归德府、滕州、峄州依旧属于益都路。

这个月,顺帝前往上都。

五月,己巳(初三),下令东安州、武清、宛平三县正官添加河防的职名,跟随都水监官巡视浑河堤岸,如有损坏,就加以修理。

辛未(初五),江西行省左丞相策琳沁巴勒、江浙行省左丞老老带兵从信州而来,元帅韩邦彦、哈密从徽州、浮梁而来,一同收复了饶州、蕲州、黄州的贼众闻风奔逃。

壬午(十六日),中书左丞贾鲁死于军中。

贾鲁攻打濠州,同总兵官平章伊撒察喇一道督战,贾鲁誓师说:"我奉旨统领八卫汉军,停兵于濠州已经七天了,你们大家齐心协力,定要在今日巳、午时分攻下城池然后才吃饭。"贾鲁上马指挥突进,到得城下,突然头晕,下了马,下令兵马不要散开。病情越来越加剧,却不肯服药发汗,终于死去,官军解围而去。

乙未(二十九日),泰州贼寇张士诚攻下高邮,占据了城池。

张士诚,是泰州白驹场的盐工,以驾船卖盐为生。从小气力很大,强横刁钻,许多富豪欺侮他,有的买盐不给钱,弓兵邱义多次侮辱他。士诚怨恨在心,想要报复,就和他的弟弟士义、士德、士信等,结交壮士李伯升等一十八人,杀死邱义和与他有仇的富家子弟,烧毁他们的房屋,火势蔓延烧掉了很多居民的房子。自己担心获罪,于是到附近的盐场,招集青年起兵。到得丁溪,大户刘子仁聚集民众抵御他们,士义中箭而亡,士诚更加愤怒,与他们决一死战,子仁等人溃败,逃到海上。士诚于是乘势攻打泰州,手下有上万多人,攻下兴化,在德胜湖扎寨。朝廷派遣使者招安他为万户告身,士诚不接受。朝廷下令淮东宣慰司掾纳苏喇鼎带兵保卫德胜湖,贼船七十多只,乘风而来,纳苏喇鼎就向前迎击他们,烧毁贼兵二十多艘船,贼兵败逃而去。

不久张士诚袭击高邮,在东门屯兵,纳苏喇鼎指挥士兵挫败他们的先遣部队。贼兵击鼓呐喊着向前,于是发射火筒、火箭打击他们,死亡的贼寇尸体漂流蔽江而下。贼兵绕船来到官军背后,竭力攻打,阿苏卫军和真、滁万户府等官员,看到贼势猖狂,都逃跑了,纳苏喇鼎自知必死无疑,对他的三个儿子说:"你们可以逃走。"二个儿子不肯离开,因此都死于难。张士诚攻陷高邮,占为都城,僭立国号为大周,自号诚王,设立天祐的年号。

这个月,布延特穆尔用水军和贼寇在望江开战,接着又在小孤山和彭泽交火,后又在龙开河交战,都打败了贼兵。进军收复江州。

濠州的围困被解除,士兵死伤很多,朱元璋于是回到故乡,招募到七百多名士兵,六月,丙申朔(初一),回到濠州,郭子兴很高兴,任命元璋为镇抚。

当时彭大、赵君用管理部下不得法,手下人大多横蛮强暴,朱元璋担心牵累自己,于是将七百士兵都交给其他将官,只和徐达等二十四个人南下攻取定远,中途得病而归。听说定远张家堡有民兵号称驴牌寨的,孤军缺粮,想要来投降却没拿定主意,元璋说:"这个机会不能丢掉!"于是挣扎着起来,告诉子兴,挑选骑兵费聚等随行,到达宝公河,驴牌寨中派了二位将领出来,高声问道:"来干什么?"费聚害怕,请求增派人,元璋说:"人多了没好处,引起他们怀疑。"于是径直向前下了马,渡水而去。他们的头领出来相见,元璋说:"郭元帅和您有老交情,听说您军中缺少粮食,他方的敌人要来进攻,特地派我来通报,如果愿意跟随我们,就和我们一起去,否则就转移部队躲避敌军。"头领答应了,请他留下东西作为信物,朱元璋解下身上佩戴的口袋给了他,寨中献上牛肉干,并命令各军赶紧收拾行装,而且订下密约。元璋回来,留下费聚等候,过了三天,费聚回来报告说:"事情不成了,他们想要到别处去。"元璋立即带领三百个士兵到达驴牌寨,用计诱获他们的元帅。于是军营中的士兵烧毁原来的寨全部归降,得到壮士三千人,又招降了秦把头,得到八百多人。

缪大亨将二万义兵驻扎在横涧山,朱元璋派花云在夜里攻破他们,大亨率领众人投降,军声因此大振。徐达是濠州人。花云是怀远人,身材高大,面色铁红,勇健过人。

丁酉(初二),立皇子阿裕实哩达喇为皇太子,授予金印,诏令大赦天下。任命右丞相托克托兼任詹事院詹事的职务。

庚子(初五),知枢密院事实喇巴图总领河南军,平章政事达实巴都鲁总领四川军,从襄阳分道而下,收复了安陆府。

癸卯(初八),沃济的野民拿着皮货前来归顺。

辛亥(十六日),任命前河西廉访副使额森布哈为淮西添设宣慰副使,带兵讨伐泰州。

当初,张士诚攻陷泰州,河南行省派知高邮府李齐前去招降,被拘留很久,贼寇首领自相残杀,才放李齐回来。不久兴化陷落,行省派左丞偰哲笃同宗王一道镇守高邮,派李齐外出守卫氅社湖。不久高邮被攻破,行省大官都逃跑了,有诏书大赦叛逆的人。诏书到达高邮,进不了城,贼寇欺骗说:"请李知府持诏进来,我们才接受。"行省强迫李齐前去,到那里就被关在监狱中。官军刺探到这一情况,于是进攻城池。张士诚要李齐下跪,李齐骂道:"我膝似铁,怎么肯向贼人弯曲!"士诚大怒,掐着他下跪,李齐站起来痛骂他,于是被拖倒在地,捶破他的膝盖后将他剐死。李齐是广平人。

顺帝下诏命令淮南行省平章政事福寿讨伐张士诚。

秋季,七月,丁卯(初二),泉州天降白丝,海潮一天涨落三次。

壬申(初七),湖广行省参政阿噜辉收复武昌和汉阳。

这个月,布延特穆尔进兵攻打蕲州,抓获伪帅鲁普恭,于是收复了这座城。进兵道士洑,焚烧了那里的寨栅,抵达兰溪口,歼灭黄连寨的贼寇巢穴,分兵平定巴河,于是长江航道才恢复通行。

朱元璋带兵略取滁阳,路上遇到李善长,同他交谈,很欣赏他,留在帐下,让他掌管书记。跟他说:"如今群雄竞争,不是有智谋的人就不能同他商议谋划。我发现群雄中的文书和谋士,大多诽谤左右的将士,官兵不能发挥能力,以至于失败。羽翼失去了,主事的人怎能独保!你应该从他们的过失中引以为鉴,一定要协助众将取得成功,不要仿效他们的行为。"善长是定远人。

这个月,进攻滁阳,花云作先锋,独自一人骑马向前,遇到官兵几千人,花云提剑飞奔,横冲敌阵而过。敌兵大惊道:"这个黑将军非常勇敢,不能和他争夺高下。"于是攻下滁阳,就在那里驻扎部队。

彭大、赵君用挟持郭子兴前往泗州,派人相邀同守盱眙,元璋认为他们二人行为粗暴又缺少智谋,不能和他们共事,辞绝不去。不久,二人自相吞并,战士大多死去,彭大也死了,君用独揽兵权,更加狠毒暴戾,打算谋害子兴。元璋担忧,派人劝说君用道:"您当初被困在彭城,往南奔到濠州,假若郭公关闭大门不予收留,早已经死了。得到濠州并占据了他的地盘,还想害他,有违道德不会吉祥。且郭公容易对付,而他的另一支在滁州的部队,实力很强,这是值得忧虑的。"君用听说后,心里很害怕,对待郭子兴稍稍好了些,郭子兴才得到机会带领一万人到达滁州,检阅朱元璋统领的三万多士兵,号令严明,军容整肃,非常高兴。

八月,顺帝从上都回到京城。

资政院派托和齐带各军收复江州路。

将四川行省平章耀珠降为淮西元帅,负责乌撒军的供应,进兵征讨蕲州、黄州。

九月,乙丑朔(初一),出现日食。

己丑(二十五日),在圣安殿的西面建造皇太子的鹿顶殿。

这个月,太白星两次经过天空。

这个秋季,发生大旱,溪、涧都干涸了。

冬季,十月,庚戌(十六日),皇帝下诏任命方国珍为徽州路治中,方国璋为广德路治中,方国瑛为信州路治中,都派遣赴任。方国珍等人都猜疑害怕,不接受任命,仍旧凭据千只大船占据海道,阻断粮食的运输,朝廷又派遣江浙右丞阿尔珲锡等带兵讨伐他们。

此前江浙左丞特哩特穆尔提议招抚之事,浙东元帅府都事刘基持否定态度,他说:"方国珍首先发动叛乱,赦免他就不能惩戒后人。"左丞认为很对,提升他为行省都事,并奏知朝廷。而方国珍派人从海路到达京城,贿赂当权的人,朝廷答应国珍做官,让他投降。反而以作威作福的罪名,削去刘基原职,在绍兴对他实行管制,并且罢免左丞特哩特穆尔。国珍因此无法辖制了。

刘基,是青田人,刚中进士时,揭俣斯很看重他,说:"你是魏征之类的人才。"曾经进入行省幕府干事,同当权者意见不合,于是投递辞呈弹劾自己请求免去了职务。不久又授任浙江儒学副提举,上书指出御史失职的几件事,受到御史台官员的攻击而免职归家,到此时再被贬谪,于是纵情山水,放浪江湖。

朝廷下令在昆山州设立水军都万户府,任命浙东宣慰使纳琳哈喇为正万户,宣慰副使董抟霄为副万户。

这个月,拆除元世祖建立的毡殿,改建殿宇。

郭子兴在滁州过了两个月,被谗言所迷惑,将朱元璋的部队都夺了过来,又想收李善长到自己帐下,善长哭着诉说,不肯听命。从此征讨的事情,元璋都无法干涉,而且日渐疏远他,但朱元璋对他越发恭敬。后来官军围困滁州,有人诽谤元璋不尽力作战,子兴相信了,就下令那个人和朱元璋一起出战;那个人没走得十步远,就被箭射中转身逃回,元璋奋勇向前,敌众都被击倒,从容归来,没受一点伤,子兴很是惭愧。当时众将领都贡献战利品,元璋所到之地禁止抢夺,即使缴获了物品,也分给了部下,没有东西贡献,子兴不高兴。元璋的妻子马氏懂得他的心事,尽其所有赠送子兴的妻子张氏,张氏很高兴,因此逐渐消除了疑忌。

十一月,丁亥(二十四日),江西右丞和尼齐用兵平定富州临江,于是收复瑞州。

这个月,在江西设立义兵千户和水军千户所,事情平定之后,愿意回家当百姓的,随他自便。

十二月,癸卯(初十),托克托请求将赵完普的家产田地,赏赐给知枢密院事僧格实哩。

庚戌(十七日),京师的天空无云却打着响雷,一会儿,东南方向出现火光。怀庆路和河南府西北有向敲鼓一样的声音响了好几次,紧接着雷声震地。

这个月,大同路发生瘟疫,百姓死亡过半。

江浙行省平章布延特穆尔、南台中丞曼济哈雅以及四川行省参政哈临图、左丞桑图实里、西宁王索哈尔哈呼军,到蕲水讨伐徐寿辉,攻下伪都城,寿辉逃进黄梅山中,抓获伪官四百多人。

陕西行省平章博啰、四川行省右丞达实巴都鲁收复均、房等州,诏令博啰等守卫那里,达实巴都鲁讨伐东正阳。

这年冬天,彭大的儿子早住自称为鲁淮王,赵君用称永义王。

这一年,从六月起一直到八月都没下雨。

建造清宁殿、前山子、月宫等几座殿宇,让宦官留守额森特穆尔等监督这项工程。

托克托信任汝中柏,由郎中参议中书事,只有右丞哈玛尔同他争逐。托克托又调出哈玛尔作宣政院使,又位居第三,哈玛尔因此深恨托克托。

当初,哈玛尔曾经暗里引进西天僧人,用运气的方术取悦顺帝,顺帝学着去做,号称延彻尔法。延彻尔,译为"大喜乐"。哈玛尔的妹夫集贤学士图鲁特穆尔,当初为顺帝宠爱,与娄都尔苏、巴朗等十个人,都号为伊纳克。图鲁特穆尔生性奸猾,顺帝喜欢他,言听计从,也引荐西蕃的僧人策琳沁给皇帝。那个僧人擅长秘密之法,对顺帝说:"陛下虽然处于万乘之尊,富有四海,只不过能保住一世罢了。人生能有几何,应该接受这种秘密大喜乐禅定法。"皇帝又学了这一秘法,这种方法又叫双修法,称延彻尔,称秘密,实际上

汉白玉螭首 元

都是房中术。顺帝于是下诏以西天僧为司徒,西蕃僧为大元国师,选取良家女子侍奉皇帝,叫作供养,于是顺帝每天都从事这种密法。伊纳克等人利用高丽女子做耳目,刺探贵族的命妇和普通百姓的妻室,挑选美丽而风骚的介绍进宫,几天后才出来。巴朗是顺帝的堂弟,和诸伊纳克都在顺帝跟前,一同干放荡之事,甚至男女赤身裸体相处一起,称所在的密室叫"色济克乌格依",翻译过来就为:"事事无碍"。君臣大肆淫荡,众多僧人出入禁中,不加防范,丑声秽行,在外面传遍,即算是市井之徒也不愿去听。皇太子年纪一天天大起来,特别痛恨图鲁特穆尔等人的所作所为,想要除掉他们,却又办不到。

江西贼军统帅王善在福建作乱,官军据守罗源县来抵抗他们。

罗源和连江交界,贼势将威逼连江。宁善乡巡检刘浚的妻子是真定人,姓史,是已故丞相家的女子,有才识,对刘浚说:"形势危急,应该聚集士兵来捍卫一方。"于是拿出自己的全部首饰,招募壮士百来人,派次子刘健统领他们,十来天就聚到几万人。

贼寇很快攻破罗源,分两路进攻福州,刘浚在辰山抵御他们,三战三胜。不久听说福州失陷,士兵大多逃散,刘浚独自一人率领精兵挺进,在中麻遇到贼兵,冲入贼阵,杀死五个前锋。贼兵大批来到,激战三个时辰,刘浚中箭落马,刘健下马扶他,都被俘获。刘浚愤恨,指着敌人大骂,贼兵把刘浚绑在台阶之下,先砍去一个手指,刘浚骂得更厉害,又砍掉一指,还是如此,手指砍尽了,又剁去双腕,然后是双脚,刘浚脸色不改,骂声也不停,于是割掉他的喉舌而死。刘健也拼死对敌,王善认为他有义气,放了刘健,让他收敛刘浚的尸骨埋葬掉。刘健回来后,到帅府请兵以报父仇,没有同意,健把家财散尽,结交敢死之士百来人,假扮成工役、商贩和乞丐,混入贼军中,半夜里,放火大叫,贼兵惊慌错乱,自相残杀,刘健亲手杀死残害他父亲的贼子张破四,并且抓获王善以及贼寇首领陈伯祥前来献捷,将他分尸而死。他的事迹奏知朝廷后,朝廷追封刘浚为福建行省检校官,任命刘健为古田县令,为刘浚在福州北门外建造祠庙,官吏每年定时祭奠。刘浚是河南人。

福宁州知州王巴延死后,贼寇经常见到他领兵出入。等到林德诚起兵讨贼的时候,就对着天空大喊道:"王州尹,王州尹,应该带阴兵帮助我杀敌!"那时贼兵正在祭神,看到红衣军来,认为是伪帅康将军,急忙前去迎接,却什么都没有,四方都是青衣官兵,贼兵大败,杀了贼军首领江二蛮,福宁于是平定了。事迹传到朝廷,朝廷封赠王巴延济宁路总管之职,追封他

为太原郡侯。

泉州饥荒,死者纵横,那些能走得动的,都扶老携幼,到永春去求食,永春县令卢琦让他们分别到寺院和富家去吃饭,救活的人不可胜数。

当初卢琦就任永春县尹的时候,刚下车来,就赈济饥荒,禁止横征暴敛,平衡赋税劳役,削减口盐一百多引,蠲免无法征收的包银和榷铁。不久,诉讼平息,百姓安居,于是新修学府,请来老师,教导当地子弟。邻县仙游出了盗贼,当时卢琦恰好在那里,盗贼远远看见他,迎上来向他行礼,说:"这是永春县的大夫。做大夫的老百姓真是荣幸j我们的县官竟然用残暴狠毒的手段驱赶我们,所以才到这里来啊。"卢琦于是停下马来跟他们分析是祸、是福的道理,盗贼们都丢掉兵器,请求绑了他们的头目以示重新做人,卢琦表示同意,头目抓来了,用镣铐押送元帅府。从此在县里恩、威并施,所以泉州百姓都来到永春求口饭吃。

续资治通鉴卷第二百十二

【原文】

元纪三十 起阏逢敦牂【甲午】正月,尽旃蒙协洽【乙未】十二月,凡二年。

顺 帝

至正十四年 【甲午,1354】 春,正月,甲子朔,汴梁城东汴水冰,皆成五色花草如绘画,三日方解。

丁丑,帝谓托克托曰:"朕尝作多尔济克勒好事,迎白伞盖游皇城,实为天下生灵之故。今命喇嘛选僧一百八人,仍作多尔济克勒好事,凡所用物,官自给之,毋扰于民。"

二月,立镇江水军万户府,命江浙行省右丞佛嘉律领之。

诏河南、淮南两省并立义兵万户府。

遣吏部侍郎贡师泰和籴于浙西。时江浙兵起,京师食不足,故命师泰和籴,得粮百万石。

建清河大寿元忠国寺,以江浙废寺田归之。

三月,(朔)癸亥〔朔〕,日有食之。

己巳,廷试进士六十二人,赐薛朝晤、牛继志等及第、出身。

壬申,以皇太子行幸,和买驼马。

丙子,颍州陷。

是月,中书定拟义兵立功者权任军职,事平授以民职,从之。

诏和买马于北边以供军用,凡有马之家,十匹内和买二匹,每匹给钞一十锭。

是春,大雨凡八十馀日,群龙穴地而出者无数。

夏,四月,癸巳,汾州介休县地震,泉涌。

是月,帝如上都。

造过街塔于卢沟桥。

五月,甲子,安丰、正阳贼围庐州。

是月,诏修砌北巡所经色泽岭、黑石头、河西沿山道路,创建龙门等处石桥。

皇太子徙居宸德殿,命有司修葺之。

立南阳、邓州等处毛葫芦义兵万户府,募土人为军,免其差役,令讨贼自效。因其乡人自相团结,号毛葫芦,故以名之。募宁夏善射者及各处回回珠图殷富者,赴京师从军。

郭子兴以镇抚朱元璋为总管,率兵攻全椒,克之。

六月,辛卯朔,张士诚寇扬州。丙申,达实特穆尔以兵讨士诚,败绩,诸军皆溃。诏江浙行省参政佛嘉律会达实特穆尔复进兵讨之。

己酉,彭早住、赵君用陷盱眙县;庚戌,陷泗州,官军皆溃。命刑部尚书阿噜于海宁州等处募兵讨泗州。

秋,七月,潞州襄垣县大风拔木偃禾。

是月,汾州孝义县地震。

八月,冀宁路榆次县桃李华。

帝至自上都。

江西行省左丞相策琳沁巴勒以疾卒于官,追封齐王,谥忠献。

时左丞和尼齐及平章政事道通以兵平富、瑞二州,分镇其地,适岁大旱,公私匮乏,道通乃移咨江浙行省,借米数十万石,盐数十万引,凡军民约三日(入)〔人〕馀官米一斗,入缗钞二贯,又三日,买官盐十斤,入缗钞二贯,民皆便之,由是安堵如故,而贼亦不敢犯其境。道通,高昌人也。

九月,庚申,以湖广行省左丞吕思诚复为中书左丞。

思诚初左迁湖广,贻书参议龚伯璲曰:"去年许可用为河南左丞,今年吕思诚为湖广左丞,世事至此,足下得无动心乎?"抵武昌城下,语诸将曰:"贼据城与诸君相持经久,必不知吾为此来,出其不意,可以入城。"遂行,诸将不获已随其后,竟不烦转斗而人。思诚于是申号令,戒职事,修器械,葺城郭,明(步)〔部〕伍,先谋自守,徐议出征。苗军暴横,侵辱省宪,思诚正色叱之曰:"若等能杀吕左丞乎?"自是无敢复至。俄召还中书,去三日,城复陷。

辛酉,命太师、右丞相托克托总制诸王、诸省、各翼军马讨张士诚,黜陟予夺一切庶政,悉听便宜行事,省、台、院部诸司,听选官属从行,禀受节制。西域、西蕃皆发兵来助,旌旗亘千里,金鼓震野,出师之盛,未有过之者。

甲子,封高丽国王托克托布哈为沈王。

丁卯,立宁宗影堂。

是月,以穆清阁成,赐工匠皮衣各一领。盖海青鹰房阁,连延数百间,千门万户,取妇女实之,为大喜乐故也。

濠州兵陷六合县。

方国珍执元帅页特密实、黄岩州达噜噶齐宋巴延布哈、知州赵宜浩,以俟诏命。

以宣政院使哈玛尔复为中书平章政事。

冬,十月,戊戌,诏达实巴都鲁及台哈布哈等会军讨安丰。

甲辰,诏加号海神为"辅国护圣庇民广济福惠明著天妃"。

托克托师次济宁,遣官诣阙里祀孔子,过邹县,祀孟子。

十一月,丙寅,敕:"中书省、枢密院、御史台,凡奏事先启皇太子。"

丁卯,托克托领大兵至高邮;辛未,与张士诚战于高邮城外,大败之,遂遣兵西平六合。

是役也,一切军资、衣甲、器仗、谷粟、薪藁之属咸取具于江浙,平章政事庆图规措有方,陆运川输,千里相属,朝廷赖之。

六合遣使求救于滁州,郭子兴与其帅有隙,怒不发兵。朱元璋曰:"六合破,滁不独存,唇齿也,可以小憾而弃大事乎?"子兴悟,问诸将:"谁可往者?"时官军号百万,诸将畏之,莫敢往,且以祷神不吉为辞,元璋曰:"事之可否,当断于心,何祷也!"遂帅师趋六合,与耿再成守瓦梁垒。官军攻之急,每日暮,垒垂陷,官军去之,诘朝复完垒与战。寻以计绐之,乃敛兵入舍,备糗粮,遣妇女倚门戟手大骂,官军错愕不敢逼,遂列队而出,徐引还滁州。既而官军复大集,元璋令再成佯走,诱之渡涧,伏发,城中鼓噪而出,官军败走。元璋恐益兵来攻,谋款其师,乃具牛酒,敛所获马,遣父老送还,告其帅曰:"城主老病,不能行,谨遣犒军。城中皆良民,所以结聚者,备他盗耳。将军幸抚存之,惟军需是供。今高邮巨寇未灭,非并力不可,奈何分兵攻良民乎?"其帅信之,谓其众曰:"非良民,岂肯还马!"即日解去,由是滁城得完。

子兴无意远略,但欲据滁自王。元璋因说曰:"滁,山城也,舟楫不通,商贾不集,无形胜可据,不可居也。"子兴嘿然,元璋遂不复言。

是月,达实巴图鲁复苗军所据郑、均、许三州。

皇太子修佛事,释京师死罪以下囚。

十二月,辛卯,绛州北方,有红气如火蔽天。

托克托之出师也,以汝中柏为治书侍御史,俾辅额森特穆尔。中柏累言:"哈玛尔必当屏斥,不然必为后患。"额森特穆尔不从。哈玛尔知之,甚恐。

先是皇太子之立,哈玛尔与托克托议授册宝礼,托克托每言中宫有子,将置之何所,以故久不行。至是哈玛尔遂诉于皇后曰:"皇太子既立,而册宝及郊庙之礼不行者,托克托兄弟之意也。"皇后既颇信之。哈玛尔复与宣徽使旺嘉努之子僧格实哩、额森特穆尔之客明里明古谮诸太子。

会额森特穆尔移疾家居,于是监察御史袁赛音布哈等承望哈玛尔风指,劾奏:"托克托出师三月,略无寸功,倾国家之财为己用,半朝廷之官以自随。其弟额森特穆尔,庸材鄙器,玷污清台,纲纪之政不修,贪淫之心益著。"章三上,始允,诏收御史台印,令额森特穆尔出都门听旨,而以旺嘉努为御史大夫。丁酉,诏削托克托官爵,安置淮南路,额森特穆尔安置宁夏路,以台哈布哈为河南行省左丞相,伊阔察尔加太尉,舒苏知枢密院事,〔一同总兵,总领诸处征进军马〕。

当是时,丞相督军,将士效命,高邮城旦夕且破,而忽闻有诏解军,军中皆大哭。辛亥,诏至,参议龚伯璲曰:"将在外,君命有所不受,且丞相出师时尝被密旨,今奉此,一意进讨可也,诏书且勿开,开则大事去矣。"托克托曰:"天子诏我而我不从,是与天子抗也,君臣之义何在!"既听诏,托克托顿首谢曰:"臣至愚,荷天子宠灵,委以军国重事,早夜战兢,惧弗能胜,一旦释此重负,上恩所及者深矣。"

先是大臣子弟领军从行者,哈玛尔历告其家,阴遣人先来军中白其长曰:"诏书且至,不即散者,当族诛。"以故宣诏毕,即时解散,其无所附者,多从红军,如铁甲一军入襄阳,号铁甲吴者是也。

是日,托克托出兵甲及名马三千,分赐诸将,俾各帅所部以听伊阔察尔、舒苏节制。客省副使哈喇台曰:"丞相此行,我等必死他人之手,今日宁死丞相前!"拔剑刎颈而死。

托克托居淮安一月,复有旨移置伊集纳路,即汉居延塞也,西南距甘州一千五百里。

有上变告龚伯璲劝托克托勒兵北向者,下其事逮问,词连中书左丞乌克孙良桢,簿对无验。伯璮伏诛,良桢仍还为左丞。

初,威顺王库春布哈,以贼据湖广,夺王印,是月,讨贼累立功,诏还其印,仍镇湖广。

是月,绍兴路地震。

达实巴都鲁复河阴、巩县。

猺贼自未阳寇衡州,万户许托因死之。

是岁,诏谕"民间私租太重,以十分为率减(三)〔二〕分,永为定例。"

京师大饥,加以疫疠,民有父子相食者。

帝于内苑造龙船,命内官供奉少监塔斯布哈董其事。帝自制船样,首尾长一百二十尺,广二十尺、前瓦(廉)〔帘〕棚、穿廊、两暖阁,后吾殿楼子,龙身并殿宇用五彩金妆,前有两爪。上用水手二十四人,紫衫、金荔枝带、四带头巾,于船两旁下各执篙一。自后宫至前宫山下海子内,往来游戏,行时,其龙首眼口爪尾皆动。

又自制宫漏,约高六七尺,广半之,造木为柜,阴藏诸壶其中,运水上下。柜上设西方三圣殿,柜腰立玉女捧时刻筹,时至,辄浮水而上。左右立二金甲神,一悬钟,一悬钲,夜则神人自能按更而击,无分毫差。当钟钲之鸣,狮凤在侧者皆翔舞。柜之西东有日月宫,飞仙六人立宫前,遇子午时,飞仙自能耦进,度仙桥,达三圣殿,已而复退立如前。其精巧绝出,人谓前代所未有。

时帝怠于政事,荒淫游宴,以宫女三圣努、妙乐努、文殊努等一十六人按舞,名为十六天魔,首垂发数辫,戴象牙佛冠,身被璎珞大红销金长短裙、金杂袄、云肩、合袖天衣、绶带、鞋袜,各执加巴喇般之器,内一人执铃杵奏乐。又宫女一十一人,练椎髻、勒帕、常服,或用唐帽窄衫。所奏乐用龙头管、小鼓、筝、纂、琵琶、笙、胡琴、响板、拍板。以宦者察罕岱布哈管领,遇宫中嚼佛,则按舞奏乐。宫官受秘密戒者得入,馀不得预。

武昌自十二年为沔寇所残毁,民死于兵疫者十六七,而大江上下,皆剧盗阻绝,米直翔涌,民心皇皇。总管成遵,言于省臣,假军储钞万锭,募勇敢之士,具戈船,截兵境,且战且行,籴粟于太平、中兴,民赖以全活者众。会省臣出师,遵摄省事,于是省中、府中惟遵一人,乃远斥候,塞城门,籍民为兵,得五千馀人,设万夫长四,配守四门,所以为防御之备甚至,号令严肃,赏罚明当,贼船往来江中,终不敢近岸,城赖以安。

大臣有荐礼部郎中吴当世居江西,习知其民俗,且其才可任政事者,诏特授江西廉访使,偕江西行省参政和尼齐、兵部尚书黄昭招捕江西诸贼,便宜行事。当以朝廷兵力不给,既受命,至江南,即召募民兵,由浙入闽,至江西建昌界,招安新城孙塔,擒殄李三。道路既通,乃进攻南丰,渠凶郑天瑞遁,郑原自刎死。当,澄之孙也。

枢密院判官董抟霄,从丞相托克托征高邮,分戍盐城、兴化,贼巢在大纵、德胜两湖间,凡十有二,悉剿平之;即其地筑芙蓉寨,贼入,辄迷故道,尽杀之,自是不敢复犯。贼恃习水,渡淮,北据安东州。抟霄招善水战者五百人,与贼战安东之大湖,大败之,遂复安东。

先是枢密院都事徐人石普,以将略称,从院官守淮安,诣丞相托克托面陈取高邮之策,且曰:"高邮负重湖之险,地皆沮洳,骑兵卒莫能前。幸与普步兵三万,保为取之。"托克托遂命权山东义兵万户府事,招民义万人以行,汝中柏阴阻之,减其军半。初命普便宜行事,及行,又使听淮南行省节制。普次范水寨,夜漏三刻,下令衔枚趋宝应,其营中更鼓如平时,抵县,即登城树帜,贼大惊溃,因抚安其民,水陆进兵,乘胜拔十馀寨。将抵高邮城,分兵三队,一趣城东,备水战;一为奇兵,虞后;一自将攻北门。遇贼,与战,贼不能支,遁入城。普先士卒蹑之,纵火烧关,贼惧,谋弃城走。而援军望之,按甲不进,且忌普成功。总兵者遣蒙古军千骑突出普军前,欲收先入之功;而贼以死捍,蒙古军悭怯,即驰回,遂为贼所蹂践,率坠水中。普勒馀兵血战良久,仗剑大呼曰:"大丈夫当死国,有不进前者斩!"奋戟入贼阵中,从者仅三十人。至日西,援绝,被枪坠马,复步战数合,贼益至,左胁为贼枪所中,犹手握其枪以斫贼。贼众攒枪刺普,普与从者皆力战而死。

朱文正,元璋伯兄之子也,先同其母避乱,与季父相失,至是闻驻兵滁阳,遂来归。姊子李文忠,以母卒随其父走乱军中,几不能存,至是亦来归。文忠年十二,牵舅衣而戏。元璋曰:"外甥见舅如见母也。"命与沐英同姓朱。英,定远人也,父母俱亡,元璋见而怜之,收以为养子。

至正十五年 【乙未,1355】 春,正月。辛未,大鄂尔多儒学教授郑咺建言:"蒙古乃国家本族,宜教之以礼。而犹循本俗,不行三年之丧,又收继庶母、叔婶、兄嫂,恐贻笑后世,必宜改革,绳以礼法。"不报。

丁丑,徐寿辉将倪文俊复陷沔阳。威顺王库春布哈,令其子报恩努、接待努、佛嘉努同湖南元帅何思南,以大船四十馀,水陆并进,至沔阳,攻倪文俊,且载妃姜以行。兵至汉川鸡鸣汊,水浅,船阁不能行,文俊以火筏尽烧其船,接待努、佛嘉努皆遇害,报恩努自杀,妃姜皆陷,库春布哈走陕西。

时河南贼数渡河,焚掠州县,中书参议成遵言于丞相曰:"今天下州县,丧乱过半,而河北稍安者,以天堑黄河为之障,贼兵卒不能飞渡;所以剥肤椎髓以供军储,而民无深怨者,视河南之民犹得保其室家也。今贼北渡河,官军不御,是大河之险亦不能守,河北之民复何所恃乎?河北民心一摇,国势将若之何?"语未毕,哽咽不能言,宰执以下皆为之挥涕,乃入奏。帝即遣使罪守河将帅,而防御稍严,仍遣兵分守陕西、山东诸路。

滁帅乏粮,诸将谋所向,朱元璋曰:"困守孤城诚非计。今欲谋所向,惟和阳可图,然其城小而坚,可以计取,难以力胜也。"郭子兴曰:"如何?"元璋曰:"向攻民寨时,得民兵号衣二,其文曰'庐州路义兵'。今拟置三千,选勇敢士,椎髻、左衽,衣青衣,佯为北军,以四橐驼载赏物驱而行,声言庐州兵送使者入和阳赏赍将士,和阳必纳之。因以绛衣兵万人继其后。约相距十馀里,候青衣兵薄城,举火为应,绛衣兵即鼓行而前,破之必矣。"子兴从其计,使张天祐将青衣兵,赵继祖为使者前行,耿再成率绛衣兵继其后。

天祐至陡阳关,和阳父老以牛酒出迎。会日午,天祐兵从它道就食误约,再成过期不见举火,意天祐必已进据,率众直抵城下,平章额森特穆尔急闭门,以飞桥缒兵出战。再成不利,中矢走,官军追至千秋坝。日暮,收兵还,天祐等始至,适与官军遇,急击之。追至小西门,城上急抽桥,汤和以刀断其索,天祐等夺桥而登,将士从之,遂据和阳,额森特穆尔夜遁。

再成败归,谓天事占陷没,俄又报官军入滁,遣使来招降,子兴益恐,召元璋与谋。元璋乃呼使者人,叱令膝行见子兴,众皆欲杀之,元璋曰:"杀之,是速其来也。不如恐以大言,纵使去,彼必惮我,不敢进。"子兴从之,急属元璋率兵往,仍规取和阳,至则天祐已据城矣,乃入,抚定其民。子兴于是命元璋总和阳兵。时诸将多子兴部曲,未肯屈服,独汤和奉命唯谨,李善长委曲调护之。诸将多杀掠，城中夫妇不相保，元璋恻然，召诸将谓曰："诸君自滁来，多掠人妻女。军中无纪律，何以安众！凡所得妇女，悉还之！"于是各相携而去，民大悦。

闰月，壬寅，以各卫军屯田京畿，人给钞五锭，以是日入役，日支钞二两五钱，仍给牛种、农器，命司农司令本管万户督其勤惰。

二月，乙未，刘福通等自砀山夹河迎韩林儿至，立为皇帝，又号小明王，建都亳州，国号宋，建元龙凤。以其母杨氏为皇太后，杜遵道、盛文郁为丞相，罗文素、刘福通为平章，刘六知枢密院事。(撒)〔撤〕鹿邑县太清宫材建宫阙。遵道等各遣子入侍。遵道本国子生，尝上书于知枢密院事满济勒噶台，请开武举以收天下智谋勇力之士，满济勒噶台以遵道补本院掾史。遵道知不能行其策，乃弃去，适颍州，为红军举首，至是遂相小明王。

戊辰，命太傅、御史大夫旺嘉努为中书右丞相，中书平章政事定珠为左丞相。

壬申，立淮东等处宣慰使都元帅府于天长县，统濠、泗义兵万户府并洪泽等处义兵，听富民愿出丁壮义兵五千人者为万户，五百名者千户，一百名者百户，仍降宣敕牌面。

是月，命刑部尚书董铨等与江西行省平章政事和尼齐专任征讨之务，便宜从事；遣使先降曲赦，谕以祸福，如能出降，释其本罪，执迷不悛，克日进讨。

三月，癸巳，徐寿辉兵破襄阳。

甲午，命旺嘉努摄太尉，持节授皇太子玉册，锡以冕服九旒，祇谒太庙。

托克托既命移伊集纳路，台臣犹以谪轻，疏列其兄弟之罪；辛丑，诏流托克托于云南大理宣慰司镇西路，流额森特穆尔于四川碉门，托克托长子哈喇章肃州安置，次子三宝努兰州安置，家产簿录入官。

是春，苏州雨血。

官军十万攻和州，朱元璋以万人距守，间出奇兵击之，官军数败，多死者，乃解去，城中复乏粮。时太子图沁及枢密副使弁珠玛、民兵元帅陈埜先，各遣兵分屯新塘、高望、青山、鸡笼山，道梗不通，元璋率兵击走之。

濠州旧帅孙德崖亦乏粮，率所部就食和州。郭子兴故与德崖有隙，闻之怒，自滁来和。德崖闻子兴至，即欲他往，其军先发，德崖后。元璋送其军出城，行二十里，忽城中走报，滁军与德崖斗，德崖为子兴所执。元璋大惊，亟呼耿炳文、吴桢，策骑欲还。德崖军先发在道者忿恨，拥元璋行数里，遇德崖弟，欲加害，有张某者力止之。子兴闻元璋被执，如失左右手，亟遣徐达往代，张复谕其众归元璋。于是子兴亦释德崖去，既而达亦脱归。

子兴勇悍善战，而性悻直，不能容物，以德崖故，饮恨而终。子兴既卒，众推其长子天叙为元帅，而德崖以宿将欲代统其军，天叙恐不能制，乃以书邀朱元璋为己助。

夏，四月，壬戌，中书省臣言："江南因盗贼阻隔，所在阙官，宜遣人与各省及行台官以广东、广西、海北、海南三品以下通行迁调，五品以下先行照会之任，江浙行省三年一次迁调，福建等处阙官亦依前例。"从之。

癸酉，以中书左丞相定珠为右丞相，平章政事哈玛尔为左丞相，太子詹事僧格实哩为平章政事，舒苏为御史大夫。于是国家大柄，尽归于哈玛尔兄弟矣。

怀远人常遇春，刚毅多智勇，臂力绝人，年二十三，为群盗刘聚所得，遇春察其多抄掠，无远图，闻和州恩威日著，兵行有律，独率十馀人归附，请为先锋。元璋曰："尔饥，故来归耳。

且有故主在,吾安得夺之!"遇春顿首泣曰:"刘聚盗耳,无能为也。倘得效力贤者,虽死犹生。"元璋曰:"能相从渡江乎？取太平后属我,未晚也。"

是月,帝如上都。

诏翰林待制乌讷尔、集贤待制孙执招安高邮张士诚,仍赍宣命、印信、牌面,与镇南王博啰布哈及淮南行省廉访司等官商议给付之。

御史台劾奏中书左丞吕思诚,罢之。

宁国敬亭、麻姑、华阳诸山崩。

五月,壬辰,复襄阳路。诏削台哈布哈官爵。

台哈布哈以军乏粮之故,遂骄蹇不遵朝廷命令,军士往往剽掠为民患。监察御史额特呼图等劾其慢功虐民,乃削其官爵,仍俾率领和硕衮从征,命四川行省平章达实巴图尔总领其军。

庚戌,倪文俊自沔阳复破中兴路,元帅多尔济巴勒死之。

亳州遣人招和阳诸将,诸将惟张天祐往,寻自亳归,赍杜遵道檄,授郭天叙为都元帅,张天祐右副元帅,朱元璋左副元帅。元璋初欲不受,曰:"大丈夫宁能受制于人邪!"已而诸将议藉为声援,遂从之,纪年称龙凤,然事皆不禀其节制。

时和州西南民寨,次第铲平,而城中乏粮,元璋与诸将谋渡江,无舟楫。有赵普胜、俞通海者,拥众万馀,船千艘,据巢湖,结水寨,与庐州左君弼有隙,惧为所袭,是月,遣俞通海间道来附,乞发兵为导。元璋谓徐达等曰:"方谋渡江,而巢湖水军来附,吾事济矣!"遂亲往,与普胜等会,就观水道,以舟出和阳。而(相)〔桐〕城闸、马(场)〔肠〕河等隘口,皆为中丞曼济哈雅水寨所扼,惟一小港可达,然浅涸不可通大舰。已而大雨兼旬,川谷流溢,素非行舟处,皆水深丈馀,元璋喜曰:"天助我也!"遂乘涨发巢湖,舟鱼贯而进,至黄墩,赵普胜以所部叛去,馀舟悉至和阳,乃降。舟之未至,遣人诱曼济哈雅军来互市,遂执之,得十九人,皆善操舟者,令其教诸军习水战,命廖永安、张得胜、俞通海等将之,攻曼济哈雅峪溪口。敌舟高大,不利进退,永安等操舟如飞,左右奋击,大败其众。遂与诸将定渡江之计,诸将咸欲直趋金陵,元璋曰:"取金陵必自采石始。采石南北喉襟,得采石,然后金陵可图也。"

六月,丁卯,监察御史哈琳图劾奏托克托之师、集贤大学士吴直方及其参军赫汉、长史和勒齐等,并宜追夺,从之。

监察御史怀格等辨明中书左丞吕思诚,给还元追所授宣命玉带。

丁丑,保德州地震。

庚辰,征徽州处士郑玉为翰林待制,赐以御酒、名币。玉辞疾不起,而为表以进曰:"名爵者,祖宗之所以遗陛下,使与天下贤者共之,陛下不得私与人。待制之职,臣非其才,不敢受;酒与币天下所以奉陛下,陛下得以私与人,臣不敢辞也。"

是月,朱元璋帅诸将渡江,与廖永安举帆前行。永安请所向,元璋曰:"采石大镇,其备必固,牛渚矶前临大江,彼难为备御,今往攻之,其势必克。"乃引帆向牛渚,风力稍劲,顷刻及岸。守者陈于矶上,舟距岸三丈许,未能猝登。常遇春飞舸至,元璋麾之,应声挺戈跃而上,守者披靡,诸军从之,遂拔采石,沿江诸垒,望风迎附。

诸将以和阳匮乏,各欲取资而归,元璋谓徐达曰:"如此,则再举必难,江东非我有,大事去矣。"因令悉斩缆,推置急流中,舟皆顺流东下。诸将大惊问故,元璋曰:"成大事不规小利,此去太平甚近,舍此不取,将奚为!"诸将乃听命,自官渡向太平,直趋城下,纵兵急攻,遂拔之,平章鄂勒哲布哈与佥事张旭等弃城走,执其万户纳克楚。

太平路总管靳义,出东门赴水死,元璋曰:"义士也!"具棺葬之。耆儒李习、陶安等,率父老出城迎谒,安见元璋状貌,谓习等曰:"龙姿凤质,非常人也,我辈今有主矣!"师之发采石也,先令李善长为《戒戢军士榜》,比入城,即张之。士卒欲剽掠者,见榜愕然不敢动,有一卒违令,即斩以徇,城中肃然。富民陈迪献金帛,即以分给诸将士。

召安、习,与语时事,安因献言曰:"四海鼎沸,豪杰并争,攻城屠邑,互相雄长,然其志在子女玉帛,非有拨乱、救民、安天下之心。明公率众渡江,神武不杀,以此顺天应人而行吊伐,天下不足定也。"元璋曰:"吾欲取金陵,如何?"安曰:"金陵,帝王之都,龙蟠虎踞,限以长江之险,若据其形势,出兵以临四方,则何向不克,此天所以资明公也。"元璋大悦,礼安甚厚,由是一切机密,辄与议焉。

改太平路为太平府,以李习知府事,李善长为帅府都事,汪广洋为帅府令史。时三帅虽共府署事,而运筹决策,皆出自元璋,将士乐战,军民倾向,权归于一矣。

时中丞曼济哈雅等以巨舟截采石江,闭姑孰口,绝和州军归路。方山寨民兵元帅陈埜先,以众数万攻太平镇,甚锐,朱元璋命徐达、邓愈、汤和引兵出姑孰来迎战,而设伏襄城桥以待之,埜先败走,遇伏,腹背受敌,遂擒埜先。

是夏,大雨,江涨,安庆屯田禾半没,城下水涌,有物吼声如雷。签淮西都元帅府余阙,祀以少牢,水辄缩,秋稼登,得粮三万斛。阙度军有馀力,乃浚隍增埤,外环以大防,深堑三重,南引江水注之,环植木为栅,城上四面起飞楼,表里完固。

秋,七月,壬辰,右副元帅张天祐,率诸军及陈埜先部曲攻集庆路,弗克而还。

壬寅,倪文俊复陷武昌、汉阳。

遣亲王实勒们、四川左丞实勒布等各率兵守御山东、湖广、四川诸路,及招谕濠、泗诸起兵者。中书右丞许有壬言:"朝廷务行姑息之政,赏重罚轻,故将士贪掠子女玉帛而无斗志,遂倡为招谕之策耳。"不听。

陈埜先之被擒也,朱元璋释不杀。埜先问:"生我何为?"元璋曰:"天下大乱,豪杰并起,胜则人附,败则附人。尔既以豪杰自负,岂不知生尔之故?"埜先曰:"然则欲我军降乎? 此易尔!"乃为书招其军,明日皆降。

曼济哈雅、勒呼木等见埜先败,不敢复进攻,率其众还屯峪溪口。

八月,庚申,命南阳等处义兵万户府召募毛葫芦义兵万人,进攻南阳。

戊辰,以中书平章政事达实特穆尔为江浙行省左丞相。时江、淮驿骚,南北阻隔,诏许达实特穆尔便宜行事。达实特穆尔任用非人,肆通贿赂,卖官鬻爵,惟视货之轻重为高下,由是谤议纷然;而所部郡邑往往沦陷,亦恬不为意。

云南死可伐等降,令其子莽三以方物来贡,乃立平缅宣抚司。四川向思胜降,以安定州改立安定军民安抚司。

是月,帝至自上都。

诏淮南行省左丞相泰费音统淮南诸军讨所陷郡邑,仍命湖广平章勒呼穆以所部苗军听其节制。

泰费音驻济宁已久，粮饷苦不给，乃命有司给诸军牛具以种麦，自济宁达于海州，民不扰而兵赖以济。又议立士兵元帅府，轮番耕战。

和州镇抚徐达军自太平进克溧水，将攻集庆路。初，陈埜先之为书也，阳为招辞，意实激之，不意其众遂降，自悔失计。及闻欲攻集庆，私谓部曲曰："汝等攻集庆，毋力战，俟我得脱还，当与官军合。"朱元璋闻其谋，召语之曰："人各有心，从元从我，不相强也。"纵之还。

诸军克溧阳，埜先乃收馀众屯于板桥，阴与行台御史大夫福寿合，为书以报太平，言："集庆城三面阻水，不利步战，晋王浑、王浚、隋贺若弼、韩擒虎、杨素，皆以战舰取胜。今环城三面，元帅与苗军建寨其中，连络三十馀里，陆攻则虑其断后。莫若南据溧阳，东捣镇江，扼险阻，绝粮道，示以持久，可不攻而下也。"元璋知其计，以书复之曰："历代之克江南者，皆以长江天堑，限隔南北，故须会集舟师，方克成功。今吾渡其上游，彼之咽喉，我已（拒）〔扼〕之，舍舟而进，足以克捷，自与晋、隋形同势异。足下奈何舍全胜之策而为此迂回之计耶？"乃遣裨将习伯容攻芜湖县，克之，置永昌翼，以伯容为万户。

托克托行至大理，腾冲知府高惠见托克托，欲以其女事之，许筑室一程外以居，虽有加害者，可以无虞。托克托曰："吾，罪人也，安敢念及此！"巽辞以绝之。是月，朝廷遣官移置阿轻乞之地。高惠以托克托前不受其女，首发铁甲军围之。

九月，郭天叙、张天祐督兵自官塘经同山，进攻集庆之东门，陈埜先自板桥直抵集庆，攻南门，自寅至午，城中坚守。埜先邀郭天叙饮，杀之，擒张天祐，献于福寿，亦杀之。二帅俱没，诸将遂奉朱元璋为都元帅。

陈埜先追袭至葛仙乡，乡民兵百户卢德茂谋杀之，遣壮士五十衣青衣出迎。埜先不虞其图己，与十馀骑先行，青衣兵自后攒槊刺杀之。埜先既死，其子兆先，复集兵屯方山，曼济哈雅拥舟师结寨采石为掎角，规复太平。

先是河南行省平章达实巴图尔以兵进次长葛，与刘福通野战，为其所败，将士奔溃。是月，至中牟，收散卒，团结屯种，贼复来劫营，掠其辎重，遂与博啰特穆尔相失。会刘哈喇布哈来援，大破贼兵，获博啰特穆尔，归之，复驻汴梁东南青堌。

冬，十月，丁巳，立淮南〔江北等处〕行枢密院于扬州。

甲子，帝谓右丞相定珠等曰："敬天地，尊祖宗，重事也，近年以来，阙于举行。朕将亲祀郊庙，务尽诚敬，不必繁文，卿等其议典礼，从其简者行之。"

庚午，以衍圣公孔克坚同知太常礼仪院事，以其子希学袭封衍圣公。

癸酉，哈玛尔奏言："郊祀之礼，以太祖配。皇帝出宫，至郊祀所，便服乘马，不设内外仪仗，教（防）〔坊〕队子，斋戒七日，内散斋四日于别殿，致斋三日，二日于大明殿西幄殿，一日在南郊祀所。"

丙子，以郊祀，命皇太子祭告太庙。

己卯，立黄河水军万户府于小清口。

十一月，壬辰，亲祀上帝于南郊，以皇太子为亚献，摄太尉、右丞相定珠为终献。

甲午，台哈布哈为湖广行省左丞相，总兵招捕沔阳等处，荆襄诸军悉听节制，仍给以功赏宣敕、金银牌面。

5115

戊戌，介休县桃、杏花。

戊申，中书右丞相定珠，以病辞职，命以太保就第治病。

庚戌，贼陷饶州路。

是月，达实巴图尔攻夹河贼，大破之。

贼陷怀庆，会右丞布哈讨之。

十二月，壬子朔，朱元璋释万户纳克楚北归。纳克楚者，穆呼哩裔孙也，初获时，待之甚厚，而纳克楚居常郁郁不乐。至是元璋召语之曰："为人臣者，各为其主，况尔有父母妻子乎！"遂纵之归。

己巳，以诸军供饷浩繁，命户部印造明年钞本六百万锭给之。

乙亥，以天下兵起，下诏罪己，大赦天下。

是月，达实巴图尔调兵进讨，大败刘福通等于太康，遂围亳州。小明王出居安丰。

立兴元等处宣慰使司都元帅府于兴元路。

己未，哈玛尔矫诏遣使赐托克托鸩，遂卒。年四十二。讣闻，中书遣尚舍卿七十六至阿轻乞之地，易棺衣以敛。

托克托仪状雄伟，顾然出于千百人中，而器弘识远，轻货财，远声色，好贤礼士，皆出于天性。至于事君之际，始终不失臣节。惟以惑群小，急复私仇，君子病焉。

是岁，荆州大水。蓟州雨血。湖广雨黑雪。陕西有一山，西飞十五里，山之旧基，积为深潭。

红巾贼势滋蔓，由汴以南陷邓、许、嵩、洛。汝宁府达噜噶齐察罕特穆尔兵日益盛，转战而北，遂戍虎牢以遏贼锋。贼乃北渡盟津，焚掠至怀州，河北震动。察罕特穆尔进战，大败之，馀党栅河州，歼之无遗类，河北遂定。朝廷奇其功，除中书刑部侍郎。

苗军以荥阳叛，察罕特穆尔夜袭之，虏其众几尽，乃结营屯中牟。已而淮右贼众三十万，掠汴以西，来捣中牟营，察罕特穆尔结阵待之，以死生利害谕士卒。士卒贾勇决死战，无〔一不〕〔一不〕当百。会大风扬沙，自率猛士鼓噪从中起，奋击贼中坚，贼遂披靡不能支，弃旗鼓遁走，追杀十馀里，斩首无算，军声益大振。

盗起常之无锡，江浙行省议以重兵歼之，平章政事庆图曰："赤子无知，迫于有司，故弄兵耳。苟谕以祸福，彼无不降之理。"盗闻之，果投戈解甲，请为良民。

先是倪文俊质威顺王之子而遣人请降，求为湖广行省平章，朝臣欲许者半。参议中书省事成遵曰："平章之职，亚宰相也。承平之时，虽德望汉人，抑而不与，今叛逆之贼，挟势要求，轻以与之，如纲纪何？"或曰："王子，世皇嫡孙也，不许，是弃之与贼，非亲亲之道也。"遵曰："项羽执太公，欲烹之以挟高祖，高祖乃以分羹答之。奈何今以王子之故废天下大计乎？"众皆韪其论。除治书侍御史，俄复入中书为参政，离省仅六日。丞相每决大议，则曰："姑少缓之。"众莫晓其意，及遵复入，喜曰："大政事今可决矣！"

召陕西行省平章绰斯戬知枢密院事，俄复拜中书平章政事。

初，绰斯戬奉命讨贼淮南，身先士卒，面中流矢不为动，及是复为执政。一日入侍，帝见其面有箭瘢，深叹闵之，遂有是命。

杜遵道相小明王，得宠专权，刘福通疾之，令甲士挝杀遵道。福通遂为丞相，后称太保。

小明王徒拥虚名,事皆决于福通。福通每陷一城,以人为粮食,既尽,复陷一处,故其所过,赤地千里。

【译文】

元纪三十 起甲午年(公元 1354 年)正月,止乙未年(公元 1355 年)十二月,共二年。

至正十四年 (公元 1354 年)

春季,正月,甲子朔(初一),汴梁城东边的汴水结冰,都呈现五色花草的图案,就像画的一样,三天后才消解。

丁丑(十四日),顺帝对托克托说:"我曾经做多尔济克勒好事,迎白伞盖巡游京城,实在是为了天下百姓的缘故。如今下令喇嘛挑选一百零八个和尚,仍然做多尔济克勒好事,凡是要用的东西,都由官府提供,不要麻烦老百姓。"

二月,设立镇江水军万户府,任命江浙行省右丞佛嘉律兼领这一职务。

下诏在河南、淮南两省共设义兵万户府。

派遣吏部侍郎贡师泰拿官银到浙西去籴米。当时江浙发生兵乱,京城的粮食不够,所以派师泰用官银籴米,得到百万石粮食。

修建清河大寿元忠国寺,把江浙废弃了的寺庙的田地拨给了它。

三月,癸亥朔(初一),出现日食。

己巳(初七),朝廷考试取录进士六十二人,赏赐薛朝晤、牛继志等进士及第或进士出身。

壬申(初十),因皇太子要出京巡幸,所以出官银向百姓购买骆驼、马匹。

丙子(十四日),颍州失陷。

这个月,中书省决定将立了军功的义兵暂时担任军职,事平之后授给民职,皇帝批准了这个建议。

诏令在北方用官银向百姓购买马匹,以提供军队的需要,凡是有马的人家,十匹当中用官银购买两匹,每匹给钞银十锭。

这年春天,共下了八十多天的大雨,许多的龙从地下打洞钻出来。

夏季,四月,癸巳朔(初一),汾州介休县发生地震,有泉水喷出。

这个月,顺帝前往上都。

在卢沟桥建造过街塔。

五月,甲子(初三),安丰、正阳的贼寇围困庐州。

这个月,诏令修筑北巡要经过的色泽岭、黑石头、河西沿山的道路,建造龙门等地的石桥。

皇太子搬到宸德殿居住,下令官吏修理宸德殿。

设立南阳、邓州等地毛葫芦义兵万户府,招募当地人参军,免除他们的差役,命令他们讨贼效力。因为他们乡的人相互团结,号称毛葫芦,所以义兵万户府就用毛葫芦命名。招募宁夏地区擅长射箭的人和各地回民珠图家境富裕的人,到京城去当兵。

郭子兴任命镇抚朱元璋作总管,带兵攻打全椒,拿下了它。

六月,辛卯朔(初一),张士诚在扬州作乱。丙申(初六),达实特穆尔率兵讨伐张士诚,却打了败仗,各军全都溃退。诏令浙江行省参政佛嘉律会合达实特穆尔再次进兵讨伐。

己酉(十九日),彭早住、赵君用攻陷盱眙县;庚戌(二十日),攻陷泗州,官军全部溃散。下令刑部尚书阿噜在海宁州等地招募士兵讨伐泗州。

秋季,七月,潞州襄垣县大风拔起树木、吹倒田禾。

这个月,汾州孝义县地震。

八月,冀宁路榆次县桃李开花。

顺帝从上都还京。

江西行省左丞相策琳沁巴勒病死在任上,追封为齐王,谥号忠献。

当时左丞和尼齐与平章政事道通带兵平定富、瑞二州,分别镇守两地,恰逢当年大旱,官方和民众的物资都相当缺乏,道通于是向江浙行省发去公文,借几十万石稻米,几十万引食盐,凡是军、民约定三天可以购买一斗官粮,交缗钞二贯,再隔三天,可以买得十斤官盐,交缗钞二贯,百姓都感到很方便,因此又像从前一样安居乐业,而贼寇也不敢进犯那里。道通是高昌人。

九月,庚申(初二),将湖广行省左丞吕思诚恢复中书左丞的原职。

吕思诚当初被贬职到湖广,写信给参议龚伯璲说:"去年许可用做河南左丞,今年吕思诚做湖广左丞,世事到了这种地步,您难道能无动于衷吗?"到达武昌城下,对众将说:"贼寇占据城池和各位相持已久,一定不知道我为此而来,出其不意,可以攻进城去。"于是前行,众将不得已跟在他们后面,竟然不用战斗就进了城。吕思诚于是发布号令,告诫官吏,修理器械,修补城郭,整顿队伍,先想办法自卫,再慢慢出征。苗军横行霸道,冒犯凌辱行省官员,思诚正色斥骂他们道:"你们能杀了我吕左丞吗?"从此没人敢再来。不久召回中书省,去后三天,城池再度失陷。

辛酉(初三),朝廷命令太师、右丞相托克托总管诸王、诸省、各翼兵马讨伐张士诚,升降予夺等一切政务,都由他自行决定,省、台、院部各个衙门,随他选拔官员随行出征,受他的管制。西域、西蕃都发兵前来相助,旌旗绵延千里,金鼓震天动地,出师的盛况,是前所未有的。

甲子(初六),封高丽国王托克托布哈为沈王。

丁卯(初九),设宁宗的影堂。

这个月,因为德清阁竣工,赏赐工匠各一件皮衣。盖造海青鹰房阁,接连几百间,千门万户,搬取妇女居住在内,是为了修炼大喜乐法的缘故。

濠州兵攻陷六合县。

方国珍抓获元帅页特密实、黄岩州达噜噶齐宋巴延布哈、知州赵宜浩,以等候诏命的下达。

将宣政院使哈玛尔恢复为中书平章政事。

冬季,十月,戊戌(初十),诏令达实巴都鲁和台哈布哈等合兵讨伐安丰。

甲辰(十六日),顺帝下诏,加封海神"辅国护圣庇民广济福惠明著天妃"的称号。

托克托驻军济宁,派官到阙里祭祀孙子,经过邹县,祭祀孟子。

十一月,丙寅(初九),顺帝下诏:"中书省、枢密院、御史台,有事上奏先启奏皇太子。"

丁卯(初十),托克托率领大部队到达高邮;辛未(十四日),同张士诚在高邮城外交战,大败张士诚,于是派兵往西去平定六合。

这场战役,所有的军资、衣甲、器杖、粮食、柴草都从江浙提供,平章政事庆图规划筹措很有办法,陆路、水路的运输,千里相连,朝廷完全依靠他。

六合县派使者向滁州求救,郭子兴和那里的统帅有仇怨,怒不发兵。朱元璋说:"六合被攻破,滁州不能独自保存,唇齿相依,怎么能因小的矛盾而置大事于不顾呢?"子兴醒悟,问众将:"谁能去?"当时官兵号称百万,众将害怕,没人敢去,就以祷神时兆头不吉利作为借口,元璋说:"事情能不能办,应该用心来判断,祈祷神灵干什么!"于是带领军队奔赴六合县,同耿再成守卫瓦梁垒。官军进攻得很急,每天晚上,瓦梁垒快要失陷了,官军就离开,早晨又修复堡垒与官军交战。不久用计欺骗官军,于是收兵进房,准备好干粮,派妇女靠着门指着对方大骂,官军惊愕不敢进逼,于是列队而出,慢慢又引军退回滁州。不久官军又大规模会集,元璋下令再成假装逃跑,引诱官军渡过溪涧,伏兵大出,城中的士兵又击鼓呐喊着冲来,官军败退。元璋担心官兵增兵来攻打,设计殷勤犒赏官军,于是备好牛、酒,收集缴获的马匹,派父老送回,向官军统帅说:"城中主事的人年老多病,不能走动,特派我们来犒劳官军。城中都是善良百姓,之所以聚集队伍,是为了防备其他的强盗。希望将军怜惜百姓,将军所需物品我们都负责提供,如今高邮的大盗还没有消灭,一定要集中全力才行,为什么分兵攻打善良的百姓呢?"官军统帅相信了他们的话,对他的部下说:"如果不是良民,怎么肯送回马匹!"当日就解围离去,因此滁州城才得以保全。

子兴不想作长远打算,只不过想占据滁州自立为王。元璋规劝说:"滁州,是山城,船只不通,商贩不来往,没有险要的地势可以依靠,不能久留。"子兴沉默不答,元璋就不再多说了。

这个月,达实巴图鲁收复苗军占领的郑、均、许三州。

皇太子做佛事,释放京中死罪以下的囚徒。

十二月,辛卯(初四),绛州北方,有红气象火一样遮蔽天空。

托克托出兵,任命汝中柏为治书侍御史,让他辅助额森特穆尔。中柏多次说:"哈玛尔定要驱除,不然定将成为后患。"额森特穆尔没有听他的。哈玛尔知道后非常害怕。

当初立皇太子的时候,哈玛尔和托克托商议授给皇太子册书宝玺的礼仪,托克托总说中宫生了儿子,把他置于何地。所以长时间没有举行仪式。到这时候哈玛尔便对皇后说:"皇太子已经选定了,然而不举行册书宝玺和祭祀郊庙的礼仪的缘故,是托克托兄弟的意思。"皇后已经很相信此事。哈玛尔又同宣徽使旺嘉努的儿子僧格实哩、额森特穆尔的门客明里明古向太子进谗言。

恰碰上额森特穆尔因病住在家里,于是监察御史袁赛音布哈等顺承哈玛尔的旨意,上奏弹劾:"托克托出兵三个月,没有建立一点功勋,尽国家的财力为自己所用,让朝廷中一半的官吏跟随自己。他的弟弟额森特穆尔,平庸无能,玷污了清白的官署,不整顿法制,贪婪之心日益明显。"连上三次奏章,顺帝才批准,诏令收回御史台的印信,命额森特穆尔出都门等候圣旨,而任命旺嘉努做了御史大夫。丁酉(初十),下诏削除托克托的官爵,安置他在淮南路,额森特穆尔安置在宁夏路,任命台哈布哈为河南行省左丞相,加封伊阔察尔为太尉,舒苏知枢密院事,一同总兵,总管各处出征军马。

这个时候,托克托丞相亲自督军,将士拼死作战,高邮城早晚就将攻破,却突然听说皇帝下诏解散军队,军中士兵都痛哭流涕。辛亥(二十四日),诏书到达,参议龚伯璲说:"将在外,君命有所不受,况且丞相出兵时曾接受过皇帝的密旨,如今凭着这个密旨,一心一意进攻讨伐就是了,诏书暂且不要开读,打开了大事就完了。"托克托说:"天子下诏命令我而我不听从,这是和天子对抗,还有什么君臣之义呢!"听完诏书之后,托克托叩首拜谢道:"我极为愚笨,承蒙天子宠爱,把军国大事交付与我,从早到晚都战战兢兢,担心不能胜任,一旦卸下这一重任,皇上对我的恩德太深厚了啊。"

当初凡是带兵跟随出征的大臣子弟,哈玛尔都遍告他们家里,暗暗派人先到军中告诉他们的头领说:"诏书即将下达,不马上解散的,将被满门抄斩。"所以读完诏书,顿时解散,那些无处投奔的,大多都追随红军去了,譬如铁甲一支部队进入了襄阳,号称铁甲吴的就是。

这一天,托克托拿出兵器铠甲和三千匹好马,分别赏赐各位将领,让各头领的手下将士听命于伊阔察尔和舒苏节制。客省副使哈喇台说:"丞相这一走,我们定然会死于他人之手,今天宁可死在丞相面前!"拔出剑来自刎而死。

托克托在淮安住了一个月,又有圣旨下达将他迁往集纳路,就是汉朝的居延塞,西南面距离甘州有一千五百里。

有人向朝廷告发龚伯璲劝托克托带军北上,朝廷将这件事发下去命令捉拿审问,供词中牵连到中书左丞乌古孙良桢,却查不出证据,伯璲被处死,良桢仍然回去当左丞。

当初,威顺王库春布哈,因为贼寇占据了湖广,朝廷收回他的王印,这个月,讨伐贼兵多次立功,诏令归还他的王印,仍然让他镇守湖广。

这个月,绍兴路发生地震。

达实巴都鲁收复河阳、巩县。

南蛮瑶族的盗贼从耒阳进犯衡州,万户许托因死于此难。

这一年,朝廷发下诏书说:"民间的租税太重,减少十分之二,永远成为定例。"

京城发生大饥荒,加上瘟疫并发,百姓有父子相食的现象。

顺帝在皇城内苑制造龙船,下令内官供奉少监塔斯布哈监督实施这件事情。顺帝亲自制作船的模型,首尾长达一百二十尺,宽二十尺,前面是瓦帘棚、穿廊、两暖阁,后面是吾殿楼子,龙身和殿宇都用五彩金妆,前面有两只爪子。上面使用二十四个水手,身穿紫色衣裳,腰束金荔枝带子,戴四藏头巾,在船两边的下面每人拿一只船篙。从后宫到前宫山下的湖泊里,往来游戏,船行的时候,龙舟的头、眼、口、爪子、尾巴都能动。

顺帝又亲自制造宫漏,大约高达六、七尺,宽为高的一半,用木头制成一个柜子,把水壶隐藏在里面,上下运水。柜子上面设立西方三圣殿,柜子中部站立着一个玉女手捧着标有时刻的片子,时刻一到,就浮上水来。左右站着两个金甲神,一个举着钟,一个举着钲,到了晚上金甲神就能自动按着更次敲钟,不差分毫。钟鸣的时候,钟旁的狮子、凤凰都飞翔起舞。柜的东、西两侧有日宫、月宫,有六个飞仙站在宫前,到了子时、午时,飞仙能够自动两两前行,通过仙桥,到达圣殿,然后又退着站回原处。那般精巧绝伦,人们都说前世没有过。

那时顺帝懒于政事,荒淫游乐,要宫女三圣努、妙系努、文殊努等十六人按节而舞,叫作十六天魔,头上垂着几根辫子,戴着象牙佛冠,身上披着璎珞大红销金长短裙,穿着金杂袄、云肩、合袖天衣、绥带、鞋袜，一人拿着一个加巴喇般器具，中间一人拿着铃、杵奏乐。又有十一个宫女，梳着练锥形的发髻、束着头帕、穿着平常的衣服，或者穿戴唐朝式样的窄衫和帽子。用龙头管、小鼓、筝、篴、琵琶、笙、胡琴、响板、拍板等乐器奏乐。由宦官察罕岱布哈管领，遇到宫里赞拜神佛，就按着节拍舞蹈同时演奏音乐。宫官受秘密戒的才能进去，其他人不能参与。

武昌城从至正十二年起就遭到沔州贼寇的破坏，百姓死于因战乱而引发的瘟疫的占了十分之六、七，长江上下，都被强贼阻断了交通，米价飞涨，人心惶惶。总管成遵，建议行省大臣，借用储备军用的钞银一万锭，招募勇敢的士兵，准备战船，冲破敌围，边战边走，到太平、中兴等地购买粮食。百姓依靠这些米而活命的很多。恰碰上行省大臣带兵出征，成遵代理行省事务，这时省中、府中只有成遵一个人，于是派兵到远处进行侦察，堵住城门，登记百姓当兵，共得到五千多人，设立四名万夫长，分派守卫四座城门，采取的防御措施相当严密，号令严肃，赏罚分明公正，贼船在江中来来往往，始终不敢靠岸，武昌城依赖他而得以平安无事。

大臣中有人推荐礼部郎中吴当，说他世代在江西居住，熟悉当地的风土人情，而且他的才能足以担任政事，诏令特授江西廉访使，同江西行省参政和尼齐、兵部尚书黄昭一道搜捕江西各地的贼寇，遇事可以自行决定。吴当因为朝廷兵力不足，到了江南，马上招募民兵，从浙江到福建，到江西建昌边界，招安新城孙塔，擒灭李三。道路畅通之后，就进攻南丰，元凶郑天瑞逃跑了，郑原自杀身亡。吴当是吴澄的孙子。

枢密院判官董抟霄，跟随丞相托克托征讨高邮，分别戍守盐城、兴化，贼寇窝点分布在大纵、德胜两湖之间，共有十二个，他们全部剿灭了；就在那里修筑了芙蓉寨，贼兵进来，就迷失了原路，全都杀死了，从此不敢再来进犯。贼兵仗着熟悉水性，渡过淮河，北上占据安东州。抟霄招募到五百个善于水战的士兵，同贼寇在安东的大湖上交战，大败他们，于是恢复安东。

当初枢密院都事徐州人石普，因为富有用兵的谋略而著称，跟随枢密院官员守卫淮安，到丞相托克托那里当面陈说攻取高邮的办法，并说道："高邮背靠两湖的险要地形，地势低湿，骑兵终不能往前。希望您给我三万步兵，保证为您攻下高邮。"托克托于是授权给山东义兵万户府事，招募民兵万人前往，汝中柏暗地里阻挡，减去了一半的士兵。首先让石普遇事自行定夺，到了出发的时候，又要他听从淮南行省的指挥。石普在范水寨驻兵，到了夜里三更时分，下令士兵衔枚急行到宝应，而军营中照平时一样敲打更鼓，到达宝应县，立即登上城墙，树立旗帜。贼兵惊慌逃散，于是安抚百姓，水、陆两路同时进军，乘胜攻下十多个营寨。将要到达高邮城的时候，兵分三路，一队往城东去，准备水战；一队为奇兵，防御后方；一队亲自带领攻打北门。和贼兵相遇，交战，贼兵抵挡不住，逃入城内。石普身先士卒追踪贼兵，放火烧门，贼兵害怕，打算弃城而逃。援军看着，按兵不动。而且妒忌石普成功。军队指挥派遣蒙古军一千骑兵冲到石普军的前面，想要争夺率先进城的功劳；贼兵拼死捍卫，蒙古军恐惧畏缩，立即掉马回撤，于是被贼兵所践踏，纷纷落水。石普统率剩下的士兵浴血奋战了很长时间，挥剑大喊道："大丈夫应该为国捐躯，有不前进的斩！"持戟冲入贼阵中，跟随的只有三十个士兵。到了太阳落山的时候，援兵断绝，被刺下马，又步战几个回合，贼兵来得更多，左胁被贼枪刺中，还手持长枪砍杀贼兵。贼众同时用枪来刺他，石普和跟随来的士兵都

5121

奋勇作战而死去。

朱文正,是朱元璋堂兄的儿子,当初同他母亲一道躲避战乱,与叔父朱元璋失去了联系,这时候听说他驻扎在滁阳,就来到那里。元璋姐姐的儿子李文忠,因为母亲去世跟着他的父亲在乱军当中,几乎丧命,这时候也来投靠。文忠年方十二岁,牵着舅舅的衣服玩耍。元璋说:"外甥见到舅舅就像见到了亲娘一样。"让他和沐英都改姓朱。沐英是定远人,父母双亡,元璋看到他很同情,将他收为养子。

至正十五年　(公元1355年)

春季,正月,辛未(十四日),大鄂尔多儒学教授郑咺建议说:"蒙古是国家的本族,应该用礼法教导他们。却仍旧依照本民族的习俗,不实行为父母守丧三年的礼仪,又收娶继庶母、叔婶、兄嫂,恐让后代人所耻笑,定应实行改革,用礼法进行约束。"没有答复。

丁丑(二十日),徐寿辉的部将倪文俊再度攻陷沔阳。威顺王库春布哈,命令他的儿子报恩努、接待努、佛嘉努随同湖南元帅何思南,用大船四十多只,水陆两路同时进发,到了沔阳,攻打倪文俊,并且带着他们的妃、妾同去。军队到达汉川鸡鸣汊,水位大低,船只搁浅不能前进,文俊用火筏将他们的船都烧了,接待努、佛嘉努都遇害死去,报恩努自杀身亡,妃妾都落入贼手,库春布哈逃奔陕西。

当时河南贼寇几次渡过黄河,焚烧抢劫州县,中书参议成遵对丞相说道:"如今全国的州县,有一半以上的都遭受战乱,而河北比较安定的原因,就在于有黄河天堑作为屏障,贼兵终究不能飞渡;因此河北的老百姓尽管受到最大限度的剥削以提供军备,却并没有过多埋怨的原因,就在于相对河南百姓来说他们还能够保全家室。如今贼寇北渡黄河,官军不能抵御,这样黄河天险也不能保住,河北的百姓还能靠什么呢?河北的民心一动摇,国家的形势又将怎么样?"话没说完,喉咙哽咽着说不出话来,宰相以下的人都为此而落泪,于是入朝上奏。顺帝当即派使者责罚守卫黄河的将帅,防御稍微严紧一些,因而派兵守卫陕西、山东各路。

滁州的军队缺少粮食,众将商议去向,朱元璋说:"困守孤城确实不是办法。如今想要谋划去向,只有和阳可以图取,但是和阳城小而且坚牢,只能智取,难以硬夺。"郭子兴说:"怎么办?"元璋说:"当初攻打民寨的时候,得到两件民兵号衣,上面的字是'庐州路义兵'。如今仿制三千,挑选勇敢的士兵,梳椎髻、左开襟、穿青衣,假装是北边的官军,用四匹骆驼驮着犒赏的物品前去,声称是庐州兵派使者到和阳赏赐将士,和阳一定会开城接纳他们。同时将红衣士兵一万人跟在他们后面,大约相距十多里,等到青衣兵接近城池,举火为号,红衣兵马上击鼓向前,一定能攻破和阳城。"子兴采纳了他的办法,派张天祐带领青州兵,赵继祖为使者前去,耿再成率红衣兵跟随在后。

天祐到达陡阳关,和阳父老拿着牛、酒出来迎接。恰到中午的时候,天祐的军队从别的路去吃饭而误了先约,再成过了时间却没看到举火,猜想天祐一定已前进占据了城池,率领士兵直达城下,平章额森特穆尔急忙关闭城门,用飞桥放下士兵出城作战。再成失利,中射逃走,官军追到千秋坝。黄昏时候,官军收兵回城,天祐等才到,恰好同官军相遇,急忙攻打,追到小西门,城上急忙抽起吊桥,汤和用力砍断绳索,天祐等夺桥登城,将士紧随其后,于是占据和阳,额森特穆尔连夜逃走。

再成战败归来,说天祐陷在城中,一会又传官军进了滁阳,派遣使者来招降,子兴更加恐慌,召来元璋商议。元璋于是叫使者进来,勒令他跪着前去见子兴,众人都想杀死使者,元璋说:"杀他,是招惹他们前来。不如用大话吓他,放他回去,他们一定怕了我们,不敢进犯。"子兴依允,并急忙派元璋带兵前往,仍然想法攻取和阳,到了那里天祐已经占据了城池,于是进城,安抚百姓。子兴因此命令元璋总领和阳之兵。当时众将大多是子兴的部属,不肯屈服元璋的号令,只有汤和小心从命,李善长设法调和他们。众将大多随意杀人抢劫,城中百姓夫妻不能相保,元璋很难受,召集众将说:"各位从滁阳而来,抢了很多人家的妻、女。军中没有纪律,怎么能使百姓安定! 凡是夺来的妇女,都放还回家!"于是都由家人相携而去,百姓非常高兴。

闰正月,壬寅(十五日),朝廷令各卫军在京郊屯田,每人发给钞银五锭,从这天开始服役,每天支取钞银二两五钱,还发给耕牛、种子、农用器具,命令司农司下令原万户总管督察他们的勤、惰情况。

二月,己未(初二),刘福通等从砀山夹河迎接韩林儿到来,立为皇帝,又号小明王,建都亳州,国号宋,建元龙凤。让他的母亲杨氏当了皇太后,杜遵道、盛文郁为丞相,罗文素、刘福通为平章,刘六知枢密院事。拆除鹿邑县太清宫的材料修建宫阙。遵道等各派自己的儿子进宫侍奉小明王。遵道本来是国子监的生员,曾经向知枢密院事满济勒噶台上书,请求开设武举考试来收揽全国智勇双全的人,满济勒噶台让遵道任枢密院掾史。遵道知道他不会实施他的办法,于是弃官而去,到了颍州,成为红军头目,这时候就做了小明王的丞相。

戊辰(十一日),顺帝任命太傅、御史大夫旺嘉努为中书右丞相,中书平章政事定珠为左丞相。

壬申(十五日),在天长县设立淮东等处宣慰使都元帅府,统领濠州、泗州义兵万户府和洪泽等地的义兵,让愿意出丁壮义兵五千人的富民做万户,五百名的做千户,一百名的做百户,仍然发给宣敕牌面。

这个月,命令刑部尚书董铨等同江西行省平章政事和尼齐专管征讨之事,可以自行定夺;派使者先颁布曲赦令,讲清利害关系,如果能够出来投降的,赦免他原来的罪过,执迷不悟的,限定日期进兵讨伐。

三月,癸巳(初七),徐寿辉的部队攻破襄阳。

甲午(初八),命令旺嘉努代理太尉,持节授予皇太子玉册,赐给皇太子冕服九旒,大谒太庙。

托克托被下令贬到伊集纳路之后,谏官还认为贬谪太轻,上疏列举他们兄弟的罪过;辛丑(十五日),顺帝下诏将托克托流放到云南大理宣尉司镇西路,将额森特穆尔流放到四川碉门,托克托的长子哈喇章被安置在肃州,次子三宝努被安置在兰州,家产登记入册没收归公。

这年春天,苏州天降血水。

官军十万进攻和州,朱元璋派万兵拒守,间或派遣奇兵攻打官军,官军几次被打败,死了很多,于是解围而去,和州城中再度缺粮。这时太子图沁和枢密副使弁珠玛、民兵元帅陈埜先,各自派兵分别驻扎在新塘、高望、青山、鸡笼山,道路被阻不能通行,元璋带兵打跑了他们。

原濠州统帅孙德崖也缺少粮食,率领所属部队到和州求食。郭子兴原来和德崖有仇怨,听说后很气愤,从滁阳来到和州。德崖听说子兴来了,就打算到别处去,他的军队先行,德崖断后。元璋送德崖的军队出城,走了二十里,突然城中士兵跑来报告,滁阳的军队和德崖相斗,德崖被子兴抓起来了。元璋大惊,急忙叫上耿炳文、吴桢,赶马要回来。德崖在路上的派遣部队极为愤怒,簇拥着元璋走了几里路远,碰到德崖的弟弟,想要加害元璋,有个姓张的人竭力劝阻住。子兴听说元璋被抓,如同失了左右手,急忙派徐达去替代元璋,姓张的人又劝谕那些人放了元璋。于是子兴也放了德崖回去,不久徐达也逃脱回来。

郭子兴骁勇善战,但禀性暴躁、固执,不能容人,因为德崖的缘故,含恨死去。子兴死了之后,众人推举他的长子天叙做了元帅,德崖以老将的名义想要代他统领军队,天叙恐怕控制不住他,于是写信邀请朱元璋来做自己的助手。

夏季,四月,壬戌(初六),中书省官员上奏:"江南因为盗贼阻隔,各处官员缺额,应该派人与行省及行台的官员一起,将广东、广西、海北、海南等地三品以下的官员相互调动,五品以下的官员先通知到任,江浙行省官员三年迁调一次,福建等处所缺官员也按照这种办法解决。"顺帝采纳了这一建议。

癸酉(十七日),任命中书左丞相定珠为右丞相,平章政事哈玛尔为左丞相,太子詹事僧格实哩为平章政事,舒为御史大夫。从此国家的大权就尽落到哈玛尔兄弟手里了。

怀远人常遇春,坚强果断,智勇双全,气力之大举世无双,二十三岁时,被盗贼刘聚得到,遇春看到他一味抢夺他人财物,没有长远打算,听说和州威信越来越高,用兵得法,独自率领十多人前来投奔,请求做先锋,元璋说:"你们因为饥饿才来投奔。而且旧主还在,我怎么能把你们争夺过来呢!"遇春叩头哭道:"刘聚不过是个强盗罢了,不会有什么作为。如果能够让我为贤能的人效力,虽死犹生。"元璋说:"你能跟随我渡过长江吗?攻取太平路后你再做我的部下,也为时不晚。"

这个月,顺帝到了上都。

诏令翰林待制乌讷尔、集贤待制孙扬招安高邮的张士诚,还带着宣命、印信、牌面,同镇南王博啰布哈及淮南行省廉访司等官员商议交给张士诚。

御史台上奏弹劾中书左丞吕思诚,朝廷将他罢免了。

宁国的敬亭、麻姑、华阳等几座山崩塌。

五月,壬辰(初七),收复襄阳路。诏令削去台哈布哈的官职爵位。

台哈布哈因为军粮缺乏的缘故,便傲慢自大不遵守朝廷的命令,士兵经常搜刮抢劫,成为老百姓的祸害。监察御史额特呼图等弹劾他居功自傲残害百姓,因此削去他的官职爵位,仍然让他率领和硕衮随军征伐,下令四川行省平章达实巴图尔总领他的部队。

庚戌(二十五日),倪文俊从沔阳再度攻破中兴路,元帅多尔济巴勒战死。

亳州派人来招纳和阳的各位将领,众将中只有张天祐前往,不久从亳州回来,带着杜遵道的檄文,授予郭天叙都元帅之职,张天祐为右副元帅,朱元璋为左副元帅。元璋起先想不接受,说:"大丈夫怎肯受他人的管制!"后来众将商议借亳州为声援,于是就受了,采用龙凤纪年,但凡事都不受他们的管辖。

当时和州西南的民寨,相继被铲平,而城中又缺乏粮食,元璋和众将谋划横渡长江,没有船只。有叫赵普胜、俞通海的人,拥有一万多人的部众,一千只船,占据巢湖,结集水寨,同庐州左君弼有仇怨,害怕被他们袭击,这个月,派俞通海从小路前来投奔,请求发兵,自为先导。元璋对徐达等人说:"正商量横渡长江,巢湖的水军恰来投奔,我们的事成了!"因此就亲自前往,和普胜等人相见,并去观察航道,乘船出和阳。而桐城闸、马肠河等的出口,都被中丞曼济哈雅的水寨所控制,只有一条小港可通,但水位低浅不能通过大船。不久下了二十天的大雨,山川河谷水流满溢,从前走不得船的地方,都有一丈多深的水,元璋高兴地说道:"天助我也!"于是趁着涨水从巢湖出发,船只鱼贯前进,到了黄墩,赵普胜带领部下叛逃而去,剩下的船只都到了和阳,于是投降。船还没到的时候,派人引诱曼济哈雅的士兵来做买卖,趁机抓获他们,抓到一十九人,都是善于驾船的,命令他们教导众军熟悉水战,命令廖永安、张得胜、俞通海等人带兵,进攻占领峪溪口的曼济哈雅。敌人的船只高大,不便于进退,永安等人驾船如飞,左右奋力冲击,大败敌军。于是同众将决定横渡长江的计策,众将都想直奔金陵,元璋说:"攻取金陵一定得先攻取采石。采石是南北的咽喉要地,得了采石,然后金陵就可以夺到手了。"

六月,丁卯(十三日),监察御史哈琳图上奏弹劾托克托的老师集贤大学士吴直方和他的参军赫汉、长史和勒齐等人,都应该追回官爵,顺帝认可了。

监察御史怀格等辨明中书左丞吕思诚无罪,发还原先追回的授给他的宣命、玉带。

丁丑(二十三日),保德州发生地震。

庚辰(二十六日),征召徽州处士郑玉为翰林待制,赐给御酒和名贵的丝织品。郑玉以有病相辞不去,具表呈进给顺帝说:"名爵是祖宗留给陛下的,让您和天下贤明的人共有,陛下不能私自给人。待制的职位,我不能胜任,不敢接受;酒与丝帛是天下人奉献给陛下的,陛下能将它们私下送人,我不敢推辞。"

这个月,朱元璋率领众将渡过长江,同廖永安一起扬帆向前。永安请问往哪个方向走,元璋说:"采石是大镇,防守定然坚固,牛渚矶前临长江,他们难以设防,如今前去攻打,定能取胜。"于是扬帆驶向牛渚矶,风力变大,一下就到了岸。守卫的人列阵站在矶上,船距离岸边有三丈多,不能立即登陆。常遇春驾轻舟飞快来到。元璋指挥他,常遇春应声持戈一跳而上,防守的人纷纷败退,众军随着冲上前去,于是夺了采石,沿江的一座座营垒,都望风而降。

众将因为和阳的物资极度缺乏,都想夺取物资回去,元璋对徐达说:"这样一来,那么再要行事就困难了,江东不能为我们所有,大事难成了。"于是下令全部斩断缆绳,推船到急流中去,船都顺流东下。众将大惊询问缘故,元璋说:"要成大事就不能图小利,这里距离太平路很近,放下太平不取,还干什么?"众将听从命令,从官渡往太平,直奔城下,让士兵猛攻,于是攻下太平,平章鄂勒哲布哈和金事张旭等弃城而逃,抓获万户纳克楚。

太平路总管靳义,出东门投水而死,元璋说:"真是壮士啊!"用棺木将他埋葬。老儒李习、陶安等,率领父老出城迎接,陶安看了元璋的相貌,对李习等人说:"龙姿凤质,不是等闲之辈,我们从此有了明主了!"军队从采石出发的时候,先要李善长写了《戒戢军士榜》,等到进了城,就张贴起来。士兵想要掠夺的人,看了榜文惊愕不敢乱动,有一个士兵违背军令,就斩首示众,城中气氛严肃。富人陈迪献来金银、布帛,立即拿来分给了众将士。

元璋召见陶安和李习,同他们谈论当时的形势,陶安于是建议说:"天下大乱,豪杰纷争;攻取城池,屠杀百姓,相互争雄,但他们的志向在于人口和财物,并没有平乱、救民、安定天下的打算。您率领军队渡过长江，神威勇武不事杀戮，以此来顺应天意、民心，进行征伐，天下定能平定。"元璋说："我想夺取金陵，怎么办？"陶安说："金陵，是帝王的都城，有龙盘虎踞之势，又有长江天险，如果占据它的有利地位，出兵向四方征伐，那么有哪里攻不下呢，这是苍天助您啊。"元璋大喜，对待陶安非常优厚，从此一切机密大事，都跟他商量。

将太平路改为太平府，用李习知太平府事，李善长为帅府都事，汪广洋为帅府令史。当时三位将帅虽然同在帅府办事，但谋划和决策，都由元璋定，将士乐于战斗，军民都心向着他，大权归于一人了。

当时中丞曼济哈雅等人将大船拦截采石江面，封锁姑孰口，断绝了和州军的归路。方山寨民兵元帅陈埜先，率兵数万攻打太平镇，非常迅速，朱元璋命令徐达、邓愈、汤和率兵出姑孰迎战，同时在襄城桥埋下伏兵等待他们，埜先败退，遇到伏兵，腹背受敌，于是抓获埜先。

这年夏天，下大雨，长江涨水，安庆屯田的禾稻一半被淹，城下波涛奔涌，有个东西吼声如雷。签淮西都元帅府余阙，用猪羊进行祭祀，水就退下去，秋天庄稼丰收，打到粮食三万斛。余阙想到军队还有余力，于是疏浚护城河、加高城墙，外面用大堤防守，挖了三道深沟，从南边引水灌注其中，周围种树作为栅栏，城上四面建造飞楼，内外都十分坚固。

秋季，七月，壬辰（初九），右副元帅张天祐，带领众军和陈埜先的部下进攻集庆路，没攻打下而撤回。

壬寅（十九日），倪文俊再度攻陷武昌、汉阳。

派遣亲王实勒们、四川左丞实勒布等各率士兵守卫山东、湖广、四川各路，并且招安濠州、泗州等地起兵造反的人。中书右丞许有壬上奏说："朝廷定要施行过度宽容的政策，赏得很重而罚得很轻，所以将士们贪图抢夺人口、财物而没有斗志，于是就提倡招抚的办法。"顺帝没有听进意见。

陈埜先被抓获后，朱元璋放了他没有杀害。埜先问道："为什么要让我活命？"元璋说："天下大乱，豪杰纷起，胜了人们就来投奔依附，败了就去依附别人。你既然自认为是豪杰之士，难道不知道我让你活命的原因？"埜先说："那么是想我的队伍投降吗？这件事很容易！"于是写信招来他的军队，第二天都投降了。

曼济哈雅、勒呼木等人看到埜先兵败，不敢再进攻，带领他们的部下退驻峪溪口。

八月，庚申（初七），命令南阳等地义兵万户府招募毛葫芦义兵一万人，进攻南阳。

戊辰（二十五日），任命中书平章政事达实特穆尔为浙江行省左丞相。当时长江、淮河发生骚乱，南北交通阻隔，诏令允许达实特穆尔根据情况自行定夺。达实特穆尔所用非人，肆意收取贿赂，卖官鬻爵，只看礼物的轻重决定官品高低，因此牢骚纷起；他所管辖的州县时常沦陷，也无动于衷。

云南死可伐等人投降，让他的儿子莽三拿着土产前来献贡，于是设立平缅宣抚司。四川向思胜投降，将安定州改立安定军民安抚司。

这个月，顺帝从上都回到京城。

诏令淮南行省左丞相泰费音统领淮南各军征讨失陷的州县，还下令湖广平章勒呼穆率所属苗军听他的指挥。

泰费音在济宁驻扎了很久，苦于粮饷不能供给，于是下令官吏发给各军耕牛、农具来种麦子,从济宁一直到海州,百姓不受侵扰而军队靠此得到接济。又商议设立士兵元帅府,轮流耕种、作战。

和州镇抚徐达的军队从太平进攻拿下溧水,将要攻打集庆路。当初,陈埜先写的信,名义上是招降,实际是要激怒他,不料他的部众就真投降了,自己后悔失策了。等到听说他要进攻集庆,暗暗对部下说:"你们攻打集庆,不要奋勇作战,等我有机会逃脱回来,就同官军会合。"朱元璋听到他的打算,召见他对他说:"人各有志,从元还是从我,不能勉强。"放他回去了。

众军攻下溧阳,埜先于是收集余下的士兵在板桥驻扎下来,暗地里同行台御史大夫福寿联合,写信通知太平,说:"集庆城三面环水,不利于步行作战,晋朝的王浑、王浚,隋朝的贺若弼、韩擒虎、杨素,都是凭借战船取胜。如今环绕城的三面,元帅和苗军在那里建立了营寨,连绵三十多里,从陆路进攻则怕他们切断后路。不如南据溧阳,东捣镇江,扼住险要的地方,断绝粮道,示意将作持久战,能够不攻而拿下集庆城。"元璋知道他们的计谋,写信回复说:"历代攻克江南的人,都凭借长江天险,阻绝南北交通,所以定要会集水军,才能成功。如今我渡过长江的上游,长江的咽喉重地,我已经控制了,丢下船只前进,足够取胜,自然和晋代、隋代的情形表面一样而实际不同。您为什么放弃全胜的办法而选择这样迂回的计策呢?"于是派副将习伯容攻打芜湖县,拿下了该县。设立永昌翼,任命伯容为万户。

托克托走到大理,腾冲知府高惠会见托克托,想把自己的女儿嫁给他,答应在一段距离之外建造房舍供他们居住,即使有人想谋害他,也可以确保平安无事。托克托说:"我是一个获罪的人,怎么敢有这样的念头!"用谦逊的言辞谢绝了。这个月,朝廷派官员将他移到阿轻乞那个地方,高惠因为托克托当初不肯娶他的女儿,率先用铁甲军把他包围起来。

九月,郭天叙、张天祐率兵从官塘经过同山,进攻集庆的东门,陈埜先从板桥直达集庆,进攻南门,从寅时到午时,城中坚守。埜先邀请郭天叙喝酒,杀掉了郭天叙,抓住张天祐,献给福寿,也杀了。二位将帅都死了,众将就拥戴朱元璋做了都元帅。

陈埜先追击到葛仙乡,乡民兵百户卢德茂设计要杀死他,派五十个壮士穿着老百姓的衣服出来迎接。埜先没有料到他们会谋害自己,同十多个骑兵先行,青衣兵从后面一起用长矛刺死了他。埜先死了之后,他的儿子兆先,重新招集士兵驻扎在方山,曼济哈雅带领水兵在采石结寨以相互支援,规划收复太平路。

当初河南行省平章达实巴图尔带兵进驻长葛,和刘福通进行野战,被刘福通打败,将士奔逃。这个月,来到中牟,收集零星的士兵,聚集起来屯田种粮,贼兵又来劫营,抢走了军用物资,因而同博啰特穆尔失去了联系。恰逢刘哈喇布哈前来支援,大破贼兵,救出博啰特穆尔,送了回来,于是又到汴梁东南的青堽驻扎下来。

冬季,十月,丁巳(初五),在扬州设立淮南江北等处行枢密院。

甲子(十二日),顺帝对右丞相定珠等人说:"敬奉天地,尊奉祖宗,这是重大的事情,近年来,很少举行祭奠的仪式。我将亲自到郊庙去祭祀,一定要诚心诚意,仪式不必太复杂,你等商议出典礼仪式,选择简单地去办。"

庚午(十八日),任命衍圣公孔克坚同知太常礼仪院事,让他的儿子孔希学承袭衍圣公的封号。

癸酉(二十一日),哈玛尔上奏说:"郊祀的礼仪,以太祖配享。皇帝出得宫来,到郊祀的地方,便服骑马,不用内外仪仗和教坊队子,斋戒共七天,其中在别殿内散斋四天,致斋三天,二天在大明殿的西幄殿举行,一天在南郊的祭祀场所举行。"

丙子(二十四日),为了举行郊庙祭祀,命皇太子祭告太庙。

己卯(二十七日),在小清口设立水军万户府。

十一月,壬辰(十一日),顺帝亲自到南郊祭祀上帝,皇太子在皇帝后第二次向上帝奠酒,摄太尉、右丞相定珠第三次向上帝奠酒。

甲午(十三日),台哈布哈当了湖广行省左丞相,总领军队招安沔阳等地的叛贼,荆襄各军都听他的指挥,还发给他攻赏宣敕、金银牌面。

戊戌(十七日),介休县桃、杏开花。

戊申(二十七日),中书右丞定珠因病辞职,命他以太保的身份回家养病。

庚戌(二十九日),贼寇攻陷饶州路。

这个月,达实巴图尔攻打夹河的贼兵,大败他们。贼兵攻陷怀庆,会合右丞布哈讨伐他们。

十二月,壬子朔(初一),朱元璋放万户纳克楚回到北方。纳克楚是穆呼哩的远代子孙,刚被俘的时候,待他很好,但纳克楚经常闷闷不乐。到这时朱元璋召见他说道:"做臣子的,各为其主,何况你还有父母、妻子呢!"于是放他回去了。

己巳(十八日),因为提供给各军的物资数额巨大,下令户部印造第二年的钞银六百万锭分发各军。

乙亥(二十四日),因为天下乱兵纷起,顺帝下诏自责,大赦天下。

这个月,达实巴图尔调兵讨伐,在太康大败刘福通等,于是包围亳州。小明王逃往安丰居住。

在兴元路设立兴元等处宣慰使司都元帅府。

己未(初八)哈玛尔伪造圣旨派使者赐给托克托毒酒,于是死去。年四十二岁。死讯传来,中书省派尚舍卿七十六到阿轻乞那个地方去,改换棺木、衣服加以安葬。

托克托仪表雄伟,身材高大在千百人之上,器量宽宏,见识高远,轻视财物,远离声色,礼贤下士,这一切都是出自他的天性。侍奉君王的时候,始终不失做臣子的礼节。只是被小人们所迷惑,急于报一己之仇,君子们认为这是他的不足。

这一年,荆州发生大水。蓟州天降血水。湖广下黑雪。陕西有一座山,往西飞越十五里,山的原址,积水成为深潭。

红巾贼党的势力日渐扩大,从汴梁往来攻陷邓、许、嵩、洛等地。汝宁府达噜噶齐察罕特穆尔的军队日益壮大,转战往北,于是戍守虎牢以便遏制贼兵的进攻,贼军于是向北渡过盟津,烧杀抢劫到怀州,河北为之震动。察罕特穆尔进兵交战,大败贼兵,残兵在黄河水洲上建立营寨,察罕特穆尔把他们消灭得一个不剩,河北因此安定下来。朝廷认为他建立奇功,任命他为中书刑部侍郎。

苗军在荥阳发动叛乱,察罕特穆尔乘夜袭击他们,几乎将苗军俘虏尽了,于是在中牟结营驻守。不久淮右的贼军三十万人,劫掠汴梁以西地带,前来捣毁中牟营,察罕特穆尔严阵以待,并以死生利害的道理晓谕士兵。士兵奋勇拼死作战,无不以一当百。正碰上大风扬起飞沙,察罕特穆尔亲自带领勇士从阵中击鼓呐喊着冲出,奋力打击贼寇中军中最为尖锐的地方,贼兵于是纷纷败退,支持不住,丢下军旗战鼓逃跑,察罕特穆尔带兵追杀了十多里,杀贼无数,军队的声威更加盛大。

盗贼从常州路的无锡发动叛乱,江浙行省商议要派重兵去剿灭他们,平章政事庆图说:"百姓无知,为官府所逼迫,所以才动了干戈。如果用祸福的道理晓谕他们,他们没有不投降的理。"盗贼们听说,果然放下武器,请求做良民。

当初倪文俊抓获威顺王的儿子充当人质,派人请求投降,要求做湖广行省的平章,朝廷大臣有一半人想要答应。参议中书省事成遵说:"平章的官职,仅次于宰相。太平的时候,尽管是德高望重的汉族人,都还不给,如今叛逆的盗贼,仗势提出这种要求,随便给了他,还有什么纲纪可言?"有人说:"王子是世祖的嫡孙,不答应的话,是把他抛弃给贼人,这不能算是亲亲之道。"成遵说:"项羽抓到太公,打算以烹死他来要挟汉高祖,高祖却用要同他分一羹吃来答复他。为什么今天因为王子的缘故而废弃天下的大事呢?"众人都认为他说得对。成遵被任命为治书侍御史,不久又到中书省任参政之职,他离开中书省才六天,丞相每次要做出重大决策的时候,就说:"暂且缓一缓。"众人都不知道他的用意,等到成遵重新调回中书省,丞相非常高兴地说道:"重大的政事如今可以决定了!"

召陕西行省平章绰斯戬知枢密院事,不久又任命他为中书平章政事。

当初,绰斯戬奉命到淮南讨伐贼兵,他身先士卒,被流矢射中不能动弹,到这时才重新执政。有一天进宫侍奉皇上,顺帝看见他脸上有中箭留下的疤痕,深表叹惜,因此才有这次的任命。

杜遵道做小明王的丞相,深得宠爱,专揽大权,刘福通憎恨嫉妒他,下令武士打死了遵道。福通因此做了丞相,后来称为太保。小明王徒有虚名,凡事都由福通决断。福通每攻陷一座城池,把人当粮食吃,吃光了,再攻陷一处,因此他所经过的地方,到处空空荡荡,杳无人烟。

续资治通鉴卷第二百十三

【原文】

元纪三十一　起柔兆涒滩【丙申】正月,尽强圉作噩【丁酉】六月,凡一年有奇。

顺　帝

至正十六年　【丙申,1356】　春,正月,壬午朔,改福建宣慰使司都元帅府为福建行中书省。

是日,张士诚弟士德陷常熟州。时江阴群盗,互相吞啖,江宗三、朱英,分党戕杀。宗三将入城杀英,时英就招安,为判官,州之僚佐无如之何,遂申白江浙行省,云朱英谋反。省差元帅观孙压境,观孙利其货贿,逗留不进。英乘间挈家逃去,过江,求救于士诚,乃质妻子,借兵复仇。士诚初未决,英盛陈江南土地之广,钱粮之多,子女玉帛之富,士诚乃遣士德率高邮兵由通州渡江,入福山港,遂陷常熟。

丁酉,太保定珠以病辞职,不允。

庚戌,中书左丞相哈玛尔罢。

先是哈玛尔既相,以前进西僧为耻,(者)〔告〕其父图噜曰:“我兄弟位宰辅,宜道人主以正。今图噜特穆尔专以淫亵媚上,天下士大夫必讥笑,我有何面目见人! 我将除之。且上日昏暗,何以治天下! 皇太子年长,聪明过人,不若立之为帝,而奉上为太上皇。”其妹闻之,归告其夫图噜特穆尔。图噜特穆尔恐太子为帝,则己必先诛,即以闻于帝,然不敢斥言淫亵事,第曰:“哈玛尔谓陛下年老故耳。”帝大惊曰:“朕头未白,齿未落,遽谓我老耶!”帝即与图噜特穆尔谋去其兄弟,遂罢哈玛尔。辛亥,御史大夫舒苏亦罢。以绰斯戬为御史大夫,复以定珠为中书右丞相。

是月,蓟州地震。

倪文俊建伪都于汉阳,迎徐寿辉居之。

三月,壬子朔,张士德陷平江路,据之。

江南自兵兴以来,官军死锋镝,乡村农夫洊罹饥馑,投充壮丁,生不习兵,乌合瓦解。江浙行省丞相达实特穆尔,以便宜升漕运万户托因为参政,统领官军、义民,捍御境上。平(章)〔江〕达噜噶齐六十病亡,升松江府达噜噶齐哈萨沙为平江达噜噶齐,领兵出战,除都水庸田使贡师泰为平江总管,巡守城池。吴江境上,止有元帅王与敬一军,战败,死者过半,残兵千馀欲入城,城中闭门不纳,退屯嘉兴。与敬,淮西人也。

张士德众才三四千人,长驱而前,直造北门,弓不发矢,剑不接刃,明旦,缘城而上,遂陷平江路。托因匿俞家园,自刭,不死,游兵杀之。哈萨沙于境外闻城破,自溺死。贡师泰率义兵出战,力不敌,亦怀印绶遁,变姓名匿迹于海滨。既而昆山、嘉定、崇明州相继降。

维扬苏昌龄避乱居吴门,士德用为参谋,称曰苏学士。毁承天寺佛像为王宫,改平江路为隆平府,设省、院、六部、百司。凡寺观、庵院、豪门、巨室,将士争占而居,无虚者。

时义军府参谋杨椿守齐门,淮兵奄至,众皆不知所为,椿独谓寇不足畏。明日,城且陷,椿犹跃马呼其子,若有所指授,追者及之,遂并遇害。椿妻求得其尸,亦自经死。椿,蜀之眉山人,徙居吴中教授,强起就小职,卒举家殉义云。

嘉定州悴奉印降贼,州吏尤鼎臣沮之,为其将所絷,且诱以官,鼎臣抗不受,杖百,锢于家。

癸丑,图噜特穆尔辞职,不允。

绰斯戬劾奏哈玛尔及其弟舒苏等罪恶,帝曰:"哈玛尔兄弟虽有罪,然侍朕日久,与朕弟伊勒哲伯皇帝实同乳。且缓其罚,令出征自效。"丙辰,右丞相定珠及平章政事僧格实哩复言其罪恶不已,乃命其兄弟出城受诏,贬哈玛尔惠州安置,舒苏肇州安置,比行,俱杖死。

初,额森特穆尔就贬,籍其家资,以赐哈玛尔,及是籍哈玛尔家,而所得之库藏尚封识未启。时中外皆谓帝怒其潜托克托兄弟之故,而不知有易主之谋,实坐不轨之罪也。哈玛尔之死,距托克托遇鸩才数十日,人皆快之。

平江既陷,嘉兴地当冲要,有司告急,驿使不绝于道。江浙丞相达实特穆尔兵少,策无所出,檄苗军帅杨鄂勒哲来守嘉兴,鄂勒哲取道自杭,以兵劫达实特穆尔,使升己为本省参知政事,达实特穆尔遂填募民入粟空名告身予之。

乙丑,禁销毁、贩卖铜钱。

丙寅,命翰林国史院、太常礼仪院拟皇后奇氏三代谥号、王爵。

己卯,命集贤直学士杨俊民致祭曲阜孔子庙,仍葺其殿宇。

王与敬抵嘉兴,杨鄂勒哲欲杀之,与敬遂往松江,谋结水寨于淀山诸湖,令上户供给其军,名曰守御,实恋其地倡女也。达噜噶齐巴图特穆尔、知府崔思诚,皆与之不协,会浙省又命元帅特古呼斯等提兵镇守,二帅抗衡不相下。己亥夜,与敬率万户戴列孙等自西门纵火大噪,官僚溃散,与敬自以辎重出西门。乙巳,鄂勒哲部将萧亮、员成等率苗军突至,与敬遂北走通波塘,降于张士诚。子女玉帛,悉为苗军所有,民亦持梃相逐,列孙等死者过半。苗军在松江一月,焚劫淫掠,死者填塞街巷。

常州豪民黄贵甫,间道归款张士德,许为内应,寇至,不战而城陷,改常州路为毗陵郡。士德之围常州也,万户府知事刘良,以援兵不至,命其子毅赍蜡书,浮江间道抵浙江行省求救。毅未及还,城已陷,良独不屈,阖门赴水死者十馀人。

常遇春攻官军于采石,以奇兵分其势,而以正兵与之合战,战则出奇兵捣之,纵火焚其连舰,大破之,曼济哈雅仅以身免,自是扼江之势遂衰。

三月,辛巳朔,朱元璋率诸军取集庆。自太平水陆并进,至江陵镇,攻破陈兆先营,擒兆先,尽降其众,得兵三万六千人,择其骁勇五百人置麾下。五百人多疑惧不自安,元璋觉其意,是日,令入宿卫,环榻而寝,悉屏旧人于外,独留冯国用一人侍卧榻旁,元璋解甲安寝达旦,疑惧者始安。

壬午,徐寿辉复寇襄阳。

癸未,台臣言:"系官牧马草地,俱为权豪所占,今后除规用总管府见种外,馀尽取勘,令大司农召募耕垦,岁收租课以资国用。"从之。

丁亥,以今秋出师,诏和买马六万匹。

先是集庆尝有警,湖广平章勒呼穆将苗军来援,事平,还镇扬州。而勒呼穆御军无纪律,苗蛮素犷悍,日事杀掳,莫能治。俄而苗军杀勒呼穆以叛,集庆之援遂绝,人心震恐,仓无积蓄,计未知所出,民乃愿为兵以自守。行台御史大夫福寿,因下令,民多资者,皆助粮饷,激厉士卒,为完守计,朝廷知其劳,数赏赉之。

至是太平兵大集,冯国用率五百人先登陷阵,败官军于蒋山,直抵城下,诸军拔栅争进,遂围之;福寿督兵出战,多败,于是尽闭诸城门,独开东门以通出入,而兵力实不能支。庚寅,城破,福寿犹督兵巷战,兵溃,乃独据胡床,坐凤凰台下,指麾左右,更欲拒战。或劝之去,叱之曰:"吾为国家重臣,国存则生,国破则死,尚安往哉!"达噜噶齐达尼达斯见其独坐,若有所为者,从问所决,因留弗去。俄而乱兵四集,福寿遂遇害,达尼达斯亦死之。又,同时死者,有治书侍御史贺方。方,晋宁人,以文学名。事闻,赠福寿江浙行省左丞相,追封卫国公,谥忠肃。

朱元璋之取集庆也,克城之日,曼济哈雅走投张士诚,水寨元帅康茂才等各率众降,凡得军民五十馀万。元璋入城,召官吏、父老,谕之曰:"元失其政,所在纷扰,生民涂炭。吾率众至此,为民除害耳,汝等各守旧业,无怀疑惧。贤人君子有能相从立功者,吾礼用之;旧政有不便者,吾除之。"于是城中军民皆喜悦,更相庆慰。嘉福寿之忠,为棺衾以礼葬之。改集庆路为应天府,置天兴、建康翼统军大元帅府,以廖永安为统军元帅,命赵忠为兴国翼元帅,以守太平。得儒士夏煜、孙炎、杨宪等十馀人,皆录用之。

癸巳,张士诚自高邮徙居隆平宫,服御、器用,皆拟乘舆,改至正十六年为天祐三年,国号大周,历曰《明时》,自称周王。设学士员,开弘文馆,以阴阳术人李行素为丞相,弟士德为平章,蒋辉为右丞,潘元明为左丞,史文炳同知枢密院事。其郡、州、县正官,郡称太守,州称通守,县仍曰尹,同知称府丞,知事曰从事,馀则损益而已。士诚以吴民多艰,牧字者非才,悉选而更张之,自令、丞、簿、尉以及录事、录判,同日命十有一人,各赐衣、马、粟、羚有差。

初,孙拔奉使抵高邮,士诚不迎诏,既入城,拘拔于他室,欲降之,拔诟斥不绝。及士诚徙平江,拔与士诚部将张茂先,谋遣人约镇南王克日进兵复高邮,语泄,遂遇害。

丙申,倪文俊陷常德路,总兵官温都喇遁。

丁酉,立行枢密〔院〕于杭州。命江浙行省左丞相达实特穆尔兼知行枢密院事,节制诸军,省、院等官并听调遣,凡赏功、罚罪、招降、讨逆,许以便宜行事。

是日,建康兵取镇江路。

朱元璋既定集庆,欲发兵取镇江,虑诸将不戢士卒为民患,遂召诸将,数常纵军士之过,欲置之法,李善长营救,乃免。于是命徐达为大将军,率诸将浮江东下,戒之曰:"吾自起兵,未尝妄杀。今尔等当体吾心,戒戢士卒,城下之日,毋焚掠杀戮。有犯令者,处以军法,纵者,罚无赦。"达等顿首受命。进兵攻镇江,翌日,克之,苗军元帅鄂勒哲出走,守将段武、平章定定战死。达等自仁和门入，号令严肃，城中晏然。遂分兵徇金坛、丹阳，下之。改镇江路为江淮府，命徐达、汤和为统军元帅，镇守其地。

戊申，方国珍复降，以为海道漕运万户，其兄国璋为衢州路总管，并兼防御海道事。

是月，有两日相荡。

夏，四月，辛亥，以中书平章政事绰斯戬为左丞相。

壬子，张士诚将赵打虎陷湖州。改湖州路为吴兴郡。

是月，帝如上都。

张士诚将史文炳，率兵自泖湖入古浦塘，破淀湖栅。苗军一矢不发，夜中遁去，松江遂陷。士诚即令文炳镇松江。

五月，丙申，倪文俊陷澧州路。

乙巳，贼寇辰州，守将和尚以乡兵击败之。

六月，乙(卯)〔丑〕，建康兵取广德路，改为广兴府，以邓愈守之。

壬申，建康降人陈保二，诱执詹、李二将，降于张士诚。保二，常州奔牛坝人，聚众，以黄帕首，号黄包头军。镇江既下，遂降于建康，至是复叛。

乙亥，朱元璋遣儒士杨宪通好于张士诚，书略曰："近闻足下兵由通州，遂有吴郡。昔隗嚣据天水以称雄，今足下据姑苏以自王，吾深为足下喜。吾与足下，东西境也，睦邻守国，保境息民，古人所贵，吾深慕焉。自今以后，通使往来，毋惑于交构之言以生边衅。"士诚得书，以比己于隗嚣，不悦，留宪不遣。

是月，彰德李实如黄瓜。先是童谣云："李生黄瓜，民皆无家。"

雷州地大震。

杨鄂勒哲以数万众屯嘉兴，先锋吕才以七千众屯王江泾，商旅不行，军容甚盛。张士德遂不敢取道嘉兴，乃自平望、乌墩直捣杭州。江浙丞相达实特穆尔，恃鄂勒哲兵强，漫不为备，寇至，城遂陷，达实特穆尔遁，平章政事遵达实哩战死。居民黄仲起妻朱氏及姜冯氏、仲起弟妻蔡氏，俱自缢死。

达实特穆尔遁入富阳。鄂勒哲乃以苗军及官军分为三路：蒋英从大麻塘栖，董旺从硖石长安，身率刘震、朱诚从海盐黄湾而进，吕才、吕升屯守嘉兴。士德知鄂勒哲分路而来，遂应接不暇，一败于皋亭，再败于谢村，三败于央城巷，贼水从德清、陆从海盐遁去。遂复杭州，达实特穆尔乃还。

董抟霄剿平北沙、庙湾、沙浦等寨，寻进兵泗州，不利，贼乘胜东下，断官军粮道。乃回军屯北沙，粮且绝，与贼死战，凡七昼夜，贼败走，夺贼船七十馀，乃得渡(津)〔淮〕，保泗州。时方暑雨，湖水溢，诸营皆避去，而抟霄独守孤城，贼环绕数十里攻之。抟霄坐城上，遣偏将以骑士由西门突出贼后，约白旗一麾即还，既而旗动，骑士还，步卒自城中出，夹击之，贼大败。然贼寨犹阻西行之路，乃结阵而往，翼以奇兵，转战数十合，军始得至海宁。

初，礼部尚书致仕婺源汪泽民，寓居宣州。时贼数来犯，江东廉访使道通，雅重泽民，日就之询守御计，城得无虞。至是长枪军索诺木巴勒等叛，来寇城，或劝泽民去，泽民曰："我虽无官守，故受国厚恩，临危爱死，非臣子节。"留不去，凡战斗筹画，多泽民参决之，累败贼兵。既而贼益众，城陷，泽民为所执，使之降，大骂不屈，遂遇害。

事闻,赠江浙行省左丞,追封谯郡公,谥文节。泽民,宋瑞明殿学士藻之七世孙也。

秋,七月,己卯朔,建康诸将奉朱元璋为吴国公,以御史台为府,置江南行中书省,元璋兼总省事,置官属。以韩林儿自称宋后,遥奉之,文移除授,悉以龙凤纪年。

是月,秦从龙应聘而至。从龙,洛阳人,初仕为校官,累迁江南行台侍御史,会兵乱,避居镇江,吴国公命徐达访之。达下镇江,得从龙,还报,吴国公喜,即命朱文正以白金、文绮往聘之。既至,亲至龙江,迎之以入,居从龙于西华门外,事无大小,皆与之谋,从龙尽言无隐,每以笔书漆简,问答甚密,左右无知之者,吴国公呼为先生而不名。

渤海杨乘,尝为江浙行省左右司员外郎,坐事免官,寓居松江,士诚遣其党张经往招之,乘日与客痛饮,无一言,客问:"盍行乎?"乘曰:"乘以小吏致身显官,有死而已,尚何行之有!"经促其行愈急,乘命其子具牲醴告祖祢,迨暮,起行后圃,顾西日晴好,慨然曰:"人生晚节,如是足矣!"夜分,乃整衣冠自缢死。

张士诚以舟师攻镇江,吴统军元帅徐达等御。吴国公使谕达曰:"张士诚起负贩,谲诈多端,今来寇镇江,是其交已变,当速出兵攻毗陵,先机进取,沮其诈谋。"达乃帅师攻常州,进薄其垒,且请益师,于是复遣兵三万往助之。达军城西北,汤和军城北,张彪军城东南,士诚遣数万众来援,达乃去城十八里,设伏以待之,仍命总管王均用,率铁骑为奇兵,达亲督师,与战于龙潭。锋既交,均用以铁骑横冲其阵,阵乱,士诚兵退走,遇伏,遂大败。

八月,己酉朔,张士诚将江通海降于吴。

丙辰,奉元路判官王渊等以义兵复商州。

庚午,吴国公以诸将虐取陈保二赀致叛,且攻常州久不下,命自元帅徐达以下皆降一官,以书责之曰:"虐降致叛,老师无功,此吾所以责将军。其勉思补过,否则罚无赦!"

是日,倪文俊陷衡州路,元帅甄崇福战死。

甲戌,彗见于张,色青白,指西南,长尺馀,至十二月戊午始灭。

是月,帝至自上都。

黄河决,山东大水。

张士诚将史文炳,以水师数万攻嘉兴,杨鄂勒哲以大军四伏,使小舟数百十艘饵之。贼樯橹蔽天,排江而下,追至杉青东西岸,多积苇以待,适南风大作,岸上举火,贼舟焚燎,至四十里不止,死者甚众。遂舍舟登陆,进逼城下,战于冬瓜堰,大破之,斩首万七千级,俘者数千,张士信以伏水遁还。然鄂勒哲凶肆,掠人货财妇女,部曲骄横,民间谣曰:"死不怨泰州张,生不谢宝庆杨。"

九月,戊寅朔,吴国公如江淮府,入城,先谒孔子庙,遣儒士告谕乡邑,劝耕桑,筑城开垦,命总管徐忠置金山水寨以遏南北寇兵,遂还。寻改江淮府为镇江府。

庚辰,汝颍贼李武、崔德等破潼关,参知政事舒穆噜杰战死。

壬午,豫王喇特纳实哩,同知枢密院事定珠,引兵复潼关,河南平章伯嘉努以兵守之。

丙申,潼关复陷,伯嘉努兵溃,豫王复以兵取之,李武、崔德败走。

戊戌,贼陷陕州及虢州。

诏以太尉纳琳复为江南行台御史大夫,迁行台治绍兴。

贼既陷陕、虢,断殽、函之路,势欲趣秦、晋。知枢密院事达实巴图尔方节制河南军,调兵部尚书察罕特穆尔与李思齐往攻之。察罕特穆尔即鼓行而西，夜，拔殽陵，立栅交口。陕州城阻山带河，险且固，而贼转南山粟给食以坚守，攻之猝不可拔。察罕特穆尔乃焚马矢营中，如炊烟状以疑贼，而夜提兵拔灵宝。城〔守〕既（拔）〔备〕，贼始觉，不敢动，即渡河，陷平陆，掠安邑，蹂晋南鄙。察罕特穆尔追袭之，蹙之以铁骑，贼回扼下阳津，赴水死者甚众。相持数月，贼势穷，皆溃，以功升金河北行枢密院事。

冬，十月，丁未，大名路有星如火，从东南流，芒尾如曳篲，堕地有声，火焰蓬勃，久之乃息，化为石，青黑色，光莹，形如狗头，其断处如新割者。有司以闻，太史验视云："天狗也。"命藏于库。

戊申，张士诚以兵败于常州，遣其下孙君寿奉书至建康请和，言："既纳保二，又拘杨宪，遣兵来逼，咎实自贻。愿与讲和，以解困厄，岁输粮二十万石，黄金五百两，白金二百斤，以为犒军之费。"吴国公复书云："尔既知过，归使、馈粮，即当班师，不堕前好。"且曰："大丈夫举事，当赤心相示。浮言夸辞，吾甚厌之。"士诚得书，不报。

镇南王退驻淮安，赵君用自泗州来寇；乙丑，城陷，淮东廉访使褚布哈死之，镇南王被执，逾月不屈，与其妻皆赴水死。

初，布哈为副使，与判官刘甲捍御淮安，甲守韩信城，势相犄角。布哈寻上章劾总兵者逗挠之罪，朝廷录其功，升廉访使。甲有智勇，与贼战辄胜，贼惮之，号曰刘铁头，布哈颇赖之。总兵者怒其劾己，乃易甲别将击贼，欲以困布哈，甲去，韩信城陷。贼因掘堑围淮安，刍饷路绝，元帅吴德琇运米万斛入河，为贼所掠。攻围日急，总兵者屯下邳，按兵不出，遣使十九辈告急，皆不应，城中饿死者仆道上，即取啖之，草木、鱼鸟、靴皮、弓筋皆尽，（撒）〔撤〕屋为薪，人多露处，坊陌生荆棘。力既尽，城陷，布哈犹据西门力斗，中伤见执，为贼所脔，次子伴格冒刃护之，亦见杀。布哈，隰州石楼人，守淮安五年，殆数十百战，精忠大节，人比之张巡。赠翰林学士承旨，追封卫国公，谥忠肃。

先是同金淮南行枢密院事董抟霄建议于朝曰："淮安为南北襟喉，江、淮要冲，其地一失，两淮皆未易保，援救淮安，诚为急务。今日之计，莫若于黄河上下濒淮海之地，及南自沐阳，北抵沂、莒、赣榆诸州县，布连珠营，每三十里设一总寨，就二十里中又设一小寨，使烽堠相望而巡逻往来，遇贼则并力野战，无事则屯种而食，然后进有援，退有守，此善战者所以常为不可胜以待敌之可胜也。"又言："海宁一境，不通舟楫，军粮惟可陆运；而凡濒淮海之地，人民屡经盗贼，宜加存抚，权令军人搬运。其陆运之方，每人行十步，三十六人可行一里，三百六十人可行一十里，三千六百人可行一百里，每人负米四斗，以夹布囊盛之，用印封识，人不息肩，米不着地，排列成行，日行五百回，计路二十八里，轻行一十四里，重行一十四里，日可运米二百石。每运给米一升，可供二万人，此百里一日运粮之术也。"又言："江、淮多流移之人，并安东、海宁、沐阳、赣榆等州县俱废，其壮者已尽为兵，老幼无所依归者，宜置军民防御司，择军官才堪牧守者，使居其职，而籍其民以屯故地，练兵积谷，且耕且战，内全山东完固之邦，外捍淮海出没之寇，而后恢复可图也。"时不能用，淮安卒陷于贼。

十一月，张士诚将诱降吴兵七千人，因挟之以攻徐达、汤和垒。壬午，达勒兵与战，常遇春、廖永安、胡大海内外夹击，大破之，擒其将张德，馀军奔入城。士诚复遣其将吕珍驰入常州，督兵拒守，达复进师围之。

丁亥,流星大如酒杯,色青白,尾迹约长五尺馀,光明烛地,起自东北,东南行,没于近浊,有声如雷。

刘福通遣将分略河南、山东、河北,京师大震。

是月,河南陷,廉访副使谙普通。徙河南廉访司于沂州,又于沂州置分枢密院,以兵马指挥使司隶之。

江浙行省平章政事布延特穆尔卒于池州。

布延特穆尔持身廉介,人不敢干以私,其将兵,所过不受馈遗宴犒,民不知有兵。性至孝,幼养于叔父阿珠,事之如亲父。常乘花马,时称为"花马平章"。

十二月,庚申,河南行省平章达实巴图尔大破刘福通兵于太康。

先是朝廷遣托欢来督兵,达实巴图尔父子亲与刘福通敌,自巳至酉,大战数合。达实巴图尔坠马,博啰特穆尔扶令上马先还,自持弓矢,连发以毙追者,夜三更,步回营中。已而率大军进逼陈留,攻取夹河刘福通寨。是日,次高柴店,距太康三十里,夜二鼓,贼五百馀骑来劫,以有备,驱遁,火而追之。比晓,督阵力战,自寅至巳,四门皆陷。壮士缘城入其郛,斩首数万,擒伪将军张敏、孙韩等九人,杀伪丞相王、罗二人,太康悉平。遣博啰特穆尔告捷京师,帝赐劳内殿,王其先臣二世,拜河南行省左丞相,仍兼知枢密院事,守御汴梁。弟识里穆,云南行省左丞,子博啰特穆尔,四川行省左丞,将校僚属,赏爵有差。

是月,倪文俊陷岳州路,杀威顺王子岱特穆尔。

湖广参政额森特穆尔与左江义兵万户邓祖胜,合兵复衡州。

宁国路长枪元帅谢国玺寇吴广兴府,元帅邓愈击败之,擒其总管武世荣,获兵千馀人。

是岁,诏:"沿海州县为贼所残掠者,免田租三年。"

河南行省左丞相台哈布哈驻军南阳、嵩、汝等州,叛民皆降,军势大振。

陕西行台监察御史李尚纲上《关中形势急论》,凡十有二事。

命大司农司屯种雄、霸二州以给京师,号"京粮",以浙西被陷,海运不通故也。

义兵元帅方家努,以所部军屯杭城之北关,钩结同党,相煽为恶,劫掠财货,白昼杀人,民以为患。江浙行省平章庆图言于丞相达实特穆尔曰:"我师无律,何以克敌!必斩方家努,乃可出师。"达实特穆尔遂与庆图入其军,斩首以徇,民大悦。

既而苗军帅杨鄂勒哲进右丞,以功自骄,因求取庆图女,庆图初不许。时苗军势盛,达实特穆尔方倚以为重,强为主婚,庆图不得已以女与之。

广西苗军五(苗)〔万〕,从元帅阿尔斯蓝沿江下抵庐州,淮东都元帅余阙移文,谓苗蛮不当使之窥中国,诏阿尔斯蓝还军。苗军有暴于境者,即收杀之,凛凛莫敢犯。时群盗环布四外,阙居其中,左提右挈,屹为江淮一保障。论功拜江淮行省参政,仍守安庆,通道于江右,商旅四集。

池州赵普胜率众攻城,连战三日,败去,未几又至,相拒二旬始退;怀宁县达噜噶齐伯嘉努战死。普胜本巢湖水军,降于徐寿辉,骁勇,善用双刀,号为"双刀赵"云。

至正十七年 【丁酉,1357】 春,正月朔,日有食之。

己丑,杭州降黑雨,河池水皆黑。

辛卯,命山东分省团结义兵,每州添设判官一员,每县添设主簿一员,专率义兵以事守御,仍命各路达噜噶齐提调,听宣慰使司节制。

二月,丙午朔,吴国公遣将耿炳文、刘成自广德趣长兴,张士诚将赵打虎以兵三千迎战,败之,追至城西门,打虎走湖州;戊申,克长兴,获战船三百馀艘,擒士诚守将李福安、达实曼等,义兵万户蒋毅率所部二百人降。

壬子,贼犯七盘、蓝田,命察罕特穆尔以军会达尔玛齐尔守陕州、潼关。哈喇布哈由潼关抵陕州,会豫王喇特纳实哩及定珠等同进讨。

癸丑,以征河南许、亳、太康、嵩、汝大捷,诏赦天下。

戊辰,知枢密院事托克托复邓州,调客省使萨尔达温等攻黄河南岸贼,大破之。

壬申,刘福通遣其党毛贵陷胶州,签枢密院托欢死之。

甲戌,倪文俊陷(陕)〔峡〕州。

是月,李武、崔德等破商州,攻武关,遂直趣长安,分掠同、华诸州,三辅震恐。时豫王喇特纳实哩及省、院官皆恟惧,计无所出,行台治书侍御史王思诚曰:"察罕特穆尔之名,贼素畏之,宜遣使求援,此上策也。"守将恐其轧己,论久不决,思诚曰:"吾兵弱,且夕失守,咎将安归!"乃遗书察罕特穆尔曰:"河南、陕西两省,互为唇齿,陕西危则河南岂能独安!"察罕特穆尔得书大喜,遂提轻兵五千,与李思齐倍道来援。入潼关,与贼遇,战辄胜,杀获以亿万计,贼馀党皆散溃,走南山,入兴元。

诏授察罕特穆尔陕西行省左丞,李思齐四川行省左丞。

诏以高宝为四川行省参知政事,将兵取中兴路,不克,倪文俊遂破辘轳关。

三月,乙亥,义兵万户赛甫鼎、阿密勒鼎叛据泉州。

庚辰,毛贵陷莱州,守臣山东宣慰副使释嘉纳死之。

壬午,吴将徐达等克常州。

初,常州兵虽少而粮颇多,故坚拒不下。及诱叛军入城,军众粮少,不能自存,达等攻之益急,吕珍宵遁,遂克之。改常州路为常州府。达又与常遇春、桑世杰率兵徇马驮沙,克之。

甲午,毛贵陷益都路,益王迈努遁;丁酉,陷滨州;自是山东都邑皆陷。以江淮行枢密院副使董抟霄为山东宣慰使,从布蓝奚击之。

既而中书省臣言:"山东般阳、益都相次而没,济南日危,宜选将练卒,信赏必罚,为保燕、赵计,以卫京师。"不报。

监察御史张祯上疏陈十祸,以轻大臣、解权纲、事安逸、杜言路、离人心、滥刑狱六者为根本之祸,以不慎调度、不资群策、不明赏罚、不择将帅四者为征伐之祸,所言多剀切。其事安逸、不明赏罚二条,尤中时弊。

大略谓:"陛下因循自安,不豫防虑。今海内不宁,天道变常,民情难保,正当修实德以答天意,推至诚以回人心。凡土木之劳,声色之乐,宴安鸩毒之惑,皆宜痛绝勇改。而陛下乃泰然处之,若承平无事时,此事安逸所以为根本之祸者也。又,自四方有警,调兵六年,初无纪律,又失激劝之宜。将帅饰败为功,指虚为实,大小相谩,内外相依,其性情不一而(激)〔微〕功求赏则同。是以有覆兵之将,残兵之将,贪婪之将,怯懦之将,曾无惩戒。所经之处,鸡犬一空,货财罄尽,而面谀游说者反以克复受赏。今克复之地,悉为荒墟,河南提封三千徐里,郡县岁输钱谷数百万计,而今所存者,封丘、延津、登封、偃师三四县而已。两淮之北,大河之南,所在萧条。如此而望军旅不乏,馈饷不竭,使天雨粟,地涌金,朝夕存亡且不能保,况以地力有限之费,而供将师无穷之欲哉!陛下事佛求福,饭僧消祸,以天寿节而禁屠宰,皆虚名也。今天下兵起,杀人不知其数,陛下泰然不理,而曰吾将以是求福,福何自而至乎?颍上之兵,视其所向,骎骎可畏,不至于亡吾社稷,烬吾国家不已,此则不明赏罚所以为征伐之祸者也。"疏奏,不省。既而执政恶其讦直,出为山南廉访签事。

前海南、海北宣慰使王英,益都人也,性刚果,有大节,膂力绝人,袭父职为莒州翼千户,父子皆善用双刀,人号之曰"刀王"。初,漳州盗起,诏江西行省右丞雅克特穆尔讨之。时英已致仕,平章巴萨里谓僚佐曰:"是虽鼠窃狗偷,非刀王行不可。其人虽投老,可以义激。"乃使人迎致之。英曰:"国家有事,吾虽老,其可坐视乎!"据鞍横槊,精神飞动,驰赴其军。贼平,英功居多。

及益都陷,英时年九十有六,谓其子弘曰:"我世受国恩,今老矣,纵不能事戎马以报天子,何忍食异姓之粟以求生乎!"水浆不入口者数日而卒。毛贵闻之,使具棺衾葬之。

大司农吕思诚卒,谥忠肃。思诚气宇凝定,不为势利所屈,三为祭酒,一法许衡之旧,受教者后多为名士。

夏,四月,丙午,监察御史五十九言:"今京师周围,虽设二十四营,军卒疲弱,素不训练,诚为虚设,倘有不测,良可寒心,宜速选择骁勇精锐,卫护大驾,镇守京师,实当今奠安根本,固坚人心之急务。况武备莫重于兵,而养兵莫先于食。今朝廷拨降钞锭,措置农具,命总兵官于河南克复州郡,且耕且战,甚合寓兵于农之意。为今之计,宜权命总兵官,于军官内选能抚字军民者,授以路府州县之职,要使农事有成,军民得所,则扰民之害益除,而匮乏之忧亦释矣。"帝嘉纳之。

乙卯,毛贵陷莒州。

辛酉,达实巴图尔加太尉、四川行〔省〕左丞相。

汉中道廉访司劾陕西行省左丞萧嘉努遇贼逃窜,失陷所守郡邑,诏正其罪。

丁卯,吴国公兵取宁国路。

先是徐达、常遇春率兵略宁国,长枪元帅谢国玺弃城走,守臣拜布哈、杨仲英等闭城拒守,城小而坚,攻之久不下。遇春中流矢,(里)〔裹〕创而战。吴国公乃亲往督师,命造飞车,前编竹为重蔽,数道并进,攻之,仲英等不能支,开门请降,百户朱文贵杀妻妾自刎死。擒其元帅朱亮祖,属县相继下。

亮祖,六合人,初为义兵元帅,太平克,来降,寻叛去,数败吴兵,诸将莫能当,至是缚亮祖以献。吴国公曰:"今何如?"亮祖曰:"是非得已,生则尽力,死则死耳!"吴国公壮而释之。

是月,帝如上都。

五月,乙亥朔,张士诚遣其左丞潘原明、元帅严再(与)〔兴〕犯长兴,屯上新桥。吴守将耿炳文出师击败之,原明等遁去。

命〔知〕枢密院事布兰奚进兵讨山东。

戊寅,平章政事齐拉衮特穆尔复武安州等三十馀城。

己卯,吴兵攻泰兴,张士诚遣兵来援,元帅徐大兴、张斌击败之,擒其将杨文德等,遂克泰兴。

丙申,中书左丞相绰斯戬进为右丞相。召辽阳行省左丞相泰费音为中书左丞相。

诏天下免民今岁税粮之半。

铜陵县尹罗德、万户程辉降于吴。常遇春率师驻铜陵。池州路总管陶起祖亦来降,具言城中兵势寡弱可取之状,遇春遂谋取池州。是日,遣兴国翼分院判官赵忠、元帅王敬祖等攻其青阳县,赵普胜出兵拒敌,敬祖以数十骑冲其阵,阵乱,乘势疾击,遂破之,克其县。

吴枢密院判俞通海,以舟师略太湖马迹山,降张士诚将钮津等,遂趣东洞庭山,士诚将吕珍率兵御之。诸将仓卒欲退,通海曰:“彼众我寡,退则情见,彼益集其众,邀诸险以击我,何以当之!不如与之战。”于是身先士卒,矢中右目下,通海不为动,徐令劲者被己甲立船上督战。吕珍不得利,乃引去。

六月,甲辰朔,以实勒们为中书分省右丞,守济宁。

丙辰,监察御史托克托穆尔言:“去岁河南之贼窥伺河北,惟河南与山东互相策应,为害尤大。宜令中书省就台哈布哈、达实(特穆尔)〔巴图鲁〕、阿噜三处军马内,择其精锐,以守河北,进可以制河南之侵,退可以攻山东之寇,庶几无虞。”从之。

己未,以彻尔特穆尔、娄都尔苏并为御史大夫。

庚申,吴国公遣长春府分院判官赵继祖、元帅郭天禄、镇抚吴良略江阴州,张士诚兵据秦望山以拒敌,继祖引兵攻之。会大风雨,士诚兵奔溃,继祖据其山。是日,进攻州之西门,克其城,命良守之。

先是士诚北有淮海,南有浙西,长兴、江阴二邑,皆其要害。长兴据太湖口,陆走广德诸郡;江阴枕大江,扼姑苏、通州济渡之处。得长兴,则士诚步骑不敢出广德,窥宣、歙;得江阴,则士诚舟师不敢溯大江,上金、焦。至是悉归于吴,士诚侵轶路绝。

壬申,御史大夫特哩特穆尔劾陕西知行枢密院事额森特穆尔,罢之,令居于草地。

癸酉,温州路乐清江中龙起,飓风作,有火光如毯。

是月,刘福通犯汴梁,其兵分三道,关先生、破头潘、冯长舅、沙刘二、王士诚入晋、冀,由朔方攻上都;白不信、大刀敖、李喜喜趣关中;毛贵自山东趣大都;其势复大振。

【译文】

元纪三十一　起丙申年(公元 1356 年)正月,止丁酉年(公元 1357 年)六月,共一年有余。

至正十六年　(公元 1356 年)

春季,正月,壬午朔(初一),福建宣慰使司都元帅府被改为福建行中书省。

当天,张士诚的弟弟张士德攻占常熟州。其时江阴的各路盗贼互相火并,江宗三、朱英自立门户,互相仇杀。江宗三准备进城杀朱英。这时朱英已被招安,当了判官,州中的僚属们没有办法,只好向浙江行省申报,说朱英谋反。行省派遣元帅观孙前往镇压,观孙贪图朱英的贿赂,拖延进军速度。朱英乘此机会携家眷逃走,过长江后,向张士诚求救,将妻子作人质,借兵复仇。张士诚起初犹豫不决,朱英极力陈述江南幅员辽阔,钱粮众多,子女财物丰富,张士诚便派遣张士德带领高邮兵士从通州渡越长江,进入福山港,因此攻占了常熟。

丁酉(十六日),太保定珠因病辞职,没有同意。

庚戌(二十九日),中书左丞相哈玛尔被罢免。

此前,哈玛尔在已担任丞相之后,把当初引荐西域和尚看成是件耻辱的事,告诉他的父亲图噜说:"我们兄弟贵为辅政重臣,应该用正道来诱导皇上。如今图噜特穆尔专门用淫秽邪迷的东西讨好皇上,肯定会导致天下士大夫的讥笑,我有什么脸面见人!我准备除掉他。皇太子已经成熟,聪明过人,不如拥立他为皇帝,而尊奉皇上为太上皇。"他的妹妹听见后,回家告诉了她的丈夫图噜特穆尔。图噜特穆尔唯恐太子当了皇帝,自己肯定会被首先杀掉,便马上报告了皇帝,但没有说出淫秽媚上的话,只说道:"哈玛尔说陛下年事已高,所以要拥立太子。"顺帝很吃惊地说:"朕头发未白,牙齿未落,就说我老了吗?"顺帝便与图噜特穆尔计议除去哈玛尔兄弟,因此免了哈玛尔的职。辛亥(三十日),御史大夫舒苏也被罢免。任命绰斯戬为御史大夫,重新认定珠为中书右丞相。

这个月,蓟州发生了地震。

倪文俊在汉阳建立伪都城,奉迎徐寿辉居住在那里。

二月,壬子朔(初一),张士德攻破平江路,并占据该处。

江南自战乱以后,官军战死沙场,乡村农民多次遭受饥荒,投军当兵,多不熟悉战事,纯属乌合之众,临战便土崩瓦解。江浙行省丞相达实特穆尔,用可自行处置的权力提升漕运万户托因为参政,统领官军、义民,防守境上;平江掌印官(蒙语"达噜噶齐"意译)六十病死,升任松江府掌印官哈萨沙为平江掌印官,率军作战;授予都水庸田使贡师泰平江总管之职,巡守城池。吴江境内,只有元帅王与敬一支部队,战败后,死亡半数以上,残兵千多人想进城,城中关闭城门不肯接纳,便退到嘉兴驻扎。王与敬,淮西人。

张士德的部队只有三四千人,长驱直往,直达北门,弓弦不发一箭,剑刃不曾相接,第二天一早,沿城墙爬上去,便攻破了平江路。托因躲藏在俞家园,自杀,没死成,被巡游的士兵杀死。哈萨沙在境外听说城被攻破,投水自杀。贡师泰率领义兵出战,势力相差太大,也带着印绶逃走了,改变姓名躲藏在海边。随后昆山、嘉定、崇明州都相继投降。

维扬苏昌龄逃避战乱居住在吴门,张士德用他做参谋,称作苏学士。拆毁承天寺的佛像后改成王宫,将平江路改为隆平府,设置省、院、六部、百司。所有寺观、庵院、豪门巨室的房屋,将士们争相抢占居住,没有剩余的。

当时义军府参谋杨椿守卫齐门,淮兵突然而来,众人都不知如何是好,唯独杨椿说盗贼没什么可怕的。第二天,城池快被攻陷了,杨椿还在骑着马呼喊他的儿子,好像有什么要指点,追兵赶上他们,父子俩便一起遇害。杨椿的妻子寻找到他们的尸体后,也上吊自杀了。杨椿,蜀州眉山人,迁居到吴中为教授,勉强出任低贱的官职,终于全家遇难。

嘉定州副职官捧着印信投降贼军,州吏尤鼎臣阻止他,被贼将拘因,并且以官职相引诱,尤鼎臣抗拒不受,被杖打了一百下,禁锢在家中。

癸丑(初二),图噜特穆尔辞职,没有应允。

绰斯戬上书揭露哈玛尔和他弟弟舒苏等人的罪状,顺帝说:"哈玛尔兄弟虽然有罪,但他们侍奉我的时日很久,而且与我弟弟伊勒哲伯皇帝是同一个奶妈喂养大的。暂且延缓一下对他们的处罚,命令他们出兵作战来赎罪。"丙辰(初五),右丞相定珠以及平章政事僧格实哩又不断奏说他们的罪恶,这才命令哈玛尔兄弟出城接受诏书,将哈玛尔贬到惠州安置,舒苏贬到肇州安置，等到上路的时候，又都杖杀了他们。

当初，额森特穆尔被贬逐后，查抄没收了他的家产，将这些财产赐给了哈玛尔，到这次抄没哈玛尔的家产，他所得恩赐的库藏连封签都还没有揭开。这时朝野上下都认为皇帝是痛恨哈玛尔诬陷托克托兄弟的缘故才如此的，而不知道他有改易君主的阴谋，实际上是犯下了图谋不轨的罪行。哈玛尔死时，距离托克托被毒遇害才几十天，大家都觉得痛快。

平江被攻陷以后，嘉兴便首当其冲成为要地，有关当局告急，往来的使者络绎不绝。江浙丞相达实特穆尔兵力很少，想不出什么办法，便行文召唤苗军元帅杨鄂勒哲来守卫嘉兴。鄂勒哲从杭州取道而来，用武力劫持达实特穆尔，迫使他升任自己为本省参知政事。达实特穆尔只得填写了招募平民捐粮补官的空白文凭给他。

乙丑（十四日），禁止销毁、贩卖铜钱。

丙寅（十五日），皇帝指令翰林国史院、太常礼仪院拟定皇后奇氏三代的谥号、王爵。

己卯（二十八日），皇帝指派集贤直学士杨俊民前往曲阜孔子庙祭祀，并修缮孔庙的殿宇。

王与敬抵达嘉兴，杨鄂勒哲想要杀他，与敬便前往松江，考虑在淀山

大元国宝　元

众多湖泊中建立水寨，命令当地富有人家供养他的军队，名义上说是守御，实际上是贪恋当地的娼妓。达噜噶齐巴图特穆尔、知府崔思诚，都与他有矛盾，这时浙江行省又派遣元帅特古呼斯等带兵镇守，两个元帅相持不下。己亥（十九日）夜，与敬率领万户戴列孙等从西门放火并大声呐喊，官吏们逃散了，与敬自己带着行装出了西门。乙巳（二十五日），鄂勒哲的部将萧亮、员成等率领苗军突然到来，与敬因此向北逃到通波塘，向张士诚投降。他的子女财物，都被苗军占有，老百姓也拿着棍棒驱赶追逐，戴列孙等死亡的人超过了半数。苗军在松江一个月，焚烧抢劫、奸淫掳掠，死的人填满了大街小巷。

常州豪民黄贵甫，从偏僻的小路向张士诚表白诚意，答应做内应。张军到常州，没有交战便占领了常州，并将常州路改称毗陵郡。张士德包围常州时，万户府知事刘良因为援兵没有来，命令他的儿子刘毅带着蜡封的书信，渡过江后从偏僻小路抵到浙江行省求救。刘毅还没来得及返回，常州城已经陷落，只有刘良不愿屈服，全家大小跳水而死的有十多人。

常遇春在采石攻打官军，用奇兵分散官军的势力，而用大部队与官军正面作战，一开战又出动奇兵搅乱对方，放火焚毁官军的连体战船，大败官军，曼济哈雅只身免死。从此以后官军扼守长江的优势便开始衰弱了。

三月，辛巳朔（初一），朱元璋率领各路部队攻取集庆。从太平水陆两路并进，到达江陵镇，攻破陈兆先的营地，生擒陈兆先，他的部队全部投降，得到兵员三万六千人，朱元璋选择了其中勇猛战士五百人安排归自己直接指挥。这五百人大多犹疑畏惧，忐忑不安。朱元璋察觉了他们的心意，这天，命令他们进里面做夜间警卫，围着他的床睡，把老部下都安排到外面，只留下冯国用一人睡在自己身边。元璋脱下盔甲安然大睡到天亮，心怀疑惧的人才安下

心来。

壬午(初二),徐寿辉再次进犯襄阳。

癸未(初三),御史台官员奏道:"原属朝廷的牧马草地,都被权豪占有。从今以后除了分划由总管府种植的以外,其他的全部重新核查,指令大司农招募人耕种,每年收取租税以供国家使用。"皇帝同意了。

丁亥(初七),因为今年秋季要出兵打仗,下诏用和买法购置六万匹马。

在此之前集庆曾有警报,湖广平章勒呼穆率领苗军前来支援,事情平息后,返回扬州镇守。勒呼穆带兵没有纪律,苗兵平素粗野强悍,每天都在杀人抢劫,没有办法管治。不久苗军杀死勒呼穆后叛乱,集庆的外援便断绝了,人心震惊恐惧,粮仓没有积蓄,不知道从哪里想办法,平民百姓自愿当兵防守。行台御史大夫福寿于是下令,百姓富有钱财的,都要资助钱粮,激励士兵,作为防守护城的办法。朝廷知道他的辛劳,多次给予奖励。

到这个时候从太平来的部队大批到达,冯国用率领五百人首先冲锋陷阵,在蒋山打败官军,一直打到集庆城下。各路军队拔除栅栏争相前进,于是包围了集庆。福寿都督士兵出战,大多败下阵来,因此关闭了所有城门,只打开东门以便出入,但兵力实在无法支持。庚寅(初十),城被攻破,福寿还指挥兵士在巷中作战。军队逃散后,他一个人坐着交椅,在凤凰台下指挥左右,还想抵抗。有人劝他逃走,他怒斥说:"我作为国家的重臣,国存则生,国破则死,还要往哪里去呢!"达噜噶齐达尼达斯看见他独自坐着,好像有什么要做的,便询问他的决定,因此也留下来没有离开。不一会乱兵四面围集,福寿因此遇害,达尼达斯也死了。另外,同时一起死的,有治书侍御史贺方。贺方是晋宁人,因为文学上的成就而著名。战事上报后,皇帝追赠福寿为江浙行省左丞相,追封为卫国公,谥号忠寿。

朱元璋攻取集庆,在攻克集庆城的那天,曼济哈雅逃奔张士诚投降,水寨元帅康茂才等各自率领所属部下投降,总共得到兵民五十多万。朱元璋进入城内,召集官吏、父老,对他们说:"元朝政治腐败,导致各地骚乱,百姓困苦不堪。我带领军队到这里,是为百姓铲除祸根。你们众人各自维持原来的事情,不要担心害怕。贤人君子若有愿意跟随我建功立业的,我将以礼相待任用他;原来的政制中有不利百姓的,我将废除它们。"因此城中的军民都很高兴,互相告慰庆贺。朱元璋称道福寿的忠心,置办棺木锦被按礼节埋葬了他。改称集庆路为应天府,设置天兴、建康翼统军大元帅府,任命廖永安为统军之帅,赵忠为兴国翼元帅,令他们防守太平。得到儒生夏煜、孙炎、杨宪等十多人,都录用了他们。

癸巳(十三日),张士诚从高邮迁居到隆平宫,衣服车马、器具日用,都模仿皇帝的式样,将至正十六年改为天祐三年,国号"大周",历法称"明时",自称作周王。设置学士员,开办弘文馆,任命通晓阴阳的术士李行素为丞相,弟弟张士德为平章,蒋辉为右丞。潘元明为左丞,史文炳为同知枢密院事。郡、州、县的正官,郡称为太守,州称为通守,县仍然称尹,同知称为府丞,知事称从事,其余的只是稍做变更增减。张士诚因为吴地百姓太多困苦,主持政事的官员不能称职,都全部重新甄选更改,从令、丞、簿、尉到录事、录判,同一天任命了十一人,分别赐给多少不等的衣服马匹、粮米羊羔。

当初,孙扬奉朝命抵达高邮,张士诚不迎接诏书,等进了城后,又将孙扬拘禁在另一地方,想要招降他,孙扬不断地加以怒斥痛骂。到张士诚迁到平江时,孙扬与士诚部将张茂先,设谋派遣人与镇南王约定日期进兵收复高邮,密语泄漏,因此被害。

丙申(十六日),倪文俊攻陷常德路,总兵官温都喇潜逃。

丁酉(十七日),在杭州设立行枢密院。任命江浙行省左丞相达实特穆尔为兼知行枢密院事,指挥调度各路军队,省、院的官员一并听他调遣,所有赏功、罚罪、招降、讨逆等事,允许他根据实情自行决定。

这一天,建康兵马攻取镇江路。

朱元璋已经取得集庆,想发兵攻取镇江,担心将领们不能约束士兵而扰乱百姓,因此召集众将领,历数他们纵容军士的过错,准备绳之以军法,李善长说情营救,才没有治罪。于是任命徐达为大将军,率领众将军顺江往东,并告诫他们说:"我从起兵以来,从没有随便杀过人。现在你们应该体会我的苦心,严格约束士兵,攻下城池以后,不要放火抢劫乱杀人。有违犯禁令的,以军法处置,放纵不管的,坚决治罪不予赦免。"徐达等将领叩拜听令。进兵攻打镇江,第二天便攻克了。苗军元帅鄂勒哲出走,守将段武、平章定定战死。徐达等从仁和门进城,号令严肃,城中安定平静。因此分兵进取金坛、丹阳,都攻了下来。将镇江路改为江淮府,任命徐达、汤和为统军元帅,镇守这些地方。

戊申(二十八日),方国珍又投降朝廷,被任命为海道漕运万户,他的兄长方国璋被任命为衢州路总管,并兼任防御海道事。

这一个月,有两个太阳在天空中相互冲荡。

夏季,四月,辛亥朔(初一),皇帝任命中书平章事绰斯戬为左丞相。

壬子(初二),张士诚的将领赵打虎攻占湖州。改湖州路为吴兴郡。

这一月,顺帝去了上都。

张士诚的将领史文炳,率领军队从泖湖进入古浦塘,攻破了淀湖栅。苗军一箭未放,在晚上逃走了,松江由此陷落。张士诚当即命令史文炳镇守松江。

五月,丙申(十七日),倪文俊攻占澧州路。

乙巳(二十六日),盗贼进犯辰州,守将和尚带领乡兵打败了他们。

六月,乙卯(初六),建康的军队攻下广德路,改称为广兴府,派邓愈镇守这里。

壬申(二十三日),建康的降人陈保二,用诱骗方法捉住了詹、李二个将领,向张士诚投降。保二是常州奔牛坝的人,集聚众人,用黄巾包头,号称黄包头军。镇江被攻下后,便向建康军投降,到这个时候又一次叛变。

乙亥(二十六日),朱元璋派儒生杨宪向张士诚送信示好,书信中大致说:"最近听说您出兵通州,因而占领了吴郡。过去隗嚣占据天水而称雄天下,现在您据有姑苏而自己称王,我深深地为您高兴。我与足下您,东西两地相望,与邻地和睦相处,保卫自己的国土,安息自己的人民,这是古代人所珍重的,我也很深切地向往。从现在起,我们互通信使来往,不要被别人挑拨离间的话迷惑而导致边境事端。"张士诚得到来信后,因信中将自己跟隗嚣相比,很不高兴,扣留杨宪不放回去。

这个月,彰德有李子的果实像黄瓜。这之前有童谣说道:"李子生黄瓜,百姓都无家。"

雷州发生大地震。

杨鄂勒哲带领数万军队驻扎嘉兴,先锋吕才带七千兵士驻扎王江泾,商人不能来往,屯军阵容非常盛大。张士德因此不敢从嘉兴经过，便由平望、乌墩径直冲击杭州。江浙丞相达实特穆尔，依仗鄂勒哲的兵力强大，丝毫不做防备，盗贼一到，城池便陷落了，达实特穆尔逃走，平章政事遵达实哩战斗至死。居民黄仲起的妻子朱氏以及妾冯氏、仲起弟弟的妻子蔡氏，都上吊自杀了。

达实特穆尔逃到富阳。鄂勒哲将苗军和官军分为三路：蒋英从大麻塘栖，董旺从硖石长安，自己率刘震、朱诚从海盐黄湾进军，吕才、吕升驻守嘉兴。张士德知道鄂勒哲分路攻来，因而应接不暇，首先在皋亭被打败，再一次在谢村被打败，第三次在央城巷被打败，便水路从德清、陆路从海盐逃走。由此收复杭州，达实特穆尔才得返回。

董抟霄剿平北沙、庙湾、沙浦等寨后，随即进军攻打泗州，战事不利，贼军乘胜东进，切断了官军的粮道。因此回师驻扎北沙，粮食即将断绝，与敌军殊死拼杀，总共七天七夜，贼军被打败逃走，夺得贼船七十余只，这才得以渡过淮河，保卫泗州。这时正是暑天大雨，湖水猛涨泛滥，其他各营都躲开了，只有抟霄独自镇守孤城，贼军包围几十里攻打城池。抟霄坐在城上，派遣偏将率骑兵从西门冲到贼军后面，约好白旗挥动便冲回来。接着白旗挥动，骑兵冲进，步兵从城中冲出，里外夹攻，贼军大败。然而贼军营寨仍然阻挡往西行进的道路，于是便结成阵式逼过去，用奇兵辅助两旁，转战几十回合，部队才得以到达海宁。

起初，从礼部尚书离任的婺源人汪泽民，寄住在宣州。当时贼寇多次前来进犯，江东廉访使道通，非常敬重泽民，每天都去当面请教防守的办法，城池得以安全无事。到这个时候长枪军索诺木巴勒等叛变，前来进犯宣州城。有人劝泽民离开，泽民说："我虽然没有守城的职责，但本曾受过国家的厚恩，面对危险而贪生怕死，这不是做臣子的节操。"留下来不离开，所有战斗的计谋决策，大多是泽民参与决定，多次打败贼军。接着贼军更加多了，城被攻破，泽民被贼军捉住，迫使他投降，泽民大骂而不肯屈服，因此遇害。

事迹上报朝廷，皇帝追赠他为江浙行省左丞，追封为谯郡公，谥号文节。泽民是宋朝端明殿学士汪藻的七世孙。

秋季，七月，己卯朔（初一），建康众将推奉朱元璋为吴国公，将御史台衙门改为府第，设立江南行中书省，元璋兼任总省事，设置官属。因为韩林儿自称宋人后裔，所以遥相尊奉韩林儿，文书、任命都用龙凤年号记载。

这一月，秦从龙应聘前来。从龙是洛阳人，最先当的是校官，多次升迁后担任了江南行台侍御史，遇到兵兴战乱，避难居住到了镇江，吴国公命徐达寻找他。徐达攻下镇江，得到从龙，归还禀报，吴国公很高兴，马上命令朱文正带着白金、文绮前去聘请他。秦从龙到来时，又亲自前往龙江，迎接他进城，将从龙安排住在西华门外，事情无论大小，都与他商议，从龙畅所欲言、毫无隐瞒，常常用笔写在漆简上。来往问答很隐密，随身侍候的人都不知道。吴国公称他为先生而不直呼名字。

渤海人杨乘，曾经当过江浙行省左右司员外郎，因犯事被免职，寄居在松江。士诚派他的同党张经前往招徕他，杨乘每天与客人狂饮，没有一句话，客人问道："为什么不去呢？"乘回答道："我杨乘从一个小吏而升任要职，只有一死而已，还有什么可去的呢？"张经催促他起身更加急迫，杨乘命令他的儿子备办祭礼祭告祖先，将近天黑，起身前往后园，看到西下的太阳晴朗美好，感慨地说："人生晚节，像这落日就足够了。"夜幕降临，便端正衣冠自缢而死。

张士诚派舟船水军攻打镇江,吴统军元帅徐达等抵抗。吴国公派人告谕徐达说:"张士诚出身商贩,奸诈狡猾,今天来进犯镇江,这是他的交友之心已改变了,应该迅速派兵攻打毗陵,夺得进攻的先机,破坏他的阴谋。"徐达便带领军队攻打常州,进逼敌方的堡垒,而且请求增加兵力,因此又派了三万兵士前去相助,徐达的军队在城西北,汤和军在城北,张彪军在城东南,张士诚派数万人前来支援。徐达便离开城池十八里,设下埋伏等待敌人,并命总管王均用率领铁骑作为奇兵,徐达亲自监督部队,与敌人在龙潭开战。双方交战开始后,王均用带领铁骑横向冲击敌方阵势,对方阵势大乱,张士诚的兵士撤退,遇到伏兵,由此大败。

八月,己酉朔(初一),张士诚的部将江通海向吴投降。

丙辰(初八),奉元路判官王渊等率领义兵收复商州。

庚午(二十二日),吴国公因为众将残暴地夺取陈保二的钱财导致他叛乱,而且久攻常州不下,下令从元帅徐达以下都降一级官职,并写信责备他们说:"虐待降人而导致叛变,部队疲惫不堪却没有功绩,这就是我责备将军的原因。请你们认真思考弥补过失,否则将严厉处罚决不宽恕。"

这天,倪文俊攻占衡州路,元帅甄崇福战死。

甲戌(二十六日),彗星在张宿上空出现,颜色青白,指向西南,有一尺多长,到十二月戊午(十三日)才消逝。

这一月,皇帝从上都返回。

黄河决口,山东发生洪水。

张士诚的部将史文炳,率领几万水军攻打嘉兴,杨鄂勒哲部署大军四面埋伏,派遣小船数百十只引诱史军。贼军的船帆遮天盖地,沿江直下,追到杉青。在杉青的东西岸,官军堆积了很多芦苇等到,恰好南风大作,岸上点火,贼船被烧着火,绵延四十里火势不止,死亡的人很多。于是史军舍弃船只,登上陆地,进逼到嘉兴城下,在冬瓜堰交战,官军大破敌军,斩首一万七千级,俘虏数千人,张士信潜水逃回。但是鄂勒哲凶残放纵,掳掠抢劫人家的钱财妇女,部下骄纵蛮横,民间歌谣唱道:"死的不怨泰州张,活着不谢宝庆杨。"

九月,戊寅朔(初一),吴国公来到江淮府,进城后,首先拜谒孔子庙,然后派儒生遍告城乡民众,提倡耕种养蚕,修筑城池,挖掘壕沟,命令总管徐忠设置金山水寨以便阻挡来自南、北的进犯之敌,然后返回。随即将江淮府改为镇江府。

庚辰(初三),汝颍贼人李武、崔德等攻破潼关,参知政事舒穆噜杰战死。

壬午(初五),豫王喇特纳实哩、同知枢密院事定珠,带领军队收复潼关,河南平章伯嘉努带兵镇守潼关。

丙申(十九日),潼关再次陷落,伯嘉努的军队溃逃,豫王又带兵攻取它,李武、崔德战败逃走。

戊戌(二十一日),贼人攻占陕州和虢州。

皇帝下诏让太尉纳琳再任江南行台御史大夫,将行台的治所迁到绍兴。

贼人攻占陕、虢两州后,断绝殽、函的通道,看样子是想前往秦、晋两地。知枢密院事达实巴图尔正在统管河南军,调遣兵部尚书察罕特穆尔与李思齐前往攻打贼人。察罕特穆尔立刻整队向西进军,晚上攻拔殽陵,在交口设立营栅。陕州城依山临河,地势险要而且坚固,

5145

而且贼人从南山转运粮食来做持久防守的准备,攻打它不可能马上成功。察罕特穆尔便在营中焚烧马粪,就像在烧火做饭一样迷惑敌人,却在晚上带人马攻下了灵宝。城被攻下后敌人才发觉,不敢作反击,便随即渡过黄河,攻占平陆,虏劫安邑,践踏晋的南部地区。察罕特穆尔跟踪追打,用铁骑逼迫它。贼人回头扼守下阳津,跳进水淹死的人很多。双方相持几个月,贼人兵势衰弱,都逃散了,察罕特穆尔因此功劳升金河北行枢密院事。

冬季,十月,丁未(初一),大名路上空有星像火一样,从东南流转,光焰的尾部像拖着的扫帚,坠落地上后有声响,燃烧很旺,持续很久才熄灭,化成了石头,青黑的颜色,光泽晶莹,形状像狗头,那些断裂的地方像刚刚切割的一样。有关官员上报朝廷,太史检验以后说:"这是天狗。"指示收藏在府库中。

戊申(初二),张士诚因为在常州被打败,派遣他的部下孙君寿带着书信到建康请求和解,信里说道:"已经接纳了陈保二,又拘留杨宪,派兵前来攻打,这些过错都是我自己导致的,我愿意讲和,以便解决困难,每年送给您粮食二十万石,黄金五百两,白金二百斤,将它们做您奖励军队的费用。"吴国公回信说:"你既已知道过错,送还使者、送来粮食后,我就会班师收兵,不放弃从前的交好。"并且说:"大丈夫做事,应当推心置腹。虚情假意的大话,我非常讨厌。"张士诚得到信后没做答复。

镇南王撤退到淮安,赵君用从泗州来进犯,乙丑(十九日),城池陷落,淮东廉访使褚布哈被杀,镇南王被抓住,逼了一个多月也不屈服,和妻子一起跳水自杀。

起初,布哈作为副将,与判官刘甲捍卫淮安,刘甲镇守韩信城,两人布成犄角的守势。布哈不久上奏章检举总领军队的人逗留观望的罪过,朝廷记录他的功劳,升任他为廉访使。刘甲有智有勇,与贼人交战便能得胜,贼人害怕他,称为刘铁头,布哈很依赖他。统兵主将对布哈检举自己很气愤,便改派刘甲带兵到别处打击贼人,想用此法来为难布哈,刘甲离开后,韩信城便陷落了。贼军于是挖掘壕沟包围淮安,运输粮草的道路都被切断。元帅吴德琇运米万斛进入河道,被贼抢劫。攻打围逼一天比一天紧急,统兵的人驻扎下邳,按兵不动,城中派使者十九人次禀告危急情报,统兵者都不回答。城里面饿死的人倒在路上,就马上被人吃掉了,草木、鱼鸟、靴皮、弓筋都吃尽了,撤毁房屋作柴烧,人们大多睡住露天,街巷道路长满了荆棘。精疲力竭之后,城池失陷,布哈还依仗西门奋力拼杀,受伤被俘,被贼人割成肉块惨死;他的二儿子伴格冒着刀剑保护他,也被杀害。布哈是隰州石楼人,镇守淮安五年,打了将近几十上百次仗,精忠报国,大义凛然,人们将他比作张巡。朝廷追赠他为翰林学士承旨,追封卫国公,谥号忠肃。

这以前同金淮南行枢密院事董抟霄向朝廷建议说:"淮安是南北襟要咽喉之地,是江淮的要冲,这个地方一旦丧失,两淮都不容易保住,援救淮安,的确是最紧迫的任务。如今的计策,没有比得上在黄河上下濒临淮海的地方,以及南起沭阳,北至沂、莒、赣榆等州县,部署连环营寨,每隔三十里设置一个总寨,在二十里之内又设置一小寨,让烽火能相望见而且派人往来巡逻,遇到贼人就齐心合力在旷野交战,没有事时就屯田自食,这样之后可以进有援兵,退能防守,这就是善于打仗的人为什么时常用不可胜来对付敌人的可胜的方法。"又说:"海宁境内,船只不能通行,军粮只能从陆地运送;但靠近淮海的地方,老百姓多次被盗贼侵扰,应该加以抚恤,暂且可令军人搬运粮食。陆路粮食运送的方法,每个人走十步,三十六人可走一里,三百六十人可走十里,三千六百人可行走一百里,每人背米四斗,用双层布袋盛米,用印信封口作标志,人不休息,米不着地,排成队列,每天行走五百来回,累计路程二十八里,其中轻行十四里,负重行走十四里,每天可以运送米二百石。每运给米一升,可供应二万人,这是百里一日运粮的方法。"又说:"江、淮流亡人口很多,而且安东、海宁、沭阳、赣榆等州县都荒芜了。当地青壮年人都当了兵,老弱年少的人无所依靠,应该设置军民防御司,选择军官中才能可以担任牧守的,派他担任该职,并登记当地百姓让他们回到原地,训练兵马、积储粮食,一边耕种一边作战,对内可以保全山东完整坚固的领土,对外可以抵抗淮海出没的盗贼,这样之后才可以图谋恢复大计。"当时朝廷不能采纳,淮安终于陷落到贼人手中。

十一月,张士诚部将引诱七千吴兵投降,进而挟持他们攻打徐达、汤和的堡垒。壬午(初六),徐达指挥部队与敌交战,常遇春、廖永安、胡大海内外夹攻,大败敌军,俘虏了将领张德,其他人都逃进城中。张士诚又派他的部将吕珍冲进常州城,监督兵士防守。徐达又进军包围了常州。

丁亥(十一日),一颗流星像酒杯一样大小,颜色青白,星尾痕迹大约五尺多长,光亮照彻大地,从东北方起,往东南行进,消逝在浊星附近,发出像雷一样的声音。

刘福通派遣将领分别攻打河南、山东、河北,京师非常震惊。

这一月,河南丧失,廉访副使谙普逃走。将河南廉访司衙门迁到沂州,又在沂州设置分枢密院,把兵马指挥使司归属于它。

江浙行省平章政事布延特穆尔在池州逝世。

布延特穆尔为人廉洁耿直,别人不敢以私情向他提出非理要求,他带领军队经过的地方不接受别人的馈赠犒劳,百姓不知道有部队经过。他天性孝顺,幼年在叔父阿珠抚养下长大,他侍奉叔父就像亲生父亲。他经常乘骑花马,当时人称作"花马平章"。

十二月,庚申(十五日),河南行省平章达实巴图尔在太康大败刘福通的军队。

这之前朝廷派遣托欢前来督察部队,达实巴图尔父子俩亲自与刘福通拼杀。从巳时直到酉时,大战了几个回合。达实巴图尔跌下马,博啰特穆尔扶他上马要他先回去,自己拿着弓箭,连连发箭射死追赶的人,晚上三更时候,步行回到营中。接着率领大部队逼打陈留,攻下了夹河刘福通的营寨。这一天,到高柴店驻扎,离太康三十里。晚上二更,贼人五百多骑兵前来劫营,看到早有防备,立即逃走,官军点燃火把追击敌军。等到天亮,达实巴图尔指挥军队奋力战斗,从寅时直到巳时,攻占了太康四门。官军勇士爬上城墙攻进外城,斩敌首数万,活捉伪将军张敏、孙韩等九人,杀死伪丞相王、罗两人,太康全部被平定。达实巴图尔又派博啰特穆尔向京师报捷,顺帝在内殿慰劳赏赐,封达实巴图尔的祖先二代为王,任命他为河南行省左丞相,并兼知枢密院事,守卫汴梁。弟弟识里穆被任为云南行省左丞,儿子博啰特穆尔任四川行省左丞,其他将校部属都有各不相同的奖励、任命。

这个月,倪文俊攻占岳州路,杀死威顺王的儿子岱特穆尔。

湖广参政额森特穆尔与左江义兵万户邓祖胜,联合出兵收复衡州。

宁国路长枪元帅谢国玺进犯吴的广兴府,元帅邓愈打败来敌,俘虏敌总管武世荣,获得兵士千多人。

这年,朝廷下诏:"沿海州县被贼寇残暴掠夺的,免去田租三年。"

河南行省左丞相台哈布哈在南阳、嵩、汝等州驻扎部队后，叛乱的民众都投降了，军中气势更加振奋。

陕西行台监察御史李尚絅献上《关中形势急论》，共有十二件事。

命令大司农司在雄、霸二州屯田种植粮食以供应京师，称作"京粮"，这是因为浙西被攻占，海路不通的缘故。

义兵元帅方家努，将所带军队驻扎在杭城的北关，勾结同党，互相煽动作恶，抢劫掳掠钱财物，白天杀人，百姓将他看成祸患。江浙行省平章庆图对丞相达实特穆尔说："我军没有纪律，凭什么战胜敌人！必须杀掉方家努，才能够出兵。"达实特穆尔便与庆图进入方的军队，杀掉方后遍示百姓，百姓非常高兴。

接着苗军元帅杨鄂勒哲进升右丞，因有功劳骄傲自大，便要求娶庆图的女儿，庆图起初没答应。当时苗军兵势盛大，达实特穆尔正依靠他作主力，便强行作主婚，庆图没办法，只得将女儿许给他。

广西苗军五万，跟着元帅阿尔斯蓝顺着长江东下到达庐州。淮东都元帅余阙发出公文，说苗蛮不应当让它窥视中国。朝廷下诏命阿尔斯蓝还军。苗军在境内有暴行的，余阙马上抓起来处死，正气凛然，苗军没有敢冒犯的。当时众多强盗环布四方，余阙处于中间，照应左右官军，屹然而立，成为一扇保护江淮的屏障。朝廷论功任命他为江淮行省参政，依旧镇守安庆。他打通与江南的通道，商人们从四处来到这里。

池州赵普胜率领众人攻打安庆城，连续打了三天，战败离去，不几天又来了，相持了二十天才退去：怀宁县达噜噶齐伯嘉努战死。普胜本来是巢湖水军，投降徐寿辉，勇敢强悍，擅长使用双刀，号称"双刀赵"。

至正十七年　（公元1357年）

春季，正月朔（初一），有日蚀出现。

己丑（十四日），杭州落黑雨，河水池水都变黑了。

辛卯（十六日），命令山东分省团结义兵，每州加设判官一人，每县加设主簿一人，专门带领义兵从事防守抵御的任务，仍令各路达噜噶齐提派调度，听从宣慰使司的统一指挥。

二月，丙午朔（初一），吴国公派将领耿炳文、刘成从广德前往长兴，张士诚部将赵打虎带领三千兵士迎战，被打败，耿、刘直追到城西门，打虎逃向湖州；戊申（初三），攻克长兴，缴获战船三百多只，俘虏张士诚守将李福安、达实曼等，义兵万户蒋毅率所带部队二百人投降。

壬子（初七），贼人进犯七盘、蓝田，命令察罕特穆尔带部队会同达尔玛尔守卫陕州、潼关。哈喇布哈从潼关抵达陕州，会同豫王喇特纳实哩以及定珠等人一起前往讨伐。

癸丑（初八），因为征讨河南许、亳、太康、嵩、汝等地获得大胜，下诏赦免天下罪人。

戊辰（二十三日），知枢密院事托克托收复邳州。调客省使萨尔达温等攻打黄河南岸的贼军，大败他们。

壬申（二十七日），刘福通派遣他的党羽毛贵攻占胶州，签枢密院托欢被打死。

甲戌（二十九日），倪文俊攻占峡州。

5148

这个月，李武、崔德等攻破商州，攻打武关，因而径直前往长安，分兵掠夺同、华等州，三辅地区震惊恐惧。当时豫王喇特纳实哩以及省、院官员都非常害怕，想不出办法，行台治书侍御史王思诚说:"察罕特穆尔的名号,贼人一向很畏惧,应该派使者向他求救,这是最好的办法。"守卫的将领担心他排挤自己,讨论很久不能决定,思诚说:"我军兵力薄弱,早晚就要失守,罪责将由谁负!"因此写信给察罕特穆尔说:"河南、陕西两省,互相为唇齿关系,陕西危急的话,河南又怎么能独自安全!"察罕特穆尔得信后很高兴,于是带领轻兵五千人,与李思齐兼程前来支援。进入潼关,和贼军相遇,一交战便获胜,杀死俘获的敌人不计其数,贼军残余都逃散了,逃向南山,进入兴元。

朝廷下诏授予察罕特穆尔陕西行省左丞、李思齐四川行省左丞的职位。

下诏任命高宝为四川行省参知政事,带部队攻打中兴路,没有攻克,倪文俊因此攻破了辘轳关。

三月,乙亥朔(初一),义兵万户赛甫鼎、阿密勒鼎叛乱后占据泉州。

庚辰(初六),毛贵攻占莱州,防守将领山东宣慰副使释嘉纳战死。

壬午(初八),吴将徐达等攻克常州。

当初,常州兵力虽少但粮食很多,所以坚持防守不能攻下。等到叛军进城后,兵力增多粮食减少,无法生存,徐达等人攻打更加急迫,吕珍夜里逃走,因而被攻克。将常州路改为常州府。徐达又与常遇春、桑世杰带兵攻打马驮沙,攻克了该处。

甲午(二十日),毛贵攻占益都路,益王迈努逃走;丁酉(二十三日),攻占滨州。由此以后山东都邑都沦陷了。派江淮行枢密院副使董抟霄担任山东宣慰使,跟随布蓝奚攻打毛军。

接着中书省官员说:"山东般阳、益都相继沦陷,济南越来越危险,应精选将领训练兵士,有功即赏、有罪即罚,作为保全燕、赵的计策,以便捍卫京师。"朝廷没有答复。

监察御史张桢献上奏疏陈述十种祸患,将轻视大臣、权力分散、贪图安逸、杜绝言路、离散人心、滥用刑狱六个方面作为根本的祸患,将不谨慎调度、不采纳众人计策、不严明赏罚、不精选将帅四个方面作为征讨的祸患,所说的话大多切中要害。其中贪图安逸、不严明赏罚二条,更是说透了当时的弊端。

疏中大致说:"皇帝您遵守旧法以求安适,没有考虑到可能的变故。现在天下动荡不安,天道改变常规,民众心情难保,正应该加强切实的德行修养来感应天意,采取诚恳的态度来挽回人心。所有土木兴建的劳苦、声色犬马的快乐、酒地花天的诱惑,都应该彻底抛弃改正。但陛下您却若无其事,还像太平无事的时候,这就是贪图安逸成为根本祸患的缘故。另外,从四处报警以来,调兵遣将六年,当初便无纪律,又缺少奖赏勉励的好办法。将帅掩饰失败说成胜利,将虚的说成实的,大小将领互相欺凌攻击,朝廷内外互相依靠,他们的性情虽然不一样,但是凭借功劳贪求赏赐的心情是一致的。因此有败兵将领,残害兵士的将领,贪婪的将领,胆怯懦弱的将领,都没有受到惩罚训诫。军队所经过的地方,鸡狗烹食一空,财物抢夺尽光,但当面吹捧、四处游说的人反而因为收复城池受到赏赐。如今收复的地方都成为荒废的空地。河南当时封土三千多里,郡县每年输送钱财粮食数百万计,可现在所保存的地方,只有封丘、延津、登封、偃师三四个县。两淮以北,大河以南,到处一片萧瑟冷清。像这种情形却希望军队兵员不缺乏、粮食供养不枯竭,即使天上降落粟米,地下涌出金银,早晚生死也难以保证,何况用土地有限的给养来供应军队没有穷竭的欲望呢!陛下信奉佛教祈求福泽,供养和尚消除祸患,在天子的寿诞之日禁止屠宰,这都是虚名。当今天下战争纷起,杀的人不知多少,陛下您安然处之,不加理睬,却说我将靠这种办法求得幸福,幸福从哪里来呢？颍上的军队,观察它的动向,其快疾的速度令人害怕,不达到消灭我社稷、摧毁我国家的目的不会停止,这就是不严明赏罚成为征伐祸患的原因。"奏疏献上去后,皇帝不能省悟。接着执政的大臣恨他指斥太明太直,将他调出京师任山南廉访签事。

前海南、海北宣慰使王英是益都人,性格刚强果断,非常有节操,神力超人。承袭他父亲的职务为莒州翼千户,父子俩都善于使用双刀,人们号称为"刀王"。当初,漳州盗贼纷起,朝廷命令江西行省左丞雅克特穆尔讨伐。这时王英已年老退休,平章巴萨里对部下说:"这些虽然是鼠窃狗偷的小贼,但不是刀王对付不了。刀王这个人虽然年老,但可用大义来激怒他。"于是派人迎接他来。王英说:"国家有事,我虽然年老,能够坐视不理吗？"跳上战马,挥动长矛,神采奕奕,驰往军中。贼人平定,王英的功劳最多。

到益都陷落时,王英已九十六岁,对他的儿子王弘说:"我们世代受国家恩惠,现在老了,即使不能驰马上阵来报答天子,又怎么忍心吃异姓的食粮来求得生存呢！"茶饭不吃地连续几天后去世。毛贵听说后,派人备办棺木衣服埋葬了他。

大司农吕思诚去世,谥号忠肃。思诚气质大度、举止稳重,不被权势利害所屈服,三次任祭酒,全部遵守许衡的旧法,接受教育的弟子后来大多成为名士。

夏季,四月,丙午(初二),监察御史五十九说:"现在京师周围虽然安排二十四营,但兵士疲惫衰弱,一向没有训练,确实形同虚设,倘若有难以预料的事发生,真的令人寒心。应该马上选择英勇精干的部队,保卫皇上、镇守京师,这实在是奠定平安的根本,也是坚定人心最急迫的事情。何况军事上没有比军队更重要的,而供养军队没有比粮食更优先的。现在朝廷拨下钱钞,配办农具,命令总兵官在河南收复州郡,边耕种边战斗,非常合乎寓兵于农的意思。当今的办法,当暂时命令总兵官,在军官中选择可以安抚军民的人,授予路府州县的职务,要求他们在农事上有成绩,使军民各得其所,那么骚扰百姓的危害便能消除,而粮食短少的忧虑也可以解决了。"顺帝很赞赏地接纳了他的建议。

乙卯(十一日),毛贵攻占莒州。

辛酉(十七日),达实巴图尔增加太尉、四川行省左丞相的官职。

汉中道廉访司检举陕西行省左丞萧嘉努遇到贼军后逃跑,丢失守卫郡邑的罪行。皇帝下诏明正他的罪过。

丁卯(二十三日),吴国公的部队攻取宁国路。

这之前徐达、常遇春带军队攻打宁国,长枪元帅谢国玺弃城逃跑,守臣拜布哈、杨仲英等关闭城门坚守抵抗,城虽小但坚固,攻打很久不能攻下。遇春中了流箭,包扎好伤口再战。吴国公于是亲自前去指挥部队,下令制造飞车,前面编制竹子作遮挡的屏障,几路同时进攻,仲英等不能抵挡,打开城门请求投降,百户朱文贵杀死妻妾后自杀。活捉元帅朱亮祖,所属县城相继被攻下。

亮祖是六合人,开始为义兵元帅,太平攻克时前来投降,不久叛变逃走,多次打败吴军,众将领没有能抵挡的,到这时才抓住亮祖献给吴国公。吴国公说:"现在怎么样？"亮祖说:"这是不得已,生时已尽了努力,要死就死吧！"吴国公很欣赏他的英勇,释放了他。

这个月,顺帝到上都。

五月，乙亥朔(初一)，张士诚派遣他的左丞潘原明、元帅严再兴进犯长兴，驻扎在上新桥。吴守将耿炳文出兵打败了他，原明等人逃走。

命令知枢密院事布兰奚进兵讨伐山东。

戊寅(初四)，平章政事齐拉衮特穆尔收复武安州等三十多座城池。

己卯(初五)，吴兵攻打泰兴，张士诚派兵前来支援，元帅徐大兴、张斌击败张军，俘虏他的将领杨文德等，于是攻克了泰兴。

丙申(二十二日)，中书左丞相绰斯戬晋升为右丞相。将辽阳行省左丞相泰费音调入京师任中书左丞相。

下诏天下免去百姓今年税粮的一半。

铜陵县尹罗德、万户程辉向吴投降。常遇春率领军队驻扎铜陵。池州路总管陶起祖也来投降，详细说明城中兵少势弱可以攻取的情况，遇春于是谋划攻取池州。这天，派兴国翼分院判官赵忠、元帅王敬祖等攻打池州青阳县，赵普胜出兵抗拒，敬祖用几十个骑兵冲击对方阵脚，阵势冲乱后，乘势迅速攻打，因而大败赵军，攻克青阳县。

吴枢密院判俞通海，用水军攻打太湖马迹山，降服张士诚部将钮津等，因而前往东洞庭山，士诚将领吕珍带部队抵御。众将领仓促之中想撤退，通海说："敌众我寡，撤退就会暴露真情，他们更加集中兵众，凭着险要地势来打击我，如何抵挡他们！不如与他们交战。"因此身先士卒，箭射中右眼下面，通海不为所动，慢慢叫强劲勇士披着自己的盔甲站在船上指挥作战。吕珍不能得胜，就带兵离去了。

六月，甲辰朔(初一)，任实勒们为中书分省右丞，镇守济宁。

丙辰(十三日)，监察御史托克托穆尔说："去年河南的贼寇侵犯河北，河南与山东两地互相协同呼应，危险特别大。应当命令中书省从台哈布哈、达实特穆尔、阿噜三处的军马中，选择精锐兵力，用来防守河北，进可以制约河南的侵犯，退可以攻打山东的敌寇，这样基本上可以没有忧虑。"朝廷同意。

己未(十六日)，任命彻尔特穆尔、娄都尔苏同为御史大夫。

庚申(十七日)，吴国公派长春府分院判官赵继祖、元帅郭天禄、镇抚吴良攻略江阴州，张士诚的军队凭据秦望山抗拒来敌，继祖带兵攻打。恰逢大雨狂风，士诚的军队奔逃，继祖占据此山。这天，进攻江阴州的西门，攻克该城，命令吴良防守。

这以前士诚北边有淮海，南面有浙西，长兴、江阴二座城邑都是它的要害之地。长兴地处太湖口，陆路可以通往广德等郡；江阴靠着大江，控制姑苏、通州渡江的道口。得到长兴后，张士诚的步骑兵不敢离开广德进犯宣、歙等地；得到江阴后，士诚的水军不敢沿着长江西上进攻金、焦等。到这时都已归吴所有，张士诚侵犯的道路被断绝了。

壬申(二十九日)，御史大夫特哩特穆尔检举陕西知行枢密院事额森特穆尔，皇帝罢免了他，命令他居住到草地。

癸酉(三十白)，温州路乐清县江中有龙飞起，狂风大作，有火光像球一样大小。

这个月，刘福通进犯汴梁，他的部队分为三路，关先生、破头潘、冯长舅、沙刘二、王士诚进入晋、冀，从朔方攻打上都；白不信、大刀敖、李喜喜前往关中；毛贵从山东攻向大都。刘福通的势力再次扩大振兴起来。

续资治通鉴卷第二百十四

【原文】

元纪三十二　起强圉作噩【丁酉】七月,尽著雍掩茂【戊戌】十二月,凡一年有奇。

顺　　帝

至正十七年　【丁酉,1357】　秋,七月,丙子,吴徐达率兵攻常熟,张士德出挑战;先锋赵德胜麾兵而进,擒士德送建康,遂循望亭、甘露、无锡诸寨,皆下之。

士德骁鸷有谋,士诚陷诸郡,士德力居多,及是被擒,士诚为之丧气。

己卯,御史大夫特哩特穆尔奏续辑《风宪弘纲》。

庚辰,吴国公遣兵取徽州路。

元帅胡大海等既克绩溪,遂进兵攻徽州。守将元帅巴斯尔布哈及建德路万户吴讷等拒战,大海击败之,拔其城。讷与守臣阿噜辉、李克膺等退守遂安。大海引兵追及于白际岭,复击败之。讷自杀,属县次第皆下。

戊子,以李稷为御史中丞。

己丑,义兵黄军万户田丰叛入红军,陷济宁路,分省右丞实勒们遁。义兵万户孟本周攻之,丰败走,本周还守济宁。

甲午,监察御史达尔默色、刘杰言:"疆域日麑,兵律不严,陕西、汴梁、淮、颍、山东之寇,有窥伺燕、赵之志,宜俯询大臣,共图克复,豫定守备之策。"不报。

丙申,吴元帅胡大海进攻婺源。江浙参政杨鄂勒哲,率兵十万欲复徽州,大海还师,与战于城下,大败之,杀其镇抚吕才,鄂勒哲遁去。

是月,立四方献言详定使司。

归德府知府林茂、万户时公权叛,以城降于贼,归德及曹州俱陷。

八月,癸丑,刘福通兵陷大名路,遂自曹、濮陷卫辉路,博啰特穆尔与万户方托克托出兵击之。

是月,帝至自上都。

张士德至建康,吴国公以礼待之,供珍膳,俟其降。士德不食不语,其母痛之,令士诚岁馈建康粮十万石,布一万匹,永为盟信,吴国公不许。士德以身絷,事无所成,问遗士诚书,俾降元以图建康,遂不食而死。

张士诚使前江南行台中丞曼济哈雅为书,请降于浙江丞相达实特穆尔,辞多不逊。杨鄂

5152

勒哲欲纳之，达实特穆尔不可，曰："我昔在淮南，尝招安士诚，知其反覆，其降不可信。"士诚使者往返讫无就，乃遣其伪隆平太守周仁亲诣江浙省堂，具陈自愿休兵息民之意。鄂勒哲固劝纳降，乃许之。士诚始要王爵，达实特穆尔不许，又请爵为三公，达实特穆尔曰："三公，非有司所定，今我虽便宜行事，然不敢专也。"鄂勒哲又力以为请，达实特穆尔虽外为正辞，然实幸其降，又恐拂鄂勒哲意，遂授士诚太尉，士德淮南行省平章政事，士信同知行枢密院事。改隆平府复为平江路，士诚迁居府治，虽奉正朔，而甲兵、钱谷皆自据如故。朝廷顾以招安士诚为达实特穆尔功，诏加太尉。后闻士德之死，追封楚国公，而以士信为江淮平章政事。

初，达实特穆尔假周伯琦行省参政，招谕张士诚，及是已降，除伯琦同知太常礼仪院事，士诚留之；未行，拜左丞，士诚为造第宅于乘鱼桥，厚其廪给。

九月，癸酉朔，婺源州元帅汪同，与守将特穆尔布哈不协，以总管王起宗、黟县万户叶茂、祁门元帅马国宝降于吴；甲戌，江浙平章夏章等亦降于吴。

丙子，以御史大夫娄都尔苏为中书平章政事。

丙戌，吴广兴翼元帅费子贤率兵攻武康，与守将潘万户战，斩首百馀级，遂下之。

甲午，泽州陵川县陷，县尹张辅死之。

戊戌，台哈布哈复大名路并所属州县。

辛丑，诏中书右丞额森布哈、御史中丞成遵奉使宣抚彰德、大名、广平、东昌、东平、曹、濮等处，奖励将帅。

是月，命知枢密院事努都尔噶加太尉，总诸军守御东昌。时田丰据济、濮，率众来寇，击走之。

倪文俊谋杀其主徐寿辉，不果；自汉阳奔黄州，寿辉将陈友谅袭杀之。

友谅佐文俊攻陷诸州郡有功，遂用领兵为元帅，及文俊迎寿辉居汉阳而专其政柄，友谅心不平，至是袭杀文俊，并其众，自称宣慰使，寻为平章政事。

闰月，癸卯，有飞星如盂，青色，光烛地，尾约长尺馀。

监察御史多尔济等劾奏知枢密院事哈喇巴图尔失陷所守郡县，诏正其罪。

乙丑，潞州陷。丙寅，贼攻冀宁，察罕特穆尔遣兵击走之。

赵普胜同青军两道攻安庆，淮南行省左丞余阙，拒战月馀，贼竟败走。安庆倚小孤山为藩蔽，命义兵元帅胡巴延统水军戍焉。冬，十月，壬戌，陈友谅自上游直捣小孤山，巴延与战四日夜，不胜，趋安庆，贼追至山口镇。明日，癸亥，遂薄城下，阙遣兵扼于观音桥。俄饶州祝寇攻西门，余阙击斩之，其兵乃退。

壬申，吴中翼大元帅常遇春，率廖永安等自铜陵进攻池州。永安去城十里，而常遇春及吴国宝率舟师抵城下合攻，自辰至巳，破其北门，遂入其城，执元帅洪某，斩之，擒别将魏寿、徐天麟等。官军败走，薄暮，复以战船数百艘来逆战，复大败之，遂克池州。

甲申，吴国公阅军于大通江，遂命元帅缪大亨率兵攻扬州路，克之；青军元帅张明鉴以其众降。先是至正十五年，明鉴聚众淮西，以青布为号，名青军，人呼为"一片瓦"。其党张监骁勇，善用枪，又号为"长枪军"，暴悍，专事剽掠，由含山、全椒转掠六合、天长至扬州，人皆苦之。

时镇南王博啰布哈镇扬州，招降明鉴等，以为濠、泗义兵元帅，俾驻扬州，分屯守御。久之,明鉴等以食尽,复谋作乱,说镇南王曰:"朝廷远隔,事势未可知。今城中粮乏,众无所托命,殿下世祖孙,当正大位,为我辈主,出兵南攻,以通粮道,救饥窘。不然,人心必变,祸将不测。"镇南王仰天哭曰:"汝不知大义。如汝言,我何面目见世祖于宗庙耶?"麾其从使退,明鉴等不从,呼噪而起,因逐镇南王而据其城。镇南王走淮安,为赵君用所杀。

明鉴等凶暴益甚,屠城中居民以为食,至是兵大败不支,乃出降,得其众数万。置淮海翼元帅府,命元帅张德麟、耿再成守之。改扬州路为淮海府,以李德林知府事。城中居民仅存十八家,德林以旧城虚旷难守,乃截城西南隅,筑而守之。

戊戌,曹州贼人太行山,达实巴图尔与知枢密院事达哩玛实里以兵讨曹州贼,官军败溃,达哩玛实里死之。

是月,静江路山崩,地陷,大水。

关中贼散走南山者,出自兴元,陷秦、陇,据巩昌,有窥凤翔之志。察罕特穆尔即分兵入守凤翔,而遣谍者诱贼围其城,贼果来攻之,厚数十重。察罕特穆尔自将铁骑,昼夜驰二百里往赴。比去城里所,分军张左右翼掩击之,城中军亦开门鼓噪而出,内外合击,呼声动天地。贼大溃,自相践蹂,斩首数万级,伏尸百馀里,馀党皆遁还,关中悉定。

十一月,辛丑,山东道宣慰使董抟霄,复请令江淮等处各枝官军,分布连珠营寨,于隘口屯驻守御,且广屯田以足军食,从之。

汾州桃、杏花。

壬寅,贼侵壶关,察罕特穆尔以兵大破之。

十二月,丙戌,徐寿辉将明玉珍陷重庆路,据之。

玉珍,随州人,世农家,身长八尺,目重瞳,以信义为乡党所服。初闻寿辉兵起,集乡兵,屯于青山,结栅自固。未几,降于寿辉,授元帅,隶倪文俊麾下,镇沔阳。与官军战湖中,飞矢中右目,微眇,既而以兵千人,桨斗船五十,溯夔而上。时青巾盗李喜喜,聚兵苦蜀,义兵元帅杨汉以兵五千御之,屯平西。左丞相鄂勒哲图镇重庆,置酒饮汉,欲杀之,汉觉,脱身走,顺流下巫峡。遇玉珍,讼之,且言重庆可取状,玉珍未决,万户戴寿曰:"攻重庆,事济据蜀,不济,归无损也。"从之,遂进克其城,鄂勒哲图遁。父老迎入城,玉珍禁侵掠,市肆晏然,降者相继。

己丑,吴国公下令释轻、重罪囚,以干戈未宁,人心初附故也。

丁酉,庆元路象山县鹅鼻山崩。

戊戌,翰林学士承旨欧阳玄卒。

初,汝、颍盗起,蔓延南北,州县几无完城。玄献招捕之策千馀言,时不能用,遂乞致仕,帝不允。会大赦,宣赴内府。玄久病不能步履,丞相传旨,肩舆至延春阁下。及卒,赐赙甚厚,赠大司徒,追封楚国公,谥日文。玄性度雍容,处己俭约,为政廉平,历官四十馀年,册命、制诰多出其手。

己亥,流星如金星大,尾约长三尺馀,起自太阴,近东而没,化为青白气。

庚子,太尉、四川行省左丞相达实巴图尔卒于军中。

时诏遣知院达理玛实哩来援,分兵雷泽、濮州,而达理玛实哩为刘福通所杀,达勒达诸军皆溃。达实巴图尔力不能支,退驻石村,朝廷颇疑其玩寇失机,使者促战相踵;贼觇知之,诈为达实巴图尔通和书,遗诸道路,使者果得之以进。达实巴图尔知之,一夕忧愤死。

初，毛贵陷益都、般阳等路，帝命董抟霄从知枢密院事布兰奚讨之。而济南又告急，抟霄提兵援济南。贼众自南山来攻济南，望之两山皆赤。抟霄按兵城中，先以数十骑挑之，贼众悉来斗，骑兵少却，至硐上，伏兵起，遂合战，城中兵又大出，大破之。而般阳贼复约泰安之党逾南山来袭济南，抟霄列兵城上，弗为动。贼夜攻南门，独以矢石御之，黎明，乃潜开东门，放兵出贼后。既旦，城上兵皆下，大开南门，合击之，贼败走，复追杀之，贼众无遗者。于是济南始宁。

诏就升淮南行枢密院副使、兼山东宣慰使、都元帅，仍赐上尊、金带、楮币、名马以劳之。有疾其功者，谮于总兵太尉努都尔噶，令抟霄依前诏从布兰奚同征益都。抟霄即出济南城，属老且病，请以其弟昂霄代领其众，朝廷从之，授昂霄淮南行枢密院判官。未几，命抟霄守河间之长芦。

是冬，张士诚筑城虎丘山，因高据险，役月馀而毕。

是岁，诏谕济宁李秉彝、田丰等，令其出降，叙复元任。啸乱士卒，仍给资粮，欲还乡者听。

义兵千户余宝，杀其知枢密院事宝图以叛，降于毛贵。余宝遂据棣州。

集贤大学士兼太子左谕德许有壬，以老病乞致仕，许之。有壬前朝旧德，皇太子颇加敬礼，一日入见，方臂鹰为乐，遽呼左右屏去，始见之。

盗据齐鲁，中书参知政事崔敬，与平章达览、参政谙普分省陵州。陵州乃南北要冲，无城郭，而居民散处，敬供给诸军，事无不集。丞相以其能上闻，赐之上尊，仍命其便宜行事。敬以军马供给浩繁，而民力已疲，乃请行纳粟补官之令，诏从之。河北、燕南士民接踵而至，积粟百万石，绮段万匹，以供军费，民获少苏。

中书右丞乌古逊良桢论罢陷贼延坐之令；有恶少年诬知宜兴州张复通贼之罪，中书将籍其孥，吏抱案请署，良桢曰："手可断，案不可署！"同列变色，卒不署。

良桢自左曹登政府，多所建白，罢福建、山东食盐，浙东、西长生牛租，濒海被灾围田税，民皆德之。

至正十八年 【戊戌，1358】 春，正月，丙午，赵普胜、陈友谅等陷安庆，淮南行省右丞余阙死之。

贼之来攻也，初自东门登城，阙简死士，击却之；已而并军攻东、西二门，又击却之。贼恚甚，乃树栅起飞楼临城，阙分命诸将各以兵扞贼，昼夜不得息，贼益生兵来攻。是日，普胜军东门，友谅军西门，饶州祝寇军南门，群盗四面蚁集，外无一甲之援。西门势尤急，阙身当之，徒步提戈，为士卒先；士卒号哭止之，挥戈愈力，仍分麾下将督三门之兵，自以孤军血战，斩首无算，而阙亦被十馀创。日中，城陷，火起，阙知不可为，引刀自刭，堕清水塘中。妻耶卜氏，子德生，女福童，皆赴井死。

同时死者，守臣韩建，一家被害。建方卧疾，骂贼不屈，贼执之以去，不知所终。

城中民相率登城楼，自捐其梯，曰："宁俱死此，誓不从贼！"焚死者以千计。其知名者，万户李宗可、纪守仁、陈彬、金承宗，元帅府都事特穆布哈，万户府经历段桂芳，千户和硕布哈、新李、卢廷玉、葛延龄、丘耷、许元（炎）〔琰〕，奏差乌图缦，百户黄寅孙，安庆推官黄图伦岱，经历杨恒，知事余中，怀宁尹陈巨济，凡十八人。

阙号令严信,与下同甘苦,然稍有违令,即斩以徇。尝病不视事,将士皆吁天,求以身代,阙强衣冠而出。当出战,矢石乱下如雨,士以盾蔽阙,阙却之,曰:"汝辈亦有命,何蔽我为!"故人争用命。稍暇,即注《周易》,帅诸生谒郡学会讲,立军士门外以听,使知尊君亲上之义,有古良将风烈。或欲挽之入翰林,阙以国步危蹙,辞不往,遂死于安庆。赠淮南、江北行省平章,追封豳国公,谥忠宣。议者谓兵兴以来,死节之臣,余阙与褚布哈为第一。

庚戌,张士诚兵攻常州,吴守将汤和击败之,获卒数百人。

吴行枢密院判邓愈遣部将王弼等攻婺源州,兵至城西,与守将特穆尔布哈战,自旦至日昃,杀伤五百余人不下。乙卯,分兵为三道并进,遂拔其城,特穆尔布哈死之,士卒皆降,凡三千余人。复遣万户朱国宝攻高河垒,克之。

乙丑,大风起自西北,益都土门万岁碑仆而碎。

丙寅,田丰陷东平路。

丁卯,知枢密院事布兰奚与毛贵战于好石桥,官军败绩,走济南。

是月,诏达实巴图尔子博啰特穆尔为河南行省平章政事,总领其父原管军马。

诏察罕特穆尔屯陕西,李思齐屯凤翔。

二月,己巳朔,议团结西山寨大小十一处以为保障,命中书右丞达实特穆尔、左丞乌古逊良桢等总行提调,设万夫长、千夫长、百夫长,编立牌甲,分守要害,互相策应。

毛贵陷青、沧二州,遂据长芦镇。

中书省奏以陕西军旅事剧,去京师道远,供费艰难,请就陕西印造宝钞为便,从之;遂分户部宝钞府等官,置局印造,仍命诸路拨降钞本,界平准行用库倒易昏币,布于民间。

癸酉,毛贵陷济南路,守将爱迪战死。

毛贵立宾兴院,选用故官,以姬京周等分守诸路。又于莱州立三百六十屯田,每屯相去三十里,造大车百两,以挽运粮储,官民田十止收(三)〔二〕分,冬则陆运,夏则水运。

董抟霄将赴长芦,谓人曰:"我去,济南必不可保。"至是济南果陷。抟霄方驻兵南皮县之魏家庄,适有诏拜抟霄河南行省右丞。甫拜命,毛贵兵已至,而营垒犹未完,诸将谓抟霄曰:"贼至,当如何?"抟霄曰:"我受命至此,当以死报国耳!"因拔剑督兵以战,而贼众突至抟霄前,猝问为谁,抟霄曰:"我董老爷也。"众刺杀之,无血,惟见有白气冲天。是日,昂霄亦死之。事闻,赠抟霄河南行省平章政事,追封魏国公,谥忠定;昂霄礼部尚书,追封陇西郡侯,谥忠毅。

抟霄早以儒生起家,辄为能吏。会天下大乱,复以武功自奋,其才略有大过人者;而当时用之不能尽其才,君子惜之。

乙亥,吴国公以吴桢为天兴翼副元帅,使与其兄良守江阴。时江阴兵不满五千,而与张士诚接境。良兄弟训练士卒,严为警备,屯田以给军饷,敌不敢犯,民甚赖之。

吴国公命元帅康茂才为营田使,谕之曰:"比因兵乱,堤防颓圮,民废耕耨,故设营田司以修筑堤防,专掌水利。今军务殷繁,用度为急,理财之道,莫先于农。春作方兴,虑旱潦不时,有妨农事,故命尔此职,分巡各处,俾高无患干,卑不病潦,务在蓄泄得宜。大抵设官为民,非以病民,若但使有司增饰馆舍,迎送奔走,所至纷扰,无益于民而反害之,即非委任之意。"

山东贼渐逼京畿。辛巳,诏以台哈布哈为中书右丞相,总兵讨之。

壬午，田丰复陷济宁路；甲戌，陷辉州。丙戌，努都尔噶闻田丰近逼东昌，弃城走，城遂陷。

丁亥，察罕特穆尔调兵复泾州、平凉，保巩昌。

庚寅，王士诚自益都犯怀庆路，守将周全击败之。

丁酉，兴元路陷。

三月，己亥朔，日色如血。

加右丞相绰斯戬太保。

庚子，毛贵陷般阳路。

辛丑，大同路夜黑气蔽西方，有声如雷；少顷，东北方有云如火，交射中天，遍地俱见火，空中有兵戈之声。

癸卯，王士诚陷晋宁路，总管杜赛因布哈死之。

己酉，刘福通遣兵犯卫辉，河南行省平章博啰特穆尔击走之，进克濮州。

庚戌，毛贵陷蓟州。

征四方兵入卫，诏察罕特穆尔以兵屯涿州。察罕特穆尔即留兵戍清漱、义谷，屯潼关，塞南山口以备他盗，而自将精锐赴召。

毛贵率众由河间趋直沽，乙卯，遂犯漷州，至枣林，已而略柳林，蹂畿甸，枢密副使达国珍战死，人心大骇。廷臣或劝乘舆北巡以避之，或劝迁都关陕，众论纷然。独左丞相泰费音执不可，帝乃命同知枢密院事刘哈喇布哈以兵拒之。战于柳林，官军捷，贼退走，京师乃安。

吴国公命提刑按察司佥事分巡郡县录囚，凡笞罪者释之，杖者减半，重囚杖七十。其有赃者免征，武将征讨有过者皆宥之。左右或言："去年释罪囚，今年又从未减，用法太宽，则人不畏法，无以为治。"吴国公曰："自丧乱以来，民初离创残，以归于我，正当抚绥之；况其间有一时误犯者，宁可尽法乎！大抵治狱以宽厚为本，而刑新国则宜用轻典，若执而不变，非时措之道也。"

丙辰，吴国公遣兵取建德路。

先是邓愈、朱文忠、胡大海，率兵由昱岭关进攻建德，道出遂安，长枪元帅余子贞以兵来拒，愈等击败之，追至淳安，降其众三千余人。遂安守将洪某，率兵五千援淳安，大海与之战，擒将士四百余人。由是直抵建德，参政布哈、院判庆寿等皆遁，父老何良辅等以城降。改建德路为严州府。

以周全为湖广行省参知政事，统鄂啰等军，移镇嵩州白龙寨。

丁巳，田丰陷益都路。

察罕特穆尔欲赴召涿州，而曹、濮贼方分道逾太行，焚上党，掠晋冀，陷云中、雁门、上郡，烽火数千里，复大掠而南。察罕特穆尔留御之，先遣兵伏南山阻隘，而自勒重兵屯闻喜，绛州贼果出南山，纵伏兵横击之，贼皆弃（缁）（辎）重走山谷。遂分兵屯泽州，塞碗子城，屯上党，塞吾儿谷，屯并州，塞井陉口，以杜太行。诸道贼屡至，守将数血战，击却之，河东悉定。

进陕西行省右丞，兼行台侍御史，同知河南行枢密院事。于是朝廷乃诏察罕特穆尔守御关陕、晋冀，镇抚汉沔、荆襄，便宜行事。察罕特穆尔益务练兵训农，以平定四方为己责。

夏，四月，己巳朔，赵普胜自枞阳寇池州，陷之，执吴守将赵忠。

庚午,江浙行省左丞杨鄂勒哲以舟师攻徽州,吴将胡大海等击败之。丁丑,鄂勒哲又攻建德,吴将朱文忠击败之,鄂勒哲遁去。

甲(申)〔戌〕,陈友谅陷龙兴路,省臣道通、和尼齐弃城遁。

壬午,田丰陷广平路,大掠,退保东昌,诏元帅方托克托以兵复广平。

癸未,以诸处捷音屡至,诏颁《军民事宜十一条》。

甲午,陈友谅遣部将王奉国陷瑞州路。

是月,帝如上都。

察罕特穆尔、李思齐,会宣慰使张良弼,郎中郭择善,宣慰同知拜特穆尔,平章政事定珠,总帅汪长生奴,各以所部兵讨李喜喜于巩昌,李喜喜败入蜀。察罕特穆尔驻清漱,思齐驻斜坡,良弼驻秦州,择善驻崇信,拜特穆尔驻通渭,定珠驻临洮,各自除路府州县官,征纳军需。思齐、良弼同谋袭杀拜特穆尔,分总其兵;思齐寻又杀择善。

五月,戊戌朔,以方国珍为江浙行省左丞兼海道运粮万户。

察罕特穆尔遣其将以兵复冀宁。

刘福通攻汴梁,壬寅,守将珠展弃城遁。福通遂入城,立宫阙,自安丰迎其主小明王居之以为都。

陈友谅遣部将康泰、邵宗、邓克明等以兵寇邵武路。

庚戌,陈友谅陷吉安路。

癸丑,监察御史密济尔海、七十等,劾太保、中书右丞相台哈布哈;乙卯,削台哈布哈官,安置盖州。

初,台哈布哈奉命讨贼,既渡河,即上疏谓:"贼势张甚,军行宜以粮饷为先。昔汉韩信行军,萧何馈粮,方今措置,无如丞相泰费音者。如令泰费音至军中供给,事乃可济;不然,兵不能进矣。"其意实衔泰费音,欲其至军中即害之也。时参知政事布延特穆尔、张晋等分省山东,二人者尝劾寿图不进兵,台哈布哈至,则以其馈运不前断遣之。又以知枢密院事鄂勒哲特穆尔为右丞之日,尝劾其罪,亦加以失误专制之罪,擅改其官,征至军,欲害之。事闻,廷议喧然。左丞相泰费音,以其欲害己也,遂讽御史劾其缓师拒命,而于帝前力排之。于是下削夺之诏,以知枢密院事乌兰哈达代总其兵,仍命乌兰哈达节制河北诸军,河南行省平章政事周全节制河南诸军。

辛酉,陈友谅兵陷抚州路。

是月,山东地震,天雨白毛。

六月,戊辰朔,台哈布哈伏诛。

台哈布哈闻有诏,夜,驰诣刘哈喇布哈求救解。刘哈喇布哈,故台哈布哈部将也,以破贼累有功,拜淮南行省平章政事,时驻兵保定,见台哈布哈至,因张乐大宴,举酒慷慨言曰:"丞相国家柱石,有大勋劳如此,天子终不害丞相,是必为谗言所间。我当往见上白之,丞相毋忧也。"即走至京,见泰费音。泰费音问其来故,哈喇布哈具以告。泰费音曰:"台哈布哈大逆不道,今诏已下,尔乃敢妄言耶?不审处,祸将及尔矣!"哈喇布哈闻泰费音言,噤不能发。泰费音度台哈布哈必在哈喇布哈所,即语之曰:"尔能致台哈布哈以来,吾以尔见上,尔功不细矣。"哈喇布哈因许之,泰费音乃引人见帝,赐赉良渥。

初，哈喇布哈之事台哈布哈也，与倪晦者同在幕下，台哈布哈每委任晦，而哈喇布哈计多阻不行，哈喇布哈心常以为怨。及时知事已不可解，还缚台哈布哈父子送京师，未至，皆杀之于路。

察罕特穆尔调浩尔齐、关保同守潞州。拜察罕特穆尔陕西行省平章政事，便宜行事。

癸酉，吴左副都指挥使朱文忠率兵攻浦江，下之。义门郑氏，举家避兵山谷间，文忠重其累世雍睦，访得之，悉送还家，禁兵士无侵犯。

吴中翼左副元帅谢再兴等率兵略石埭县，与陈友谅兵遇，击败之，擒其将钱清等三人。

庚辰，关先生、破头潘等陷辽州，浩尔齐以兵击走之。

关先生等遂陷晋宁路，城中死者十二三。郡人乔彝，性高介有守，名称重一时，至是整衣冠，聚妻子，家有大井，彝坐其上，令妻子、婢妾辈循次投井中，而己随赴之。贼首王士诚，使人至彝家邀致之，至则彝死矣。贼平，赠彝临汾县尹，赐谥纯洁。有张嵩起者，汾州人也，尝用荐，征为国子助教，居一岁免归。贼去晋宁，复陷汾州，嵩起与妻亦赴井死。晋宁人王佐为贼所获，欲降之，佐诟詈不辍，亦遇害。

乙酉，命左丞相泰费音督诸军守御京城，便宜行事。

甲午，张士诚兵寇常熟县，吴守将廖永安与战于福山港，大破之。

自江南行台移治绍兴，即檄达噜噶齐迈尔古斯为行台镇抚。迈尔古斯大募民兵为守御计，与舒〔穆〕噜宜逊夹攻处州山贼，遂平之，擢江东廉访司经历，仍留绍兴，以兵卫台治。时浙东、西郡县多残破，独迈尔古斯保障绍兴，境内晏然，民爱之如父母。达实特穆尔承制授行枢密院判官，分院治绍兴。

及方国珍遣兵侵掠绍兴属县，迈尔古斯曰："国珍本海贼，今既降，为大官，而复来害吾民，可乎！"欲率兵问罪，先遣部将黄中取上虞。朝议方倚重国珍，资其舟以运粮，而御史大夫拜珠格，与国珍素通贿赂，情好甚厚，愤迈尔古斯擅举兵，且恐生事，即使人召至私第计事，至则命左右以铁锤挝杀之，断其头，掷厕溷中。民闻之，无不恸哭。迈尔古斯，宁夏人也。黄中率其众复仇，尽杀拜珠格家人及台府官员、掾吏，独留拜珠格不杀，以告于张士诚，士诚乃遣其将吕珍以兵守绍兴。

拜珠格寻迁行宣政院使，监察御史真图劾拜珠格阴害帅臣，几致激变，宜置诸严刑，诏削其官，安置湖州而已。

秋，七月，丁酉朔，河南行省平章政事周全，据怀庆路以叛，附于刘福通。时察罕特穆尔驻军洛阳，遣拜特穆尔以兵守碗子城。周全来战，拜特穆尔为其所杀。全遂尽驱怀庆民渡河，入汴梁。

庚子，吴廖永安败张士诚于狼山，获其战舰而还。

丁未，布兰奚以兵复般阳路，已而复陷。

癸丑，贼兵犯京城，刑部郎中布哈守西门，夜，开门击退之。

丙辰，吴总管胡通海等袭破九华山寨。时寨首鲍万户，有众二千，据险自固，四面设石雷石机弩，兵不能进。通海乃引兵潜由磴道攀援鱼贯而上，因风纵火，燔其寨，遂克之。

己未，刘福通遣周全引兵攻洛阳，守将登城，以大义责全，全陨谢，退兵，福通杀之。

全之攻洛阳也，察罕特穆尔以奇兵出宜阳，而自将精骑发新安来援。会贼已退，因追至虎牢,塞诸险而还。

是月,京师大水,蝗,民大饥。

是月,江南行省右丞郭天爵谋害吴国公,事觉,吴国公杀之。天爵,天秩之弟也。

八月,丁卯朔,江浙行省平章锡达布讨饶州,贪财玩寇,久无功,遂妄称迁职福建行省。至福建,为廉访佥事般若特穆尔所劾,拘之兴化路。

庚辰,陈友谅兵陷建昌路。

辛巳,义兵万户王信,以滕州叛,降于毛贵。

己丑,张士诚兵寇江阴,吴守将吴良击走之。

江浙行省丞相达实特穆尔,阴约张士诚以兵攻杨鄂勒哲,鄂勒哲仓卒不及备,遂自杀,其众皆溃。

鄂勒哲筑营德胜堰,周围三四里,子女玉帛皆在焉。用法深刻,任意立威,而邓子文、金希伊、王彦良之徒,又悉邪佞轻佻,左右交煽。达实特穆尔恶之。士诚素欲图鄂勒哲,遣其部将史文炳,往杭州谒鄂勒哲,相见甚欢。文炳大设宴,盛陈乌银器皿、嵌金铁鞍之类,尽以遗鄂勒哲,自是约为兄弟。

及士诚与达实特穆尔合谋,文炳率众围鄂勒哲营,鄂勒哲遣吏致牲酒为可怜之意,曰:"愿少须臾无死,得以底里上露。"文炳报不可。鄂勒哲乘城拒战,十日,力尽,自经死,其弟巴延亦自杀,文炳解衣裹鄂勒哲尸,瘗祭之。其后追封鄂勒哲潭国公,谥忠愍,巴延衡国公,谥忠烈。

鄂勒哲部将员成等欲为报仇,遣苗军元帅台哈布哈奉书纳款于建康,且言其部将李福等三万馀人在桐庐,皆愿效顺,吴国公命朱文忠往抚之。

庚寅,以娄都尔苏为御史大夫,诏作新风纪。

九月,丁酉朔,诏授锡班特穆尔同知河东宣慰司事,其妻云中郡夫人,子观音弩赠同知大同路事,仍旌表其门。先是锡班特穆尔为赵王位下总管府事,其妻尝保育赵王,及是部落明里叛,欲杀王,锡班特穆尔与妻谋,以其子观音弩服王平日衣冠居王宫,夜半,夫妻卫赵王微服遁去。贼至,遂杀观音弩,赵王得免。事闻,故旌其忠焉。

褒封唐赠谏议大夫刘黄为昌平文节侯。

关先生攻保定路,不克,遂陷完州,掠大同、兴和塞外诸郡。

中书左丞张冲,请立团练安抚劝农使司二道,一奉元、延安等处,一巩昌等处,从之。

壬寅,诏中书参知政事布延布哈、治书侍御史李国凤经略江南。

癸卯,诏以福建行省平章政事庆图为江南行台御史大夫。时行台治绍兴,所辖诸道,多为吴所有,而明、台则制于方国珍,杭、苏则制于张士诚,宪台纲纪,不复可振,徒存空名而已。

丙午,贼兵攻大同路。壬戌,平定州陷。

乙丑,陈友谅陷赣州路,江西行省参政全谱萨里及总管哈纳齐死之。

时江西下流诸郡,皆为友谅所据,谱萨里乃与哈纳齐戮力同守。友谅遣其将围城,因使人胁之降,谱萨里斩其使,日擐甲登城拒之。力战凡四月,兵少食尽,遂自刭。哈纳齐守

赣尤有功,城陷之日,贼将胁之使降,哈纳齐谓之曰:"与汝战者我也,尔毋杀吾民,当速杀我。"遂遇害。

冬，十月，辛未，吴将胡大海取兰溪州。

先是大海至婺之乡头，擒万户赵布延布哈等，平其五垒。是日，进攻兰溪，官军千人出战，败之，克其城，廉访使赵秉仁等被执。立宁越翼元帅府，分兵守其要害，遂进攻婺州路。

甲戌，吴将徐达、邵荣克宜兴。

先是达等攻宜兴，久不下，吴国公遣使谓达等曰："宜兴城小而坚，猝未易拔。闻其城西通太湖口，张士诚饷道所由出，若以兵断其饷道，彼军食内乏，城必破矣。"达等乃分兵绝太湖口，而并力急攻，遂拔其城。

同知枢密院事廖永安，复率舟师击士诚于太湖，乘胜深入，遇吕珍，战败，遂为所获，士诚欲降之，不屈。

壬午，监察御史杨珠布哈，劾中书右丞相绰斯戡任用私人都埒及姜弟崔鄂勒哲特穆尔，印造伪钞，事将败，令都埒自杀以灭口。绰斯戡乃请解机务，诏止收其印绶。乙酉，监察御史达尔玛实哩、王彝等复劾之，请正其罪，帝终不听。

壬辰，大同路陷，达噜噶齐鄂勒哲特穆尔弃城遁。

是月，博啰特穆尔统领诸军复曹州。

十一月，辛丑，吴立管领民兵万户府。

吴国公曰："古者寓兵于农，有事则战，无事则耕，暇则讲武。今兵争之际，当因时制宜，所定郡县，民间武勇之材，宜精加简拔，编辑为伍，立民兵万户府领之，俾农时则耕，闲则练习，有事则用之。事平，有功者一体升擢，无功者还为民。如此，则民无坐食之弊，国无不练之兵，以战则胜，以守则固，庶几寓兵于农之意也。"

癸卯，陈友谅陷汀州路。

丁卯，田丰陷顺德路。

先是枢密院判官刘起祖守顺德，粮绝，劫民财，掠牛马，民强壮者令充军，弱者杀而食之。至是城陷，起祖遂尽驱其民走入广平。

甲子，吴国公以胡大海兵攻婺州，不克，乃自将亲军副都指挥使杨璟等师十万往攻之。

十二月，乙丑朔，日有食之。

癸酉，关先生、破头潘、沙刘二等由大同直犯上都，焚毁宫阙；留七月，乃转略辽阳。

甲申，吴取婺州路，达噜噶齐僧珠、浙东廉访使杨惠死之。

先是吴国公出师至徽州，召儒士唐仲实，问："汉高帝、光武、唐太宗、宋太祖、元世祖平一天下，其道何由？"对曰："此数君者，皆以不嗜杀人，故能定天下于一。公英明神武，驱除祸乱，未尝妄杀；然以今日观之，民虽得所归，而未遂生息。"吴国公曰："此言是也。我积少而费多，取给于民，甚非得已。然皆为军需所用，未尝以一毫奉己。民之劳苦，恒思所以休息之，曷尝忘也！"

又闻前学士朱升名，召问之，对曰："高筑墙，广积粮，缓称王。"吴国公悦，命参帷幄。

师进至德兴，闻张士诚兵据绍兴、诸暨，乃取道兰溪以至婺州，遣使入城招谕，不下，遂围之。

初，江浙行省丞相达实特穆尔，承制授浙东宣慰副使舒穆噜宜逊以行枢密院判官，分治处州，又以前江浙儒学副提举刘基为其院经历，萧山县尹苏友龙为照磨，而宜逊又自辟郡人胡深、叶琛、章溢参谋其军事。处为郡，山谷联络，盗贼凭险窃发，不易平治，宜逊用基等谋，或捣以兵，或诱以计，皆歼殄无遗类。寻升同金行枢密院事。

至是闻吴兵抵兰溪，且逼婺，而宜逊弟厚逊方守婺，其母亦在城中。宜逊泣曰："义莫重于君亲，食禄而不事其事，是无君也；母在难而不赴，是无亲也；无君无亲，尚可立天地哉！"即遣胡深等将民兵数万赴援，而亲率精锐为之殿。深等至松溪，观望不能进。

吴国公谓诸将曰："婺倚舒穆噜宜逊，故未肯即下。闻彼以狮子战车载兵来援，此岂知变者，松溪山多路险，车不可行，今以精兵遏之，其势必破，援兵既破，则城中绝望，可不劳而下矣。"翌日，金院胡大海养子德济，诱其兵于梅花门外，纵击，大败之，深等遁去。城中势益孤，台宪、将臣画界分守，意复不相能，于是同金枢密院宁安庆与都事李相开门纳敌，杨惠、僧珠皆战死，南台御史特穆尔赉斯、院判舒穆噜厚逊等皆被执。

吴国公入城，下令禁戢军士剽掠，民皆安堵。改婺州路为宁越府，置中书分省，召儒士许元、叶瓒、胡翰、汪仲山等十馀人皆会食省中。日令二人进讲，敷陈治道。

以王宗显知宁越府。宗显，和州人，少攻儒业，博涉经史。于是命宗显开郡学，延宿儒叶仪、宋濂为《五经》师，戴良为学正，吴沈、徐厚为训导。时丧乱之馀，学校久废，至是始闻弦诵声，无不欣悦。

是月，太白经天者再。

吴国公发仓赈宁越贫民。有女子曾氏，自言能通天文，诳说灾异惑众，吴国公以为乱民，命戮于市。

是岁，河南贼蔓延河北，前江西廉访金事巴延，家居濮阳，言于省臣，将结其乡民为什伍以自保，而贼已大至。巴延乃渡漳北行，乡人从之者数十万家。至磁州，与贼遇，贼知巴延名士，生劫之以见其帅，帅诱以富贵，巴延骂不屈，引颈受刃，与妻子俱死之。有司上其事，赠金太常礼仪院事。太常上谥议曰："以城守论之，巴延无城守之责而死，与江州守李黼同；以风纪论之，巴延无在官之责而死，与西台御史张桓同。以平生有用之学，成临义不夺之节，乃古之所谓君子人者，请谥曰文节。"从之。

江西诸郡皆陷，抚州路总管吴当，乃戴黄冠，著道士服，杜门不出，日以著书为事。陈友谅遣人辟之，当卧床不食，以死自誓，乃舁床载之舟送江州。拘留一年，终不为屈，遂隐居吉水县之谷坪，逾年，以疾卒。

京师大饥疫，而河南、北、山东郡县皆被兵，各挈老幼男女避居京师，以故死者相枕籍。资(正)〔政〕院使保布哈请于帝，市地收瘗之，帝及皇后、皇太子、省、院诸臣施舍无算，而保布哈亦自出财贿珍宝以佐其费。择地自南北两城抵卢沟桥，掘深及泉，男女异圹，人以一尸至者，随给以钞，舁负相踵。至二十年四月，前后瘗者二万，用钞二万七千九十馀锭。凡居民病者予之药，不能丧者给之棺。翰林学士承旨张翥，为文颂其事曰《善惠之碑》。

保布哈，高丽人，亦曰王布哈，皇后奇氏微时，与布哈同乡里，相为依倚，及布哈以阉人入事后，累迁为资(正)〔政〕院使，后益爱幸之，至是欲要誉干权，故有斯举。

帝尝为近幸臣建宅，亲画屋样，又自削木构宫，高尺馀，栋梁楹槛，宛转皆具，付匠者按此式为之，京师遂称"鲁般天子"。内侍利其金珠之饰，告帝曰："此屋比某家殊陋劣。"帝辄命易之，内侍因刮金珠而去。

奇后见帝造作不已,尝挽上衣谏曰:"陛下年已大,子年已长,宜稍息造作。且诸夫人事上足矣,无惑于天魔舞女辈,自爱惜圣躬也。"帝艴然怒曰:"古今只我一人耶?"由此两月不至后宫。

后亦多畜高丽美人,大臣有权者,辄以此遗之,京师达官贵人,必得高丽女然后为名家。自至正以来,宫中给事使令,大半高丽女,以故四方衣服、靴帽、器物,皆仿高丽,举世若狂。

【译文】

元纪三十二 起丁酉年(公元1357年)七月,止戊戌年(公元1358年)十二月,共一年有余。

至正十七年 (公元1357年)

秋季,七月,丙子(初三),吴军徐达带领部队攻打常熟,张士德出兵挑战;先锋赵德胜指挥军队进攻,俘获士德送往建康,因而进攻望亭、甘露、无锡等营寨,都攻了下来。

士德强悍凶猛富有谋略,士诚攻占各郡,士德出力最多,到这次被俘虏,张士诚因此大为沮丧。

己卯(初六),御史大夫特哩特穆尔上奏继续编纂《风宪弘纲》。

庚辰(初七),吴国公派兵攻取徽州路。

元帅胡大海等已经攻克绩溪,便接着进兵攻打徽州。守将元帅巴斯尔布哈以及建德路万户吴讷等抵抗吴军,胡大海打败了他们,攻下了这座城池。吴讷和守臣阿噜辉、李克膺等撤退到遂安防守。大海带兵追赶到白际岭,再一次打败他们。吴讷自杀,所属县城相继都被攻占。

戊子(十五日),任命李稷为御史中丞。

己丑(十六日),义兵黄军万户田丰叛变投靠红军,攻占济宁路,分省右丞实勒们逃走。义兵万户孟本周攻打田丰,田丰失败逃走,本周返回济宁防守。

甲午(二十一日),监察御史达尔默色、刘杰奏道:"疆土一天比一天缩小,军队纪律不严,陕西、汴梁、淮、颍、山东的敌人,有侵犯燕赵的意向,朝廷应该诚心听取大臣的意见,共同商讨收复疆土的谋略,预先制定防守的计策。"皇帝没有答复。

丙申(二十三日),吴军元帅胡大海进攻婺源。江浙参政杨鄂勒哲带着十万人的军队想收复徽州,胡大海带兵返回,在徽州城下与杨鄂勒哲交战,将杨军打得大败,杀死他的镇抚吕才,鄂勒哲逃走。

这个月,设立四方献言详定使司。

归德府知府林茂、万户时公权叛变,向贼军献城投降,归德和曹州都沦陷了。

八月,癸丑(十一日),刘福通的军队攻占大名路,于是从曹、濮二州攻占卫辉路,博啰特穆尔和万户方托克托出兵攻打刘军。

这个月,顺帝从上都回京城。

张士德押到建康,吴国公以礼相待,供给珍美的食物,等待他投降。士德不吃不说,他的母亲很痛心,要张士诚每年送给建康粮食十万石,布一万匹,从此永为盟友守信诺,吴国公不答应。士德因为自己被关押,大事无法成功,便乘机暗中写信给士诚,要他投降元朝以便图

5163

谋建康,然后绝食而死。

张士诚让前江南行台中丞曼济哈雅写信,向浙江丞相达实特穆尔请求投降,信中言辞大多不恭顺。杨鄂勒哲想接纳他,达实特穆尔不同意,说:"我过去在淮南,曾经招安过士诚,知道他反复无常,他投降的话不能相信。"士诚的使者来回奔走最终没有成功,便派伪隆平太守周仁亲自到江浙行省省堂,详细陈述自愿停止战争使百姓休养生息的意思。鄂勒哲坚持劝说达实特穆尔接受投降,于是便答应了。士诚开始要求王爵,达实特穆尔不同意,又要求三公爵位,达实特穆尔说:"三公,不是普通官吏可以决定的,如今我虽然有根据实情可以自行决定的权力,但这件事我也不敢独自做主。"鄂勒哲又极力为士诚说情,达实特穆尔虽然表面上说些严正的话,内心其实很愿意他投降的,又担心违背鄂勒哲的心意,于是授予士诚太尉、士德淮南行省平章政事、士信同知行枢密院事的职位。将隆平府重新改为平江路,士诚迁居到原府的治所居住,虽然奉行元朝的年号,但军队、钱粮都照旧自己掌握。朝廷将招安张士诚作为达实特穆尔的功劳,下诏加授太尉职位。后来听说张士德的死讯,追封为楚国公,而任命士信为江淮平章政事。

起初,达实特穆尔要周伯琦临时任行省参政,招降张士诚,到这时他已投降,便任命伯琦为同知太常礼仪院事,士诚将他留下;还没有到任,又授予他左丞的职务,士诚为他在乘鱼桥建造住宅,给他的待遇很优厚。

九月,癸酉朔(初一),婺源州元帅汪同,与守将特穆尔布哈不相和睦,带着总管王起宗、黟县万户叶茂、祁门元帅马国宝向吴投降;甲戌(初二),江浙平章夏章等人也向吴投降。

丙子(初四),任命御史大夫娄都尔苏为中书平章政事。

丙戌(十四),吴广兴翼元帅费子贤率领部队攻打武康,与武康守将潘万户交战,斩杀了一百多人,于是攻下武康。

甲午(二十二),泽州陵川县沦陷,县尹张辅遇难。

戊戌(二十六日),台哈布哈收复大名路以及属下的州县。

辛丑(二十九日),皇帝下诏命令中书右丞额森布哈、御史中丞成遵代表朝廷宣抚彰德、大名、广平、东昌、东平、曹、濮等地方,奖励将帅。

这个月,命令知枢密院事努都尔噶增加太尉职位,统领各路军队防守东昌。当时田丰占据济、濮二州、带领军队前来进犯,努都尔噶打退了他们。

倪文俊图谋杀害他的主子徐寿辉,没有成功,从汉阳投奔黄州,寿辉部将陈友谅乘其不备杀死了他。

友谅辅助文俊攻占众多州郡立下功劳,因此当了带兵的元帅,等到文俊迎接寿辉住到汉阳而自己独揽徐氏大权,友谅心中很不满,到这时乘文俊没防备他而杀了文俊,吞并了他的兵马,自称宣慰使,随即当了平章政事。

闰九月,癸卯(初二),有一颗像盂一样的飞星,青色,光明照耀大地,尾迹有尺多长。

监察御史多尔济等检举揭发知枢密院事哈喇巴图尔丧失所防守的郡县,皇帝下诏将他逮捕治罪。

乙丑(二十四日),潞州沦陷。丙寅(二十五日),贼军攻打冀宁,察罕特穆尔派兵打退了他们。

赵普胜和青军两路攻打安庆，淮南行省左丞余阙抵抗了个多月，贼军终于被打败逃跑。安庆背靠小孤山作为藩篱屏障，余阙命令义兵元帅胡巴延指挥水军防守此地。冬季，十月，壬戌（二十一日），陈友谅从上游直向小孤山进攻，巴延与他战斗了四天四夜，没能取胜，退往安庆，贼军追到山口镇。第二天，癸亥（二十二日），贼军便逼近到安庆城下，余阙派兵控制观音桥。随即饶州祝寇攻打西门，余阙出击杀了他，贼军才撤退。

壬申（初二），吴中翼大元帅常遇春，率领廖永安等人从铜陵进攻池州。廖永安离城十里，而常遇春和吴国宝率领水军抵到城下一起进攻，从辰时到巳时，攻破城的北门，因而攻入城中，抓住元帅洪某，杀了他后，俘虏了其他将领魏寿、徐天麟等人。官军失败逃走，临近黄昏，又用战船几百艘前来挑战，再一次被打得大败，吴军因此攻克了池州。

甲申（十四日），吴国公在大通江检阅部队，因而命令元帅缪大亨率军攻打扬州路，攻占了它；青军元帅张明鉴带着他的部众投降。这以前的至正十五年，明鉴在淮西招集部众，用青布作名号，称为青军，人们称呼他们作"一片瓦"。他的同党张鉴强悍神勇，擅长用枪，又号称"长枪军"，他们残暴凶悍，专门从事抢劫，从含山、全椒转向六合、天长抢掠直到扬州，人们都痛恨他们。

当时镇南王博啰布哈镇守扬州，招纳明鉴等人投降，任命为濠、泗州义兵元帅，让他们驻扎扬州，分别驻防守卫。过了很久，明鉴等人因为粮食吃尽，又一次图谋作乱，劝说镇南王说："朝廷离得很远，情形如何难以知晓。如今城里面粮食缺乏，众人性命难保，殿下是世祖的孙子，应该登上皇位作我们的君主，出兵向南进攻，以便打通粮道，解救饥饿的困境。否则的话，人心肯定会变化，灾难将难以预测。"镇南王仰面朝天哭着说："你们不懂得大义。如果照你们的话做，我有什么脸面去宗庙中见世祖啊！"挥手叫众人退下，明鉴等人不听，喊叫着起事，因而赶走了镇南王，占据了扬州城。镇南王跑到淮安，被赵君用杀害。

张明鉴等人更加凶残暴虐，屠杀城中居住的百姓做粮食，到这时军队失败难以支撑，才出城投降，吴得到他的部众几万人。设置淮海翼元帅府，命令元帅张德麟、耿再成防守该地。将扬州路改为淮海府，任命李德林为知府。扬州城中居民只剩下十八家，李德林认为旧城荒芜空旷难以防守，便隔断城的西南角，修筑城墙镇守该地。

戊戌（二十八日），曹州贼军进入太行山，达实巴图尔和知枢密院事达哩玛实里带军队讨

青卞隐居图　元

伐曹州贼军,官军失败逃散,达哩玛实里死在战场。

这个月,静江路山峰崩塌,地面下陷,发洪水。

关中贼军分散逃到南山的,从兴元出兵,攻占秦、陇二州,占据巩昌,有进略凤翔的意向。察罕特穆尔就分出一部分兵力进入凤翔防守,却派间谍诱骗贼军包围凤翔城。贼军果然前来攻打,厚达几十层。察罕特穆尔亲自带领铁甲骑兵,一天一夜奔驰二百里前往凤翔,等到离城一里多的地方,将军队分成左、右两路配合出其不意攻杀贼军,城中军队也打开城门呐喊着冲出来,内外夹攻,呼喊声震动天地。贼军大败逃窜,自相践踏,几万人被斩掉首级,倒在地上的尸体有百多里地,其他党羽都逃回去了,关中全部平定。

十一月,辛丑朔(初一),山东道宣慰使董抟霄,又请求命令江淮等地方的各路官军,分别布置成连珠营寨,在关隘道口驻扎防御守卫,而且大力屯田种植以便补充军粮,朝廷听从他的建议。

汾州桃花、杏花盛开。

壬寅(初二),贼军侵犯壶关,察罕特穆尔派兵马大破贼军。

十二月,丙戌(十七日),徐寿辉部将明玉珍攻陷重庆路,占据该地。

明玉珍是随州人,世代务农,身高八尺,眼睛有两个瞳孔,因为重信诺有义气,受到乡中众人的敬服。起初听说寿辉带兵起事,明玉珍招集乡兵,驻扎在青山,构筑营栅自卫防守。没多久,向寿辉投降,做了元帅,隶属倪文俊指挥,镇守沔阳。和官军在湖中交战,飞箭射中右眼,轻微眼瞎。接着他带领五千兵马,划着战船五十只,逆着夔峡而上。当时青巾盗贼李喜喜,聚集兵马践踏蜀州,义兵元帅杨汉带领兵马五千人抵抗,驻扎在平西。左丞相鄂勒哲图镇守重庆,安排酒席宴请杨汉,想杀他,杨汉觉察,脱身逃走,沿着江流下到巫峡。遇到玉珍,诉说这件事,而且说出重庆可以夺取的情形,玉珍难以决定,万户戴寿说:"攻打重庆,事情成功可占据蜀州,不成的话,返回来也没有损失。"玉珍听了他的话,于是进攻重庆攻占了该城,鄂勒哲图逃跑。父老迎接入城,玉珍禁止侵犯抢劫百姓,市场酒肆安然无事,投降的人不断前来。

己丑(初四),吴国公下令释放轻罪、重罪犯人,这是因为战争没有停止,人心才归附不久的缘故。

丁酉(十二日),庆元路象山县鹅鼻山崩塌。

戊戌(十三日),翰林学士承旨欧阳玄去世。

起初,汝、颍二州盗贼起事,蔓延到南北各地,几乎没有州县城池是完整的。欧阳玄献上招安捕讨的计策千多字,朝廷不能采纳,因此请求离任退休,顺帝不同意。正遇上大赦,宣召他前往内府。欧阳玄因为长期卧病不能走路,丞相传达皇帝旨意,用轿子抬到延春阁下。到他去世,皇帝赠送的丧仪非常优厚,追赠他为大司徒,追封楚国公,谥号文。欧阳玄为人气质优雅大度,要求自己勤俭节约,处理政事廉洁公平,当官四十多年,朝廷的册命、制诰大多出自他的手笔。

己亥(十四日),流星像金星一样大小,尾部约有三尺多长,从太阴处出现,接近东方时消逝,变化成青白气体。

庚子(十五日),太尉、四川行省左丞相达实巴图尔在军营中去世。

当时朝廷诏命派知院达理玛实哩前来支援,分兵前往雷泽、濮州,但达理玛实哩被刘福通杀害,达勒达等众军都逃散了。达实巴图尔的力量难以坚持,撤退到石村驻守。朝廷颇为怀疑他轻视敌人而丧失战机,派来督促交战的使者相继不断。贼军侦察了解到这件事,假造了达实巴图尔陈述交好和解的书信,将信丢到道路上,使者果然得到书信并献交给皇帝。达实巴图尔知道后,一夜之间忧愁愤懑而死。

当初,毛贵攻占益都、般阳等路,顺帝命令董抟霄跟随知枢密院事布兰奚讨伐毛贵。但济南又禀告情况紧急,董抟霄带一支兵马援助济南。贼军大队人马从南山前来进攻济南,看上去两座山都变红了。抟霄在城中按兵不动,先只以几十名骑兵挑战,贼军都来进攻,骑兵稍微后退到硐上,埋伏的兵马冲出来,于是互相交战,城中的兵马又全部冲出,大破敌军。但般阳贼军又约同泰安的同党越过南山来偷袭济南,抟霄在城墙上排列兵马,不为敌人行动所干扰。贼军晚上进攻南门,只用弓箭石头抵抗,天刚亮时,却偷偷打开东门,将兵马放出到贼军后面。天已大亮,城上的兵马都冲下来,大开南门,内外夹攻,贼军失败逃跑,又追上去砍杀,贼军人马没有活下来的。这以后济南始得安宁。

朝廷下诏就此升任董抟霄为淮南行枢密院副使、兼山东宣慰使、都元帅,并赐给他上等美酒、黄金腰带、纸币、名贵宝马来慰劳他。有人妒恨他的功劳,向总兵太尉努都尔噶说他的坏话,要抟霄依照前诏跟随布兰奚一起征讨益都。抟霄马上出了济南城,又以年老而且有病作借口,请求用他的弟弟昂霄代他指挥他的兵马,朝廷依从了他的请求,授予昂霄淮南行枢密院判官职位。不久,命令抟霄防守河间的长芦。

这年冬季,张士诚在虎丘山修筑城池,就着地势较高占据险要之地,兴建了一个多月后竣工。

这一年,朝廷下诏晓谕济宁李秉彝、田丰等人,命令他们出来投降,允许他们官复原职。随从参加叛乱的兵士,还可以给予钱财粮食,想回家乡的人听由其便。

义兵千户余宝杀死他的知枢密院事宝图后叛变,向毛贵投降。余宝由此占据棣州。

集贤大学士兼太子左谕德许有壬,以年老有病请求离职退休,皇帝答应了他。有壬是前朝有德行的大臣,皇太子对他非常敬重有礼,一天有壬入宫见太子,太子正逗着手臂上的老鹰取乐,立刻招呼左右带着老鹰退下去,然后才接见有壬。

盗贼占据齐鲁,中书参知政事崔敬和平章达览、参政谙普一起分管陵州。陵州是南来北往的交通要地,没有城郭,当地居民分散居住,崔敬供应各路军队的钱粮兵马,事情没有办不成。丞相将他的才能报告皇帝,皇帝赐给他上等美酒,并命令他可根据实际情况自行决断不必上奏。崔敬认为军队供养浩大繁重,而百姓的力量已很衰弱,便请求施行缴纳粟米补给官爵的命令,诏旨同意他的建议。河北、燕南的士人百姓接连不断地前来,积累了粟米百万石,绮缎万匹,将这些用来供应军事费用,百姓获得稍微喘息的机会。

中书右丞乌古逊良桢主张取消陷入贼人手中而延及他人同罪的法令。有一无赖少年诬陷宜兴知州张复通贼,中书准备将他的妻室儿女抄没为奴,官吏抱着文案请他署名,良桢说:"手可断,文案不能签署。"一起的同僚都变了脸色,但他最终没有签署。

良桢从左司都事升到主执朝政的官署,提出了很多建议,如取消福建、山东按户征收食盐,停止浙东、浙西长生牛租,免征临近大海遭受灾害围田税,百姓都很感戴他。

至正十八年 （公元 1358 年）

春季，正月，丙午（初七），赵普胜、陈友谅等攻占安庆，淮南行省右丞余阙死在战斗中。

贼军前来攻打时，起初从东门登上城墙，余阙精选敢死勇士打退了他们；接着联合兵马攻打东、西二门，又打退了他们。贼人愤恨之极，便架起木栅建造飞楼靠近城墙，余阙分别命令各路将领各带兵马抵抗贼军，日夜无法休息，贼军又增加生力军前来进攻。这天，普胜带兵马在东门，友谅军队在西门，饶州祝寇军队在南门，众多贼盗从四面像蚂蚁一样云集，外面没有一个官兵援助。西门情况尤其紧急，余阙亲自抵挡，他步行拿着戈，冲在士兵的前面。士兵大哭着阻止他，他挥击战戈更加有力，并分出随身将领指挥另三门的兵士，自己孤军血战，斩杀了无数敌人，余阙自身也受了十多处伤。到中午，城池沦陷，城中起火，余阙知道没有办法了，拿出刀自杀后掉进清水塘中。妻子耶卜氏，儿子德生，女儿福童，都投入井中自杀。

同时死的，有防守官员韩建，全家都遇害。韩建正卧病在床，痛骂贼寇不肯屈服，贼人抓着他离开，不知下落。

城中百姓相跟着登上城楼，然后丢掉梯子，说："宁可都死在城墙上，誓死不跟从贼人。"烧死的人数以千计。其中知道姓名的，有万户李宗可、纪守仁、陈彬、金承宗，元帅府都事特穆布哈，万户府经历段桂芳，千户和硕布哈、新李、卢廷玉、葛延龄、丘嵒、许元琰，奏差乌图缦，百户黄寅孙，安庆推官黄图伦岱，经历杨恒，知事余中，怀宁尹陈巨济，总共十八人。

余阙号令严明有信，和部下同甘共苦，但若是有一点违背将令的话，就会当即斩首示众。曾经生病不能处理军政事务，将领战士都呼请上天，请求以自己代余阙生病，余阙勉强穿戴衣冠出来理事。每当出战，箭石像雨点一样乱下，战士用盾牌遮护余阙，余阙推开他们，说："你们也有性命，怎么只替我遮挡呢！"所以人们都争着为他效力。稍有空闲，就注解《周易》，带领众生员到郡学中讲学，让军士们立在门外听讲，以使他们懂得尊敬君主亲爱长辈的道义，有古代良将的风度气魄。有人想提携他进入翰林院，余阙因为国家艰难危急，推辞不去，因而死在安庆。朝廷追赠他为淮南、江北行省平章，追封为豳国公，谥号忠宣。评论的人认为从战乱开始以来，死于忠义的官员，余阙和褚布哈是第一。

庚戌（十一日），张士诚的军队攻打常州，吴的守将汤和打败了他们，俘获兵士数百人。

吴行枢密院判邓愈派部将王弼等人攻打婺源州，兵马到了城西，与守城将领特穆尔布哈交战，从早晨直到太阳西斜，死伤五百多人也没有攻下。乙卯（十六日），分兵三路一起进攻，从而攻拔了这座州城，特穆尔布哈死在战中，士兵都投降，共有三千多人。又派万户朱国宝攻打高河垒，攻克了它。

乙丑（二十六日），大风从西北刮起，益都土门的万岁碑被刮倒在地摔碎。

丙寅（二十七日），田丰攻占东平路。

丁卯（二十八日），知枢密院事布兰奚与毛贵在好石桥交战，官军被打败，逃向济南。

这个月，朝廷诏命达实巴图尔的儿子博啰特穆尔担任河南行省平章政事，统领他父亲原来指挥的兵马。

朝廷诏命察罕特穆尔驻扎陕西，李思齐驻扎凤翔。

二月，己巳朔（初一），朝廷商议联结西山大小十一处营寨作为京师的保护屏障，命令中书右丞达实特穆尔、左丞乌古逊良桢等统一调度指挥,设立万夫长、千夫长、百夫长,编立牌甲,分别防守要害地方,以便相互支援协助。

毛贵攻陷青州、沧州,因而占据长芦镇。

中书省上奏认为陕西战事繁剧,离京师的路程又远,军需供应艰难,请求在陕西就地印造宝钞较为便利,朝廷同意了;于是分出户部宝钞府的官员,在陕西设置制钞局印造宝钞。并命各路调拨钞本,交与平准行用库兑换残旧的钱币,以便在民间流行。

癸酉(初五),毛贵攻占济南路,守将爱迪战死。

毛贵设立宾兴院,选用过去旧官,任用姬京周等人分别防守各路。又在莱州设立三百六十屯田,每屯相距三十里路,制造大车百辆,用来运输粮食,官、民田十成只收二成,冬天就从陆路运输,夏天从水路运。

董抟霄准备前往长芦,对人说:"我离开后,济南必定不能保住。"到这时济南果然失守。抟霄正带兵马驻扎在南皮县的魏家庄,恰好朝廷下诏任命抟霄为河南行省右丞。刚接受任命,毛贵的兵马已经到来,而营垒还没有修筑完工,众将领对抟霄说:"贼军来了,应该怎么办?"抟霄说:"我受朝廷任命到这里,应该用死来报答国家!"因此拔出宝剑指挥兵马出战,但贼军大批人马已冲到抟霄面前,突然问他是谁,抟霄说:"我是董老爷!"众贼刺杀他,没有血,只看见白气冲天。这一天,昂霄也战死了。事迹上报后,朝廷追赠抟霄为河南行省平章政事,追封魏国公,谥号忠定;昂霄追赠为礼部尚书,追封陇西君侯,谥号忠毅。

抟霄起初以儒生身份被征召任以官职后,便成为一个能干的官员。正遇到天下大乱,又凭着军事才能奋起自强,他的才干胆识有很多超人的地方;但当时朝廷没有能充分发挥他的才能,有识见的君子都感到可惜。

乙亥(初七),吴国公任命吴桢为天兴翼副元帅,让他和他的兄长吴良一起防守江阴。当时江阴的兵力不满五千人,而且与张士诚的领域相接。吴良兄弟俩训练士卒,严密监视和防备,屯田种粮以供应军粮,敌军不敢来侵犯,百姓非常信赖他们。

吴国公任命元帅康茂才担任营田使,告谕他说:"近来因为战乱,堤防倾颓倒塌,百姓荒废了耕作,所以设置营田司以便修筑堤防,专门掌管水利。现在军务又多又繁杂,各种费用非常急迫,理财的办法,没有比农事更优先的。春耕种作刚刚开始,我担心旱涝灾害随时发生,会妨碍农事,所以任命你这一职务,你要分别考察每个地方,以便做到高处不担心干旱,低处不害怕水淹,务必做到积蓄和排泄水都恰到好处。大致来说设置官员是为利百姓,而不是为害百姓,如果只是使官府增加装修衙门馆驿,迎来送往奔波劳累,所到之处反增麻烦,对百姓没有好处,反而有害,这就不是我委任你的意思。"

山东的贼寇逐渐逼近京师地区。辛巳(十三日),朝廷下诏任命台哈布哈为中书右丞相,统领官兵讨伐山东贼寇。

壬午(十四日),田丰又一次攻占济宁路;甲申(十六日),攻占辉州。丙戌(十八日),努都尔噶听说田丰逼近东昌,放弃城池逃跑,东昌便被占领了。

丁亥(十九日),察罕特穆尔调遣兵马收复泾州、平凉,保护巩昌。

庚寅(二十二日),王士诚从益都侵犯怀庆路,守将周全打败了他。

丁酉(二十九日),兴元路被占领。

三月,己亥朔(初一),太阳颜色如血。

增加右丞相绰斯戳太保职位。

庚子(初二),毛贵攻陷般阳路。

辛丑(初三),大同路晚上有黑气遮蔽西方,有像雷鸣似的声音;一会儿,东北方有云彩像火一样,在天空中交相照射,遍地都看见火光,半空中有兵戈相击的声音。

癸卯(初五),王士诚攻占晋宁路,总管杜赛因布哈战死。

己酉(十一日),刘福通派兵侵犯卫辉,河南行省平章博啰特穆尔打退他们,进而攻克了濮州。

庚戌(十二日),毛贵攻占蓟州。

朝廷征召四方兵马前来保卫京师,并下诏命令察罕特穆尔带军队驻扎涿州。察罕特穆尔当即留下兵马戍守清湫、义谷,驻扎潼关,堵塞南山口防备其他盗寇,自己率领精锐部队应召赶赴涿州。

毛贵带领众人从河间前往直沽,乙卯(十七日),侵犯潮州,到了枣林,接着进略柳林,践踏京师近郊,枢密副使达国珍战死,人心惊骇。朝廷大臣有的劝皇帝往北走以便躲避敌寇,有的劝将首都迁到关陕,众人议论纷纷。只有左丞相泰费音坚持认为不行,顺帝便命令同知枢密院事刘哈喇布哈带领兵马抵挡敌寇。在柳林交战,官军战胜,贼军退走,京师才安定。

吴国公命令提刑按察司佥事分别视察各郡县了解罪犯的罪状,凡是犯罪当受笞刑的人都释放,当受杖刑的减半执行,犯重罪的改为杖打七十。其中有赃款的免于退还,武将征讨时犯有过错的都免于追究。随侍的有人说:"去年释放罪犯,今年又减免处罚,法律用得太宽松,那么众人就不害怕违法,就没有办法治理了。"吴国公说:"自从天下大乱以来,百姓才脱离屡遭创伤的苦海,前来归顺我,正应该安抚他们;何况其中有一时误犯的,怎么能全部依法处理呢!大致说来治理犯罪以宽厚为基本原则,而新创国家的刑典应该用轻典,如果执着而不能变化,不是顺应时宜的办法。"

丙辰(十八日),吴国公派兵攻取建德路。

这之前邓愈、朱文忠、胡大海带领兵马从昱岭关进攻建德,经过遂安。长枪元帅余子贞带兵前来抵挡,邓愈等打败了他,追赶到淳安,降服他的部众三千多人。遂安守将洪某,带领五千兵马前来援助,胡大海与他交战,俘虏他的将士四百余人。由此直达建德,参政布哈、院判庆寿等人都逃跑了,父老何良辅等人献出建德城投降。改建德路为严州府。

任命周全为湖广行省参知政事,统领鄂啰等部队,迁到嵩州白龙寨镇守。

丁巳(十九日),田丰攻占益都路。

察罕特穆尔准备应召赶赴涿州,但曹州、濮州的贼寇正分路越过太行,焚烧上党,掠夺晋冀,攻陷云中、雁门、上郡,战火数千里,进而又大肆向南抢掠。察罕特穆尔留下来防守他们,首先派兵马埋伏在南山险要的关口,自己带重兵驻守闻喜。绛州贼寇果然从南山出击,官军埋伏的兵马冲出来拦腰攻打贼寇,贼寇都抛弃辎重逃进山谷。察罕特穆尔便分兵驻防泽州,堵住宛子城;分兵驻守上党,堵住吾儿谷;驻守并州,堵塞井陉口;这样便阻塞了太行山的往来道路。各路贼寇几次前来,守将多次血战,打退了他们,河东都平定了。

朝廷升任察罕特穆尔为陕西行省右丞,兼行台侍御史、同知河南行枢密院事。由此朝廷便下诏命令察罕特穆尔守卫关陕、晋冀,镇抚汉沔、荆襄,可以根据实际情形自行做主。察罕特穆尔更加专心训练兵马、督促农事,将平定四方作为自己的职责。

　　夏季,四月,己巳朔(初一),赵普胜从枞阳进犯池州,攻占了池州,活捉吴的守将赵忠。

　　庚午(初二),江浙行省左丞杨鄂勒哲带领水军攻打徽州,吴的将领胡大海等打败了他。

　　丁丑(初九),鄂勒哲又攻打建德,吴将朱文忠打败了他,鄂勒哲逃走。

　　甲戌(初六),陈友谅攻陷龙兴路,行省守臣道通、和尼齐放弃城守逃跑。

　　壬午(十四日),田丰攻陷广平路,大肆抢劫后,撤退到东昌防守。朝廷下诏命元帅方托克带兵收复广平。

　　癸未(十五日),因为各地方报捷的喜讯不断传来,朝廷下诏颁布《军民事宜十一条》。

　　甲午(二十六日),陈友谅派部将王奉国攻陷瑞州路。

　　这个月,顺帝前往上都。

　　察罕特穆尔、李思齐、会同宣慰使张良弼,郎中郭择善,宣慰同知拜特穆尔、平章政事定珠,总帅汪长生努,各自带领所指挥的兵马讨伐李喜喜于巩昌,李喜喜失败后逃进蜀地。察罕特穆尔驻扎清湫,李思齐驻扎斜坡,良弼驻扎秦州,择善驻扎崇信,拜特穆尔驻扎通渭,定珠驻扎临洮,各自任命路府州县的官吏,征收所需军用物资。思齐、良弼共同策划突然袭击杀死了拜特穆尔,分别统领他的兵马;思齐不久又杀死了择善。

　　五月,戊戌朔(初一),任命方国珍为江浙行省左丞兼海道运粮万户。

　　察罕特穆尔派他的部将带兵收复冀宁。

　　刘福通攻打汴梁,壬寅(初五),守将珠展弃城逃跑。福通于是进入汴梁城,建立宫殿,从安丰迎接他的主子小明王住在汴梁作为首都。

　　陈友谅派部将康泰、邵宗、邓克明等带兵马侵犯邵武路。

　　庚戌(十三日),陈友谅攻占吉安路。

　　癸丑(十六日),临察御史密济尔海、七十等,检举太保、中书右丞相台哈布哈的罪状;乙卯(十八日),罢免台哈布哈的官职,安置到盖州。

　　当初,台哈布哈奉命讨伐贼寇,渡过黄河后,就上奏章说:"贼人的气势很嚣张,军事行动应当以粮食为先决条件。过去汉朝韩信行军作战,萧何供应粮饷;如今措办此事,没有比得上丞相泰费音的。如果命令泰费音到军中来负责粮食供应,事情才可以成功;不然的话,兵马不能够前进。"他的本意实际是仇恨泰费音,想要他到军中后就设法害死他。当时参知政事布延特穆尔、张晋等分别管理山东,他俩曾经检举寿图不进兵的罪状,台哈布哈到后,就用他们运输粮饷犹豫不前为由断然放逐了他们。又因为知枢密院事鄂勒哲特穆尔担任右丞的时候,曾经检举自己罪状,也加上失误专制的罪名,擅自改变他的官职,征召到军中,想害死他。事情传到朝廷,大臣们议论纷纷。左丞相泰费音,因为台哈布哈想谋害自己,于是暗使御史检举他迟迟不进兵、违抗皇命的罪状,而自己又在顺帝面前极力排斥他。于是皇帝颁下剥夺台哈布哈官职的诏命,任命知枢密院事乌兰哈达代替统领台哈布哈的军队,并命令乌兰哈达统一指挥河北各路兵马,河南行省平章政事周全统一指挥河南各路兵马。

　　辛酉(二十四日),陈友谅的军队攻陷抚州路。

　　这个月,山东发生地震,天下白毛雨。

六月,戊辰朔(初一),台哈布哈被处死。

台哈布哈听说有诏命,晚上纵马跑到刘哈喇布哈那里请求帮助调解。刘哈喇布哈是台哈布哈过去的部将,因为破贼累建功勋,被任命为淮南行省平章政事,当时带兵驻扎保定,看到台哈布哈前来,因此举办盛大的音乐宴会,举着酒杯慷慨地说:"丞相是国家的柱石,有如此大的功劳,天子肯定不会害丞相,这一定是被谗言诋毁。我准备去朝见皇帝说清此事,丞相不要担心。"当即跑到京师,会见泰费音。泰费音询问他前来的缘由,哈喇布哈全部告诉了泰费音。泰费音说:"台哈布哈大逆不道,现在诏命已经颁下,你还敢胡乱说话吗?不审清形势小心对待,灾祸将会延及到你!"哈喇布哈听了泰费音的话,吓得哑口无言。泰费音估计台哈布哈一定在哈喇布哈那里,当即对他说:"你能将台哈布哈带到京师,我将带你拜见皇上,你的功劳不小。"哈喇布哈便答应了他。泰费音便带哈喇布哈入宫见顺帝,顺帝赏赐馈赠非常优厚。

当初,哈喇布哈侍奉在台哈布哈身边,与倪晦同在一起供职。台哈布哈常常委派倪晦干事,而哈喇布哈的计谋大多被拒绝采纳,哈喇布哈心中常因为这些事而怨恨。到这一次哈喇布哈知道事情已经不能解救,返回后缚送台哈布哈父子俩往京师,没到京城,在路上将他俩都杀了。

察罕特穆尔调遣浩尔齐、关保共同守卫潞州。皇帝任命察罕特穆尔为陕西行省平章政事,具有自行做主处理军政的权力。

癸酉(初六),吴左副都指挥使朱文忠带领兵马攻打浦江,攻了下来。义门郑氏,全家在山谷间逃避战乱,朱文忠敬重郑氏家庭世代和睦,寻访到他们,全部护送回家,并下令禁止士兵侵犯骚扰。

吴中翼左副元帅谢再兴等率兵马攻打石埭县,与陈友谅的军队相遇,打败了陈军,活捉陈军将领钱清等三人。

庚辰(十三日),关先生、破头潘等攻陷辽州,浩尔齐带兵马打跑了他们。

关先生等便攻陷晋宁路,城中死亡的人有十分之二三。郡人乔彝,为人清高耿直具有操行,当时名声很大。到这时整理衣帽,招集妻子儿女,家中有大井,乔彝坐在井边,命令妻儿、婢妾依次投入井中。自己也随后投进井中。贼军头目王士诚,派人到彝家邀请他前来,到彝家后乔彝已经死了。贼寇被平定后,朝廷赠乔彝为临汾县尹,赐谥号纯洁。有一个叫张嵩起的人,是汾州人氏,曾因为被推荐,征召为国子助教,干了一年后免职回家。贼人离开晋宁,又攻占汾州,嵩起和妻子也跳井而死。晋宁人王佐被贼人抓住,想降服他,王佐痛骂不止,也遇害被杀。

乙酉(十八日),任命左丞相泰费音指挥各路军马守卫京城,可以自行做主处理军政事务。

甲午(二十七日),张士诚的兵马侵犯常熟县,吴的守将廖永安与他们在福山港交战,大败他们。

自从江南行台将治所移到绍兴后,就行文任命达噜噶齐迈尔古斯为行台镇抚。迈尔古斯大量招募民兵作为防守的办法,与舒穆噜宜逊一起夹攻处州山贼,从而平定了他们。迈尔古斯被提升为江东廉访司经历,仍旧留在绍兴,带兵马守卫行台治所。当时浙东、浙西的郡县大多被攻占沦陷,只有迈尔古斯保护的绍兴,境内平安无事,百姓敬爱他就像父母一样。达实特穆尔用皇帝的名义授予迈尔古斯行枢密院判官的职务,在绍兴设立分院。

到方国珍派兵侵占绍兴属县时,迈尔古斯说:"国珍本来是海盗,如今已经投降,做了大官,又来侵害我的百姓,能答应吗!"准备带兵前去问罪,首先派部将黄中攻取上虞。朝廷舆论正重视方国珍,凭借他的船只运输粮饷,而御史大夫拜珠格,与方国珍一贯勾结收受贿赂,两人的交情非常深厚,他愤恨迈尔古斯擅自发兵,而且担心他生出事来,便派人召迈尔古斯到他家中商量事情,到了以后命令左右的人用铁锤打死了迈尔古斯,将他的头砍断,丢到厕所里。百姓听到这个消息,没有不放声大哭的。迈尔古斯是宁夏人。黄中带领他的兵马报仇,将拜珠格的家人以及行台府的官员属吏全部杀死,只留下拜珠格不杀,将此事告诉张士诚,士诚便派他的部将吕珍带军马防守绍兴。

拜珠格随即被任命为行宣政院使,监察御史真图检举拜珠格秘密杀害统兵官员,几乎导致兵变,应该将他严刑处置,朝廷下诏只是罢免他的官职,安置到湖州了事。

秋季,七月,丁酉朔(初一),河南行省平章政事周全,占据怀庆路叛变,归附刘福通。当时察罕特穆尔的兵马驻扎洛阳,他派拜特穆尔带兵防守碗子城。周全前来挑战,拜特穆尔被他杀死。周全于是将怀庆百姓全部驱赶渡过黄河,进入汴梁。

庚子(初四),吴将廖永安在狼山打败张士诚,缴获张士诚的战船后返回。

丁未(十一日),布兰奚带领军马收复般阳路,接着又失陷了。

癸丑(十七日),贼军侵犯京城,刑部郎中布哈守卫西门,夜间,打开西门击退了贼军。

丙辰(二十日),吴总管胡通海等突然袭击攻破了九华山寨。当时山寨头领鲍万户,有两千兵众,凭借险要地势固守,四面安放了礌石、机弩,兵马无法进攻。通海便带着人马偷偷从山间小路一个接一个爬了上去,顺着风向放火,烧着了山寨,因而攻克了它。

己未(二十三日),刘福通派周全带部队攻打洛阳,洛阳守将登上城墙,用忠孝节义的道理责备周全。周全惭愧不已,感谢他的教诲,撤走兵马,刘福通杀了周全。

周全攻打洛阳时,察罕特穆尔派奇兵出宜阳,自己带领精锐骑兵从新安出发前来支援。正遇贼军撤退,因而追赶到虎牢,堵塞各处险要关口后返回。

这个月,京师发大水,出现蝗虫灾害,百姓遭受大饥荒。

这个月,江南行省右丞郭天爵密谋杀害吴国公,事情被察觉,吴国公杀了他,郭天爵是郭天秩的弟弟。

八月,丁卯朔(初一),江浙行省平章锡达布讨伐饶州之敌,贪图财物,迟迟不采取行动,很长时间也没有建树,于是便假称迁任福建行省的官职。到福建后,被廉访金事般若特穆尔揭举揭发,被关押到兴化路。

庚辰(十四日),陈友谅带兵马攻占建昌路。

辛巳(十五日),义兵万户王信在滕州叛变,向毛贵投降。

己丑(二十三日),张士诚带兵马侵犯江阴,吴守将吴良打退了他。

江浙行省丞相达实特穆尔,暗中约请张士诚带兵攻打杨鄂勒哲,鄂勒哲匆忙之间来不及防备,因而自杀,他的部众都逃散了。

鄂勒哲在德胜堰修筑营寨,范围有三四里,妻室儿女财产家当都安置在这里。他的法令严厉残酷,随意耀武扬威,而且邓子文、金希伊、王彦良这班人,又都是奸邪巧佞轻薄无行的人,他们相互勾结煽风点火。达实特穆尔讨厌他。张士诚一直想除掉鄂勒哲,派他的部将史文炳前往杭州拜见鄂勒哲,见面后非常高兴。史文炳举行盛大的宴席,大量陈设乌银器皿、镶金铁鞍等东西,全部送给鄂勒哲,从这以后双方约为兄弟。

到张士诚和达实特穆尔一起密谋后,史文炳带领兵马包围鄂勒哲的营寨。鄂勒哲派属吏送牲口美酒给文炳,请求同情照顾,说:"希望能给我少许时间再死,以便我将心中的话儿向您表露。"文炳回答说不行。鄂勒哲登上城墙抵抗,十天后,力量衰竭,上吊自杀;他的弟弟巴延也自杀。史文炳脱下衣服包住鄂勒哲的尸体,埋葬后再祭奠他。后来朝廷追封鄂勒哲为潭国公,谥号忠愍;巴延追封为衡国公,谥号忠烈。

鄂勒哲的部将员成等想替他报仇,派苗军元帅台哈布哈向建康奉献降书表达归顺的心意,而且说他的部将李福等三万多人在桐庐一带,都愿意归顺吴,为吴效力。吴国公命令朱文忠前往安抚他们。

庚寅(二十四日),任命娄都尔苏为御史大夫。下诏命令执行新的纪律法规。

九月,丁酉朔(初一),朝廷诏书授予锡班特穆尔同知河东宣慰司事,他的妻子为云中郡夫人,他的儿子观音努赠予同知大同路事,并表彰他们全家。这以前锡班特穆尔在赵王位下任总管府事,他的妻子曾经喂养抚育过赵王,到这次部落明里叛变,想杀害赵王,锡班特穆尔和妻子商量,将他的儿子观音努穿着赵王平时穿戴的衣帽住在王宫里,半夜里,他们夫妻保护赵王穿着便衣逃走了。贼人到后,便杀死了观音努,赵王得以免死。事情传到朝廷,所以表彰他们一家的忠义。

朝廷优礼加封唐朝所赠谏议大夫刘黄为昌平文节侯。

关先生攻打保定路,没能攻下,于是攻占完州,抢劫大同、兴和等塞外的各郡。

中书左丞张冲请求设立团练安抚劝农使司二道,一道在奉元、延安等处,一道在巩昌等处。朝廷同意他的建议。

壬寅(初六),诏书命令中书参知政事布延布哈、治书侍御使李国凤策划治理江南事务。

癸卯(初七),诏书任命福建行省平章政事庆图为江南行台御史大夫。此时江南行台治所在绍兴,所管辖的各郡县大多被吴所占有,而明州、台州则被方国珍控制,杭州、苏州被张士诚控制,御史台的监察管理工作不可能重新整治,只是保存着一个空名罢了。

丙午(初十),贼军攻打大同路。壬戌(二十六日),平定州失陷。

乙丑(二十九日),陈友谅攻陷赣州路,江西行省参政全普谙萨里和总管哈纳齐死于战难。

当时江西下流各郡都被陈友谅占据,普谙萨里便与哈纳齐齐心合力共同防守。友谅派他的部将包围赣州城,并派人胁迫他们投降。普谙萨里杀死陈友谅的使者,每天披着战袍登上城墙抵抗。奋力战斗了共四个月,兵少粮尽,因而自杀。哈纳齐守卫赣州尤其有功劳,城池失陷那天,贼军将领胁迫他投降,哈纳齐对他说:"与你作战的是我,你不要杀我的百姓,应当迅速杀我。"于是遇害被杀。

冬季,十月,辛未(初六),吴军将领胡大海攻取兰溪州。

在这以前大海到婺州的乡头,活捉万户赵布延布哈等人,平定该处五个营垒。这天,进攻兰溪州,官军千人出来迎战,官军失败,胡大海攻克州城,廉访使赵秉仁等被抓住。设立宁越翼元帅府,分兵防守该地要害,接着进攻婺州路。

甲戌(初九),吴将徐达、邵荣攻下宜兴。

在这之前,徐达等攻打宜兴,久攻不下,吴国公派使者对徐达等人说:"宜兴城虽小但坚固,仓促之间不易攻拔。听说该城西边通太湖口,是张士诚粮食进出的通道。如果派兵马切断他的粮道,敌方军中缺少粮食,城池一定可攻破。"徐达等便分兵切断太湖口通道,并全力急速攻打城池,终于攻下了这座城池。

同知枢密院事廖永安,又率领舟船部队在太湖上攻打张士诚,乘胜深入追打,遭遇吕珍,被打败,于是被俘获,士诚想让他投降,他不肯屈服。

壬午(十七日),监察御史杨珠布哈,检举中书右丞相绰斯戬任用亲信之人都垆和妻弟崔鄂勒哲特穆尔,印造假钞,事情即将败露,命令都垆自杀来灭口。绰斯戬因此请求皇帝解除他的中书机要职务,皇帝下诏只没收他的印绶。乙酉(二十日),监察御史达尔玛实哩、王彝等又一次检举揭发他的罪状,请求将他治罪,顺帝终究还是不采纳。

壬辰(二十七日),大同路失陷,达噜噶齐鄂勒哲特穆尔弃城逃跑。

这个月,博啰特穆尔指挥各路兵马收复曹州。

十一月,辛丑(初七),吴设立管领民兵万户府。

吴国公说:"古代将军队与农事相结合,有战事时就打仗,无战事时就耕种,农闲时就训练武功。现在正是军事纷争的时期,应该根据时势制定相应措施。所有平定的郡县,民间身怀武艺的人才,应该精心地加以选拔,将他们组织成队伍,设立民兵万户府领导他们,以便农忙时耕种,农闲时训练,有战事时可以用来作战。事情平定后,有功劳的人照样提升,没有功劳的人返家作百姓。这样一来,百姓没有坐吃山空的弊端,国家没有未经过训练的战士,用来作战就可以获胜,用来防守就可牢固不破,这大概就是寓兵于农的意思。"

癸卯(初九),陈友谅攻占汀州路。

丁未(十三日),田丰攻占顺德路。

这以前,枢密院判官刘起祖防守顺德,粮食耗尽,抢劫百姓财产,掠夺百姓牛马,百姓中强壮的人强令他们当兵,瘦弱的人就杀死吃掉。到这时城池失陷,刘起祖便将城中百姓全部驱赶着逃到广平。

甲子(三十日),吴国公派胡大海带兵攻打婺州,没有攻下,便亲自带领亲军副都指挥使杨璟等兵马十万前往攻打。

十二月,乙丑朔(初一),发生日蚀。

癸酉(初九)关先生、破头潘、沙刘二等从大同直接进犯上都,放火烧毁宫殿城阙;停留七个月后,又转向辽阳进攻。

甲申(二十日),吴军攻取婺州路,达噜噶齐僧珠、浙东廉访使杨惠战死。

这以前,吴国公出师到徽州,召来儒生唐仲实,问道:"汉高祖、光武帝、唐太宗、宋太祖、元世祖统一天下,他们凭借的是什么?"回答说:"这几个君主,都凭借的是不喜欢杀人,所以能使天下归于一统。您英明神武、消弭灾祸战乱,不曾随便杀过人;不过从现在的情况来看,百姓虽然找到了归宿,但还没有得到生养休息。"吴国公说:"这话说得对。我积累少而费用多,向百姓索求供养,的确是不得已的。然而都是军事行动所需用的,从不曾拿一丝一毫奉养自己。百姓的劳累困苦,我常常在思考使他们生养休息的办法,何曾忘记过!"

又听说前任学士朱升的名声,召来询问他,他回答说:"高高地修筑城墙,多多地积储粮食,缓一段时间称王。"吴国公很高兴,请他参议军政决策。

军队前进到德兴,听说张士诚的兵马占据绍兴、诸暨,于是经过兰溪前到婺州,派使者进城招降,不肯投降,便包围了它。

起初,江浙行省丞相达实特穆尔用皇帝名义授予浙东宣慰副使舒穆噜宜逊担任行枢密院判官职位,在处州分设治所,又任命前江浙儒学副提举刘基为分院经历,萧山县尹苏友龙为照磨,而后宜逊又自行召辟本郡人胡深、叶琛、章溢参议他的军政事务。处州郡内,山谷相连,盗贼凭借险要地势发动骚乱,不容易平定治理,宜逊采纳刘基等人的计谋,或者用兵捣毁,或者用计诱骗,所有盗贼都被歼灭干净。不久宜逊升迁为同金行枢密院事。

到这时听说吴军马进抵兰溪,而且逼近婺州,而宜逊的弟弟厚逊正守卫婺州,他的母亲也在城里。宜逊哭泣着说:"仁义中没有比君主、父母更重要的。享受国家的俸禄而不能为国家干事,这是心中无君主;母亲在危险中而不能亲身赴难,这是心中无双亲;心中没有君主、双亲,还能够在天地间苟活吗!"当即派遣胡深等人带领民兵几万人前去援助,自己亲自率领精锐部队跟随在后。胡深等人到松溪后,观望犹豫不敢前进。

吴国公对众将领说:"婺州依赖舒穆噜宜逊,所以不肯就此投降。听说他用狮子战车载着兵马前来支援,这难道是知道变化的吗?松溪山多路势险,车子不能行动。如今用精兵去阻击它,一定可以打败他们;援助的兵马已经被打破,那么城中就失去希望,不须兵马攻打就可以夺取此城。"第二天,金院胡大海的养子德济,引诱宜逊的援兵到梅花门外,指挥兵马全线出击,大败敌军,胡深等人逃走。婺州城中更加孤立,台宪、将臣划地分界防守,互相之间又不能合作,因此同金枢密院宁安庆和都事李相打开城门迎接吴军,杨惠、僧珠都拼杀而死,南台御史特穆尔赛斯、院判舒穆噜厚逊等都被抓。

吴国公进入婺州城,颁布命令禁止士兵抢劫掠夺,百姓都平静安定。将婺州路改为宁越府,设置中书分省,召集儒生许元、叶瓒、胡翰、汪仲山等十多人在省中一起进餐。每天叫两个人进讲,讲论治理天下的道理。

任命王宗显为宁越府知府。宗显是和州人,少年时攻读儒家学业,博览经籍史书。因此吴国公命宗显开办郡学,延请素有名望的儒生叶仪、宋濂担任《五经》教师,戴良为学正,吴沈、徐厚为训导。当时正值战乱刚过,学校久已荒废,到这时才听见学校读书的声音,人们没有不高兴的。

这一月,太白星两次经过天空。

吴国公打开粮仓救济宁越的贫困百姓。有一个姓曾的女子,自己说通晓天文,妄说灾异迷惑人们,吴国公认为她扰乱百姓之心,下令在街市上处死她。

这一年,河南贼寇势力蔓延到河北,前任江西廉访金事巴延,家住濮阳,对行省官员说,他将组织乡民组成队伍来保卫家园,但贼人已经蜂拥而至。巴延便渡过漳河前往北方,乡中百姓跟随他的有几十万家。到达磁州时,与贼人相遇,贼人知道巴延是有名望的士人,绑架他去见贼军元帅,贼帅用富贵引诱他,巴延怒骂呵斥不肯屈服,伸出脖子接受刀刃,和妻子一起都被杀。有关官府将他的事迹报告朝廷,朝廷追赠他为金太常礼仪院事。太常奏请谥号的文稿说:"用守城的事评论,巴延没有守城的责任而死,和江州守将李黼相同;用法度和纲纪来评论,巴延没有现任官的职责而死,和西台御史张桓相同。用平生有用的学问才识,成就了面对危难时不可屈服的义气,这就是古人所说的君子,请求封赠他'文节'的谥号。"皇帝同意了。

江西各郡都失陷了,抚州路总管吴当,便戴着黄帽子,穿上道士衣服,闭门不出,每天著书而已。陈友谅派人请他任职,吴当睡在床上不吃饭,誓死不肯接受,于是来人抬起床放在船上将他送到江州。被软禁了一年,终究不愿屈服,于是隐居到吉水县的谷坪,过了一年,因病去世。

京师大闹饥荒瘟疫,而且因为河南、河北、山东的郡县都遭战乱破坏,都各自带着男女老少逃避战乱住到京师,所以死亡的人比比皆是。资政院使保布哈向顺帝请示后,购买土地埋葬死亡的人,顺帝以及皇后、皇太子、省、院的众官员都施舍了不计其数的钱物,保布哈也自己拿出财物珠宝赞助丧葬费用。选择的地方从南北两城直到卢沟桥,挖到有水的深度才止,男女分别埋葬,有送来一具尸体的人,便赠送钱钞,因而背送肩抬尸体来的人络绎不绝。到至正二十年四月,前后总共埋葬了二万尸体,用去钱钞二万七千九十多锭。凡是百姓生病的给药治疗,不能埋葬的送给棺木。翰林学士承旨张翥,写了一篇《善惠之碑》的文章来赞颂这件事。

保布哈是高丽人,也叫王布哈,皇后奇氏寒微时,和保布哈同在一乡,相互依靠帮助。到保布哈用阉人的身份进宫侍奉皇后,多次升迁直到担任资政院使,皇后更加宠爱信任他,到这时想求得好的声誉以便干预朝政,所以有这一举动。

顺帝曾经为亲近的宠臣建造住宅,亲自画出房屋的式样,又亲自削木做了宫殿模型,有一尺多高,模型中房梁门柱窗户,样样都有,宛转自如,交给匠人按照该式样建造,京师因此称顺帝为"鲁般天子"。亲近宦官贪图房屋中金珠饰品,告诉顺帝说:"这座房子比起某家的太简陋粗劣。"顺帝便令人重新修建,宦官们便刮去上面的金珠饰品。

奇氏皇后看到顺帝不停地建造,曾牵着顺帝的衣服说:"陛下年纪已大,儿子也成年了,应该暂停建造。而且各位夫人侍奉皇上足够了,不要被天魔舞女这班人迷惑,请皇上保重自己的身体。"顺帝气愤地怒斥道:"古往今来只我一个人如此吗?"从这以后两个月不到后宫。

奇氏皇后也畜养了很多高丽美人,大臣中有权势的人,就将美人送给他,京师的达官贵人,一定要得到高丽美女之后才能成为名家。从至正初年起至今,宫中供侍奉、传递使命的人,大多数是高丽女子,因此全国各地的衣服、鞋帽、器物,都模仿高丽式样,举国上下像发了疯一样。

续资治通鉴卷第二百十五

【原文】

元乡己三十三　起屠维大渊献【己亥】正月，尽上章困敦【庚子】六月，凡一年有奇。

顺　　帝

至正十九年　【己亥，1359】　春，正月，陈友谅遣其党王奉国，率兵号二十万，寇信州路，江东廉访副使巴延布哈德济自衢引兵援信，遇奉国于城东，力战，破走之，镇南王子大圣努、枢密院判官席闰等迎巴延布哈德济入城共守。后数日，贼复来攻，巴延布哈德济大享士卒，出城奋击，又大败之。

乙巳，吴国公以宁越既定，欲遂取浙东未下诸郡，集诸将谕之曰：“克城虽以武，而定民必以仁。吾师比入建康，秋毫无犯，故一举而遂定。今新克婺州，正当抚恤，使民乐于归附，则彼未下郡县，亦必闻风而归，吾每闻尔等下一城，得一郡，不妄杀人，辄喜不自胜。盖为将者能以不杀为心，非惟国家所利，即身及子孙亦蒙其福。尔等从吾言，则众心豫附，大功可成矣。”

丙午，辽阳行省陷，懿州路总管吕震死之，赠河南行省左丞，追封东平郡公。

戊申，吴将邵荣破张士诚兵于馀杭。

上都之初陷也，广宁路总管郭嘉闻之，躬率义兵出御。既而辽阳陷，嘉将众巡逻，去城十五里，遇青号队伍百馀人，绐言官军，嘉疑其诈，俄果脱青衣变红。嘉出马射贼，分兵两队夹攻之，杀获甚多。嘉见贼势日炽，孤城无援，乃竭家所有衣服、财物，犒义士以励其勇敢，且曰：“自我祖父有勋王室，今之尽忠，吾分内事也。况身守此土，当死生以之，馀不足恤矣。”

顷之，贼至，围城，亘数十里，有大呼者曰：“辽阳我得矣，何不出降！”嘉挽弓射其呼者，中左颊，堕马死。贼稍引退，嘉遂开西门逐之，贼大至，力战以死。事闻，赠河南江北行省左丞，追封太原郡公，谥忠烈。嘉之守广宁也，招集义兵数千，教以坐作进退，号令齐一，赏罚明信，故东方诸郡，粮富兵精，称嘉为最。

察罕特穆尔命枢密院判官陈秉直、班布尔实将兵二万守冀宁。

乙卯，方国珍遣使奉书献金带于吴。

先是吴国公遣典签刘辰招谕国珍，国珍与其下谋曰：“方今元运将终，豪杰并起，惟江左号令严明，所向无敌。今又东下婺州，恐不能与抗。况与我为敌者，西有张士诚，南有陈友谅，莫若姑示顺从，藉为声援，以观其变。"遂遣使奉书随辰来献金绮，于是复遣使报之。然国珍虽纳款，其实阴持两端也。

戊午，吴雄锋翼元帅王遇成、孙茂先率兵攻临安县，张士诚遣其右丞李伯升来援，茂先击败之，伯升敛兵退守，茂先攻之不下，引兵还。金院胡大海攻诸暨，守将战败宵遁，万户沈胜以众降，遂改诸暨州为诸全州。嵊县万户郝原，请降于吴。

二月，甲子朔，张士诚复攻江阴，战舰蔽江而下。吴守将吴良御之，戒诸将勿轻动。顷之，士诚兵阵于江滨，良命弟祯率一军出北门与战，锋才交，复遣元帅王子明率壮士出南门合击之。士诚不能支，遂败，溺死甚众。

癸酉，吴将邵荣攻湖州，屡败张士诚兵，其将李伯升敛兵退守，攻之，弗克，乃还屯临安。

辛巳，枢密副使多尔济以贼犯顺宁，命张立将精锐由紫荆关出讨，鸦鹘由北口出迎敌。

甲申，叛将梁炳攻辰州，守将和尚击败之。以和尚为湖广行省参知政事。

贼由飞狐、灵丘犯蔚州。

庚寅，御史台言："先是召募义兵，用钞银一百四十万锭，多近侍、权幸冒名关支，率为虚数。请命军士，凡已领官钱者，立限出征。"诏从之，已而不果行。

是月，诏博啰特穆尔移兵镇大同，以为京师捍蔽。

置大都督兵农司，仍置分司十道，专督屯种，以博啰特穆尔领之。所在侵夺民田，不胜其扰。

台哈布哈之溃兵数万掠山西，察罕特穆尔遣陈秉直分兵驻榆次招抚之，其首领悉送河南屯种。

三月，癸巳朔，陈友谅遣兵由信州略衢州，复遣兵陷襄阳路。

甲午，吴下令宥狱囚。

辛丑，京城北兵马司指挥周哈喇岱与林智和等谋叛，事觉，伏诛。

丁巳，张士诚兵攻建德，吴将朱文忠御之于东门，使别将潜出小北门，间道过鲍婆岭，由碧鸡坞绕出其阵后夹击，大破之。

方国珍遣郎中张本仁以温、台、庆元三路献于吴，且以其次子关为质。吴国公曰："古者虑人不从，则为盟誓，盟誓不信，变而为质子。此衰世之事，岂可蹈之！凡人之盟誓、交质者，皆由未能相信故也。今既诚心来归，便当推诚相与，如青天白日，何自怀疑而以质子为哉！"乃厚赐关而遣之。关后改名明完。

陈友谅遣部将赵普胜寇宁国太平县，江南总制胡惟贤，命万户陈允同、义士江炳叔率乡兵五千击败之。普胜复寇陵阳、石埭等县，金院张德胜与战于栅江口，复破走之。

壬戌，诏定科举流寓人名额，蒙古、色目、南人各十五名，汉人二十名。

夏，四月，癸亥朔，汾水暴涨。

贼陷金、复等州，司徒、知枢密院事佛嘉努调兵平之。

甲子，毛贵为赵君用所杀。

帝以天下多故，诏却天寿节朝贺。皇太子及群臣屡请举行如故，帝不听，曰："俟天下安宁，行之未晚。卿等无复言。"

癸酉,吴兵复池州。

初,赵普胜既陷池州,令别将守之,而自据枞阳水寨,数往来寇掠境上。元帅徐达患其侵轶,遣院判俞通海等击败之,俘其将赵牛儿等,普胜弃舟走陆。又擒其部将洪钧等,并获艨艟数百艘,遂复池州。

吴金院胡大海率元帅王玉等攻绍兴,军至蒋家渡,遇张士诚兵,击败之,获战舰五十馀。又连战于三山、斗门、白塔寺,皆捷,擒士诚卒五十馀人,恐其叛,悉斩于双溪之上。

张士诚复攻建德,驻兵大浪滩,吴将朱文忠遣兵由乌龙岭循脊口而上,击破之。

庚辰,吴叛将陈保二寇宜兴,守臣杨国拒战,擒保二,槛送宁越,伏诛。

张士诚复遣兵争建德,据分水岭;朱文忠遣元帅何世明击破其营。

丁亥,张士诚兵击常州,守将汤和击败之。

己丑,贼陷宁夏路,遂略灵武等处。

张士诚将李伯升攻婺源,吴将孙茂先击败之。

五月,壬辰朔,以陕西行台御史大夫鄂勒哲特穆尔为陕西行台左丞相,便宜行事。

丁酉,皇太子奏请巡北边以抚绥军民,御史台臣上疏固留,诏从之。

先是中书左丞成遵言:"宋自景祐以来百五十年,虽无兵祸,常设寓试名额以待四方游士。今淮南、河南、山东、四川、辽阳及江南各省所属州县避兵士民,会集京师,如依前代故事,别设流寓乡试之科,令避兵士民就试,添差试官别为考校,依各处元额,选合格者充之,则无遗贤之患矣。"礼部议寓试解额依元额减半。既而福建乡试取江西流寓者十五人,察罕特穆尔又请河南举人及避兵儒士,不拘籍贯,依河南元额就陕州应试,从之。

辛亥,吴国公将还建康,召胡大海于绍兴,既至,谕之曰:"宁越为浙东重地,必得其人守之。吾以尔为才,故特命尔守,其衢、处、绍兴进取之宜,悉以付尔。宋巴延布哈在衢州,其人多智术;舒穆噜伊逊守处州,善用士;绍兴为张士诚将吕珍所据;数郡与宁越密迩,尔宜与常遇春同心协力,伺间取之。此三人皆劲敌,不可忽也。"仍命左右司员外侯原善、都事王恺、管句栾凤综理钱粮军务事。

未几,有三人称赵宋子孙,请再命大海攻绍兴,愿为内应,吴国公知其诈,命法司拷问,乃张士诚使为间,并其家属诛之。

山东、河东、河南及关中等处飞蝗蔽天,人马不能行,所落沟堑尽平,民大饥。

察罕特穆尔图复汴梁,是月,以大军次虎牢。先发游骑,南道出汴南,略归、亳、陈、蔡;北道出汴东,战船浮于河,水陆并下,略曹南,据黄陵渡。乃大发秦兵出函关,过虎牢,晋兵出太行,逾黄河,俱会汴城下,首夺其外城。察罕特穆尔自将铁骑屯杏花营,诸将环城而垒。

刘福通屡出战,战辄败,遂婴城以守。察罕特穆尔乃夜伏兵城南,旦日,遣苗军跳梁者略城而东,福通倾城出追,伏兵鼓噪起,邀击,败之。又令弱卒立栅外城以饵敌,敌出争之,弱卒佯走;薄城西,因纵铁骑突击,悉擒其众。福通自是不敢出。

先是陈友谅弟友德营于信州城东,绕城植木栅,急攻之。巴延布哈德济日夜与贼鏖战,粮竭矢尽而气不少衰。有大呼于城下者曰:"有诏!"参谋该里丹临城问何来,曰:"江西来。"该里丹曰:"如此,乃贼耳。吾大元臣子,岂受尔伪诏!汝不闻张睢阳事乎?"伪使者不答而去。时军民唯食草苗、茶纸,既尽,括靴底煮食之;又尽,罗掘鼠雀及杀老弱以食,然犹出兵大破贼。

六月,王奉国来攻城,昼夜不息者逾旬。巴延布哈德济登城麾兵拒之。已而士卒力疲不能支,万户顾马儿以城叛,城遂陷。席闾出降,大圣努、该里丹皆死之。巴延布哈德济力战不胜,遂自刭。部将蔡诚,尽杀妻子,与蒋广奋力巷战,诚遇害,广为奉国所执。爱广勇敢,使之降,广曰:"我宁为忠死,不为降生。汝等草中一盗尔,吾岂屈汝乎!"奉国怒,磔广于竿,广大骂而绝。时义兵陈受战败,为贼所擒,亦痛骂不屈,贼焚之。

先是巴延布哈德济之援信州也,尝南望泣下曰:"我为天子司宪,视彼城之危急,忍坐视乎!吾所念者,太夫人耳。"即入拜其母鲜于氏曰:"儿今不得事母矣!"母曰:"尔为忠臣,吾即死,何憾!"巴延布哈德济因命子额森布哈奉其母间道入福建,以江东廉访司印送台御史,遂力守孤城而死。谥曰桓毅。

甲子,张士诚将吕珍围诸全州,胡大海自宁越率兵救之。珍堰水以灌城,大海夺堰,反以灌珍。珍势蹙,乃于马上折箭求解兵,大海许之。王恺谓大海曰:"彼猾贼难信,不如因而击之,可大胜也。"大海曰:"吾已许人而背之,不信,纵其去而击之,不武。"遂引兵还。

是月,吴金院俞通海攻赵普胜,不克而还。诸将患之,吴国公曰:"普胜勇而无谋,陈友谅挟主以令众。上下之间,心怀疑贰,用计以离之,一夫之力耳。"时普胜有门客,颇通术数,常为普胜画策,普胜倚为谋主。乃使人阳与客交而阴间之,又致书与客,故误达普胜,普胜果疑客,客惧,不能安,遂来归。于是厚待客,客喜过望,倾吐其实,尽得普胜生平所为,乃重以金币资客,潜往说友谅所亲以间普胜。普胜不知,见友谅使者,辄自言其功,悻悻有德色,友谅由是忌之。

秋,七月,壬辰朔,以辽阳贼势张甚,起前中书右丞相绰斯戬为辽阳行省左丞相,便宜行事。

乙巳,吴同金枢密院常遇春攻衢州,建奉天旗,树栅,围其六门,造吕公车、仙人桥、长木梯、懒龙爪,拥至城下,高与城齐,欲阶之以登;又于大西门、大南门城下穴地道攻之。守臣廉访使宋巴延布哈等悉力备御,以束苇灌油烧吕公车,架千斤称钩懒龙爪,用长斧以砍木梯,筑夹城以防穴道。遇春攻之弗克,乃以奇兵出其不意,突入南门瓮城,毁其所架炮,督将士攻围益急。

戊申,命国王囊嘉特、中书平章政事佛嘉努、额森布哈、知枢密院事赫噜等统领特默齐军进征辽阳。

赵君用既杀毛贵,贵党续继祖自辽阳入益都;丙辰,杀赵君用,遂与其所部自相仇敌,彭早住不知其所终。

是月,以张士信为江浙行省平章政事。

八月,辛酉朔,倪文俊馀党陷归州。

庚午,吴将朱文逊、秦友谅攻无为州,取之。

察罕特穆尔谍知汴梁城中食且尽,乃与诸将阎思孝、李克彝、虎林赤等议分门而攻。戊寅夜,将士鼓勇登城,斩关而入,遂拔之。刘福通奉其主小明王从数百骑出东门遁走,仍据安丰。获伪后及贼妻子数万,伪官五千,符玺、印章、宝货无算。全居民二十万,军无所私,市不易肆,不旬日,河南悉定。献捷京师,以功拜河南行省平章政事兼知河南行枢密院事、陕西行台御史中丞,仍便宜行事。诏告天下。

察罕特穆尔既定河南,乃以兵分镇关陕、荆襄、河洛、江淮,而重兵屯太行,营垒旌旗,相望数千里。乃日修车船,缮兵甲,务农积谷,训练士卒,谋大举以复山东。

乙卯,蝗自河北飞渡汴梁,食田禾尽。

九月,癸巳,以中书平章政事特哩特穆尔为陕西行省左丞相,便宜行事。

吴奉国上将军徐达,金院张德胜,率兵自无为州登陆,夜至浮山寨,败赵普胜别将于青山。追至潜山,陈友谅遣参政郭泰渡沙河逆战,德胜复大破之,斩郭泰,遂克潜山,命将守之。

乙未,陈友谅杀其将赵普胜。

初,友谅既忌普胜,又有言普胜欲归吴者。及是愤潜山之败,友谅益欲杀普胜,乃诈以会军为期,自至安庆图之。普胜不虞友谅之图己,闻其至,且烧羊出迎,于雁汉登舟见友谅,友谅遂执而杀之,并其军。

乙巳,以湖南北、浙东西四道廉访司之地皆陷,诏任其所便之地置司。

丙午夜,白虹贯天。

丁未,吴取衢州路。

时常遇春围城两月馀,攻击无虚日。枢密院判张斌度不能守,密遣其下约降,是夕,斌潜出小西门,迎吴军入城。宋巴延布哈不知其降,犹督兵拒战。俄而城中火起,遇春等入城,众遂溃。总管冯浩赴水死,宋巴延布哈及院判都尼等被执。改衢州路为龙游府,进遇春金枢密院。

甲寅,吴遣博士夏煜授方国珍福建行省平章,〔其弟国瑛〕参政,国珉金枢密分院事,各给符印,仍以所部兵马城守,候命征讨。煜至庆元,国珍欲不受,业已降;欲受之,又恐见制;乃诈称疾,但受平章印,告老,不任职,遇使者亦颇倨。惟国珉开院署事。

自中原丧乱,江南漕久不通,至是河南始平,乃遣兵部尚书巴延特穆尔、户部尚书曹履亨,以御酒、龙衣赐张士诚,征海运粮。巴延等至杭州,传诏令方国珍具舟以运,而达实特穆尔总督其事。既而士诚虑国珍载粟不入京,国珍又恐士诚掣其舟,乘虚袭己,互相猜疑。巴延往来开谕,二人乃奉诏。

冬,十月,庚申朔,诏京师十一门皆筑瓮城,造吊桥。

以方国珍为江浙行省平章政事。

壬申,吴元帅俞廷玉率兵攻安庆,不克,卒于军。廷玉,金院通海之父也。

张士诚兵攻江阴,吴守将吴良遣万户聂贵、蔡显率众间道出无锡三山绝其后,士诚兵遁去。

张士信大发浙西诸郡民筑杭州城,分为三番,以一月更代,皆裹粮远役,而督事长吏复藉之酷敛,鞭扑棰楚,死者相望。自七月兴工,至是月始毕,僚属为立碑以纪功。

初,嘉兴通判缪思恭,当张士信来攻,杨鄂勒哲命典火攻,官军大捷。及是城杭州,士信檄思恭统所属工徒就役,欲乘此僇辱之,俾治西北面数十百丈。思恭每作则先人,止则后众,劳来督罚,殊得众心,视他所筑倍坚好,士信亦无奈何。一日,巡工至其所,日已暮,而工犹未辍,士信曰:"日入而息,何独劳民如此?"思恭曰:"平章礼绝百司,犹日夕敬共王事,况小民,敢偷馀暑!"士信曰:"此人口利如锥,何怪杉青闸畔,烈烈逼人!"思恭曰:"今幸太尉革面,国家借此得成奖顺之典。若念杉青之役,犹恨不力,纵逸平章耳!"士信曰:"别驾好将息,言及杉青,犹使人肉跳不止。"

十一月,壬寅,吴兵取处州路。

初,经略使李国凤至浙东,承制拜舒穆噜伊逊为江浙行省参知政事,以守处州。吴国公既定宁越,即命耿再成驻兵缙云之黄龙山,谋取处州。至是金院胡大海帅师入境,伊逊(追)〔遣〕元帅叶琛屯桃花岭,参谋林彬祖屯葛流,镇抚陈仲贤、照磨陈安屯樊岭,元帅胡深守龙泉,以拒敌。久之,右司郎中刘基弃官而归,伊逊无可与谋者,将士怠弛,皆无斗志。大海乃出军抵樊岭,与再成合攻之,连拔桃花岭、葛渡二寨,进薄城下。伊逊战败,弃城走,将士皆溃散。遂克处州。

胡大海部将缪美,分兵略定诸县,得叶琛,使谕胡深曰:"吾王,天授也,士之欲立功名者,不以此时自附,将谁与僇力!且去年尔之众战而大败,今年我之师不战而胜,则天意亦可见矣。与其险阻偷生旦夕,何如改图,可以保富贵也!"深然之,乃出降。龙泉、庆元皆平。

戊申,陈友谅兵陷杉关。

十二月,甲子,张士诚以分水之败,复遣其将据新城三溪结寨,数出寇掠,吴元帅何世明击破之,斩其将,分水兵溃去。自是士诚不敢窥严、婺。

戊辰,吴国公命金院常遇春帅师攻杭州。

杭民尚奢侈,无蓄积,城门既闭,米旋尽,糟糠与米价等。既而糟糠亦尽,以油车糠饼捣屑啖之,饿死者十六七。

知枢密院事乌兰哈达领台哈布哈军,其所部方托克托与弟方巴特穆尔时保辽州,乌兰哈达屯孟州。是月,与察罕特穆尔部将班布尔实等交兵,已而乌兰哈达独引达勒达军还京师,方托克托等乃从(察罕)〔博啰〕特穆尔。

先是陈友谅破龙兴,其伪主徐寿辉欲徙居之。友谅恐其来不利于己,遣人尼其行,寿辉不得已而止。至是寿辉复欲往,友谅仍遣人止之,寿辉不听,引兵发汉阳。行次江州,友谅阳遣使出迎,而阴伏兵于城西门外,寿辉既入,门闭,伏发,尽杀其部属。以江州为都,奉寿辉居之,友谅自称汉王,立王府于城西隅,置官属。自此事权一归于友谅,寿辉但拥虚位而已。

上都宫阙既废,是岁以后,帝不复时巡。

帝在位久,而皇太子春秋日盛,军国之事,皆其所临决。皇后奇氏乃谋内禅,遣资政院使保布哈谕意于丞相泰费音,泰费音不答,皇后又召泰费音至宫中,举酒申前意,泰费音终依违而已。太子欲去之,知枢密院事努都尔噶闻而叹曰:"善人,国之纪也。苟去之,国将何赖乎!"数于帝前左右之,故太子之志不得逞。

会努都尔噶卒,太子遂决意去泰费音,以中书左丞成遵及参知政事赵中,皆泰费音所用,两人去则泰费音之党孤。于是监察御史迈珠、僧格实哩承望风旨,嗾宝(抵)〔坻〕县尹邓守礼、弟子初等诬告遵、中与参议萧庸等六人皆受赃,太子命御史台、大宗正府等官杂问之,锻炼使成狱,遵等皆杖死,中外冤之。泰费音知势不可留,数以疾辞位。后数年,御史台臣辩明遵等诬枉,诏给还所授宣敕。

初,江南行台御史大夫纳琳赴召,由海道入朝,抵黑水洋,阻风而还。至是复由海道趋直沽,山东俞宝率战舰断粮道,纳琳命其子安安及同舟人拒之,破其众于海口,遂抵京师。帝遣使劳以上尊,皇太子亦馈酒脯。而纳琳感疾日亟,卒于通州,年七十有九。

京师有鸥鹠百群,夜鸣至晓,连月乃止。居庸关子规啼。

钱清场盐司会稽杨维桢迁江西儒学提举,未上,值兵乱,避地杭州。张士诚闻其名,欲见之,维桢谢不往,复书斥其所用之人。

其略曰:“阁下乘乱起兵,首倡大顺,以奖王室。淮、吴之人,万口一辞,以阁下之所为,有今日不可及者四:兵不嗜杀,一也;闻善言则拜,二也;俭于自奉,三也;厚给吏禄而奸贪必诛,四也。此东南豪杰望阁下之可与有为者也。然贤人失职,四民失业者尚不少也。吾惟阁下有可畏者又不止是:动民力以摇邦本,用吏术以括田租,铨(于忠)〔放私〕人不承制,出纳国廪不〔上〕输,受降人不疑,任(私)〔忠〕臣而复贰也。六者之中,有其一二,可以丧邦,阁下不可以不省也。

“况为阁下之将帅者,有生之心,无死之志矣;为阁下之守令者,有奉上之道,无恤下之政矣;为阁下之亲族姻党者,无禄养之法,有行位之权矣。有假佞以为忠者,有托诈以为直者,有饰贪虐以为廉良者。阁下信佞为忠,则靳尚用矣;信诈为直,则赵高用矣;信贪虐为廉良,则跖、蹻者进,随、夷者退矣。又有某绣使拜寇而乞生,某太守望敌而先退,阁下礼之为好人,养之为大老,则死节之人少,卖国之人(来)〔众〕矣。是非一谬,黑白俱紊,天下何自而治乎!及观阁下左右参议赞密者,未见其(破)〔砭〕切政柄,规进阁下于远大之域者,使阁下有可为之时,有可乘之势,而讫无有成之效,其故何也?为阁下计者少而为身谋者多也。

“阁下身犯六畏,衅隙多端,不有内变,必有外祸,不待智者而后知也。阁下狃于小安而无长虑,东南豪杰又何望乎!仆既老且病,爵禄不干于阁下,惟以东南切望于阁下,幸采而行之,毋蹈群小误人之域,则小伯可以为钱镠,大伯可以为晋重耳、齐小白也。否则麋鹿复上姑苏台,始忆维桢之言,於乎晚矣!”众恶其切直,目为狂生。

时四境日蹙,朝廷方倚达实特穆尔为保障,而纳贿不已,维桢上书讽之,由是不合。久之,乃徙居松江。

至正二十年 【庚子,1360】 春,正月,己丑朔,察罕特穆尔请以巩县改立军州万户府,招民屯种,从之。

御史大夫鲁达实、中丞耀珠奏:“今后各处从宜行事官员,毋得阴挟私仇,明为举索,辄将风宪官吏擅自迁除,侵扰行事,沮坏台纲。”从之。

己亥,夏煜自庆元还建康,言方国珍奸诈状,非兵威无以服之。吴国公曰:“吾方致力姑苏,未暇与校。”乃遣都事杨宪、傅仲章往谕之曰:“及今能涤心改过,不负初心,则三郡之地,庶几可保。不然,吾恐汝兄弟败亡,妻子为僇,徒为人所指笑也。”国珍不省。

癸卯,大宁路陷。

乙卯,会试举人,知贡举平章政事巴特玛实哩、同知贡举翰林学士承旨李好文、礼部尚书许从宗、考试官国子祭酒张翥等言:"旧例,各处乡试举人,三年一次,取三百名,会试取一百名。今岁乡试所取,比前数少,止有八十八名,会试三分内取一分,合取三十名,请于三十名外添取五名。"从之。

是月,张士诚破濠州,遣其将李济据之,寻又破泗、徐、邳等州。

二月,戊午朔,中书左丞相泰费音罢为太保,俾养疾于家。御史台言:"时事艰危,正赖贤材弘济,泰费音以师保兼相职为宜。"帝不能从。

会阳翟王勒呼木特穆尔倡乱,骚动北边,势逼上都,皇太子乃言于帝,命泰费音留守上都,实欲置之死地。泰费音遂往,有同知太常院事托欢者,泰费音子额森呼图克故将也,闻阳翟王将至,乃引兵缚王至军前,泰费音不受,令生致阙下,北边遂宁。

初,努都尔噶卧病,谓人曰:"我疾固不起,而泰费音亦不能久于位,可叹也!"至是其言乃验。

庚申,福建行省参政袁天禄,遣古田县尹林文广以书纳款于吴。

时义兵万户赛甫鼎、阿里密鼎据泉州,陈友谅兵入杉关,攻邵武、汀州、延平诸郡县,群盗乘势窃发,闽地骚动。天禄知国势不振,故遣文广由海道来纳款,而福清州同知张希伯亦遣人请降,吴国公皆厚赏之,遣还招谕。

是月,吴将徐达克高邮,寻复失之。

三月,戊子朔,田丰陷保定路。

(慧)〔彗〕见东方。

吴改淮海翼为江南等处分枢密院,以缪大亨同金院事,总制军民。大亨有治才,宽厚不挠,多惠爱及人,至于禁戢暴强,剖折狱讼,皆当其情,民皆悦之。

甲午,廷试进士三十五人,赐迈珠、魏元礼等及第、出身有差。

乙巳,冀宁路陷。

壬子,复拜辽阳行省左丞相绰斯戬为中书右丞相。

时帝益厌政,而宦者保布哈乘间用事,为奸利,绰斯戬因与结构相表里,四方警报及将臣功状,皆壅不上闻。

是月,吴征青田刘基、龙泉章溢、丽水叶琛、金华宋濂至建康。

初,吴国公至婺州,召见濂,及克处州,胡大海荐基等四人,即遣使以书币征之。时总制孙炎先奉命聘基,使者再往反,不起,炎为书数千言,陈天命以谕基,基乃与三人者同至。入见,吴国公甚喜,赐坐,劳之曰:"我为天下屈四先生,今天下纷争,何时定乎?"溢对曰:"天道无常,惟德是辅,不嗜杀人者能一之。"公称善。基陈时务十八事,且言:"明公因天下之乱,崛起草昧间,尺土一民,无所凭借,名号甚光明,行事甚顺应,此王师也。我有两敌,陈友谅居西,张士诚居东。友谅包饶、信,跨荆、襄,几天下半,而士诚仅有边海地,南不过会稽,北不过淮扬,首鼠窜伏,阴欲背元,阳则附之,此守虏耳,无能为也。友谅劫君而胁其下,下皆乖怨;性剽悍轻死,不难以其国尝人之锋,然实数战民疲;下乖则不欢,民疲则不傅,故汉易取也。夫攫兽先猛,擒贼先强,今日之计,莫若先伐汉。汉地广大,得汉,天下之形成矣。"吴国公大悦曰:"先生有至计,毋惜尽言。"于是设礼贤馆以处基等,宠礼甚至。

吴国公尝问郎中陶安曰："此四人者,于汝何如?"安曰："臣谋略不如基,学问不如濂,治民之才不如溢、琛。"公然之,复多其能让。

吴国公召常遇春于杭州。

遇春之出师也,吴国公戒之曰："克敌在勇,全胜在谋。昔关羽号万人敌,为吕蒙所破,为无谋也,尔宜深戒之。"及攻杭州,战数不利,故召还。

夏,四月,庚申,命大司农司都事乐元臣招谕田丰,至其军,为丰所害。

辛未,金行枢密院事张居敬复兴中州。

五月,丁亥朔,日有食之,雨雹。

乙未,陈友谅将罗忠显陷辰州。

是月,张士诚海运粮十一万石至京师,由是方面之权悉归士诚,丞相达实特穆尔尸位而已。

陈友谅兵攻池州,吴将徐达等击败之。

初,友谅既杀赵普胜,即有窥池州之意。吴国公察知之,遣使谓达与常遇春曰："友谅兵旦暮且至,尔当以五千人守城,遣万人伏九华山下,俟彼兵临城,城上扬旗鸣鼓,发伏兵往绝其后,破之必矣。"至是友谅兵果至,其锋甚锐,直造城下。城上扬旗鸣鼓,伏兵悉起,缘山而出,循江而下,绝其归路;城中出兵夹击,大破之,斩首万馀级,生擒三千馀人。遇春曰："此皆勃敌,不杀,为后患。"达不可,以状闻。吴国公遣使谕诸将释之,而遇春先以夜坑杀之,止存三百人,吴国公闻之不怪,命悉放还。

闰月,丙辰朔,陈友谅率舟师攻太平,守将枢密院判花云与朱文逊等以兵三千拒战,文逊死之。友谅攻城三日,不得入,乃引巨舟迫城西南,士卒缘舟尾攀堞而登,城遂陷。云被执,缚急,怒骂曰："贼奴,尔缚吾,吾主必灭尔,斫尔为脍也!"遂奋跃,大呼而起,缚皆绝,夺守者刀,连斫五六人。贼怒,缚云于舟樯,丛射之,云至死骂贼不绝口。院判王鼎,知府许瑗,俱为友谅所执,亦抗骂不屈,皆死之。

云自濠州隶麾下,每战辄立奇功。因命宿卫,常在左右。至是出守太平,遂死于难,年三十九。妻郜氏,一子炜,生始三岁。战方急,郜氏会家人,抱儿拜家庙,泣谓家人曰："城且破,吾夫必死,夫死,吾宁独生!然花氏惟此一儿,为我善护之。"云被执,郜氏赴水死。

文逊,吴国公养子也。瑗,饶州乐平人。鼎初为院判仪真赵忠养子,袭忠职,守太平,寻复姓王氏,至是与云并死于难。

戊午,陈友谅杀其主徐寿辉而自立。

友谅之攻太平也,挟寿辉以行。及太平既陷,急谋僭窃,乃于采石舟中使人诣寿辉前,佯为白事,令壮士持铁锤自后击之,碎其首。寿辉死,友谅遂以采石五通庙为行殿,称皇帝,国号汉,改元大义,仍以邹普胜为太师,张必先为丞相,张定边为太尉。群下立江岸,草次行礼,直大雨至,冠服皆濡湿,略无仪节。

庚申,陈友谅遣人约张士诚同侵建康,士诚未报,友谅自采石引舟师东下,建康大震。

5186　献计者或谋以城降,或以钟山有王气,欲奔据之,或言决死一战,战不胜,走未晚也,独刘基张目不言。吴国公心非诸将议,召基入内问计,基曰："先斩主降及奔钟山者。"公曰："先生计安出?”基曰:“天道后举者胜。吾以逸待劳,何患不克！明公若倾府库以开士怒,至诚以固人心,伏兵伺隙击之,取威制胜,以成王业,在此举也。”公意益决。

或议先复太平以牵制之,公曰:“不可,太平吾新筑垒,濠堑深固,陆攻必不破,彼以巨舰乘城,故陷。今彼据上游,舟师十倍于我,猝难复也。”

或劝自将迎击,公曰:“不可,敌知我出,以偏师缀我,而以舟师顺流趋建康,半日可达,吾步骑亟引还,已穷日矣。百里趋战,兵法所忌,非良策也。”乃驰谕胡大海以兵捣信州以牵其后,而召指挥康茂才谕之曰:“有事命汝,能之乎?”茂才曰:“惟命。”公曰:“汝旧与友谅游,今友谅入寇,吾欲速其来,非汝不可。汝今作书伪降,约为内应,且招之速来,绐告以虚实,使分兵三道以弱其势。”茂才曰:“诺。家有老阍,旧尝事友谅,使赍书往,必信。”公以语李善长,善长曰:“方忧寇来,何更速之?”公曰:“二寇合,吾何以支? 惟速其来而先破之,则士诚胆落矣。”

阍者至友谅军,友谅得书,甚喜,问:“康公今何在?”阍者曰:“见守江东桥。”又问:“桥何如?”曰:“木桥也。”乃与酒食遣还,谓曰:“归语康公,吾即至,至则呼老康为验。”阍者诺,归,具以告。公喜曰:“贼入吾彀中矣。”乃命善长夜撤江东桥,易以铁石。比旦,桥成。

有富民自友谅军中逸归者,言友谅问新河口道路,即令张德胜跨新河,筑虎口城以守之,命冯国胜、常遇春率帐前五翼军三万人伏石灰山侧,徐达等陈兵南门外,杨璟驻兵大胜港,张德胜、朱虎率舟师出龙江关外。公总大军屯卢龙山,令持帜者偃黄帜于山之左,偃赤帜于山之右,戒曰:“寇至则举赤帜,举黄帜则伏兵皆起。”各严师以待。

乙丑,友谅舟师至大胜港,杨璟整兵御之。港狭,仅容二舟入,友谅以舟不得并进,遽引退,出大江,径冲江东桥,见桥皆铁石,乃惊疑,连呼老康,无应者,知见绐,即与其弟友仁率舟千馀向龙湾,先遣万人登岸立栅,势甚锐。时酷暑,公衣紫茸甲,张盖督兵,见士卒流汗,命去盖。众欲战,公曰:“天将雨,诸军且就食,当乘雨击之。”时天无云,人莫之信。忽云起东北,须臾,雨大注。赤帜举,下令拔栅,诸军竞前拔栅,友谅麾其军来争。战方合而雨止,命发鼓,鼓大震,黄帜举,国胜、遇春伏兵起,达兵亦至,德胜、虎舟师并集,内外合击,友谅军披靡,不能支。遂大溃。兵走登舟,值潮退,舟胶浅,猝不能动,杀溺死无算,俘其卒二万馀,其将张志雄、梁铉、喻兴、刘世衍等皆降,获巨舰百馀艘。友谅乘别舸脱走,得茂才书于其所弃舟卧席下,公笑曰:“彼愚至此,可嗤也。”

志雄本赵普胜部将,善战,号长张,尝怨友谅杀普胜,故龙湾之战无斗志。及降,言于公曰:“友谅之东下,尽撤安庆兵以从。今之降卒,皆安庆之兵,友谅既败走,安庆无守御者。”公乃遣达、国胜、德胜等追友谅,又命元帅余某等取安庆。德胜追及友谅于慈湖,纵火焚其舟。至采石,复战,德胜死。国胜以五翼军蹴之,友谅与张定边出皂旗军迎战,又败之。友谅昼夜不得息,遂弃太平遁去,达追至池州而还。余某遂取安庆,守之。友谅还至江州,据以为都。德胜,庐州梁县人也。

戊寅,吴兵取信州路。

初,吴国公命胡大海捣信州,大海遣元帅葛俊率兵往。道过衢州,都事王恺止俊,乘驿至金华谓大海曰:“广信为友谅门户,彼既倾国入寇,宁不以重兵为守！非大将统全军以临之不可。今偏师尝敌,设若挫衄,非独广信不可下,吾衢先驿骚矣。"大海然之,乃亲率兵攻信州。至灵溪,城中步骑数千出迎战,大海击败之。督兵攻城,守者不能御,众溃,遂克之。先是招安郡县,将士皆征粮于民,名之曰"寨粮",民甚病焉,大海以闻,公亟命罢之。

吴置儒学提举司,以宋濂为提举,吴国公命长子标从受经学。

濂首以文学受知,恒侍公左右,尝命讲《春秋左氏传》,濂进曰:"《春秋》乃孔子褒善贬恶之书,苟能遵行,则赏罚适中,天下可定也。"

六月,己丑,命博啰特穆尔部将方托克托守御岚、兴、保德等州。又诏:"今后察罕特穆尔与博啰特穆尔部将,毋得互相越境,侵犯所守地,因而仇杀,方托克托不得出岚、兴界,察罕特穆尔亦不得侵其地。"

辛亥,吴更筑太平城。

初,太平城俯瞰姑溪,故陈友谅舟师得缘尾攀堞而登,至是常遇春复太平,乃移城去姑溪二十余步,增置楼堞,守御遂固。

婺州之失也,舒穆噜伊逊之母为吴将所获,令其弟以书招伊逊,伊逊不至。及破处州,伊逊将数十骑出走,至建宁,聚兵欲图恢复,而所至人心已散,知事不可为,叹曰:"处州,吾所守也,今吾势穷,无所往,不如还处州,死亦为处州鬼耳!"遂以兵攻庆元,耿再成击败之。伊逊众溃,走竹口,欲还福建,道经桃花坑,为乡兵所邀击,伊逊力战死,其部将李文彦收葬其尸。孙炎以闻,吴国公嘉其尽忠死事,遣使祭之,复处州民所立生祠。

张士诚遣其将吕珍率舟师自太湖入陈渎港,分兵三路攻长兴。吴守将耿炳文亲率精兵击败之,获甲仗船舰甚众。

【译文】

元纪三十三　起己亥年(公元1359年)正月,止庚子年(公元1360年)六月,共一年有余。

至正十九年　(公元1359年)

春季,正月,陈友谅派他的同党王奉国,率领兵马号称二十万,侵犯信州路。江东廉防副使巴延布哈德济自衢州带领军队援助信州,在城东遇到王奉国,奋力拼杀,打退了王的兵马。镇南王的儿子大圣努、枢密院判官席闻等人迎接巴延布哈德济进城共同防守。这以后几天,贼人又来攻打,巴延布哈德济让将士饱餐一顿之后,冲出城门奋力攻打,又一次大败敌军。

乙巳(十二日),吴国公因为宁越已经平定,想接着攻取浙东还没有占领的各郡,召集各军将领告诫他们说:"攻克城池虽然要用武力,但平定民心一定要靠仁义。我军进入建康之时,秋毫无犯,所以很快就稳定了局面。如今刚克婺州城,正应该安抚体恤百姓,让老百姓乐意归附我们,那么,那些没有攻下的郡县,也一定会闻风前来归顺。我每当听到你们攻下一座城池,得到一郡,没有随便杀人,就高兴得难以自已。这是因为担任将帅的人能够自觉做到不随便杀人,不仅仅有利于国家,就是他自身以及他的子孙也能蒙受他的福荫。你们能听从我的话,那么民众就会乐意归附我们,平定天下的大业一定能够成功。"

丙午(十三日),辽阳行省失陷,懿州路总管吕震死于战难,朝廷追赠他为河南行省左丞,追封为东平郡公。

戊申(十五日),吴将邵荣在余杭打败张士诚的军队。

上都刚刚失陷的时候,广宁路总管郭嘉听到此事,亲自率领义兵出来防守。接着辽阳失陷,郭嘉带领兵士巡逻,离城十五里,遇到身穿青色号衣的队伍五百多人,假称是官军,郭嘉怀疑他们有假,果然不久就脱掉青衣变成红衣。郭嘉骑马冲出射杀贼人,并分兵两路夹攻敌军,杀死俘获很多。郭嘉看见贼人势力越来越大,广宁城孤立无援,便将家中所有的衣服财物都拿出来,犒劳义士,激励他们奋勇作战,并且说:"从我祖父以来就对朝廷立有大功,现在为国尽忠,是我分内的事情。何况我守卫这片土地,更应该与它共死生,其他的事就顾不得考虑了。"

不久,贼人前来包围了城池,绵延达几十里,有人大喊道:"辽阳我已得到了,为什么不出来投降!"郭嘉拉弓射向大喊的人,射中他的左脸,跌下马死了。贼人稍微后撤,郭嘉便打开西门追赶,贼人又蜂拥而至,郭嘉奋力拼杀直至战死。事迹传到朝廷,皇帝赠予他河南江北行省左丞,追封为太原郡公,谥号忠烈。郭嘉守卫广宁时,召集了义兵几千人,教他们起卧进退的方法,号令整齐统一,赏罚严明守信,所以东方各郡,粮食充足兵力精干,以郭嘉为第一。

察军特穆尔命令枢密院判官陈秉直、班布尔实带领二万军队守卫冀宁。

乙卯(二十二日),方国珍派使者向吴国公送信奉献金带。

这之前吴国公派典签刘辰前去招降方国珍,国珍和他的部下商议说:"当今之势元朝气数将尽,豪强俊杰到处涌现,只有江东军队号令严明,所到之处没有对手。现在又东向攻打婺州,恐怕不能与他们抗衡。况且与我们作对的,西面有张士诚,南方有陈友谅,不如暂且表示顺从,借他们的势力作为声援,以便静待时局的变化。"因此派遣使者跟着刘辰前来奉献金银绮帛,由此吴国公又派使者回报方国珍。然而方国珍虽然表示顺从归附,实际上首鼠两端、心怀观望。

戊午(二十五日),吴雄锋翼元帅王遇成、孙茂先率领兵马攻打临安县,张士诚派他的右丞李伯升前来支援,茂先打败了李伯升,伯升收束兵马撤退防守,茂先攻打而无法取胜,带领兵马返回。金院胡大海攻打诸暨,守将被打败后夜间逃走,万户沈胜带着兵众投降,因而将诸暨州改为诸全州。嵊县万户郝原,向吴请求投降。

二月,甲子朔(初一),张士诚又一次攻打江阴,战船遮蔽了整个江面,顺江而来。吴守将吴良抵抗敌军,告诫所有将领不要轻举妄动,不一会,士诚的兵马在江边布下阵势,吴良命令弟弟吴桢率领一支部队冲出北门与张军交战,双方才交战,又派元帅王子明率精壮兵士冲出南门联合进攻敌军,张士诚支持不住,因而失败,淹死的人很多。

癸酉(初十),吴将邵荣攻打湖州,多次打败张士诚的军队,张的部将李伯升收束兵马退守湖州城,邵荣攻打,不能攻克,于是返回临安驻扎。

辛巳(十八日),枢密副使多尔济因为贼人进犯顺宁,命令张立带领精锐部队从紫荆关出兵讨伐,鸦鹘从北口出兵迎战敌军。

甲申(二十一日),叛将梁炳攻打辰州,守将和尚打败了他。任命和尚为湖广行省参知政事。

5189

贼人经过飞狐、灵丘进犯蔚州。

庚寅(二十七日),御史台上奏:"在此之前招募义兵,用去钱钞一百四十万锭,多数被您的近侍、权要幸臣冒名领取,大多是虚数。请下令兵士中凡属已领取官钱的,限定日期立即出征。"皇帝诏命同意此意见,但接下来并没有执行。

这个月,皇帝诏命博啰特穆尔将兵马移到大同镇守,将他的军队作为京师的保护屏障。

设置大都督兵农司,依旧设置十道分司,专门负责管理屯田种植,任命博啰特穆尔兼管督兵农司。督兵农司到处侵吞掠夺百姓田地,百姓经受不起他们的骚扰。

台哈布哈的逃兵几万人抢劫山西地区,察罕特穆尔派陈秉直分兵驻守榆次招抚逃兵,他们的头目全部送到河南参加屯田耕种。

三月,癸巳朔(初一),陈友谅派部队从信州攻打衢州,又派兵攻占襄阳路。

甲午(初二),吴国公下令宽恕在狱囚犯。

辛丑(初九),京城北兵马司指挥周哈喇岱与林智和等人密谋叛变,事情被察觉,被处死。

容膝斋图　元

丁巳(二十五日),张士诚的军队攻打建德,吴将朱文忠在东门抵挡他们,派另一将领从小北门偷偷溜出,由小路翻过鲍婆岭,从碧鸡坞绕到张军的军阵后面,与朱文忠前后夹攻,大破张军。

方国珍派郎中张本仁将温州、台州、庆元三路奉献给吴,而且将他的次子方关作人质。吴国公说:"古人担心别人不顺从,便立誓为盟,立誓为盟还不能相信,变成以儿子为人质。这是衰落时期的事情,怎么可以走这老路! 人们之所以立誓为盟、以子为质,都是因为不能相互信任的缘故。如今你既然真心前来归附,我就应该推诚相待,就像青天白日一样,为什么自己疑心而将儿子作人质呢?"于是重重地赏赐了方关并送他回去。方关后来改名为方明完。

陈友谅派部将赵普胜侵犯宁国太平县,江南总制胡惟贤,命令万户陈允同、义士江炳叔率领乡兵五千人打败了赵军。赵普胜又侵犯陵阳、石埭等县城,金院张德胜与他在栅江口交战,又打败赶走了他们。

壬戌(三十日),朝廷下诏规定科举录取流亡他乡寄居的人员名额,蒙古、色目、南人各为十五名,汉人二十名。

夏季,四月,癸亥朔(初一),汾水突然猛涨。

贼人攻占金州、复州等地,司徒、知枢密院事佛嘉怒调遣兵马平定了这些地方。

甲子(初二),毛贵被赵君用杀死。

顺帝因为天下战乱多事,下诏停止朝贺为皇帝生日所定的天寿节。皇太子以及众大臣多次请求照旧举行,顺帝不听从,说:"等到天下安定以后,再来举办还不晚。你们不要再讲了。"

癸酉(十一日),吴兵收复池州。

起初,赵普胜攻占池州以后,命令另外的将领防守城池,自己占据枞阳水寨,多次在吴境内往来抢劫侵扰。元帅徐达担心他的侵扰,派院判俞通海等打败了他,俘虏他的部将赵牛儿等,赵普胜放弃船只从陆地逃跑。吴军又抓住了赵的部将洪钧等,并且缴获他的艨艟战船几百只,于是收复了池州。

吴金院胡大海率领元帅王玉等人马攻打绍兴,部队到蒋家渡时,遇到张士诚的军队,打败了张军,缴获战船五十多只。又接连在三山、斗门、白塔寺等地交战,都获得大胜,活捉张士诚的兵士五十多人,担心他们叛乱,全部将他们杀死在双溪上。

张士诚又攻打建德,将兵马驻扎在大浪滩,吴将朱文忠派兵从乌龙岭沿着胥口往上,打败了张军。

庚辰(十八日),吴的叛将陈保二进犯宜兴,守城官员杨国抵挡交战,活捉保二,装进囚车送往宁越,杀了他。

张士诚又派兵争夺建德,占据分水岭;朱文忠派元帅何世明打破了他的营寨。

丁亥(二十五日),张士诚兵马攻打常州,守将汤和打败了他。

己丑(二十七日),贼人攻占宁夏路,于是攻夺灵武等地。

张士诚的部将李伯升攻打婺源,吴将孙茂先打败了他。

五月,壬辰朔(初一),任命陕西行台御史大夫鄂勒哲特穆尔为陕西行台左丞相,可以自行做主决定军政事务。

丁酉(初六),皇太子上奏请求巡视北方边区以便安抚军民,御史台官员上奏坚决挽留。顺帝下诏采纳台臣意见。

这之前中书左丞成遵上奏说:"宋代自从景祐初年以后一百五十年,虽然没有战争灾祸,但经常设置客居他乡考试者的名额来接待全国各地的游学士人。现在淮南、河南、山东、四川、辽阳以及江南各省所属州县逃避战争的士子,会集在京师,若仿照前代的旧例,另外开设流寓乡试科,让逃避战乱的士子们参加考试,增添监考官员另行考试检查,依照各地方原有的名额,选择合格的人补充,那就没有遗漏贤才的担忧了。"礼部议定流落外地寄居参加考试的名额按各处原有数额减少一半。后来福建乡试录取了江西流亡到这里的士子十五人,察罕特穆尔又请求将河南的举人以及逃避兵乱的儒生，不论他的籍贯，全部依照河南原有名额在陕州参加考试。朝廷答应了他的请求。

辛亥（二十日），吴国公准备返回建康，从绍兴招来胡大海，胡到后，吴国公告诫他说："宁越作为浙东的重地，一定得有重要将领镇守。我认为你有此才能，所以特别命令你镇守，对衢州、处州、绍兴等地进取攻打的有关事情，全部交付你处理。宋巴延布哈防守衢州，这个人有较多的智谋权术；舒穆噜伊逊防守处州，善于任用读书人；绍兴被张士诚的部将吕珍占据；这几郡与宁越连接很近，你应该与常遇春同心协力，找机会夺取它们。这三个人都是强劲的对手，不能够疏忽大意。"并命令左右司员外侯原善、都事王恺、管句栾凤总揽钱粮军务等事。

不久，有三人自称是赵宋的后裔子孙，请求再次命令胡大海攻打绍兴，他们愿做内应。吴国公知道他们是假冒的，命令司法部门拷问，才知道是张士诚派的间谍，便连他们的家人一起处决了。

山东、河东、河南以及关中等地方乱飞的蝗虫遮天盖地，人马无法行走，蝗虫坠落的沟渠都填平了，老百姓发生严重饥荒。

察罕特穆尔图谋收复汴梁，这一月，带领大军进驻虎牢。首先派出流动骑兵，南路从汴南出发，攻打归、亳、陈、蔡等地；北路从汴梁东面出发，战船在黄河之中，水陆并进，攻打曹南，占据黄陵渡。于是大规模出动秦兵从函关经过虎牢，晋兵从太行越过黄河，全部会集在汴梁城下，首先夺得汴梁外城。察罕特穆尔自己率领铁甲骑兵驻扎杏花营，众将领环绕汴梁城修筑营垒。

刘福通多次出战，一交战便失败，于是据城死守。察罕特穆尔便于夜间在城南埋伏兵马，第二天一早，派苗军中擅长奔跑跳跃的兵士攻城后往东跑，刘福通全城出动追赶，伏兵呐喊着冲出来拦截刘军；将他们打败。察罕特穆尔又派老弱的兵士在外城设立营栅以引诱敌军，敌人冲出来争夺，老弱的兵士假装逃跑；接近城西时，察罕特穆尔指挥铁甲骑兵突然冲出，全部活捉了追兵。刘福通从此后不敢出城。

这之前陈友谅弟弟陈友德在信州城东安营扎寨，围着城墙树植木栅，急速攻城。巴延布哈德济和贼人日夜激战，粮食吃光、弓箭用尽但士气一点都没减弱。有人在城下面大声呼喊："有诏书到!"参谋该里丹站在城上问从哪里来，答说："从江西来。"该里丹说："这样的话，是贼人了。我是大元臣子，哪里会接受你的伪诏!你没有听过张巡张睢阳的事迹吗?"伪使者没有回答便离开了。当时城中军民只能吃草苗、茶纸，这些吃光后，将靴底刮下来吃，靴底又吃光了，捕捉老鼠鸟雀甚至杀掉老弱的人来吃，即使如此还出兵大败贼人。

六月，王奉国前来攻城，昼夜不停地攻打了十多天。巴延布哈德登上城墙指挥兵士抵抗。兵士们终于精疲力竭无法支撑，万户顾马儿打开城门叛变，信州城于是失陷。席闻投降，大圣努、该里丹都死了。巴延布哈德济奋力拼杀不能取胜，因而自杀了。部将蔡诚，将妻子儿女都杀死，和蒋广一起在街巷中全力拼杀，蔡诚被杀，蒋广被王奉国抓住。王奉国喜爱蒋广的英勇善战，想使他投降，蒋广说："我宁愿为尽忠而死，不愿因投降而生。你们只是草野一盗贼罢了，我难道能向你屈服吗?"王奉国大怒，将蒋广绑在竿上分尸，蒋广大骂着死去。

当时义兵陈受被打败后,被贼人抓住,也是大声怒骂不肯屈服,贼人烧死了他。

在这之前,巴延布哈德济将去援救信州,曾望着南方哭道:"我作为天子的廉防使,看到信州城非常危险,忍心坐视不管吗?我所担忧的是太夫人啊!"便立即进房拜别他的母亲鲜于氏说:"儿子如今不能侍奉母亲了!"母亲说:"你成了忠臣,我即使死了,又有什么遗憾!"巴延布哈德济于是命儿子额森布哈侍奉他的母亲从小路进入福建,将江东廉访司的印信送给行台御史,然后自己全力防守孤城直到力尽而死。朝廷封他的谥号为桓毅。

甲子(初三),张士诚部将吕珍包围诸全州,胡大海从宁越率领兵马前去援救。吕珍修堰拦水来淹灌诸全城,胡大海夺取拦水堰,反过来淹吕珍。吕珍情势窘迫,便在马上断箭为誓请求退兵,胡大海答应了。王恺对大海说:"吕珍这样的狡猾贼子难讲信任,不如顺势进攻,可以大获全胜。"大海说:"我已经答应人家又违背誓言,是不讲信任;放他们离开又去攻打,是不讲武德。"于是带兵返回。

这一月,吴金院俞通海攻击赵普胜,没能战胜而返回。众将领很担忧,吴国公说:"赵普胜有勇无谋,陈友谅挟持其主子来号令部众。他们上下之间,互不相信、互相猜忌,用计来离间他们,不过一人的力量而已。"当时赵普胜有一门客,精通术数,经常为普胜出谋划策,普胜依靠他为谋主。吴国公便派人表面上与门客交往,暗地里则离间他们;又写信给门客,却故意送到普胜手中,赵普胜果然怀疑门客,门客害怕,不能自安,于是前来归附吴。吴国公因此厚待门客,门客大喜过望,把实情全部倾吐出来,因而全部知道了赵普胜一生的所作所为。吴国公便用丰厚的金币资助门客,让他暗中前去游说陈友谅亲近的人来离间赵普胜。赵普胜不知道,一见到陈友谅的使者,就自我吹嘘他的功劳,一副有功于陈却不得重用的恼怒模样,陈友谅因此很忌恨他。

秋季,七月,壬辰朔(初一),因为辽阳贼人气焰嚣张,起用前中书右丞相绰斯戬为辽阳行省左丞相,可自行做主决定军政事宜。

乙巳(十四日),吴同金枢密院常遇春攻打衢州,树立奉天旗帜,树植木栅,包围城的六门,制造吕公车、仙人桥、长木梯、懒龙爪等工具,推进到城下,高度与城墙相同,准备利用它们登城;又在大西门、大南门的城墙下面挖掘地道进攻。守城大臣廉访使宋巴延布哈等拼全力防备抵挡,用芦苇捆成把灌油焚烧吕公车,架起千斤称钩住懒龙爪,用长把斧子砍木梯,修筑夹城防止地道。常遇春不能攻克城池,便派特别部队出其不意地冲进南门瓮城,捣毁官军架设的炮台,更加急迫地督促将士们围城攻打。

戊申(十七日),朝廷命令国王囊嘉特、中书平章政事佛嘉努、额森布哈、知枢密院事赫噜等人统帅特默尔的军队前往辽阳征讨。

赵君用杀死毛贵后,毛贵的党羽续继祖从辽阳进入益都;丙辰(二十五日),杀死赵君用,于是和赵的部下互为仇敌,自相残杀,彭早住不知他的结果如何。

这一月,任命张士信为江浙行省平章政事。

八月,辛酉朔(初一),倪文俊的残余党羽攻占了归州。

庚午(初十),吴将朱文逊、秦友谅进攻无为州,夺取了它。

察军特穆尔侦察得知汴梁城中粮食将尽,便与众将领阎思孝、李克彝、虎林赤等人商议分别从各门攻城。戊寅(十八日)晚上,官军将士奋勇登城,斩断城门门闩冲进城中,于是攻拔了汴梁。刘福通侍奉他的主子小明王带着几百名骑兵冲出东门逃跑,并占据安丰。官军俘获伪皇后以及贼人的妻儿几万人,俘虏伪官员五千人,缴获的符玺、印章、珠宝财物不计其数。保全居民二十万,军队没有打劫掠夺,市场没有停止营业。不到十天,河南全部平定。向京师报告胜利喜讯,察罕特穆尔因此功劳被任命为河南行省平章政事兼知河南行枢密院事、陕西行台御史中丞,仍旧可以自行做主决定军政事务不必上奏。朝廷下诏颁告天下。

察罕特穆尔已经平定河南,便分兵镇守关陕、荆襄、河洛、江淮等地,而将主力部队驻扎在太行,营寨旗帜,连亘几千里。又每天修造车船,整治兵器铠甲,从事耕种积累粮食,训练兵马,计划大举进兵收复山东。

己卯(十九日),蝗虫从河北飞越黄河进入汴梁,将田中禾苗吃光了。

九月,癸巳(初三),任命中书平章政事特哩特穆尔为陕西行省左丞相,可以自行做主决定军政事务。

吴奉国上将军徐达,金院张德胜,带领军队从无为州登陆,夜间抵达浮山寨,在青山打败赵普胜的偏将。追赶到潜山,陈友谅派参政郭泰渡过沙河迎战,张德胜又大败他们,杀死郭泰,因而攻克潜山,命部将防守此地。

乙未(初五),陈友谅杀死他的部将赵普胜。

当初,陈友谅已经忌恨赵普胜,又有人说普胜将归附吴。到这时对潜山被打败非常气愤,陈友谅更加想杀普胜,便假称约定会师日期,亲自到安庆谋取普胜性命。普胜没想到友谅要谋害自己,听说他前来,还烧了羊前去迎接,在雁议登上船去见友谅,友谅于是捉住普胜并杀了他,兼并了普胜的兵马。

乙巳(十五日),因为湖南湖北、浙东浙西四道廉访司所在的地域都失陷了,朝廷下诏准许他们在方便的地方设置廉访司。

丙午(十六日)晚上,有白虹横贯长空。

丁未(十七日),吴攻取衢州路。

当时常遇春包围衢州城两个多月,没有一天停止攻打。枢密院判张斌估计不能守住,暗中派遣他的部下约定投降,这个晚上,张斌偷偷溜出小西门,迎接吴军进城。宋巴延布哈不知道他已投降,还在指挥兵士抵抗。不一会城中起火,遇春等人进入城中,官兵于是逃散了。总管冯浩跳水自杀,宋巴延布哈以及院判都尼等人被抓。吴国公将衢州路改为龙游府,进升常遇春为金枢密院。

甲寅(二十四日),吴国公派博士夏煜授予方国珍福建行省平章职位,授予他弟弟方国瑛为参政,方国珉为金枢密院事,每人都给符印,依旧带领自己的兵马守城,等候命令出兵征讨。夏煜到庆元,国珍想不接受,又已经投降;想接受该职,又担心被控制;于是假装生病,只接受平章印符,借口年老,不去上任就职,对待使者也很傲慢。只有方国珉开设金院处理公务。

5194

自从中原发生战乱后,江南漕运航路很久不通行了,到这时河南才平定,朝廷便派兵部尚书巴延特穆尔、户部尚书曹履亨,带着御酒、龙衣赏赐张士诚,征召他海运粮食。巴延等到杭州后,传达皇帝诏命命令方国珍备办船只来运粮,由达实特穆尔总揽这件事。接着张士诚担心方国珍运载粟米不进京师,方国珍又担心张士诚牵制他的船只后,乘虚袭击自己,互相猜忌怀疑。巴延在两人间来往调解开导,他们才听从诏命。

冬季,十月,庚申朔(初一),朝廷下诏在京师十一门都修筑瓮城,建造吊桥。

任命方国珍为江浙行省平章政事。

壬申(十三日),吴元帅俞廷玉带领部队攻打安庆,没有攻下,在军营中去世。廷玉是金院俞通海的父亲。

张士诚军马攻打江阴,吴守将吴良派万户聂贵、蔡显率领人马从小道出无锡三山切断张军退路,士诚兵马逃走。

张士信大规模发动浙西各郡百姓修筑杭州城,分成三批,以一个月为期更换,百姓都带着粮食从远处前来服役,而监督劳工的官吏又借机残酷敲诈,随意鞭打,死亡的人随处可见。从七月开始动工,到十月才完工,他的下属为他立碑记载功绩。

当初,嘉兴通判缪思恭,在张士信前来攻打时,杨鄂勒哲命他负责用火攻士信,官员获大胜。到这时修杭州城,张士信行文调思恭带领所属的劳工前来服役,想乘此机会侮辱他,令他负责修建西北面数十百丈的城墙。思恭每天比众人先工作,比众人后休息,无论奖励惩罚,都深得众心。看到他所修筑的城墙十分坚固完好,张士信也没有办法。有一天,士信巡视工程到了思恭的地段,天已黄昏,而民工还没有停工,士信说:"日落就要休息,为什么只你使民工如此劳累?"思恭说:"平章您官居百司之上,还日夜操劳为国事忙碌,何况我等小民百姓,怎么敢偷懒休息呢?"士信说:"这个人话语像锥子一样锋利,怪不得杉青闸边,烈火熊熊逼人!"思恭说:"如今幸喜太尉您洗心革面,朝廷得以借此宣扬鼓励归顺的办法。至于说到杉青战役,我还遗憾没能尽力,使平章您得以逃脱!"士信说:"您好好休息吧,说起杉青,还使我心惊胆战。"

十一月,壬寅(十三日),吴兵攻取处州路。

当初,经略使李国凤到达浙东,以皇帝名义任命舒穆噜伊逊为江浙行省参知政事,防守处州。吴国公平定宁越后,当即命令耿再成带兵驻扎在缙云的黄龙山,计划夺取处州。到这时金院胡大海统领部队进入境内,伊逊派元帅叶琛驻扎桃花岭,参谋林彬祖驻扎葛渡,镇抚陈仲贤、照磨陈安驻扎樊岭,元帅胡深防守龙泉,抵抗敌军。过了不久,右司郎中刘基放弃官职回家,伊逊没有可以商议的人,将士懒惰松散,都没有斗志。胡大海便出兵进抵樊岭,与耿再成联合进攻,接连攻拔桃花岭、葛渡两处营寨,进而逼近处州城。伊逊被打败,放弃处州逃走,将士都四处逃散。于是攻克处州。

胡大海部将缪美,分兵攻打平定处州各县,得到叶琛,派他去对胡深说:"我们的大王,是上天授予的。想建立功名的士子,不在这时来归附,还要替谁去卖命呢!况且去年你的部队作战被打得大败,今年我的兵马不用交战便取得胜利,由此也可以看出天意了。与其凭借险要偷生一两天,不如改变想法,可以保全富贵。"胡深认为他说得对,便出来投降。龙泉、庆元都平定了。

戊申(十九日),陈友谅兵马攻占杉关。

十二月，甲子(初五)，张士诚因为分水岭战役失败，又派他的部将占据新城三溪建立营寨，多次出动侵扰抢劫，吴元帅何世明出兵攻破了营寨，杀死他的将领，分水的兵马四处逃走。从此以后张士诚不敢进犯严州、婺州。

戊辰(初九)，吴国公命令金院常遇春统帅军马攻打杭州。

杭州百姓喜好奢侈，没有积蓄，城门关闭后，米很快吃尽，糟糠都与米价相等。不久糟糠也吃尽了，就将油车糠饼捣成碎末吃，饿死的人十分之六七。

知枢密院事乌兰哈达统领台哈布哈的部队，他的部将方托克托和弟弟方巴特穆尔当时保卫辽州，乌兰哈达驻扎孟州。这个月，和察罕特穆尔的部将班布尔实等交战，接着乌兰哈达只带着达勒达的部队返回京师，方托克托等便跟随了博啰特穆尔。

这之前陈友谅攻破龙兴，他的伪主徐寿辉想迁居到龙兴。友谅担心伪主来后对自己不利，派人阻止他前来，徐寿辉没有办法只好作罢。到这时徐寿辉又想前去，友谅依旧派人阻止，寿辉不听，带兵从汉阳出发。走到江州，友谅表面上派使者出来迎接，暗中却在城西门外埋伏兵马，寿辉进城后，城门关闭，伏兵冲出，将寿辉的部属全部杀尽。将江州作为都城，事奉寿辉居住在此，友谅自称为汉王，在城西角建立王府，设置官属。从此后所有权力都归友谅掌握，徐寿辉只是徒有虚位。

上都宫殿城阙都已荒废，这一年后，顺帝不再到上都巡幸了。

顺帝在位已很久了，皇太子年纪也越来越大，军事国事，都是他做主决定。皇后奇氏便图谋让顺帝退位给太子，派资政院使保布哈向丞相泰费音传述此意，泰费音不回答，皇后又将泰费音召到宫中，备办酒筵申述前番心意，泰费音终究还是含糊其词。太子想除掉他，知枢密院事努都尔噶听说后感叹说：“这样的好人是国家的栋梁；如果除掉他，国家将依靠谁呢!”多次在顺帝面前维护泰费音，所以太子的心意没能得逞。

正遇努都尔噶去世，太子便下定决心要除掉泰费音。因为中书左丞成遵以及参知政事赵中都是泰费音所信用的，如果除掉这两人，泰费音一派就孤立了。因此监察御史迈珠、僧格实哩承受皇太子的旨意，唆使宝坻县县尹邓守礼和弟弟邓子初等诬告成遵、赵中和参议萧庸等六个人都接受贿赂，太子命令御史台、大宗正府等官员一起拷问，捏造编织罪名，成遵等人都被拷打而死，朝廷内外都认为冤枉。泰费音知道事情不可挽回，多次借生病的名义辞职。此后几年，御史台官员辩明了成遵等人被诬成冤的事实，顺帝诏命发还原来授予他们的宣敕。

起初，江南行台御史大夫纳琳前往京师应召，从海道入朝，抵达黑水洋，因大风阻挡返回。到这时又由海道前往直沽，山东俞宝率领战船断绝粮道，纳琳命令他的儿子安安和船上水手抵抗，在海口打败俞宝，因而抵达京师。顺帝派使者赐给上等美酒慰劳，皇太子也赠给美酒果脯。但纳琳因感染生病越来越重，在通州去世，时年七十九岁。

京城里有上百群鸥鸦，晚上鸣叫直到早晨，连续一个月才停止。居庸关有子规鸟号啼。

钱清场盐司会稽人杨维桢迁升为江西儒学提举，没有上任就遇到兵乱，在杭州躲避。张士诚听说他的名字，想见他，维桢推辞不去，又写信指责他所信用的人。

信的内容大致说：“阁下您趁战乱起兵，首先倡议归顺，来辅佐王室。淮、吴两地的人，众口同辞,认为阁下所做的事,有四方面是当今的人做不到的:战士不喜爱杀人,这是一;听到有益的话就感激叩拜,这是二;侍奉自己勤俭节约,这是三;给官吏俸禄优厚但有贪污者一定处死,这是四。这是东南英豪俊杰希望与阁下一起能有所作为的原因。然而贤能人士不得任用,四方百姓流亡失所的还有不少。我认为阁下值得担忧的事还不只这些:使用民力来动摇国家根本,采用不正当手段来搜括田租,任用自己的亲信而秉承皇帝的旨意,掌管国库的进出却上不交朝廷,接受投降的人而不怀疑,亲信忠实的官员却又心怀猜疑。这六个方面只要有其中一两项,就会丧失家国,阁下您不能不认真考虑。

"况且,身为阁下将帅的人,只有求生愿望,没有必死决心;身为阁下地方长官的守令们,只有奉承上司的办法,没有体恤百姓的措施;身为阁下亲戚家族的人,不能用俸禄奉养自身,却假借阁下之势而玩弄权势。有的凭着谄媚的言辞而装成忠诚,有的假托欺诈的手段而装成正直,有的粉饰贪婪残酷的本性而装成廉洁善良。阁下把奸佞的人看成忠诚,像靳尚这样的人就会被任用;把欺诈的人看成正直,像赵高这样的人就会被任用;把贪婪残酷的人看成廉洁善良,像盗跖、庄跷这样的人就会被进用,而卞随、伯夷那样的人就会引退。又有某绣衣使者叩拜盗贼以乞求活命,某太守看到敌人就赶先逃跑,阁下却把他们当好人尊重,作大老奉养,这样一来为大义而死的人很少,卖国求生的人就多了。是非不清,黑白难分,天下凭什么治理!至于我看到的阁下身边谋划军政大计的人,没有一个对治理时政提出中肯意见,促使阁下具有远大抱负,使阁下抓住有所作为的时机,使阁下具有可乘的形势,以致至今没有什么好的成效,这是什么原因呢?这是因为真正替阁下您出谋划策的人很少而为自身利害着想的人很多。

"阁下您犯下六种可怕的过失,矛盾重重,即使没有内部的动乱,也一定会有外来的灾难,这是不须等待聪明的人点破也能知道的。您对眼前的小安局面习以为常而没有长远的打算,东南豪杰又有什么指望呢!我年纪已大而且有病,并不希望您给我爵位和俸禄,只是将东南地区的希望寄托在您身上,希望您采纳我的意见并付诸行动,不要落入小人们设置的害人陷阱里,那么小则可以做钱镠那样的一地之主,大则可以成为晋重耳、齐小白那样的大国之主。不然,麋鹿再上姑苏台,那时才想起我维桢的话语,恐怕已晚了!"众人厌恶他的真实坦率,把他看作狂生。

当时四方疆土一天天缩小,朝廷正依靠达实特穆尔作为屏障守卫,但他不断接受贿赂,杨维桢上书规讽他,从此后二人产生矛盾。过了很久,维桢迁到松江居住。

至正二十年 （公元 1360 年）

春季,正月,己丑朔（初一）,察罕特穆尔请求在巩县改立军州万户府,招收百姓耕种屯田,朝廷同意了。

御史大夫鲁达实、中丞耀珠上奏说:"今后各地方可以自行做主行事的官员,不得暗中挟带私仇,表面上假借推荐选用,动不动就将负责监察的官吏自行调动,侵犯扰乱御史监察的工作,破坏御史台的法度和纲纪。"皇帝同意了。

己亥（十一日）,夏煜从庆元返回建康,讲述方国珍奸诈的情况,认为不出动军队无法使他降服。吴国公说:"我正将力量用来对付姑苏的敌人,没有空闲与他计较。"便派遣都事杨宽、傅仲章前去告诫方国珍说："趁现在能去除异心改正过错，不违背当初的意愿，那么你所有的三郡之地，大致可以保全。不然，我担心你兄弟失败丧亡，妻室儿女被侮辱，徒然被别人耻笑。"方国珍不能省悟。

癸卯（十五日），大宁路失陷。

乙卯（二十七日），会试举人。知贡举平章政事巴特玛实哩、同知贡举翰林学士承旨李好文、礼部尚书许从宗、考试官国子祭酒张翥等人上奏说："过去的惯例，各地方乡试举人，三年一次，录取三百名，会试举人录取一百名。今年乡试录取的人比以前少，只有八十八名，会试三份中间录取一份，应该录取三十名。请求在三十名的数额外再增加五名。"皇帝同意了。

这一月，张士诚攻破濠州，派他的部将李济占据这里，接着又攻破了泗州、徐州、邳州等地。

二月，戊午朔（初一），中书左丞相泰费音被罢免相职担任太保，让他在家中养病。御史台上奏说："当前局势艰难危急，正需要依靠贤明的人才扶危济困，泰费音以太保兼任丞相之职才合适。"顺帝不能采纳。

恰遇阳翟王勒呼木特穆尔发动叛乱，北方骚扰动荡，势力逼近上都，皇太子便向顺帝陈说，命泰费音留守上都，实际上是想将他置于死地。泰费音于是前往上都。同知太常院事托欢，是泰费音的儿子额森呼图克过去的部将，听说阳翟王将到来，便带领兵马抓了阳翟王来到泰费音军前，泰费音不愿接受，要他将阳翟王活着押送到京城，北边因而安定下来。

当初，努都尔噶生病卧床，对人说："我的病自然不会好转，泰费音也不能在现职上留很久了，真可叹啊！"到这时他的话便应验了。

庚申（初三），福建行省参政袁天禄，派古田县尹林文广带着书信向吴国公投诚。

当时义兵万户赛甫鼎、阿里密鼎占据泉州，陈友谅的兵马进入杉关，攻打邵武、汀州、延平等各郡县，群盗趁此形势暗地起事，闽地骚乱动荡。袁天禄知道国家形势难以振作，所以派林文广从海道前来投诚，而且福清州同知张希伯也派人请求投降，吴国公都重重地赏赐了来使，派他们回去传达受降的意思。

这一月，吴将徐达攻下高邮，不久又丢失。

三月，戊子朔（初一），田丰攻占保定路。

彗星出现在东方。

吴将淮海翼改为江南等处分枢密院，任命缪大亨为同佥院事，统一管理军民。大亨有治理政事的才干，宽容厚道正直，做了很多有益于民的事，至于禁止暴力，抑制豪强，处理纠纷诉讼，都恰如其分，老百姓都很喜欢他。

甲午（初七），廷试进士三十五人，赐予迈珠、魏元礼等人或进士及第、或进士出身。

乙巳（十八日），冀宁路失陷。

壬子（二十五日），又任命辽阳行省左丞相绰斯戬为中书右丞相。

此时顺帝更加厌恶朝政，宦官保布哈趁此机会招揽大权，奸诈谋利，绰斯戬因而和他互相勾结狼狈为奸，四方警报以及将帅官员的立功情况，都隐瞒不报告皇帝。

这一月，吴国公征召青田人刘基、龙泉人章溢、丽水人叶琛、金华人宋濂前来建康。

起初,吴国公到婺州,召见宋濂,等到攻克处州,胡大海推荐刘基等四人,吴国公当即派使者带着书信、聘礼征召他们。这时总制孙炎先奉命招聘刘基,使者两次往返,刘基都不应召,孙炎便写了几千字的信,陈述天命来劝说刘基,刘基便和其他三个一起前来。进城拜见,吴国公非常高兴,请他们坐,慰劳他们说:"我为天下委屈四先生前来,当今天下纷争,什么时候可以平定呢?"章溢回答说:"天道是没有常规的,它只辅佐有德行的人,不随意杀人的人可以统一天下。"吴国公说很对。刘基陈述关系时事的十八个方面,而且说:"明公因为天下纷乱,从草野中奋身而起,即使一尺土地一个百姓,也没有可以凭借的,但是名号非常光明正大,所做的事情也很顺应天下人心,这是王者之师。我们有两个敌人,在西边的陈友谅,在东边的张士诚。陈友谅占据饶州、信州,跨据荆州、襄州,几乎是天下一半;而张士诚只有边海地区,而且南边不超过会稽,北边不超过淮扬,首鼠两端,犹豫不决,暗地里想背叛元朝,表面上又归附元朝,这是一个谨小慎微的小子,不会有什么作为。陈友谅挟持君主来胁迫他的部下,他的部下心怀怨恨;他为人轻捷强悍不怕死,不难用他的国力去尝试别人的锋刃,但实际上多次战争后百姓已疲敝。部下心怀怨恨就不会高兴,百姓疲敝就不会依附,所以陈友谅的汉容易攻取。捕捉野兽先要捕捉凶猛的,擒拿贼寇先要擒拿强大的。如今的计策,不如先讨伐陈汉。汉的地域广大,夺得汉地,统一天下的基础就形成了。"吴国公非常高兴地说:"先生有绝妙的计策,不要吝惜而有所保留。"因此设立礼贤馆安排刘基等人居住,尊崇敬爱非常隆重。

吴国公曾经问郎中陶安说:"这四个人,与你相比怎么样?"陶安说:"我的谋略不如刘基,我的学问不如宋濂,治理百姓的才干不如章溢、叶琛。"吴国公认为正确,又赞扬他能谦让。

吴国公从杭州召常遇春回建康。

遇春带军出战时,吴国公告诫他说:"打败敌人依靠勇气,要获得全胜须靠智谋。过去关羽号称能敌万人,却被吕蒙打败,就是因为没有智谋。你应该以此为戒。"到了攻打杭州时,交战多次都不利,所以召他返回。

夏季,四月,庚申(初四),命令大司农司都事乐元臣招降田丰,到田丰军中,被田丰杀害。

辛未(十五日),佥行枢密院事张居敬收复兴中州。

五月,丁亥朔(初一),出现日蚀,天降冰雹。

乙未(初九),陈友谅的部将攻占辰州。

这一月,张士诚从海上运粮十一万石到达京师,从这以后江浙方面的权力都归士诚掌握,丞相达实特穆尔只是徒有虚位。

陈友谅兵马攻打池州,吴将徐达等人打败了他。

起初,陈友谅杀了赵普胜后,就有侵吞池州的意思。吴国公侦查得知,派使者对徐达和常遇春说:"陈友谅的兵马早晚就会前来,你们应该用五千人防守城门,派一万人埋伏在九华山下,等到他的兵马逼近城下,城上摇动战旗敲响战鼓,发动伏兵来切断他的退路,肯定可以打败他。"到这时陈友谅的兵马果然前来,他的前锋非常强劲,直逼城下,城上扬旗敲鼓,埋伏的兵马全部起动,沿着山路冲出,顺江而下,切断了陈军归路;城中出兵夹攻,大败陈军,杀死万多人,活捉三千多人。遇春说:"这些人都是强有力的敌人,不杀他们,将成为后患。"徐达不同意,将情况报告吴国公。吴国公派使者告谕众将军释放俘虏,但常遇春先在头天夜里将俘虏活埋了,只剩下三百人,吴国公听说后不高兴,命令全部放回去。

闰五月,丙辰朔(初一),陈友谅带领水军攻打太平,守将枢密院判花云和朱文逊等带三千兵士抵抗,朱文逊战死。友谅攻打了三天,不能攻进,便带着大船靠近城的西南,兵士沿着船尾攀着城垛爬上去,太平城于是被攻占。花云被抓,缚得很紧,便怒骂道:"贼奴才,你缚我,我的主人必定消灭你,将你剁成肉酱。"于是奋力跳起,大喊着冲出,缚的绳子都断了,夺过看守的刀,连着砍了五六个人。贼人很愤怒,将花云绑在船的桅杆上,乱箭射他,花云到死都不住口地大骂贼人。院判王鼎,知府许瑗,都被友谅抓住,也大骂不肯屈服,都被杀死。

花云从濠州起就跟着吴国公,每次作战都能立下奇功。因而吴国公命他担任警卫,经常跟在身边。到这时出任太平城守将,因而死于难中,时年三十九岁。妻子郜氏,有一子花炜,出生才三年。交战正激烈时,郜氏召集家人,抱着儿子在家庙叩拜,哭着对家人说:"城池将被攻破,我丈夫必定会死,丈夫死,我怎么能独生!但花氏只有这一个儿子,请帮我好好照看他。"花云被抓,郜氏跳水自杀。

文逊是吴国公的养子。许瑗是饶州乐平人。王鼎开始是院判仪真人赵忠的养子,承袭赵忠的职务,守卫太平,不久恢复姓王,到这时和花云一起死在战难中。

戊午(初三),陈友谅杀害他的主子徐寿辉自立为王。

陈友谅攻打太平时,挟持徐寿辉一起行动。等到太平攻下来后,他急于篡夺王位,便在采石船中派人走到寿辉面前,假装报告事情,命令壮士拿着铁锤从后面打寿辉,打碎了他的头。徐寿辉死后,友谅便以采石的五通庙作为行殿,自称皇帝,国号为汉,改年号为大义,仍旧任命邹普胜为太师,张必先为丞相,张定边为太尉。所有部下站在江岸上,仓促地举行登基典礼,恰巧大雨降临,帽子衣服都打湿了,没有一点典礼的气氛。

庚申(初五),陈友谅派人邀约张士诚一起侵犯建康,张士诚没有回应,友谅从采石带领水师东下,建康非常震惊。

献计策的人有的认为要献城投降,有的认为钟山有王气,想奔向那里据守,有的说决一死战,打不赢再跑不迟,只有刘基睁着眼睛不说话。吴国公心中不赞成众将领的主意,将刘基召进内室询问计策。刘基说:"先杀掉主张投降和逃奔钟山的人。"吴国公说:"先生有什么高见?"刘基说:"按照天理是后启动的得胜。我以逸待劳,还担心不能打败他们?明公如果打开府库全部用来激励士气,用真心诚意来稳定人心,埋伏兵马寻找时机发起攻击,以取得制敌获胜的优势,成就帝王大业,都在此一举了。"吴国公的主意更坚决了。

有人主张先收复太平来牵制敌人,吴国公说:"不行。太平城有我军最近修筑的堡垒,壕沟深固,陆地攻打一定不能攻破,敌人利用巨船来登城,所以失陷了。如今他占据上游,船队多出我十倍,仓促间难以收复。"

有人劝吴国公亲自带兵迎战,吴国公说:"不行。敌人如果知道我出战了,用一支小部队牵制我,却派水军顺江直往建康,半天可以达到,我的步兵骑兵立即返回,也要一整天时间。奔波百里作战,是兵法忌讳的,不是好办法。"于是派骑使驰告胡大海带兵攻打信州以便牵制汉军后方，又召指挥康茂才问答："有事要你做，能做到吗？"茂才说："一切听命。"吴国公说："你过去和陈友谅交游，现在友谅前来进犯，我想要他快点来，不是你便做不到。你现在写信假称投降，约定做内应，并且招呼他快速前来，将我军的虚实情况欺骗他，让他分兵三路以便减弱他的势力。"茂才说："行。家中有个老门人，过去曾侍奉过友谅，派他带着书信前去，必能使友谅相信。"吴国公将此事告诉李善长，善长说："正担心敌人前来，为什么还要让他快来？"吴国公说："陈、张二个敌人联合，我用什么来应付？只有让他快来并打败他，那么张士诚就会害怕了。"

老门人到友谅军中，友谅得信后非常高兴，问答："康公现在哪里？"看门人说："现在正守卫江东桥。"又问："桥怎么样？"回答说："是木桥。"于是给他吃了酒饭派他返回，对他说："回去告诉康公，我马上就到，到了后呼喊老康作凭信。"看门人答应了，回来后，详细地讲了。吴国公高兴地说："贼人进入我的圈套了。"便命令善长晚上拆掉江东桥，换成铁石桥。第二天一早，铁石桥改成。

有一个从友谅军中逃回来的富民，说友谅询问新河口的道路，吴国公当即命令张德胜跨越新河，修建虎口城来防守，命令冯国胜、常遇春率领帐前五翼军三万人埋伏在石灰山旁边，徐达等在南门外陈列部队，杨璟在大胜港扎营，张德胜、朱虎带领水师出龙江关外。吴国公统领大军驻扎在卢龙山，命令拿旗帜的人在山左边放倒黄旗，在山右边放倒红旗，告诫众将说："贼人来了就举起红旗，举起黄旗则所有伏兵都要杀出。"所有人都严阵以待。

乙丑（十日），陈友谅的水军到大胜港，杨璟指挥兵马抵抗。港道很窄，只能容纳两只船进入，友谅因为船只不能并肩而进，立刻后退，到长江后径直冲向江东桥，看见桥都是铁石，才吃惊生疑，接连呼喊老康，没有人答应，知道被欺骗，立即和他弟弟友仁率领干多只船驶向龙湾，先派一万人登上江岸建立营栅，气势很大。这时正是酷暑，吴国公穿着紫茸甲，撑着伞盖指挥兵马，看见士兵流汗，命令撤去伞盖。众人都想出战，吴国公说："天将下雨，各军暂且吃饭，准备乘雨攻打敌人。"当时天空无云，大家都不相信。突然云从东北兴起，不一会，大雨倾盆而下。红旗举起，下令拔掉木栅，各军争先向前拔栅，友谅指挥兵士来争夺。双方刚刚交战，雨便停了，吴国公下令擂响战鼓，战鼓震天，黄旗举起，冯国胜、常遇春的伏兵奋起，徐达的部队也到了，张德胜、朱虎的水师船只一起前来，内外夹攻，陈友谅的部队惊慌失措，无法支持，因而大败，四处窜逃。兵士跑着爬上船只，恰遇潮水退去，船只搁浅，仓促间无法动弹，杀死、淹死的人不计其数，俘虏兵卒二万多人，友谅部将张志雄、梁铉、喻兴、刘世衍等人全部投降，缴获巨舰一百多艘。友谅乘别船逃跑，从他丢弃的船只卧席下面得到茂才的信，吴国公笑着说："他愚蠢到这地步，真可笑。"

张志雄本来是赵普胜的部下，很会打仗，号称长张，曾怨恨友谅杀死普胜，所以在龙湾战役中没有斗志。投降后，对吴国公说："友谅东下作战，将安庆兵马全部撤走跟随前来。现在投降的兵卒，都是安庆来的，友谅失败逃跑，安庆没有防守的人。"吴国公便派徐达、冯国胜、张德胜等追击友谅，又命元帅余某等攻取安庆。德胜在慈湖追上陈友谅，放火烧他的战船。到采石，又交战，张德胜战死。冯国胜带五翼军追逼，陈友谅和张定边派出皂旗军迎战，又打败了陈军。陈友谅日夜不得休息，便放弃太平城逃走，徐达追赶到池州后返回。余某因此攻取安庆,守卫那里。友谅回到江州,占据江州作为都城。德胜是庐州梁县人。

戊寅(二十三日),吴军攻取信州路。

起初,吴国公命令胡大海攻打信州,大海派元帅葛俊带兵前去。经过衢州,都事王恺拦住葛俊,自己乘驿马到金华对胡大海说:"广信是陈友谅的门户,他既然出动全国兵力前去攻打建康,难道会不派重兵防守此地?只有大将统领全军去攻打才行。如今只派一支部队前去尝试,假设遭到失败,不仅仅广信难攻下,我衢州首先就要骚乱动摇了。"胡大海认为很正确,便亲自率领兵马攻打信州。到灵溪,信州城中步兵骑兵几千出来迎战,大海打败了他们。指挥兵马攻城,守城的不能抵挡,全部逃散,因而攻克信州。这之前所有被招安的郡县,将士都向百姓征收粮食,称作寨粮,百姓非常苦恼,大海将此情况上报,吴国公立即命令停止了。

吴设置儒学提举司,任命宋濂为提举,吴国公命长子朱标跟着宋濂学习经学。

宋濂最先因文学才能受到重视,常常侍奉吴国公身边,吴国公曾命他讲授《春秋左氏传》,宋濂进讲说:"《春秋》是孔子褒扬善道贬斥恶行的书,假如能按照执行,就能做到赏罚恰当,天下可因此平定。"

六月,己丑(初四),朝廷命令博啰特穆尔的部下方托克托守卫岚、兴、保德等州。又下诏书说:"今后察罕特穆尔与博啰特穆尔的部将不能互相越过境地,侵犯对方防守地区,导致相互仇杀。方托克托不得越出岚、兴地界,察罕特穆尔也不得侵犯他的地界。"

辛亥(二十六日),吴重新建筑太平城。

起初,太平城可以俯视姑溪,所以陈友谅的水军得以从船尾攀着城垛爬上城头,到这时常遇春收复太平,便将城基移到离姑溪二十多步的地方,增加设置城堞,防守于是坚固。

婺州失守,舒穆噜伊逊的母亲被吴将俘获,命他弟弟写信招降伊逊,伊逊没有来。到攻下处州,伊逊带几十骑逃走,到建宁,集聚兵马谋求收复失地,所到之处人心涣散,知道事情已无法成功,叹惜道:"处州,是我守卫的城池,如今我已势单力薄,无处可去,不如返回处州,死了也可做处州鬼!"于是带兵攻打庆元,耿再成打败了他。伊逊的部下逃散,他跑往竹口,想回福建,经过桃花坑时,被乡兵拦击,伊逊力战而死,他的部将李文彦埋葬了他的尸体。孙炎将情况报告吴国公,吴国公赞赏他为国事尽忠而死,派使者祭祀他,恢复处州百姓为他建立的生祠。

张士诚派他的部将吕珍率领水军从太湖进入陈渎港,以三路兵马攻打长兴。吴守将耿炳文亲自率领精锐部队将他打败,缴获很多甲仗船只。

续资治通鉴卷第二百十六

【原文】

元纪三十四　起上章困敦【庚子】七月，尽玄黓摄提格【壬寅】十二月，凡二年有奇。

顺　　帝

至正二十年　【庚子，1360】　秋，七月，辛酉，博啰特穆尔败贼王士诚于台州。

乙丑，陈友谅浮梁守将于光等以其县降于吴。

乙亥，诏博啰特穆尔总领达勒达汉儿军马，为总兵官，仍便宜行事。

八月，戊子，命博啰特穆尔守石岭关以北，察罕特穆尔守石岭关以南。

乙未，永平路陷。

甲辰，诏："诸处所在权摄官员，专务渔猎百姓，今后非朝廷允许，不得之任。"

庚戌，诏："江浙行省左丞相达实特穆尔，加太尉兼知江浙行枢密院事，提调行宣政院事，便宜行事。"

九月，乙卯朔，诏遣参知政事额森布哈等往谕博啰特穆尔、察罕特穆尔，令讲和。时博啰特穆尔调兵自石岭关直抵冀宁，围其城三日，复退屯交城。察罕特穆尔调参政阎奉先引兵与战，已而各于石岭关南北守御。

壬戌，贼陷孟州，又陷赵州，攻真定路。

癸未，贼复犯上都，右丞孟克特穆尔引兵击之，败绩。

金山南道肃政廉访司张桢，尝劾额森布哈及枢密院副使托克托穆尔、治书侍御史努努弄权误国之罪，不报。及额森布哈等受和解之命，见博啰特穆尔、察罕特穆尔方构兵，中道迁延不进，桢又言："额森布哈等贪懦庸鄙，苟怀自安，无忧国致身之忠。朝廷将使二家释憾，协心讨贼，此国之大事。谓宜风驰电走，而乃迂回退慢，枉道延安以西，绕曲数千里，迟迟而行。使两军日夜仇杀，黎庶肝脑涂地，实奉使者之所致也，宜急殛之以救时危。"亦不报。桢乃慨然叹曰："天下事不可为矣！"即辞去，结茅安邑山谷间，不复言时事。

是月，张士诚兵侵诸全，吴元帅袁实战死。

黄冈人欧普祥，故徐寿辉将也，性残暴，所过室庐皆焚荡俘掠无遗，寿辉使守袁州。陈友谅弑寿辉，征兵于普祥，普祥不听其节制，乃以袁州降于吴。友谅闻之，遣其弟友仁攻袁州，普祥与部将刘仁、黄彬击败其众，获友仁，鞭而囚之。友谅惧，遣其太师邹普胜与普祥和，约各守其境，普祥乃释友仁归。

冬,十月,甲申,以张良弼为湖广行省参知政事,讨南阳、襄、樊。

诏博啰特穆尔守冀宁,博啰特穆尔遣保保等倍道趋之,守者不纳。己亥,察罕特穆尔遣陈秉直等,以兵攻博啰特穆尔之军于冀宁,博啰特穆尔军战败。时诏以冀宁畀博啰特穆尔,察罕特穆尔以为用兵数年,惟藉冀晋给其军,以致盛强,苟与之,则彼得以足兵足食,而己无以为资。乃托言用师汴梁,寻渡河就屯泽潞拒之,调延安军交战于东胜州,再遣班布尔实以兵援之。班布尔实谓:"彼军奉诏而来,我何敢抗王命?"察罕特穆尔怒,杀之。

十一月,甲寅朔,黄河清,凡三日。

博啰特穆尔以兵侵汾州,察罕特穆尔拒之。

癸酉,贼犯易州。

十二月,辛卯,广平路陷。

吴国公复遣夏煜以书谕方国珍。

是岁,阳翟王勒呼木特穆尔拥兵数十万,屯于穆尔古楚之地,将犯京畿,使来言曰:"祖宗以天下付汝,汝已失其大半;若以国玺付我,我当自为之。"帝遣报之曰:"天命有在,汝欲为则为之。"命知枢密院事图沁特穆尔等将兵击之,不克。军士皆溃,图沁特穆尔走上都。

关先生、沙刘二、破头潘兵入高丽,王王都出奔耽罗。其臣纳女请降,将校皆以女子配之,军士遂与高丽为姻娅,恣情往来,高丽人因各藏其马。一夕,传王令,除高丽声音者不杀,其余并杀之。关先生、沙刘二皆死,惟破头潘及禆将左李率轻骑万人,从间道直走西京,降博啰特穆尔,听其调遣,后乃降于库库特穆尔。

至正二十一年 【辛丑,1361】 春,正月,癸丑朔,赦天下。

命中书平章政事达实特穆尔、参知政事七十往谕博啰特穆尔罢兵还镇,复遣使往谕察罕特穆尔,亦令罢兵。而丞相绰斯戬与资政院使保布哈,黩货无厌,视南北两家赂遗厚薄而啖之以密旨,南之赂厚,则曰密旨令汝并北,北之赂厚,则曰令汝并南。由是构怨日深,兵终不解。

乙丑,河南贼犯杞县,察罕特穆尔讨平之。

丁卯,李思齐进兵平伏羌等县。

吴院判朱亮祖,率兵击陈友谅平章王溥于饶州安仁之石港,不利而还。

吴元帅朱文辉及饶州降将余椿等,引兵次池之建德,令元帅罗友贤攻东流贼垒,擒其将李茂仲,文辉又追袭其守将赵同金,走之。

二月,甲申,同金枢密院事特哩特穆尔复永平、滦州等处。

吴改枢密分院为中书分省。始议立盐法,置局设官以掌之,令商人贩鬻,二十分而取其一,以资军饷。

己丑,察罕特穆尔驻兵霍州,攻博啰特穆尔。

己亥,吴置宝源局于应天府,铸大中通宝钱,使与历代钱兼行,以四百为一贯,四贯为一两,四文为一钱,其物货价值,一从民便。

丙午,吴议立茶法,凡产茶郡县,并令征之。其法,官给茶引,付诸产茶郡县,凡商人买茶,具数赴官纳钱请引,方许出境贸易,每茶一百斤,输钱二百。郡县籍记商人姓名,以凭勾稽。

巴特勒布哈以廉访使久居广东，专恣自用，诏以鄂勒哲图等为廉访司官，而除巴特勒布哈为江南行台侍御史。巴特勒布哈不受命，尽杀鄂勒哲图等。唯廉访使董钥哀请得免。

三月，癸酉，察罕特穆尔调兵讨永城县，又驻兵宿州，擒贼将梁绵住。

泗州守将薛显，以城降于吴。

先是吴遣夏煜往谕方国珍，戊寅，国珍使者来谢，且以金玉饰马鞍舆献，吴国公曰："吾今有事四方，所需者文武材能，所用者粟米布帛，其他玩宝，非所好也。"却其献。

是月，张士诚海运粮十一万石至京师。

博啰特穆尔罢兵还，遣图鲁卜等引兵据延安，以谋入陕。

张良弼出南山义谷，驻蓝田，受节制于察罕特穆尔。良弼又阴结陕西行省平章定珠，听丞相特哩特穆尔调遣，营于鹿台，察罕特穆尔闻而衔之。

夏，四月，辛巳朔，日有食之。

以张良弼为陕西行省参知政事。

察罕特穆尔遣其子副詹事库库特穆尔贡粮至京师，皇太子亲与定约，遂不复疑。库库，本察罕甥也，姓王氏，名保保，察罕养以为子。

五月，〔癸丑，〕四川明玉珍陷嘉定等路，李思齐遣兵击败之。

乙亥，察罕特穆尔以兵侵博啰特穆尔所守之地。

是月，李武、崔德等降于李思齐。

吴命同金朱文忠城严州。时杭州为张士诚所据，距严密迩，故筑城为守备。

陈友谅将李明道犯信州，闻吴将胡大海在浙东，惧其来援，乃遣兵据玉山之草坪镇以拒敌；夏德润出兵争之，战死。

六月，乙未，荧惑、岁星、太白聚于翼。

察罕特穆尔谍知山东群盗自相攻杀，而济宁田丰降于贼，欲总兵讨之，七月，丙申，舆疾自陕抵洛，大会诸将议师期，发并州军出井陉，辽、沁军出邯郸，泽、潞军出磁州，怀、卫军出白马，及汴、洛军水陆俱下，分道并进，而自率铁骑，建大将旗鼓，渡孟津，逾覃怀，鼓行而东，复冠州、东昌。

丙午，吴雄锋翼元帅王思义，克鄱阳之利阳镇，遂会邓愈兵攻浮梁。

李明道攻信州益急，吴守将胡德济，以兵少闭城固守，遣人求援于胡大海。大海即帅兵由灵溪以进，德济乃引兵出城与明道战，大海纵兵夹击，大破之，擒明道及其宣慰王汉二，送朱文忠。汉二，溥之弟也。文忠令为书以招溥，复送之建康，吴国公皆仍其旧职，用为乡导以取江西。

秋，七月，甲子，吴国公以都事范常为太平府知府，谕之曰："太平，吾股肱郡，其民数罹兵革，疲劳甚矣，当有以安集之，使各得所。"常之官，兴学恤民，以简易为治。官廪有谷数千石，请以给民乏种者，秋稔输官，公私俱足。

己巳，忻州西北有赤气蔽天如血。

壬申，陈友谅知院张定边陷安庆，吴守将余某战败，奔还建康，吴国公怒，斩之。

八月，甲申，吴将邓愈克浮梁，陈友谅守将侯邦佐等弃城走。院判于光复攻乐平州，友谅总管萧明率众拒战，光击败，擒之，遂克乐平。

吴将胡大海率兵攻绍兴,部将张英,恃勇轻进,至城下,遇伏被执,死之。大海围城久不下,乃引还。

乙西,大同路北方夜有赤气蔽天,移时方散。

先是朱文忠送李明道至,吴国公问:"陈氏何如?"明道具言:"友谅弑主,将士离心,且政令不一,擅权者多。骁勇之将如赵普胜者,又忌而杀之,虽有众,不足用也。"及安庆之陷,公遂决意伐之,召谕诸将,各厉士卒以从。徐达进曰:"师直为壮,今我直而彼曲,焉有不克!"刘基亦言于公曰:"昨观天象,金星在前,火星在后,此师胜之兆也。"

公于是命徐达、常遇春等先发;庚寅,亲乘龙骧巨舰,率舟师溯流而上,友谅江上斥候,望风奔遁。戊戌,至安庆,敌固守不战,公以陆兵疑之,乃命廖永忠、张志雄以舟师击其水寨,破敌舟八十馀艘,遂复安庆,长驱至小孤山,友谅守将傅友德及丁普郎迎降。壬寅,次湖口,遇友谅舟出江侦逻,命常遇春击之,敌舟退走,乘胜追至江州。友谅亲率兵督战,公分舟师为两翼,夹击友谅,大破之,获其舟百馀艘。友谅穷蹙,夜半,挈妻子弃城走武昌。癸卯,公入江州,复遣达进兵追之。达闻友谅欲出沔阳战舰来拒战,乃屯沌口以遏之。

甲辰,吴遣兵攻南康,克之,改为西宁府。又分遣将士略各城之未下者,东流、蕲、黄、广济、饶州相继降。

是月,察罕特穆尔率师至盐河,遣库库特穆尔及诸将阎思孝等会关保、浩尔齐军,由东阿造浮桥以济,贼以二万馀众夺之,关保、浩尔齐且战且渡,遂拔长清。以精卒五万捣东平,东平伪丞相田丰遣崔世英等出战,大破之,斩首万馀级,直抵城下。察罕特穆尔以田丰据山东久,军民服之,乃(遣)〔遗〕书谕以逆顺之理,丰与王士诚皆降,遂复东平、济宁,令丰为前锋,从大军东讨。

时察罕特穆尔犹未渡河,群贼皆聚于济南,而出兵齐河、禹城以相抗。察罕特穆尔分遣奇兵间道出贼后,南略泰安,逼益都,北徇济阳、章丘及濒海郡邑,乃自将大军渡河,与贼将战,大败之。棣州俞宝、东昌杨诚皆降,鲁地悉定。

吴国公闻之,遣使与察罕特穆尔通好,谓左右曰:"察罕虽假义师,图恢复,乃与博啰兵争不解,屡格君命,此岂忠臣之为乎!又闻其好名,如田丰为人倾侧,察罕待如心腹,则暗于知人矣。古之名将,洞察几微,智谋弘远,使人不可测度,察罕岂知此乎!吾今遣人往与通好,观其所处何如,然后议之。"

九月,辛亥,陈友谅建昌守将王溥等降于吴。

甲寅,吴星源翼判官俞茂攻德兴,克之。

戊午,阳翟王勒呼木特穆尔伏诛。

壬戌,四川贼兵陷东川郡县,李思齐调兵击之。

壬申,命博啰特穆尔于保定以东、河间以南从便屯种。

是月,命兵部尚书齐齐克布哈、侍郎韩祺征海运粮于张士诚。

蜀刘桢密言于明玉珍曰:"西蜀形胜,东有瞿唐,北有剑阁,沃野千里。自遭青巾之虐,人物凋耗,大王抚有之,休养伤残之民,用贤治兵,可以立不世之业,当于此时称大号以系人心。"玉珍骇然曰:"此非我敢望也!"桢曰:"大王所部皆四方之人,若谦让犹豫,一旦将士思乡土,瓦解星散,大王谁与建国乎?"玉珍犹不听。已而桢复言之,玉珍乃谋以明年僭号。

冬,十月,察罕特穆尔进兵逼济南城,齐河、禹城皆来降,南道诸将亦报捷。再败益都兵于好石桥,东至海滨,郡邑闻风皆送款,济南乃下。诏拜中书平章政事,兼知河南、山东行枢密院事,陕西行台中丞如故。

察罕特穆尔令参政陈秉直、刘珪守御河南,而自驻山东,移兵围益都,环城列营凡数十,大治攻具,百道并进。贼悉力拒守,察罕特穆尔复掘重堑,筑长围,遏南洋河以灌城中,城中益困。

十一月,戊午,吴国公命参政常遇春率兵救长兴。

先是张士诚遣其司徒李伯升以众十馀万攻长兴,水陆并进,城中兵少,不能御。公在江州,即命华高、费聚等率三路兵往援,而诸军战皆不利,遂溃。耿炳文婴城固守,左副元帅刘成出战死。于是敌复围城,结九寨,为楼车下瞰城中,取土石填壕隍,放火烧水关,城中昼夜应敌,凡月馀,内外不相闻。公以围久不解,故复命遇春往救。

己未,吴遣平章吴弘等攻抚州,陈友谅右丞邓克明据城拒守,佥院邓愈自临川间道夜袭之,黎明至。兵由东、西、北三门入,克明单骑出南门走,自度不能免,乃诣愈降。愈留克明于军中,令其弟志明还新淦,收其故部曲。克明因请往江州见吴国公,愈以兵送之,至中途,克明逃归新淦。

戊辰,黄河自平陆三门碛下至孟津五百馀里皆清,凡七日。命秘书少监程徐祀之。

甲戌,吴常遇春兵至长兴,李伯升弃营遁。遇春追击,俘斩五千馀人。

是月,察罕特穆尔、李思齐遣兵围鹿台,攻张良弼,诏和解之,俾各还汛地,兵乃解。

十二月,己亥,陈友谅江西行省丞相胡廷瑞、平章祝宗,遣宣使郑仁杰诣江州纳降于吴。仁杰言廷瑞之意,以将校久居部曲,人情相安,既降之后,愿不以改属它人,吴国公有难色,刘基蹴所坐胡床,公悟,乃许诺,以书报曰:"郑仁杰至,言足下有效顺之诚,此足下明达也;又恐分散所部属它将,此足下过虑也。吾起兵十年,奇士、英才,得之四方多矣,有能审天时,料事机,不待交兵,挺然委身来者,尝推赤心以待,随其才任使之,兵少则益之以兵,位卑则隆之以爵,财乏则厚之以赏,安肯散其部伍,使人自疑,负来归之心哉!且以陈氏诸将观之,如赵普胜骁勇善战,以疑见戮,猜忌若此,竟何所成!近建康龙湾之役,予所获长张、梁铉诸人,用之如故,视吾诸将,恩均义一。长张破安庆水寨,梁铉等攻江北,并膺厚赏。此数人者,自视无复生理,尚待之如此,况如足下以完城来归者耶!得失之机,间不容发,足下当早为计。"

是岁,京师大饥,屯田成,收粮四十万石。赐司农丞胡秉彝上尊、金币以旌其功。

至正二十二年 【壬寅,1362】 春,正月,辛亥,胡廷瑞得吴国公书,意遂决,遣其甥同金康泰至江州降。

甲寅,诏李思齐讨四川,张良弼平襄汉。时两军不和,故有是命。

吴国公以胡廷瑞等降,遂发九江,如龙兴。己未,师次樵舍,廷瑞与祝宗遣人赍陈氏所授丞相印及军民粮储之数来献。辛酉,公至龙兴,廷瑞、宗率行省僚属迎谒于新城门,公慰劳之,俾各仍旧职。壬戌,公入城,军令肃然,民皆安堵。谒孔子庙,过铁柱观,复出城开宴于滕王阁。明日,命存恤鳏寡孤独,放陈友谅所畜鹿于西山。

戊辰,筑台于城北龙沙之上,召城中父老民人悉集台下,谕之曰:"自古攻城略地,锋镝之下,民罹其殃。今尔民得骨肉安全,生理无所苦者,皆丞相胡廷瑞灼见天道,先机来归,为尔民之福也。陈氏据此，军旅百需之供，尔民甚苦之。今吾悉去其弊，军需供亿，俱不以相累。尔等各事本业，毋游惰，毋作非为以陷刑辟，毋交结权贵以扰害良民，各保父母妻子，为吾良民。"于是民皆感悦。

建昌王溥，饶州吴弘，各率众来见，袁州欧普祥遣其子文广来见，公厚赐遣之。邓克明既逃归新淦，复收集旧部曲，仍肆劫掠；至是欲复降，恐见诛，乃诈为商贾，乘小舟至龙兴城下，潜使人觇可否为去就。事觉，被执，并获克明，公责其反覆，囚送建康。

丁卯，诏以太尉鄂勒哲特穆尔为陕西行省左丞相。仍命察罕特穆尔屯种于陕西。申谕李思齐、张良弼等各以兵自效。

以额森特穆尔为中书右丞。

辛未，宁州土官陈龙，遣其弟良平率分宁、奉新、通城、靖安、德安、武宁六县民兵降于吴；癸酉，守吉安土军元帅孙本立、曾万中与其弟粹中，诣龙兴纳款。吴国公以本立为〔江〕西行省参政，万中都元帅，粹中行军指挥，俾还守吉安。

乙亥，陈友谅平章彭时中，以龙泉降于吴，命仍其旧职。

二月，丁丑朔，盗杀陕西行省右丞塔布岱。

癸未，吴金华苗军元帅蒋英、刘震、李福叛，杀守臣参政胡大海及郎中王恺、总管高子玉。

初，大海下严州，震等自桐庐来降，大海喜其骁勇，留置麾下，待之不疑。至是震等谋乱，以大海遇己厚，未忍发，福曰："举大事宁顾私恩乎！"众从之，以书通衢、处苗帅李佑之等，约以二月七日同举兵。是日，蒋英等入分省署，阳请大海观弩于八咏楼下。大海出，将上马，英令其党钟矮子跪马前，阳诉曰："蒋英等欲杀我。"大海未及答，反顾英，英抽出铁锤，若击矮子状，因中大海脑，仆地，英即断其首，复杀大海子关住。执王恺，恺正色曰："吾职居郎署，同守此土，义当死，宁从贼耶！"刘震欲全之，贼党吴得真与恺有隙，曰："无自遗患。"遂杀恺及其子寅，掾史章诚亦死之。

典吏李斌，怀省印缒城走严州，告变于朱文忠，文忠遣元帅何世明、掾史郭彦仁等率兵讨之。至兰溪，英等惧，乃驱掠城中子女西走，降于张士诚。大海养子德济闻难，引兵奔赴，吴国公即命左司郎中杨元杲至金华，总理军储事，文忠亦率将士至，镇抚其民。

大海长身铁面，智力过人，尝自诵曰："我本武人，不读书；然吾行军知有三事，不杀人，不掠人妇女，不焚人庐舍而已。"

乙酉，彗见于危，光芒长丈馀，色青白。

丁亥，吴处州苗军元帅李佑之、贺仁得等，闻蒋英等已杀胡大海，亦作乱，杀院判耿再成、都事孙炎、知府王道同及朱文刚等，据其城。朱文忠闻乱，遣元帅王祐等率兵屯缙云以图之。

再成累著劳绩，自偏裨擢居帅职。至是佑之等叛，再成方与客饭，闻变即上马，收兵不及，迎贼骂曰："贼奴，国家何负于汝，乃敢反耶！"贼争刺再成，再成挥剑连断数槊，兵及其颈，堕马，大骂不绝口死。炎初被执，幽空室中，贼环守胁之降，炎不屈。仁得以炙雁斗酒馈炎，炎不受，大骂曰："今日乃为鼠所困！我死，为主；尔反覆贼，死，狗且不食！"守卒怒，拔刀叱炎解衣，炎曰："此紫绮，乃主上赐我者，吾当服以死。"贼遂害之。

辛卯，吴国公既定洪都，乃经度城守，以旧城西南临水，不利守御，命移入三十步，东南空旷，复展二里馀。以邓愈为江西行省参政，留守洪都，万思诚为行省都事以佐之。胡廷瑞、张民瞻、廖永坚、傅璛、潘友庆等从公还建康。

丁酉,彗犯离宫西星,至三月终,光芒长二丈馀。

壬寅,吴国公闻处州之乱,命平章邵荣率兵讨之。

是月,知枢密院事图沁特穆尔奉诏谕李思齐讨四川。时思齐退保凤翔,使至,思齐进兵益门镇;使还,思齐复归凤翔。

三月,己酉,明玉珍僭称帝于蜀,国号大夏,建元天统,立妻彭氏为皇后,子升为太子。仿周制设六卿,又置翰林院承旨、学士、国子监祭酒等官。以戴寿为冢宰,万胜为司马,张文炳为司空,向大亨、莫仁寿为司寇,吴友仁、邹兴为司徒,刘桢为宗伯,牟图南为翰林院承旨。分蜀地为八道,赋税十取其一。开廷试以策士,置雅乐以供郊祀之用。皆刘桢所为也。

初,张士诚闻蒋英之乱,遣其弟士信率兵万馀围诸全州。吴守将谢再兴昼夜鏖战,未决,乃遣将设伏城外,自引兵出战,战既合,伏起,大败之,擒其将士千馀人。士信愤,益兵攻城,再兴虑不能支,告急于浙江行省右丞朱文忠。

时金华叛寇初定,而严州逼近敌境,处州又为叛苗所据,文忠自度兵少,不能应援。闻邵荣将至,乃与都事史炳谋曰:"兵法先声而后实,今诸全被围日久,寇势益盛,而我军少,非谋不足以制之。今邵平章来讨处州,宜借以张声势,亦制寇一奇也。"炳曰:"善!"乃扬言右丞徐达与荣领大军至严州,克日进击,使谍者揭榜于义乌之古朴岭。士信兵见之,果惊,谋夜遁。同金胡德济觇知之,密与再兴谋,癸丑,发壮士夜半开门出击,鼓噪从之,寇兵乱走,自相蹂践及溺死者甚众。

士信骄侈,不能拊循将士,常载妇人、乐器自随,日以樗蒲、蹴踘、酣饮为事,部将往往效之,故至于败。

甲寅,明玉珍陷云南省治,屯金马山;陕西行省参政车力特穆尔等击败之,擒其弟明二。

癸亥,吴祝宗、康泰叛,攻陷洪都府。

初,洪都之降,非二人意,既降,复谋叛,时出语咎胡廷瑞,廷瑞反复开谕之,故未即发。及吴国公还建康,廷瑞恐二人为变,不利于己,乃微言于吴国公,公即发使诣洪都,令二人将所部兵往湖广,从徐达听征调。二人舟次女儿港,遂以其众叛,适遇商人布船,因掠其布为旗号,进劫洪都,是日暮,至城下,发鼓举火,攻破新城门。时邓愈居故廉访司,闻变,仓卒以数十骑出走,数与贼遇,且战且走,从者多遇害。愈窘甚,从抚州门出,走还建康。于是都事万思诚、知府叶琛皆死于难,公闻琛死,痛悼之。辛未,愈至建康,公遣使诣汉阳,命右丞徐达等还军讨之。

是月,命博啰特穆尔为中书平章政事,位第二,加太尉;张良弼受节制于博啰特穆尔。李思齐遣兵攻良弼,至武功,良弼伏兵大破之。

夏,四月,己丑,禁诸王、驸马、御史台各官占匿人民,不应差役,以欲修上都宫阙故也。帝尝以上都宫殿火,敕重建大安、睿思二阁,因危素谏而止,至是复大兴工役。

吴平章邵荣及元帅王佑、胡深等兵攻处州,烧其东北门,军士乘城以入。李佑之自杀,贺仁得走缙云,耕者缚之,槛送建康,伏诛。处州复平,以王佑守之,荣乃还。

甲午,吴右丞徐达复取洪都府。

时达等师抵城下,祝宗、康泰分兵拒守,达攻破之。宗走新淦,依邓克明,后为志明所杀,函其首以献于吴。泰走广信,为追兵所获,送建康。泰,胡廷瑞之甥也。吴国公以廷瑞故,特宥之。

乙未,贼新桥张陷安州,博啰特穆尔请援于朝。

是月,绍兴路大疫。

五月,乙巳朔,泉州岱布丹据福州路,福建行省平章雅克布哈击败之,馀众航海,还据泉州。参政陈(有)〔友〕定复汀州路。

己未,中书参知政事陈祖仁,请罢修上都宫阙,疏曰:"自古人君,不幸遇艰虞多难之时,孰不欲奋发有为,成不世之功,以光复祖宗之业!苟或上不奉于天道,下不顺于人心,缓急失宜,举措未当,虽以之持盈守成,犹或致乱,而况欲拨乱世反之正乎!

"夫上都宫阙,创自先帝,修于累朝,自经兵火,焚毁殆尽,所不忍言,此陛下所为日夜痛心,亟图兴复者也。然今四海未靖,疮痍未瘳,仓库告虚,财用将竭,乃欲驱疲民以供大役,废其耕耨而荒其田亩,何异扼其吭而夺其食以速其毙乎!

"陛下追惟祖宗宫阙,念兹在兹,然不思今日所当兴复,乃有大于此者。假令上都宫阙未复,固无妨于陛下之寝处。使因是而违天道,失人心,或致大业之隳废,则夫天下者亦祖宗之天下,生民者亦祖宗之生民,陛下亦安忍而轻弃之乎!

"愿陛下以生养民力为本,以恢复天下为务,信赏必罚,以驱策英雄;亲正人,远邪佞,以图谋治道。夫如是,则承平之观,不日可复,讵止上都宫阙而已乎!"

丙午,吴命大都督朱文正,统元帅赵德胜等同参政邓愈镇洪都;又以阮弘道为郎中,李胜为员外郎,汪广洋为都事,往佐之,程国儒知洪都府事。文正至,增浚(地)〔城〕池,严为守备。

辛未,明玉珍遣伪将杨尚书守重庆,分兵寇龙州、清川,犯兴元、巩昌等路。

是月,张士诚海运粮十三万石至京师。

六月,戊寅,中书平章政事察罕特穆尔遣使报书于吴,言已奏朝廷,授以行省平章事,吴国公不答,因谓左右曰:"察罕书辞婉媚,是欲唡我,我岂可以甘言诱哉!况徒以书来而不反我使者,其情伪可见也。今张士诚据浙西,陈友谅据江汉,方国珍、陈友定又梗于东南,天下纷纷,未有定日,予方有事之秋,未暇与校也。"

宁海布衣叶兑,以经济自负,献书吴国公,列一纲三目,言天下大计。

其略曰:"愚闻取天下者,必有一定之规模,韩信初见高祖,画楚、汉成败,孔明卧草庐,与先主论天下三分形势者是也。今之规模,宜北绝李、察罕,南并张九四,抚温、台,取闽、越,定都建康,拓地江、广,进则越两淮以规中原,退则画长江而自守。"

"夫长江天堑,所以限南北也。金陵古称龙蟠虎踞,帝王之都,诚宜建都于此,守淮以为藩屏,守江以为门户,如高祖之关中,光武之河内。以此为基,藉其兵力资财,以攻则克,以守则固,百察罕能如我何哉!"

"且江之所备,莫急上流。吴、魏所争在蕲春与皖,即今江州之境。今义师已克江州,足蔽全吴;况自滁、和至广陵皆吾有,又足以遮蔽建康,襟带江州,匦直守江,兼可守淮矣。张氏倾覆,可坐而待,淮东诸军,亦将来归,北略中原,李氏可并,孙权不足为也。"

"今闻察罕妄自尊大,致书明公,如曹操之招孙权。窃以元运将终,人心不属,而察罕欲效操所为，事势不侔。宜如鲁肃计，鼎足江东，以观天下之衅。"此其大纲也。

至其目有三："张九四之地，南包杭、越，北跨通、泰，而以平江为巢穴。昔田丰说袁绍袭许以制曹公，李泌欲先取范阳以倾禄山，殷羡说陶侃急攻石头以制苏峻，皆先倾敌巢穴。今欲攻张氏，莫若声言掩取杭、嘉、湖、越，而大兵直捣平江。平江城固，难以骤拔，则以锁城法困之。锁城者，于城外矢石不到之地，别筑长围，环绕其城，长围之外，分命将卒，四面立营，屯田固守，断其出入之路，分兵略定属邑，收其税粮以赡军中。彼坐守空城，安得不困！平江既下，巢穴已倾，杭、越必归，馀郡解体，此上计也。

"张氏重镇在绍兴，悬隔江海，所以数攻而不克者，以彼粮道在三江斗门也。若一军攻平江，断其粮道，一军攻杭州，绝其援兵，绍兴必拔。所攻在苏、杭，所取在绍兴，所谓多方以误之者也。绍兴既拔，杭城势孤，湖、秀风靡。然后进攻平江，犁其心腹，江北馀孽，随而瓦解，此次计也。

"方国珍狼子野心，不可驯狎。往年大兵取婺州，彼即奉书纳款，后遣夏煜、陈显道招谕，彼复狐疑不从。顾遣使从海道报元，谓江东委之纳款，诱令张泉赍诏而来，且遣韩叔义为说客，欲说明公奉诏。彼既降我，而反欲招我降元，其反覆狡狯如是，宜兴师问罪。然彼以水为命，一闻兵至，挈家航海，中原步骑，无如之何。彼则寇掠东西，捕之不得，招之不可。夫上兵攻心，彼言杭、越一平，即当纳土，不过欲款我师耳。攻之之术，宜限以日期，责其归顺。彼自方国璋之殁，自知兵不可用，又叔义还，称我师之盛，气已先挫，今因陈显道以自通，正可胁之而从也。事宜速，不宜缓。宣谕之后，更置官吏，拘集舟舰，潜收其兵权，以消未然之变，三郡可不劳而定。

"福建本浙江一道，倚山濒海，兵脆城陋，两浙既平，彼心计浙江四道，三道既已归附，吾孤守一道安归哉！下之，一辩士力耳。如复稽送款，则大兵自温、处入，奇兵自海道入，福州必不支。福州下，旁郡迎刃解矣。威声已震，然后进取两广，犹反掌耳。"

吴国公奇其言，欲留用之，力辞，赐银币、袭衣以归。

辛巳，彗见紫微垣，光芒长尺馀，东南指，西南行；戊子，光芒扫上宰。

时山东俱平，独益都孤城犹未下，至是田丰、王士诚复谋叛。

初，丰之降也，察罕特穆尔推诚待之，数独入其帐中。及丰既谋变，乃请察罕特穆尔行观营垒，众以为不可往，察罕特穆尔曰："吾推心待人，安得人人而防之！"左右请以力士从，又不许，乃从轻骑十有一人，行至丰营，遂为士诚所刺。察罕特穆尔既死，丰与士诚走入益都城，众乃推库库特穆尔为总兵官，复围益都。

事闻，帝震悼，中原士庶老幼多痛惜之者。先是有白气如索，长五百馀丈，起危宿，扫太微垣，太史奏山东当大水，帝曰："不然，山东必失一良将。"即驰诏戒察罕特穆尔勿轻举，未至而已及于难。诏赠河南行省左丞相，追封忠襄王，谥献武。其父司徒阿哩衮封汝阳王，其子库库特穆尔授中书平章政事，兼知河南、山东行枢密院事，一应军马，并听节制。仍诏谕其将士曰："凡尔将佐，久为察罕特穆尔从事，惟恩与义，实同骨肉，视彼逆党，不共戴天，当力图报复以伸大义。"

己亥，益都兵出战，库库特穆尔生擒六百馀人，斩首八百馀级。

吴国公闻察罕死，叹曰："天下无人矣！"

秋,七月,乙卯,彗灭。

丙辰,荧惑见西方,须臾,成白气如长蛇,光炯有文,横亘中天,移时乃灭。

吴平章邵荣,参政赵继祖,以谋反伏诛。

荣粗勇善战,与吴国公同起兵濠州,公待之甚厚。自平处州还,遂骄蹇有觊觎心,常愤愤出怨言。部将有欲告之者,荣不自安,与继祖谋俟间作乱。至是公阅兵三山门外,荣与继祖伏兵门内,欲为变,会大风卒发,吹旗触公衣,公异之,易服从它道还。荣等不得发,遂为部下士宋国所告。公召荣等面诘之,俱伏,曰:"死而已!"公不欲即诛,幽于别室,谓诸将曰:"吾不负荣,而所为如此,将何以处之?"常遇春曰:"荣等一旦忘恩义,谋为乱逆,公纵不忍杀之,遇春等义不与之俱生。"公乃具酒食饮食之,涕泣与诀,皆就刑。

是月,河决范阳,漂民居。

西湖书院旧有经史书版,兵后零落,行省左右司员外郎陈基白平章张士诚出官钱补刊,从之,明年而工毕。

八月,癸巳,陈友谅将熊天瑞寇吉安,吴守将孙本立战败,走永新。天瑞复攻破永新,执本立至赣州,杀之,友谅使其知院饶鼎臣守吉安。

己亥,库库特穆尔言:"博啰特穆尔、张良弼据延安,掠黄河上下,欲东渡以夺晋宁,乞赐诏谕。"

是月,张士诚杀淮南行省左丞汪同。

同初集义兵,捍御乡井,累官徽州路治中兼元帅,领兵征饶州,单骑潜往浙。张士诚以礼召至姑苏,同见其心不纯,乃去之淮安,见左丞史椿。椿本士诚部将,与张士德皆为谋主,士德被擒,椿见诸将骄侈,又,左丞徐义数谗毁椿,椿遂有异志,见同殊相得,谓同曰:"察罕公忠,盍往见之。"同谒察罕,察罕恨相见晚,俾朝于京,拜淮南行省左丞。还,见察罕,察罕曰:"士诚非忠于国者,中原事定,平江南当自姑苏始,君与史君宜协力焉。"

未几,察罕死,椿曰:"不幸及此,宜要金陵兵往取姑苏。"乃遣使者赍书往建康。使者姑苏人,以书达士诚所,士诚大怒,使士信招与言事,同惧,不欲往,椿曰:"士诚基本未固,未必便害我辈。况四平章我尝救其危急,宜不至此。"四平章,谓士信也。同遂行,至姑苏,士诚即拘同,问曰:"我何负于汝而反?"同曰:"我之来,以汝为元太尉,忠于国家。今汝既叛,我岂得从汝反耶?"士信力营救之,且具酒馔为别,同曰:"为语平章,具荷厚意,吾能死忠,不能为无义生也!但我死后,诸公亦不能久富贵耳。"遂遇害。事闻,追封平阳郡公。

同既死,士诚遂发兵攻淮安,执椿,杀之。

九月,癸卯朔,刘福〔通〕以兵援田丰,至火星埠,库库特穆尔遣关保邀击,大破之。

戊辰,以知枢密院事伊苏为辽阳行省左丞相。先是贼雷特穆尔布哈、程思忠等陷永平,诏伊苏出师,遂复滦州及迁安县。

时辽东郡县,惟永平不被兵,储粟十万,刍藁山积,民居殷富。贼乘间窃入,增土筑城,因河为堑,坚守不可下。伊苏乃外筑大营,绝其樵采,数与贼战,获其伪帅二百余人,平山寨数十;又复昌黎、抚宁二县,擒雷特穆尔布哈送京师。贼急,乃乞降于参政彻尔特穆尔,为请命于朝,诏许之,命伊苏退师。伊苏度贼必以计怠大兵,乃严备以侦之,思忠果弃城遁去,亟追至瑞州,杀获万计。贼遂东走金、复州。至是诏还京师,拜辽阳左丞相、知行枢密院事,抚安迤东兵农,委以便宜,开省于永平,总兵如故。

金、复、海、盖、乾王等贼并起,西侵兴中州,阴由海道趣永平,闻伊苏开省,乃止。伊苏亟分兵防其冲突,贼乃转攻大宁,为守将王聚所败,斩其渠魁,众溃,皆西走。伊苏虑贼窥上都,即调左丞呼哩岱提兵护上都,简精锐,自蹑贼后,贼果寇上都,呼哩岱击破之,贼众又大溃,永平、大宁始复。乃分命官属,劳来安集其民,使什伍相保以事耕种,民德之。

冬,十月,壬寅朔,江西行省平章都埒布哈,移檄讨巴拉布哈。时都埒布哈分省广州,适州城为邵宗愚所陷,执巴拉布哈,杀之。

甲戌,博啰特穆尔南侵库库特穆尔所守之地,遂据真定路。

戊子,吴池州元帅罗友贤,据州之神山寨作乱,谋与张士诚通,杭、歙震动,命常遇春率兵讨之。

辛卯,吴设关市批验所官,主通百货,盐十分而税其一,它物十五分税一。

十一月,乙巳,库库特穆尔复益都,田丰等伏诛。

库库特穆尔既袭父职,身先士卒,誓必复仇,人心亦思自奋,围城益急。贼悉力拒守,乃以壮士穴地道而入,遂克之,尽诛其党,取丰及王士诚之心以祭察罕特穆尔。遣关保以兵复莒州,于是山东悉平。庚申,诏授库库特穆尔太尉,馀官并如故,将校、士卒论赏有差。

当是时,东至淄、沂,西逾关陕,皆宴然无事,库库特穆尔乃驻兵于汴、洛,朝廷方倚之以为安,而博啰特穆尔复以兵争晋、冀,帝虽屡谕解之,而仇隙日深。

癸亥,明玉珍兵陷清川。

十二月,丁亥,吴大都督朱文正,遣裨将率兵复吉安,饶鼎臣出走,遂以参政刘齐、陈海同、李明道、曾万中、粹中共守之,以朱叔华知府事。

壬辰,吴广信守将元帅葛俊擅发民夫筑城浚池,浙东行省左丞朱文忠遣人谕止之,俊不听,反出不轨言。文忠恐其为变,欲讨俊,先遣从事王辰往察之,辰还报曰:"彼城守如故,若临之以兵,恐激其变。"文忠曰:"此人不足惜,姑为一郡生灵少忍之。"遂不复问。复遣都事刘肃往劳之,谕以祸福,俊心乃安。

先是帝遣户部尚书张昶等,赍龙衣、御酒、八宝顶帽、荣禄大夫、江西行省平章政事宣命诏书,航海至庆元,欲因以通吴,方国珍遣检校燕敬以告吴国公,公不之答。敬还,国珍惧,乃送昶于福建平章雅克布哈所。时左丞王溥在建昌,闻之,遣人报公,公命溥招之来,且命符玺郎刘绍先候之于广信。溥招昶至,遂偕绍先赴建康。昶见公不拜,公怒曰:"元朝不达世变,尚敢遣人扇惑我民!"昶俯首无一言。公不欲穷诘,命中书馆之,时召问以事,知其才可用,遂留之。

庚子,以中书平章政事佛家努为御史大夫。

是月,库库特穆尔遣尹焕章至吴,送前使自海道还,并以马馈吴。

是岁,枢密副使李士瞻上疏极言时政,凡二十条:一曰悔己过以诏天下,二曰罢造作以快人心,三曰御经筵以讲圣学,四曰延老成以询治道,五曰去姑息以振乾纲,六曰开言路以求得失,七曰明赏罚以厉百司,八曰公选举以息奔竞,九曰察近幸以杜奸弊,十曰严宿卫以备非常,十一曰省佛事以节浮费,十二曰绝滥赏以足国用,十三曰罢各官屯种俾有司经理,十四曰减常岁计置为诸宫用度,十五曰招集散亡以实八卫之兵,十六曰广给牛具以备屯田之用,十七曰奖励守令以劝农务本,十八曰开诚布公以礼待藩镇,十九曰分遣大将急保山东,二十曰依唐广宁故事分道进取。先是蓟国公托和齐上言请罢三宫造作,帝为减军匠之半,还隶宿卫,而造作如故,故士瞻疏首及之。

帝尝谓伊纳克曰:"太子苦不晓秘密佛法,秘密佛法可以延寿。"乃令图噜特穆尔教太子以秘密佛法。太子悦之,尝于清宁殿布长席,西番僧、高丽女东西列坐。太子顾谓左右曰:"李先生教我儒书多年,我不省书中所言何事。西番僧教我佛法,我一夕便晓。"李先生者,谕德好文也。太子由是惑溺于邪道,无复曩时恶伊纳克之意矣。

帝以谗废高丽国王巴延特穆尔,立塔斯特穆尔为高丽国王。国人上书言旧王不当废,新王不当立之故。

初,皇后奇氏宗族在高丽,恃宠骄横,巴延特穆尔戒饬不悛,遂尽杀奇氏族。皇后谓太子曰:"尔年已长,何不为我复仇!"时高丽王昆弟有留京师者,乃议立塔斯特穆尔为王,而以奇族子三宝努为元子,以将作同知崔特穆尔为丞相,遣兵万人送之国,至鸭绿江,为高丽兵所败,仅馀十七骑还京师。

【译文】

元纪三十四　起庚子年(公元1360年)七月,止壬寅年(公元1362年)十二月,共二年有余。

至正二十年　(公元1360年)

秋季,七月,辛酉(初七),博啰特穆尔在台州打败贼寇王士诚。

乙丑(十一日),陈友谅的浮梁守将于光等向吴献出县城投降。

乙亥(二十一日),朝廷下诏命令博啰特穆尔统一指挥达勒达汉儿的兵马,任命他为总兵官,仍旧可以自行做主处理军政不须上奏。

八月,戊子(初四),命令博啰特穆尔守卫石岭关以北地区,察罕特穆尔守卫石岭关以南。

乙未(十一日),永平路沦陷。

甲辰(二十日),朝廷下诏:"各地方的临时代理官员,专门从事盘剥百姓的勾当,今后没有朝廷允许,不得上任。"

庚戌(二十六日),朝廷下诏:"江浙行省左丞相达实特穆尔,加授太尉兼知江浙行枢密院事,提调行宣政院事,可以根据情况自行决断军政事务。"

九月,乙卯朔(初一),朝廷下诏派参知政事额森布哈等前去调解博啰特穆尔、察罕特穆尔两人,命他们讲和。当时博啰特穆尔调派兵马从石岭关直到冀宁,包围冀宁城达三天,然后退到交城驻扎;察罕特穆尔派参政阎奉先带兵与他作战,接着又各自在石岭关南北两边防守。

壬戌(初八),贼军攻占孟州,又打下赵州,攻打真定路。

癸未(二十九日),贼军又侵犯上都,右丞孟克特穆尔带兵攻打贼军,被打败。

金山南道肃政廉访司张桢,曾经检举揭发额森布哈以及枢密院副使托克托穆尔、治书侍御史努努滥用权力耽误国事的罪行,顺帝没有回应。到额森布哈等人接受和解的使命,看到博啰特穆尔、察罕特穆尔正在交战,他们就在路上迟缓不前,张桢又上奏说:"额森布哈等人贪婪懦弱、卑鄙昏庸，只求自保、苟且偷生，没有忧虑国事献身朝廷的忠诚。朝廷准备促使两家放弃前嫌，同心协力征讨贼人，这是国家的大事。按说应该雷厉风行去完成使命，没想到却是畏葸不前，绕道从延安以西，多走几千里路，缓慢而行。导致这两军日夜互相仇杀，黎民百姓无辜丧命，实在都是奉命出使的人造成的，应该赶紧处死他们以挽救时事的危急。"顺帝也不回应。张桢因此感慨叹息道："天下大事不可救治了。"立即辞去官职离开，在安邑山谷中搭盖茅房，不再谈论时事。

这一月，张士诚兵马侵犯诸全州，吴元帅袁实战死。

张士诚像

黄冈人欧普祥，是徐寿辉的旧将，性情残忍暴躁，他所经过的地方房子都被烧毁，财物抢劫一空，徐寿辉派他守卫袁州。陈友谅谋杀寿辉后，向普祥征调兵马，普祥不听他的指挥，将袁州城献给吴而投降。友谅听说后，派他弟弟友仁攻打袁州，普祥和部将刘仁、黄彬打败他的兵马，俘虏陈友仁，鞭打后囚禁起来。友谅害怕，派他的太师邹普胜与普祥讲和，约定各自防守自己的境界，普祥便将友仁放回。

冬季，十月，甲申朔（初一），任命张良弼为湖广行省参知政事，征讨南阳、襄、樊等地。

朝廷下诏命令博啰特穆尔守卫冀宁，博啰特穆尔派保保等日夜兼程奔往冀宁，守城的人不接纳他们。己亥（十六日），察罕特穆尔派陈秉直等，带领兵马到冀宁进攻博啰特穆尔的部队，博啰特穆尔的部队被打败。这时朝廷下诏将冀宁交给博啰特穆尔防守，察罕特穆尔认为自己多年来用兵，全靠冀晋供养他的军队，从而得以强盛，如果给了博啰特穆尔，他就可以兵足粮丰，自己却没有了可以依靠的，因此假托要向汴梁出师，立即渡过黄河驻扎在泽潞抵挡，调遣延安部队在东胜州与对方交战，再派班布尔实带兵支援。班布尔实说："他的军队是奉皇帝诏命前来，我怎么抵抗皇帝的部队！"察罕特穆尔大怒，杀了他。

十一月，甲寅朔（初一），黄河水清，一共三天。

博啰特穆尔带兵攻打汾州，察罕特穆尔抵抗。

癸酉（二十日），贼人进犯易州。

十二月，辛卯（初八），广平路被攻陷。

吴国公又派夏煜带信晓谕方国珍。

这一年，阳翟王勒呼木特穆尔拥有几十万人的军队，驻扎在穆尔古楚地区，准备侵犯京师地区，派使者前来说："祖宗将天下交付给你，你已经丧失了一大半；你将国玺交给我，我将自己做国主。"顺帝派人回答说："天命自有所归，你想做就做吧。"命令知枢密院事图沁特穆尔等人带兵攻打阳翟王,没有得胜。兵士都逃散了,图沁特穆尔逃向上都。

关先生、沙刘二、破头潘的兵马攻入高丽,高丽国王王都逃奔耽罗。高丽大臣奉献女子请求投降,将校都得到女子相配,军士们因而和高丽人通婚,纵情来往,高丽人因此各自将军士们的马藏起来。一天晚上,传达国王命令,除了操高丽口音的人不杀外,其余的人通通杀死。关先生、沙刘二都被杀死,只有破头潘和副将左李带着一万轻骑,从小路径直逃向西京,向博啰特穆尔投降,听从他的指挥,后来才向库库特穆尔投降。

至正二十一年 （公元 1361 年）

春季,正月,癸丑朔(初一),赦免天下。

皇帝命令中书平章政事达实特穆尔、参知政事七十前去劝说博啰特穆尔休战返回守地,又派使者前去劝解察罕特穆尔,也要他收兵休战。但丞相绰斯戬和资政院使保布哈,贪图财物不知满足,根据南北两家贿赂财物的多少来假装泄漏皇帝的密旨:南边贿赂丰厚,就说密旨命令你吞并北边;北边贿赂丰厚,就说密旨命令你吞并南边。因此两边仇怨越来越深,战争始终无法停息。

乙丑(十三日),河南贼人进犯杞县,察罕特穆尔征讨平定了。

丁卯(十五日),李思齐进兵平定伏羌等县。

吴院判朱亮祖,带兵在饶州安仁的石港攻打陈友谅的平章王溥,未能获胜而返回。

吴元帅朱文辉以及饶州降将余椿等人,带领兵马到达池州的建德,命令元帅罗友贤攻打东流贼人的营垒,活捉贼将领李茂仲,朱文辉又追袭贼守将赵同金,打跑了他。

二月,甲申(初二),同金枢密院事特哩特穆尔收复永平、滦州等地方。

吴将枢密分院改为中书分省。开始商议设立盐法,设置主管机构和官员来负责此事,规定商人贩卖盐,每二十分中取一分为税,用来资助军费。

己丑(初七),察罕特穆尔在霍州驻军,攻打博啰特穆尔。

己亥(十七日),吴在应天府设置宝源局,铸造大中通宝钱钞,让它和历代的钱钞同时使用,规定四百为一贯,四贯为一两,四文为一钱,至于货物的价值,一律由民间自行决定。

丙午(二十四日),吴商议设立茶法,所有出产茶叶的郡县,都要征收茶税。茶法规定:官府给茶引,交给产茶的郡县,凡属商人买茶,按照数目到官府交钱申请茶引后,才允许去本土进行交易,每一百斤茶,交纳引钱二百。郡县登记商人姓名,以作为验证查核的依据。

巴特勒布哈作为廉访使在广东居住很久,专制放纵、刚愎自用。朝廷下诏任命鄂勒哲图等人为廉访司官员,而调任巴特勒布哈为江南行台侍御史。巴特勒布哈不接受诏命,将鄂勒哲图等人全部杀死。只有廉访使董钥因哀求饶命而免于一死。

三月,癸酉(二十二日),察罕特穆尔调道军马征讨永城县,又驻军宿州,活捉贼将梁绵住。

泗州守将薛显,献出泗州城向吴投降。

在此之前,吴派夏煜前去晓谕方国珍,戊寅(二十七日),方国珍的使者前来答谢,并且用金玉装饰马鞍、马车奉献,吴国公说:"我现在正致力四方的战事,所需要的是有文韬武略的人才,所要用的是粟米布帛等必需品,其他的玩物珍宝,不是我爱好的。"谢绝了他的贡献。

这一月,张士诚从海道运粮十一万石送到京城。

博啰特穆尔收兵返回,派图鲁卜等带兵占据延安,计划进入陕西。

张良弼从南山义谷出兵,驻扎蓝田,接受察罕特穆尔的指挥。良弼又暗中结纳陕西行省平章定珠,听从丞相特哩特穆尔的调遣,在鹿台扎营,察罕特穆尔听到后很愤恨。

夏季,四月,辛巳朔(初一),发生日食。

朝廷任命张良弼为陕西行省参知政事。

察罕特穆尔派他的儿子副詹事库库特穆尔向京师奉送粮食,皇太子亲自和他订立誓约,因而不再猜疑。库库,本来是察罕的外甥,姓王,名叫保保,察罕将他养作自己儿子。

五月,癸丑(初三),四川明玉珍攻占嘉定等路,李思齐派兵打败了他。

乙亥(二十五日),察罕特穆尔派兵侵犯博啰特穆尔的防守境地。

这一月,李武、崔德等向李思齐投降。

吴国公命令同金朱文忠在严州筑城。当时杭州被张士诚占据,距离严州很近,所以修筑城池作防守准备。

陈友谅的部将李明道进攻信州,听说吴将胡大海在浙东,害怕他来救援,便派兵占据王山的草坪镇以便阻挡援敌;夏德润带兵前去争夺草坪镇,死在战场。

六月,乙未(十六日),火星、岁星、金星在翼宿相会。

察罕特穆尔侦察得知山东盗贼之间相互残杀,济宁田丰向贼人投降,想统领军队前去讨伐,七月,丙申(十七日),他抱病乘车从陕西抵达洛州,会集所统众将商议出师日期,命令并州部队从井陉出兵,辽、沁部队从邯郸出兵,泽、潞部队从磁州出兵,怀、卫部队从白马出兵,以及汴、洛部队水陆齐下,分道并进,自己率领铁甲骑兵,竖起大将旗、鼓,渡过孟津,越过覃怀,一路擂鼓往东而进,收复冠州、东昌。

丙午(二十七日),吴雄锋翼元帅王思义,攻克鄱阳的利阳镇,因而会同邓愈的兵马攻打浮梁。

李明道攻打信州更加急迫,吴守将胡德济因为兵少关闭城门坚守,派人向胡大海求救。大海当即带兵从灵溪前来,德济便率兵冲出城门与李明道交战,胡大海指挥兵马夹攻后面,大败明道,活捉李明道和他的宣慰王汉二,送给朱文忠。汉二,是王溥的弟弟。朱文忠命他写信招降王溥,又将他送到建康。吴国公让二人仍旧担任原职,将他们作为向导攻打江西。

秋季,七月,甲子(十六日),吴国公任命都事范常为太平府知府,告诫他说:"太平,是我建康的股肱之郡,那里的百姓多次遭受兵乱,疲敝非常,你应当想办法安抚他们,使他们各得其所。"范常到任后,兴办学校抚恤百姓,以简单明了作为政方针。官仓中有几千石谷,范常请求将它们发给百姓中缺乏粮种的,秋收以后再上缴官府,官府、百姓都能富足。

己巳(二十一日),忻州西北方有如血的赤气遮蔽天空。

壬申(二十四日),陈友谅的知院张定边攻占安庆,吴守将余某被打败,逃回建康,吴国公很生气,将他斩首。

八月,甲申(初六),吴将邓愈攻克浮梁,陈友谅的守将侯邦佐等人放弃城池逃跑。院判于光又攻打乐平州,友谅总管萧明率领将士抵抗,于光打败萧明,活捉他,因而攻克乐平。

吴将胡大海率兵攻打绍兴,部将张英自恃勇敢轻率进军,到绍兴城下,遇到伏兵被抓,敌军杀了他。大海包围绍兴城久攻不下,只得带兵返回。

乙酉(初七),大同路的北方夜间有赤气遮蔽天空,过了很久才消逝。

在此以前朱文忠将李明道送到建康,吴国公问道:"陈氏怎么样?"明道陈述说:"陈友谅谋杀国主,将士人心涣散,而且号令不一,滥用权力的多。英勇善战的将领像赵普胜等人,又因猜忌而杀了他,虽然人数众多,也起不了作用。"等到安庆失陷,吴国公便决心讨伐陈友谅,号召众将帅,各自整束队伍准备出发。徐达对吴国公说:"出师征战以理直为气壮。如今我方理直而对方理曲,哪里不能攻克!"刘基也对吴国公说:"昨夜观天象,金星在前,火星在后,这是军队获胜的征兆。"

吴国公于是命令徐达、常遇春等首先出发。庚寅(十二日),他亲自登乘龙骧巨舰,率领水军逆流而上,陈友谅在长江中的哨兵,望风奔逃。戊戌(二十日),到达安庆,敌军坚守不出战,吴国公用陆军迷惑他们,而命廖永忠、张志雄带领水军攻打敌军水寨,打败敌军八十多艘战船,因而收复安庆,长驱直到小孤山,友谅守将傅友德和丁普郎前来投降。壬寅(二十四日),来到湖口,遇到陈友谅的战船出江侦察,吴国公命令常遇春攻打,敌船退走,乘胜追赶到江州。友谅亲自带兵指挥作战,吴国公将水军分为两翼,夹攻友谅,将友谅打得大败,缴获他的战船百多艘。友谅窘迫无计,半夜带着妻室儿女放弃江州城逃往武昌。癸卯(二十五日),吴国公进入江州,又派徐达进兵追赶。徐达听说友谅想出动沔阳战船来抵抗,便驻扎沌口阻挡它。

甲辰(二十六日),吴国公派兵攻打南康,攻克了它,并改称为西宁府。又分别派将士攻夺其他没有攻下的城池,东流、蕲、黄、广济、饶州相继投降。

这一月,察罕特穆尔带领军队到达盐河,派库库特穆尔以及众将阎思孝等人会同关保、浩尔齐的部队,从东阿修造浮桥渡河,贼人派二万多人前来争夺,关保、浩尔齐一边作战一边渡河,于是攻拔长清。派精兵五万攻打东平,东平伪丞相田丰派崔世英等出战,被打得大败,杀死万多人,一直抵达东平城下。察罕特穆尔因为田丰占据山东时间长,军民信服他,便写了信给他用逆顺的道理说服他,田丰和王士诚都投降,因而收复东平、济宁。命令田丰为前锋,跟随大军向东进讨。

这时察罕特穆尔还没有渡河,众贼盗都相聚在济南,并且派兵到齐河、禹城相抵抗。察罕特穆尔分别派出奇兵从小路插到敌军后面,向南攻打泰安,逼近益都,向北攻打济阳、章丘以及临海的郡城,自己亲率大军渡河,与贼将交战,将他们打得大败。棣州俞宝、东昌杨诚都投降了,鲁地全部平定。

吴国公听说后,派使者和察罕特穆尔表示友好,对身边的人说:"察罕虽然凭借义师,谋求恢复国势,却与博啰的军队交战不休,多次违抗皇帝的诏命,这难道是忠臣的行为吗?又听说他爱好虚名,像田丰为人奸险狡诈,察罕却将他当作心腹看待,那他在认识人上是愚昧的。古代的名将,能识别细微的迹象,有恢宏远大的智谋,让别人无法推测了解,察罕能明白这些吗?我现在派人前去与他表示友好,观察他的态度如何,再来商量应付方略。"

九月,辛亥(初三),陈友谅防守建昌的将领王溥等人向吴投降。

甲寅(初六),吴星源翼判官俞茂攻打德兴,攻了下来。

5218

戊午(初十),阳翟王勒呼木特穆尔被杀死。

壬戌(十四日),四川贼军攻占东川郡县,李思齐调兵进击贼军。

壬申(二十四日),朝廷命令博啰特穆尔在保定以东、河间以南地区听他随意屯田耕种。

这一月,朝廷命令兵部尚书齐齐克布哈、侍郎韩祺向张士诚征调海运粮食。

蜀人刘桢秘密向明玉珍进言说:"西蜀地区地势优越,东边有瞿塘,北边有剑阁,拥有肥沃的土地上千里。自从遭受青巾兵马践踏,百姓涂炭,物产稀少。大王您前去安抚,让伤残的百姓休养生息,任用贤明的人治理军队,可以建立传世的大业,应该在这时称帝来维系人心。"玉珍吃惊地说:"这不是我敢指望的。"刘桢说:"大王的将士都是四面八方的人,您如果谦让犹豫,将士们一旦思念家乡,纷纷离去,大王您和谁去建立王国呢?"明玉珍还是不听。接着刘桢又说起此事,明玉珍才计划在第二年称帝。

冬季,十月,察罕特穆尔进军逼近济南城,齐河、禹城都前来投降,南路各将领也报获胜。在好石桥再次打败益都兵马。东到海滨,所有郡县贼军都纷纷前来表示归顺,济南因而被攻下。朝廷下诏任命察罕特穆尔为中书平章政事,兼知河南、山东行枢密院事,依旧任陕西行台中丞。

察罕特穆尔命令参政陈秉直、刘珪防守河南,自己驻扎山东,派兵包围益都,沿着城墙设列几十处营寨,大批修造攻城器具,从上百个地段一齐攻打。贼军全力抵抗,察罕特穆尔又挖掘深沟,筑起长围,阻挡南洋河水来淹灌城中,城中更加窘迫。

十一月,戊午(十一日)吴国公命令参政常遇春带兵援救长兴。

在这之前,张士诚派司徒李伯升带着十多万军队攻打长兴,水陆两路并进,城中兵力少,不能抵挡。吴国公在江州,当即命令华高、费聚等率三路兵马前去支援,但各路军队交战都未能获胜,因而四处逃散。耿炳文据城死守,左副元师刘成出兵交战阵亡。于是敌军又包围长兴城,扎起九座营寨,制造可以俯视城中的楼车,搬来土石填塞壕沟,放火烧水关。城中吴军日夜应付敌人,一个多月,内外不通信息。吴国公因为敌军围城一直不退,所以又命遇春前去援救。

己未(十二日),吴派平章吴弘等攻打抚州,陈友谅右丞邓克明据城抵抗,金院邓愈晚上从临川小路前去袭击,黎明到达,兵士从东、西、北三道门攻入,克明只身骑马从南门逃走,自己估计无法逃脱,便向邓愈投降。邓愈将邓克明留在军中,要他弟弟志明返回新淦,招集他的旧部下。克明便请求前往江州拜见吴国公,邓愈派兵送他,到半路上,克明逃脱返回新淦。

戊辰(二十一日),黄河水从平陆三门碛以下直到孟津五百多里都变清了,共有七天。朝廷命令秘书少监程徐祭祀黄河。

甲戌(二十七日),吴常遇春的军队到达长兴,李伯升放弃营寨逃走。遇春追打,俘获、杀死共五千多人。

这一月,察罕特穆尔、李思齐派兵包围鹿台,攻打张良弼,朝廷下诏令他们和解,要他们各自返回守地,战事才停息。

十二月,己亥(二十二日),陈友谅的江西行省丞相胡廷瑞、平章祝宗,派宣使郑仁杰前来江州向吴投降。仁杰陈说廷瑞的意愿,因为部队将士长期在一起,相互熟悉了解,投降以后,希望不要改由他人统属,吴国公露出为难的样子,刘基用脚踢吴国公的交椅,吴国公省悟,便答应了,写信回答说:"郑仁杰前来,陈说您有归顺的诚意,这是您明智的选择;又担心会将您的部下分属其他将领,这是您考虑太多了。我起兵十年以来,奇士英才从天下各地得到了很多，只要能明悉天时，料定大势所向，不等到交战就毅然前来投靠的人，我都赤诚相待，按照他们的才能任用他们，兵员少的就给他增加兵员，官位低微就提升官职，钱财缺乏就厚加赏赐，怎么会离散他们的将士，使他们自起疑心，辜负他们前来归顺的诚心呢！况且拿陈氏众将来看，像赵普胜英勇善战，因被猜疑而遭杀害，如此怀疑忌惮部下，最终能有什么成就！最近在建康龙湾战役中，我俘虏的长张、梁铉等人，照旧任用他们，像对待自己的部将一样，赏赐相等信任如一。长张攻破安庆水寨，梁铉等攻打江北，都得到了优厚的奖赏。这几个人，自认为必死无疑，还得这样的待遇，何况像足下奉献完整的城池前来归顺的呢！是得是失，机遇只在短暂的一瞬，足下应当早做打算。"

这一年，京城发生严重饥荒，屯田有成就，收获粮食四十万石。皇帝赏赐司农丞胡秉彝上等美酒、金币表彰他的功绩。

至正二十二年　（公元 1362 年）

春季，正月，辛亥（初四），胡廷瑞收到吴国公的来信，于是打定主意，派他的外甥同金康泰来到江州投降。

甲寅（初七），朝廷下诏命李思齐征讨四川，张良弼平定襄汉。当时李、张二军不和，所以有这一诏命。

吴国公因为胡廷瑞等人投降，于是从九江出发，前往龙兴。已未（十二日），军队到达樵舍，廷瑞和祝宗派人带着陈氏授予的丞相印玺以及军民、粮食储藏的数目前来奉献。辛酉（十四日），吴国公到达龙兴，廷瑞、祝宗带领行省所属官员在新城门迎接拜见，吴国公慰问他们，让他们各自留任旧职。壬戌（十五日），吴国公进入龙兴城，军令严明，百姓都没有遭骚扰。吴国公谒见孔子庙，探访铁柱观，又出城在滕王阁开设宴会。第二天，下令慰问抚恤鳏寡孤独的人，把陈友谅所蓄养的鹿送到西山放生。

戊辰（二十一日），在城北龙沙上修筑高台，召集城中父老百姓都来到台下，对他们说："自古以来攻城略地，战争之中，百姓遭受祸殃。现在你们能够骨肉完聚，生活没有困难，都是丞相胡廷瑞明了天意，主动前来归顺，为你们百姓造的福。陈氏占据这里，军需种种的供应，使你们都非常痛苦。如今我全部除去这些弊病，军需的供应，都不麻烦你们。你们各自从事本职，不要闲散懒惰，不要作非法的事去触犯刑法，不要结交权贵来骚扰善良之人，各自保护父母妻儿，做我的良民百姓。"因此老百姓都很感激、喜欢。

建昌王溥，饶州吴弘，各自率众人前来拜见吴国公，袁州欧普祥派他儿子文广来拜见，吴国公重赐他们并让他们回去。邓克明逃回新淦后，又收集老部下，依旧大肆抢劫掠夺；到这时又想投降，担心被杀，便假装商人，乘小船到龙兴城下，暗中派人试探可不可以来决定去留。事情被发觉，探子被抓住，并抓获克明。吴国公责备他反复无常，将他押送到建康。

丁卯（二十日），朝廷下诏任命太尉鄂勒哲特穆尔为陕西行省左丞相。仍旧命令察罕特穆尔在陕西屯田耕种。再次告诫李思齐、张良弼等各自带领兵马为国家效力。

任命额森特穆尔为中书右丞。

辛未（二十四日），宁州土官陈龙，派他弟弟良平带领分宁、奉新、通城、靖安、德安、武宁六县的民兵向吴投降。癸酉（二十六日），防守吉安的土军元帅孙本立、曾万中与弟弟粹中，前往龙兴投降。吴国公任命孙本立为江西行省参政，曾万中为都元帅，曾粹中为行军指挥，让他们返回吉安防守。

乙亥(二十八日)，陈友谅的平章彭时中，奉献龙泉向吴投降，吴国公让他依旧担任原职。

二月，丁丑朔(初一)，盗贼杀害陕西行省右丞塔布岱。

癸未(初七)，吴金华苗军元帅蒋英、刘震、李福叛变，杀害守城官员参政胡大海和郎中王恺、总管高子玉。

当初，胡大海攻下严州，刘震等从桐庐前来投降，大海喜爱他们矫健勇猛，留在自己身边，对他们毫不怀疑。到这时刘震等阴谋叛乱，因为大海待自己不薄，不忍心起事，李福说："干大事怎么顾得上私人的恩泽！"众人听从了，写信联系衢州、处州的苗军元帅李佑之等，约定二月七日同时起事。这一天，蒋英等进入分省衙署，假称请大海到八咏楼下观看箭弩。大海出来，准备上马，蒋英让他的同党钟矮子跪在马前，假装控诉说："蒋英等想杀我。"大海没来得及回答，回头看蒋英，蒋英抽出铁锤，好像要打矮子，顺势打中大海脑袋，大海扑倒在地，蒋英当即砍断他的头，又杀害大海的儿子胡关注。抓住王恺，王恺严厉地说："我官为郎中，共同守卫本地，当为义而死，怎肯跟从你们贼子！"刘震想成全他；贼同伙吴得真与王恺有仇怨，说道："不要自留祸根。"于是杀害王恺和他的儿子王寅，掾史章诚也死在难中。

典史李斌，抱着行省官印用绳子从城墙逃下跑到严州，向朱文忠告诉事变情况。朱文忠派元帅何世明、掾史郭彦仁等带兵讨伐。到兰溪，蒋英等害怕，便驱赶抢劫城中的百姓往西逃走，向张士诚投降。大海的养子德济听到大海遇难的消息，带兵奔向严州。吴国公当即命令左司郎中杨元杲到金华，集中管理军储等事，朱文忠也率领将士到达，安抚城中百姓。

胡大海身材高大，面色铁青，智力过人，曾公开说过："我本是武夫，不读书；但我行军知道有三件事：不杀人，不抢夺人家妇女，不烧毁人家房屋。"

乙酉(初九)，彗星出现在危宿，光焰有丈多长，颜色青白。

丁亥(十一日)，吴处州苗军元帅李佑之、贺仁得等，听说蒋英等已杀死胡大海，也发动叛乱，杀害院判耿再成、都事孙炎、知府王道同以及朱文刚等，占据处州城。朱文忠听到叛乱的消息，派元帅王祐等带兵驻扎缙云准备讨伐他们。

耿再成多次荣立战功，从偏将直升到统兵元帅。到此时李佑之等叛乱，耿再成正与客人吃饭，听到消息立即上马，来不及招集兵马，迎着贼人骂道："贼奴才，国家哪里辜负了你们，竟敢谋反！"贼人争着刺杀再成，再成挥起剑接连砍断几根长矛，兵器刺中脖子，跌下马，大骂不绝而死。孙炎起初被抓时，幽禁在空房子中，贼人绕着他胁迫他投降，孙炎不肯屈服。贺仁得将烤雁、斗酒送给孙炎，炎不接受，大骂说："今天却被鼠辈所困！我死，是为主公；你们这些反复无常的贼子死了，狗都不想吃！"看守的兵卒大怒，拔出刀叫孙炎脱衣服，孙炎说："这件紫绮袍，是主公赏赐我的，我要穿着它去死。"贼人因此杀害了他。

辛卯(十五日)，吴国公平定洪都后，就规划守城的事情，因为旧城的西南面靠近水域，不利于防守，命令迁进去三十步，东南面空旷，又扩展二里多宽。任命邓愈为江西行省参政，留守洪都，万思诚为行省都事辅佐邓愈。胡廷瑞、张民瞻、廖永坚、傅瓛、潘友庆等跟随吴国公返回建康。

丁酉(二十一日)，彗星进入离宫西星中，到三月消逝，光焰有二丈多长。

壬寅(二十六日)，吴国公听说处州叛乱消息，命令平章邵荣带兵讨伐。

5221

这一月，知枢密院事图沁特穆尔奉朝廷诏命要李思齐讨伐四川。当时李思齐退到凤翔防守，天使到后，思齐进兵到益门镇；天使回去后，思齐又返回凤翔。

三月，己酉（初三），明玉珍在蜀州越出本分自称皇帝，国号为大夏，建年号为天统，将妻子彭氏立为皇后，儿子明升为天子。仿照周代政制设立六卿，又设置翰林院承旨、学士、国子监祭酒等官。任命戴寿为冢宰，万胜为司马，张文炳为司空，向大亨、莫仁寿为司寇，吴友仁、邹兴为司徒，刘桢为宗伯，牟图南为翰林院承旨，将蜀地分为八道，赋税十分取一分。开设廷试策问士人，设置雅乐供郊祀使用。这都是刘桢安排决定的。

当初，张士诚听到蒋英叛乱，派他弟弟士信带兵万多人包围诸全州。吴守将谢再兴日夜激战，未能决出胜负，便派将士在城外埋伏，自己带兵出战，双方交战后，伏兵冲出，大败士信，活捉他的将士千多人，张士信很恼怒，增加兵力攻城，再兴估计不能支撑下去，向浙江行省右丞朱文忠告急。

这时金华的叛贼才平定，而且严州靠近敌军境界，处州又被叛乱的苗军占据，文忠估计自己的兵力少，不能前去援救。听说邵荣将到，便和都事史炳计议说："兵法上有先造声势然后再应以实战的计谋，现在诸全州城被包围很久了，贼人的气势更盛，而我军兵少，不用计谋就很难制服。如今邵平章前来讨伐处州，应该借此来虚张声势，也是制服敌人的一条妙计。"史炳说："好！"便扬言右丞徐达和邵荣统领大军到达严州，约定日期进攻，派间谍将文告在义乌的古朴岭散布。士信的兵卒看到后，果然吃惊，准备晚上逃走。同胡德济侦察得知这消息，暗中和谢再兴商量，癸丑（初七），半夜派壮士开门冲杀出去，大军从后呐喊跟随，贼人兵卒四处逃跑，自相践踏和淹死的人很多。

张士信骄傲奢侈，不能关心爱护将士，经常随身带着美女、乐器，每天只知道赌博、跳球、纵酒，部下将领常常模仿照做，所以导致失败。

甲寅（初八），明玉珍攻占云南行省的省会，驻扎在金马山；陕西行省参政车力特穆尔等打败了他，活捉他弟弟明二。

癸亥（十七日），吴祝宗、康泰叛变，攻占洪都府。

起初，胡廷瑞献洪都投降，并不是两人的本意，投降后，又准备叛变，经常用话语责怪胡廷瑞，廷瑞反复开导他们，所以没有马上动手。到吴国公返回建康，胡廷瑞担心二人叛变，对自己不利，便向吴国公暗示此事，吴国公当即派使者前往洪都，命令二人带领所属部队前往湖广，跟随徐达听从征调。二人船到女儿港，便带领所属兵马叛变，恰遇商人的布船，就抢劫商船的布作旗号，进攻洪都，这天傍晚，到达城下，擂鼓放火，攻破新城门。这时邓愈住在过去的廉访司衙中，听到事变，匆忙带着几十骑兵逃出来，多次与贼人相遇，边打边跑，跟随的人大多被杀。邓愈非常窘迫，从抚州门冲出，跑回建康。在这次事变中都事万思诚、知府叶琛都死于难中，吴国公听说叶琛死亡，很悲痛的悼念他。辛未（二十五日），邓愈到达建康，吴国公派使者前往汉阳，命右丞徐达等回军讨伐叛贼。

这一月，任命博啰特穆尔为中书平章政事，位居第二，增加太尉之职；张良弼接受博啰特穆尔的指挥。李思齐派兵攻打良弼，到武功时，良弼的伏兵将他打得大败。

夏季，四月，己丑（十四日），朝廷严禁诸王、驸马、御史台各官员占有藏匿人口，不让他们承担差役，这是因为准备修建上都宫殿城阙的缘故。顺帝曾因为上都宫殿被火烧毁，敕令重建大安阁、睿思阁,因为危素劝阻而停止,到这时重又大兴土木。

吴平章邵荣和元帅王佑、胡深等兵马攻打处州,放火烧城的东北门,士兵们爬城攻入。李佑之自杀,贺仁得逃向缙云,农民将他抓住,用囚车押送建康,处死。处州重新平定,派王佑防守,邵荣返回建康。

甲午(十九日),吴右丞徐达又夺取洪都府。

当时徐达等军队抵达城下,祝宗、康泰分兵抵抗防守,徐达打败了他们。祝宗逃向新淦,投靠邓克明,后来被邓志明杀死,将他的首级装在木盒中奉献给吴国公。康泰逃向广信,被追兵抓获,送往建康。康泰,是胡廷瑞的外甥。吴国公因为胡廷瑞的缘故,特地宽恕了他。

乙未(二十日),贼人新桥张攻占安州,博啰特穆尔向朝廷请求援助。

这一月,绍兴路发生大瘟疫。

五月,乙巳朔(初一),泉州岱布丹占据福州路,福建行省平章雅克布哈打败了他,其他人从海上逃走,返回泉州盘踞。参政陈友定收复汀州路。

己未(十五日),中书参知政事陈祖仁,请求停止修建上都宫阙,他的上疏说:"自古以来,国君不幸遇到多灾多难的时期,谁不想奋发有为,成就不朽的业绩,来光大复兴祖宗的基业! 如果上不遵从天道,下不顺应民心,事情缓急处理不当,办事措施选择不当,即使用来维护已有的成业,仍有可能导致变乱,更何况要拨正乱世归于治世呢!

"上都的宫殿城阙,从先帝时开创,历朝修建,自从遭遇兵火,被烧毁将尽,使人不忍心提起,这是陛下所以日夜痛心,急于想重新修建的原因。但是如今天下还未平定,战争创伤还未痊愈,仓库已告空虚,财用即将枯竭,却想驱赶疲敝的百姓来从事沉重的劳作,荒废他们的耕种、荒芜他们的田地,这与掐住他们的脖子夺取食物来加速他们的死亡有何区别?

"陛下追念祖宗的宫阙,时刻不忘,却没想到今天应当复兴的,还有比这更重要的事情。假使上都宫阙没有修复,还不妨碍陛下的居住;如果因为这工程而违背天道,丧失民心,甚至导致国家基业的灭亡,那这天下也是祖宗的天下,百姓也是祖宗的百姓,陛下又怎么忍心轻易放弃他们呢?"

"希望陛下把生养休息民力作为根本,把恢复天下作为要务,赏罚严明,以鼓励鞭策英雄豪杰为国所用;亲近正直的人,远离邪恶谄媚的人,以便考虑治理天下的办法。如果能这样,那么安定和平的局面,很快就能恢复,哪里只是上都宫阙的重现呢!"

丙午(初二),吴国公命令大都督朱文正,统领元帅赵德胜等同参政邓愈一起镇守洪都,又任命阮弘道为郎中,李胜为员外郎,汪广洋为都事,前去辅佐。程国儒任洪都府知事。文正到洪都,将城墙增高、壕沟挖深,严加防备。

辛未(二十七日),明玉珍派伪将杨尚书防守重庆,分别派兵侵犯龙州、清川,进攻兴元、巩昌等路。

这一月,张士诚从海道运粮十三万石到京城。

六月,戊寅(初五),中书平章政事察罕特穆尔派使者向吴国公回信,说已奏明朝廷,授予行省平章事,吴国公不回答,并对身边人说:"察罕信中语言委婉美好,是想引诱我,我怎么会受甜言蜜语的迷惑呢! 何况只送书信来却不送回我的使者,他的虚情假意也很明显。如今张士诚占据浙西,陈友谅占据江汉,方国珍、陈友定又横梗在东南,天下纷纷,没有平定的日子,我也正是事情繁多的时候,没有闲情跟他计较。"

宁海平民叶兑,自认为有治理天下的本事,向吴国公献书,列举一纲三目,陈述天下统一的大计。

书中大略说:"我听说夺取天下的人,肯定有一定的政制格局,像韩信初次见到汉高祖,便预测到了楚、汉的成败;孔明在草庐隐居,便与先主刘备论述了天下三分的形势,这都是政制格局。如今的天下格局,应该是北边与李思齐、察罕特穆尔断绝来往,南向吞并张士诚,安抚温、台,夺取闽、越,在建康定都,向江、广拓展领地,进可以越过两淮攻取中原,退可以长江为界而自守。"

"长江是一道天堑,将南北分开。金陵古称龙盘虎踞、帝王都城,的确适宜在这里建都。守卫淮河作为都城屏障,守卫长江作为都城门户,就像汉高祖守关中,光武帝守河内一样。将这里作为基地,凭借它的兵力财力,用来进攻可以克敌制胜,用来防守可以坚不可拔,即使有一百个察罕又能对我怎么样!"

"而且长江的守备,没有比上流更急迫的。过去孙吴、曹魏所争夺的就是蕲春和皖,也就是如今江州的领地。现在义师已攻克江州,足以保护整个吴地;何况从滁州、和州直到广陵都被我占领,又完全可以护卫建康,更与江州互相御结,不只可以守卫长江,还可以守卫淮河。张氏的灭亡,指日可待;淮东各路军民,也将前来归附;向北攻打中原,李氏可以吞并;只做一个孙权是远远不够的。"

"如今听说察罕妄自尊大,写信给您,像曹操招降孙权一样。我认为元朝国运将终,民心不服,而察罕却想仿效曹操的行为,与当年形势则完全不相同。应该按鲁肃当年的计谋,站稳江东,观察天下的大势所趋。"这是他信中的大纲。

至于信中的三条细目则是:"张士诚的领地,南面包有杭、越,北方跨据通、泰,而将平江作他的巢穴。昔日田丰劝说袁绍袭击许都来制约曹操,李泌想先夺取范阳来消灭安禄山,殷羡劝陶侃急速攻打石头城以控制苏峻,都是率先捣毁敌人的巢穴。现在要攻打张氏,不如先扬言要突然袭取杭、嘉、湖、越等地,而派大部队直接攻打平江。平江城坚固,难以立刻攻拔,就用锁城法困住它。锁城的方法是,在城外箭石难以射到的地方,另外筑起长围,包围平江城,长围外面,分别命令将士,四面安扎营寨,屯田坚守,切断城中出入的道路,分别派兵平定所属郡县,征收当地的税粮来供养军队。他们坐守空城,怎能不束手无策!平江攻下后,敌人巢穴已经捣毁,杭、越肯定归附,其他州郡也会瓦解。这是上策。

"张氏重镇在绍兴,又有江海阻隔,之所以多次攻打而不能攻下,是因为他的粮道在三江斗门。如果派一支部队攻打平江,切断对方粮道,另派一军攻打杭州,阻止他的援兵,绍兴一定可以攻下。攻打的是苏、杭,而夺得的是绍兴,这就是多方进攻使敌人产生误断。绍兴攻拔后,杭州城势必孤弱,湖州、嘉兴也会望风披靡。然后进攻平江,铲去他的心腹,江北的残余势力,也会随着瓦解。这是中策。

"方国珍狼子野心,不会驯服听命。往年大军攻取婺州,他就献书归降,后来派夏煜、陈显道前去招安,他又心怀疑虑不肯听从。反而派使者从海道上报元朝廷,说江东委托他向元朝归顺,诱使张昶带着诏书前来,而且派韩叔义为说客,想说服明公您接受诏书。他已经向我投降,又反而想要我投降元朝,他反复无常、狡诈阴险到这地步,应该兴师问罪。但他将水视同生命，一听说大军前来，便带着家眷从海上逃走，中原的步兵骑兵，拿他毫无办法。他却东来西往随意攻打、抢劫，抓他抓不到，招安又不行。上等的计策是攻心，他说杭、越一平定，就会投降，不过是想拖延我军的进讨。攻击他的方法，应是限定日期，责令他投降。他自从方国璋死后，知道他的军队已不可使用，又叔义回去后，陈述我军的强大，气势早已受挫。如今他通过陈显道想来疏通关系，正好可以胁迫他服从。事情应该抓紧办，不能拖延。招安公布以后，更换他的官员属吏，集中管制他的船只，暗中收去他的兵权，以便消除可能出现的变故，他所有的三郡便可以不费力气就平定了。

"福建本来是浙江的一道，靠山临海，兵力脆弱、城池简陋，两浙平定后，它的守将官员心中考虑，浙江四道已有三道归附，我们孤守着这一道归向哪里呢？攻下它，只需一能辩之人就可以了。如果仍然拒不投降，那么大军从温、处进入，奇兵从海道进入，福州肯定不能应付。福州城攻下了，旁近的郡县便迎刃而解。威声大震后，再进取两广，就易如反掌了。"

吴国公很惊异他的计策，想留下来重用他，他极力推辞，吴国公赏赐了银币、衣服，让他回去了。

辛巳(初八)：彗星出现在紫微垣，光焰有一尺多长，指向东南，朝西南移动；戊子(十五日)，它的光芒扫到上宰星。

当时山东都已平定，只有益都一座孤城没有攻下，到这时田丰、王士诚又计划叛变。

起初，田丰投降后，察罕特穆尔推诚相待，多次单独进入他的营帐。等到田丰已经阴谋叛变，便邀请察罕特穆尔去察看他的营垒，大家认为不能前去，察罕特穆尔说："我诚心待人，怎能对每个人都提防！"身边的将领请求派力士跟随，又不允许，只带着十一个轻装骑兵，带到田丰营垒，便被王士诚杀死。察罕特穆尔死后，田丰和王士诚跑进益都城。众将士就推戴库库特穆尔为总兵官，又包围益都。

事变传到京城，顺帝震惊痛悼，中原官民不分老少大多都感到悲痛和惋惜。在这以前天空有白气像一条绳索，有五百多丈长，起自危宿，扫到太微垣，太史上奏说山东会发生大水，顺帝说："不是的，山东必定丧失一员良将。"当即快马传送诏命告诫察罕特穆尔不要轻举妄动，使者没能赶到而察罕已经遇难。顺帝诏命追赠察罕特穆尔为河南行省左丞相，追封忠襄王，谥号献武。他的父亲司徒阿哩衮封汝阳王，他的儿子库库特穆尔授予中书平章政事，兼知河南、山东行枢密院事，所有军马，全部听他统一指挥。并下诏对他的将士们说："你们这些将士，长期跟随察罕特穆尔南征北讨，追念他的恩泽和情义，就如同亲骨肉一样；对待那些叛徒乱党，就与他们不共藏天，应该奋勇报仇来伸张正义！"

己亥(二十九日)，益都兵出来交战，库库特穆尔活捉六百多人，杀死八百多人。

吴国公听说察罕已死，感叹道："天下无人了！"

秋季，七月，乙卯(十二日)，彗星消逝。

丙辰(十三日)，火星在西方出现，一会儿，变成像长蛇一样的白气，闪闪发光有花纹，横亘在天空中，一个时辰后才消逝。

吴平章邵荣，参政赵继祖，因为谋反被处死。

邵荣粗犷勇猛善战，和吴国公一起从濠州起兵，吴国公对他非常厚爱。自从平定处州返回后，便骄纵不驯有非分的妄心，经常愤愤不平、口出怨言。部将中有人想告发他，邵荣心中不安,和赵继祖想寻机叛乱。到这时,吴国公在三山门外检阅部队,邵荣和赵继祖在门内安排伏兵,想发动变乱。恰巧大风忽起,吹动旗帜碰触吴国公衣服,吴国公心中惊异,改换衣服从另外的路返回。邵荣等没能成功,因而被部下士兵宋国告发。吴国公召见邵荣等人当面审问,都承认了,说:"不过是死吧!"吴国公不想立即处死,把他们关在另一房中,对众将领说:"我没有对不起邵荣,他却做出这样的事,应该如何处理他们?"常遇春说:"邵荣等居然忘恩负义,阴谋叛乱,主公您即使不忍心杀他,遇春等也誓不与他们一起共生存。"吴国公只得备办酒饭给他们吃,哭泣着和他们告别,将他们全部处死。

这一月,黄河在范阳决堤,冲毁百姓房屋。

西湖书院过去曾藏有经史书版,兵乱后散失损坏严重。行省左右司员外郎陈基禀告张士诚请求用官钱补刻,张士诚同意了,第二年便补刻完工。

八月,癸巳(二十一日),陈友谅部将熊天瑞侵犯吉安,吴守将孙本立被打败,逃向永新。天瑞又攻下永新,活捉孙本立送到赣州,杀了他,友谅派他的知院饶鼎臣守卫吉安。

己亥(二十七日),库库特穆尔上奏朝廷说:"博啰特穆尔、张良弼占据延安,在黄河上下打劫,想东渡黄河来争夺晋宁,请求朝廷下诏告诫他们。"

这一月,张士诚杀害淮南行省左丞汪同。

汪同起初招集义兵,保卫家乡,多次升迁后官至徽州路治中兼元帅,带兵征讨饶州,他单人独骑偷偷前往浙江。张士诚聘请他到姑苏,汪同看到张士诚心地不纯,便离开他前往淮安,会见左丞史椿。史椿本来是士诚的部将,和张士德都是替张士诚出主意的人,士德被擒后,史椿看到士诚手下众将骄纵奢侈,而且左丞徐义多次诽谤诬陷史椿,史椿因此怀有二心,见到汪同后特别情投意合,对汪同说:"察罕公为人忠诚,何不前去拜见他?"便一起前去谒见察罕,察罕相见恨晚,让他到京师朝见皇帝,被任命为淮南行省左丞。从京师返回,再见察罕,察罕说:"士诚不是忠于国家的人,中原战事平息后,平定江南将从姑苏开始,您和史君应该同心协力。"

不久,察罕被杀,史椿说:"不幸遇到这种事,只好借助金陵军马前去夺取姑苏。"便派使者带着信前往建康。使者是姑苏人,将书信送到士诚那里,张士诚大怒,派士信叫他们前来商议事情,汪同害怕,不想前去,史椿说:"张士诚的国基还未稳固,不一定就会杀害我们。何况四平章我曾经在他危急时救过他,按理也不会如此。"四平章,说的是士信。汪同于是前去,到达姑苏,士诚当即逮捕汪同,质问说:"我哪里对不起你而要反叛我?"汪同说:"我前来投奔,因为你是元朝太尉,忠于国家。现在你已经背叛,我怎能跟你一起叛变呢?"士信尽力营救他,而且备办酒菜与他告别,汪同说:"替我告诉平章,深谢他的厚意,我能为忠义而死,却不能为不义而生!只是我死之后,诸公享受富贵的时间也不长了。"因此遇害被杀。事迹传达京城,朝廷追封他为平阳郡公。

汪同死后,张士诚便派兵攻打淮安,抓住史椿,杀了他。

九月,癸卯朔(初一),刘福通带兵援救田丰,到火星埠时,库库特穆尔派关保阻击,大败刘军。

5226 戊辰(二十六日),任命知枢密院事伊苏为辽阳行省左丞相。在这之前贼人雷特穆尔布哈、程思忠等攻占永平,朝廷下诏命伊苏出兵,于是收复滦州和迁安县。

当时辽东的郡县,只有永平没有遭受兵火,储积了粟谷十万石,饲料堆积如山,百姓都很富裕。贼人趁机占领后,添土加高城墙,利用河水作为沟堑,坚守难攻。伊苏便在城外修筑大营,断绝城中出外砍柴的道路,多次与贼人交战,俘虏伪帅二百多人,平定几十个山寨;又收复昌黎、抚宁二县,活捉雷特穆尔布哈送往京城。贼人很焦急,便向参政彻尔特穆尔请求投降,彻尔便为他们向朝廷求情,朝廷答应了,命令伊苏撤军。伊苏估计贼人一定是用计来麻痹大军,因此严加防备以侦察敌人动静,程思忠果然放弃城池逃跑。伊苏立即追赶到瑞州,杀伤、俘虏数以万计。贼人于是向东逃往金州、复州。到这时朝廷下诏命伊苏返回京城,任命他为辽阳左丞相、知行枢密院事,让他安抚东边的官兵农民,并授予他可以自行做主决断军政事务的权力,在永平设置行省省署,统兵权力依旧。

金、复、海、盖、乾、王等地的贼盗纷纷并起,向西侵犯兴中州,暗地从海路前往永平,听说伊苏开设行省,才停止。伊苏马上分兵防止贼人攻打,贼人便转而进攻大宁,被守将王聚打败,杀死他们的首领,贼众逃散,都向西逃跑。伊苏担心贼人侵犯上都,当即调遣左丞呼哩岱带兵保护上都,自己选择精兵,跟踪在贼人后面。贼人果然进攻上都,呼哩岱打败了他们,贼众又全军溃逃,永平、大宁才真正收复。伊苏又分别命令手下官员,慰问安抚两地百姓,让百姓什伍相保,从事耕种,老百姓很感激他。

冬季,十月,壬申朔(初一),江西行省平章都埒布哈,行文讨伐巴拉布哈。当时都埒布哈在广州设立中书分省,正好州城被邵宗愚攻占,抓住巴拉布哈,杀了他。

甲戌(初三),博啰特穆尔向南侵犯库库特穆尔的守地,因而占据真定路。

戊子(十七日),吴池州元帅罗友贤,占据州中神山寨发动叛乱,企图与张士诚联系,杭州、歙县大为震动,吴国公命令常遇春带兵讨伐。

辛卯(二十日),吴设立关市批验所官员,主要负责百货流通,盐十分中取一分为税,其他货物十五分取税一分。

十一月,乙巳(初四),库库特穆尔收复益都,田丰等被处死。

库库特穆尔承袭父亲职务后,身先士卒,发誓一定要报杀父之仇,他的部下也都奋勇当先,围攻益都城更加紧迫。贼人全力抵抗,便派壮士挖地道攻进去,因而攻下了益都,将贼党全部杀死,挖出田丰和王士诚的心脏祭祀察罕特穆尔。派关保带兵收复莒州,因此山东全部平定。庚申(十九日),朝廷下诏授予库库特穆尔太尉之职,其他官职照旧,将帅、士兵都有不同的赏赐。

到这个时候,东到淄、沂,西过关陕,都太平无事,库库特穆尔便将部队驻扎在汴、洛一带,朝廷正依靠他保卫京师安全,而博啰特穆尔又派兵马争夺晋、冀,顺帝虽然多次劝解,但仇怨越来越深。

癸亥(二十二日),明玉珍的军队攻占清川。

十二月,丁亥(十六日),吴大都督朱文正,派偏将带兵收复吉安,饶鼎臣逃走,于是命令参政刘齐、陈海同、李明道、曾万中、曾粹中共同防守吉安,朱叔华知府事。

壬辰(二十一日),吴广信守将元帅葛俊擅自发动民夫修筑城墙、疏通护城河,浙东行省左丞朱文忠派人劝告制止,葛俊不听,反而说出大逆不道的话。文忠担心他叛变,想征讨他,先派从事王辰前去观察,王辰回来报告说:"他依旧防守城池,如果派兵前去,只怕会激变他。"文忠说："这个人不值得怜惜,暂且为了一郡的百姓而稍微忍耐点吧。"因而不再追查。又派都事刘肃前去慰劳他,对他陈说祸福利害关系,葛俊心才安定下来。

在此之前顺帝派户部尚书张昶等,带着龙衣、御酒、八宝顶帽、荣禄大夫、江西行省平章政事的委任诏书,航海到庆元,想从这里联系吴国公,方国珍派检校燕敬将此事告诉吴国公,吴国公没有答复。燕敬返回,方国珍害怕,便将张昶送到福建平章雅克布哈那里。这时左丞王溥在建昌,听说后,派人报告吴国公,吴国公要王溥招张昶前来,而且命令符玺郎刘绍先在广信等候。王溥将张昶招来后,便同绍先前往建康。张昶见到吴国公不跪拜,吴国公大怒说："元朝君臣不明白世道变化,还敢派人来蛊惑我的百姓!"张昶低着头没说一句话。吴国公不想追问到底,命令中书省安置他,不时召来问他一些事情,知道他的才能可以任用,便将他留下来了。

庚子(二十九日),任命中书平章政事佛家努为御史大夫。

这一月,库库特穆尔派尹焕章到吴,送前任使者从海路返回,并赠给吴国公马匹。

这一年,枢密副使李士瞻上疏给顺帝,全力论述当时朝政,共有二十条:一是忏悔自己的过错来昭告天下,二是停止修造宫阙来振作人心,三是亲临经筵来讲论圣人学问,四是延揽有德识的人来询问治理天下的办法,五是去除姑息养奸的风气来整顿朝廷风气,六是广开言路来寻求时政的得失,七是严明赏罚来督察朝廷文武百官,八是公平选择官员来杜绝拍马钻营的小人,九是考察亲近的侍臣来防止奸诈欺蒙的弊病,十是加强警卫来防备突发的事变,十一是节省佛事来减少不必要的浪费,十二是断绝无用的赏赐来增加国家的费用,十三是停止各官署的屯田耕种让有关官员管理,十四是减少每年固定给各宫的费用,十五是招集散侠流亡的士兵来充实八卫的兵员,十六是广泛发放耕牛农具来准备屯田耕种,十七是奖励守令来劝农务本,十八是开诚布公来对藩镇以礼相待,十九是分别派遣大将赶紧保卫山东,二十是依照唐代广宁的旧例分道进攻。在这之前蓟国公托和齐上书请求停止三宫的修建,顺帝因此减免了一半军匠,让他们仍旧回宿卫部队,但修建宫殿照旧未停,所以李士瞻的奏疏中第一就提到此事。

顺帝曾对伊纳克说："太子苦于不懂得秘密佛法,秘密佛法可以延年益寿。"并命令图噜特穆尔将秘密佛法教授给太子。太子很高兴,曾在清宁殿布置长席子,西域和尚、高丽女子分别排坐在东西两边。太子回头对左右的人说:"李先生教我多年儒家书籍,我不明白书中所讲的是什么事情。西番和尚教我佛法,我一个晚上便明白了。"李先生,指的是太子谕德李好文。太子从此沉溺在邪道之中,不再像已往那样讨厌伊纳克了。

顺帝听信谗言废黜了高丽国王巴延特穆尔,立塔斯特穆尔为高丽国王。国中有人上书陈述旧王不应废黜,新王不当立的原因。

起初,皇后奇氏的宗族在高丽,依恃顺帝宠爱奇氏而骄纵横蛮,巴延特穆尔训诫警告他们但仍旧不改,于是将奇氏宗族全部杀死。皇后对太子说:"你的年纪已大了,为什么不替我报仇?"这时高丽王的兄弟有留在京师的,便商议立塔斯特穆尔为高丽王,而以奇氏族子三宝努为长子,任命将作同知崔特穆尔为丞相,派兵一万人护送回国,到鸭绿江,被高丽兵打败,只剩下十七骑人马回到京城。

续资治通鉴卷第二百十七

【原文】

元纪三十五　起昭阳单阏【癸卯】正月，尽阏逢执徐【甲辰】三月，凡一年有奇。

顺　帝

至正二十三年　【癸卯，1363】　春，正月，乙巳，大宁陷。

庚戌，吴常遇春兵攻池州神山寨，擒罗友贤，斩之，馀党悉平。

丙寅，吴国公遣中书省都事汪河送尹焕章归汴，以书报库库特穆尔曰："元失其政，中原鼎沸，庙廊方岳之臣，互相疑沮，丧师者无刑，得志者方命，悠悠岁月，卒致土崩。阁下先王，奋起中原，英勇智谋，过于群雄，闻而未识，是以前岁遣人直抵大梁，实欲纵观，未敢纳交也。不意先王捐馆，阁下意气相期，遣送使者涉海而来，深有推结之意，加以厚贶，何慰如之！薄以文绮若干，用酬雅意。自今以往，信使继踵，商贾不绝，无有彼此，是所愿也！"

初，吴国公命诸将分军于龙江等处屯田，惟康茂才积谷充牣，它皆不及。二月，壬申朔，公下令申谕诸将曰："屯田数年，未见功绪，惟康茂才所屯得谷一万五千馀石，以给军饷，尚馀七千石，分地均而所得有多寡，由人力勤惰不齐耳。今宜督军及时开垦，以尽地利，庶几兵食充足，国有所赖。"

是月，库库特穆尔自益都领兵还河南，留索珠以兵守益都，以山东州县立屯田万户府。

都昌盗江爵等陷饶州。时吴将于光与吴弘、吴毅等不协，爵乘衅诱陈友谅将张定边、蒋必胜入寇；光等仓卒无备，皆出走，综理饶州军务理问穆燮死于难，郎中杨宪走还建康。

张士诚发兵攻安丰，以吕珍为前锋，而其弟士信以大军继之。珍至安丰，围其城，久之，城中人相食，或以井泥为丸，用人油煠而食之。刘福通势穷，遣使告急于建康，吴国公曰："安丰破，则张士诚益张，不可不救。"刘基谏曰："陈友谅方伺隙，未可动也。"

三月，辛丑朔，彗见东方，经月乃灭。

诏中书平章政事爱布哈分省冀宁，库库特穆尔遣兵据之。

吴国公率右丞徐达、参政常遇春等救安丰。

吕珍已破安丰，杀刘福通，闻吴军至，乃水陆连营，战舰蔽沙，河际皆树木栅，缭以竹篱，外掘重堑，击败左右军。公命遇春以兵横击其阵，三战三胜，俘获其士马无算。时庐州左君弼出兵来助珍，遇春又击败之。珍与君弼皆遁去，安丰围解。公乃令军士各赍米积于东门外，以救城中饥者；以小明王归，居之滁州。公还建康，命徐达等移师讨左君弼，围庐州，竹昌、忻都遂乘间入安丰。

丙午,大赦天下。

丁未,廷试进士六十二人,赐宝宝、杨锐等及第、出身有差。

壬戌,大同路有赤气亘天,中侵北斗。

是月,立广西行中书省,以廉访使额尔德尼为平章政事。时南方郡县多陷没,惟额尔德尼独保广西者十五年。

立胶东行中书省及行枢密院,总制东方事,以袁宏为参知政事。

闰月,丁丑,吴处州翼总制胡深言:"关市之征,旧例二十取一。今令盐货十取其一,税额太重,商人不复贩鬻,则盐货壅滞,军储缺乏,且使江西、浙东之民艰于食用。又如硫黄、白藤、苏木、棕毛诸物,皆资于彼,今十五分取一,亦恐以税重不能流通。请仍从二十取一之例,则流转不穷,军用给足。"从之。

夏,四月,壬戌,陈友谅复大举兵围洪都。

初,友谅愤其疆场日蹙,乃作大舰来攻。舰高数丈,外饰以丹漆,上下三级,级置走马棚,下设板房为蔽;置橹数十,其中上下人语不相闻;橹箱皆裹以铁,载其家属、百官,空国而至。友谅前攻洪都,以大舰乘水涨附城以登,至是城移去江三十步,大舰不复得近,乃以兵围城,其气甚盛。吴都督朱文正与诸将谋,分城拒守,参政邓愈守抚州门,元帅赵德胜等守宫步、士步、桥步诸门,指挥薛显守章江、新城二门,元帅牛海龙守琉璃、澹台二门,文正居中节制诸将。

吴院判谢再兴以诸全叛,杀知州栾凤,凤妻王氏以身蔽凤,并杀之,执参军李梦庚。元帅陈元刚等奔绍兴,降于张士诚。总管胡士明,弃妻子,单骑走建康。左丞朱文忠闻乱,遣同金胡德济屯兵五指山下,自将精兵二千往来应援以御之。乙丑,诸全州以事闻,吴国公因命德济为浙江行省参政。德济遣万户王克瑀还侦敌境,遇士诚兵,被执,死之。

初,再兴用部将左总管、(麾)〔糜〕万户为腹心,二人常使人贩鬻于杭州,公知其阴泄机务,擒二人诛之,召再兴赴建康,而以梦庚总制诸全军马。公以再兴长女妻兄子文正,幼女适徐达,恩义甚厚,因命还守诸全。再兴以梦庚处己上,愤愤不乐,由是遂叛。

丙寅,陈友谅攻抚州门,其兵各(载)〔戴〕竹盾如箕状,以御矢石,极力来攻,城坏三十馀丈。邓愈以火铳击退其兵,随树木栅。敌争栅,朱文正督诸将死战,且战且筑,通夕复完。于是总管李继先、元帅牛海龙、赵国旺、许珪、朱潜、万户程国胜等皆战死。

是月,库库特穆尔遣部将摩该等以兵击张良弼。

五月,己巳朔,张士诚海运粮十三万石至京师。

陈友谅知院蒋必胜、饶鼎臣等陷吉安府。

时吴将李明道与曾万中兄弟不协,明道因潜通必胜,约其来攻。兵至城下,明道举火为应,开西门纳之,杀参政刘齐、知府朱叔华。曾粹中亡走,仇家黄如渊执粹中送鼎臣,杀之。必胜又攻破临江府,执同知赵天麟,亦不屈死。

癸酉,吴置礼贤馆。

先是吴国公聘诸名儒集建康,与论经史及咨以时事,甚见尊宠,至是复命有司即所居之西创礼贤馆处之。陶安、夏煜、刘基、章溢、宋濂、苏伯衡、王祎、许元、王天锡等,皆在馆中。

陈友谅兵陷无为州,知州董曾死之。曾之守无为也,招集流亡,使各复业,州民安之。及城陷,寇逼其降,曾抗言不屈,遂缚之,沉于江。

丙子,陈友谅复攻新城门,吴指挥薛显将其锐卒开门突战,斩其平章刘进昭,擒其副枢赵祥,敌兵乃退。

百户徐明被执,死之。明有胆略,尝出劫友谅营,获其良马以归,故敌兵见明,并力攻杀之。

庐州城三面阻水,徐达等攻之不克,已而左君弼于城上为钓桥,达曰:"君弼窜伏穴内,久不见出,今遽为此,其将夜出劫我乎!"令军中严为之备。比夜半,闻钓桥有声,其兵奄至。营中万弩诸发,君弼退走,达纵兵击之,君弼大败,走入城,敛兵拒守,达攻围凡三月不下。

六月,戊戌朔,博啰特穆尔遣方托克托迎匡福于彰德,库库特穆尔遣兵追之,败还。匡福遂据保定路。

己亥,库库特穆尔部将岱噜等驻兵蓝田、七盘,李思齐攻围兴平,遂据鳌屋。博啰特穆尔奉诏进讨襄汉,而岱噜阻道于前,思齐踵袭于后,乃请朝廷催督库库东出潼关,道路既通,即便南讨。

戊申,博啰特穆尔遣珠展等入陕西,据其省治。

时陕西行省右丞达实特穆尔与行台有隙,且恐陕西为库库特穆尔所据,阴结于博啰特穆尔,请珠展入城,劫御史大夫鄂勒哲特穆尔及监察御史张可遵等印。其后屡有使召鄂勒哲特穆尔,珠展拘留不遣。库库遣摩该与李思齐合兵攻之,珠展出降,遂从库库。

辛亥,陈友谅增修攻具,欲破栅自水关入,吴朱文正使壮士以长槊从栅内刺之,敌夺槊更进。文正乃命煅铁戟、铁钩,穿栅以刺敌,敌复来夺,手皆灼烂,不得进。友谅尽攻击之术,而城中备御,随方应之。友谅又攻宫步、士步二门,元帅赵德胜力御之,暮,坐宫步门楼,指挥士卒,流矢中腰膂而死。

甲寅,中书省奏:"江浙、福建举人涉海道赴京,有六人者已后会试期,宜授以教授之职;其下第三人,亦授教授,非徒慰其跋涉险阻之劳,亦以激励远方忠义之士。"从之。

洪都被围既久,内外阻绝,音问不通,朱文正遣千户张子明告急于建康。子明取东湖小渔舟,夜,从水关潜至石头口,宵行昼止,凡半月始得达,见吴国公,具言其故。公问:"友谅兵势何如?"对曰:"兵虽胜,而战斗死者亦不少。今江水日涸,贼之战舰将不利用。又师久粮乏,若援兵至,必可破也。"公谓子明曰:"汝归告文正,但坚守一月,吾自当取之,不足虑也。"

子明还,至湖口,为友谅兵所获。友谅谓曰:"若能诱之降,非但不死,且行富贵。"子明伪许之,至城下,大呼曰:"大军且至,但当固守以待。"友谅怒,杀之。

秋,七月,戊辰朔,京师大雨雹,伤禾稼。

癸酉,吴国公自将救洪都。

时徐达、常遇春围左君弼于庐州,公遣使命解围,曰:"为庐州而失南昌,非计也。"达、遇春乃还。

是日,公召诸将,谕以亲行之意,遂祃纛于龙江,舟师凡二十万俱发,徐达、常遇春、冯国胜、廖永忠、俞通海等皆从。壬午,风覆国胜舟,公以其不利,遣还建康。癸未,师次湖口,先遣指挥戴德以一军屯于泾江口,复以一军屯南湖嘴,以遏友谅归师。遣人调信州兵守武阳

5231

渡,防其奔逸。

陈友谅围洪都凡八十有五日,丙戌,闻吴国公至,即解围,东出鄱阳湖以迎敌。公率诸军由松门入鄱阳湖,丁亥,与友谅师遇于康郎山。友谅列巨舟当其前,吴国公谓诸将曰:"彼巨舟首尾连接,不利进退,可破也。"乃命舟师为十一队,火器弓弩,以次而列,戒诸将:"近寇舟,先发火器,次弓弩,及其舟则短兵击之。"

戊子,命徐达、常遇春、廖永忠等进兵薄战。达身先诸将,击败其前军,杀千五百人,获一巨舰而还。俞通海复乘风发炮火,焚寇舟二十馀艘,杀溺死者甚众。徐达等搏战不已,火延及达舟,敌遂乘之,达扑火更战,公急遣舟援达,达力战,敌乃退。友谅骁将张定边,奋前欲犯公舟,舟胶浅,敌兵匝集,吴军格斗,定边不能近,遇春从旁射中定边,定边舟始却。通海来援,舟骤进,水涌,公舟遂脱。指挥韩成、元帅宋贵、陈兆先、万国胜等皆战死。

永忠随以飞舸追定边,定边走,身被百馀矢,士卒多死伤。既而遇春舟亦胶浅,公麾兵救之,俄有败舟顺流而下,触遇春舟,舟亦脱。会日暮,诸军欲退,公御楼船,鸣钲集诸将,申明约束。是日,命徐达还守建康,虑张士诚乘虚入寇故也。

己丑旦,公命鸣角,师毕集,乃亲布阵,复与友谅战。诸军奋击敌舟,敌不能当,杀溺死者无算。院判张志雄所乘舟樯折,为敌所觉,以数舟攒兵钩刺之,志雄窘迫自刭,丁普郎、余昶、陈弼、徐公辅皆战死。普郎身被十馀创,首脱,犹执兵若战状,植立舟中不仆。

时友谅悉巨舟连锁为阵,旌旗楼橹,望之如山,吴舟小,不能仰攻,连战三日,几殆。右师却,公命斩队长十馀人,犹不止,郭兴进曰:"非人不用命,舟大小不敌也。此非火攻不可。"公然之。至晡,东北风起,公命以七舟载火药其中,束草为人,饰以甲胄,各持军器,若斗敌者,令敢死士操之,备走舸于后。将迫敌舟,乘风纵火,风急火烈,须臾而至,其水寨数百艘悉被焚,烟焰涨天,湖水尽赤,死者大半,友谅弟友仁、友贵及其平章陈普略等皆焚死。师乘之,又斩首二千馀级。友仁,即所谓五王也,眇一目,有智数,骁勇善战。至是死,友谅为之丧气。普略,即新开陈也。

明日,公复谕诸将曰:"友谅战败气沮,亡在旦夕,今当并力蹙之。"于是诸将益自奋。时公所乘舟樯白,友谅觉,欲并力来攻。公知之,夜,令诸船尽白其樯,旦视莫能辨,敌益骇。辛卯,复联舟大战,大败敌兵。敌之巨舰,难于运转,吴兵环攻之,杀其卒殆尽,而操舟者犹不知,尚呼号摇橹如故,已而焚其舟,皆死。

俞通海、廖永忠、张兴祖、赵庸等,以六舟深入搏击,敌联巨舰,并力拒战。吴师望六舟无所见,谓已陷没,有顷,六舟旋绕敌舟而出,吴师见之,勇气愈倍,合战益力,呼声动天地,波涛起立,日为之晦。自辰至午,友谅兵大败,弃旗鼓、器仗,浮蔽湖面。张定边欲挟友谅退保鞋山,为吴师所扼,不得出,乃敛舟自守,不敢更战。

是日,公移舟泊柴棚,去敌五里许,数遣人往挑战,敌不敢应。诸将欲退师,少休士卒,公曰:"两军相持,先退非计也。"俞通海以湖水浅,请移舟扼江上流,公从之。时水路狭隘,舟不得并进,恐为敌所乘,至夜,令船置一灯,相随渡浅,比明尽渡,乃泊于左蠡。友谅亦移舟出泊诸矶,相持者三日,友谅左右二金吾将军率所部来降。

先是友谅数战不利,咨谋于下。其右金吾将军曰:"今战不胜,出湖实难,莫若焚舟登陆,直趋湖南,谋为再举。"左金吾将军曰:"今虽不利,而我师犹多,尚堪一战。若能戮力,胜负未可知,何至自焚以示弱!万一舍舟登陆,彼以步骑蹑我后,进不及前,退失所据,一败涂地,岂能再举耶?"友谅犹豫不决。至是战多丧败,乃曰:"右金吾言是也。"左金吾闻之,惧及祸,遂以其众降,右金吾见其降,亦率所部降。友谅复失二将,兵力益衰。

吴国公移书友谅曰:"曩者公犯池州,吾不以为嫌,生还俘虏,将欲与公为约从之举,各安一方以俟天命,此吾之本心也。公失此计,乃先为我仇,我是以破公江州,遂蹂蕲、黄、汉、沔之地,龙兴十一郡,奄为我有。今又不悔,复启兵端,自洪都迎战,两败于康山,杀其弟、侄,残其兵、将,捐数万之命,无尺寸之功,此逆天理、悖人心之所致也。公乘尾大不掉之舟,顿兵敝甲,与吾相持。以公平日之狂暴,正当亲决一战,何徐徐随后,若听吾指挥者,无乃非丈夫乎?公早决之。"友谅得书,怒,留使者不遣,犹建金字旗,周回巡寨,令获吴将士皆杀之。吴国公闻之,命悉出所俘友谅军,视有伤者,赐药疗之,皆遣还,下令曰:"但获彼军,皆勿杀。"又令祭其弟、侄及将士之战死者。

师出湖口,命遇春、永忠等统舟师横截湖面,邀其归路,又令一军立栅于岸,控湖口者旬有五日。友谅不敢出,复移书责之曰:"昨吾船对泊渚矶,尝遣使赍记事往,不见使回,公度量何浅浅哉!丈夫谋天下,何有深仇!江、淮英雄,唯吾与公耳,何乃自相吞并!公之土地,吾已得之,纵欲力驱残兵,来死城下,不可再得也。即公侥幸逃还,亦宜修德,勿作欺人之容,却帝名而待真主。不然,丧家灭姓,悔之晚矣。"友谅忿恚不答。

吴国公分兵克蕲州、兴国。友谅食尽,遣舟掠粮于都昌,朱文正使人燔其舟,友谅势益困。

是月,有星坠于庆元路西北,声如雷,光芒数十丈,久之乃灭。

八月,丁酉朔,倭人寇蓬州,守将刘暹击败之。自十八年以来,倭人连寇濒海郡县,至是海隅获安。

辛丑,库库特穆尔遣兵侵博啰特穆尔所守之境。

丙辰,沂州有赤气亘天,中有白色如蛇形,徐徐西行,至夜分乃灭。

戊午,博啰特穆尔言:"库库特穆尔踵袭父恶,有不臣之罪,请赐处置。"

陈友谅穷蹙,进退失据,欲奔还武昌,乃率楼船百馀艘趣南湖嘴,为吴军所遏。壬戌,友谅遂突出湖口,欲绕江下流遁去,吴国公麾诸军邀击,以火舟火筏冲之,追奔数十里,自辰至酉,战不解;至泾江口,泾江之师复击之。未几,有降卒来奔,言友谅在别舸中流矢,贯睛及颅而死。诸军闻之,大呼喜跃,益争奋,擒其太子善儿、平章姚天祥等。明日,平章陈荣等悉舟师来降,得士卒五万馀人。惟张定边夜以小舟来,窃载友谅尸及其次子理径走武昌,复立理为帝,改元德寿。

公之救安丰也,刘基谏,不听,至是谓基曰:"我不当有安丰之行。使友谅乘我之出,建康空虚,顺流而下,我进无所成,退无所归,大事去矣。今友谅不攻建康而围南昌,计之下者,不亡何待!"

九月,丁卯朔,吴国公发湖口,还建康。壬申,赐常遇春、廖永忠田,馀将士金帛有差。

壬午,吴国公命李善长、邓愈留建康,复率常遇春、康茂才、廖永忠、胡廷瑞等亲征陈理于武昌。

吴诸全叛将谢再兴,以张士诚兵犯东阳,左丞朱文忠率兵御之,部将夏子实、郎中胡深为前锋,与其兵遇于义乌。战方接,文忠自将精兵横出其后击之,再兴大败,遁去。深因建策,以为诸全乃浙东藩屏,诸全不守则衢不能支,请去诸全五十里,于五指山下筑城,分兵戍守,文忠从之。未几,士诚将李伯升大举来寇,兵号六十万,顿于城下,城坚不可拔,乃引去。

是月,太尉张士诚令其部属颂己功德,必欲求王爵。江浙丞相达实特穆尔谓左右曰:"我承制居此,徒藉口舌以驭此辈。今张氏复要王爵,朝廷虽微,必不为其所胁。但我今若逆其意,则目前必受害,当忍耻含垢以从之耳。"乃为具文书闻于朝,至再三,不报。士诚遂自称吴王,尊其母曹氏为太妃,治宫阙,置官属,改平江路复为隆平府。朝廷遣户部侍郎博啰特穆尔等征海运粮于士诚,士诚不与。时天下谓建康为西吴,平江为东吴,然士诚尚奉元正朔,江北诸郡,皆诡云为元恢复,而实自守之。

初,士诚拒海漕之命,淮省郎中俞思齐言于士诚曰:"向为贼,不贡犹可,今为臣,其可乎?"士诚怒,抵案扑地而入。思齐,海陵人,本阴阳家者流,士诚开藩,与有功焉。至是知不可为,即弃官而隐,权授淮省参政,遂杜门谢病以卒。

又有淳安鲁渊者,由进士迁浙西提学,士诚称王,命为博士,辞不拜,还山。士诚地连十州,诸将咸以为安,松江陈思独上书危之,不报,思遁居海上。

郎中参军事陈基,以谏止称王,欲杀之,不果,已而超授内史,迁学士院学士,凡飞书、走檄、碑铭、传记,多出其手。基每以为忧,而未能去也。

冬,十月,丙申朔,青齐一方赤气千里。

壬寅,吴国公至武昌,马、步、舟师水陆并进。既抵其城,命常遇春等分兵于四门,立栅围之,又于江中联舟为长寨,以绝其出入之路。分兵徇汉阳、德安,于是湖北诸郡皆降于吴。

甲辰,湖广伪姚平章、张知院阴使人言于库库特穆尔,设计擒杀其主陈理及伪夏主明玉珍,不果。

皇太子恶太傅泰费音不归奉元而止于沙井,己酉,令御史大夫布哈劾泰费音故违上命,当正其罪,诏悉拘所授宣命及所赐物,俾往陕西之西居焉。丞相绰斯戬因益诬奏之,安置土蕃,寻遣使者逼令自裁,泰费音至东胜,赋诗一篇,乃自杀。

是月,库库特穆尔遣金枢密院事任亮复安陆府。

博啰特穆尔遣兵攻冀宁,至石岭关,库库特穆尔大破走之,擒其将乌讷尔、殷兴祖。博啰军由是不振。

先是监察御史张冲等上章,雪故丞相托克托之冤,诏复托克托官爵,并给复其家产,召其子哈喇章、三宝努还朝。时额森特穆尔亦已死,乃授哈喇章中书平章政事,封申国公,分省大同;三宝努知枢密院事。

十一月,庚申,台臣又言:"托克托有大臣之体。向在中书,政务修举,深惧满盈,自求引退,加封郑王,固辞不受。再秉钧轴,克济艰危,统军进征,平徐州,收六合,大功垂成,浮言构难,奉诏谢兵,就贬以没。已蒙录用其子,还所籍田宅,更乞悯其勋旧,还所授宣命。"从之。

十二月,丙申朔,吴国公发武昌,还建康,命常遇春总督诸将守营栅,谕之曰:"彼犹孤独处牢中,欲出无由,久当自服。若来冲突,慎勿与战,且坚守营栅以困之,不患其城不下也。"

宦者资政院使保布哈与宣政院使托欢,内恃皇太子,外结丞相绰斯戬,骄恣不法,监察御史额森特穆尔、孟额森布哈、傅公让等,劾奏保布哈、托欢奸邪,当屏黜。御史大夫娄都尔苏以其事闻,皇太子执不下,而奇后庇之尤固,御史乃皆坐左迁。

治书侍御史陈祖仁上书皇太子言:"御史纠劾托欢、保布哈奸邪等事,此非御史之私言,乃天下之公论。今殿下未赐详察,辄加沮抑,使奸臣蠹政之情,不得达于君父,则亦过矣。夫天下者祖宗之天下,台臣者祖宗之所建立,以二竖之微,而于天下之重,台谏之言,一切不恤,独不念祖宗乎?且殿下职分,止于监国抚军,问安视膳而已,此外予夺赏罚之权,自在君父。方今毓德春宫,而使谏臣结舌,凶人肆志,岂惟君父徒拥虚器,而天下苍生亦将奚望!"

书奏,皇太子怒,令娄都尔苏谕祖仁,以谓:"托欢等俱无是事。御史纠言不实,已得美除。昔裕宗为皇太子兼中书令、枢密使,凡军国重事合奏闻者,乃许上闻,非独我今日如是也。"

祖仁复上书言:"昔唐德宗云:'人言卢杞奸邪,朕殊不觉。'使德宗早觉,杞安得相!是杞之奸邪,当时皆知之,独德宗不知耳。今此二人亦皆奸邪,举朝知之,在野知之,独殿下未知耳。且裕宗既领军国重事,理宜先阅其纲,若台谏封章,自是御前开拆。假使必皆经由东宫,君父或有差失,谏臣有言,太子将使之闻奏乎,不使之闻奏乎?使之闻奏,则伤其父心;不使闻奏,则陷父于恶;殿下将安所处?如知此义,则今日纠劾之章不宜阻矣,御史不宜斥矣。斥其人而美其除,不知御史所言,为天下国家乎,为一身官爵乎?斥者去,来者言,言者无穷而美除有限,殿下又何以处此?"

祖仁书既再上,即辞职,而台臣大小亦皆求退,于是皇太子以其事闻,保布哈、托欢乃皆辞罢。

帝令娄都尔苏谕祖仁等,祖仁上疏曰:"祖宗以天下传之陛下,今乃坏乱不可救药,虽曰天运使然,亦陛下刑赏不明之所致也。且区区二竖,犹不能除,况于大者?愿陛下俯从台谏之言,摈斥此二人,不令以辞退为名,成其奸计,使海内皆知陛下信赏必罚,自二人始,则将士孰不效力!天下可抚有以还祖宗。若犹优柔不断,则臣宁饿死于家,誓不与之同朝,牵连及祸也!"

疏奏,帝大怒。会侍御史李国凤亦上书皇太子,言:"保布哈骄恣无状,招权纳贿,奔竞之徒,皆出其门,骎骎有赵高、张让、田令孜之风。渐不可长,望殿下思履霜坚冰之戒,早赐奏闻,投之边徼以快众心,则纪纲可振,政治修而百废举矣。"

由是帝益怒,台臣自娄都尔苏以下皆左迁。而祖仁出为甘肃行省参知政事,时天极寒,衣单甚,以弱女托于其友朱毅,即日就道。

保布哈之被劾,娄都尔苏执其事颇力,太子深恶之,而奇后又潜之于内,未几,保布哈复为集贤大学士、崇政院使。

知枢密院事图沁特穆尔与丞相额森布哈俱屯田西方。一日,图沁治具,躬诣额森屯所饷之,额森自恃尊属,不受,图沁怒,坐额森营门外,呼军(土)〔士〕共啖之。额森不平,因诬其有异志,差五府官往讯。图沁忿曰:"我有何罪来问?"乃拘五府官,将往诉博啰特穆尔,会娄都尔苏亦惧诛,遂与图沁特穆尔皆奔大同,匿博啰特穆尔所。娄都尔苏者,帝母舅也,以故帝数谓太子寝其事,而太子不从,帝无如之何,乃传旨,密令博啰特穆尔隐其迹;而绰斯戬、保布哈皆附太子,欲穷究其事,遍图形求之。

保布哈见台宪弹劾不行,与其党谋曰:"十八功臣家子孙,朝夕在帝左右,我与汝等向日之所为,渠必得知,台臣亦必知之,终必为我不利。"绰斯戬曰:"彼皆娄都尔苏党也。娄都尔苏既为博啰所庇,必称兵犯阙,十八家为内应,社稷能无危乎!"遂诬娄都尔苏及额森呼图克、托欢等谋为不轨,遂执额森呼图克等送资政院,锻炼其狱,连逮不已。帝知其无辜,欲释其事,特命大赦,而绰斯戬增入条画内,独不赦前事。惟娄都尔苏逃匿博啰军中,馀皆远窜,有道死者,亦有贿免者。

额森呼图克,泰费音子也,赴贬所,行至中道,执政奏其违命,杖死之,年四十四。泰费音为相,务广延才彦,而额森呼图克亦倾身下士,名称藉甚,至是为奸臣所害。贺氏三世忠贞,皆死于非命,天下悲之。

是岁,吴宝源局铸钱三千七百九十一万有奇。

至正二十四年 【甲辰,1364】 春,正月,丙寅朔,吴李善长、徐达等奉表吴国公劝进,公曰:"戎马未息,疮痍未苏,天命难必,人心未定,若遽称尊号,诚所未遑。俟天下大定,行之未晚。"群臣固请不已,乃即吴王位,建百司官属,置中书省左右相国。以李善长为右相国,徐达为左相国,常遇春、俞通海为平章政事,汪广洋为右司郎中,张昶为左司郎中。

时小明王在滁州,中书设御座,以正旦行庆贺礼。刘基骂曰:"彼牧竖耳,奉之何为!"遂不拜。然犹以龙凤纪年,封拜、除授及有司文牒,并云"皇帝圣旨,吴王令旨"。

丁卯,吴命减取官店钱。先是设官店以征商,吴王以税重病民,故减之。

戊辰,吴王退朝,谓左相国徐达等曰:"卿等为生民计,共推戴予。然建国之初,当先正纪纲。元氏昏乱,纪纲不立,主荒臣专,威福下移,由是法度不行,人心涣散,遂至天下骚动。今将相大臣,当鉴其失,协心图治,毋苟且因循,取充位而已。"又曰:"礼法,国之纪纲,礼法立则人志定,上下安,建国之初,此为先务。吾昔起兵濠梁,见当时主将皆无礼法,恣情任私,纵为暴乱,不知驭下之道,是以卒至于亡。今吾所任将帅,皆当时同功一体之人,自其归心于我,即与之定名分,明号令,故诸将皆听命,无敢有异者。尔等为吾辅相,当守此道,无谨于始而忽于终也。"

二月,乙未朔,吴王以诸将围武昌久不下,复亲往视师。辛亥,至武昌,督兵攻城。

先是陈理太尉张定边见事急,潜遣卒缒城走岳州,告其丞相张必先使入援。至是必先引兵至洪山,去城二十里,王命常遇春率精锐五千击之,敌兵大败,遂擒必先。必先骁勇善战,人号为"泼张",城中倚以为重,及被擒,缚至城下示之曰:"汝所恃者泼张,今已为我擒,尚何恃而不降!"必先亦呼定边曰:"吾已至此,兄宜速降。"定边气索不能言。武昌城东南有高冠山,下瞰城中,诸将相顾莫能登,傅友德率数百人,一鼓夺之,矢中额,复洞胁,战益力,城中益丧气。

王复遣友谅旧臣罗复仁入城,谕理使降,复仁因请曰:"主上推好生之德,惠此一方,使陈氏之孤得保首领,而臣不食言,臣虽死不恨矣。"王曰:"吾兵力非不足,所以久驻此者,欲待其自归,免伤生灵耳。汝行,必不误汝。"复仁至城下号哭,理惊,召之入,复相持痛哭。哭止问故,复仁谕以王意,辞旨恳切。时陈氏诸将无出定边右者,定边亦知不可支。癸丑,陈理肉袒衔璧,率定边等诣军门降。理俯伏战栗,不敢仰视。王见其幼弱,起,挈其手曰:"吾不尔罪,勿惧也。"令宦者入其宫,传命慰谕友谅父母,凡府库储蓄,令理悉自取之,遣其文武官僚以次出门,妻子资装,皆俾自随。

师围武昌凡六阅月而降，士卒无敢入城，市井晏然不知有兵。城中民饥困，命给米赈之，召其父老抚慰，民大悦。于是汉、沔、荆、岳郡县相继来降，立湖广行省中书，以枢密院判杨璟为参政守之。

初，陈友谅命其兄友才，与左丞王忠信等守潭州，吴王至武昌，友才遣忠信来援，忠信战败而降，王授以参政，俾仍守潭州。友才率兵拒之于益阳，忠信巽辞开谕之，友才亦降，与其子俱送建康。友才，所谓“二王”者是也。

李明道被获，送武昌，伏诛。

明道，丰城人，故友谅将也，寻归吴，后复叛附于友谅。友谅败灭，明道惧，走归丰城，剪其发髦，逃匿武宁山中。有茶客识之，缚送武昌，王数其反覆之罪，戮之。

三月，乙丑，吴王至建康。丙寅，封陈理为归德侯。

吴置起居注、给事中。

戊辰，吴以中书左丞汤和为平章政事。

时和守常州，率元帅吴福兴以舟师徇黄杨山，遇张士诚水军，击败之，擒其千户刘文兴等，获风船六艘，故有是命。

己巳，吴王谓中书省臣曰：“郡县官年五十以上者，虽练达政事，而精力既衰，宜令有司选民间俊秀年二十五以上、资性明敏、有学识才干者，辟赴中书，与年老者参用之。后老者休致而少者已熟于事，如此则人才不乏而官使得人。其下有司，宣布此意，悉令知之。”

吴江西行省以陈友谅镂金床进，王观之，谓侍臣曰：“此与孟昶七宝溺器何异！以一床工巧若此，其馀可知。陈氏父子穷奢极靡，焉得不亡！”即命毁之。

辛未，吴王御西楼，有军士十馀人，自陈战功以求升赏，王谕之曰：“尔从我有年，才力勇怯，我纵不知，将尔者必知之。尔有功，予岂遗尔！尔无功，岂可妄陈！且尔曹不见徐相国耶？今贵为元勋，其同时相从者犹在行伍。予亦岂忘之？以其才智止此，不能过人故耳。尔曹苟能黾勉立功，异日爵赏，我岂尔惜！但患不力耳。”于是无有复言者。

乙亥，监察御史王多勒图、崔布延特穆尔谏皇太子勿亲征。

先是博啰特穆尔阴使人杀其叔父左丞伊珠尔布哈，佯为不知，往吊不哭。朝廷知其跋扈，又以匿娄都尔苏事，太子深疾之。且时方倚重于库库特穆尔，而库库驻兵太原，与博啰构兵，相持不解，于是绰斯戬、保布哈诬博啰与娄都尔苏谋为不轨。辛卯，下诏数博啰特穆尔悖逆之罪，解其兵权，削其官爵，候道路开通，许还四川田里。博啰杀使者，拒命不受。

【译文】

元纪三十五　起癸卯年（公元 1363 年）正月，止甲辰年（公元 1364 年）三月，共一年有余。

至正二十三年　（公元 1363 年）

春季，正月，乙巳（初四），大宁路被攻陷。

庚戌（初九），吴常遇春的兵马攻打池州神山寨，活捉罗友贤，杀了他，其他叛党都被剿平。

丙寅（二十五日），吴国公派中书省都事汪河送尹焕章返回汴梁，写信回复库库特穆尔说:"元朝朝政败坏,中原动荡不安,朝廷文武和地方军政大臣之间,互相猜疑忌恨,丧失军队的不受刑法处治,得志的人又违背朝命,年来日往,终于导致天下土崩瓦解。阁下的先王,从中原奋身而起,他的英勇善战和智计谋略,都超过所有雄杰英豪。我听说他但未曾相识,因此前年派人前来大梁,实际是想全面了解一下,不敢提出结交。没想到先王逝世,阁下您又以意气相期许,派人护送使者从海路跋涉前来,极愿推诚结交,又加上贵重的礼物,我感到非常欣慰!如今我将文绮若干聊为薄礼,来感谢您的厚意。从今以后,信使不断来往,商人贸易不止,我们之间不分彼此,这就是我的心愿。"

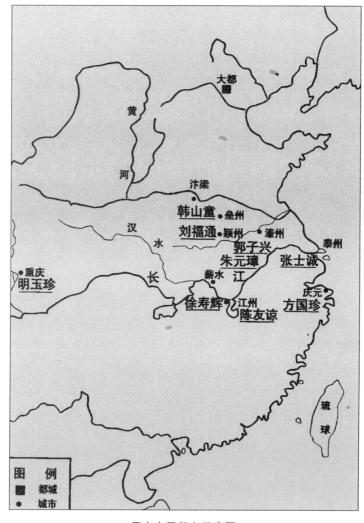

元末农民起义示意图

　　起初,吴国公命令各路将帅分别派人马在龙江等地屯田,只有康茂才积蓄的粮食充足,其他人都不如。二月,壬申朔(初一),吴国公下令再次告诫各路将帅:"屯田几年,没有多大功效,只有康茂才的屯田收获粮食一万五千余石,用来供应军粮外,还剩余七千石。分配的土地相等但收获却有多有少,这是由于屯田将士勤劳和懒惰悬殊的缘故。如今应该督促部队及时开垦,以便充分发挥土地的作用,也许可以使部队粮食充足,国家有所依靠。"

这一月，库库特穆尔带领部队从益都返回河南，留下索珠带兵防守益都，在山东州县设立屯田万户府。

都昌的盗贼江爵等攻陷饶州。当时吴将帅于光和吴弘、吴毅等有矛盾，江爵趁此机会引诱陈友谅部将张定边、蒋必胜前来进犯；于光等人在仓促间没有防备，都逃出城去，综理饶州军务佥问穆蔓死于难中，郎中杨宪跑回建康。

张士诚派兵攻打安丰，命令吕珍为前锋，要弟弟张士信带领大军随后。吕珍到达安丰，包围了安丰城，过了很久，安丰城中有人吃人，有人将井中泥土做成泥丸，用人油炸着吃。刘福通处境窘迫，派使者向建康告急。吴国公说："安丰城破，张士诚会更嚣张，不能不援救。"刘基劝说道："陈友谅正在寻找机会，我们不能行动。"

三月，辛丑朔（初一），彗星在东方出现，历时一个月才消逝。

朝廷下诏命中书平章政事爱布哈在冀宁设分省，库库特穆尔派兵占据冀宁。

吴国公带领右丞徐达、参政常遇春等援救安丰。

吕珍已经攻下安丰，杀死刘福通，听说吴军前来，便将水陆营寨相连，战船遮蔽沙滩，河边都树置木栅，再用竹篱笆环绕，外面挖掘深沟，打败了吴的左右两翼部队。吴国公命令常遇春带兵横冲敌阵，三次交战三次获胜，俘虏敌人士兵马匹不计其数。这时庐州左君弼出兵来帮助吕珍，遇春又打败了他。吕珍和左君弼都逃走了，安丰城围解除。吴国公便命令士兵每人带米堆积在东门之外，以拯救城中饥饿的人；带着小明王返回，将他安置在滁州。吴国公返回建康，命令徐达等将部队移往庐州征讨左君弼，包围了庐州。竹昌、忻都便趁机进入安丰。

丙午（初六），朝廷大赦天下。

丁未（初七），顺帝廷试进士六十二人，分别赐给宝宝、杨锐等人进士及第、进士出身。

壬戌（二十二日），大同路有一道赤气横贯天空，中间部分穿过北斗。

这个月，设立广西行中书省，任命廉访使额尔德尼为平章政事。当时南方郡县大多沦陷丧失，只有额尔德尼独自保全广西壮族自治区达十五年之久。

设立胶东行中书省和行枢密院，统一管理东方事务，任命袁宏为参知政事。

闰三月，丁丑（初七），吴处州翼总制胡深上书吴国公说："关市征税，旧例是二十分取一分。现在命令盐货十分收税一分，税额太重，商人不再贩卖，因而造成盐货壅塞堆积，致使军储缺乏，而且使江西、浙东的百姓很少吃到盐。又如硫黄、白藤、苏木、棕毛等货物，都是靠商人们贩卖，现在十五分中取税一份，也只怕会因为税额太重而导致无法流通。请求仍旧按二十分收一分税的惯例，那么这些货物就会不断地流通，军队的费用也会充足。"吴国公同意了他的提议。

夏季，四月，壬戌（二十三日），陈友谅又大举进兵包围洪都。

当初，陈友谅愤恨他的领土日益缩小，便制作大船前来进攻。大船高达几丈，外表用红漆粉饰，上下三层，每层设置走马棚，下面设置板房作隐蔽；安置几十只船橹；船中上下层人讲话互相听不见；船舱都用铁皮包裹；满载着他的家属、文武百官，举国前来。友谅上次攻打洪都，将大船趁水势上涨靠近城墙登城，到这次时城墙已移到离江三十步远，大船再不能接近，便带兵马包围城池，气势很浩大。吴都督朱文正和诸将商议，分别防守抵抗；参政邓愈防守抚州门,元帅赵德胜等守宫步、土步、桥步等各门,指挥薛显防守章江、新城二门,元帅牛海龙防守琉璃、澹台二门,文正坐镇中央统一指挥各路将帅。

吴院判谢再兴在诸全州叛乱,杀死知州栾凤,栾凤妻子用身体掩护栾凤,被一起杀死。抓住参军李梦庚。元帅陈元刚等奔往绍兴,向张士诚投降。总管胡士明,抛弃妻儿,一个人逃向建康。左丞朱文忠听说叛乱,派同金胡德济带兵驻扎在五指山下,自己带领精兵二千人来回应援以便抵御。乙丑(二十六日),诸全州将叛乱之事报告吴国公,吴国公因此任命胡德济为浙江行省参政。德济派万户王克瑰返回敌境地侦察,遇到士诚的士兵,被抓遇害。

起初,谢再兴将部将左总管、糜万户当作心腹,两人常派人到杭州贩卖货物。吴国公知道两人暗中泄漏军政机密,抓住两人杀死,召谢再兴前来建康,并派李梦庚统管诸全军马。吴国公因为再兴的大女儿嫁给兄长之子朱文正,小女儿嫁给徐达,恩义非常深厚,因而让再兴返回诸全防守。谢再兴因为李梦庚位居自己之上,心中愤愤不平,因而发动了叛乱。

丙寅(二十七日),陈友谅攻打抚州门,士兵每人戴着一顶如箕样的竹盾,用来抵挡箭石,全力前来攻打,城墙打坏三十多丈。邓愈用火铳打退了陈军,随即竖起木栅遮挡缺口。敌军争夺木栅,朱文正指挥将士殊死拼战,边打边筑城,一通晚便完成了。在这一战中总管李继先、元帅牛海龙、赵国旺、许珪、朱潜、万户程国胜等人都战死了。

这个月,库库特穆尔派部将摩该等带兵攻打张良弼。

五月、己巳朔(初一),张士诚从海路运粮十三万石到京师。

陈友谅知院蒋必胜、饶鼎臣等攻占吉安府。

当时吴将李明道和曾万中兄弟闹矛盾,明道因而暗中勾结蒋必胜,邀约他前来攻打。蒋兵到城下,明道放火做内应,打开西门放进蒋军,杀害参政刘齐、知府朱叔华。曾粹中逃走,被仇家黄如渊抓住送给饶鼎臣,饶杀了粹中。蒋必胜又攻下临江府,抓住同知赵天麟,也因为不屈服而被杀。

癸酉(初五),吴设置礼贤馆。

在此之前,吴国公聘请众名儒相聚建康,与他们谈论经史并向他们请教当时的时政,对他们非常敬重和信赖。到这时又命令有关官府在他们居住地的西面创设礼贤馆安置他们。陶安、夏煜、刘基、章溢、宋濂、苏伯衡、王祎、许元、王天锡等人,都住在礼贤馆中。

陈友谅的兵马攻占无为州,知州董曾死于此难。董曾守卫无为州时,招集流亡人员,让他们各自恢复本职,州中百姓因此安定了。到城被攻占,敌人逼迫他投降,董曾大声斥骂不肯屈服,敌军因此将他绑住,沉到江中。

丙子(初八),陈友谅再次攻打新城门,吴指挥薛显带领精锐兵士打开城门突然冲出交战,杀死陈的平章刘进昭,活捉副枢赵祥,敌兵便退走了。

百户徐明被抓,遇害。徐明有胆略,曾出城打劫友谅营寨,缴获他的良马返回,所以敌人看见徐明,就全力以赴杀死了他。

庐州城三面有水阻挡,徐达等攻打不下。不久左君弼在城上架设钓桥,徐达说:"君弼躲藏在城中,很久不见出城,今天突然准备钓桥,他是准备晚上出城劫我营寨。"下令军中严加戒备。等到半夜,听到钓桥有响动,城中兵马突然杀到。徐营中万箭齐发,君弼逃跑,徐达指挥兵马追杀,左君弼大败,跑进城中,收束兵马死守,徐达攻打了三个月也没攻下。

六月，戊戌朔（初一），博啰特穆尔派方托克到彰德迎接匡福。库库特穆尔派兵追赶，失败后返回。匡福于是占领保定路。

己亥（初二），库库特穆尔的部将岱噜等驻扎在蓝田、七盘，李思齐包围兴平攻打，因而占领盩厔。博啰特穆尔奉朝廷诏命前去讨伐襄汉之敌，但被岱噜阻挡了前进的道路，思齐又跟在后面袭击，他便请求朝廷催促库库从潼关东出，道路疏通后，便立即向南进讨。

戊申（十一日），博啰特穆尔派珠展等进入陕西，占领陕西行省省治。

当时陕西行省右丞达实特穆尔与陕西行台有冲突，而且担心陕西被库库特穆尔占领，暗中勾结博啰特穆尔，邀请珠展进城，抢劫御史大夫鄂勒哲特穆尔和监察御史张可遵等人的印信。此后多次有使者召鄂勒哲特穆尔回京，珠展扣留他不放他走。库库派摩该和李思齐联合进攻，珠展出城投降，因而跟随库库。

辛亥（十四日），陈友谅增加了攻城的器械，想攻破栅栏从水门攻进去。吴朱文正派壮士用长矛从木栅内向外刺击敌兵，敌兵夺过长矛后再往里攻。文正便命令烧红铁戟、铁钩，穿过栅栏刺向敌兵，敌兵又来抢夺，手都被烫烂，不能攻进。友谅用尽攻打的办法，城中的抵抗也随机应变。友谅又攻打宫步、士步二门，元帅赵德胜全力抵抗，傍晚，坐在宫步门楼上指挥士兵作战，流箭射中腰部而死。

甲寅（十七日），中书省上奏说："江浙、福建举人从海道跋涉前来京师应试，有六个人已经超过了会试期限，应该授予教授职务；还有三人参加会试未被录取，也应授予教授职务，这不只是对他们跋涉险阻的辛苦表示慰劳，而且也可借此来激励远方的忠诚义士。"朝廷同意。

洪都被包围很久后，内外交往断绝，音讯不通，朱文正派千户张子明向建康告急。子明驾着从东湖找的小渔船，晚上从水关偷偷划到石头口，日伏夜行，经过半个月才到达建康，见到吴国公，详细陈述了情况。吴国公问："陈友谅部队的情形怎么样？"回答说："仗虽打胜了，但战斗中死的人也不少。如今江水日益干涸，贼人的战船将发挥不了作用。又出师很久粮食缺乏，如果援兵到达，一定可打败他们。"吴国公对子明说："你回去告诉文正，只要坚守一个月，我自有办法打败他们，不值得忧虑。"

子明返回，到湖口时被友谅的兵士抓获。友谅对他说："你能诱使文正投降，不只可以不死，还可以富贵。"子明假装答应他，到城下，大声喊道："大军就要到了，只要死守等待。"陈友谅大怒，杀了他。

秋季，七月，戊辰朔（初一），京师降下一场大冰雹，损坏了庄稼。

癸酉（初六），吴国公亲自率领兵马援救洪都。

当时徐达、常遇春将左君弼包围在庐州城内，吴国公派使者命他们撤围，说："为了庐州而丢失南昌，不合算。"徐达、常遇春便返回了。

这天，吴国公召集众将领，告诉他们将亲自前去的意思，于是在龙江祭祀大旗，水军共二十万一齐出发。徐达、常遇春、冯国胜、廖永忠、俞通海等都跟随同往。壬午（十五日），大风吹翻了冯国胜的座船，吴国公认为不吉利，将他遣送回建康。癸未（十六日），军队到达湖口，先派指挥戴德带一军驻扎在泾江口，又派一军驻扎南湖嘴，以便阻挡友谅撤走部队。派人调遣信州兵马守卫武阳渡，防止友谅逃脱。

陈友谅包围洪都一共八十五天。丙戌（十九日），听说吴国公前来，当即撤出包围部队，东向出鄱阳湖迎战。吴国公率各路军队从松门进入鄱阳湖,丁亥(二十日),和友谅的部队在康郎山相遇。友谅在前面排列大船,吴国公对众将说:"敌人大船首尾连接,进退不灵敏,可以攻破。"便命令水军分为十一队,装载火器弓弩,按顺序排列,告诫众将帅说:"靠近敌船,先发射火器,然后放箭,碰到敌船后就用短兵器攻打。"

戊子(二十一日),命令徐达、常遇春、廖永忠等进军与敌人交战。徐达冲在最前面,打败敌人前军,杀死一千五百人,缴获一只大船返回。俞通海又乘风发射炮火,烧毁敌船二十多艘,杀死、淹死的人很多。徐达等不断与敌人拼杀,火烧到徐达船上,敌人便乘机扑来,徐达扑灭火后继续拼杀,吴国公急忙派船援助徐达,徐达奋力作战,敌人才退下去。友谅的手下猛将张定边,奋勇上前想侵犯吴国公的船只,船搁浅,敌兵围拢来,吴兵士拼杀,定边不能接近,遇春从旁边射中定边,定边的船才退走。通海来援救,船突然前来,水势上涨,吴国公的船便浮动了。指挥韩成、元帅宋贵、陈兆先、万国胜等人都战死了。

廖永忠随着飞船追赶张定边,定边逃跑,身上中了百多箭,士兵死伤很多。接着常遇春的船也搁浅,吴国公指挥兵马援救,一会儿有一只打坏的船顺流而下,碰上遇春的船,将船也解脱出来。这时天已傍晚,各军都想撤兵,吴国公登上楼船,敲钲召集诸将,申明军纪。这天,命徐达返回建康防守,这是担心张士诚乘虚进犯的缘故。

己丑(二十二日)早晨,吴国公命令吹响号角,军队集合完毕,便亲自布置阵势,再与友谅交战。各军奋勇攻打敌船,敌人无法抵挡,杀死、淹死的人不计其数。院判张志雄乘坐的船桅杆折断,被敌军发觉,派几只船集中兵器围刺他的船,志雄处境危急中自杀,丁普郎、余昶、陈弼、徐公辅都战死了。普郎身上受了十多处伤,头被砍了,手中还拿着兵器像拼杀一样,站立在船中不倒。

当时友谅军队都是大船连锁成阵,船上的旗帜楼橹,看上去像山一样,吴船小,无法仰攻,连战三天,差点失败。右翼军船后退,吴国公命令处死队长十多人,还是无法制止,郭兴进言说:"不是将士不肯卖力,是船太小无法相敌。这非用火攻不可。"吴国公认为很对。到了黄昏时候,刮起东北风,吴国公命令用七只船载上火药,扎草做人状,配上盔甲战袍,手中拿着武器,像准备战斗的样子,命令敢死队员操纵,在后面准备了快艇。将靠近敌船,顺着风向放起火,风急火猛,一下子便到了,友谅水寨几百只船都被烧着,火光冲天,湖水都红了,死的人有一大半,友谅弟弟友仁、友贵和他的平章陈普略等都被烧死。吴军趁机攻打,又杀死二千多人。友仁,就是常说的五王,一只眼睛瞎了,他有智谋,勇猛善战。到这次死去,友谅因此非常沮丧。陈普略,就是新开陈。

第二天,吴国公又对众将帅说:"友谅在战争失败后非常丧气,灭亡就是早晚的事,今天我们要齐心合力紧逼猛打。"因此众将帅更加奋勇争先。当时吴国公的座船桅杆是白的,友谅发觉后,想集中兵力来攻打。吴国公知道后,晚上下令将所有船桅都刷成白色,早晨看去无法辨认,敌人更加害怕。辛卯(二十四日),又联合战船激烈拼杀,大败敌军。敌人的大船,运转困难,吴军环绕攻打,将敌士兵差不多杀光了,而操纵船只的人还不知晓,还照旧呼号摇橹,接着放火烧船,所有的人都死了。

俞通海、廖永忠、张兴祖、赵庸等人指挥六只船插入敌船阵中拼杀,敌人联结大船,一齐抵抗。吴军看不见六只战船,认为都被打沉了,过了一会儿,六只船绕着敌船旁边冲出,吴军看到后，勇气倍增，更加齐心合力冲杀，呼喊声震天动地，波涛汹涌，太阳也变得暗淡无光。自辰时到午时，友谅军大败，丢弃的旗鼓、器杖，湖面上漂得到处都是。张定边想护着陈友谅退向鞋山防守，被吴军阻挡，无法逃出，便收拢船只防守，不敢再交战。

这天，吴国公移船到柴棚停泊，离敌船五里左右，多次派人前去挑战，敌军不敢应战。众将帅想退兵，稍微休整军马，吴国公说："两军相持，先退不是办法。"俞通海认为湖水太浅，请求将船移到上游防守，吴国公同意了。当时水路狭窄，船无法一同前进，担心被敌人乘机攻打，到晚上，下令每船设置一灯，紧跟着渡过浅水区，到天亮时全部渡完，便停泊在左蠡。陈友谅也移船出湖到渚矶停泊。双方相持了三天，陈友谅的左右二金吾将军带领所属部队前来投降。

在这之前友谅几次战斗不利，向他的部下询问计谋。右金吾将军说："如今战斗失败，出湖很困难，不如烧掉船只登岸，径直前去湖南，想法再战。"左金吾将军说："如今虽然不利，但我军还很多，还可以一战。如果能努力，胜负还不可知，哪里至于烧船示弱！舍船登陆，万一敌人用步兵骑兵跟着追打，进无法向前，退没有依赖，一败涂地，难道还能再次作战吗？"陈友谅犹豫不决。到这时战斗大多是失败，便说："右金吾的话是对的。"左金吾听到后，害怕遭杀害，便带着他的兵马投降；右金吾看到他投降，也率部下投降。陈友谅又丧失两将，兵力更加减弱。

吴国公写信给友谅说："前些时候您侵犯池州，我没因此而产生嫌隙，反而送回俘虏，打算与您订结合纵的盟约，各安一方来等待天命，这是我的本心。您放弃这个办法，却首先与我为仇，我因此攻下您的江州，进而占领蕲、黄、汉、沔等地方，龙兴十一郡，都为我所有。如今又不省悟，再次挑起战端，从洪都迎战开始，在康山两次被打败，你的弟弟、侄儿被杀死，将士死伤，丧失了几万条生命，没有一点儿功绩，这都是你违背天理、背叛民心而导致的。您乘坐运转不灵的船只，带着疲惫不堪的将士，却与我相持不下。凭着您平时的狂暴性格，正应该亲自决一死战，为什么慢慢地跟在我后面，就像听我指挥一样，恐怕不是大丈夫的作为吧？您早下决心吧。"陈友谅得信后，大怒，扣留使者不放回，还竖起金字旗，来回巡视营寨，下令抓到吴的将士一律杀死。吴国公听说后，命令将所有俘虏的友谅将士放出来，看到有战伤的，送药物治疗，然后都遣送回去，下令说："只要俘虏了对方将士，都不准杀害。"又命令祭祀陈友谅的弟弟、侄儿和战斗中死亡的将士。

军队出湖口后，吴国公命常遇春、廖永忠等统率水军横隔湖面，阻挡陈友谅的退路；又派一军在岸上设置木栅，控制湖口达十五天。陈友谅不敢出来。吴国公又写信责备他说："昨天我的船停在渚矶对面，曾派使者送去一封信，却不见使者返回，您的度量为什么如此浅窄呢！大丈夫谋取天下，有什么深仇！江淮之间的英雄，只有我和公，为什么要如此自相吞并！您的土地，我已得到，即使想全力驱使残兵败将，前来送死，也无法再得到。就是您侥幸逃回去，也应修养德行，不要作欺骗人的样子，要撤去帝号以等待真正的帝王。否则的话，到了身败名裂、家族覆灭的时候，再来后悔就晚了。"陈友谅恼羞成怒没有回复。

吴国公分别派兵攻克蕲州、兴国。陈友谅粮食吃尽，派船到都昌抢夺粮食，朱文正派人烧了船只，陈友谅的处境更加困难。

这一月，庆元路西北方有星星坠落，声音如雷，光芒达几十丈，过了很久才熄灭。

八月,丁酉朔(初一),倭人侵犯蓬州,守将刘暹打败了他们。从至正十八年以来,倭人连连侵犯沿海郡县,到这时海边才获得安宁。

辛丑(初五),库库特穆尔派兵侵犯博啰特穆尔防守的领地。

丙辰(二十日),沂州有赤气横贯天空,中间有白色像蛇一样,慢慢向西爬行,到夜间才消逝。

戊午(二十二日),博啰特穆尔上奏朝廷说:"库库特穆尔继承了他父亲的恶行,有大逆不道的罪行,请求皇上处治。"

陈友谅穷迫局促,进退无路,想逃窜回武昌,便率领楼船百多艘向南湖嘴退去,被吴军阻击。壬戌(二十六日),友谅冲出湖口,想绕到长江下流逃走,吴国公指挥各路军队拦截,用火船、火筏撞击陈船,追赶了几十里,从辰时到酉时,激战不止;到泾江口时,泾江的部队又攻打上来。不一会,有前来投降的士兵说,友谅在别的船上中了流箭,箭穿过眼睛到脑颅而死。各军听说后,欢呼雀跃,更加奋勇争先,活捉陈友谅的太子善儿、平章姚天祥等人。第二天,平章陈荣等带着所有水军前来投降,得到五万多士兵。只有张定边晚上划着小船前来,偷偷装着友谅的尸体和他的第二子陈理一直逃回武昌,又拥立陈理为帝,改称德寿元年。

吴国公前去援救安丰时,刘基劝阻,没有采纳,到这时吴国公对刘基说:"我不应该有安丰的那次行动。假使陈友谅趁我外出,建康空虚,沿江而下,我进没有什么成效,后退又没了归路,那就大势已去了。如今陈友谅不攻打建康却包围南昌,是最下等的计策,还有什么不灭亡的!"

九月,丁卯朔(初一),吴国公从湖口出发,返回建康。壬申(初六),赐给常遇春、廖永忠田地,其他将士赐给多少不同的金、帛。

壬午(十六日),吴国公命令李善长、邓愈留守建康,自己又率领常遇春、康茂才、胡廷瑞等前往武昌征讨陈理。

吴诸全州叛将谢再兴,带着张士诚的兵马攻打东阳,左丞朱文忠带兵抵抗,部将夏子实、郎中胡深任先锋,与敌军在义乌相遇。交战刚开始,朱文忠亲自带精兵从敌军后方横冲而出,谢再兴被打得大败,逃走。胡深因而提出建议,认为诸全州是浙东的藩篱屏障,诸全州失守将使衢州无法坚守,请求在离诸全州五十里的五指山下构筑城池,分派兵力防守,朱文忠同意了。不多久,张士诚的部将李伯升大举前来进犯,兵马号称六十万,屯驻城下,因为城池坚固无法攻克才带兵离去。

这一月,太尉张士诚命令他的部属歌颂自己的功德,一定要求封王。江浙丞相达实特穆尔对身边的人说:"我受朝廷委派住在这里,只是凭着言辞来管理这些人。如今张氏又要求封王,朝廷虽然衰微,肯定不会被他胁迫。但我现在要是违背他的意愿,那眼下就会受害。我应该忍受耻辱来顺从他。"于是将此事写成文书上报朝廷,三番五次地上奏,朝廷没有答复。张士诚便自称吴王,尊封他的母亲曹氏为太妃,修建宫殿,设置官属,将平江路又改为隆平府。朝廷派户部侍郎博啰特穆尔等向张士诚征调海运粮食,张士诚不给。当时天下称建康为西吴,平江为东吴,但张士诚还是尊奉元朝的历法,江北的各郡县,都诡称替元朝廷收复了,实际上是自己占领了。

起初,张士诚拒绝海运粮食入京的命令,淮省郎中俞思齐对张士诚说:"以前做强盗,不进贡还可以,现在做了臣子,不进贡行吗?"张士诚大怒,推翻桌子走了进去。俞思齐,是海陵人,本来是阴阳家那类人,张士诚成为元的藩镇,俞思齐是有功劳的。到这时知道对张士诚没有什么指望,就放弃官职隐居。张士诚暂时授予他淮省参政,他就堵塞门户称病直到去世。

又有淳安人鲁渊,从进士迁任浙西提学,张士诚称王后,命他为博士,他辞谢不受,返回山野隐居。张士诚的领土联结十州,众将领都认为安全,只有松江人陈思上书认为危险,张士诚不做答复,陈思就隐居到海上。

郎中参军事陈基,因为劝阻张士诚称王,张想杀他,没有执行,不久又破格任命他为内史,迁任学士院院士,所有紧急书信、快递檄文、碑铭、传记,大多出自他的手笔。陈基常为做这些事而担忧,但无法离开。

冬季,十月,丙申朔(初一),青、齐一带有赤气绵延千里。

壬寅(初七),吴国公到达武昌,骑兵、步兵、水军水陆并进。抵达武昌城后,命令常遇春等分别带兵在城的四门,设立木栅包围,又在江中联结船只组成长寨,以便断绝城中出入道路。分别派兵攻打汉阳、德安,于是湖北各郡都向吴投降。

甲辰(初九),湖广伪姚平章、张知院暗中派人告诉库库特穆尔,将设下计策活捉并杀死他们的国主陈理和伪夏主明玉珍,没能干成。

皇太子厌恨太傅泰费音不返回奉元却停留沙井,己酉(十四日),命令御史大夫布哈检举揭发泰费音故意违反皇帝旨命,应该治他的罪,皇帝下诏将授给泰费音的任职诏书和所赏赐的物品全部没收,让他前往陕西西边居住。丞相绰斯戬因此更进一步地上奏诬陷他,使他到吐蕃居住,接着派使者逼迫他自杀。泰费音到达东胜时,赋诗一篇,然后自杀。

这一月,库库特穆尔派金枢密院事任亮收复安陆府。

博啰特穆尔派兵攻打冀宁,到石岭关时,库库特穆尔大败他们,活捉他的将领乌讷尔、殷兴祖,其他人逃走。博啰的军队从此一蹶不振。

在这以前,监察御史张冲等人上奏章,为前丞相托克托澄清冤情,朝廷下诏恢复托克托的官爵,并发还他的家产,召他的儿子哈喇章、三宝努回京师。这时额森特穆尔也已经死了,于是授予哈喇章中书平章政事职务,封为中国公,在大同建立中书分省;三宝努任知枢密院事。

十一月,壬申(初七),御史台官员又上奏说:"托克托具有大臣的风度。以前在中书省时,政务处理得当,又非常担心太圆满了会骄傲自大,便请求辞职,皇上加封他为郑王,他坚决不肯接受。他再次掌握国家政权后,克服艰难险阻,统率大军征讨贼盗,平定徐州,收复六合,大功即将告成,却被流言蜚语毁谤,遵奉诏命放弃兵权,接受贬谪直到死去。现在已经蒙皇上任用他的儿子,发还了被没收的田地房屋,还恳请皇上怜悯他是过去的功勋大臣,发还曾经授予他职位的诏命。"顺帝同意了。

十二月,丙申朔(初一),吴国公从武昌启程,返回建康,命令常遇春统一指挥各将领防守营栅,告诫他说:"敌人就像一只孤独的小猪被关在圈中,想出来却没有办法,时间一久就会屈服。如果前来挑战,切记不要应战,只需坚守营栅来困死他们,不怕此城不下。"

宦官资政院使保布哈和宣政院使托欢,在宫内依仗皇太子,在朝中勾结丞相绰斯戬,骄横放肆,无法无天,监察御史额森特穆尔、孟额森布哈、傅公让等,检举揭发保布哈、托欢奸险邪恶,应该罢免放逐他们。御史大夫娄都尔苏将这件事报告上去,被皇太子扣压下来,而奇后包庇他们更加坚硬,御史们便都被贬职。

治书侍御史陈祖仁上书对皇太子说:"御史检举揭发托欢、保布哈奸险邪恶等罪行的奏章,并不是御史私人的意见,而是天下人的公论。如今殿下您没有仔细考察,就加以扣压,致使奸臣破坏朝政的情况,无法达到皇上手中,这也太过分了。天下是您祖宗创下的天下,御史大臣是您的祖宗设立的监察官员,因为二个微不足道的小人,而对天下的重要,御史劝谏的意见,一概不加考虑,难道不想想祖宗吗?况且殿下您的职权,只在监国、抚军,问候皇上的饮食起居而已,这以外的给予、剥夺、赏赐、惩治的权力,自有您的君父决定。如今您在东宫修养德操,却使讽谏大臣不敢讲话,凶狠的奸人任性妄为,难道只是您的君父空有皇位,天下百姓又将指望什么呢!"

陈祖仁的上书送来后,皇太子非常生气,命令娄都尔苏告诫祖仁,要他说:"托欢等都没有这些事。御史检举不实,已得美差。过去裕宗当皇太子兼任中书令、枢密使,所有军政重要事情只有需要奏明皇上的,才允许奏明,并不只是我今天这样做。"

祖仁又上书说:"昔日唐德宗说:'别人说卢杞奸诈邪恶,我一点也没感觉。'假使德宗早点发觉,卢杞怎么会当上丞相!这只是卢杞的奸邪,当时人都知道,唯独德宗不知道罢了。现在这两个人也都是奸诈邪恶的人,朝廷文武知道,天下士民知道,只有殿下您不知道。而且裕宗既然管领军政大事,理应先阅读纲要,如果是御史谏章,自然是到皇帝面前开拆。假使一定都要经过东宫,皇帝若有过失,谏臣劝谏,太子是将这些奏章送给皇上,还是不让皇上知道?送给皇上,就会伤害皇上的心;不让皇上知道,就会使皇上陷入罪恶之中。殿下将如何处理呢?如果您明白了这些道理,那么今日检举揭发的奏章就不应该扣压,御史不应该贬职。被贬斥的御史又给予美好的官职,不知道御史的上奏,是为了天下国家呢,还是为了自己的官位?被贬斥地离开了,后来的又继续劝谏,劝谏的人没有穷尽但美差却是有限的,殿下您又如何处理呢?"

祖仁连续两次上书后,立即辞职,而御史台大小官员也都请求辞职,于是皇太子将弹劾奏章送给顺帝,保布哈、托欢才辞去职务。

顺帝要娄都尔苏告诉祖仁等人,祖仁上奏章说:"祖宗将天下传给陛下,如今天下却毁坏混乱到不可救药,虽然说是天运促使它如此,也是陛下赏罚不明而导致的。即使只是区区两个小人,也无法除掉,何况更大的呢?希望陛下采纳御史们的劝谏意见,将这两人除去,不要让他们借着辞职的名义,完成他们的奸计,使天下人都知道陛下奖惩严明,从这两个人开始,那将士们谁不会努力报效陛下呢!天下就可以安抚平定来还给祖宗。如果还是优柔寡断,那么我宁愿在家中饿死,发誓决不和他们同列朝中,受牵连而遭祸殃!"

奏章送上去后,顺帝非常愤怒。恰巧侍御史李国凤也上书皇太子说:"保布哈骄纵放肆,专权受贿,一班追名逐利的人,都出自他的门下,很快就会有赵高、张让、田令孜那样的作风。不能让它逐渐形成气候,希望殿下思考古人'履霜坚冰至'的训诫,早日将事实奏明皇上,将他们发配到边陲来大快人心,那么朝廷纲纪就可以重振,可以政治清明而百废俱兴。"

因此顺帝更加愤怒,御史台官员从娄都尔苏起都被贬职,而陈祖仁从朝廷调出任甘肃行省参知政事。当时天气极为寒冷，陈祖仁衣服非常单薄，他将幼小的女儿寄托给朋友朱毅，当日就启程上路。

保布哈被检举揭发，娄都尔苏做这事时出力最多，皇太子非常痛恨他，而奇后又在宫中说他的坏话，不多久，保布哈又被任命为集贤大学士、崇政院使。

知枢密院事图沁特穆尔和丞相额森布哈都在西方屯田。一天，图沁做了酒肴饭食，亲自前往额森屯田的地方慰问他们，额森依仗自己是长辈，不接受，图沁很气愤，便坐在额森的营门外，招呼士兵一起吃掉了。额森心中不平，便诬陷图沁有叛逆之心，差遣五府官吏前去审讯。图沁愤怒地说："我有什么罪要前来审问？"便扣留了五府官，准备前去向博啰特穆尔申诉，恰逢娄都尔苏也害怕被处死，因而与图沁特穆尔一起投奔大同，隐藏在博啰特穆尔那里。娄都尔苏，是顺帝的母舅，因此顺帝多次要太子停止深追这事，但太子不听，顺帝没办法，便传下旨意，秘密地命令博啰特穆尔将他隐藏起来；但绰斯戬、保布哈都依附太子，想深入追究这件事，到处张贴图像寻找他。

保布哈看到御史台的检举没有结果，和他的同党商议说："十八功臣家的子孙，日夜侍奉在顺帝身边，我和你们往日的所作所为，他们一定都知道，御史台官员也一定知道，最后还是对我不利！"绰斯戬说："他们都是娄都尔苏的同伙。娄都尔苏既然被博啰包庇，一定会兴兵侵犯朝廷，十八家再作内应，国家不会有危险吗？"于是诬陷娄都尔苏和额森呼图克、托欢等阴谋造反，便抓住额森呼图克等送到资政院，枉法罗织罪名，受牵连的人不断。顺帝知道他们是无辜的，想解脱这件事，特地下令大赦天下，但在绰斯戬增加的大赦条例中，单单不赦这件事。只有娄都尔苏逃藏在博啰军中，其他人都被放逐远方，有的人死在路途中，也有人因行贿而得免的。

额森呼图克是泰费音的儿子，前往被贬逐的地方，走到路途中，执掌朝政的人上奏说他违抗诏命，被杖刑致死，时年四十四岁。泰费音任丞相时，致力于招揽人才，额森呼图克也崇贤礼士，名声非常大，到这时被奸臣害死。贺氏三代忠心为国，却都横遭惨死，天下都为此而伤心。

这一年，吴宝源局铸造钱币三千七百九十一万多。

至正二十四年 （公元 1364 年）

春季，正月，丙寅朔（初一），吴李善长、徐达等上表请求吴国公称帝，吴国公说："战争没有停息，创伤没有复原，天命难以预料，人心没有稳定，如果骤然称帝，的确还没有这个空暇。等到天下全部平定后，再实行还不晚。"大小官员不断请求，于是即吴王位，建立百司官属，设置中书省左右相国。任命李善长为右相国，徐达为左相国，常遇春、俞通海为平章政事，汪广洋为右司郎中，张昶为左司郎中。

这时小明王在滁州，中书省内设置了他的帝王宝座，在正月初一向宝座行庆贺礼。刘基骂道："他只是放牧的小人，跪拜他干什么！"于是没有跪拜。但还是用龙凤纪年，封拜、除授官吏以及官府文书档案，同时称"皇帝圣旨，吴王令旨"。

丁卯（初二），吴王下令减收官店钱。在这以前设立官店征收商税，吴王认为税重会伤害百姓，所以减少征税。

戊辰（初三），吴王退朝后，对左相国徐达等人说："你们为百姓着想，推戴我为王。但建国初期,应首先整肃纲纪。元朝昏乱。纲纪不立,君主荒淫,臣子专权,朝廷的权威都转到了臣子的手中,因此去令制度不能实行,人心涣散,从而导致天下骚扰动荡。现在你们这些将相大臣,应该借鉴元朝的过失,同心协力来治理国政,不要只顾眼前、因循守旧,守着职位而已。"又说:"礼法,是国家的纪纲,礼法建立后,人们的志向就会固定,上下就能相安,建国初期,这是首要的事情。我过去从濠州起兵,看到当时的主将都没有礼法,放纵自己任用亲信,纵容部下胡作非为,不懂得驾驭部下的方法,因此最终导致灭亡。现在我所任命的将帅,都是当时一起建功立业的人,自从他们愿意追随我后,就与他们定下了主从名分,明确了号令关系,所以众将帅都能听从命令,不敢有异议。你们作为我的辅相,应该遵守这一礼法,不要在开始时谨慎而到后来却忽视它。"

二月,乙未朔(初一),吴王因为诸将围攻武昌久攻不下,又亲自前往视察部队。辛亥(十七日),到达武昌,指挥兵马攻打城池。

在这以前,陈理的太尉张定边看到形势危急,暗中派遣士兵用绳子放下城墙后跑到岳州,告诉丞相张必先让他前来救援。到这时必先带兵到达洪山,离武昌城二十里。吴王命令常遇春带领五千精兵攻打他,敌军大败,于是活捉了张必先。张必先勇敢善战,人称"泼张",城中对他的援救非常依赖,被活捉后,吴军将他缚到城下给城中人看,说:"你们所依赖的是泼张,现在已被我活捉,还有什么依赖而不投降!"张必先也呼喊张定边说:"我已到此地步,兄长最好快点投降!"张定边神志黯然不能说话。武昌城东南边有一高冠山,往下可以俯视城中,众将帅你我相望无人能够登上去,傅友德带领几百人,一鼓作气夺取了高冠山,箭射中额头,又射穿了肋部,他拼杀更加卖力,武昌城中也更加丧气。

吴王又派陈友谅的旧臣罗复仁进攻,劝告陈理让他投降,复仁因此请求说:"主上能推广爱护众生的恩德,来对这一方百姓施予惠泽,使得陈氏的孤儿能够保全性命,而臣下不会失信于人,那么臣下就是死了也不会遗憾。"吴王说:"我的兵力并不是不足,之所以长期驻兵在这里,是想等他自己归顺,免得伤害百姓性命。你去吧,一定不会害你的。"罗复仁来到城下痛哭,陈理吃惊,召他进去,又互相抱着痛哭。哭过后询问原因,罗复仁将吴王的意思告诉了陈理,言语非常诚恳真切。当时陈氏诸将没有谁能超过张定边的,张定边也知道无法坚持了。癸丑(十九日),陈理赤裸上身口衔玉璧,带着张定边等到吴军门前投降。陈理跪在地下浑身颤抖,不敢抬头看吴王。吴王看到他幼小软弱,站起来拉着陈理的手说:"我不治你的罪,不要害怕。"命宦官到陈理宫中,传达吴王的命令安慰陈友谅的父母,所有府库中储藏的货物,让陈理全部自己取用,打发他的文武官员依次出门,妻室儿女、行李物资,都让他们随身携带。

吴军包围武昌达六个月后陈理投降,吴士兵没有敢进城去的,商贾市民安然无事,不知道有军队存在。城中百姓饥饿穷困,吴王命令发米救济他们,召集城中父老给予安抚慰藉,百姓们非常高兴。于是汉、沔、荆、岳各郡县陆续前来投降,吴王设立湖广行省中书,任命枢密院判杨璟为参政守卫武昌。

起初,陈友谅命他的兄长陈友才和左丞王忠信等一起守卫潭州。吴王到武昌,陈友才派王忠信前来救援,忠信打败后投降,吴王授予他参政之职,让他仍旧镇守潭州。陈友才带兵在益阳抵挡,王忠信用谦让的话语劝说他,友才也投降了,和他的儿子都被送往建康。陈友才，就是所谓的"二王"。

李明道被俘虏，送到武昌，被处死。

明道是丰城人，过去是陈友谅的部将，不久向吴投降，后来又叛变归附陈友谅。陈友谅失败身亡，李明道害怕，逃回丰城，剪掉头发胡须，逃到武宁山中隐藏。有一茶商认识他，将他绑缚送往武昌，吴王列举他反复无常的罪状，将他处死。

三月，乙丑朔（初一），吴王返回建康。丙寅（初二），封陈理为归德侯。

吴设置起居注、给事中。

戊辰（初四），吴王任命中书左丞汤和为平章政事。

当时汤和守卫常州，率领元帅吴福兴用水军前去攻打黄杨山时，与张士诚的水军相遇，将张打败，活捉千户刘文兴等，缴获风船六艘，所以有这一命令。

己巳（初五），吴王对中书省的官员说："郡县中官员年龄在五十岁以上的，即使在政事上老练通达，但是精力已经衰竭，应该命令有关官署选择民间容貌清秀美丽、年龄二十五岁以上、天资聪明敏捷、有学识才干的人，征召他们来中书省，与年老的官员掺杂使用。等到年老的退休之后，年轻的已经熟悉政事，这样一来，人才不会缺乏，而且官员的任用也可恰如其人。你们将我的意见向有关官署宣告，让他们都知道。"

吴江西行省将陈友谅的镂金床进献，吴王观看以后，对陪侍的官员说："这床和孟昶的七宝溺器有什么区别！一张床的做工精巧到这地步，其他的可想而知。陈氏父子如此奢侈，哪里会不灭亡！"当即命人毁掉了。

辛未（初七），吴王登上西楼，有十多名军士，自己陈说战功请求升职赏赐，吴王对他们说："你们跟随我有不少年头了，你们的才智能力如何，是勇敢还是懦弱，即使我不知道，统带你们的将帅也一定知道。你们有功，我难道会忘记你们？你们无功，又怎么能乱说！而且你们没有看到徐相国吗？如今他贵为元勋，但与他一起同时跟随我的人还在士兵行列。我难道忘记他们了吗？因为他们的才智只是如此，不能超过别人，所以无法升赏。你们如果能够奋发努力建立功勋，到时候封官赏赐，我怎么会吝惜！只是怕不努力而已。"于是再没有人说这些了。

乙亥（十一日），监察御史王多勒图、崔布延特穆尔劝说皇太子不要亲自出征。

在这以前，博啰特穆尔暗中派人杀死他的叔父左丞伊珠尔布哈，假装不知道，前往吊唁却不哭泣。朝廷知道他专横暴戾，又因为隐藏娄都尔苏的事情，皇太子非常痛恨他。而且当时朝廷正依赖库库特穆尔，库库特穆尔的军队驻扎在太原，与博啰交战，打得难分难解，于是绰斯戬、保布哈诬陷说博啰和娄都尔苏阴谋造反。辛卯（二十七日），朝廷下诏列举博啰特穆尔不听从朝命的罪状，剥夺他的兵权，削去他的官爵，等到道路开通后，允许他返回四川老家。博啰杀死使者，拒不接受朝廷诏命。

续资治通鉴卷第二百十八

【原文】

元纪三十六　起阏逢执徐【甲辰】四月,尽旃蒙大荒落【乙巳】十二月,凡一年有奇。

顺　帝

至正二十四年　【甲辰,1364】　夏,四月,甲午朔,命库库特穆尔讨博啰特穆尔。

吴王退朝,与孔克仁等论前代成败,因曰:"秦以暴虐,宠任邪佞之臣,故天下叛之。汉高起自布衣,能以宽大驾驭群雄,遂为天下主。今天下之势则不然。元之号令纪纲,已废弛矣,故豪杰所在蜂起,然皆不修法度以明军政,此其所以无成也。"又曰:"天下用兵,河北有博啰特穆尔,河南有库库特穆尔,关中有李思齐、张良弼。然有兵而无纪律者,河北也;稍有纪律而兵不振者,河南也;道途不通,馈饷不继者,关中也。江南则惟我与张士诚耳。士诚多奸谋而尚间谍,其御众尤无纪律。我以数十万之众,固守疆土,修明军政,委任将帅,俟时而动,其势有不足平者。"克仁顿首曰:"主上神武,当安天下于一,今其时矣。"

吴中书省进宗庙祭飨及月朔荐新礼仪,王览毕,悲怆流涕,谓宋濂、孔克仁曰:"吾昔遭世艰苦,饥馑相仍,当时二亲俱在,吾欲养而力不给,今赖天地之佑,化家为国,而二亲不及养。追思至此,痛何可言!"因命并录皇考妣忌日,岁时飨祀以为常。

吴平章俞通海、参政张兴祖,率兵掠刘家港,进逼通州,击败张士诚兵,擒其院判朱琼、元帅陈胜。

丙申,吴王命建忠臣祠于鄱阳湖之康郎山,祀丁普郎、张志雄、韩成、宋贵、陈兆先、余昶、吕文贵、王胜、李信、陈弼、刘义、徐公辅、李志高、王咬住、姜润、石明、王德、朱鼎、王清、常得胜、王凤显、丁宇、王仁、汪泽、王理、陈冲、裴轸、王喜仙、袁华、史得胜、常惟德、曹信、逯德山、郑兴、罗世荣等三十五人,并封赠勋爵有差。

博啰特穆尔知诏令调遣之事,非出帝意,皆右丞相绰斯戬所为,遂遣部将会图沁特穆尔举兵向阙。壬寅,图沁特穆尔兵入居庸关,癸卯,知枢密院事伊苏、詹事布埒齐迎战于皇后店。布埒齐力战,伊苏不援而退,布埒齐几为所获,脱身东走。

甲辰,皇太子率侍卫兵出光熙门,东走古北口,趋兴松。

乙巳,图沁特穆尔兵至清河列营。时都城无备,城中大震,令百官吏卒分守京城。

吴王命建忠臣祠于南昌府,祀赵德胜、李继先、刘济、朱叔华、许圭、朱潜、牛海龙、张子明、张德山、徐明、夏茂成、万思成、叶琛、赵天麟等十有四人。

吴王闻诸功臣家僮有横肆者,乃召徐达、常遇春等谕之曰:"尔等从我,起身艰难,成此功勋,匪朝夕所致。闻尔等所畜家僮,乃有恃势骄恣,逾越礼法。小人无忌,不早惩戒之,他日或生衅隙,宁不为其所累!此辈宜速去之,如治病当急除其根。若隐忍姑息,终为身害。"

丙午,吴中书省言:"湖广行省所属州县,故有铁冶,方今用武之际,非铁无以资军用,请兴建炉冶,募工炼铁。"从之。

宗王布延特穆尔等皆称兵,与博啰特穆尔合,表言其无罪。丁未,帝为降诏曰:"自至正十一年,妖贼窃发,选命将相,分任乃职,视同心膂。岂期绰斯戬、保布哈夤缘为奸,互相壅蔽,以致在外宣力之臣因而解体,在内忠良之士悉陷非辜;又复奋其私仇,诬构博啰特穆尔、娄都尔苏等同谋不轨。朕以信任之专,失于究察,遂调兵往讨,博啰特穆尔已尝陈辞,而乃寝匿不行。今宗王布延特穆尔等,仰畏明威,远来控诉,以表其情,朕为恻然兴念。而绰斯戬、保布哈,犹饰虚词,簧惑朕听,其以绰斯戬屏诸岭北,保布哈窜之甘肃,以快众愤。博啰特穆尔等悉与改正,复其官职。"然诏书虽下,而绰斯戬、保布哈仍留京师。是日,以伊苏为中书左丞相。

吴左相国徐达等率兵取庐州,左君弼闻达至,惧不敢敌,走入安丰,令其将殷从道、张焕等守城,达督兵围之。

诏书既下,图沁特穆尔军犹驻清河。帝遣达勒达国师往问故,言必得绰斯戬、保布哈乃退兵,帝不得已执二人畀之。

己酉,吴命中书省,凡商税三十税一,多取者以违例论。改在都官店为宣课司,府、州、县官店为通课司。

绰斯戬、保布哈因首至图沁特穆尔营中,图沁为之加帽、易衣,置绰斯戬中坐,保布哈侧坐,拜之,二人于是交跪。图沁奏帝,求赦其擅执大臣及称兵犯阙之罪,得二赦乃已。

庚戌,图沁特穆尔陈兵自健德门入,觐帝于延春阁,恸哭请罪,且曰:"左右蒙蔽陛下,非一日矣,倘循习不改,奈天下何!臣今执二人去矣,陛下亦宜省过,卓然自新,一听正人所为,不复为邪佞所惑,然后天下事可为,祖宗基业可保也。"帝唯唯,就宴赉。加博啰特穆尔太保,依前守御大同,图沁特穆尔为中书平章政事。辛亥,图沁特穆尔军还。

皇太子至路儿岭,诏追及之,还宫。

壬戌,吴命江西行省置货泉局,设大使、副使各一人。颁大中通宝大小五等钱式,并使铸之。

初,吴降附诸将校,皆仍其旧官,至是下令曰:"为国先正名。诸将有称枢密、平章、元帅、总管、万户者,名不称实,甚无谓。其核诸将所部,满万人者为指挥,满千人者为千户,百人为百户,五十人为总旗,十人为小旗。"

图沁特穆尔执绰斯戬、保布哈诣博啰特穆尔军,博啰厚礼之,逾三日,始问以浊乱天下之罪,复笑而问绰斯戬曰:"我前赂汝七宝数珠一串,今何不见还?"因取六串来,博啰视之,皆非故物。复命索之,乃得前所赂。博啰怒曰:"在君侧者贪婪如此,我可以姑容乎!"遂并杀之。

五月,甲子,黄河清。

戊辰,库库特穆尔奉命讨博啰特穆尔,屯兵冀宁,其东道以白索珠领兵三万,守御京师;中道,以摩该、珠展领兵四万;西道以关保领兵五万,合击之。关保等兵逼大同,博啰特穆尔留兵守大同,而自率兵与图沁特穆尔、娄都尔苏复大举向阙。

六月,癸卯,三星昼见,白气横突其中。

甲辰,河南府有大星夜见南方,光如昼。丁未,大星陨,照夜如昼,及旦,黑气晦暗如夜。

甲寅,白索珠以兵至京师,请皇太子西行。

是月,保德州黄龙见井中。

秋,七月,丁丑,吴徐达、常遇春克庐州。

时庐州被围久,众皆饥困不能战,张焕与贾丑潜通款于达,请攻东门,己为内应,于是进师急攻之。城中诸军悉救东门,张焕乃断吊桥,开西门,导达兵入城,执其部将吴副使并左君弼母、妻及子送建康。以指挥戴德守之。

戊寅,吴命平章常遇春会邓愈及金大旺兵,讨江西上流未附郡县。

己卯,左君弼部将许荣,以舒城降于吴,吴王令荣还守舒城,俾发安阳等五翼士马赴建康。

吴改庐州路为府,置江淮行省,命平章俞通海摄省事以镇之。兵革之际,民多窜匿,通海日加招辑,为政有惠爱,复业者众。

丙戌,博啰特穆尔前军入居庸关,京师震骇。皇太子亲统军御之于清河,丞相伊苏、詹事布埒齐军于昌平。伊苏军士无斗志,青军杨同签被杀于居庸,布埒齐战败走,太子亦驰还都城。白索珠引兵入平则门,丁亥,白索珠扈从皇太子及东宫官僚出顺承门,由雄、霸、河间,取道往冀宁。

戊子,博啰特穆尔驻兵健德门外,与图沁特穆尔、娄都尔苏人见帝于宣文阁,诉其非罪,皆泣,帝亦泣,乃赐宴。博啰特穆尔欲追袭皇太子,娄都尔苏止之。

庚寅,诏以博啰特穆尔为中书左丞相,娄都尔苏为中书平章政事,图沁特穆尔为御史大夫,其部属皆布列省台百司。以伊苏知枢密院事。诏谕:“博啰特穆尔、库库特穆尔俱朕股肱,视同心膂,自今各弃宿怨,弼成大勋。”

先是绰斯戬欲削博啰兵权,召承旨张翥使草诏,翥辞曰:“此大事,非见天子不敢为。”乃更召参知政事危素,就相府客位草之。草毕,绰斯戬过中书,诧其郎中曰:“我为朝廷出诏削博啰兵权,此拨乱反正之举也。”郎中曰:“相公此举,得无拨正反乱乎?”坐客有畅勋者,亦曰:“此犹裸体搏虎豹耳。”至是博啰闻之,召素,责之曰:“诏从天子出,丞相客位,岂草诏之地乎?”素无以对。欲将出斩之,左右解曰:“素一秀才,岂敢与丞相可否?”乃止。旋出为岭北行省左丞,素弃官居房山。

八月,壬辰朔,日有食之。

吴常遇春、邓愈等率兵讨新淦之沙坑、麻岭、牛陂诸寨,平之。执伪知州邓志明送建康,与其兄克明皆伏诛。

乙未,吴命左相国徐达案行荆湖。

陈友谅既灭,荆湖诸郡多款附。至是王谕达曰:“今武昌既平,湖南列郡,相继款附。然其间多陈氏部曲,观望自疑,亦有山寨遗孽,凭恃险阻,聚众殃民。今命尔案行其地,抚辑招徕,俾各安生业。或有恃险为盗者,即以兵除之,毋贻民患。”

戊戌,吴常遇春、邓愈既平诸山寨,进次吉安。遇春遣人谓饶鼎臣曰:“吾今往取赣,可出城一言而去。"鼎臣不敢出,遣其幼子出见。遇春命坐而饮之,又赐以衣服,遣归,曰:"归语而父,将欲何为,匿而不见?吾往矣,不能为尔留,可善自为计。"鼎臣即夜弃城走。遇春遂复吉安,乃引兵趋赣州。

壬寅,诏以博啰特穆尔为中书右丞相、监修国史、节制天下军马。

监察御史言:"绰斯戳矫杀丞相泰费音,盗用钞板,私家草诏,任情放选,鬻狱卖官,费耗库藏,居庙堂前后十数年,使天下八省之地悉至沦陷,乃误国之奸臣,究其罪恶,大赦难原。曩者奸臣阿哈玛特之死,剖棺戮尸,绰斯戳之罪,视阿哈玛特有加,今虽死,必剖棺戮尸为宜。"诏从之。而台臣言犹不已,遂复没其家产,窜其子宣政使观音努于远方。

齐喇氏四(氏)〔世〕为丞相者八人,世臣之家,鲜与比盛。而绰斯戳早有才望,及居相位,人皆仰其有为。遭时多事,顾乃守之以懦,济之以贪,遂使天下之乱,日甚一日。论者谓元之亡,绰斯戳之罪居多。

乙巳,皇太子至冀宁,奏除前监察御史张桢为赞善,又除翰林学士,皆不起。

库库特穆尔将辅皇太子入讨博啰特穆尔,遣使传太子旨,赐以上尊,且访时事。

桢复书曰:"今燕、赵、齐、鲁之境,大河内外,长淮南北,悉为丘墟,关陕之区,所存无几。江左日思荐食上国,荆楚、川蜀,淫名僭号,幸我有变,利我多虞。阁下国之右族,三世二王,得不思廉、蔺之于赵,寇、贾之于汉乎?守京师者能聚不能散,御外侮者能进不能退,纷纷藉藉,神分志夺,国家之事,能不为阁下忧乎?《志》曰:'不备不虞,不可以师。'仆今献忠于阁下,大要有三:保君父,一也;扶社稷,二也;卫生灵,三也。请以近似者陈其一二:卫出公据国,至于不父其父;赵有沙丘之变,其臣成、兑平之,不可谓无功,而后至于不君其君;唐肃宗流播之中,怵于邪谋,遂成灵武之篡,千载之下,虽智辨百出,不能为雪。呜呼!是岂可以不鉴之乎?然吾闻之,天之所废不骤也。逞其得志,肆其宠乐,使忘其觉悟之心,非安之也,厚其毒而降之罚也。天遂其欲,民厌其汰,而鬼神弗福也。阁下览观焉,苟谋出于万全,询之舆议,通其往来之使,达其上下之情,得其情则得其策矣。

"孔子曰:'君君,臣臣,父父,子子。'今九重在上者如寄,青宫在下者如寄,生民之忧,国家之忧也,可不深思而熟计之哉!"库库特穆尔深纳其说。

乙卯,张士诚自以其弟代达实特穆尔,为江浙行省左丞相。

时江浙右丞达兰特穆尔,左右司郎中珍保,诣事士诚,多受金帛,数媒蘖达实特穆尔之短。至是士信克安丰还,士诚乃使王晟等面数达实特穆尔过失,勒其移咨省院,自陈老病愿退,又言丞相之任非士信不可。士信即逼取其诸所掌符印,而自为江浙行省左丞相,徙达实特穆尔于嘉兴,士信峻垣墙以锢之。达实特穆尔日对妻妾,放歌自若。

士诚令有司公牍皆首称吴王令旨,又讽行台为请实授于朝,行台御史大夫布哈特穆尔不从。乃使人至绍兴索行台印章,布哈特穆尔封其印,置诸库,曰:"我头可断,印不可与!"又迫之登舟,曰:"我可死,不可辱也!"从容沐浴更衣,与妻子诀,赋诗二章,乃仰药死,临终,掷杯地上曰:"逆贼,当继我亡也!"达实特穆尔闻之,叹曰:"大夫且死,吾不死何为!"遂命左右以药酒进,饮之而死。士诚乃使载其枢及妻孥北返于京师。

布哈特穆尔,奈曼氏,行台御史大夫特默格子也。

是月,博啰特穆尔请诛狎臣图噜特穆尔,罢三宫不急造作,沙汰宦官,裁减钱粮,禁止西蕃僧好事。

吴常遇春兵至赣州,熊天瑞固守不下,吴王令平章彭时中以兵会遇春等共击之。天瑞守益坚,遇春乃浚壕立栅以困之。

张士信既为江浙丞相,建第宅东城下,号丞相府。张氏诸臣皆起于寒微,自谓化家为国以底小康,亦皆大起第宅,饰园池,畜声妓,购图画,民间奇石名木,必见豪夺。士信后房百馀人,习天魔舞队,园中采莲舟楫,以沉檀为之。诸臣宴乐,率费米千石,居民趋附之者,辄得富贵。未几,士信令潘元明守杭州而自还姑苏,参军黄敬夫、蔡彦文、叶德新,皆佞幸用事。彦文,山阴人,尝卖药;德新,云阳人,善星卜;士信每倚以谋国。吴王闻之曰:"我诸事经心,法不轻恕,尚且有人欺我。张九四终岁不出门,不理政事,岂不受人欺乎!"时有市谣十七字曰:"丞相做事业,专用(王)〔黄〕、蔡、叶,一朝西风起,乾鳖!"黄蔡,寓黄菜;西风,谓建康兵也。

九月,辛酉朔,宦官苏隆济岱,潜送宫女博果岱,出自顺承门,以达于皇太子。

癸酉夜,天西北有红光,至东而散。

辛巳,吴命中书省绘塑功臣像于卞壶及蒋子文庙,以时遣官致祭,其南昌府及康郎山、处州、金华、太平府各功臣庙,亦令有司依期致祭。其未褒赠者,论功定拟以闻。

吴徐达及杨璟等帅师取江陵,次于沙市。故陈友谅平章姜珏诣达乞降,且曰:"当死者珏耳,百姓无辜。"达善其言,下令安辑居民,禁兵侵扰。列郡闻之,望风归附。寻改江陵路为荆州府。

乙酉,徐达遣裨将傅友德将兵取夷陵,故陈友谅守将杨以德率耆民出降。寻改夷陵为峡州。

方明善攻平阳,吴参军胡深遣兵击败之。

先是温州土豪周宗道据平阳县,屡为明善所逼,遂降于深。明善怒,益率兵攻之,宗道求援于深,深击败明善,并下瑞安,进兵温州。明善惧,与方国珍谋,输岁贡银二万两充军费,请守乡郡如钱镠故事,吴王许之,命深班师。

吴徐达帅兵至潭州。湘乡土酋易华,集少壮据黄牛峰十馀年,至是达使人招之,华率其部众以降。

故陈友谅归州守将杨兴,以城降于吴,就以兴为千户,守之。

冬,十月,乙未朔,吴遥授廖永安为江淮等处行中书省平章政事,封楚国公。时永安为张士诚所拘,守义不屈,故有是命。永安后遂卒于苏州。

乙卯,吴守江西都督朱文正,遣元帅宋晟以兵讨须岭寨。晟至,遣人招谕之,寨帅丁廷玉等及其下五千人来降,文正徙其众并家属于南昌。

吴常遇春等兵围赣州既久,熊天瑞子元震,窃出觇兵势,遇春亦乘数骑出,猝与相遇,元震不知其为遇春也,过之。及遇春还,元震始觉,复来袭,遇春遣壮士挥双刀击之,元震奋铁挝以拒,且斗且却。遇春曰:"壮男子也!"舍去之。

己未,诏皇太子还京师。

命伊苏、娄都尔苏分道总兵。

 十一月,辛酉,吴置湖广提刑按察司。

壬申,故邓克明部卒罗五叛,寇抚州;吴守将金大旺讨平之。

辛巳,吴命平章汤和率师救长兴。师至,张士信以兵拒战,自巳至申,不解,杀伤相当。耿炳文自城中出兵,内外夹击,败之,俘其士卒八千馀人,获马二万馀匹,和乃还。

十二月,庚寅朔,吴徐达兵克辰州。

先是辰州为陈友谅左丞周文贵所据,达遣指挥张彬将兵讨之。文贵部将张川,据白云关以拒敌,彬败之,文贵弃城走湖南,遂克辰州。

达又遣指挥傅友德攻衡州,守将左丞邓祖胜弃城退保永州。衡州亦平。

己巳,吴王遣使以书与库库特穆尔,约其通好,略曰:"博啰犯阙,古今大恶,此正阁下正义明道、不计功利之时也。然阁下居河南四战之地,承颍川新造之业,而博啰寇犯不已,虑变之术,不可以不审。阁下何靳一介之使,渡江相约!予地虽不广,兵虽不强,然《春秋》恤交之义,常切慕焉。且乱臣贼子,人人得而诛之,又何彼此之分哉!英雄相与之际,正宜开心见诚,共济时艰,毋自猜阻,失此旧好,惟阁下图之!"

新淦邓仲谦作乱,袭破州治,杀吴知州王真。仲谦,志明从子也。

是冬,张士诚浚常熟白茆港。

泰定间,周文英奏记,谓水势所趋,宜专治白茆、娄江,时莫之省也。士诚阅故籍,得文英书,起兵民夫十万,命吕珍督役,民怨之。及役竟,颇得其利。

至正二十五年 【乙巳,1365】 春,正月,己未朔,吴常遇春、邓愈克赣州。遇春等围城凡五阅月,熊天瑞援绝粮尽,遣子元震出降,天瑞寻亦肉袒诣军门,尽献其地,遇春送天瑞于建康。吴王闻遇春克赣不杀,喜甚,遣使褒谕之曰:"予闻仁者之师无敌,非仁者之将不能行也。今将军破敌不杀,是天赐将军降我国家,千载相遇,非偶然也。捷音至,予甚为将军喜,虽曹彬之下江南,何以加兹!将军能广宣威德,保全生灵,予深有赖焉。"

先是天瑞据赣,常加赋横敛民财,及其降,有司请仍旧征之,王曰:"此岂可为额耶!"命亟罢之,并免去年秋粮之未输者。

元震,本姓田氏,为天瑞养子,善战有名;遇春喜其才勇,荐之,授指挥,后复姓田氏。

吴徐达遣千户胡海洋取宝庆路,克之,守将唐龙遁去。于是靖州军民安抚司及诸长官司皆来降,达皆赏赉而遣之。

癸亥,封李思齐为许国公。

壬申,吴常遇春进师南安,遣麾下危正逾岭南,招谕韶州诸郡之未下者。于是韶州守将同签张秉彝及南雄守将孙荣祖,各籍其兵粮来降。遇春令指挥王屿守南雄,令秉彝守韶州。

吴大都督朱文正,遣参政何文辉、指挥薛显等,讨新淦邓仲谦,斩之。

吴王命平章汤和率兵讨江西永新诸山寨。参政邓愈还军至吉安,遣兵讨饶鼎臣于安福,部卒掠其男女千馀人,安福州判官潘枢告愈曰:"将军奉扬天威以除祸乱,渠魁未殄而良民先被其害,非吊伐之义也。"愈立起惊谢,趣下令:"掠民者斩!"大索军中所得子女,尽出之。枢因闭置空舍中,自坐舍外,煮糜粥食之,卒有谋夜劫取者,愈鞭之以徇。枢因悉护遣还其家,民大悦。愈还,至富州,复讨平其山寨。捷闻,以愈为江西行省右丞。

壬午,监察御史博啰特穆尔、贾彬等,辨明哈玛尔、舒苏之罪。

甲申,吴大都督朱文正,有罪免官,安置桐城县。

文正涉传记,饶勇略,初从渡江取集庆路有功,吴王问:"若欲何官?"文正对曰:"叔父成大业,何患不富贵! 爵赏先及私亲,何以服众?"王善其言,益爱之。及江西平,文正功居多,王厚赐诸将,念文正前言知大体,锡功尚有待也,文正遂不能无少望。性素卞急,至是益暴怒无常,任掾吏卫可达夺部中子女。按察使李饮冰奏其骄侈觖望,王遣使诘责,文正惧,饮冰益言其有异志。王即日登舟,至南昌城下,遣人召之,文正仓卒出迎。王泣谓之曰:"汝何为者?"遂载与俱归。至建康,王妃力解之,曰:"儿特性刚耳,无它也。"群臣请置于法,王曰:"文正固有罪,然吾兄止有是子,若置之法,则伤恩矣。"乃免文正官,安置桐城。时其子守谦,甫四岁,王抚其顶曰:"尔父倍训教,贻吾忧。尔它日长成,吾封爵尔,不以尔父废也。"命王妃育之。

乙酉,吴王将经理淮甸,亲阅试将士,命镇抚居明率军士分队习战,胜者赏银十两,其伤而不退者,亦勇敢士,赏银有差,且遍给酒馔劳之,仍赐伤者医药。因谕之曰:"刃不素持,必致血指;舟不素操,必致倾覆;若弓马不素习而欲攻战,未有不败者,故使汝等练之。今汝等勇健若此,临敌何忧不克! 爵赏富贵,惟有功者得之。"顾谓起居注詹同等曰:"兵不贵多而贵精,多而不精,徒累行阵。近闻军中募兵多冗滥者,吾时为试之,冀得精锐,庶几有用也。"

蜀明玉珍更定官制,并六卿为中书省、枢密院。以戴寿、万胜为左右丞相,向大亨、张文炳知枢密院事;邹兴镇成都,吴友仁镇保宁,莫仁寿镇夔关,皆平章事;窦英镇播州,姜珏镇彝陵,皆参知政事;荆玉镇永宁,商希孟镇黔南,皆宣慰使。未几,遣胜攻兴元,下之。

二月,己丑朔,福建行省平章陈友定侵处州,吴参军胡深率兵往援。友定闻深至,遁去,深追至浦城,守将拒战,深击败之,遂下浦城。

辛丑,吴命千户夏以松守临江,张信守吉安,单安仁守瑞州,宋炳守饶州,并属江西行省节制。又命参军詹元亨总制辰、沅、曲靖、宝庆等州郡,听湖广行省节制。

丙午,张士诚愤诸全之败,集兵二十万,遣其将李伯升,挟吴叛将谢再兴攻诸全之新城,置阵延亘十馀里,造庐舍,建仓库,预为必拔之计,且分兵数万,据城北十里以遏援兵。守将胡德济坚壁拒之,告急于严州朱文忠,文忠遣指挥张斌、元帅张俊率兵出浦江,遥为德济声援。

士诚又以兵自桐庐溯钓台,窥严州,文忠命以舟师拒之。未至而千户谢佑为其伏兵所执,诸将皆恐甚,文忠意气自若,分署诸将;各为备御,以何世明、袁洪、柴虎居守,自率指挥朱亮祖等驰救。丁巳,去新城二十里而军,德济潜使人告贼势盛,宜少避其锋俟大军,文忠曰:"昔谢玄以兵八千破(符)〔苻〕坚百万,兵在精,不在众。"乃下令曰:"彼众而骄,我少而锐,以锐遇骄,必克。彼军辎重山积,此天以富汝曹也,勉之!"会有白气覆军上,占之曰"必胜"。

诘朝会战,天大雾晦冥,文忠使元帅徐大兴、汤克明等将左军,严德、王韶等将右军,而自以中军当敌冲。会胡深遣耿天璧以援师至,文忠复申约束,奋前搏击。雾稍开,文忠横槊引铁骑数十,乘高驰下,冲其中坚。敌以精骑围文忠数重,矛屡及膝,文忠大呼,手格杀其骁将,纵横驰突,所向皆靡。左右军乘之,城中守兵亦鼓噪出,士诚兵大溃,逐北十馀里,斩首数万级。文忠收兵会食,遣指挥朱亮祖、张斌追殄馀寇,燔其营落数十,获其同佥韩谦等六百,甲士三千,铠仗刍粟,收数日不尽,伯升、再兴仅以身免。

戊午,皇太子在冀宁,命甘肃行省平章多尔济巴勒,以岐王阿喇奇尔军马,会平章臧卜、李思齐,各以兵守宁夏。

三月,庚申,皇太子下令于库库特穆尔军中曰:"博啰特穆尔袭据京师,余既受命总督天下诸军,恭行显罚,少保、中书平章政事库库特穆尔,躬勒将士,分道进兵,诸王、驸马及陕西平章政事李思齐等,各统军马,尚其奋义戮力,克期恢复。"

博啰特穆尔闻之,大怒,嗾监察御史武起宗,言皇后奇氏外挠国政,因奏帝,宜迁后出于外,帝不答。丙寅,遂矫制幽后于诸色总管府,令其党姚巴延布哈守之。

丁卯,命娄都尔苏、拜特穆尔并为御史大夫。

辛巳,吴常遇春平赣军还,王御戟门颁赏以劳之。

癸未,吴起居注宋濂乞归省金华,王赐金币而遣之。濂还家,进表谢,复致书世子,劝以进修。王览书甚喜,召世子谕之曰:"吾自幼艰难,(令)〔今〕尔曹冠服华丽,饮食甘美,安居深宫,不思勇于进修,是自弃也。宋起居之言有益,尔其味之!"复遣使至其家,赐书奖谕,锡以绮帛,仍令世子亲致书以报。

夏,四月,己丑朔,吴参军胡深,进攻建宁之松溪,克之,获陈友定守将张子玉而还。留元帅李彦文安辑其众。

庚寅,博啰特穆尔至诸色总管府,见皇后奇氏,令还宫取印章,作书遗皇太子,遣内侍官鄂勒哲图持往冀宁;复出皇后,幽之。

吴王命平章常遇春取湖广襄阳诸郡。王尝与徐达等论襄、汉形势曰:"安陆、襄阳,跨连荆、蜀,乃南北之襟喉,英雄所必争之地。今置不取,将贻后忧。况沔阳新附,城中人民,多陈〔氏〕旧卒,壤地相连,易于扇动。譬之树木,安陆、襄阳为枝,沔阳为干,干若有损,枝叶亦何有焉!今宜增兵守沔阳,庶几不失其宜。"至是遂命遇春将兵往讨之。

乙巳,关保等兵进围大同,乙卯,入其城。

五月,庚申,吴广信卫指挥王文英率师趣铅山,次佛母岭,与陈友定兵遇,击走之。

辛酉,吴参军胡深言:"近克松溪,获张子玉,其馀众败奔崇安,请发广信、抚州、建昌三路兵并攻之,因舰取八闽。"王曰:"子玉骁将,今为我擒,彼必破胆,乘势攻之,必无不克。"即命广信指挥朱亮祖由铅山,建昌左丞王溥由杉关,会深进兵。

甲子,京师天雨氂,长尺许。或言于帝曰:"龙须也。"命拾而祀之。

乙亥,吴平章常遇春攻安陆,克之。

先是遇春既行,王复调江西右丞邓愈为湖广平章,领兵继其后,使人谓愈曰:"凡得州郡,汝宜驻兵以抚降附。若襄阳未下,则令遇春分兵,半集沔阳,半集景陵,汝居武昌,使声援相应,以遏寇之奔轶。"愈奉命遂行。至是遇春攻安陆,其守将金院任亮出拒战,遇春击败亮,执之,遂克其城,以沔阳卫指挥吴复守之。

己卯,吴常遇春至襄阳,守将弃城遁,遇春追击之,俘其众五千。金院张德、罗明以谷城降,遇春送之建康。吴王以章溢为湖广按察佥事,溢以荆、襄多废地,议分兵屯田,王善之。

癸未,吴浙东元帅何世明,败张士诚兵于新溪,又败之于柴溪。

是月,侯布延达实奉威顺〔王〕自云南、西蜀转战而出,至成州,欲之京师,李思齐俾屯田于成州。

吴王赐邓愈书曰:"汝戍襄阳,宜谨守法度。山寨来归者,兵民悉仍故籍,小校以下,悉令屯种,且耕且战。汝所戍地邻库库,若汝爱加于民,法行于军,则彼所部,皆将慕义来归,如脱虎口就慈母。我赖汝如长城,汝其勉之!"愈于是披荆棘,立军府,营屯练卒,拊循招徕,威惠甚著。

六月,戊子,以黎安道为中书参知政事。

己丑,吴置思南宣慰使司。

时思南宣慰使田仁智,遣其都事杨琛来归款,并纳元所授宣慰使印,王曰:"仁智僻处遐荒,世长谿洞,乃能识天命,率先来归,诚可嘉也!"俾仍为思南道宣慰使。授琛思州等处军民宣抚使,以三品银印给之。

丁酉,吴克安福州。

先是饶鼎臣父子既走安福,与其党刘颠等仍肆剽掠,邓愈遣兵讨之,久不下。王复命元帅王宝会参政何文辉、黄彬共讨之,鼎臣复弃城走茶陵。

辛丑,湖广行省左丞周文贵复宝庆路。

乙巳,皇后奇氏自幽所还宫。

后数纳美女于博啰特穆尔,博啰喜,故得还宫,自始幽至此凡百日。博啰特穆尔自入京师,纳女四十馀人,荒于酒色,锐气消耗矣。

壬子,吴参军胡深克温之乐清,擒方国珍镇抚周清、万户张汉臣、总管朱善等,械送建康。

吴指挥朱亮祖等进攻建宁。

时陈友定将阮德柔婴城固守,诸军次城下,亮祖即欲攻之,胡深视氛祲不利,语亮祖曰:"天时未协,将必有灾。"亮祖曰:"天道幽远,山泽之气,变态无常,何足征也!"迫深进兵,深犹持不可。德柔屯锦江,逼深阵后,亮祖督战益急。深不获已,遂引兵鼓噪而进,破其二栅,德柔尽率精锐扼深军,围之数重。日已暮,深突围出,伏兵起,深马蹶,被执,送于友定,友定敬礼之。深因盛称吴王神圣威武,群雄属心,以喻友定,友定亦无杀深意,会元使至,督迫之,遂遇害。

深久莅乡郡,驭众宽厚,用兵十馀年,未尝妄戮一人。吴王尝问宋濂曰:"深何如人?"濂曰:"文武才也。"王曰:"诚然,浙东一障,吾方赖之。"比伐闽,有星变,王曰:"东南必失一良将。"亟谕之,深已被害。

吴何文辉等平山寨,擒其盗万兴宗,斩之。

乙卯,以太尉和尼齐为御史大夫。

吴王下令:"凡农民田五亩至十亩者,栽桑、麻、木棉各半亩,十亩以上者倍之,其田多者,率以是为差。有司亲临督率,不如令者有罚,不种桑,使出绢一匹,不种麻及木棉,出席布、棉布各一匹。"

吴以儒士滕毅、杨训为起居注,王谕之曰:"吾见元大臣门下士,多不以正自处,惟务诡谀以图苟合,见其人所为非是,不相与正救,及其败也,卒陷罪戾。尔从徐相国幕下,久而无过,故授尔是职。宜尽心所事,勿为阿容。"又曰:"起居之职,非专事纪录而已,要在输忠纳诲,致主于无过之地而后为尽职。吾平时于百官所言,一二日外犹寻绎不已;今尔在吾左右,不可不尽言也。"复命毅、训集古无道之君若夏桀、商纣、秦始皇、隋炀帝所行之事以进,曰:"吾观此者,正欲知其丧乱之由以为戒耳。"

是月,皇太子进封李思齐为邠国公,加封中书平章政事,兼知四川行枢密院事、虎符招讨使、分中书四部。

博啰特穆尔遣图沁特穆尔率军伐上都之附皇太子者,调伊苏南御库库特穆尔军。伊苏次良乡不进而归永平,使人西连太原,东结辽阳,军声大振。博啰患之,遣骁将姚巴延统兵出御,至通州,河溢,营红桥以待,伊苏出其不意袭破之,杀姚巴延。博啰恐,自将出通州,三日大雨,取一女子,不战而还。

博啰先尝以猜疑杀其将保安,既又失姚巴延,郁郁不乐,乃日与娄都尔苏饮宴,酗酒杀人,喜怒不测,人皆畏忌。

秋,七月,丁巳朔,吴命降将张德山归襄阳,招谕未附山寨。

吴平章汤和,进兵攻周安于永新。

初,陈友谅既亡,安即降,吴命仍守永新。及兵人安福讨饶鼎臣,安疑而复叛,仍与诸山寨相结。和至,安出拒战,和击败之,克其十七寨,擒伪官五十馀人,遂围其城。

庚申,故陈友谅左丞周文贵之党复攻陷辰溪,吴总制辰沅等州事参军詹允亨遣兵讨之。

甲子,吴王遣使以书与库库特穆尔曰:"曩者初无兵端,尹焕章来,得书喜甚,即遣汪何同往,为生者贺,殁者吊。使者去而不回,复遣人往,皆被拘留。且阁下昔与博啰构兵,雌雄未决,尚以知院郭云、同佥任亮攻我景陵,掠我沔阳。予思此城虽元之故地,久在他人之手,予从他人得之,非取于元者也。阁下外假元名,内怀自逞,一旦轻我,遂留前使。予虽不校,但以阁下内难未除,犹出兵以欺我,使其势专力全,又当何如! 果若挟天子令诸侯,创业于中原,则当开诚心,示磊落,睦我江淮,今乃遣竹昌、忻都率兵深入淮地,杀掠人民,殆非所宜。况有自中原来者,备言张思道、李思齐等,连和合从,专并阁下,此正可虑之秋,安可坐使西北数雄,结连关内,反舍近图,欲趋远利,独力支吾,非善计也。予尝博询广采,闻军中将欲为变,恐不利于阁下,故特遣人叙我前意,述我所闻,阁下其图之! 节次使命若能遣回,庶不失旧好,惟亮察焉。"思道,张良弼字也。

乙丑,思州宣抚使田仁厚遣使如吴,献其所守之地。吴改宣抚司为思南、镇西等处宣慰司,以田仁厚为宣慰使。

癸酉,吴辰州沅陵县民向珍八作乱,参军詹元亨遣千户何德讨平之。

壬午,吴置太史监,以刘基为太史令。

乙酉,博啰特穆尔伏诛。

先是博啰索帝所爱女子,帝曰:"欺我至此耶!"遂欲图之。

士人徐士本,家居好奇计,不求仕进,至是命为翰林待制。威顺王子和尚,受帝密旨,与之谋结壮士金诺海、拜特勒、特古斯布哈、洪宝宝等六人,挟刀在衣中,外袭宽衣若听事,伺立延春门东排仗内。

是日,博啰早朝毕,将出,挟刀者相顾曰:"事不谐矣。"士本摄之曰:"未也。"会图沁特穆尔遣人告上都之捷,平章实勒们谓博啰曰:"好消息,丞相宜入奏。"博啰不欲入,实勒们强之,偕行至延春门李树下,俄有人突过其前,博啰方眙视曰:"此人面生。"遽有批其颊者,博啰以手御之,遽呼其从骑。拜特勒从众中跃出,斫中其脑,金诺海等攒杀之。娄都尔苏伤额趋出,博啰军大骇四走。帝时居窟室,约曰:"事捷,则放鸽铃。"于是鸽铃起,帝出自窟室,下令尽杀其部党,黎安道、方托克托、雷一声皆伏诛。娄都尔苏拥博啰母、妻、子偕图沁特穆尔北遁。

5259

明日,遣使函博啰首往太原,诏皇太子还朝,诸道兵闻诏罢归。大赦天下,赏讨博啰者。士本不受赏,一夕逸去。

是月,京师大水,河决小流口,达于清河。

八月,丁亥朔,京城门至是不开者三日。珠展、摩该军至城外,命军士缘城而上,碎平则门键,悉以军入,占民居,夺民财。

周文贵复攻辰州,吴千户何德率轻骑直抵其寨,攻破之,文贵退保麻阳。德追击,又大败之,文贵遁去。

癸卯,命皇太子分调将帅,戡定未复郡邑,即还京师,行事之际,承制用人,并准正授。

库库特穆尔以岁当大比,而江南、四川诸行省皆阻于兵,其乡试不废者,唯燕南、河南、山东、陕西、河东而已,乃启皇太子倍增乡贡之额。

丁未,皇后鸿吉哩氏崩。

后生皇子珍戬,二岁而夭。后性节俭,不妒忌,动以礼法自持。第二皇后奇氏有宠,后无几微怨望意。从帝时巡上都,次中道,帝遣内官传旨欲临幸,后辞曰:"暮夜非至尊往来之时。"内官往复者三,竟不纳,帝益贤之。居坤德殿,终日端坐,未尝安逾户阈。至是崩。奇后见其所遗衣服敝坏,大笑曰:"正宫皇后,何至服此等衣耶!"逾月,皇太子自冀宁归,哭之甚哀。

辛亥,吴罗田盗蓝丑儿,诈称彭莹玉,造妖言以惑众,设官吏,劫居民。麻城里长袁宝袭捕之,擒丑儿以献,吴王嘉其仗义,赐以绮帛。

壬子,以洪宝宝、特古斯布哈、萨勒图并为中书平章政事。

九月,丙辰朔,吴置国子监,以故集庆路学为之。

库库特穆尔扈从皇太子至京师。太子之奔太原也,欲用唐肃宗灵武故事,因而自立,库库特穆尔与布呼齐等不从。及是还京师,皇后奇氏传旨,令库库以重兵拥太子入城,欲胁帝禅之位。库库知其意,比至京城三十里,即散遣其军,太子心衔之。

壬午,诏以巴咱尔为中书右丞相,监修国史;库库特穆尔为太尉、中书左丞相、录军国重事,同监修国史,知枢密院事,兼太子詹事。

巴咱尔累朝旧臣,而库库以后生晚出,乃与并相,朝士往往轻之。且居军中久,乐纵恣,无检束,在朝两月,怏怏不乐,即请南还视师。

是月,以方国珍为淮南行省左丞相、衢国公,分省庆元。

明玉珍遣其参政江俨通好于吴,吴命都事孙养浩报以书曰:"足下处西蜀,予处江左,盖与汉季孙、刘相类,王保保虎踞中原,其志不在曹操下。予与足下实唇齿邦,愿以孙、刘相吞噬为戒。"

冬,十月,戊子,吴王闻明玉珍取云南失利,诸将往往暴掠,玉珍不能制,复以书戒之。

戊戌,吴王以张士诚屡犯疆场,欲举兵讨之,下令曰:"士诚启衅多端,袭我安丰,寇我诸全,连兵构祸,罪不可逭,今命大军致讨,止于罪首;在彼军民,无恐无畏,毋妄逃窜,毋废农业。已敕大将军约束官兵,毋有掳掠,违者以军律论。"

庚子,吴命中书省以书招谕虎背寨刘宝,使之款附。

辛丑,吴王命左相国徐达、平章常遇春、胡廷瑞、同知枢密院冯国胜、左丞华高等,率马步舟师水陆并进,规取淮东泰州等处。

时张士诚所据郡县,南至绍兴,与方国珍接境,北有通、泰、高邮、淮安、徐、宿、濠、泗,又北至于济宁,与山东相距。王欲先取通、泰诸郡,剪士诚羽翼,然后专取浙西,故命达总兵取之。

壬寅,以哈喇章知枢密院事。

乙巳,吴徐达兵趋泰州,浚河通州,遇张士诚兵,击败之,遂驻军海安坝上。

丙午,娄都尔苏拥博啰特穆尔母、妻及其子天宝努西北走,合图沁特穆尔军。丁未,益王温都逊特穆尔、枢密副使观音努擒娄都尔苏,诛之,图沁特穆尔以馀兵往巴尔苏之地,命岭北行省左丞莽珊僧、知枢密院事魏赛音布哈同讨之。

吴徐达兵围泰州新城,败张士诚淮北援兵,获其元帅王成。

戊申,以资政院使图噜为御史大夫。

己酉,张士诚遣淮安李院判来援泰州,常遇春击败之,擒万户吴聚等。遣人谕降其城中,金院严再兴、副使夏思忠、院判张士俊等拒守不下。

饶鼎臣既走茶陵,复合浦阳群盗于南峰山寨,时出侵掠。癸丑,吴元帅王国宝等率兵击败之,鼎臣遁去。

信州盗萧明,率兵攻围吴饶州,知府陶安召父老告之曰:"我粮实城坚,素有其备,贼党驱乌合而来,不足畏也。但能固守,不过数日,援兵至,破贼必矣。"众皆诺。安与千户宋炳亲率吏民分城拒守,选勇健为游兵,昼夜巡捍,而请救于江西行省。安登城谕贼曰:"尔众,吾民也,反为贼用,得毋失计乎?"众曰:"使皆如太守与总制,岂有今日!若破城,必不相害。"安命射之,矢下如雨,贼不能逼。越三日,行省援兵至,遂大败之,萧明遁去,擒伪招讨都海、万户袁胜,斩之。诸将欲屠从寇者,安曰:"民为所胁,奈何杀之!"不许。饶州遂安。

闰月,乙卯朔,吴江阴水寨守将康茂才遣告吴王曰:"张士诚以舟师四百艘出大江,次范蔡港,别以小舟于江中孤山往来,出没无常,疑有他谋,请为之备。"

王使谕徐达曰:"茂才言士诚以舟师往来江中,吾度此寇非有攻江阴直趋上流之计,不过设诈疑我,使我陆寨之兵还备水寨。我兵既分,彼将弃我水军,疾趋陆寨,捣吾之虚,此一诡策也。又闻常遇春出海安七十馀里击寇,寇兵不过万人,此非抗我大军之势,盖欲诱遇春深入。去泰州既远,彼必潜师以趋海安,或趋泰州,令我大军势分,首尾衡决,不及救援,此又一诡策也。兵法,致人而不致于人,尔宜审虑。使至,即令遇春驻师海安,慎守新城,坐以待寇。彼若远来趋敌,吾以逸待劳,可一战而克。泰兴以南并江寇舟,亦宜备之。"

己未,王亲至茂才水寨,又遣人以手书谕达等曰:"如有所言,即疾驰来报,予驻师以待。"

庚申,以宾国公五十八知枢密院事。

诏张良弼、俞宝、孔兴等悉听调于库库特穆尔。

戊辰,吴平章汤和克永新,执周安等送建康,斩之。

时中原虽无事,而江淮、川蜀皆失,皇太子累请出督师,帝难之。会左丞相库库特穆尔请南还视师,辛未,乃封库库特穆尔为河南王,代皇太子亲征,总制关陕、晋冀、山东诸路并迤南一应军马,凡机务、钱粮、名爵、黜陟、予夺,悉听便宜行事。

甲戌,吴指挥副使王汉宝取馀干州,以前镇抚李旭守之。

庚辰，吴徐达、常遇春克泰州，掳张士诚守将严再兴、夏思忠、张士俊等，献捷于建康，且以守城事宜为请。王命达以便宜处之，其未下诸城，乘胜进取。

辛巳，以托克托穆尔为中书右丞，达实特穆尔为参知政事。

吴徐达遣黄旗千户刘杰分兵徇兴化，张士诚守将李清战败，闭城固守，杰攻之不下。士诚遣将来援，杰击走之。

十一月，甲申朔，信州盗萧明寇婺源州，吴知州白谦力不能御，怀印出北门赴水死。

谦莅政廉忠，自奉甚薄，尝遇除夕，无他供具，惟蔬食而已。人以此称之。

辛卯，吴徐达进兵攻高邮，王闻之，恐达深入敌境，不能策应诸将，乃命冯国胜率所部节制高邮诸军，俾达还军泰州，图取淮安、濠、泗。

饶鼎臣复行剽掠，甲午，吴元帅王国宝出兵邀击，鼎臣中弩死，馀党悉溃。

乙未，吴王以李济据濠州，名为张氏守，而观望未决，命右相国李善长以书招之，以善长与济同乡里故也。济得书不报。

张士诚兵寇宜兴，吴王命徐达令冯国胜围高邮，常遇春守海安，遣别将守泰州，而自以精兵援宜兴。达遂率兵渡江，至宜兴城下，击败士诚之众，获三千馀人。

十二月，庚子朔，张士诚遣将以兵八万攻安吉，吴将费聚所部仅二千人，坚壁拒守，射杀其骁将二人，敌惊溃而去。

吴徐达自宜兴还兵攻高邮，张士诚遣其左丞徐义由海道入淮援之。义怨士诚，以为陷己死地，屯昆山之太仓，三月不进。

乙卯，立第二皇后奇氏为皇后。中书省奏改资(正)〔政〕院为崇政院，而中(正)〔政〕院亦兼主之，帝乃授之册宝，诏天下。改奇氏为索隆噶氏，仍封其父以上三世皆王爵。

是月，图沁特穆尔伏诛。

【译文】

元纪三十六　起甲辰年(公元1364年)四月，止乙巳年(公元1365年)十二月，共一年有余。

至正二十四年　(公元1364年)

夏季，四月，甲午朔(初一)，朝廷命令库库特穆尔征讨博啰特穆尔。

吴王退朝，与孔克仁等人讨论前代的成败时说："秦代因为残暴无道，宠任奸邪谄媚的臣子，所以天下都反叛它。汉高祖出身平民，因为能运用宽大的手段驾驭各类雄杰，于是成为天下主宰。现在天下的形势却不是这样。元朝的号令纪纲，已经废弛了，所以豪杰蜂起，但是都没有建立起法度来严肃军政纲纪，这就是他们无法成功的原因。"又说："天下拥有军队的，河北有博啰特穆尔，河南有库库特穆尔，关中有李思齐、张良弼。但是拥有军队却没有纪律的，是河北的博啰；稍有军纪但军势萎靡不振的，是河南的库库；道路不能通行，军队粮饷难以为继的，是关中的李、张。江南就只有我和张士诚的军队了。张士诚奸计多端又喜好用间谍，他驾驭部下尤其没有纪律。我用几十万大军牢固地守卫现有的领土，严明军政法纪，委任将帅，等待时机出击，这样的势力平定天下绰绰有余。"孔克仁跪拜说："主上神明英武，安定天下归于一统，如今正是时候了。"

吴中书省上奏有关宗庙祭祀和每月朔日祭献初熟五谷或时鲜果物的礼节仪式,吴王看完后,悲痛流泪,对宋濂、孔克仁说:"我昔日遭逢时世艰苦,饥荒不断,当时父母都在,我想赡养他们却力不从心,如今托天地护佑,小家变成了大国,但父母双亲却无法赡养了。追念到这些,悲痛难以言说!"因而命人将他父母去世的日子一起记载下来,每年按时祭祀作为定规。

吴平章俞通海、参政张兴祖,带兵攻打刘家港,进逼通州,打败张士诚的部队,活捉他的院判朱琼、元帅陈胜。

丙申(初三),吴王命令在鄱阳湖的康郎山建立忠臣祠,祭祀丁普郎、张志雄、韩成、宋贵、陈兆先、余昶、吕文贵、王胜、李信、陈弼、刘义、徐公辅、李志高、王咬住、姜润、石明、王德、朱鼎、王清、常得胜、王凤显、丁宇、王仁、汪泽、王理、陈冲、裴轸、王喜仙、袁华、史得胜、常惟德、曹信、逯德山、郑兴、罗世荣等三十五人,并分别封赠勋爵。

博啰特穆尔知道诏命调遣的事,不是出自顺帝本意,都是右丞相绰斯戬所作,于是派部将会同图沁特穆尔带兵前往京师。壬寅(初九),图沁特穆尔的部队进入居庸关,癸卯(初十),知枢密院事伊苏、詹事布埒齐在皇后店迎战。布埒齐奋力战斗,因伊苏没有支援反而撤退,布埒齐几乎被抓获,逃脱后向东跑了。

甲辰(十一日),皇太子率领侍卫部队从光熙门出,往东跑出古北口,前往尖松。

乙巳(十二日),图沁特穆尔的部队到达清河安下营寨。当时都城中没有防备,城中大为震惊,朝廷下令文武百官、属吏、士兵分头守卫京城。

吴王命令在南昌府建立忠臣祠,祭祀赵德胜、李继先、刘济、朱叔华、许圭、朱潜、牛海龙、张子明、张德山、徐明、夏茂成、万思成、叶琛、赵天麟等十四人。

吴王听说众功臣的家人奴仆中有横行霸道的,便召见徐达、常遇春等对他们说:"你们跟随我,从艰难困苦中成长起来,成就这样的功勋,不是一朝一夕能做到的。听说你们家中的奴仆们,竟有依仗势力骄横放纵,超越礼法的人。小人无所顾忌,不及早警告惩罚他们,到时生出祸端,怎会不被他们连累!这些人应该尽快除去,就像治病要赶紧除掉病根一样。如果姑息忍让,终究还害了自己。"

丙午(十三日),吴中书省上奏吴王说:"湖广行省所属的州县,过去有冶铁行当,如今是用武时期,没有铁无法装备军用,请求兴建冶铁炉,招募工匠冶炼铁。"吴王同意了。

宗王布延特穆尔等都举兵,和博啰特穆尔相会,上表声称博啰没有罪。丁未(十四日),顺帝为此下诏说:"自至正十一年起,盗贼作乱,朝廷精选任命将相,分担各种职位,将他们当作朝廷的心腹。没想到绰斯戬、保布哈相互勾结,狼狈为奸,千方百计蒙蔽我的视听,以致在外奋力为国的大臣因此解体,在内忠诚善良的大臣都无辜受害;又为发泄他们的私恨,诬陷博啰特穆尔、娄都尔苏等共同策划造反。我因为完全信任他们,没有进行细心考察,便调兵前去征讨,博啰特穆尔已经申诉过,却被他们隐瞒不曾上奏。现在宗王布延特穆尔等,敬畏朝廷天威,从远方前来控诉,以此表达他们的心情,我因此内心伤感油然而生。但绰斯戬、保布哈,还在花言巧语,企图迷惑我的视听。我决定将绰斯戬放逐到岭北,保布哈贬谪到甘肃,来平息大家的愤怒。博啰特穆尔等给予平反,恢复原职。"然而诏书虽然颁下,但绰斯戬、保布哈仍然留在京城。这天,任命伊苏为中书左丞相。

吴左相国徐达等带兵攻打庐州,左君弼听说徐达前来,害怕得不敢应战,逃进安丰,命他的部将殷从道、张焕等守城,徐达指挥兵马包围了庐州城。

诏书颁下后,图沁特穆尔还驻扎在清河不动。顺帝派达勒达国师前去询问原因,图沁声称一定要得到绰斯戬、保布哈后才退兵,顺帝迫不得已抓了二人送给图沁。

己酉(十六日),吴王命令中书省,所有商税都是三十取一,多收取的按违反条例论处。将在都城建康的官店改为宣课司,府、州、县的官店改为通课司。

绰斯戬、保布哈被押送到图沁特穆尔的军营中,图沁给他们加戴帽子、换了衣服,将绰斯戬放在中间坐下,保布哈坐在旁边,向二人跪拜;二人也向图沁跪拜。图沁上奏顺帝,请求赦免他擅自拘押大臣以及举兵侵犯京城的罪行,得到两份赦免书才作罢。

庚戌(十七日),图沁特穆尔带着成队列的兵马从健德门进京,在延春阁朝拜顺帝,大哭请罪,并说道:"随侍近臣蒙蔽陛下,不只一两天了,如果因循恶习不改正,拿天下怎么办?我现在将二人抓去了,陛下也应该反省过错,果断改过自新,一切听从忠善君子的言行,不要再被奸邪诣媚小人的迷惑,这样做到后天下大事才有希望,祖宗的基业才可保全。"顺帝唯唯应答,随即设宴犒赏他。加封博啰特穆尔为太保,照以前一样守卫大同,图沁特穆尔担任中书平章政事。辛亥(十八日),图沁特穆尔的军队返回。

皇太子到达路儿岭时,朝廷诏书追到了,皇太子返回宫中。

壬戌(二十九日),吴王命令江西行省设置货泉局,设立大使、副使各一人。颁布大中通宝大小五等钱式样,让货泉局一起铸造。

起初,吴对所有投降、归顺的将校,都保留他们的旧官职,到这时吴王下令说:"建立国家先要正名。各将帅的称呼有枢密、平章、元帅、总管、万户等,名不副实,很不相称。如今要核对各级将帅所统领的人马,满一万人的称为指挥,满一千人的称为千户,满一百人为百户,五十人为总旗,十人为小旗。"

图沁特穆尔押解绰斯戬、保布哈前往博啰特穆尔的军中,博啰很隆重地接待二人,过了三天,才问他们搅乱天下的罪行,又笑着问绰斯戬说:"我以前贿赂你的七宝数珠一串,如今为何不送还?"绰斯戬便取出六串来,博啰看了,都不是原物。又派人向他索要,才得到以前贿赂的那串。博啰愤怒地说:"在帝王身边的人贪婪到这地步,我能够姑息纵容他们吗!"于是将二人一并杀死。

五月,甲子朔(初一),黄河水清。

戊辰(初五),库库特穆尔奉命讨伐博啰特穆尔,在冀宁扎营,东路由白索珠带兵三万,守卫京师;中路,由摩该、珠展带兵四万;西路由关保带兵五万,联合进攻博啰。关保等大军逼近大同,博啰特穆尔留兵守卫大同,自己率军与图沁特穆尔、娄都尔苏又大举向京城进兵。

六月,癸卯(十一日),三星在白天出现,有白气横贯三星中间。

甲辰(十二日),河南府有大星晚上在南方出现,光亮如同白天。丁未(十五日),大星坠落,照耀夜空如同白天,到天亮后,黑气弥漫,阴暗得如同黑夜。

甲寅(二十二日),白索珠带兵到达京师,请皇太子往西而行。

这一月,保德州有黄龙出现在井中。

秋季,七月,丁丑(十六日),吴徐达、常遇春攻下庐州。

当时庐州已被包围很久,众人都饥饿疲惫无法作战,张焕和贾丑暗中向徐达表示归顺,请徐达攻打东门,他们做内应,因此吴军进兵紧急攻打东门。城中所有军队都去援救东门,张焕便切断吊桥,打开西门,引导徐达军队进城,抓获他的部将吴副使和左君弼的母亲、妻子、儿女等一起送往建康。命指挥戴德守卫庐州城。

戊寅(十七日),吴王命令平章常遇春会同邓愈和金大旺的部队,讨伐江西上流没有归附的郡县。

己卯(十八日),左君弼的部将许荣,献出舒城向吴投降,吴王命令许荣回舒城守卫,让他派发安阳等五翼兵马前往建康。

吴改庐州路为府,设置江淮行省,任命平章俞通海代理行省事务以防守庐州。兵乱时期,百姓大多逃窜藏躲起来,俞通海每天加以招徕安抚,施行实惠仁爱的政治,恢复生产的人很多。

丙戌(二十五日),博啰特穆尔的前锋部队进入居庸关,京师震惊害怕。皇太子亲自统率军队在清河抵抗,丞相伊苏、詹事布埒齐在昌军驻军。伊苏的军队士兵没有斗志,青军杨同签在居庸关被杀,布埒齐失败逃跑,皇太子也逃回京城。白索珠带兵进入平则门,丁亥(二十六日),白索珠保护皇太子和东宫的官属出顺承门,经过雄、霸、河间等地,前往冀宁。

戊子(二十七日),博啰特穆尔驻扎在健德门外,和图沁特穆尔、娄都尔苏进城到宣文阁拜见顺帝,申诉他们无罪,都哭了,顺帝也哭,于是赐赏宴席。博啰特穆尔想追击皇太子,娄都尔苏制止了。

庚寅(二十九日),顺帝下诏任命博啰特穆尔为中书左丞相,娄都尔苏为中书平章政事,图沁特穆尔为御史大夫,他们的部属都安排在中书省、御史台等朝廷各部门任职。任命伊苏为知枢密院事。顺帝下诏说:"博啰特穆尔、库库特穆尔都是我的股肱之臣,如同我的心腹,从今以后各自放弃往昔的怨怼,辅佐我以建立丰功伟绩。"

在这之前绰斯戬想削夺博啰的兵权,召承旨张翥让他草拟诏书,张翥推辞说:"这是大事,没有见到天子不敢起草。"于是又召参知政事危素,让他就在相府的客座位上起草诏书,诏书草拟完毕,绰斯戬前往中书省,对郎中夸耀说:"我替朝廷颁布诏书削夺博啰的兵权,这是拨乱反正的举动。"郎中说:"相公这一举动,难道不是拨正反乱吗?"在座客人中有叫畅勋的,也说:"这就像赤裸了身体去搏击虎豹一样。"到这时博啰听说后,召见危素,责备他说:"诏书听从天子圣旨颁布,丞相府的客座上,难道是草拟诏书的地方吗?"危素无言回答。博啰想将他推出去斩首,身边的助手们说:"危素只是一个秀才,哪敢对丞相说行还是不行呢!"于是便没有杀。随即将危素调出外任为岭北行省左丞,危素放弃官职避居房山。

八月,壬辰朔(初一),有日食出现。

吴常遇春、邓愈等带兵征讨新淦的沙坑、麻岭、牛陂等山寨,全部平定,抓获伪知州邓志明送往建康,和他的兄长邓克明都被处死。

乙未(初四),吴王命左相国徐达视察荆湖。

陈友谅灭亡后,荆湖各郡大多归附。到这时吴王对徐达说:"如今武昌已经平定,湖南各郡,陆续归顺。但其中很多陈氏的部下,还在观望犹豫不决;还有一些山寨中有陈氏余党,凭借险要地势,聚集党徒骚扰百姓。现在命你视察这些地方,安抚百姓,招集流民,让他们各自安心就业。遇到有依仗险要地形作盗贼的,就派兵消灭他们,不要给百姓留下祸根。"

陈友谅墓

戊戌(初七),吴常遇春、邓愈平定各山寨后,进军到吉安。常遇春派人对饶鼎臣说:"我现在前去攻打赣州,你可出城跟我说句话,我便走了。"饶鼎臣不敢出来,派他的小儿子出城来见。遇春命他坐下喝酒,又赏赐他衣服,派他回去,说:"回去告诉你父亲,他想干什么,躲起来不见我? 我走了,不能为你留下来,你可以好好为自己想条后路。"饶鼎臣当天夜间便放弃城池逃跑了。常遇春于是收复吉安,便带兵前往赣州。

壬寅(十一日),朝诏下诏任命博啰特穆尔为中书右丞相、监修国史,指挥管辖天下兵马。

监察御史上奏说:"绰斯戬假借诏命杀害丞相泰费音,盗用钞板私印,私自草拟诏书,随意任用官吏,审案定罪时收受贿赂,出卖官爵,浪费损耗国家的库藏,在朝廷任职前后十多年,导致天下八省的领土全部沦陷,的确是误国奸臣,追究他的罪恶,即使大赦也无法饶恕。昔日奸臣阿哈玛特死后,被打开棺材斩杀尸体,绰斯戬的罪恶,比起阿哈玛特来更加严重,如今虽已死了,也必须打开棺材斩杀尸体才行。"顺帝下诏同意。但御史台官员还是不断数说绰斯戬的罪行,于是又没收他的家产,将他儿子宣政使观音努放逐到远方。

齐喇氏家四代任丞相的有八人,朝臣世家,很少可以和他们的兴盛相比的。绰斯戬早年便有才华有声望,到登上相位后,大家都盼望他能有所作为。但正遇多事之秋,他只是用懦弱的态度守住官位,又加上贪婪无比,于是导致天下动乱一天比一天厉害。论史的人说元代的灭亡,绰斯戬的罪过是最多的。

乙巳(十四日),皇太子到达冀守,上奏任命前监察御史张桢为赞善,又任命为翰林学士,但张桢都没有去上任。

库库特穆尔难备辅佐皇太子进京讨伐博啰特穆尔,派使者向张桢传达皇太子的旨意,赏赐给他上等好酒,并向张桢请教对时事的看法。

张桢回信说:"如今燕、赵、齐、鲁等境土,黄河内外,长淮南北,都变成了废墟,关陕地区,剩下的也不多了。江左每天考虑的便是吞并中原,荆楚、川蜀二地称王称帝,希望朝廷有变故,更为我朝中多事而高兴。阁下是国家的大族,三代二王,难道不想想廉颇和蔺相如为了赵国、寇恂和贾复为了汉朝而不计私仇的态度吗? 守卫京师的可以相聚不能分散、抵抗外来侵略的可以前进不能后退,如今一切都纷乱无章,神思混乱意志消沉,国家的事情,能不替阁下担忧吗?《志》中说:'没有准备没有考虑周全,不能出师.'我如今忠心替阁下想的计策,主要有三点:保护皇帝,这是一;扶持国家,这是二;保卫百姓,这是三.请用相似的例子来阐述一下:卫出公窃据国家政权,以至于不把父亲当父亲看;赵国发生沙丘叛乱,大臣公子成、李兑平定了,不能说没有功绩,但后来却不把国君当国君看待;唐肃宗在动乱流亡中,被奸邪的计谋所蛊惑,于是导致灵武篡位之举,千百年来,即是最能言善变的人,也无法洗刷这些恶名.唉!这难道不能作为借鉴吗?但是我听说,上天要废弃一个人不会很快就施行.它先让他充分得志,让他放纵快乐,使他失却觉悟的良心,这不是宽容他,而是让他的罪恶到达极点后再让惩罚降临.上天放纵他的欲望,百姓厌恨他的奢侈,而鬼神也不会保佑他.阁下看完这些意见后,如果想谋求万全之策,请征询众人的建议,让来往的使节可以通行,使上下的真情能够沟通,这样了解了真切情况后就可以得到万全之策了.

"孔子说:'君君,臣臣,父父,子子.'如今皇帝在朝廷如同寄居不能做主,东宫皇太子在军营如同寄居不能自主,这是百姓的忧虑,也是国家的忧虑,能不深思熟虑想出办法吗!"库库特穆尔非常看重他的意见.

乙卯(二十四日),张士诚擅自任命他的弟弟代替达实特穆尔为江浙行省左丞相.

当时江浙右丞达兰特穆尔、左右司郎中珍保,阿谀奉承张士诚,接受了很多金银绵帛,多次挑拨是非诬陷达实特穆尔.到这时张士信攻克安丰回来,张士诚便派王晟等当面数说达实特穆尔的过失,勒令他向省院行文,陈说自己年老有病愿意退休,又说行省丞相的职位非士信不可.张士信当即逼迫他取出他掌握的符玺印信,自己任江浙行省左丞相,将达实特穆尔迁到嘉兴,还加固围墙将他禁锢起来.达实特穆尔每天对着妻妾,放声歌唱,若无其事.

张士诚下令各部门的文书公函起首都写上"吴王令旨",又暗示江浙行台为他向朝廷请求封王的实授,行台御史大夫布哈特穆尔不肯听从.张士诚便派人到绍兴索取行台印章,布哈特穆尔封锁印章,放到府库中,说:"我的头可断,印章决不可给."又逼迫他登船,他说:"我宁可死,不能受屈辱!"从容地洗澡换好衣服,和妻儿告别,写下二首诗歌,便吃毒药而死,临死,将杯子丢在地上说:"叛贼,你会随着我灭亡!"达实特穆尔听说后,感叹道:"大夫都死了,我为什么不死!"于是命身边的人取来药酒,服毒自杀.张士诚便派人装载他的灵柩和妻子儿女往北返回京师.

布哈特穆尔,姓奈曼氏,是行台御史大夫特默格之子.

这一月,博啰特穆尔请求处死近恃宠臣图噜特穆尔,停止三宫中那些不紧要的建设工程,清退一些宦官,减免不必要的钱粮支出,禁止西蕃僧的秘密佛法等佛事.

吴常遇春兵马到达赣州,熊天瑞坚守城池难以攻下,吴王下令平章彭时中带兵会合常遇春等一同攻打,熊天瑞的防守更加坚固,常遇春便挖壕沟设立木棚来围困他.

张士信做了江浙丞相后,在东城下修建住宅,号称丞相府.张氏的众大臣都出身寒微,自认为化家为国已到达了小康水平,也都大建府第,修整园池,畜养歌妓,购置图画,民间有奇石名木,一定会被强行夺取.张士信的妻妾有百多人,练习天魔舞,园中采莲的船只,用沉檀木制造.各大臣举办音乐宴席,都要耗费千石米粮,城中只要阿谀奉承他们的百姓,都可以得到富贵.不多久,张士信命令潘元明守卫杭州而自己返回姑苏,参军黄敬夫、蔡彦文、叶德新,都善于谄媚阿附而掌握权力.蔡彦文是山阴人,曾经卖药为生;叶德新是云阳人,擅长星相算命;张士信经常依靠他们来出谋划策。吴王听到后说:"我每事都操心,依法行事不随便饶恕,还是有人欺骗我。张九四常年不出家门,不处理政事,能不被人欺骗吗!"当时有十七字的民谣说:"丞相做事业,专用黄蔡叶,一朝西风起,干鳖!"黄蔡,拟指黄菜;西风,拟指建康兵马。

九月,辛酉朔(初一),宦官苏隆济岱,暗中送宫女博果岱,从顺承门出,到达皇太子身边。

癸酉(十三日)夜,西北天空有红光,到东边后便散开了。

辛巳(二十一日),吴王命中书省在卞壶以及蒋子文庙绘制雕塑功臣像,按时派官员祭祀;南昌府和康郎山、处州、金华、太平府各处的功臣庙,也命有关官府定期前去祭祀。那些还没有褒奖封赠的,由中书省按功劳拟定后上报。

吴徐达和杨璟等率部队攻打江陵,到达沙市。原为陈友谅平章的姜珏前往徐达那里请求投降,并说:"该死的只有姜珏,百姓是无辜的。"徐达很赞赏他的话,下令安抚城中百姓,禁止兵士侵犯骚扰。其他郡县听说后,都望风归附。随即将江陵路改为荆州府。

乙酉(二十五日),徐达派偏将傅友德带兵攻取夷陵,原陈友谅守将杨以德率领父老百姓出城投降。随即改夷陵为峡州。

方明善攻打平阳,吴参军胡深派兵打败了他。

在这以前温州土豪周宗道占据平阳县,多次被方明善逼迫,于是向胡深投降。方明善很愤怒,更加增兵攻打,周宗道向胡深请求援救,胡深打败了方明善,并且攻下瑞安,向温州进兵。方明善害怕,和方国珍商议,愿意每年贡献银钱二万两充当军费,请求守卫乡土像钱铿当年一样,吴王答应了,命令胡深班师。

吴徐达带兵到达潭州。湘乡本地首领易华,招集少壮青年占据黄牛峰十多年,到这时徐达派人招安,易华率部下投降。

原陈友谅归州守将杨兴,献出归州向吴投降,吴王就任命杨兴为千户,守卫归州。

冬季,十月,乙未朔(疑误),吴王遥授廖永安为江淮等处行中书省平章政事,封楚国公,当时廖永安被张士诚拘留,他守义不屈,所以有这一任命。廖永安后来便在苏州去世。

乙卯(二十六日),吴守卫江西都督朱文正,派元帅宋晟带兵讨伐须岭寨。宋晟到后,派人招降,寨中首领丁廷玉等和部下五千人前来投降,朱文正将他们和家属一起都迁到南昌。

吴常遇春等包围赣州已很久,熊天瑞的儿子熊元震,暗中出来侦察军情,遇春也带着几个骑兵出外,双方突然相遇,熊元震不知道对方是常遇春,便让过去了。等到常遇春返回时,熊元震才察觉,又来袭击。常遇春派壮士挥舞双刀还击,熊元震奋起铁挝抵抗,边打斗边退却。常遇春说:"真是勇猛男子!"放他离开了。

己未(三十日),顺帝诏命皇太子返回京师。

又命伊苏、娄都尔苏分道统领兵马。

十一月,辛酉(初二),吴设置湖广提刑按察司。

壬申(十三日),原邓克明的部下罗五叛变,侵犯抚州;吴守将金大旺讨伐平定了他的叛乱。

辛巳(二十二日),吴王命令平章汤和带兵援救长兴。吴军到后,张士信派兵抵抗,从巳时直到申时,战斗不止,双方死伤相当。耿炳文从城中出兵,内外夹攻,打败了张士信,俘虏对方士兵八千多人,缴获马匹二万多,汤和便返回。

十二月,庚寅朔(初一),吴徐达的军队攻克辰州。

在这之前辰州被陈友谅的左丞周文贵占领,徐达派指挥张彬带兵讨伐。文贵的部将张川占据白云关抵抗,张彬打败了他,周文贵放弃辰州城逃往湖南,于是吴军占领辰州。

徐达又派指挥傅友德攻打衡州,守将左丞邓祖胜放弃城池退守永州。衡州也平定了。

乙巳(十六日),吴王派使者送信给库库特穆尔,相约发展友好关系,信中说:"博啰侵犯京城,这是古今以来的大罪,这正是阁下伸张正义阐明正道、不用考虑功名利禄的时候。但阁下处在河南这个四面都须应战的地带,继承颍川新创造的基业,而博啰又不断侵犯,考虑应付的策略,不能不谨慎小心。阁下何必吝惜一个使者,让他过长江来与我缔约!我的地方虽不很大,兵马虽不很强,但《春秋》珍惜邦交的道理,我是很羡慕的。况且乱臣贼子,任何人都可以诛杀他们,又有什么你我的分别呢!英雄相交的时候,正应该赤诚相见,共同拯救艰危的时局,不要自相猜疑阻隔,丧失这样友好的交情。请阁下认真考虑!"

新淦邓仲谦发动叛乱,攻占州城,杀害吴知州王真。邓仲谦是邓志明的侄子。

这年冬天,张士诚疏浚常熟的白茆港。

泰定年间,周文英上奏朝廷,认为从水的流势来看,应该专心治理白茆、娄江,当时朝廷没有引起注意。张士诚翻阅过去的史籍,得到周文英的上书,发动士兵、民夫共十万人,命令吕珍监督这一工程,百姓都怨恨这事。等到工程竣工后,百姓却从中受益不浅。

至正二十五年 （公元 1365 年）

春季,正月,己未朔(初一),吴常遇春、邓愈攻克赣州。常遇春等包围该城共五个月,熊天瑞援兵断绝,粮食吃光,派儿子熊元震前来投降,熊天瑞随即也光着上身来到吴军营前,将领土全部奉献。常遇春将天瑞送到建康。吴王听说常遇春攻克赣州却没有杀伤人,非常高兴,派使者嘉奖他说:"我听说仁义的军队没有敌手,但没有仁爱的将帅统领不行。现在将军攻破敌人而不杀人,这是上天将将军赐给我来兴隆我的国家,是千载难逢的事,而不是偶然的。捷报传来,我为将军感到非常高兴,即使像曹彬攻下江南,也无法相比!将军能够广泛传布威德,保全百姓生命,我非常信赖你!"

此前熊天瑞占据赣州时,经常增加赋税残忍榨取百姓财产,到他投降后,有关官府请求仍旧征收这些赋税,吴王说:"这怎么能成为定例呢!"下令立即取消,并免掉去年秋季没有缴纳的粮食。

熊元震,本来姓田,是熊天瑞的养子,因善于作战而出名;常遇春喜欢他的勇猛才干,向吴王推荐,被任为指挥,后来恢复姓田。

吴徐达派千户胡海洋攻打宝庆路,取下来了,守将唐龙逃走。于是靖州军民安抚司及各长官司都前来投降,徐达都赏赐他们让他们回去。

癸亥(初五),朝廷封李思齐为许国公。

壬申(十四日),吴常遇春向南安进军,派部下危正越过岭南,招降韶州各郡没有归附的。于是韶州守将同签张秉彝和南雄守将孙荣祖,各自登记兵士、粮食的数目前来投降。常遇春命令指挥王屿守卫南雄,张秉彝守卫韶州。

吴大都督朱文正,派参政何文辉、指挥薛显等,讨伐新淦邓仲谦,将他杀死。

吴王命平章汤和带兵征讨江西永新各山寨。参政邓愈回军到吉安,派兵马往安福讨伐饶鼎臣,部下掠夺了男女千多人,安福州判官潘枢对邓愈说:"将军奉扬天威来消除祸乱,祸首没有消灭而善良百姓先遭残害,这不是吊民伐罪的本义。"邓愈大惊而起连忙道谢,马上下令:"掠夺百姓的处死!"在军中大力搜索掠夺来的百姓,全部释放。潘枢因而将百姓关闭到空房子中,自己坐在屋外,煮米粥给他们吃。有准备晚上抢劫百姓的士兵,邓愈将他们鞭打示众。潘枢于是将这些百姓全部护送回家,百姓非常高兴。邓愈返回,到富州,又讨伐平定了这里的山寨。捷报传到建康,吴王任命邓愈为江西行省右丞。

壬午(二十四日),监察御史博啰特穆尔、贾彬等,澄清了哈玛尔、舒苏的罪责。

甲申(二十六日),吴大都督朱文正,因犯罪被免官,安置到桐城县。

朱文正涉猎传记,富有勇气胆识,当初跟随吴王渡江攻取集庆有功,吴王问他:"你想要什么官?"朱文正回答说:"叔父成就大业,我何必担心不能富贵!官职赏赐先照顾亲人,怎么能够镇服众人?"吴王赞赏他的话,更加喜爱他。到江西平定时,朱文正的功劳最多,吴王对众将给予优厚的赏赐,考虑到文正以前能识大体的话,还想等一段时间再奖励他,文正便不能没有稍许怨望。他的性格本来很暴躁,到这时更加暴怒无常,听任掾吏卫可达掠夺辖区内的女子。按察使李饮冰上奏说朱文正骄纵奢侈、心怀怨恨,吴王派使者责问他,文正害怕,李饮冰更加上奏说他心怀异志。吴王当即上船,到达南昌城下,派人召他来,朱文正匆忙出来迎接。吴王哭着对他说:"你想干什么?"于是带着他一起返回建康。到建康后,王妃极力调解,说:"孩子只是性格刚直,没有别的。"群臣请求依法处置,吴王说:"文正虽然有罪,但我兄长只有这个儿子,如果依法处置,就会伤害兄弟的情义。"于是免去文正官职,安置到桐城。当时他的儿子守谦刚满四岁,吴王抚摸他的头说:"你父亲违背了我的教导,使我忧虑。你今后长大成人,我封你爵位,不会因为你父亲而不封你的。"命王妃抚养他。

乙酉(二十七日),吴王准备向淮甸发展,亲自检阅考核将士,命镇抚居明率领军士分队演练作战,胜利的赏银十两,负伤而不后退的,也是勇敢的人,分别给予奖赏,而且普遍赐给酒饭慰劳,并给负伤的人发药医治。又对他们说:"刀不经常训练,肯定会导致手指受伤;船不经常操练,肯定会导致翻船;如果弓箭战马不经常练习而想攻城野战,没有不失败的。所以让你们演练。如今你们如此勇敢壮健,面对敌人哪里担心不能获胜!官爵奖赏富贵,只有有功的人可以获得。"回头对起居注詹同说:"兵力不在于多而在于精,多而不精,只会牵累行军布阵。最近听说军中招募士兵又多又滥,我将不时加以考核,希望能得到精干的士兵,那就差不多可以作用了。"

蜀明玉珍改定官制,合并六卿为中书省、枢密院。任命戴寿、万胜为左右丞相,向大亨、张文炳知枢密院事,邹兴镇守成都,吴友仁镇守保宁,莫仁寿镇守夔关,都任平章事;窦英镇播州,姜珏镇守彝陵,都任参知政事;荆玉镇守永宁,商希孟镇守黔南,都任宣慰使。不久,派万胜攻打兴元,占领该城。

二月,己丑朔(初一),福建行省平章陈友定侵犯处州,吴参军胡深率兵前去援救。友定听说胡深前来,逃走,胡深追赶到浦城,守将抵抗,胡深打败了守将,于是攻下浦城。

辛丑(十三日),吴王命千户夏以松守卫临江,张信守卫吉安,单安仁守卫瑞州,宋炳守卫饶州,全部归江西行省指挥调度。又命参军詹元亨总管辰、沅、曲靖、宝庆等州郡,听从湖广行省指挥调度。

丙午(十八日),张士诚因为诸全州的失败而愤怒,召集兵马二十万,派他的部将李伯升,挟持吴叛将谢再兴攻打诸全新城,布置的队阵连绵有十多里远,建造房屋,修筑仓库,做好一定要攻拔的准备,而且分兵几万,占据城北十里地带阻挡援兵。守将胡德济坚守抵抗,向严州朱文忠告急。朱文忠派指挥张斌、元帅张俊带兵出浦江,从远处声援胡德济。

张士诚又派兵从桐庐上溯到钓台,准备进犯严州,朱文忠命令用水军抵挡。水军未到而千户谢佑被张士诚埋伏的军队活捉,众将帅非常恐慌,朱文忠神态自若,部署诸将各自防备,派何世明、袁洪、柴虎据守严州城,自己亲率指挥朱亮祖等奔驰前去援救。丁巳(二十九日),离新城二十里驻扎,胡德济偷偷派人告知贼人势力强盛,应该稍稍避过锋芒等待大军,朱文忠说:"过去谢玄用八千士兵打败苻坚百万兵马,兵力在精而不在多。"于是下令说:"敌人众多但骄傲,我军虽少但精锐,用精锐的兵力与骄傲之敌作战,一定可以战胜。敌军的军需物资如山堆积,这是上天要使你们富贵,努力吧!"恰好有白气覆盖军中,占卜结果是一定胜利。

第二天早晨交战,大雾弥漫天空阴暗,朱文忠派元帅徐大兴、汤克明等统领左路军,严德、王韶等统领左路军,自己带领中军抵挡敌人正面冲击。正好胡深派耿天璧带援兵赶到,朱文忠重申军纪,奋勇向前拼杀。浓雾稍微稀薄,朱文忠挥舞长矛带着几十名铁骑,从高处冲下来,冲击敌军中军。敌人用精骑重重包围朱文忠,矛尖多次触到膝盖,朱文忠大呼一声,亲手杀死敌军猛将,在敌阵中横冲直撞,所向披靡。左右两翼军队乘势攻打,城中守兵也大喊着冲出来,张士诚的兵马全线崩溃,被追赶十多里,杀死几万人。朱文忠收兵会餐,派指挥朱亮祖、张斌追杀残余敌人,烧毁敌军营寨几十处,俘虏同金韩谦等六百人,士兵三千人,缴获的战袍粮草,收集了几天也没收完,李伯升、谢再兴仅仅只身逃脱。

戊午(三十日),皇太子在冀宁,命令甘肃行省平章多尔济巴勒,带领岐王阿喇奇尔的军队,会同平章臧卜、李思齐,各自带兵守卫宁夏。

三月,庚申(初二),皇太子在库库特穆尔的军中下令说:"博啰特穆尔袭击占领京城,我已经受命总督天下各路军马,奉命前去加以惩罚。少保、中书平章政事库库特穆尔,亲自带领将士,分路进军,诸王、驸马和陕西平章政事李思齐等,各自统率军马,希望你们奋勇努力,定期收复京城。"

博啰特穆尔听说后,非常愤怒,唆使监察御史武起宗上奏说皇后奇氏在外干扰国政,自己便向顺帝上奏,应该将奇后迁出宫外,顺帝没有答应。丙寅(初八),博啰便假借皇帝命义将奇后幽禁在诸色总管府,命令他的党徒巴延布哈看守她。

丁卯(初九),任命娄都尔苏、拜特穆尔一起为御史大夫。

辛巳(二十三日),吴常遇春平定赣州的军队返回,吴王在戟门颁布奖赏慰劳他们。

癸未(二十五日),吴起居注宋濂请求回金华省亲,吴王赏赐金币让他回去。宋濂回家后,上表答谢,又写信给吴王世子,劝勉他努力学习。吴王看信后非常高兴,召来世子对他说:"我从小就在艰难困苦中生活,如今你们衣饰华丽,生活甜美,平安生活在深宫之中,如果不努力学习,就是自我抛弃,宋起居的话很有用,你要认真体会。"又派使者到宋濂家,回信奖励他,赐给他绮帛,并要世子亲自回信。

夏季,四月,己丑朔(初一),吴参军胡深进攻建宁的松溪,占领该地,俘虏陈友定守将张子玉后返回。留元帅李彦文安抚松溪军民。

庚寅(初二),博啰特穆尔到诸色总管府,见到皇后奇氏,要她回宫中取印章,写信给皇太子,派内侍官鄂勒哲图带着前往冀宁;又带皇后出宫,将她幽禁。

吴王命平章常遇春攻取湖广襄阳各郡。吴王曾经和徐达等讨论襄汉形势说:"安陆、襄阳,连接荆、蜀,是南北相通的咽喉,英雄必争之地。现在放弃不取,将会留下后患。况且沔阳新近归附,城中的人口大多是陈友谅的旧部属,地盘相连,容易被煽动。这好比树木,安陆、襄阳是树枝,沔阳是树干,树干若有损伤,枝叶哪里还会存在呢?如今应该增加兵力守卫沔阳,这样才比较适宜。"到这时便命令常遇春带兵前去攻打。

乙巳(十七日),关保等进兵包围大同;乙卯(二十七日),攻进大同城。

五月,庚申(初三),吴广信卫指挥王文英带兵前往铅山,到佛母岭时,与陈友定兵马相遇,将陈兵打跑了。

辛酉(初四),吴参军胡深对吴王说:"最近攻克松溪,抓获张子玉,其他人众失败后逃往崇安,请调发广信、抚州、建昌三路兵马一并攻打崇安,顺便看情况夺取八闽。"吴王说:"张子玉是一猛将,如今被我生擒,敌人一定吓破了胆,乘势进攻,必能获胜。"当即命令广信指挥朱亮祖从铅山、建昌左丞王溥从杉关出发,会同胡深一起进兵。

甲子(初七),京城上空落下长毛,长一尺左右。有人对顺帝说:"这是龙须。"顺帝命人拾起来并祭祀它。

乙亥(十八日),吴平章常遇春攻打安陆,占领该地。

在此之前常遇春出发后,吴王又调江西右丞邓愈为湖广平章,带兵跟在遇春之后,派人对邓愈说:"凡属夺得州郡,你应该驻兵于投降归附的人加以安抚。如果襄阳没有攻下,就命遇春分兵,一半集聚沔阳,一半集聚景陵,你驻兵武昌,使得声援互应,可以阻止敌人逃跑。"邓愈便奉命出发。到这时遇春攻打安陆,安陆守将金院任亮出城迎战,常遇春打败任亮,活捉了他,于是攻下安陆城,派沔阳卫指挥吴复守卫。

己卯(二十二日),吴常遇春到达襄阳,守将放弃城池逃跑,遇春追击,俘虏敌人五千、金院张德、罗明献谷城投降,遇春将他们送往建康。吴王任命章溢为湖广按察金事,章溢因为荆、襄有很多荒废的土地,建议分兵屯田,吴王很赞赏。

癸未(二十六日),吴浙东元帅何世明,在新溪打败张士诚的兵马,又在柴溪打败他们。

这一月,侯布延达实侍奉威顺王从云南、西蜀转战而出,到达成州,想前往京城,李思齐让他们在成州屯田。

吴王给邓愈写信说:"你防守襄阳,应该严格遵守法度。山寨前来归附的人,士兵百姓仍旧都按原籍分开,小校以下的,都让他们屯田耕种,边耕种边作战。你所防守的地带靠近库库特穆尔,如果你对百姓施行仁爱,对将士严明法纪,那么库库的部下,都会慕名前来归附,就像脱离虎口靠近慈母一样。我依赖你如同依赖长城一样,你努力吧!"邓愈于是披荆斩棘,建立军府,经营屯田,训练将士,安抚招徕,威望、仁惠非常突出。

六月,戊子朔(初一),任命黎安道为中书参知政事。

己丑(初二),吴设置思南宣慰使司。

当时思南宣慰使田仁智派都事杨琛前来归降,并缴纳元朝授予他的宣慰使印章,吴王说："仁智生活在偏僻遥远的地方,历代为溪洞首领,却能够洞察天命所在,率先前来归附,的确值得嘉奖。"让他仍旧担任思南道宣慰使。任命杨琛为思州等处军民宣抚使,授予他三品银印。

丁酉(初十),吴占领安福州。

在此之前,饶鼎臣父子逃到安福后,和他们的同党刘颠等仍旧大肆抢劫,邓愈派兵讨伐,久攻不下。吴王又命元帅王宝会同参政何文辉、黄彬一同征讨,饶鼎臣又放弃城池逃向茶陵。

辛丑(十四日),湖广行省左丞周文贵收复宝庆路。

乙巳(十八日),皇后奇氏从被幽禁的地方返回宫中。

奇后多次给博啰特穆尔送去美女,博啰很高兴,所以能回宫中,从被幽禁到今天共一百天。博啰特穆尔自入京城后,收罗四十多个女子,沉溺在荒淫的酒色中,锐气消磨光了。

壬子(二十五日),吴参军胡深攻克温州的乐清,活捉方国珍的镇抚周清、万户张汉臣、总管朱善等人,带上枷锁送往建康。

吴指挥朱亮祖等进攻建宁。

当时陈友定的部将阮德柔据城死守,各路军马到达城下后,亮祖就想攻打,胡深看到阴阳相侵的不祥云气不利于出战,对朱亮祖说:"天象没有调和,必定会有灾祸。"朱亮祖说:"天道幽微遥远,山泽中的云气变化无常,怎么做到凭据?"逼迫胡深进军,胡深还是坚持不能进兵。阮德柔驻兵锦江,逼近胡深的军队后阵,朱亮祖督促交战更加急迫。胡深没有办法,于是带兵呐喊着前进,攻破对方二道栅栏;阮德柔率领所有精锐阻挡胡深的军队,包围达好几层。天已傍晚,胡深突围冲出,伏兵突起,胡深的马失足,胡深被抓住,送到陈友定那里,友定对他尊敬有礼。胡深便称赞吴王神圣威武,所有英雄都归心吴王,以此打动陈友定,友定也没有杀害胡深的意思,恰巧元使者到来,逼迫友定,于是胡深被杀害。

胡深在地方为官多年,任用部众宽容厚道,带兵十多年,从没有随便乱杀一人。吴王曾问宋濂说:"胡深是什么样的人?"宋濂说:"是文武全才。"吴王说:"的确如此,浙东一带的保障,我正要依靠他。"等到讨伐福建时,星象有变,吴王说:"东南方肯定会丧失一员良将。"急忙派人告诫,胡深已经遇害。

吴何文辉等平定山寨,活捉盗贼万兴宗,将他处死。

乙卯(二十八日),任命太尉和尼齐为御史大夫。

吴王下令:"农民凡是有田地五亩到十亩的,栽种桑、麻、木棉各半亩,十亩以上的加一倍,其他田地多的,全部以此比例为准。有关官府要亲自督促检查,不按命令的加以处罚,不种桑的,罚出绢一匹,不种麻和木棉,罚出麻布、棉布各一匹。"

吴王任命儒士滕毅、杨训为起居注,吴王对他们说:"我看到元朝大臣门下的儒士,大多不能够正直做人,只知道阿谀谄媚以迎合主人,看到主人所做的不对,不用正道去挽救,到他们失败后,自己也陷进罪恶之中。你们在徐相国幕下时间很长而没有过失,所以授予你们这一职务。你们要全副身心做好此事,不要做阿谀奉迎的事情。"又说:"起居注这一职务,并不只是从事纪录就行了,还要诚恳地提出批评和建议,使主人不至于犯错误,这样才是尽了职责。我平时对文武百官所说的话,过了一两天还不断思考;如今你们在我身边,不能有话不说。"又命滕毅、杨训收集古代无道君主如夏桀、商纣、秦始皇、隋炀帝所做的事情呈送给他,说:"我看这些,正是想知道他们丧国亡身的原因来引以为戒。"

这一月,皇太子进封李思齐为邠国公,加封他为中书平章政事,兼知四川行枢密院事、虎符招讨使、分中书四部。

博啰特穆尔派图沁特穆尔率领军队讨伐上都依附皇太子的人,调派伊苏往南抵抗库库特穆尔的军队。伊苏到良乡后不再前进而返回永平,派人西与太原联络,东和辽阳联结,军队声势大振。博啰担忧此事,派猛将姚巴延统领兵马出京防御,到通州时,河水泛滥,便在红桥扎营等待。伊苏出其不意突然袭击,打破了姚巴延营寨,杀死姚巴延,博啰害怕了,亲自带兵出通州,因三天大雨,抢了一女后,不战而回。

博啰先前曾因为怀疑而杀害了部将保安,既而又丧失了姚巴延,郁郁寡欢,便每天和娄都尔苏饮酒,喝醉后杀人,喜怒无常,人们都很畏惧他。

秋季,七月,丁巳朔(初一),吴王命降将张德山返回襄阳,招降没有归附的山寨。

吴平章汤和进兵攻打永新城的周安。

当初,陈友谅灭亡后,周安就投降了,吴王命他依旧守卫永新。等到吴军进入安福讨伐饶鼎臣时,周安因怀疑又重新叛变,并与各山寨相勾结。汤和到后,周安出城抵抗,汤和打败了他,攻下十七座山寨,活捉伪官五十多人,于是包围了永新城。

庚申(初四),原陈友谅的左丞周文贵的党羽又攻占辰溪,吴统一管辖辰沅等州事的参军詹允亨派兵讨伐他们。

甲子(初八),吴王派使者带书信给库库特穆尔说:"昔日我们没有战事冲突,尹焕章前来,我得到你的信后非常高兴,当即派汪何同尹焕章一同前去,为生存的人祝贺,吊唁死去的人。使者前去后没有返回,又派人前往,都被扣留不放。而且阁下过去和博啰交战,胜负未决,还派知院郭云、同金任亮攻打我景陵,掠夺我沔阳。我想该城虽是元朝所有,落在他人手中已很久了,我从他人手中夺得,不是从元朝手中抢来,阁下表面上打着元朝旗号,内心里则是占为自己所有,一旦轻视我,便扣留前使。我虽不计较,但想到阁下朝中灾难尚未消除,就出兵欺侮我,假使大权独揽之后,又会怎么样呢?如果真想挟持天子以号令诸侯,在中原创立大业,就应该赤诚相待,以示光明磊落,和我江淮建立睦邻友好关系;如今却派遣竹昌、忻都带兵进入江淮深处,杀害、抢劫当地百姓,恐怕不是很合适的。况且有从中原来的人,详细陈说张思道、李思齐等,合纵联盟,专一对付阁下,这正是值得忧虑的时期,怎么可以眼看着西北各路英雄与关内结成同盟,阁下却反而不顾眼前的危险,而想谋求远方的利益,独立支撑呢?这不是好办法。我曾经多方打听各种消息,听说军中准备发动变乱,恐怕对阁下有所不利,所以特地派人述说我前面的心意,传达我听到的情报,阁下您好好想想吧!历次的使者如能放回,就不会破坏我们之间的友好关系,请阁下明察。"思道,是张良弼的字。

乙丑(初九),思州宣抚使田仁厚派使者到吴,献出他守卫的领地。吴将宣抚司改为思南、镇西等处宣慰司,任命田仁厚为宣慰使。

癸酉(十七日),吴辰州沅陵县平民向珍八发动叛乱,参军詹元亨派千户何德讨伐平定了。

壬午(二十六日),吴设置太史监,任命刘基为太史令。

乙酉(二十九日)，博啰特穆尔被处死。

在这之前博啰唆求顺帝喜爱的女子，顺帝说："欺侮我到这种地步啊！"便想除掉他。

有一儒士徐士本，住在家中不做官，喜欢设想奇谋妙计，到这时被任命为翰林待制。威顺王之子和尚，接受顺帝的密旨，和徐士本一起暗中接纳勇士金诺海、拜特勒、特古斯布哈、洪宝宝等六人，在衣中挟着刀，外面穿着宽大衣服像听事一样，站在延春门东边的仪仗队内等候。

这天，博啰早朝完后，准备出去，挟刀的人相互望着说："事情办不成了。"徐士本拉住他们说："不一定。"恰逢图沁特穆尔派人报告上都捷报，平章实勒们对博啰说："这是好消息，丞相应该上奏皇上。"博啰不想进去，实勒们强拉着他，一起走到延春门李树下，突然有人冲到他的面前，博啰正瞪着眼看着说："这个人面生。"马上有人打他的脸颊，博啰用手抵挡，立即呼喊他的随从骑兵。拜特勒从人群中跳出来，砍中他的脑袋，金诺海等人乱刀杀死了他。娄都尔苏伤了额头后跑了出去，博啰的军士大惊失色四处逃跑。顺帝这时住在地下室里，约定说："事情成功，就放带铃声的鸽子。"于是鸽铃响起，顺帝从地下室中出来，下令将他的党羽全部杀死，黎安道、方托克托、雷一声都被处死。娄都尔苏护着博啰的母亲、妻子、儿子和图沁特穆尔一起往北逃去。

第二天，顺帝派使者将博啰的首级装在盒子中送往太原，下诏命皇太子还朝，各路兵马听到诏命撤兵返回。大赦天下，赏赐讨伐博啰的人。徐士本没有接受赏赐，一天晚上逃走了。

这个月，京城发大水，黄河在小流口处决堤，流到清河。

八月，丁亥朔(初一)，京城城门到今天已有三天未开。珠展、摩该的军队到达城外，命令士兵爬上城墙，打碎平则门的门闩，军队全部进城，占领百姓房屋，抢夺百姓财物。

周文贵又攻打辰州，吴千户何德率领轻装骑兵直抵他的营寨中，打败了他，周文贵退向麻阳防守。何德追击，又将周文贵打得大败逃走。

癸卯(十七日)，顺帝命皇太子分别调派将帅，平定没有收复的郡县，就返回京城。皇太子处理军政事务时，可以用皇帝名义任命官员，并且同正式授职一样有效。

库库特穆尔因为今年又应举行科举考试，而江南、四川各行省都因战争而没有举行，乡试没有荒废的，只有燕南、河南、山东、陕西、河东等地，便奏请皇太子将乡贡的名额增加一倍。

丁未(二十一日)，皇后鸿吉哩氏崩。

鸿吉哩皇后生了皇子珍戬，二岁时夭折。皇后生性节俭，不妒忌，言行举止都用礼法约束自己。第二皇后奇氏被顺帝宠爱，鸿吉哩皇后没有一点怨恨的表现。跟随顺帝视察上都时，在路途中过夜，顺帝派宦官传旨想前往皇后处过夜，皇后推辞说："黑夜里不是皇帝来往的时候。"宦官来回跑了三趟，始终没有同意，顺帝更加敬重她。住在坤德殿，整天端正坐着，不曾随便出过殿门。到这时去世，奇后看到她留下的衣服破旧，大笑着说："正宫皇后，哪里至于穿这种衣服呢！"过了一个月，皇太子从冀宁返回，哭得很哀伤。

辛亥(二十五日)，吴罗田的盗贼蓝丑儿，假称是彭莹玉，捏造淫言迷惑众人，设置官吏，抢劫平民百姓。麻城里长袁宝突施袭击，活捉丑儿献到建康，吴王赞赏他能伸张正义，赐给他绮帛。

壬子(二十六日),任命洪宝宝、特古斯布哈、萨勒图一同为中

九月,丙辰朔(初一),吴设置国子监,用原集庆路学改建。

库库特穆尔护送皇太子到达京师。皇太子逃奔太原时,想按唐肃宗灵武自立的故事,自己当皇帝,库库特穆尔和布埒齐等不同意。到这时回到京城,皇后奇氏传旨,命库库带大军护送皇太子进城,想以此胁迫顺帝禅位。库库知道她的意思,到了离京城三十里时;就遣散军队,太子心中因此怀恨。

壬午(二十七日),顺帝下诏任命巴咱尔为中书右丞相,监修国史;库库特穆尔为太尉、中书左丞相,总领军国重事,同监修国史,知枢密院事,兼太子詹事。

巴咱尔是几朝老臣,而库库是后起之秀,却一同为相,朝中官员往往轻视库库。而且库库长期在军中,喜欢随心所欲,没有约束,因而在朝中两个月,闷闷不乐,就请求返回南方视察军队。

这一月,任命方国珍为淮南行省左丞相、衢国公,在庆元设立分省。

明玉珍派他的参政江俨向吴表示友好关系,吴王派都事孙养浩带书信回复说:"足下身处西蜀,我在江左,大概和汉代末年的孙权、刘备类似;王保保盘踞中原虎视眈眈,他的志向不在曹操之下。我和足下实在是唇齿相依的邻邦,希望以孙、刘互相吞并的后果为戒。"

冬季,十月,戊子(初四),吴王听说明玉珍攻取云南失败,众将领往往残暴掠夺,明玉珍不能制约,又写信劝诫他。

戊戌(十四日),吴王因为张士诚多次侵犯边境,准备举兵讨伐,下令说:"张士诚多方挑衅,袭击我安丰,侵犯我诸全,不断用兵制造祸端,罪责难逃。如今命令大军征讨,只在于罪魁祸首;在他境中的军人百姓,不要恐惧害怕,不要胡乱逃窜,不要荒废农业。已经要求大将军约束全体官兵,不要抢劫,违反的人按军纪论处。"

庚子(十六日),吴王命中书省写信招安虎背寨刘宝,使他前来归附。

辛丑(十七日),吴王命左相国徐达、平章常遇春、胡廷瑞、同知枢密院冯国胜、左丞华高等,率领骑兵、步兵、水军水陆并进,准备夺取淮东泰州等地。

当时张士诚占领的郡县,南边到绍兴,和方国珍接邻,北边有通、泰、高邮、淮安、徐、宿、濠、泗等地,又北到济宁,和山东连接。吴王想先夺取通、泰等郡,剪去张士诚的羽翼,然后专心夺取浙西,所以命令徐达统领军队攻打泰州。

壬寅(十八日),任命哈喇章知枢密院事。

乙巳(二十一日),吴徐达兵马前往泰州,在通州疏浚河道,遇到张士诚的部队,打败了张军,于是在海安坝上扎营安寨。

丙午(二十二日),娄都尔苏护着博啰特穆尔的母亲、妻子和儿子天宝努往西北逃跑,与图沁特穆尔的军队会合。丁未(二十三日),益王温都逊特穆尔、枢密副使观音努捉住娄都尔苏,将他处死,图沁特穆尔带着残兵逃往巴尔苏的地域,朝廷命令岭北行省左丞莽栅僧、知枢密院事魏赛音布哈一起前去讨伐。

吴徐达军队包围泰州新城,打败张士诚的淮北援兵,俘虏元帅王成。

戊申(二十四日),任命资政院使图噜为御史大夫。

己西(二十五日),张士诚派淮安李院判前来援救泰州,常遇春将他打败,活捉万户吴聚等。派人到城中招降,金院严再兴、副使夏思忠、院判张士俊等坚守不投降。

饶鼎臣逃到茶陵后,又会合浦阳的盗贼们集聚在南峰山寨,经常出来侵扰抢劫。癸丑(二十九日),吴元帅王国宝等带兵将他们打败,饶鼎臣逃走。

信州盗贼萧明,带兵围攻吴的饶州,知府陶安召集父老告诉他们说:"我们粮食充足城池坚固,早就做好了准备。贼人驱使乌合之众前来,不值得害怕。只要能坚守,不过几天,援兵前来,必定打败贼人。"众人都答应了。陶安和千户宋炳亲自率领官吏百姓分头防守,选择勇敢的壮士为游兵,日夜巡逻防卫,并向江西行省请求援救。陶安登上城头对贼人说:"你们都是我的百姓,反而被贼人利用,难道不是有失考虑吗?"众人说:"假使都像太守和总制一样,怎么会有今天! 如果攻破城池,一定不会杀害你。"陶安命令射箭,箭如雨下,贼人不能逼近。过了三天,行省援兵到来,于是大败贼人,萧明逃跑,活捉伪招讨都海、万户袁胜,将他们杀死。众将领想屠杀跟随贼寇的人,陶安说:"百姓被贼人胁迫,为何要杀他们!"不同意。饶州于是安定。

闰十月,乙卯朔(初一),吴江阴水寨守将康茂才派人报告吴王说:"张士诚派水师船只四百艘出大江,到达范蔡港,另外派小船在江中孤山间往来,出没无常,我怀疑有什么阴谋,请做好准备。"

吴王派使者对徐达说:"茂才说张士诚派水军在江中往来,我估计该贼子没有攻打江阴直往上流的计策,不过是使诡计迷惑我,让我陆寨的部队返回水寨防备。我军分开后,他将舍弃我水军,快速前往陆寨,攻打我虚弱的营寨,这是一个阴谋诡计。又听说常遇春出海安七十多里追击贼人,贼军不过万人,这不是抵抗我大军的样子,大概是想引诱遇春深入。离开泰州远了后,他肯定暗中派兵前往海安,或者前往泰州,使我大军兵力分散,首尾难顾,来不及救援,这又是一个诡计。兵法说,要引敌人上钩而不是被敌人所引,你应该仔细考虑。使者到后,立即下令遇春在海安扎营,谨慎防守新城,坐等敌人前来。敌人如果从远方前来挑战,我以逸待劳,可以一战而获胜。泰兴以南和江中敌人的船只,也应该防备。"

己未(初五),吴王亲自到康茂才的水寨,又派人带亲笔信告诉徐达等说:"如果有什么话要说,立即派快马来报,我驻军等待。"

庚申(初六),任命宾国公五十八知枢密院事。

朝廷下诏命令张良弼、俞宝、孔兴等全部听从库库特穆尔的调度。

戊辰(十四日),吴平章汤和攻克永新,活捉周安等送往建康,将周安等处死。

当时中原虽然没有战事,但江淮、川蜀都丧失了,皇太子多次请出京督师,顺帝感到为难。正好左丞相库库特穆尔请求南下视察部队,辛未(十七日),便封库库特穆尔为河南王,代替皇太子亲征,统一管辖关陕、晋冀、山东各路及其以南的所有军马,凡属机要军务、钱粮、官名爵位、降罚升迁、赐予剥夺,全部由他根据需要自行做主不必上奏。

甲戌(二十日),吴指挥副使王汉宝攻下余干州,派前镇抚李旭守卫。

庚辰(二十六日),吴徐达、常遇春攻克泰州,俘虏张士诚泰州守将严再兴、夏思忠、张士俊等,向建康报捷,并且请求处分守城事宜。吴王命徐达根据情况自行决定,没有攻拔的城池,要乘胜进取。

辛巳(二十七日),任命托克托穆尔为中书右丞,达实特穆尔为参知政事。

吴徐达派黄旗千户刘杰分兵攻打兴化,张士诚的守将李清被打败,闭城坚守,刘杰攻打不下。张士诚派将领前来援救,被刘杰打跑。

十一月,甲申朔(初一),信州盗贼萧明侵犯婺源州,吴知州白谦无力抵抗,怀抱印信出北门跳水自杀。

白谦在任中廉洁忠心,自己生活非常俭朴,曾在除夕夜中,没有其他食物,只有一点蔬菜。人们因此很赞赏他。

辛卯(初八),吴徐达进兵攻打高邮,吴王听说后,担心徐达深入敌境,不能调度各路将帅,便命冯国胜率领自己的部下指挥高邮各路部队,让徐达回军泰州,做攻取淮安、濠、泗等地的准备。

饶鼎臣又大肆抢劫,甲午(十一日),吴元帅王国宝出兵拦击,饶鼎臣中箭身亡,余党全部逃散。

乙未(十二日),吴王因为李济占据濠州,名义上是为张士诚守城,实际上徘徊观望,命右相国李善长写信招降,因为善长和李济是同乡。李济得信后没有答复。

张士诚军队侵犯宜兴。吴王命徐达派冯国胜包围高邮,常遇春守海安,另派将领守卫泰州,自己带精兵支援宜兴。徐达便带兵渡过长江,到达宜兴城下,打败张士诚的兵众,俘获三千多人。

十二月,庚子朔(初一),张士诚派将领带兵八万攻打安吉,吴将费聚所带部下只有二千人,据城坚守,射死敌人猛将二人,敌人慌忙溃退。

吴徐达从宜兴回军攻打高邮,张士诚派左丞徐义从海道入淮援救。徐义怨恨张士诚,认为是想将他置于死地,驻扎在昆山的太仓,三个月不前进。

乙卯(十六日),顺帝立第二皇后奇氏为皇后。中书省奏请改资政院为崇政院,中政院也由奇后兼管。顺帝便授予奇后正宫皇后的玉册宝玺,诏告天下。改奇氏姓为索隆噶氏,并封她的父亲以上三代都为王爵。

这一月,图沁特穆尔被处死。

续资治通鉴卷第二百十九

【原文】

元纪三十七　起柔兆敦牂【丙午】正月,尽强圉协洽【丁未】六月,凡一年有奇。

顺　帝

至正二十六年　【丙午,1366】　春,正月,癸未朔,张士诚以舟师驻君山,又出兵自马驮沙溯流窥江阴。吴守将以闻,吴王亲往救之。比至镇江,敌已营瓜洲,掠西津而遁,乃命康茂才等出大江追之,别命一军伏于江阴之山麓。翌日,茂才追至浮子门,遇海舟五百艘遮海口,乘潮薄吴师,茂才督诸军力战,大败之,其弃舟登岸者,伏兵掩击之殆尽。

辛卯,吴王命按察司佥事周桢等定拟按察事宜,条其所当务者以进。谕之曰:"风宪纪纲之司,惟在得人,则法清弊革。人言神明可行威福,鬼魅能为妖祸。尔等能兴利除害,辅国裕民,此即神明;若阴私诡诈,蠹国害民,此即鬼魅也。凡事当存大体,有可言者,毋缄默不言;有不可言者,毋沽名买直。苟察察以为名,苛刻以为能,下必有不堪之患,非吾所望于风宪矣。"

吴王命中书省录用诸司劾退官员,省臣傅谳等言:"今天下更化,庶事方殷,诸司官吏,非精勤明敏者,不足以集事。此辈皆以迁缓不称职为法司劾退,岂宜复用?"王曰:"人之才能,各有长短,故致效亦有迟速。夫质朴者多迁缓,狡猾者多便给。便给者虽善办事,或伤于急促,不能无损于民;迁缓者虽于事或有不逮,而于民则无所损也。"命复用之。

己酉,以崇(正)〔政〕院使博啰苏为御史大夫。

壬子,以鄂勒哲图知枢密院事。

是月,以萨蓝托里为中书左丞相。

命燕南、河南、山东、陕西、河东等处举人会试者,增其额数,进士及第以下递升官一级。

二月,癸丑朔,立河淮水军元帅府于孟津。

吴湖广参政张彬,率指挥胡海洋等讨辰州周文贵,攻破其垒。文贵党刘七自益阳来援,复败之,文贵等遁去。

丁卯,四川容美峒宣抚田光宝,遣其弟光受以元所授宣抚敕印降于吴,吴王以光宝为四川行省参(知)〔政〕,兼容美峒军民宣抚使,仍为置安抚元帅以治之。

吴处州青田县山贼夏清,连福建陈友定兵攻庆元县,浙东按察佥事章溢召所部义兵击走之。

己巳，吴置两淮都转运盐使司，所领凡二十九场。

癸酉，吴徐达请以指挥孙兴祖守海安，平章常遇春督水军，为高邮声援，王从之，复敕达曰："张士诚兵多有渡江者，宜且收兵驻泰州，彼若来攻海安则击之。"

吴湖广潭州卫指挥同知严广平茶陵诸寨。

甲戌，诏天下"以比者逆臣博啰特穆尔、图沁特穆尔、娄都尔苏等，干纪乱伦，内外之民经值军马，致使困乏，与免一切杂泛差徭"。

库库特穆尔自京师还河南，欲庐墓以终丧，左右咸以为受命出师，不可中止，乃复北渡，居怀庆。

初，李思齐与察罕特穆尔同起义师，齿位相等，及是库库特穆尔总其兵，思齐心不能平，而张良弼、孔兴、图鲁卜等亦皆以功自恃，各请别为一军，莫肯统属。时有孙翥、赵恒者，恮人也，为库库谋主，畏江南强盛，欲故缓其行，乃谓库库曰："丞相受天子命，总天下兵，肃清江、淮。兵法，欲治人者先自治。今李思齐、图鲁卜、孔兴、张良弼四军，坐食关中，累年不调，丞相宜调四军南出武关，与大军并力渡淮。彼若不受调，则移军征之，据有关中，四军惟丞相意所使，不亦善乎？"库库欣然从之。

辛巳，吴下令禁种糯稻。其略曰："曩以民间造酒醴，糜费米麦，故行禁酒之令。今春米麦价稍平，然不塞其源而欲遏其流，不可也。其令农民今岁无得种糯，以塞造酒之源。"

是月，明玉珍有疾，命其臣僚曰："西蜀险塞，汝等协心同力，以辅嗣子，可以自守。不然，后事非吾所知也。"遂卒。僭号凡五年。子升立，年十岁，改元开熙，母彭氏同听政。

玉珍为人，颇尚节俭，好文学，蜀人经李喜喜残暴之后，赖以初安。然好自用，昧于远略，而嗣子暗弱，政出多门，国势日衰。

二月，庚寅，吴王令徐达自泰州进兵，取高邮、兴化及淮安。

甲午，库库特穆尔遣关保、浩尔齐统兵从大兴关渡河以俟，先檄调关中四军。张良弼、图鲁卜、孔兴俱不受调。李思齐得檄大怒，骂曰："乳臭小儿，黄发犹未退，而反调我！我与汝父同乡里，汝父进酒，犹三拜而后饮，汝于我前无立地，而今日公然称总兵调我耶？"自是东西构兵，相持不解。

乙未，廷试进士七十三人，赐赫德布哈、张栋等及第、出身。

监察御史裕伦布建言八事：一曰用贤，二曰申严宿卫，三曰保全臣子，四曰八卫屯田，五曰禁止奏请，六曰培养人材，七曰罪人不孥，八曰重惜名爵。帝嘉纳之。

丙申，吴命江淮行省平章韩政率兵取濠州。

吴命中书严选举之禁。初令府县每岁荐举，得贤者赏，滥举及蔽贤者罚。至是复命知府、知县有滥举者，俟来朝治其罪；未当朝觐者，岁终逮至京师治之。

先是吴徐达援宜兴，令冯国胜统兵围高邮。张士诚将余同金，诈遣人来降，约推女墙为应。国胜信之，夜，遣指挥康泰率数百人先入城，敌闭门尽杀之。王闻之怒，召国胜，决大杖十，令步诣高邮，国胜惭愤力攻，既而达自宜兴还，督攻益力，遂拔其城，戮余同金等，俘其将士。王命悉遣戍沔阳、辰州，仍给衣粮有差。

丁未，王以书谕达曰："近大军下高邮，可乘胜取淮安。兵不在众，当择其精者用之，水陆并进，勿失机也。其馀军马，悉令常遇春统领，守泰州、海安，应援江上。"

蜀丞相万胜,与知枢密院张文炳有隙,密遣人杀文炳。明玉珍有养子明昭,出入禁中,旧与文炳善,乃矫称太后彭氏旨,召胜,缢杀之。胜佐玉珍开蜀,功最多,死不以罪,蜀人多怜之者,吴友仁自保宁移檄,以清君侧为名,明升命戴寿讨之。友仁遗寿书曰:"不诛昭则国必不安,众必不服。昭朝诛,吾当夕至。"寿乃奏诛昭,友仁入朝谢罪。于是诸大臣用事,而友仁尤专恣。胜既死,升以刘桢为右丞相。

夏,四月,癸丑朔,明升遣其学士虞封告哀于吴。

乙卯,吴王以玉辂太侈,定用木辂。

丙辰,吴徐达兵至淮安,闻徐义兵在马骡港,夜,率兵往袭之,破其水寨,义泛海遁去。舟师进薄城下,其右丞梅思祖等籍军马府库出降,达宿兵城上,民皆安堵。命指挥蔡先、华云龙守其城。

先是黄河大决,省部募才能之士,俾召集民丁疏浚之。扬州王宣自荐,朝廷以为淮北、淮南都元帅府都事,赍楮币至扬州,募丁夫得三万馀人,就令宣统领治河,数月工成。

时徐州芝麻李起兵据州城,因命宣为招讨使,率丁夫从伊苏复徐州。寻授宣淮南、淮北义兵都元帅,守马陵,调滕州镇御,且耕且战,以给军储。又移镇山东,田丰兵侵益都,宣子信,从察罕特穆尔援之,破田丰。复令宣与信掠其旁郡,遂据沂州,至是以兵入海州,据之。

戊午,吴徐达由瓠子角进兵攻兴化,克之,淮地悉平。

庚申,濠州李济以城降于吴。

先是韩政兵至濠,攻其水帘洞月城,又攻其西门,杀伤相当。城中拒守甚坚,政乃督顾时等以云梯、炮石四面攻城。时孙德崖已死,城中度不能支,济及知州马麟乃出降。

吴王尝曰:"濠州乃吾家乡,张士诚据之,我无家矣。"及复濠州,吴王甚悦。壬戌,遣人赍书谕宿州吏民,以"桑梓之邦,不忍遽兴师旅,尔等宜体予怀,毋为自绝"。

徐州守将、同知枢密院事陆聚,闻徐达已克淮安,以徐、宿二州诣达军降,王以聚为江淮行省参政,仍守徐州。

甲子,吴王发建康,往濠州省陵墓,命博士许存仁、起居注王祎等从行。遣使谕徐达曰:"闻元将珠展领马步兵万馀自柳滩渡入安丰,其部将漕运自陈州而南,给其馈饷。我庐州俞平章见驻师东正阳,修城守御,宜令遣兵巡逻,绝其粮道。安丰粮既不给,而珠展远来之军,野无所掠,与我军相持,师老力罢。尔宜选刘平章、薛参政部下骑卒五百,并庐州之兵,速与之战,一鼓可克也。不然,事机一失,为我后患。"达闻命,即统率马步舟师三万馀人进攻安丰。

丁卯,吴江淮行省参政、守徐州陆聚遣兵攻鱼台,下之,又遣兵取邳州。于是邳、萧、宿、迁、睢宁诸县皆降于吴。

吴王至濠州,念父母始葬时,礼有未备,议欲改葬,问博士许存仁等改葬典礼,对曰:"礼,改葬,易常服,用缌麻,葬毕除之。今当如其礼。"王怆然曰:"改葬虽有常礼,父母之恩,岂能尽报耶!"命有司制素冠、白缨、衫,绖以粗布为之。王祎曰:"比缌为重矣。"王曰:"与其轻也宁重。"时有言改葬恐泄山川灵气,乃不复启葬,但增土以培其封。冢旁居民汪文、刘英,于王有旧,召至,慰抚之,令招致邻党二十家守冢,复其家。

戊辰,方国珍遣经历刘庸等贡金绮于吴。

濠州父老经济等谒见吴王,王与之宴,谓济等曰:"吾与诸父老不相见久矣。今还故乡,念父老、乡人遭罹兵难以来,未遂生息,吾甚悯焉。"济等曰:"久苦兵争,莫获宁居。今赖王威德,各得安息,乃复劳忧念。"王曰:"濠吾故乡,父母坟墓所在,岂得忘之!"诸父老宴饮极欢,王又谓之曰:"诸父老皆吾故人,岂不欲朝夕相见,然吾不得久留此。父老归,宜教导子弟为善,立身孝弟,勤俭养生。乡有善人,由其有贤父兄也。"济等顿首谢。王又曰:"乡人耕稼交易,且令无远出。滨淮诸郡,尚有寇兵,恐为所钞掠。父老亦宜自爱,以乐高年。"于是济等皆欢醉而去。

辛未,吴左相国徐达克安丰。

初,达率师至安丰,分遣平章韩政等以兵扼其四门,昼夜攻之,不下,乃于东城龙尾坝潜穿其城二十馀丈,城坏,遂破之。实都、竹昌、左君弼皆出走,吴师追奔十馀里,获实都及裨将贲元帅而还,竹昌、左君弼并走汴梁。至日晡时,平章珠展率官军来援,政等复与战于南门外,大败之。珠展遁去,遣千户赵祥以兵追至颖,获其运船以归。遂置安丰卫,留指挥唐胜宗守之。

戊寅,吴王将还建康,谒辞墓,召汪文、刘英,赏以绮帛、米粟,曰:"此以报宿昔相念之德。"又谓诸父老曰:"乡县租赋,当令有司勿征。一二年间,当复来相见也。"

五月,甲申,吴王自濠州还至建康。

甲辰,以托克托布哈为御史大夫。

六月,壬子朔,汾州介休县地震。平遥县大雨雹。绍兴路山阴县卧龙山裂。

己未,命知枢密院事玛噜以兵守直沽,命河间盐运使拜珠、曹履亨抚谕沿海灶户,俾出征夫从玛噜征讨。

丙寅,诏:"英宗时谋为不轨之臣,其子孙或成丁者,可安置旧地,幼者随母居草地,终身不得入京城及不得授官,止许于本爱马应役。"

皇后索隆噶氏生日,百官进笺,皇后谕萨蓝托里等曰:"自世祖以来,正宫皇后寿日,不曾进笺,近年虽行,不合典故。"却之。

秋,七月,辛巳朔,日有食之。

徐沟县地震,介休县大水。

壬午,吴王遣使与库库特穆尔书曰:"曩者尹焕章来,随遣汪何报礼。窃意当此之时,博啰提精兵往云中,与京师密迩,其势必先挟天子。阁下恐在其号令中,故力与之竞,若归使者,必泄其谋,故留而不遣。今阁下不留心于北方,而复千里裹粮,远争江淮之利,是阁下弃我旧好而生新衅也。兵势既分,未免力弱。是以博啰虽无馀孽跳梁于西北,而凤翔、鹿台之兵合党而东出,俞宝拒战于乐安,王仁逃归于齐东,幽燕无腹心之托,若加以南面之兵,四面并起,当如之何?此皆中原将士来归者所说,岂不详于使臣复命之辞!足下拘留不遣,果何益哉?意者阁下不过欲挟天子令诸侯,以效魏武终移汉祚;然魏武能使公孙康擒袁尚以服辽东,使马超疑韩遂以定关右,皇后、太子如在掌握中,方能抚定中原。阁下自度能垂绅搢笏,决此数事乎?恐皆出魏武下矣。倘能幡然改辙,续我旧好,还我使臣,救灾恤患,各保疆宇,则地利犹可守,后患犹可弭。如或不然,我则整舟楫,乘春水之便,命襄阳之师,经唐、邓之郊,北趋嵩、汝,以安陆、沔阳之兵,掠德安,向信、息,使濠、泗之将自陈、汝捣汴梁,徐、邳之军取济宁,淮安之师约王信海道舟师,会俞宝同入山东,加以张、李及天宝努腹心之疾,此时阁下之境,必至土崩瓦解。是拘使者之计,不足为利而反足以为害矣。惟阁下与众君子谋之,毋徒独断以贻后悔!"

丙申,库库特穆尔遣朱珍、卢旺屯兵河中,遣关保、浩尔齐合兵渡河,会珠展、商(嵩)〔嵩〕,且约李思齐以攻张良弼。良弼遣子弟质于思齐,思齐与良弼拒守。关保等战不利,思齐请诏和解之。

丁未,吴王以淮东诸郡既平,遂议讨张士诚,召中书省及大都督府臣计之。右丞相李善长曰:"张氏宜讨久矣,然其势虽屡屈而兵力未衰,土沃民富,又多储积,恐难猝拔,宜俟隙而动。"王曰:"彼淫昏益盛,生衅不已,今不除之,终为后患。且彼疆域日促,长淮东北之地,皆为吾有,吾以胜师临之,何忧不拔! 况彼败形已露,岂待观隙耶!"左相国徐达曰:"张氏骄盈,暴殄奢侈,此天亡之时也。其所恃骁将如李伯升、吕珍之徒,皆龌龊不足数,徒拥兵众,为富贵之娱耳。其居中用事者,黄、蔡、叶三参军,皆迂阔书生,不知大计。臣奉主上威德,率精锐之师,声罪致讨,三吴可计日而定。"王喜,顾达曰:"诸人局于所见,独尔合吾意,事必济矣!"于是命诸将简阅士卒,择日启行。

是月,太白经天者再。

八月,庚戌朔,吴拓建康城。

初,旧城西北控大江,东尽白下门,距钟山既阔远,而旧内在城中,因元南台为宫,稍卑隘。王乃命刘基等卜地,定作新宫于钟山之阳,在旧城东白下门之外二里许增筑新城,东北尽钟山之阳,延亘周围凡五十馀里。

壬子,吴王命中书左丞相徐达为大将军,平章常遇春为副将军,帅兵二十万伐张士诚。吴王御戟门,集诸将佐谕之曰:"卿等宜戒饬士卒,毋肆劫掠,毋妄杀戮,毋发丘垄,毋毁庐舍。闻张士诚母葬姑苏城外,慎勿侵毁其墓。"诸将皆再拜受命。遂为戒约军中事,命人给一纸。

将发,王问诸将曰:"尔等此行,用师孰先?"遇春对曰:"逐枭者必覆其巢,去鼠者必熏其穴,此行当直捣苏州。苏州既破,其馀诸郡可不劳而下矣。"王曰:"不然,士诚起盐贩,与张天麟、潘元明等皆强梗之徒,相为手足。士诚苟穷促,天麟辈惧其俱毙,必并力救之。今不先分其势而遽攻苏州,若天麟出湖州,元明出杭州,援兵四合,难以取胜。莫若出兵先攻湖州,使其疲于奔命。羽翼既披,然后移兵苏州,取之必矣。"遇春犹执前议,王作色曰:"攻湖州失利,吾自任之。若先攻苏州而失利,吾不汝贷也!"遇春不敢复言。

王乃屏左右谓达、遇春曰:"吾欲遣熊天瑞从行,俾为吾反问。天瑞之降,非其本意,心常怏怏。适来之谋,戒诸将勿令天瑞知之,但云直捣苏州,天瑞知之,必叛从张氏以输此言,如此则堕吾计中矣。"

癸丑,达等帅诸军发龙江,辛酉,师至太湖。己巳,遇春击败士诚兵于湖州港口,擒其将尹义、陈旺,遂次洞庭山。王闻之,喜曰:"胜可必矣!"癸酉,进至湖州之毗山,又击败其将石清、汪海,擒之。士诚驻军湖上,不敢战而退。指挥熊天瑞果叛降于士诚。

甲戌,师至湖州之三坐桥,其右丞张天麟,分三路以拒吴师;参政黄宝当南路,院判陶子实当中路,天麟自当北路,同金唐杰为后继。达率兵进攻之,有术者言今日不宜战,遇春怒曰:"两军相当,不战何待!"于是达遣遇春攻宝,王弼攻天麟,达自中路攻子实,别遣骁将王国宝率长枪军直扼其城。遇春与宝战,宝败走,欲入城,城下吊桥已断,不得入,复还力战,被擒。天麟、子实皆不敢战,敛兵而退。士诚又遣司徒李伯升来援,由获港潜入城,吴军复四面围之,伯升及天麟闭门拒守。达遣国宝攻其西门,自以大军继之,子实及同金余得全、院判张得义出战,复败走。

士诚又遣平章朱暹、王晟、同金戴茂、吕珍、院判李茂及其所称五太子者率兵六万来援,号二十万,屯城东之旧馆,筑五寨自固。达与遇春、汤和等分兵营于东迁镇南姑嫂桥,连筑十垒,以绝旧馆之援。李茂、唐杰、李成惧不敌,皆遁去。士诚婿潘元绍,时驻兵于乌镇之东,为珍等声援,吴师乘夜击之,元绍亦遁,遂填塞沟港,绝其粮道。元绍,元明之弟也。士诚知事急,乃亲率兵来援,达等与战于皂林之野,又败之。

戊寅,以李国风为中书左丞,陈友定为福建行省平章政事。

陈友定以农家子起佣伍,目不知书,至是尽有福建八郡之地,数招致文学知名士如闽县郑定、庐州王翰之属,留置幕府,友定遂粗涉文史。然颇任威福,所属违令者,辄承制诛窜不绝。漳州守将罗良,心不平,以书责之曰:“郡县者,国家之土地;官司者,人主之臣役;而庱廪者,朝廷之外府也。今足下视郡县如家室,驱官僚如圉仆,擅庱廪如私藏,名虽报国,实有鹰扬跋扈之心,不知足下欲为郭子仪乎?抑曹孟德乎?”友定怒,竟以兵诛良。而福清宣慰使陈瑞孙,崇安令孔楷,建阳人詹翰,拒友定不从,皆被杀,于是友定威震八闽。然事朝廷未尝失臣节,岁运粮数十万至大都,海道辽远,至者常十三四。帝嘉之,下诏褒美。

九月,己卯朔,张士诚复遣其同金徐志坚,以轻舟出东迁镇觇吴师,欲攻姑嫂桥,常遇春与之战。会大风雨,天晦甚,遇春令勇士乘划船数百突击之,复破其兵,擒志坚。

甲申,李思齐兵下盐井,获川贼余继隆,诛之。礼部侍郎满尚宾,吏部侍郎温都尔罕,自凤翔还京师。

先是尚宾等持诏谕思齐开通川蜀道路,思齐方兵争,不奉诏,尚宾等留凤翔一年,至是始还。

丙戌,以方国珍为江浙行省左丞相,弟国瑛、国珉,侄明善,并为江浙行省平章政事。

初,国珍虽以三郡献于吴,实未纳土,特欲假借声援以拒朝廷。及帝屡加命,国珍益骄横,终不肯奉正朔。

乙未,吴王命朱文忠帅师攻杭州,谕之曰:“徐达等攻苏州,张士诚必聚兵以拒。今命尔攻杭州,是掣制之也。我师或冲其东,或击其西,使彼疲于应战,其中必有自溃者。尔往,宜慎方略。”

己亥,以中书平章政事实勒们为御史大夫。

明升遣使聘于吴,使者自言其国之险固与富饶,吴王笑曰:“蜀人不以修德保民为本,而恃其险且富,非为国长久之道。且自用兵以来,商贾路绝,而乃称富饶,此岂自天而降耶?”使者退,王因语侍臣曰:“吾平生务实,不尚浮伪。此人不能称述其主之善,而但夸其国之险固,失奉使之道矣。吾尝遣使四方,戒其谨于言语,勿为夸大,恐取笑于人。如蜀使者之谬妄,当以为戒也。”

辛丑,孛星见东北方。

乙巳,吴左丞廖永忠,参政薛显,将游军驻湖州之德清,遂取之,获船四十艘,擒其院判钟正及叛将晋德成。

张士诚自徐志坚败,甚惧,遣其右丞徐义至旧馆觇形势,吴常遇春以兵扼其归路。义不得出,乃阴遣人约张士信出兵,与旧馆兵合战。士诚又遣赤龙船亲兵援之,义始得脱,与潘元绍率赤龙船兵屯于平望,别乘小舟潜至乌镇,欲援旧馆。遇春由别港追袭之,至平望,纵火焚其赤龙船,众军散走。自是旧馆援绝,馈饷不继,多出降者。

吴湖广参政杨璟,命指挥副使张胜宗讨湘乡易华,斩之。

周文贵复攻掠辰州诸郡,吴王命杨璟、张彬等分兵进讨。

丙午,吴遣参政蔡哲报聘于蜀。

冬,十月,辛亥朔,吴徐达以所获张士诚将士徇于湖州城下,城中大震。

壬子,吴常遇春兵攻乌镇,徐义、潘元绍等拒战不胜,复退走。遇春追至升山,攻破其平章王晟陆寨,馀军奔入旧馆之东壁,其同金戴茂乞降。是夕,晟亦降。

朝命屡促库库特穆尔南征,甲子,库库不得已,遣其弟托因特穆尔及部将摩该驻兵济宁、邹县等处,名为保障山东,且以塞南军入北之路,复命朝廷曰:"此为肃清江淮张本也。"

吴朱文忠率指挥朱亮祖、耿天璧攻桐庐,降其将戴元帅,复遣袁洪、孙虎略富阳,擒其同金李天禄,遂合兵围馀杭。

戊寅,吴徐达复攻升山水寨,顾时引数舟绕张士诚兵船,船上人俯视而笑。时觉其懈,率壮士数人跃入其舟,大呼奋击,馀兵竞进薄之。士诚五太子盛兵来援,常遇春稍却,薛显率舟师直前奋击,烧其船,众大败,五太子及朱暹、吕珍等以旧馆降,得兵六万人。遇春谓显曰:"今日之战,将军之力居多,吾固不如也。"五太子者,士诚养子也,本姓梁,短小精悍,能平地跃起丈馀,善没水,朱暹、吕珍亦善战,士诚倚之;至是皆降,士诚为之夺气。

十一月,甲申,吴徐达遣冯国珍以降将吕珍、王晟等徇湖州城下,谕其司徒李伯升出降。伯升在城上呼曰:"张太尉养我厚,我不忍背之。"抽刀欲自杀,为左右抱持,不得死。左右语伯升曰:"援绝势孤,久困城中,不如降。"伯升俯手不能言。张天麟等以城降,伯升亦遂降。

吴参政胡德济讨诸暨斗岩山寨,平之。

己丑,吴徐达既下湖州,即引兵向苏州。至南浔,张士诚元帅王胜降。辛卯,至吴江州,围其城,参政李福、知州杨彝降。

吴朱文忠攻馀杭,下之。

先是文忠兵至馀杭,遣人语谢五曰:"尔兄以李梦庚小隙,归于张氏。今若来降,可保不死,且享富贵。"谢五答曰:"我诚误计,若保我以不死,我即降耳。"文忠许之,乃与弟、侄五人出降。

文忠遂趋杭州,未至,张士诚平章潘元明惧,遣员外郎方彝诣军门请纳款,文忠曰:"吾兵适至此,胜负未分而遽约降,无乃计太早乎?"对曰:"此城百万生灵所系,今天兵如雷霆,当之者无不摧破。若军至城下,欲降恐无及,故使先来请命。"文忠留之宿。明日,遣还报,而驻兵以待,元明即日献图籍。文忠至杭州,元明等奉士诚所授诸印,并执蒋英、刘震出降,伏谒道左,以女乐导迎,文忠麾去之,止壁丽谯,下令曰:"擅入民居者死!"一卒借民釜,立斩以徇,城中帖然。得兵三万,粮二十万,执元平章努都长寿等,与蒋英、刘震皆送建康。

元明,泰州人,初与张士诚俱起盐徒。官军围高邮,士诚与十八人突围出走,元明及李伯升、吕珍与焉。三人相继以城降,士诚由是势益孤。

先是吴征儒士熊鼎、朱梦炎等至建康,王命纂修公子书及务农、技艺、商贾书,谓之曰:"公卿贵人子弟,虽读书多,不能通晓奥义,不若集古之忠良、奸恶事实,以恒辞解之,使观者易晓。他日纵学无成,亦知古人行事,可以劝戒。其民间农工商贾子弟,亦多不知读书,宜以其所当务者直词详说,作务农、技艺、商贾书,使之通知大义,可以化民成俗。"至是书成,赐鼎等白金人五十两及衣、帽、靴、袜等物。

庚子,张士诚同佥李思忠等,以绍兴路降于吴,吴命驸马都尉王恭、千户陈清、李遇守之。

吴左丞华云龙率兵攻嘉兴,张士诚将宋兴以城降。

壬寅,吴大将军徐达等兵至苏州城南鲇鱼口,击张士诚将窦义,走之。康茂才至尹山桥,遇士诚兵,又击败之,焚其官渡战船千馀艘及积聚甚众,达遂进兵围其城。达军葑门,常遇春军虎丘,郭兴军娄门,华云龙军胥门,汤和军阊门,王弼军盘门,张温军西门,康茂才军北门,耿炳文军城东北,仇成军城西南,何文辉军城西北,四面筑长围困之。又架木塔与城中浮图对,筑台三层,下瞰城中,名曰敌楼,每层施弓弩、火铳于其上,又设襄阳炮以击之,城中震恐。

有杨茂者,无锡莫天祐部将也,善没水。天祐潜令入苏州与士诚相闻,逻卒获之于阊门水栅旁,送达军,达释而用之。时苏州城坚不可破,天祐又阻兵无锡,为士诚声援。达因纵茂出入往来,因得其彼此所遗蜡丸书,悉知士诚、天祐虚实,而攻围之计益备。

达时督兵攻娄门,士诚出兵拒战,吴武德卫指挥茅城战死。

甲辰,元平章努都长寿等至建康,吴王以其朝臣,命有司给廪饩,归之于朝,而诛蒋英于市。以潘元明全城归降,民不受锋镝,仍授平章,其官属皆守旧职,从朱文忠节制。旋授文忠江浙行省平章政事,复姓李氏。

十二月,乙卯朔,永宁县贼饶一等作乱,吴指挥毕荣讨之,擒其元帅王子华,馀党悉平。陈友定将建宁阮德柔遣使纳款。

吴廖永忠沉小明王于瓜步。小明王自居滁州,至是来建康,为永忠所害。

吴群臣上言:"一代之兴,必有一代之制。今新城既建,宫阙制度,亦宜早定。"王以国之所重,莫先庙社,遂定议,以明年为吴元年,命有司营建庙社,立宫室。甲子,王亲祀山川之神,告以工事。己巳,典营缮者以宫室图来进,王见其有雕琢奇丽者即去之。

庚午,蒲城洛水和顺崖崩。

是岁,监察御史圣努额森、察图实哩等言:"昔奸邪构害丞相托克托,以致临敌易将,我国家兵机不振从此始,钱粮之耗从此始,生民涂炭从此始,盗贼纵横从此始。设使托克托不死,安得天下有今日之乱哉?乞封一字王爵,定谥及加功臣之号。"朝廷皆是其言,以时方多故,未及报而国亡。

至正二十七年 【丁未,1367】 春,正月,癸巳朔,吴王始称吴元年。

乙未,绛州夜闻天鼓鸣,将旦复鸣,其声如空中战斗者。

戊戌,吴王谓中书省臣曰:"吾昔在军中乏粮,空腹出战,归得一食,虽甚粗粝,食之甚甘。今尊居民上,饮食丰美,未尝忘之。况吾民居于田野,所业有限,而又供需百出,岂不重困!"于是免太平府租赋二年,应天、宣城等处租赋一年。

吴戴德等兵至沅州,围其城,凡六日,守将李兴祖出降。兴祖,即李胜也。

庚子,松江府、嘉定州守臣王立忠等诣吴徐达军降。

辛丑,吴王谓中书省臣曰:"古人祝颂其君,皆寓警戒之意。适观群下所进笺文,颂美之词过多,规戒之言未见,殊非古者君臣相告以诚之道。今后笺文,只令平实,勿以虚辞为美也。"

甲辰,吴王遣使与库库特穆尔书,责其拘使不还之罪,且讽之以关中张、李及俞宝、王信生衅可虞。又曰:"若能遣汪何、钱桢等还,岂惟不失前盟,亦可取信天下。不然,是又开我南方之兵,为彼后时之战。阁下虽深谋如莽、操,诡计如懿、温,英雄满前,何以取生!古云:'攻被天下,守之以逊;富有天下,守之以谦。'况其为臣者乎?阁下其深思之。"

库库特穆尔与关中构兵,互相胜负,终不解。帝又下诏和解之,库库戕杀诏使。是月,李思齐、张良弼、图鲁卜自会于含元殿基,推思齐为盟主,同拒库库之师。

二月,丁未朔,库库特穆尔遣左丞李二以徐州兵驻陵子村,吴参政陆聚令指挥傅友德御之。友德度兵寡不敌,遂坚壁,诇其出掠,以二千人溯河至吕梁登陆击之,刺其骁将韩乙,馀众败去。友德度李二必益兵复至,亟还城,开门而阵于野,卧戈以待,约闻鼓声则起。二果至,鸣鼓,士跃起,冲其前锋,众大溃,多溺死,遂擒二。友德旋进江淮行省参知政事。

壬子,茗洋降贼周瑞卿叛,吴浙东按察佥事章溢,遣其子元帅存道合平阳、瑞安总制孙安兵讨之,斩瑞卿,获其党六十馀人。

吴置两浙都转运盐司于杭州,设场三十六。

乙卯,吴王闻陵子村之捷,谓都督府臣曰:"此盖库库之游兵,故以此饵我,使我将骄兵惰,掩吾不备。古人之戒,正在于此。善战者知彼知己,察于未形,可语安丰、六安、临濠、徐、邳守将,严为之备。"

庚申,以七十为中书平章政事,伊噜布哈为御史大夫。

乙丑,以詹事伊噜特穆尔为御史大夫。

吴王遣使陈州,以书招左丞左君弼降,曰:"足下垂白之母,糟糠之妻,天各一方,度日如岁。足下纵不以妻子为念,何忍忘情于老亲哉!"君弼得书,犹豫不能决,王乃遣归其母。

吴陆聚遣兵攻宿州,擒其金院邢瑞。

丁卯,江西行省遣兵会湖广行省千户徐兴攻平江濑寨,伪镇抚杨五以寨降。

三月,丁丑朔,库库特穆尔遣兵屯滕州以御王信。

吴参政蔡哲自蜀归,具言蜀自明玉珍丧后,明升暗弱,群下擅权,因图其所经山川阨塞之处以献。

戊子,思、(阮)〔沅〕两界军民安抚使黄元明,以其地内附于吴。

丁酉,吴下令设文武科取士。令曰:"应文举者,察之言行以观其德,考之经术以观其业,试之书算骑射以观其能,策以经史时务以观其政事。应武举者,先之以谋略,次之以武艺,俱求实效,不尚虚文。然此二者,必三年有成,有司预为劝谕,俟开举之岁,充贡京师。"

沂州流民千馀家,还灵(璧)〔壁〕、虹县复业,王信追至宿迁,杀之,因大掠而还;馀民走入两县境上乞食,吴王闻而悯之曰:"王信不仁甚矣,民虽死,其如天道何!"乃遣人赈济之。

吴以黔阳县前元帅蒋节为靖州安抚使,俾讨平山寨,且耕且守,从参军詹允亨言也。

吴参政杨璟进兵取澧州石门县,故陈友谅守将邓义亨率众降。

夏,四月,丙午朔,吴上海县民钱鹤皋作乱,据松江府,徐达遣骁骑卫指挥葛俊讨平之。

初,王立中以城降,达就令守府事,既而王命荀玉珍代之。未几,达檄各府验民田,征砖瓾城。鹤皋不奉令,号于众以倡乱,众皆从之,遂结张士诚故元帅府副使韩夏秦、施仁济,聚众至三万馀人,攻府治,通判赵徽仓猝不能敌,同妻子赴水死,玉珍弃城走,贼追杀之。鹤皋自称行省左丞,署旗以元字,刻砖为印,伪署官属,令其子遵义率小舟数千走苏州,欲归士诚以求援。至是达遣俊讨之,兵至连湖荡,望见遵义所率众皆操农器,知其无能为也,乃于荡东西连发十馀炮,贼皆惊溃,溺死者不可胜计。兵及松江城,鹤皋闭门拒守,俊攻下之,获鹤皋,槛送大将军,斩之。施仁济等脱走,率其党五千馀人突入嘉兴府,劫库藏军需而出。海宁卫指挥孙虎等率兵追击,悉擒之。

壬子,吴王谕起居注詹同曰:"国史贵直笔,善恶皆当书之。昔唐太宗观史,虽失大体,然命直书建成之事,是欲以公天下也。朕平日言行是非善恶,汝等皆当直书,不宜隐讳,使后世观之,不失其实。"

己未,方国珍既入贡于吴,复阴泛海,北通库库特穆尔,南交陈友定。吴师伐苏州,国珍拥兵觇胜败为叛服计。王以国珍反覆,以书数其十二过,且谕之曰:"尔能深烛成败,高览远虑,自求多福,尚可图也。"国珍得书不报。

丁卯,吴江浙行省平章李文忠,言嘉兴、海宁、海盐等沿海州县,皆边防之所,宜设兵镇守,王命文忠调兵戍之。

吴潭州卫遣兵攻易华馀党所据山寨,克之。

五月,丙子朔,白气二道亘天。

戊寅,以空名宣敕遗福建行省,命平章库春、陈友定同验有功者给之。

辛巳,大同陨霜杀麦。

癸未,福建行宣政院以废寺钱粮由海道送京师。

乙酉,以鄂勒哲特穆尔为中书右丞相,辞以老病,不许。

己丑,吴湖广行省遣兵讨平江花阳山寨,克之。

辛卯,以知枢密院事实勒们为岭北行省左丞相,提调分通政院。

己亥,以谊达布为中书平章政事。

吴王以天久不雨,日减膳素食,仍下令免徐、宿、濠、泗、襄阳、安陆等郡税粮三年。

辛丑,库库特穆尔定拟其所属官员二千六百一十人,从之。

是月,山东地震,雨白氂。

李思齐遣张良弼部将郭谦等守黄连寨,库库特穆尔部将关保、浩尔齐、商暠、珠展引兵拔其寨,谦走。

六月,丙午朔,日有食之,昼晦。

苏州围久不下,吴王以书遗张士诚,劝以全身保族,如汉窦融、宋钱俶故事,士诚不报。

己酉,士诚欲突围决战,觇城左方,见军阵严整,不敢犯,乃遣徐义、潘元绍潜出西门,欲掩袭吴军。转至阊门,将奔常遇春营,遇春觉其至,分兵北濠,截其兵后,遣军与战。良久未决。士诚复遣其参政黄哈喇巴图率兵千馀人助之,自出兵山塘为援。塘路狭塞不可进,麾令稍却。遇春抚王弼背曰:"军中以尔为猛将,能为我取此乎?"弼曰:"诺。"即驰铁骑,挥双刀往击之，敌众小却，遇春因率众乘之，士诚兵大败，人马溺死沙盆潭甚众。士诚有勇胜军，号十条龙者，皆善为盗者也，士诚每厚赐之，令被银铠、锦衣，将其众出入阵中，人不能测，是日亦败，溺死万里桥下。士诚马惊坠水，几不救，肩舆入城，计忽忽无所出。

时降将李伯升知士诚势迫，欲说令归命，乃遣客诣士诚告急，士诚召之入，曰："尔欲何言？"客曰："吾言为公兴亡祸福之计，愿公安意听之。"士诚曰："何如？"客曰："公知天数乎？昔项羽喑呜叱咤，百战百胜，卒败死垓下，天下归于汉。何则？此天数也。公初以十八人入高邮，元兵百万围之，死在朝夕。一旦元兵溃乱，公遂提孤军乘胜攻击，东据三吴，有地千里，甲士数十万，南面称孤，此项羽之势也。诚能于此时不忘高邮之厄，苦心劳志，收召豪杰，度其才能，任以职事，抚人民，练兵马，御将帅，有功者赏，无功者罚，使号令严明，百姓乐附，非直能保三吴，天下可取也。"士诚曰："足下此时不言，今复何及！"客曰："吾此时虽有言，亦不得闻也。何则？公之子弟、亲戚、将帅，罗列中外，美衣玉食，歌童舞女，日夕酣宴，提兵者自以为韩、白，谋画者自以为萧、曹，傲然视天下不复有人。当此之时，公深居内殿，败一军不知，失一地不闻，纵知亦弗问，故沦胥至今日。"士诚曰："吾亦深憾无及。今当何如？"客曰："吾有一策，恐公不能从也。"士诚曰："不过死耳！"客曰："死而有益于国家，有利于子孙，死固当；不然，徒自苦耳。且公不闻陈友谅乎？以锐师百万，与江左之兵战于鄱湖，友谅举火欲烧江左之船，天乃反风而焚之，友谅兵败身丧。何则？天命所在，人力无如之何。今公恃湖州援，湖州失；嘉兴援，嘉兴失；杭州援，杭州失；而独守此尺寸之地，誓以死拒，吾恐势极患生，变从中起，公欲死不得，生无所归也。故吾为公计，莫如顺天之命，自求多福，遣一介之使，疾走金陵，陈公所以归义救民之意，开城门，幅巾待命，亦不失为万户侯，况曾许以窦融、钱俶故事耶？且公之地，譬如博者得人之物而复失之，何损！"士诚俯首沈虑良久，曰："足下且休，待我熟思之。"然卒狐疑莫能决。

壬子，士诚复率兵突出西门索战，锋甚锐，遇春御之，兵少却。士诚弟士信方在城楼上督战，忽大呼曰："军士疲矣，且止！"遂鸣金收军，遇春乘势掩击，大破之。追至城下，攻之益急，复筑垒绕其城，自是士诚不复得出矣。

时徐达令四十八卫将士，每卫制襄阳炮架五座，它炮架各五十馀座，昼夜炮声不绝。士信张幕城上，踞银椅，与参政谢节等会食，左右方进桃，未及尝，飞炮碎其首而死。

丁巳，皇太子寝殿（复）〔后〕新甃井中有龙出，光焰烁人，宫人震慑仆地。又长庆寺有龙缠绕槐树飞去，树皮皆剥。

壬戌，库库特穆尔部将李守道降于吴，吴王命馆之于会同馆。

丁卯，沂州山崩。

戊辰，大雨，吴群臣请复膳，王曰："虽雨，伤禾已多，其免民今年田租。"

癸酉，吴王命："自今凡朝贺不用女乐。"

吴杀前使臣户部尚书张昶。

昶既被留为参知政事，外示诚款，内怀阴计，与杨宪、胡惟庸等皆相善。昶有才辩，智识明敏，熟于前代典故，凡江左建置制度多出其手，裁决如流，事无停滞。昶自以奉使被羁，心不忘北归，阴使人上书颂功德，劝吴王及时行乐。王以语刘基曰："是欲为赵高也。"基曰："然，必有使之者。"王不欲穷治，但斥之，焚其书。后复劝王重刑法，破兼并之家，多陈厉民之术,欲吴失人心,阴为北方计。王皆不听。

时帝谓昶已死,且擢用其子。吴遣杭州所获平章努都长寿北归朝,昶乃阴奉表于帝,且寓书其子询存亡。会昶卧病,杨宪往候,于昶卧内得书稿,奏之,王命大都督府按书,昶书八字于牍曰:"身在江南,心思塞北。"王始惜其才,犹欲活之。及见其所书牍词,曰:"彼意决矣。"遂杀之。

是月,知枢密院事寿安,奉空名宣敕与侯巴延达世,令其以兵援库库特穆尔。时李思齐据长安,与商嵩拒战,侯巴延达世进兵攻长安,秦州守将萧公达降于思齐。思齐知关保等兵退,遣蔡琳等破其营,侯巴延达世奔溃。

库库特穆尔增兵入关,日求决战。李思齐、张良弼等军颇不支,使人求助于朝廷,朝廷因遣左丞袁焕及知院安定臣、中丞明托特穆尔传旨,令两家罢攻,各率所部共清江淮。孙翥进密计于库库曰:"我西事功垂成,不可误听息兵之旨。且袁焕贪人也,此非其本意,可令在京藏吏私赂其家,则焕必助我,而西事可成也。"库库如其计,焕果私布意于库库曰:"不除张、李,终为丞相后患。"于是攻张、李益急。

【译文】

元纪三十七　起丙午年(公元 1366 年)正月,至丁未年(公元 1367 年)六月,共一年有余。

至正二十六年　(公元 1366 年)

春季,正月,癸未朔(初一),张士诚将水军驻扎在君山,又出兵从马驮沙逆流而上准备进犯江阴。吴守将上报情况,吴王亲自前往援救。吴王到达镇江时,敌人已在瓜洲扎营,抢劫西津后逃走,便命康茂才等出大江追击,另外派一军埋伏在江阴的山脚下。第二天,康茂才追赶到浮子门,遇到海船五百艘遮住海口,趁涨潮逼近吴军,康茂才督促各军奋力战斗,大败敌人,那些抛弃船只爬上江岸的,伏兵突然袭击将他们几乎杀光。

辛卯(初九),吴王命按察司佥事周桢等拟定按察事宜,列出应当从事的监察内容上报。对他们说:"检查风纪法度的部门,必须选择得力的人,那才可以严明法纪、革除弊病。人们说神灵可以施行威福,鬼魅能够制造灾祸。你们能够兴利除害,辅佐国家,富裕百姓,那就是神明;如果阴险狡诈,祸国殃民,那就是鬼魅。所有的事情都要从大局出发,有可以说的,不要沉默不语;有不能说的,不要沽名钓誉。如果纠住无关大局的事不放来赢得认真的名声,采取苛刻的手段来表现才能,那属下的人一定会有无法忍受的忧患,这不是我期望于监察工作的。"

吴王命中书省录用各衙门被检举罢免的官员,中书省官员傅瓛等说:"如今天下更新变化,各种事务都很繁忙,各衙门的官吏,不是精明勤奋敏捷能干的人,很难将事情做好。这些人都是因为办事迟钝不称职被监察部门检举罢免的,怎么能够再使用呢?"吴主说:"人的才能,各有长短,所以发生的效益也有快慢。为人质朴的大多拘泥迟钝,为人狡猾的大多行动敏捷。行动敏捷的虽然善于办事,但有时容易过分急促,对百姓不能没有损害;迟钝的人在处理事情时也许有考虑不到的地方,但对百姓却没有什么损害。"下令重新使用他们。

己酉(二十七日)朝廷任命崇政院使博啰苏为御史大夫。

壬子(二十九日),朝廷任命鄂勒哲图知枢密院事。

这一月,朝廷任命萨蓝托里为中书左丞相。

朝廷下令燕南、河南、山东、陕西、河东等有举人会试的地方,增加录取名额,凡进士及第以下都递升官职一级。

二月,癸丑朔(初一),朝廷在孟津设立河淮水军元帅府。

吴湖广参政张彬,率领指挥胡海洋等讨伐辰州周文贵,攻破他的营垒。周文贵的党羽刘七从益阳前来支援,又被打败,周文贵等人逃走了。

丁卯(十五日),四川容美峒宣抚田光宝,派他弟弟田光受带着元朝所授的宣抚委任状、印信向吴投降,吴王任命田光宝为四川行省参政,兼任容美峒军民宣抚使,并为此设置安抚元帅来治理该地。

吴地处州青田县的山贼夏清,联络福建陈友定的兵马攻打庆元县,浙东按察佥事章溢召集属下的义兵打跑了他们。

己巳(十七日),吴设置两淮都转运盐使司,所管辖的共有二十九个盐场。

武士俑 元

癸酉(二十一日),吴徐达请求派指挥孙兴祖守卫海安,平章常遇春指挥水军,作为高邮的声援,吴王同意了,又告诫徐达说:"张士诚的兵马有不少渡过江来的,应该暂且收束兵马在泰州驻扎,敌人如果前来攻打海安就予以打击。"

吴湖广潭州卫指挥同知严广平定茶陵各寨。

甲戌(二十二日),朝廷下诏全国"因为近来叛逆之臣博啰特穆尔、图沁特穆尔、娄都尔苏等,干扰法纪,败坏伦理道德,致使京城内外的百姓遭受战乱之苦,以致生活艰难,因此免除百姓所有繁杂的差役。"

库库特穆尔从京师返回河南,想在父亲墓旁盖草房守完三年丧,身边的助手都认为接受诏命出兵,不能够中止,因此便再次北渡黄河,住到怀庆。

起初,李思齐和察罕特穆尔一同发动义兵,年龄和地位相当,到这时库库特穆尔统领他的部队,李思齐心中无法平定,而张良弼、孔兴、图鲁卜等也都凭借功劳自大,各自请求另成一军,不肯归别人管辖。当时有叫孙翥、赵恒的,这两人是阴险小人,替库库出谋划策,害怕江南的强大势力,所以想拖延官军的行动,便对库库说:"丞相接受天子的诏命,统领天下兵马,清除江淮的反叛势力。兵法上说想整治别人必须先自我整治。如今李思齐、图鲁卜、孔兴、张良弼四路军队,在关中空呆着,多年没有调遣,丞相应该调派这四路军队出武关,和大军一起并肩渡越淮河。他们如果不听从调度,就移动大军征讨他们,占据关中,使这四路军队任凭丞相随意驱使,不也很好吗?"库库非常高兴地接受了这一建议。

辛巳(二十九日),吴王下令禁止种植糯稻,禁令说:"昔日因为民间酿造谷酒,非常浪费米麦,所以施行禁酒的命令。今年春天米麦价格比较平稳,但不堵塞造酒的根源而想阻止酿酒的末流,是不行的。因此下令农民今年不得种植糯稻,以堵死造酒的根源。"

这一月,明玉珍有病,下令他的臣子们说:"西蜀地处险要,你们同心协力来辅佐继位的太子,就能够自保。不然的话,后事就不是我所知道的了。"然后便去世了。他自称皇帝共五年。儿子明升继位,改年号为开熙,母亲彭氏一起执政。

明玉珍为人很崇尚节俭,喜爱文学,蜀人经过李喜喜的残酷暴虐之后,凭着明玉珍的治理得到初步的安宁。但他喜欢师心自用,缺乏远大的志向,而嗣位的儿子昏庸懦弱,政令不能统一,国家形势日益衰弱。

三月,庚寅(初八),吴王下令徐达从泰州进兵,攻取高邮、兴化和淮安。

甲午(十二日),库库特穆尔派关保、浩尔齐带领军队从大兴关渡过黄河等候,首先发出檄文调动关中四路军队。张良弼、图鲁卜、孔兴都不接受调度。李思齐收到檄文后非常愤怒,骂道:"乳臭未干的小子,你头上黄毛还没退,竟反来调派我!我和你父亲同为乡里,你父亲向我敬酒,还要三拜之后才敢喝,你在我面前没有立足之地,今天竟公然自称总兵来调遣我吗?"从此东西两方发生战争,无休无止。

乙未(十三日),廷试进士七十三人,赐予赫德布哈、张栋等进士及第、进士出身。

监察御史裕伦布向朝廷提出八条建议:一是任用贤才,二是加强宫中警卫管理,三是保全文武官员,四是八卫实施屯田,五是禁止奏请,六是培养人才,七是处置罪犯不牵连家眷,八是珍惜名爵。顺帝赞赏并采纳了。

丙申(十四日),吴王命令江淮行省平章韩政带兵攻取濠州。

吴王命令中书省严明选举制度。当初下令府县每年推荐人才,推荐了德才兼备人才的就给予奖励,胡乱推荐以及埋没人才的就给予处罚。到这时又下令知府、知县如果随便推荐人,到他们前来朝见时就要治罪;不在朝见之列的,年终逮捕前来京师处治。

在此之前吴徐达支援宜兴,命令冯国胜带兵包围高邮。张士诚部将余同金,派人前来假称投降,约定推倒女墙为暗号。冯国胜相信了,晚上,派指挥康泰带领几百人先进城,敌人关闭城门将他们全杀了。吴王听说后很愤怒,召见冯国胜,用大刑杖打了十下,命令他步行走回高邮。冯国胜又惭愧又气愤,猛力攻城。接着徐达从宜兴返回,督促攻打更加有力,终于攻下高邮城,杀死余同金等。俘虏的将士,吴王命令全部发送到沔阳、辰州戍边,并分别发给衣服粮食。

丁未(二十五日),吴王写信给徐达说:"近日大军攻下高邮,可以乘胜攻取淮安。兵力不在于多,应当选择精干的使用,水陆并进,不要错失机会。其他兵马,都让常遇春统领,守卫泰州、海安,接应声援江上的部队。"

蜀丞相万胜,和知枢密院张文炳有矛盾,秘密派人谋杀文炳。明玉珍有一养子明昭,在宫中出入,过去和张文炳相好,便假冒太后彭氏的旨意,召见万胜,将他勒死。万胜辅助明玉珍开辟蜀地,功劳最多,无罪而死,蜀人很多同情他的。吴友仁从保宁发布檄文,用清除皇帝身边奸人的名义扬言要声讨,明升命令戴寿讨伐他。吴友仁写信给戴寿说:"不处死明昭国家必定不得安宁，众人必不心服。早上明昭被处死，傍晚我就前来谢罪。"戴寿便奏请处死明昭，吴友仁便入朝谢罪。这样一来各大臣专权揽政，而吴友仁尤其专横放肆。万胜死后，明升任命刘桢为右丞相。

夏季，四月，癸丑朔（初一），明升派学士虞封向吴通告明玉珍的死讯。

乙卯（初三），吴王认为玉辂太奢侈，决定用木辂。

丙辰（初四），吴徐达军队到达淮安，听说徐义的军队在马骡港，晚上，带兵前去袭击，攻破他的水寨，徐义从海上逃走。吴水军逼近淮安城下，城中右丞梅思祖等登记了兵马和府库的财物数目出城投降。徐达将兵马安排在城上住宿，城中百姓安然无事。命令指挥蔡先、华云龙守卫淮安城。

在此以前黄河大决堤，中书省招募有能力的人，让他组织民工疏通河流。扬州人王宣自我推荐，朝廷任命他为淮北、淮南都元帅府都事，让他带着钱钞到扬州，招募了三万多民工，就命令由王宣统领治理黄河，几个月便竣工了。

这时徐州芝麻李起兵占领徐州城，朝廷便命令王宣为招讨使，率领民工跟随伊苏收复徐州。接着任命王宣为淮南、淮北义兵都元帅，守卫马陵，调到滕州镇守，边耕种边作战，用来补给军需。又移到山东镇守，田丰军队侵犯益都，王宣之子王信，跟从察罕特穆尔援救益都，打败田丰。又命令王宣和王信抢夺附近的郡县，于是占领沂州，到这时带兵进入海州，占领该地。

戊午（初六），吴徐达经由瓠子角进兵攻打兴化，攻克了兴化，淮地全部平定。

庚申（初八），濠州李济献出城池向吴投降。

先是韩政军队到达濠州，攻打濠州水帘洞月城，又攻打西门，双方死伤差不多。城中防守抵抗更加坚固，韩政便指挥顾时等用云梯、炮石从四面攻城。这时孙德崖已死亡，城中估计不能坚持，李济和知州马麟才出城投降。

吴王曾经说："濠州是我家乡，张士诚占领着，我没有家了。"等到收复濠州，吴王非常高兴。壬戌（初十），吴王派人送信告诉宿州官员百姓，说："因为宿州是我的故乡，不忍心马上兴师动众，你们应该体会我的心意，不要自找死路。"

徐州守将、同知枢密院事陆聚，听说徐达已攻下淮安，便前往徐达军中献徐州、宿州投降。吴王任命陆聚为江淮行省参政，依旧守卫徐州。

甲子（十二日），吴王从建康出发，前往濠州拜祭祖先的陵墓，命令博士许存仁、起居注王祎等跟随前往。派使者对徐达说："听说元将珠展带领骑兵、步兵万多人从柳滩渡进入安丰，他的部将从陈州向南转运粮饷，供应珠展军需。我部庐州俞平章现在驻兵东正阳，修城防守，应命令他派军队巡逻，断绝珠展粮道。安丰粮食不能供应后，珠展是远道而来的部队，向野外抢不到什么，和我军对抗，时间一长便没有战斗力。你应挑选刘平章、薛参政部下骑兵五百人，与庐州兵一起，迅速与他交战，可以一战而胜。否则，机会一失去，就会成为我军后患。"徐达接到命令，立即统领骑兵、步兵、水军三万多人进攻安丰。

丁卯（十五日），吴江淮行省参政、守卫徐州的陆聚派兵攻打鱼台，攻下来了，又派兵攻取邳州。于是邳、萧、宿迁、睢宁等县都向吴投降。

吴王到达濠州，想起父母当初安葬时，礼仪没有完备，准备改葬，询问博士许存仁等改葬的典礼,回答说:"礼法,改葬时,孝子换去平时的衣服,改用缌麻丧服,改葬完毕脱去。现在应该按此种礼仪。"吴王悲痛地说道:"改葬虽有通常的礼节,父母的恩情,怎么能全部报答。"命有关衙门制作白帽子、白帽缨带,孝衫、麻带用粗布制作。王祎说:"这与缌麻丧服比礼节隆重些。"吴王说:"与其轻些,宁愿重些。"当时有人说改葬恐怕泄漏山川灵气,便不再打开坟墓,只在上面加些泥土来增高大点。坟墓旁的居民汪文、刘英,和吴王有旧交,召他们前来,慰问安抚,让他们招来邻居二十家守护坟墓,免去他们的赋役。

戊辰(十六日),方国珍派经历刘庸等向吴进贡黄金、锦缎。

濠州的父老经济等拜见吴王,吴王和他们饮宴,对经济等说:"我和各位父老很久未见面了。如今返回故乡,想到父老、乡亲遭遇战乱以来,不曾休养生息,我非常伤心。"经济等说:"长期苦于战乱,没有得到安宁的生活。如今依赖吴王的威德,各自都得到安宁了,却又劳您挂念。"吴王说:"濠州是我故乡,我父母坟墓所在的地方,怎么能够忘记!"各位父老吃喝得很快乐。吴王又对他们说:"各位父老都是我的老友亲朋,我怎么不想和你们朝夕相见,但我不能长期留在这里。父老们回去后,应该教育子弟做好事,以孝弟之身处世,以勤俭奉养一生。乡中有善人,是因为他们的父兄贤良。"经济等叩头道谢。吴王又说:"乡中百姓耕田做买卖,暂且要他们不往远处去。沿淮各郡,还有贼兵,恐怕被他们抢劫。父老们也应保重自己,以便欢度晚年。"于是经济等都高高兴兴尽醉而去。

辛未(十九日),吴左相国徐达攻下安丰。

起初,徐达带兵到安丰,分别派平章韩政等人带兵控制城的四门,日夜攻打,不能攻下,便在东城龙尾坝暗中挖穿城墙二十多丈,城墙被破坏,于是攻下安丰。实都、竹昌、左君弼都逃走,吴军追赶了十多里,俘虏实都和偏将贲元帅后返回,竹昌、左君弼一起逃到汴梁。到黄昏时,平章珠展带官军前来援救,韩政等又在南门外与他交战,将珠展打得大败。珠展逃走,派千户赵祥带兵追到颍州,缴获他的运输船返回。于是设置安丰卫,留下指挥唐胜宗守卫。

戊寅(二十六日),吴王将要返回建康,拜辞父母陵墓,召见汪文、刘英,赏给他们绮帛、粟米,说:"这是报答过去照顾的恩德。"又对各位父老说:"家乡的租赋,我会命有关衙门不要征收。一两年内,我会再来相见。"

五月,甲申(初三),吴王从濠州回到建康。

甲辰(二十三日),朝廷任命托克托布哈为御史大夫。

六月,壬子朔(初一),汾州介休县地震。平遥县降大冰雹。绍兴路山阴县卧龙山裂。

己未(初八),朝廷命令知枢密院事玛噜带兵守卫直沽,命令河间盐运使拜珠、曹履亨安抚告谕沿海灶户,让他们出兵丁跟随玛噜征讨。

丙寅(十五日),朝廷下诏:"英宗时阴谋造反的官员,他们的子孙已成人的,可以安置在旧地,年幼的随母亲住在草地,终身不得进入京城,不得授予官职,只许在本部落里服役。"

皇后索隆噶氏生日,百官进献贺笺,皇后对萨蓝托里等说:"从世祖以来,正宫皇后寿日,不曾进献过贺笺,近年虽有实行,不符合老规矩。"把贺笺都退了。

秋季,七月,辛巳朔(初一),有日食。

徐沟县地震,介休县发大水。

壬午(初二),吴王派使者送信给库库特穆尔说:"昔日尹焕章前来,随即派汪何回报。

我考虑在这个时候，博啰带精兵前往云中，与京城很近，其趋势必定先挟持天子。阁下担心落在他的管辖中，所以全力与他竞争，如果归还使者，必定泄露机密，所以留下不放回。如今阁下不再担忧北方，又带着粮饷千里奔波，从老远跑来争夺江淮利益，这是阁下放弃我们的旧交而挑起新的争端。兵力分散，力量难免削弱。因此博啰虽然没有余党在西北捣乱，但凤翔、鹿台的军队却联合东进，俞宝在乐安抵抗，王仁逃回齐东，幽燕地带没有心腹可托付，如再加上南面的军队，四面一齐举兵，您如何应付？这都是中原前来归顺我的将士所说，难道不比使者带回的情报更详细？足下将他们扣留不放，究竟有什么好处呢？我想阁下不过是想挟持天子以号令诸侯，模仿魏武帝最终灭亡汉室的做法；但魏武帝能够让公孙康生擒袁尚来制服辽东，使马超怀疑韩遂来平定关右，皇后、皇太子如在手心握着，才能够安抚住中原。阁下自己估计可以在朝廷之上决定这些事情吗？只怕都在魏武帝之下。如果能幡然醒悟改变主张，与我继续交好，放回我的使者，救灾难恤忧患，各自保护领土，那么现有之地还可保有，后患还可消除。如果不这样，我将整束船舰，趁春水上涨的便利，命令襄阳的部队，经过唐、邓的郊野，向北前往嵩、汝；派安陆、沔阳的兵马，抢夺德安，指向信、息；命濠、泗的将帅从陈、汝直捣汴梁，徐、邳部队攻取济宁；淮安的军队约同工信的海路水军，会合俞宝一起进入山东；加上张良弼、李思齐和天宝努的心腹大患，那时阁下的领地，肯定会土崩瓦解。这一来拘留使者的办法，不能带来好处反而成为祸害。请阁下和各位谋士商议，不要只凭自己专断而导致将来后悔！”

丙申（初六），库库特穆尔派朱珍、卢旺在河中驻扎，派关保、浩尔齐联合渡过黄河，会同珠展、商嵩一起，而且约请李思齐攻打张良弼。张良弼送子弟到李思齐处当人质，李思齐和张良弼一起抵抗。关保等交战不利，李思齐请朝廷下诏调解。

丁未（十七日），吴王因淮东各郡都已平定，于是商议讨伐张士诚，召集中书省和大都督府的官员商量。右丞相李善长说：“早就应该讨伐张士诚了，但他的势力虽多次受挫而兵力没有削弱，土地肥沃百姓富裕，又有很多储备，恐怕很难一下子消灭，应该等待时机再行动。”吴王说：“他越来越昏乱，不断挑起战端，现在不消灭他，终究会成为后患。而且他的领土日益狭窄，长淮东北一带，全部被我占领，我用胜利之师去攻打，何必担心不能攻下！况且他失败的迹象已经明显，还用等待时机吗？”左相国徐达说：“张士诚骄纵自大，暴殄天物，奢侈无度，这正是上天要灭亡他的时机。他所依赖的猛将像李伯升、吕珍之流，都是肮脏不堪的东西，只不过靠着兵力众多，为自己谋得富贵欢乐而已。他身边掌权谋事的人，黄、蔡、叶三个参军，都是好说大话的迂腐书生，不懂得谋划大事。我仰仗主上的威德，率领精锐部队，声讨他的罪行前去讨伐，三吴可以指日平定。”吴王很高兴，看着徐达说：“其他人都被成见局限，只有你与我心意相合，大事一定成功！”于是命令各位将帅整顿兵马，选定日期出发。

这一月，太白金星两次经过天空。

八月，庚戌朔（初一），吴扩建建康城。

起初，旧城的西北面紧靠长江，东边直到白下门，离钟山非常远，而旧宫殿在城中，是就着元朝的南御史台衙改成宫殿的，比较低矮狭窄。吴王便命令刘基等选择地基，决定在钟山的南面建造新宫，在旧城东端白下门之外二里多地处增建新城，东北直到钟山南面，绵延周围达五十多里。

壬子(初三)，吴王任命中书左丞相徐达为大将军，平章常遇春为副将军，统率大军二十万讨伐张士诚。吴王登上戟门，召集各位将帅对他们说："你们要戒饬士兵，不要肆意抢劫，不要胡乱杀人，不要挖掘坟墓，不要毁坏房屋。听说张士诚的母亲葬在姑苏城外，千万不要侵扰毁坏她的坟墓。"众将帅都一再跪拜接受训示。于是制定成军中禁令，每人发一份。

准备出发时，吴王问众将帅说："你们这次行动，哪里最先用兵？"常遇春回答说："驱赶猫头鹰必须先弄翻它的巢穴，去掉老鼠必须先烟熏它的洞穴，这次行动应先直捣苏州。苏州攻下之后，其他郡县可以不用劳师动众就能夺下。"吴王说："不是这样。张士诚出身盐贩，和张天麟、潘元明等都是强硬之徒，相互视为手足。张士诚如果穷途末路，张天麟这些人害怕会一起灭亡，一定会全力援救。如今不先分散他们的势力而立即攻打苏州，如果张天麟出湖州，潘元明出杭州，援兵从四面而来，很难取得胜利。不如出兵先攻打湖州，使他们疲于奔命。羽翼被剪除后，再移兵攻打苏州，就一定能获胜。"常遇春还是坚持自己的说法。吴王生气地说："攻打湖州如果失利，我自己承担责任。如果先攻打苏州而失利，我决不饶恕你！"常遇春不敢再作声。

吴王因而令其他的人退下，对徐达、常遇春说："我想让熊天瑞一起出征，让他替我行反间计。天瑞归降，并不是他的本意，心中经常闷闷不乐。刚才的计谋，要告诫诸将不让天瑞知道，只说是直捣苏州，天瑞知道，必定会叛变跟从张氏，并会告诉他这些话，这样一来就落到我的圈套中了。"

癸丑(初四)，徐达等统帅各路军队从龙江出发，辛酉(十二日)，军队到达太湖。己巳(二十日)，常遇春在湖州港口打败张士诚的军队，生擒其将领尹义、陈旺，于是到洞庭山。吴王听说后，高兴地说："胜利是肯定了！"癸酉(二十四日)，前进到湖州的毗山，又打败其将领石清、汪海，活捉他们。张士诚在湖上驻军，不敢交战便撤退了。指挥熊天瑞果然叛变向张士诚投降。

甲戌(二十五日)，吴军到达湖州的三座桥，张士诚的右丞张天麟，分三路抵抗吴军；参政黄宝抵挡南路，院判陶子实在中路，天麟自己在北路，同金唐杰作后应。徐达率兵攻打，有术士说今天不适宜交战，常遇春愤怒地说："两军当面，不进攻更待何时！"于是徐达派遇春攻打黄宝，王弼攻打张天麟，徐达从中路攻打陶子实，另派猛将王国宝带领长枪军直捣湖州城。常遇春与黄宝交战，黄宝失败逃跑，想进城，城下吊桥已被切断，无法进城，又返回奋力拼杀，被活捉。张天麟、陶子实不敢交战，收束民力撤退。张士诚又派司徒李伯升前来支援，从获港偷偷进城，吴军又从四面包围，李伯升和张天麟关闭城门死守。徐达派王国宝攻打西门，自己带大军随后，陶子实和同金余得全、院判张得义出战，又失败逃走。

张士诚又派平章朱暹、王晟、同金戴茂、吕珍、院判李茂以及号称五太子的人带兵六万前来援救，号称二十万，驻扎在城东的旧馆，修筑五座营寨保护自己。徐达和常遇春、汤和等分兵在东迁镇南姑嫂桥扎营，接连修筑十座营垒，以切断旧馆的援兵。李茂、唐杰、李成害怕不是对手，都逃走了。张士诚的女婿潘元绍，当时驻扎在乌镇的东边，作为吕珍等人的声援。吴军趁夜色袭击他，元绍也逃走了，于是填塞沟港，切断粮道。元绍是潘元明的弟弟。张士诚知道事情危急，于是亲自率兵前来援救，徐达等在皂林的野外与他交战，又将他打败。

戊寅(二十九日)，朝廷任命李国凤为中书左丞，陈友定为福建行省平章政事。

陈友定作为农家子弟从行伍中出身，不识字，到这时全部拥有福建八郡，多次招致文学知名人士如闽县郑定、庐州王翰一班人，留在幕府里，陈友定才初步接触文史知识。但作威作福，属下如果违背命令，动辄便借着皇帝名义处决、放逐，无休无止。漳州守将罗良，心中不满，写信责备他说："郡县，是国家的土地；官吏，是皇帝的臣民；而郡县仓廪，是朝廷在地方的府库。如今足下把郡县看成自己家室，驱使官吏如同家奴，擅自动用仓廪财物就像自家私藏，名义上虽是报效国家，实际上有逞威风、专横暴戾的心思，不知足下想做郭子仪呢，还是想做曹孟德！"陈友定很愤怒，竟带兵处死了罗良。福清宣慰使陈瑞孙，崇安令孔楷，建阳人詹翰，抗拒友定不愿服从，都被杀害，于是友定威震八闽。但侍奉朝廷不曾丧失臣子的礼节，每年运送粮几十万石到大都，海路遥远，到达的经常只有十分之三四。顺帝赞赏他，下诏赞扬。

九月，己卯朔（初一），张士诚又派他的同金徐志坚，用轻便船只从东迁镇出来侦察吴军，想攻打姑嫂桥，常遇春和他交战。正逢大风大雨，天非常黑暗，常遇春命令勇士乘坐几百只小划船突然冲击，又打败了敌军，活捉徐志坚。

甲申（初六），李思齐军队攻下盐井，俘虏川贼余继隆，处死了他。礼部侍郎满尚宾，吏部侍郎温都尔罕，从凤翔回京师。

此前尚宾等带顺帝诏书命李思齐开通川蜀道路，李思齐正在与人交战，没有奉诏，尚宾等留在凤翔一年，到这时才返回。

丙戌（初八），任命方国珍为江浙行省左丞相，弟弟方国瑛、方国珉，侄儿方明善，同任江浙行省平章政事。

起初，方国珍虽然将三郡献给吴，实际并未交纳实地，不过想借吴作声援来抵挡朝廷。等到顺帝多次委以官职，方国珍更加骄傲蛮横，始终不肯遵奉元朝正朔。

乙未（十七日），吴王命令朱文忠带军队攻打杭州，对他说："徐达等攻打苏州，张士诚必定积聚兵力抵抗。如今命令你攻打杭州，是牵制他。我军有的冲击他的东面，有的打击他的西面，使他疲于应战，敌军中一定会有自行崩溃的。你前去，要谨慎使用策略。"

己亥（二十一日），朝廷任命中书平章政事实勒们为御使大夫。

明升派使者到吴访问，使者自己称道他的国家如何险固如何富饶，吴王笑道："蜀人不把修养德操保护百姓做根本，却依靠地势险要和富裕，不是建设国家的长久之计。而且自战争以来，商贩道路断绝，却称说富饶，这难道是从天上掉下来的吗？"使者退下去后，吴王对身边的官员说："我一生务实，不喜欢浮夸虚伪。这个人不能称述他主人的友好，只夸说国家的险固，丧失了使者的职责。我曾派使者到各处，总告诫他们言语谨慎，不要夸张，担心被别人耻笑。像蜀使者的荒谬狂妄，应该引以为戒。"

辛丑（二十三日），彗星出现在东北方。

乙巳（二十七日），吴左丞廖永忠、参政薛显，带着游动部队驻扎在湖州的德清县，于是占领了该地，缴获船只四十艘，活捉院判钟正和叛将晋德成。

张士诚从徐志坚失败以后，非常害怕，派他的右丞徐义到旧馆侦察形势，吴常遇春带兵堵死了他的归路。徐义不能出去，便暗中派人约张士信出兵，和旧馆兵联合出战。张士诚又派赤龙船的亲兵支援，徐义才得以逃脱，和潘元绍带赤龙船兵在平望驻扎，另乘小船偷偷到乌镇,想援救旧馆。遇春从别的港口追袭敌人,到达平望,放火烧赤龙船,众军士都逃散了。从此旧馆援兵断绝,粮饷不够,不少人出来投降。

吴湖广参政杨璟,命令指挥副使张胜宗讨伐湘乡易华,将他杀死。

周文贵又攻打辰州各郡,吴王命杨璟、张彬等分兵前去讨伐。

丙午(二十八日),吴王派参政蔡哲到蜀回访。

冬季,十月,辛亥朔(初一),吴徐达将所俘虏的张士诚将士押到湖州城下示众,城中大为震惊。

壬子(初二),吴常遇春的军队攻打乌镇,徐义、潘元绍等抵抗失败,又逃跑。遇春追赶到升山,攻破张士诚平章王晟的陆地营寨,残军逃进旧馆的东壁,同金戴茂请求投降。这天晚上,王晟也投降。

朝廷多次命令催促库库特穆尔向南征讨。甲子(十四日),库库迫不得已,派他弟弟托因特穆尔和部将摩该带兵在济宁、邹县等地驻扎,名义上是保护山东,而且用来阻挡南军入侵北方的道路,向朝廷复命说:“这是为肃清江南做准备。”

吴朱文忠率领指挥朱亮祖、耿天璧攻打桐庐,降服其将领戴元帅;又派袁洪、孙虎攻打富阳,活捉其同金李天禄,于是联合兵马包围余杭。

戊寅(二十八日),吴徐达又攻打升山水寨,顾时带着几只船绕着张士诚的兵船划来划去,船上人低头看着小船发笑。顾时发现敌人放松警惕,带着几个勇士跳进敌船中,大喊着奋力拼杀,其他士兵争着逼上前来。张士诚的五太子带大军来支援,常遇春稍微后撤,薛显率领水军奋勇向前攻击,放火烧船,敌军大败,五太子和朱暹、吕珍等献出旧馆投降,获得兵士六万人。常遇春对薛显说:“今天的战斗,将军的功劳最大,我的确不如。”五太子,是张士诚的养子,本来姓梁,身材短小精悍,能平地跳起丈多高,善于游泳。朱暹、吕珍也很会打仗,张士诚很依赖他们;到这时全部投降,张士诚因此很丧气。

十一月,甲申(初六),吴徐达派冯国珍带着降将吕珍、王晟等到湖州城下示众,劝告张士诚的司徒李伯升出城投降。李伯升在城上喊道:“张太尉养育我恩情厚重,我不忍心背叛他。”抽刀想自杀,被身边的人抱住,无法自杀。身边的人对伯升说:“援兵断绝势力单孤,长期被困城中,不如投降。”李伯升低着头说不出话。张天麟等献城投降,李伯升于是也投降了。

吴参政胡德济讨伐诸暨斗岩山寨,平定该处。

己丑(十一日),吴徐达攻下湖州后,当即带兵前往苏州。到南浔,张士诚的元帅王胜投降。辛卯(十三日),到达吴江州,包围该城,参政李福、知州杨彝投降。

吴朱文忠攻打余杭,占领此城。

此前朱文忠兵马到余杭,派人对谢五说:“你的兄长因为与李梦庚闹小矛盾,投降了张氏。今天如你来投降,可以保证你不死,而且可享受富贵。”谢五回答说:“我的确考虑错了,如能保我不死,我就投降。”朱文忠答应了,便和弟弟、侄子五人出城投降。

朱文忠于是前往杭州,没有到达,张士诚平章潘元明害怕,派员外郎方彝前来文忠军中请求投降,文忠说:“我的军队刚到这里,胜负未分便立即请求投降,是不是考虑太早了?”回答说:“这座城池是百万百姓所依赖的,如今天兵如雷霆一般,抵挡的没有不被摧毁的。如果大军到城下，想投降恐怕来不及，所以派我先来请求允降。"朱文忠留他住下。第二天，放他回去汇报，大军暂停等待。潘元明当天便献出图籍。朱文忠到杭州，潘元明等捧着张士诚授给他的所有印信，并抓住蒋英、刘震出城投降，伏在路旁拜谒，用女乐作前导迎接吴军，朱文忠让女乐离开，军队驻扎在更鼓楼上，下令说："擅自进入百姓家中的处死！"一士兵借了百姓的锅子，立即处死示众，城中非常宁静。获得士兵三万人，粮食二十万石，活捉元朝平章努都长寿等，和蒋英、刘震都送往建康。

潘元明是泰州人，当初和张士诚都是盐贩出身。官军包围高邮，张士诚和十八人突围逃出，潘元明和李伯升、吕珍都在其中。这三人相继献城投降，张士诚从此势力更加孤单。

此前吴征召儒士熊鼎、朱梦炎等到建康，吴王命他们编纂公子书及从事农业、技艺、商业的书籍，对他们说："公卿贵人的子弟，虽然读的书多，但不能通晓其中深奥的道理，不如收集古代忠良、奸恶的事实，用通俗的话来解释，使阅读的人容易明白。将来即使学不成才，也知道古人做的事情如何，可以作为借鉴。民间农、工、商人的子弟，也大多不知道读书，应该将他们必须从事的事情用简单的文辞详细说明，编成从事农业、技艺、商贩的书，使他们都知道主要的道理，可以使百姓感化而形成风气。"到这时书写成了，赐给熊鼎等每人白金五十两和衣服、帽子、靴、袜等物品。

庚子（二十二日），张士诚同金李思忠等，献绍兴路向吴投降，吴王命令驸马都尉王恭、千户陈清、李遇守卫绍兴路。

吴左丞华云龙带兵攻打嘉兴，张士诚守将宋兴献城投降。

壬寅（二十四日），吴大将军徐达等的军队到达苏州城南鲇鱼口，攻打张士诚的将领窦义，将他赶跑。康茂才到尹山桥，遇到张士诚的军队，又将张军打败，烧毁张士诚在官渡的战船千多艘以及很多的积蓄，徐达于是进兵包围苏州城。徐达驻扎葑门，常遇春驻扎虎丘，郭兴驻扎娄门，华云龙驻扎胥门，汤和驻扎阊门，王弼驻扎盘门，张温驻扎西门，康茂才驻扎北门，耿炳文驻扎城东北，仇成驻扎城西南，何文辉驻扎西北，四面修筑长围将城围困了。又架起木塔和城中的佛塔相对，筑起三层的台子，向下俯视城中，称作敌楼，每一层上安设弓弩、火铳；又架设襄阳炮轰击，城中震惊恐惧。

有一个叫杨茂的，是无锡莫天祐的部将，善于潜泳。莫天祐暗中要他进苏州城中和张士诚联络，巡逻兵在阊门水栅旁抓住了他，送往徐达军中，徐达释放并起用他。当时苏州城坚固难以攻破，莫天祐又在无锡拦击吴军，声援张士诚。徐达因而放杨茂出入城中往来联络，从而获得他们双方互送的蜡丸书信，完全掌握了张士诚、莫天祐的虚实，因此围攻的计策更加完备了。

徐达当时指挥部队攻打娄门，张士诚出城迎战，吴武德卫指挥茅城阵亡。

甲辰（二十六日），元朝平章努都长寿等到建康，吴王因为他们是朝中官员，命有关衙门发给粮饷，放他们回朝，而在市中将蒋英处死。因为潘元明保全杭州城投降，百姓没有受战争之苦，仍然授予他平章之职，他的官属都维持原职，听从朱文忠管辖。随即任命文忠为江浙行省平章政事，恢复李姓。

十二月，乙卯朔（初一），永宁县贼人饶一等叛乱，吴指挥毕荣讨伐他，活捉元帅王子华，残余党羽都被平定。陈友定部将建宁阮德柔派使者前来投降。

吴廖永忠在瓜步将小明王淹死。小明王一直住在滁州,到这时前来建康,被廖永忠害死。

吴群臣进言说:"一代的兴起,必定有一代的制度。如今新城已经建好,宫阙的制度,也应早日定好。"吴王认为国家最重要,首先宗庙社稷,于是议定,将第二年作为吴的元年,命令有关衙门营建宗庙、社稷,建立宫室。甲子(初十),吴王亲自祭祀山川神灵,将工程建设之事上告神灵。己巳(十五日),主管营建工作的官员将宫室模型图进献吴王,吴王看到其中有雕琢奇异华丽的立即去掉。

庚午(十六日),蒲城洛水和顺崖崩溃。

这一年,监察御史圣努额森、察图实哩等上奏说:"过去奸臣陷害丞相托克托,以致临近对敌时更换将帅,国家军事优势从此开始衰弱,钱粮从此开始损耗,百姓从此开始惨遭战祸,盗贼从此开始肆无忌惮。假如托克托没死,怎么会让天下有如此混乱的局面?请求封他一字王爵,确定谥号和加封功臣称号。"朝中官员都赞同他的意见,因为正是多事之时,没来得及议决回复国家就灭亡了。

至正二十七年 (公元 1367 年)

春季,正月,癸巳朔(初一),吴王开始称吴元年。

乙未(初三),绛州夜间听到天鼓轰鸣,将近天亮时又响了,鼓声就像空中交战一样。

戊戌(初六),吴王对中书省官员说:"昔日我在军中缺少粮食,空着肚子出战,回来时吃了一点东西,虽然很粗糙,吃起来却很甜。如今高居万民之上,饮食丰富精美,却不曾忘记此事。况且我的百姓生活在田野里,收获的很有限,而又要负担很多赋役,怎么不非常困苦呢!"于是免去太平府二年租赋,应天、宣城等地一年租赋。

吴戴德等兵马到沅州,包围沅州城,共六天,守将李兴祖出城投降。李兴祖就是李胜。

庚子(初八),松江府、嘉定州守城官员王立忠等前往吴徐达军中投降。

辛丑(初九),吴王对中书省官员说:"古人祝贺颂扬君主时,都含有警戒的意思。刚才看到各位大臣进献的笺文,赞美的话太多,规劝警戒的话没看见,完全不是古代君臣用诚心相劝告的做法。以后的笺文,只要求平实,不要将空洞的言辞当好话。"

甲辰(十二日),吴王派使者给库库特穆尔送信,指责他拘留使者不放的罪过,并婉转地暗示他关中张良弼、李思齐和俞宝、王信挑起事端值得担忧。又说:"如果能将汪何、钱桢等送还,不单是以前的盟约不会失效,也可以取得天下人的信任。否则,这又是挑动我南方的军队,成为他们关中之后的敌方。阁下即使有王莽、曹操一样的深谋远虑,有司马懿、桓温一样的阴谋诡计,但面对眼前满目的英雄,又怎样获得生路呢!古人说:'功劳盖世,保持它需要恭顺;拥有天下,守护它必须谦虚。'何况是作臣子的呢?阁下认真考虑一下吧。"

库库特穆尔和关中交战,各有胜负,难以分解。顺帝又下诏和解他们,库库杀害了朝廷使臣,这个月,李思齐、张良弼、图鲁卜自行在含元殿旧址会合,推举李思齐为盟主,一起抵抗库库的军队。

二月,丁未朔(初一),库库特穆尔派左丞李二带领徐州兵马驻扎陵子村,吴参政陆聚命令指挥傅友德抵御他。友德估计兵少不能对敌,于是坚守不出。刺探到李二出来抢劫,带二千人逆河而上到吕梁登上岸攻打,刺杀敌猛将韩乙,其他人失败逃走。友德估计李二肯定会增加兵力再来,立即还城,打开城门在野外布阵,枕着戈等待,约定听到鼓声起身。李二果然到来,敲响战鼓,战士跃起,冲击敌人前锋,敌人大败溃逃,很多淹死,于是生擒李二。傅友德随即升任江淮行省参知政事。

壬子(初六),茗洋的降贼周瑞卿叛变,吴浙东按察佥事章溢,派他儿子元帅章存道会合平阳、瑞安总制孙安的军队讨伐;杀死周瑞卿,俘获叛党六十多人。

吴在杭州设置两浙都转运盐司,设盐场三十六处。

乙卯(初九),吴王听到陵子村的捷报,对都督府官员说:"这大概是库库的游兵,有意用来引诱我军,使我军将帅骄傲士兵懈怠,以便乘我不备突然袭击。古人的警戒,就在于此。善于作战的人知己知彼,能察觉还没有出现的情况。你们告诉安丰、六安、临濠、徐、邳等处的守将,要他们严密戒备。"

庚申(十四日),朝廷任命七十为中书平章政事,伊噜布哈为御史大夫。

乙丑(十九日),朝廷任命詹事伊噜特穆尔为御史大夫。

吴王派使者前往陈州,带信招降左丞左君弼说:"足下您的白发母亲,结发妻子,天各一方,度日如年。足下即使不把妻子放在心上,又怎能忍心忘记老母亲的恩情呢!"左君弼得信后,犹豫不决,吴王便放他母亲回去。

吴陆聚派兵攻打宿州,生擒金院邢瑞。

丁卯(二十一日),江西行省派兵会同湖广行省千户徐兴攻打平江濑寨,伪镇抚杨五献寨投降。

三月,丁丑朔(初一),库库特穆尔派兵驻扎滕州抵御王信。

吴参政蔡哲从蜀返回,详细陈述蜀夏从明玉珍去世后,明升昏庸懦弱,群臣揽权的情形,并画下他经过的山川要塞地形图进献。

戊子(十二日),思、沅两界军民安抚使黄元明,将他的辖区归附吴。

丁酉(二十一日),吴王下令设立文武科录取士子。令文说:"参加文举的人,将考察他的言行来看他的品德,考察他的经术来看他的学识水平,测试他的书法、运算、骑马、射箭来看他的能力,策问他的经史、时务知识来看他处理政事的本事。参加武举考试的人,将首先考试谋略,其次考核武艺,都要讲究实效,不弄虚文。但这二种考试,必须三年时间才能见成效,有关部门要预先劝勉宣传,等到开科考试的年度,选送贡生进京参考。"

沂州流离失所的百姓千多家,准备返回灵璧、虹县恢复生产,王信追到宿迁残杀他们,并大肆抢劫而去;残余百姓逃到两县境中乞讨,吴王听说后同情地说:"王信的不仁道太过分了,百姓虽被杀,能逃天道报应吗!"于是派人救济这些流民。

吴王任命黔阳县前元帅蒋节为靖州安抚使,让他去讨伐平定山寨,边耕田边防守,这是采纳参军詹允亨的建议。

吴参政杨璟进兵攻打澧州石门县,原陈友谅的守将邓义亨率领部众投降。

夏季,四月,丙午朔(初一),吴上海县平民钱鹤皋发动暴乱,占领松江府,徐达派骁骑卫指挥葛俊讨平了他。

起初,王立中献城投降,徐达就要他任松江知府,接着吴王命荀玉珍代替王立中。没多久,徐达行文各府核对百姓田地,征收砖来修城墙。钱鹤皋不服从命令,号令民众起来作乱,大家都听从他,于是勾结张士诚原元帅府副使韩夏秦、施仁济,招集民众到三万多人,攻打府衙,通判赵儆匆忙之际不能抵挡,和妻儿跳水自杀,荀玉珍弃城逃跑,乱贼追上杀死了他。钱鹤皋自称行省左丞,在旗帜上署元字,刻砖头作印信,自己设置官属,命他的儿子钱遵义带领几千只小船前往苏州,想归附张士诚请求援救。到这时徐达派葛俊讨伐,军队到连湖荡,看到钱遵义带领的兵众都拿着农具,知道他们没多大能耐,便在东西两边接连发射十多炮,贼人都受惊逃散,淹死的人不计其数。吴军到松江城,钱鹤皋闭城坚守,葛俊攻下城池,俘虏了钱鹤皋,用囚车送给大将军,处死了他。施仁济等逃脱,带着党羽五千多人冲进嘉兴府,抢劫府库中的军用物资后逃出。海宁卫指挥孙虎等带兵追击,全部活捉他们。

壬子(初七),吴王对起居注詹同说:"修国史最注重秉笔直书,好坏都应当记录。过去唐太宗观看当朝史记,虽然有失大体,但命令照实记录李建成一事,这是想公正对待天下。我平日的言行无论是非好坏,你们都要照实记录,不应隐瞒,要让后代的人看到时,不失去真实情形。"

己未(十四日),方国珍向吴进贡之后,又暗中从海路与北方的库库特穆尔相通,与南方的陈友定交好。吴军讨伐苏州,方国珍按兵不动,侦察双方的胜败做好是叛是服的准备。吴王因为方国珍反复无常,写信列举他十二条罪过,并且对他说:"你如能看到未来的胜负成败,高瞻远瞩,自己求得美好的前程,还可以有点希望。"方国珍得信后没有答复。

丁卯(十六日),吴江浙行省平章李文忠,禀告吴王说嘉兴、海宁、海盐等沿海的州县,都是边防地带,应该派兵镇守。吴王命文忠调兵戍守。

吴潭州卫派兵攻打易华残党占领的山寨,攻下来了。

五月,丙子朔(初一),二道白气横贯天空。

戊寅(初三),朝廷将空头委任文凭送给福建行省,命平章库春、陈友定一同查核有功的人员颁发给他们。

辛巳(初六),大同降霜冻死麦子。

癸未(初八)福建行宣政院将废寺的钱粮从海道送往京城。

乙酉(初十),朝廷任命鄂勒哲特穆尔为中书右丞相,他以年老有病推辞,朝廷没同意。

己丑(十四日)吴湖广行省派兵讨伐平江花阳山寨,攻了下来。

辛卯(十六日),朝廷任命知枢密院事实勒们为岭北行省左丞相,提调分通政院。

己亥(二十四日),朝廷任命谙达布为中书平章政事。

吴王因为久旱不雨,每天减少膳食并吃素,并下令免除徐、宿、濠、泗、襄阳、安陆等郡三年税粮。

辛丑(二十六日),库库特穆尔拟定他的属下官员二千六百一十人,朝廷同意了。

这个月,山东地震,天下白毛。

李思齐派张良弼的部将郭谦等守卫黄连寨,库库特穆尔的部将关保、浩尔齐、商嚚、珠展带兵攻下他的营寨,郭谦逃跑。

六月,丙午朔(初一),有日食,白天阴暗。

苏州久围不下,吴王写信给张士诚,劝他全身保全家族,像汉代窦融、宋朝钱俶的故事,张士诚没有答复。

己酉(初四),张士诚想突破包围决死一战,侦察城的左方,见吴军阵容严整,不敢冒犯,于是派徐义、潘元绍偷偷出西门。想偷袭吴军。转到阊门,准备冲击常遇春的军营,遇春发觉敌人前来,分兵往北濠,堵截敌军后路,派军和对方交战。很久没有决出胜负,张士诚又派参政黄哈喇巴图带兵千多人援助,自己出兵山塘作为援兵。塘路狭窄无法前进,命令部队稍为后退。常遇春摸着王弼的背说:"军中把你当作猛将,能替我打败他们吗?"王弼说:"行。"当即催动铁骑,挥舞双刀往前冲去,敌军稍退,常遇春便带领大军乘势冲击,张士诚部队大败,人马在沙盆潭中淹死很多。张士诚有一支勇胜军,号称十条龙,都善于偷盗,张士诚常厚待他们,让他们穿着银铠甲、锦衣袍,带领他们出入军阵中,人们难以捉摸他们。这一天也失败了,淹死在万里桥下。张士诚的座骑受惊落水,几乎救不了他,部下用轿子推进城中,想不出任何办法。

这时降将李伯升知道张士诚形势危急,想劝他归顺吴王,便派说客前往士诚处告急,士诚召他进去,说:"你想说什么话?"说客说:"我说的话是替您的兴亡祸福着想,希望您安心听我说。"士诚说:"怎么样?"说客说:"您知道天数吗? 过去项羽叱咤风云,百战百胜,最终失败死于垓下,天下归汉所有。为什么如此? 这就是天数。您当初带十八人进入高邮,元兵百万包围城池,命在旦夕。但元军突然溃散混乱,您于是带领孤军乘胜追击,向东占据三吴,拥有领土千里,兵士几十万,南面称王,这是项羽的形势。如真能在这时不忘高邮的穷迫,苦心劳志,招揽豪杰,估计他们的才能,任用他们,安抚百姓,训练兵马,驾驭将帅,有功的奖励,无功的处罚,使号令严明,百姓乐于归附,不只是可以保全三吴,即使天下也能夺取。"士诚说:"足下当时不说,今天再也无法办到了!"说客说:"我当时即使说了,你也听不到。为什么? 您的子弟、亲戚、将帅,散布内外,锦衣玉食,歌童美女,日夜纵酒饮宴,带兵的自以为是韩信、白起,出谋划策的人自认为是萧何、曹参,骄傲自大,眼中没有别人。在这种时候,您居在深宫大院中,军队失败不知道,领地丧失听不见,即使知道也不过问,所以沦落到今天这一地步。"士诚说:"我非常后悔但已来不及了。如今应该怎么办?"说客说:"我有一计,只怕您不能听从。"士诚说:"大不了是一死吧!"说客说:"死了如对国家有益,对子孙有利,死当然应该;不然的话,不过自讨苦吃。而且您没有听说陈友谅吗? 他用百万精锐部队,和吴军在鄱阳湖决战,友谅放火想烧吴军船只,天公却返转风向烧他自己,友谅兵败身亡。为什么? 天命所在,人力是没有办法的。如今你依靠湖州援兵,湖州已丢失;嘉兴援兵,嘉兴已丢失;杭州援兵,杭州已丢失;却独自守着这狭小的土地,誓死抵抗。我担心形势恶劣到极点灾难就会产生,变乱从内部暴发,您想死不成,走投无路。所以我替您考虑,不如顺从天意,自求多福,派一使者,立即前往金陵,陈述您归心天命拯救百姓的心意,打开城门,幅巾束手待命,也不失为万户侯,何况曾答应按窦融、钱俶那样呢? 并且您的土地,就像赌博者得到别人的钱财又失去一样,有什么损失?"士诚低着头考虑了很久,说:"足下暂且休息,等我认真考虑。"但终究满腹狐疑不能决定。

壬子(初七),张士诚又带兵冲出西门邀战,气势很凶,遇春抵挡,军队稍许后退。士诚弟弟士信正在城楼上指挥作战,突然大喊道:"士兵疲劳了,暂且停战吧!"于是鸣金收兵。常遇春乘势突然袭击,大破张士诚。追到城下,攻打更加紧迫,又修筑营垒环绕城墙,从此张士诚不再出战了。

这时徐达命令四十八卫将士,每卫制造襄阳炮架五座,其他炮架五十多座,日夜炮声不断。张士信在城上搭起帐幕,骑坐在银椅上,和参政谢节等一起吃饭,身边的人正送上桃子,没来得及吃,飞炮击碎头部而死。

丁巳(十二日),皇太子的寝殿后新修的井中有龙飞出,光焰照人,宫人受惊倒地。又长庆寺有龙缠绕槐树后飞走,树皮都被剥去。

壬戌(十七日),库库特穆尔部将李守道向吴投降,吴王命令在会同馆安排他居住。

丁卯(二十二日),沂州山崩塌。

戊辰(二十三日),大雨,吴群臣请求吴王恢复膳食,吴王说:"虽然下雨,损害禾苗已很严重,免去百姓今年的田租。"

癸酉(二十八日),吴王下令:"从今以后所有朝贺都不用女乐。"

吴杀前朝廷使臣户部尚书张昶。

张昶被留下担任参知政事后,表面上诚心归附,内心却怀着密谋,和杨宪、胡惟庸等都很友好。张昶有善辩的才能,聪明敏捷,熟悉前代的典章制度,江左所有法令制度职官建置大多出自他的手中,处理事情很果断,没有积压停顿。张昶因为自己奉使被扣留,心中不忘返回北方,暗中派人上书歌功颂德,劝吴王及时行乐。吴王对刘基说:"这是想做赵高。"刘基说:"是这样,肯定有指使的。"吴王不想追究下去,只是加以驳斥,将上书烧了。后来又劝吴王加重刑法,严惩兼并别人田地的人家,提了很多严厉对付百姓的方法,想使吴王失去民心,暗中为北方出力。吴王都没有听从。

当时顺帝认为张昶已死,并授予他儿子官职。吴发送杭州抓获的平章努都长寿回朝廷,张昶便暗中托他上表顺帝,并带信给他儿子询问家中情形。恰逢张昶生病在家,杨宪前去探望,在张昶的卧室内得到上书底稿,报告了吴王,吴王命大都督府审讯,张昶写了八个字在文牍上:"身在江南,心思塞北。"吴王起初看重他的才能,还想保全他,等到看见他写的八个字后,说:"他的心意已定了。"于是杀了他。

这一月,知枢密院事寿安,奉命将空头委任宣敕送给侯巴延达世,命他带兵援助库库特穆尔。当时李思齐占据长安,与商暠交战,侯巴延达世进兵攻打长安,秦州守将萧公达向李思齐投降。思齐知道关保等军队撤退,派蔡琳攻破他的营寨,侯巴延达世失败逃跑。

库库特穆尔增派军队入关,每天寻求决战。李思齐、张良弼等军队几乎支持不住,派人向朝廷求助,朝廷因而派左丞袁涣和知院安定臣、中丞明托特穆尔传达圣旨,命令两家停止攻击,各自带领部下共同肃清江淮。孙翥秘密地向库库献计说:"我西方之战即将成功,不能误听朝廷停战的圣旨。并且袁涣是个贪婪的人,这不是他的本意,可以要京城中的藏吏暗中贿赂他家,袁涣就必定帮助我们,那么西方大事可以成功。"库库照计行事,袁涣果然对库库袒露了自己的想法:"不除去张、李二人,最终会是丞相的后患。"于是库库攻打张、李更加紧迫。

续资治通鉴卷第二百二十

【原文】

元纪三十八　起强圉协洽【丁未】七月,尽著雍涒滩【戊申】七月,凡一年有奇。

顺　帝

至正二十七年　【丁未,1367】　秋,七月,关中兵胜负犹未决,库库特穆尔谓孙翥、赵恒曰:"今当何如?"并对曰:"关中四军,独李思齐最强,思齐破,则三军不攻自服矣。今关中兵将相持不决,所畏者惟摩该耳。宜抽摩该一军疾趋河中,自河中渡河捣凤翔,覆思齐巢穴,出其不意,则渭北之军一战可降,此唐庄宗破汴梁之策也。关中既定,然后出兵以讨江淮,破之必矣!"库库即行其策,檄摩该率兵攻凤翔。

甲申,命伊苏提调武备寺。

吴右相国李善长等劝王即皇帝位,王未许。善长等复力请,王曰:"吾尝笑陈友谅初得一隅,妄自称尊,卒致覆灭,岂得更自蹈之! 若天命在我,固自有时,无庸汲汲也。"

吴给府州县官之任费,锡绮帛及其父、母、妻、长子有差。著为令。

己丑,雷震吴宫门兽吻,得物若斧形而石质,王命藏之,出则使人负于驾前,临朝听政则奉置几案,以祇天戒。遂赦狱囚。

方国珍之初降吴也,约杭州下即入朝,已而据地自若,且使通于闽,图为掎角。吴王闻之怒,遣使责国珍贡粮二十三万石,仍以书谕之曰:"尔早改过效顺,犹可保其富贵。不然,为偷生之计,窜入海岛,吾恐子女玉帛反为尔累,舟中自生敌国,徒为豪杰所笑也。"

书至,国珍大惧,集弟、侄及将佐决去就,其郎中张本仁曰:"苏州未下,彼安能越千里而取我!"刘庸曰:"江左兵多步骑,其如吾海舟何!"国珍弟、侄多以为然,唯邱楠争曰:"二人所言,非公福也。唯智可以决事,唯信可以守国,唯直可以用兵。公经营浙东,十馀年矣,迁延犹豫,计不早定,不可谓智。既许之降,抑又倍焉,不可谓信。彼之征师,则有词矣,我实负彼,不可谓直。幸而扶服听命,庶几可视钱俶乎!"国珍素戆暗,不能决,唯日夜运珍宝,集巨舰,为泛海计。

辛丑,吴置太常、司农、大理、匠作四司。

是月,李思齐遣部将许国佐、薛穆飞,会张良弼、图鲁卜兵屯华阴。

时命图鲁为陕西行省左丞相,思齐不悦,命部将郑应祥守陕西,而自还凤翔。

龙见于临朐龙山,大石起立。

摩该部将多博啰特穆尔之党,及摩该奉檄调往陕西,行至卫辉,诸将夜聚谋曰:"我辈官军,杀南兵可也。今闻欲趋凤翔,凤翔亦官军也,以官军杀官军,其谓之何?"其众俱以为然,遂相约扶摩该为总兵。摩该善论兵,先为察罕特穆尔所信任;关保自察罕特穆尔起兵以来,勇冠诸军,功最高;至是皆不服库库特穆尔。摩该使其首领官胡安之控告朝廷,遣部将北夺彰德,西夺怀庆。

萨蓝托里、特里锡、巴延特穆尔、李国凤进谋于皇太子曰:"向日诏书,令诸将各将本部分道进兵,而不立大将以总之,宜其不相从也。太子何不奏上,立大抚军院以镇之。凡指挥各将,皆宜出自抚军院然后行,使权归于一,自内制外,庶几天下可为。又,摩该一部背库库而向朝廷,亦宜别作名号以旌异之。"太子如其言以请。

八月,丙午,命皇太子总天下兵马。

诏曰:"元良重任,职在抚军,稽古征今,卓有成宪。阿裕实哩达喇计安宗社,累请出师,朕以国本至重,讵宜轻出,遂授库库特穆尔总戎重寄,畀以王爵,俾代其行。李思齐、张良弼等各怀异见,构兵不已,以至盗贼愈炽,深遗朕忧。询之众谋,金谓皇太子聪明仁孝,文武兼资,聿遵旧典,爰命以中书令、枢密使,悉总天下兵马,诸王、驸马,各道总兵、将吏,一应军机政务,生杀予夺,事无轻重,如出朕裁。其库库特穆尔,总领本部军马,自潼关以东,肃清江淮;李思齐总领本部军马,自凤翔以西,与侯巴延达世进取川蜀;以少保图鲁为陕西行中书省左丞相,总领本部军马及张良弼、孔兴、图鲁卜各支军马,进取襄、樊;王信本部军马,固守汛地,别听调遣。诏书到日,汝等悉宜洗心涤虑,同济时艰。"

摩该所遣部将至彰德,诈为使者以入,遂据之。至怀庆,库库守将黄瑞觉之,城闭,不得入。庚戌,摩该杀卫辉守将余仁辅、彰德守将范国英,引军至清化,闻怀庆有备,复还彰德,上疏言库库特穆尔罪状。诏以库库特穆尔不遵君命,宜黜其兵权,就令摩该讨之。又,摩该首倡大义,赐以所部将士皆号忠义功臣。

辛亥,特穆尔布哈进封淮王。

甲寅,以右丞相鄂勒哲特穆尔、翰林承旨达尔玛、平章政事鄂勒哲特穆尔并知大抚军院事。

癸丑,吴圜丘、方丘及社稷坛成,并仿汉制,为坛二成。

丙辰,鄂勒哲特穆尔言:"大抚军院专掌军机,今后迤北军务,仍旧制枢密院管,其馀内外诸王、驸马、各处总兵、行省、行院、宣谕司一应军情,不许隔越,径移大抚军院。"

以詹事院同知李国凤同知大抚军院事,中书参知政事鄂勒哲特穆尔为副使,左司员外郎耀珠、枢密院参议王弘远为经历。

庚申,鄂勒哲特穆尔言:"诸军将士有能用命效力,建立奇功者,请所赏宣敕依常制外,加以忠义功臣号。"从之。

时诏书虽下,诸将皆不用命。李思齐闻摩该为变,关保、浩尔齐夜遁,遂解兵而西。托音特穆尔尽劫掠山东民畜而西趋卫辉,库库特穆尔尽率河、洛民兵北渡怀庆,摩该惧库库兄弟有夹攻卫辉之势,亦劫掠卫辉民畜而北,屯彰德,朝廷无如之何。

关保列库库罪状于朝,举兵攻之。

辛酉,命鄂勒哲特穆尔仍前少师、知枢密院事,伊苏仍前太保、中书右丞相,特哩特穆尔以太尉为添设中书左丞相。

丙寅,立行枢密院于阿南达察罕诺尔,命陕西行省左丞相图噜仍前少保兼知行枢密院事。

戊辰,命特哩特穆尔仍前太尉、左丞相,知大抚军院事,中书右丞陈敬伯为中书平章政事。

吴王以书谕沂州王宣父子曰:"尔父子数年前与吾书云:'虽在苍颜皓首之际,犹望阁下鼓舞群雄,殪子婴于咸阳,戮商辛于牧野,以清区宇。'今整兵取河南,已至淮安,尔若能奋然来归,相与戮力戡乱,岂不伟哉!"

己巳,吴太庙成,四世祖各为庙,高祖居中,曾祖居东第一庙,祖居西第一庙,考居东第二庙。

吴王命参政朱亮祖讨方国珍,戒之曰:"三州之民,疲困已甚,城下之日,毋杀一人。"

九月,甲戌朔,义士戴晋生上皇太子书,言治乱之由。

命中书右丞相伊苏以兵往山东,参知政事法图呼喇分户部官,一同供给。

乙亥,以兵起,迤南百姓供给繁重,其真定、河南、陕西、山东、冀宁等处,除军人自耕自食外,与免民间今年田租之半。

辛巳,吴大将军徐达克苏州,执张士诚。

时围城既久,熊天瑞教城中作飞炮,拆祠庙、民居为炮具,达令军中架木若屋状,承以竹笆,军伏其下,载以攻城,矢石不得伤。达督将士破葑门,常遇春破阊门新寨,遂率众渡桥,进薄城下。其枢密唐杰,登城拒战,士诚驻军门内,令周仁立栅以补外城。杰及周仁、潘元绍皆降,士诚军大溃,诸将遂蚁附登城。士诚更使其副枢密刘毅收馀兵,尚二三万,亲率之,战于万寿寺东街,复败,毅降。士诚仓皇归,从者仅数骑。初,士诚谓其妻刘〔氏〕曰:"我败且死,若曹何为?"刘曰:"必不负君!"乃积薪齐云楼下,城破,自焚死。士诚独坐室中,达遣李伯升谕意,时日已〔暮〕,士诚拒户自经。伯升决户,令降将赵世雄挽解之,气未绝,复苏。达又令潘元绍以理晓之,反覆数四,士诚瞑目不言,乃以旧盾舁之出葑门,中途,易以户扉,舁至舟中。获其官属平章李行素、徐义、左丞饶介等,并元宗室神保大王、赫罕等,皆送建康,而诛熊天瑞。

初,达与遇春约,城破之日,中分抚之。先集将士,申明王意,令将士各悬小木牌,令曰:"掠民财者死,拆民居者死,离营二十里者死!"及城破,达军其左,遇春军其右,号令严肃,军士不敢妄动,居民宴然。

癸未,吴王闻苏州已破,命中书平章政事胡廷瑞取无锡州,仍命大都督府副使康茂才继之。又命虎贲左卫副使张兴,率勇士千人赴淮安候师期;又令濠州练习平乡山寨军,会取胶州、登、莱;又命江淮卫以兵千人守御邳州。

吴徐达等遣兵取通州,乙酉,次狼山,其守将率所部降。

无锡莫天祐以城降于吴。

初，天祐附张士诚，士诚累表为同佥枢密院事，亦羁縻而已。徐达数遣使谕降，天祐俱杀之。至是胡廷瑞等攻其城，州人张翼知事急，率父老见天祐曰："张氏就缚，纵固守，将谁为？一城生命存亡，皆在今夕，愿熟虑之。"天祐沉思良久，乃许降。翼缒城下，纳款于廷瑞，廷瑞喜曰："城不受兵，皆汝力也！"翼还告，天祐遂出降。

己丑，诏伊苏以中书右丞相分省山东，萨蓝托里以中书左丞相分省大同。

吴朱亮祖驻军新昌，遣指挥严德攻关岭山寨，平之。

徐达遣人送张士诚至建康。士诚在舟中，闭目不食，至龙江，坚卧不肯起。舁至中书省，李善长问之，不语，已而士诚言不逊，善长怒。王欲全士诚，而士诚竟自缢死，赐棺葬之。

浙西民物蕃盛，储积殷富。士诚兄弟骄侈淫佚，又暗于断制，欲以得士要誉，士有至者，无问贤不肖，辄重其赠遗，舆马居室，靡不充足，士多往趋之。及士信用事，疏简旧将，夺其兵权，由是上下乖疑。凡出兵遣将，当行者或卧不起，邀求官爵、美田宅，即如言赐之。及丧师失地而归，士诚亦不问，或复用为将。其威权不立类此。

士信愚妄，不识大体，士诚委以政，卒以亡其国。而士信之败，又为（王）〔黄〕、蔡、叶三参军所误，至是骈诛，并杀潘元绍，磔莫天祐。

又有周伥者，山阳铁冶子也，以聚敛至上卿。城破被获，言于主者曰："钱谷盐铁，籍皆在我，汝国欲富，当勿杀我。"主者曰："亡国贼，尚不知死罪耶？"遂杀之。民大悦曰："今日天开眼！"

辛卯，吴置宣徽院，改太医监为太医院。

甲午，吴朱亮祖兵至天台，县尹汤盘降。

丙申，太师旺嘉努追封兖王，谥忠靖。

丁酉，吴朱亮祖进攻台州，方国珍出师拒战，亮祖击败之，指挥严德中矢死。德，采石人也。

戊戌，吴王遣使以书送元宗室神保大王及赫罕等九人于帝，又以书与库库特穆尔曰："阁下如存大义，宜整师旅，听命于朝。不然，名为臣子，而朝廷之权专属军门，纵此心自以为忠，安能免于人议！若有它图，速宜坚兵以固境土。"

己亥，沂州王宣遣其副使权苗芳谢过于吴，吴王遣镇抚侯正纪往报之。

辛丑，吴王命于泗州灵壁取石制磬，湖州采桐梓制琴瑟。

吴封李善长为宣国公，徐达信国公，常遇春鄂国公，赏赉有差。

王谕诸将曰："江南既平，当北定中原，毋狃于暂安而忘永逸，毋足于近功而昧远图。"翌日，达等入谢，王问："公等还第，置酒为乐否？"对曰："荷恩，皆置酒相庆。"王曰："吾岂不欲置酒与诸将为一日之欢？但中原未平，非宴乐之时。公等不见张氏所为乎？终日酣歌逸乐，今竟何如？"

吴朱亮祖克台州。

初，方国瑛闻吴师至，即欲遁。会都事马克让自庆元还，言国珍方治兵城守，劝国瑛勿去，国瑛始约束将士拒守；然士卒怀惧，往往有逃溃者。亮祖攻之急，国瑛以巨舰载妻子，夜走黄岩。亮祖入其城，遂下仙居诸县。国瑛之遁也，挟总管赵琬至黄岩，琬潜登白龙奥，舍于民家,绝粒死。琬,琏之弟也。

癸卯,吴新内城,制皆朴素,不为雕饰。王命博士熊鼎类编古人行事可以鉴戒者,书于壁间,又命侍臣书《大学衍义》于两庑壁间。王曰:"前代宫室,多施绘画,予用书此以备朝夕观览,岂不愈于丹青乎!"有言瑞州出文石,琢之可以甃地,王曰:"尔导予以侈丽,岂予心哉!"

冬,十月,甲辰朔,吴王谓中书省曰:"军中士因战而伤者,不可备行伍。今新宫成,宫外当设备御,合于宫墙外周围隙地多造庐舍,令废疾者居之,昼则治生,夜则巡警,因给粮以赡之。"

吴王遣起居注吴琳、魏观等,以币帛求遗贤于四方,徙苏州富民实濠州。

摩该以兵入山西,定孟州、忻州,下潞州,遂攻真定,诏伊苏自河间以兵会摩该,已而不果,命伊苏还河间,摩该还彰德。

乙巳,皇太子奏以淮南行省平章政事王信为山东行省平章政事兼知行枢密院事。立中书(行)〔分〕省于真定路。〔丙午〕,加司徒、淮南行省平章政事王宣为沂国公。

吴命百官礼仪俱尚左,改右相国为左,左相国为右,馀官如之。又定国子学官制,以博士许存仁为祭酒,刘承直为司业,改太史监为院,以太史监令刘基为院使。

朱亮祖兵至黄岩州,方国瑛遁海上,守将哈尔鲁降。

丁未,享于太庙。

吴王敕礼官曰:"自古忠臣义士,舍生取义,身没名存,垂训于天下。若元右丞余阙守安庆,屹然当南北之冲,援绝力穷,举家皆死,节义凛然。又有江州总管李黼,自守孤城,力抗强敌,临难死义,与阙同辙。褒崇前代忠义,所以厉风俗也。宜令有司建祠、肖像,岁时祀之。"

壬子,诏库库特穆尔落太傅、中书左丞相并诸兼领职事,仍前河南王,以汝州为食邑。其弟托音特穆尔以集贤学士与库库特穆尔同居河南府,而以河南府为梁王食邑。从行官属,悉令还朝。凡库库特穆尔所总诸军在帐前者,命白索珠、浩尔齐统之;在河南者,中书平章政事李克彝统之;在山东者,太保、中书右丞相伊苏统之;在山西者,少保、中书左丞相萨蓝托里统之;在河北者,知枢密院事摩该统之;唯关保仍统本部诸军。库库特穆尔既受诏,即退军屯泽州。

是日,赦天下。

吴置御史台,以汤和为左御史大夫,邓愈为右御史大夫,刘基、章溢为御史中丞,基仍兼太史院。王谕之曰:"国家所立,惟三大府总天下之政,中书政之本,都督府掌军旅,御史台纠察百司。朝廷纪纲,尽系于此,其职实惟清要。卿等当思正己以率下,忠勤以事上,毋徒拥虚位而漫不可否,毋委靡因循以纵奸长恶,毋假公济私以伤人害物。诗云:'刚亦不吐,柔亦不茹。'此大臣之体也。"

甲寅,吴命汤和为征南将军,吴祯为副,讨方国珍于庆元。

壬戌,吴命中书省定律令,以李善长为总裁官,杨宪、刘基、陶安等为议律官。

初,王以唐、宋皆有成律断狱,惟元不仿古制,取一时所行之事为条格,胥吏易为奸弊。自平武昌以来,即议定律,至是台谏已立,各道按察司将巡历郡县,欲颁成法,俾内外遵守,故有是命。复谕之曰:"立法贵在简当,使言直理明,人人易晓。若条绪繁多,或一事而两端,可轻可重,使贪猾之吏得以因缘为奸,则所以禁残暴者,反以贼善良,非良法也,务求适中以去繁弊。夫网密则水无大鱼,法密则国无全民,卿等宜尽心参究,凡刑名条目,逐一采上,吾与卿等面议斟酌,庶可以久远行之。"

丙辰,吴王遣使以书遗李思齐、张良弼,便息兵解斗。思齐等得书不报。

辛酉,吴王谓徐达等曰:"中原扰攘,人民离散,山东则王宣反侧,河南则库库跋扈,关陇则李思齐、张思道彼此猜忌。元祚将亡,其几已见,今欲北伐,何以决胜?"常遇春曰:"今南方已定,兵力有馀,直捣元都,以我百战之师,敌彼久逸之卒,挺竿而可胜也。都城既克,有似破竹之势,乘胜长驱,馀可建瓴而下矣。"王曰:"元建都百年,城守必固。若悬师深入,不能即破,顿于坚城之下,馈饷不继,援兵四集,进不得战,退无所据,非我利也。吾欲先取山东,撤其屏蔽;旋师河南,断其羽翼;拔潼关而守之,据其户枢。天下形势入我掌握,然后进兵元都,则彼势孤援绝,不战可克。既克其都,鼓行云中、九原以及关陇,可席卷而下矣。"诸将皆曰:"善!"

甲子,吴王命中书右丞相、信国公徐达为征讨大将军,中书平章政事、掌军国重事常遇春为副将军,率师二十五万,由淮入河,北取中原。

是时名将必推达、遇春,两人才勇相类,遇春慓疾敢深入,而达尤长于谋略。遇春每下城邑,不能无诛僇;达所至不扰,即获壮士与谍,结以恩义,俾为己用。至是吴王面谕诸将曰:"御军持重有纪律,战胜攻取,得为将之体者,莫如大将军达;当百万众,摧锋陷坚,莫如副将军遇春,然身为大将,好与小校角,甚非所望也。"

吴王命中书平章政事胡廷瑞为征南将军,江西行省左丞何文辉为副,率安吉、宁国、南昌、袁、赣、滁、和、无为等卫军由江西取福建,以湖广参政戴德随征。又命平章杨璟、左丞周德兴、参政周彬,率武昌、荆州、益阳、常德、潭、岳、衡、澧等卫军取广西。文辉初为王养子,赐姓朱氏,至是复何姓。

乙丑,以集贤大学士丁好礼为中书添设平章政事。

吴王遣世子及次子往谒临濠诸墓,命中书择官辅导以行,凡所过郡邑城隍及山川之神,皆祭以少牢。

丙寅,平章内史关保封许国公。

吴王以檄谕齐鲁、河洛、燕蓟、秦晋官民,令速归附。

丁卯,吴大将军徐达等师次淮安,遣人招谕王宣及子信。

己巳,吴王以大军进取中原,恐托音特穆尔乘间窃发,命庐州、安丰、六安、濠、泗、蕲、黄、襄阳各严兵守备。

吴湖广行省遣兵取宝庆新化县,击守将麻周,破之。

吴朱亮祖进兵温州,克其城,方明善先遁去。亮祖分兵徇瑞安,其守将谢伯通以城降。

辛未,沂州王信既得徐达书,乃遣使纳款于吴,且奉表贺平张士诚。吴王遣徐唐、李仪等赴沂州,授信江淮行省平章政事,麾下官将皆仍旧职,令所部军马悉听大将军节制。时信与其父宣,阴持两端,外虽请降,内实修备。王知之,乃遣人密谕徐达勒兵趋沂州以观其变。

十一月,癸酉朔,吴朱亮祖袭败方明善于乐清之盘屿,追至楚门海口,遣百户李德招谕之。

乙亥，明升遣其臣邓良叟聘于吴，吴王命良叟从大将军观所下城邑。

丙子，吴徐达师次下邳，都督同知张兴祖由徐州进取山东。

己卯，吴徐达兵至榆林镇，金院郦毅、镇抚孙惟德降。达令黄逢等守之。

庚辰，吴平章韩政师次梁城，同知枢密院卢斌、金院程福等降。

辛巳，吴征南将军汤和克庆元。

先是和兵自绍兴渡曹娥江，进次馀姚，降其知州李密及上虞县尹沈温，遂进兵庆元城下，攻其西门，府判徐善等率属官耆老自西门出降。方国珍驱所部乘海舟遁去，和率兵追之。国珍以众迎战，和击败之，擒其将方惟益等，国珍率馀众入海。和还师庆元，徇下定海、慈溪诸县。

吴王遣使至延平，招谕平章陈友定。友定置酒大会诸将及宾客，杀吴使者，沥其血酒瓮中，与众酌饮之，誓于众曰："吾曹并受朝廷厚恩，有不以死拒者，身磔，妻子戮!"遂往巡视福州，严兵为拒守计。

徐唐等至沂州，王宣不欲行，乃使其子信密往莒州募兵，为备御计，而遣其员外郎王仲纲等诈来犒师以缓攻，徐达受而遣之。仲纲等既还，宣即以兵劫徐唐等，欲杀之，唐得脱，走达军，达即以师抵沂州，营于北门。达犹欲降之，遣梁镇抚往说，宣阳许之，寻复闭门拒守，达怒，遂急攻其城。宣待信募兵未还，自度不能支，乃开西门出降。达令宣为书，遣镇抚孙惟德招降信，信杀惟德，与其兄仁走山西。于是峄、莒、海州及沭阳、日照、赣榆、沂水诸县皆来降。达以宣反覆，并怒其子信杀惟德，执宣戮之，命指挥韩温守沂州。

乙酉，吴定大都督府及盐运司、起居注、给事中官制。

方国珍遁入海岛。己丑，吴王命平章廖永忠为征南副将军，自海道会汤和讨之，国珍遣经历郭春及其子文信诣朱亮祖纳款。

丙戌，以平章政事伊噜特穆尔、知枢密院事鄂勒哲特穆尔、平章政事巴延特穆尔并知大抚军院事。

庚寅，吴王遣使谕徐达等曰："闻将军已下沂州，未知兵欲何向？如向益都，当遣精锐将士，于黄河扼其冲要，以断援兵，使彼外不得进，内无所望，我军势重力专，可以必克。如未下益都，即宜进取济宁、济南，二郡既下，则益都以东势穷力竭，如囊中之物，可不攻而自下矣。然兵难遥度，随机应变，尤在将军。"时金、火二星会于星纪，望后，火逐金过齐、鲁之分，太史占曰"宜大展兵威"，故有是谕。

方国珍部将多降于吴，汤和复遣人持书招之。壬辰，国珍遣郎中承广、员外郎陈永诣和乞降，又遣其子明善、明则、从子明巩等纳省院诸印。

乙未，以知枢密院事摩该为中书平章政事，太尉、中书左丞相特哩特穆尔为大抚军院使。

是日，冬至，吴太史院进戊申岁《大统历》。王谓院使刘基曰："古者以季冬颁来岁之历，似为太迟，今于冬至亦未宜，明年以后，皆以十月朔进。"初，《戊申历》成，将刊布，基与其属高翼以录本进，王览之，谓基曰："此众人为之乎？"对曰："是臣二人详定。"王曰："天象之行有迟速，古今历法有疏密，苟不得其要，不能无差。春秋时，郑国一辞命，必草创、讨论、修饰、润色，然后用之，故少有缺失。辞命尚如此，而况于造历乎？公等须各尽心，务求至当。"基等乃以所录再详校而后刊之。

丙申，吴朱亮祖兵至黄岩，方国瑛及其兄子明善来见，送之建康。

丁酉，命关保分省于晋宁。

庚子，吴克滕州。

初，徐达令平章韩政分兵扼黄河，以断山东援兵，政乃遣千户赵实略滕州。其守将初议固守，已而遁去，遂克其城。

辛丑，吴徐达攻下益都，平章李老保降，宣慰使巴延布哈、总管胡浚、知院张俊皆死之。达遂徇下寿光、临淄、昌乐、高苑，令指挥叶国珍等守之。

初，吴军压境，巴延布哈力战以拒。及城陷，巴延布哈还，拜其母曰："儿忠孝不能两全，有二弟，可为终养。"已乃趋官舍，坐堂上。吴将素闻其贤，召之再三，不往，既而面缚之。巴〔颜〕〔延〕布哈曰："我元朝进士，官至极品，臣各为其主，岂肯事二姓乎！"遂不屈而死。其妻阿噜珍及二弟之妻，各抱幼子投井死。

李老保，阳武人，又名保保，从察罕特穆尔起兵，数有功，后为平章，留守益都，至是降，送至建康。后从吴王如汴，王使招谕库库特穆尔，库库鸩杀之。

壬寅，吴胡廷瑞率师渡杉关，略光泽，下之。

太常礼仪院使陈祖仁与翰林学士承旨王时、待制黄晫、编修黄肃伏阙上书言："近者南军侵陷全齐，不逾月而逼畿甸。朝廷虽命丞相伊苏出师，军马数少，势力孤危，而中原诸军，左牵右掣，调度失宜，京城四面，茫无屏蔽，宗社安危，正在今日。臣等以为驭天下之势，当论其轻重、强弱、远近、先后，不宜胶于一偏，狃于故辙。前日南军僻在一方，而库库特穆尔近在肘腋，势将窃持国柄，故宜先于致讨，以南军远而轻，库库近而重也。今库库势已穷蹙，而南军突至，势将不利于宗社，故宜先于救难，则库库弱而轻，南军强而重也。当此之时，宜审其轻重强弱，改弦更张，而抚军诸官亦宜以公天下为心，审时制宜。今库库党与离散，岂能复肆跋扈！若令将见调军马倍道东行，勤王赴难，与伊苏声势相援，仍遣重臣分道宣谕催督，庶几得宜。如复胶于前说，动以言者为为库库游说而钳天下之口，不幸猝有意外之变，朝廷亦不得闻，而天下之事去矣。"书奏，不报。

吴王召浙江按察佥事章溢入朝，命其子存道守处州，谕群臣曰："溢虽儒臣，父子宣力一方，寇盗悉平，功不在诸将后。"复问溢："征闽诸将何如？"溢曰："汤和由海道进，胡廷瑞自江西入，必胜。然闽中尤服李文忠威信，若令文忠从浦城取建宁，此万全策也。"王即命文忠屯浦城。

十二月，癸卯朔，日有食之。

甲辰，吴《律令》成，王与诸臣复阅视之，去烦就简，减重从轻者居多。凡为令一百四十五条，准唐之旧而增损之，计二百八十五条。命有司刊布中外。

乙巳，吴徐达等将发益都，遣使往乐安招谕俞胜。时胜兄宝为帐下所杀，胜代为平章，领其众。明日，达师次长山北河，般阳路总管李至等诣军门降。于是所属淄川、新城等县，皆望风款附。

丁未，吴都督同知张兴祖至东平，平章冯德弃城遁。兴祖遣指挥常守道、千户许秉等追至东阿，参政陈璧等以所部来降。秉复以舟师趋安山镇，右丞杜天佑、左丞蒋兴降。

戊申，孔子五十六世孙袭封衍圣公孔希学，闻吴军至，率曲阜县尹孔希章、邹县主簿孟思谅等迎见张兴祖，兴祖礼之，于是兖东州县皆来降。

方国珍遣其子明完奉表谢罪于吴，吴王始怒其反覆，及览表，怜之。表出其臣詹鼎所草，词辩而恭，王曰："孰谓方氏无人耶！"赐国珍书曰："吾当以投诚为诚，不以前过为过。"

戊申，吴宋迪使山东还，言张兴祖能推诚待人，降将有可用者，即使领旧兵进取。王曰："此非良策。闻兴祖麾下降将有领千骑者，一旦临敌，势不足以相加，因而生变，何以制之？"乃命迪往谕兴祖："今后得降将，悉送以来，勿自留也。"

吴徐达至章丘，守将右丞王成降。庚戌，至济南，平章达多尔济等以城降。达令指挥陈胜守之。

吴胡廷瑞至邵武，守将李宗茂以城降。

吴张兴祖兵至济宁，守将陈秉直弃城遁，吴兵遂入守之。

辛亥，吴王遣使谕徐达、常遇春曰："屡胜之兵易骄，久劳之师易溃。能虑乎败，乃可无败；能慎乎成，乃可有成。若一懈怠，必为人所乘。将军其勉之。"

密州守将邵礼诣吴徐达降。

方国珍及其弟国珉，率所部谒见汤和于军门，得士马舟粮甚多。已而昌国州达噜噶齐库哩吉斯亦来降，与国珍等并送建康。吴王悉召其臣，以邱楠为韶州同知；又以表草出詹鼎手，命官之，其馀悉徙濠州。浙东悉平。

壬子，乐安俞胜遣郎中刘启中等诣徐达纳款。

癸丑，吴中书左丞相李善长，率文武百官奉表劝进，王不许。群臣固请，王曰："中原未平，军旅未息，吾意天下大定而后议此，而卿等屡请不已。此大事，当斟酌礼仪而行。"

丁巳，吴胡廷瑞、何文辉师至建阳，守将曹复畴出降，命指挥沈友仁守之。

戊午，蒲台守将荆玉及邹平县尹董纲诣吴徐达降。达以降将郦毅守邹平，指挥张梦守章丘，唐英守蒲台。

己未，吴《律令直解》成，王览而喜曰："前代所行《通制条格》之书，非不繁密，但资官吏弄法，民间知者绝少，是聋瞀天下之人，使之犯法也。今吾以《律令直解》遍行，人人通晓，则犯法者自少矣。"

庚申，以杨诚、陈秉直并为国公、平章政事。

吴王命汤和、廖永忠、吴祯率舟师自明州海道取福州。

辛酉，吴广信卫指挥沐英破分水关，略崇安县，克之。

吴以凌统为浙东按察使。

壬戌，俞胜自乐安见徐达于济南，达遣胜还乐安，留其郎中杨子华。

吴左丞相李善长，率礼官以即皇帝位礼仪进。

癸亥，吴中书省议和、池州、徽、宣、太平诸府民出布囊运粮，王曰："国家科差，不可苛细，苛细则民不堪。今库中布不乏，为囊亦易，何用复取于民！"不许。

甲子,命中书右丞相伊苏、太尉、知院托和齐、中书平章政事呼琳岱、摩该、知枢密院事萧章、图沁特穆尔、汪文清、噜尔等会杨诚、陈秉直、巴延布哈、俞胜各部诸军同守御山东,又命关保珠为声援,时犹未知俞胜之降吴也。

吴王御新宫,以群臣推戴之意祭告于上帝、皇祇,其略曰:"如臣可为生民主,告祭之日,帝祇来临,天朗气清;如臣不可,当烈风异景,使臣知之。"

吴徐达遣参政傅友德取莱阳。

丙寅,以庄嘉为中书参知政事。

吴王命世子及诸子名。以诸子年渐长成,宜习勤劳,命内侍制麻履以行。凡出城稍远,则令马行其二,步行其一。

吴定内使冠服制。凡内使冠用乌纱、描金、曲角帽,衣用胸背花、圆领、窄袖衫,乌角束带。

吴左丞相李善长等进仪卫,王见仗内旗有"天下太平、皇帝万岁"字,顾善长曰:"此夸大之词,非古制也。"命去之。

吴徐达自济南复还益都,进取登、莱州县。

己巳,登州守将董车、莱州守将安然,各降于吴。蒲台民有供刍藁违令者,徐达欲斩之,其子乞以身代,达送之建康。吴王嘉其孝,并其父宥之。

庚午,吴征南将军汤和率师克福州。

初,陈友定环城外筑垒为备,每五十步更筑一台,严兵守之。闻吴军入杉关,乃留同金赖正孙、副枢谢英辅、院判邓益以众二万守福州,自率精锐守延平,以相掎角。时和等行师自明州乘东北风径抵福州,入五虎门,驻师南台河口,遣人入城招谕,为平章库春所杀。

吴师登岸,将围城,库春领众出南门逆战,指挥谢德成等击败之,众溃,入城拒守。是夜,参政袁仁密遣人纳款,吴师于台上蚁附登城,遂开南门。和拥兵入,邓益拒战于水门,和击杀之。赖正孙、英辅自西门出走延平,库春等皆怀印绶、挈妻子遁去,参政尹克仁赴水死,行宣政院使多尔玛不屈,下狱死。时金院拜特穆尔居侯官,闻吴军攻城急,叹曰:"战守非我得为,无以报国!"乃积薪楼下,杀其妻、妾及二女,纵火焚之,遂自刎。

和入省署,抚辑军民,遣袁仁暨员外郎余善招谕兴化、漳、泉诸路,其福宁等州县未附者,分兵略定。

辛未,吴王以山东郡县既下,命官抚辑。

吴定各县为上、中、下三等,税粮十万石以下为上县,六万以下为中县,三万以下为下县。

吴减金华田租。

初,得金华时,军食不给,知府王崇显请增民田租以足用,民颇病之。至是浙江平章李文忠以其事闻,遂下令免所增之数。

是月,诏:"陕西行省左丞相图噜总统张良弼、图鲁卜、孔兴一枝军马,以李思齐为副总统,守御关中,抚安军民。图鲁卜、孔兴等出潼关,及取顺便山路,渡黄河,合势东行,共勤王事。"思齐等皆不奉命。

太常礼仪院使陈祖仁复上书皇太子,言:"库库特穆尔兵马,终为南军之所忌,苟善用之,岂无所助？然人皆知之而不敢言者,诚恐诬以受财游说之罪也。况闻库库屡上书疏明其心曲,是犹未自绝于朝廷。今若遽加以悖逆之名,使彼竟甘心以就此名,其害或有不可言者。当今为国家计,不过战、守、迁三事。以言乎战,则资其掎角之势;以言乎守,则望其勤王之师;以言乎迁,则假其藩卫之力。当此危急之秋,宗社存亡,仅在旦夕,不幸一日有唐玄宗仓卒之出,则是以百年之宗社,委而弃之,此时虽碎首杀身,何济于事! 故敢不顾嫌忌,奉书以闻。"太子不报。

是岁,集贤学士致仕归旸卒。

至正二十八年 【戊申,1368】 春,正月,壬申朔,皇太子命(阙)〔关〕保固守晋宁,总统诸军,如库库特穆尔拒命,就便擒击。

以中书平章政事布延特穆尔为御史大夫。

乙亥,吴王祀天地于南郊,即皇帝位,定国号曰明,建元洪武。追尊四代考妣为皇帝、皇后,立妃马氏为皇后,世子标为皇太子。以李善长、徐达为左、右丞相,馀功臣进爵有差。

辛巳,诏谕库库特穆尔曰:"比者伊苏上奏,卿以书陈情,深自悔悟,及省来意,良用恻然!朕视卿犹子,卿何惑于憸言,不体朕心,隳其先业? 卿今能自悔,固朕所望。卿其思昔委任肃清江淮之意,即将冀宁、真定诸军,就行统制渡河,直捣徐沂,以康靖齐鲁,则职任之隆,当悉还汝。卫辉、彰德、顺德皆为王城,卿无以摩该为名,纵军侵暴。其晋宁诸军,(以西)〔已命〕关保总制策应,戡定山东,将帅各宜悉心。"

明带刀舍人周宗上书请教太子,明帝嘉纳。中书省、都督府请仿元制以太子为中书令,明帝以其制不足法,令詹同考历代东宫官制,选勋德老成及新进贤者兼领东宫官。以李善长兼太子少师,徐达兼太子少傅,常遇春兼太子少保,其詹事、左右率府、谕德、赞善、宾客等,并以朝臣兼领。谕曰:"朕于东宫,不别设府僚而以卿等兼之者,盖军旅未息,朕若有事于外,必太子监国,若设府僚,卿等在内,事当启闻太子,或听断不明,与卿等意见不合,卿等必谓官僚导之,嫌隙易生。又所以特置宾客、谕德等官者,欲辅成太子德性,且选名儒为之,职是故也。昔周公教成王克诘戎兵,召公教康王张皇六师,此居安虑危,不忘武备。盖继世之君,生长富贵,昵于安逸,不谙军旅,一有缓急,不知所措,二公之言,其并识之。"

甲申,明遣使核实浙西田,定天下卫所之制。

壬辰,明胡廷瑞克建宁。

汤和进攻延平,陈友定谋于众曰:"敌兵锐,难于争锋,不如持久困之。"诸将请出战,不许,数请不已。友定疑所部叛,杀萧院判,军士多出降者。军器局灾,城中炮声震地,明师知有变,急攻城,友定呼其属诀曰:"大事已去,吾一死报国,诸君努力!"因退入省堂,衣冠北面再拜,仰药死。所部争开门纳明师入,趋视友定,犹未绝也,舁出水东门,适天大雷雨,友定复苏,械送建康。明帝诘之,友定厉声曰:"死耳,尚何言!"遂并其子海杀之。友定既死,兴化、泉州俱降,独漳州路达噜噶齐迪里密实以佩刀刺喉而死。

是月,命左丞孙景益分省太原,关保以兵为之守,以库库特穆尔势弱,欲图之也。库库即遣兵据太原,杀朝廷所置官。

二月,壬寅朔,诏削库库特穆尔爵邑,命图鲁、李思齐等讨之,其将士官吏效顺者免罪,惟孙翥、赵恒罪在不赦。太子复命关保等以兵会讨。

明定郊社、宗庙典礼,分祭天地,冬至祀昊天上帝于圜丘,夏至祀皇地祇于方丘,宗庙以四孟月及岁除五享,社稷春秋二仲月戊日祭。岁必亲祀,以为常。

癸卯,武库灾。

明以平章廖永忠为征南将军,参政朱亮祖副之,浮海取广东。

丁未,明释奠先师孔子于国学,遣使祭阙里。

戊申,明帝亲祀大社、大稷。

壬子,明定衣冠如唐制。

癸丑,明常遇春克东昌,守将申荣、王辅元死之。遇春遂与徐达会师济南,击斩乐安反者,还军济宁,以舟师溯河,进取河南。

甲寅,明平章杨璟师取宝庆。

丙辰,库库特穆尔自泽州退守晋宁,关保遂据泽、潞二州,与摩该军合。

丙寅,明兵取棣州。

三月,壬申,明左丞周德兴取全州。

庚寅,彗星见于西北。

丙申,明征西将军邓愈取南阳。己亥,徐达等徇汴梁,守将李克彝遁去,左君弼、竹昌俱降。

李思齐、张良弼闻明师日逼,以其军退。火焚良弼营,思齐移军葫芦滩,调所部张德敛等守潼关。思齐、良弼皆遣使诣库库特穆尔,告以前此出师非其本心。

明廖永忠率舟师发福州,先以书招广东行省左丞何真使速降,遂航海趋潮州。夏,四月,辛丑朔,真遣都事刘克佐诣军门,籍郡县户口奉表降。永忠以闻,明帝诏褒真曰:"朕惟古豪杰,保境安民,以待有德,若窦融、李勣,拥兵据险,角立群雄间,非真主不屈,此汉、唐名臣,于今未见,朕方兴嗟。尔真连数郡之众,乃不烦一兵,不费一镞,保境来归,虽窦、李奚让焉!"永忠抵东莞,真率官属郊迎劳,遂奉诏入朝,擢真江西行省参知政事。真既降,明指挥陆仲亨以兵下连州、肇庆诸路,广东悉定。

丙午,陨霜杀菽。

丁未,明始祫祭太庙。免山东田租三年。

戊申,明徐达、常遇春等自虎牢关入洛阳,托音特穆尔以兵五万阵洛水北,遇春单骑突阵,锐卒二十馀骑攒(塑)〔槊〕刺遇春,遇春一矢殪其前锋,大呼驰入,麾下壮士从之,托音特穆尔大败。梁王阿哩衮以河南降。

己酉,彗星没。

丁巳,明杨璟克永州。

甲子,明帝如汴梁。

明徐达略定嵩、陕、陈、汝诸州,遣都督同知冯胜捣潼关。李思齐弃其辎重奔凤翔,张良弼奔鄜城。五月,明师入关,西略至华州。

明廖永忠进取广西,至梧州,达噜噶齐拜珠降。遂徇下浔州、柳州,遣朱亮祖会杨璟收未下州郡。

辛卯，明改汴梁路为开封府。

召徐达至行在。六月，庚子朔，达入见，明帝置酒劳之，且谋北伐。达曰："大军平齐鲁，扫河洛，库库特穆尔逡巡观望，潼关既克，李思齐狼狈西奔，元声援已绝。今乘胜直捣元都，可不战有也。"明帝曰："善！"达复进曰："元都克而其主北走，将穷追之乎？"明帝曰："气运有胜衰，彼今衰矣，不烦穷兵。出塞之后，固守以防其侵轶可也。"

徐沟地震。

甲寅，雷雨中有火自天坠，焚大圣寿万安寺。

壬戌，临州、保德州地震，五日不止。

明师攻靖江，久不下，杨璟谓诸将曰："彼所恃，西濠水耳，决其堤，破之必矣。"乃遣指挥邱广攻闸口关，杀守堤兵，尽决濠水，筑土堤五道傅于城。城中犹固守，急攻，克之。先是参政张彬攻南关，为守城者所诟，怒，欲屠其民，璟入，立禁止之。璟复移师徇郴州，降其两江土官黄英、岑伯颜等。廖永忠亦克南宁、象州，广西悉定。

秋，七月，癸酉，京城红气满空，如火照人。乙亥，京城黑气起，百步内不见人。

辛卯，明帝将发汴梁，谕徐达等曰："昔元之祖宗，有德格天，奄有九有。及其子孙，罔恤民艰，天厌弃之。君则有罪，民复何辜？前代革命之际，屠戮如仇，违天虐民，朕实不忍。诸将克城之日，勿掳掠，勿焚荡，必使市不易肆，民安其生。元之宗戚，皆善待之。庶几上答天心，成朕伐罪救民之志。"

戊申，命冯胜以右副将军留守开封。

李思齐大会诸将于凤翔。

时思齐总关、陕、秦、陇之师，西至吐蕃，东至商、雒，南至矶头，北至环、庆，拥精甲十馀万，惟与库库特穆尔干戈相寻，明师日逼，大都势危，坐视不救。

摩该、关保攻库库特穆尔于平阳。

是时库库特穆尔势稍沮，而摩该、关保势张甚，数请战，库库不应，或师出即退。闰月，己亥朔，库库谍知摩该分军掠郡县，即夜出师薄其营，掩击之，大败其众，摩该、关保皆就擒。库库特穆尔上疏自理，诏："摩该、关保，间谍构兵，可治以军法。"摩该、关保皆被杀。

明大将军徐达，副将军常遇春，会师河阴，遣诸裨将分道渡河，徇河北地。辛丑，取卫辉；癸卯，取彰德；丁未，取广平。师次临清，使参政傅友德开陆道，通步骑，指挥顾时浚河，遂引而北。

丁巳，诏罢大抚军院，诛知院事巴延特穆尔等，复命库库特穆尔仍前河南王、太傅、中书左丞相，孙翥、赵恒并复旧职，以兵从河北南讨，伊苏以兵趋山东，图噜兵出潼关，李思齐兵出七盘、金、商，以图复汴、洛，皇太子悉总天下兵马，裁决庶务。

壬戌，白虹贯日。

癸亥，罢内府河役。

明常遇春克德州，与徐达合兵取长芦，扼直沽，作浮桥以济，水陆并进，伊苏望风走。

甲子，库库特穆尔自晋宁退守冀宁。

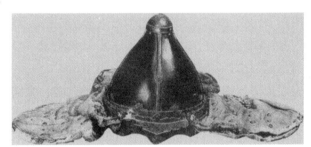

知枢密院事布延特穆尔及明师战于河两务,败绩,死之,明师遂逼通州。

诏太常礼仪院使阿鲁浑等,奉太庙列室神主与皇太子同北行。阿鲁浑及同官陈祖仁、王逊志等言:"天子有大事,出则载主以行,从皇太子,非礼也。"乃令还守太庙以俟。

乙丑,白虹贯日。始罢内府兴造。

诏淮王特穆尔布哈监国,庆通为中书左丞相,同守京城。

丙寅,帝御清宁殿,集三宫后妃、皇太子、太子妃,同议避兵北行。左丞相实勒们及知枢密院事赫色、宦者赵巴延布哈等谏,以为不可行,不听。巴延布哈恸哭曰:"天下者,世祖之天下,陛下当死守,奈何弃之? 臣等愿率军民及诸集赛出城拒战,愿陛下固守京城。"卒不听。夜半,开(建)〔健〕德门北走。

【译文】

元纪三十八 起丁未年(公元 1367 年)七月,止戊申年(公元 1368 年)闰七月,共一年有余。

至正二十七年 (公元 1367 年)

秋季,七月,关中战争还没有分出胜负,库库特穆尔对孙翥、赵恒说:"现在应该怎么办?"二人对答道:"关中四军,只有李思齐最强大,李思齐一失败,其余三军可以不攻自服。如今关中的将帅相持不分上下,所畏惧的只有摩该。应该抽调摩该一军迅速前往河中,从河中度过黄河攻打凤翔,摧毁思齐的巢穴,使敌人意想不到,那样渭北的军队一战便可降服,这是唐庄宗攻破汴梁的计谋。关中平定后,再出兵讨伐江淮,一定可以消灭敌人!"库库当即实行他们的计策,调遣摩该带兵攻打凤翔。

甲申(初十),朝廷命令伊苏提调武备寺。

吴右相国李善长等劝吴王即位称帝,吴王没同意。李善长等又极力请求,吴王说:"我曾经耻笑陈友谅才得到一小块地方,就妄自称帝,最终导致灭亡,怎么我自己又去重蹈覆辙呢? 如果天意注定是我,必定会有那个时机,没必要如此匆忙。"

元皮胄

吴发给府、州、县官员上任的费用,并分别多少不一地赏赐绮帛给他们的父母、妻子、长子。并将此定为制度。

乙丑(十五日),雷震动吴宫门前的兽吻,得到一种形状像斧的石质物,吴王命人收藏起来,出行时派人背着走在车前,临朝听政时就敬放在几案上,以示恭敬上天的警戒。并因此赦免牢狱中罪犯。

5318

方国珍当初归降吴时,约定杭州攻下就前来朝见吴王,但杭州攻下后他照旧占据领地,并且派人与福建勾结,希望互相声援。吴王听说后很愤怒,派使者督促方国珍进贡粮食二十三万石,并写信告诫他说:"你如果趁早改正过错效顺我,还可以保全你的富贵。否则,你即使想苟且偷生,逃窜到海岛,我只怕你的子女玉帛反而成为你的累赘,同船中产生反对的敌人,最终不过被英雄豪杰所耻笑。"

吴王信到后,方国珍很害怕,召集弟、侄和将佐决定何去何从,他的郎中张本仁说:"苏州没有攻下,他怎能跨越千里前来攻打我!"刘庸说:"江右的军队步兵骑兵多,他们怎能对付我们的海船呢!"国珍的弟、侄也大多认为是这样,只有邱楠争论说:"这两人说的,不是您的福分。只有理智可以决断事情,只有守信可以保住国家,只有理直可以用兵。您经营浙东十多年了,拖拉犹豫,计策不能及早决定,不能说理智。既答应投降,却又背叛他们,不能说守信。他们出师征讨,就有理由可说,我们确实有负于他们,不能说理直。或许俯首称臣,还可以和钱傲傲不多。"方国珍本来就愚而刚直昏庸无能,不能做出决断,只知日夜运送珍宝,收集大船,作出海逃窜的准备。

辛丑(二十七日),吴设置太常、司农、大理、匠作四司。

这个月,李思齐派部将许国佐、薛穆飞,会合张良弼、图鲁卜的部队驻扎华阴。

这时朝廷任命图鲁为陕西行省左丞相,李思齐不高兴,命令部将郑应祥守卫陕西,自己返回凤翔。

有龙出现在临朐龙山,有大石自己立起来。

摩该的部将多是博啰特穆尔的同党,等到摩该接到库库特穆尔的调令前往陕西,行进到卫辉时,诸将晚上相聚商议说:"我们官军,杀南兵是可以的。现在听说将前往凤翔,凤翔是官军,用官军杀官军,这叫什么呢?"大家都认为对,于是约定推戴摩该为总兵。摩该善于议论战事,以前得到察罕特穆尔的信任;关保自从察罕特穆尔起兵以来,勇敢为各军第一,功劳最高;到这时都不服从库库特穆尔。摩该派自己首领官胡安之到朝廷控告库库,派部将向北夺取彰德,向西夺取怀庆。

萨蓝托里、特里锡、巴延特穆尔、李国凤向皇太子献计说:"以前的诏书,命令诸将各自带自己部下分路进兵,没有设立大将统一指挥,他们当然互不服从。太子为何不奏请皇上,设立大抚军院来统帅呢?所有调动各将的行动,都应该从抚军院发出才能执行,使权力归于一人,由内制约外,也许天下大事还有可为。另外,摩该部背叛库库而投靠朝廷,也应该另称名号来鼓励他们。"太子照他们的话上奏顺帝。

八月,丙午(初二),顺帝命令皇太子总统天下兵马。

顺帝下诏说:"皇太子的主要职责,就在于跟随君主出征。考察古今,都有明确的规定。阿裕实哩达喇考虑到宗庙社稷的安宁,多次请求挥师出征,朕因为太子是国家的根本所在,至关重要,怎能随便外出,于是便授予库库特穆尔总领天下兵马的重任,封他为王,让他代替皇太子出征。李思齐、张良弼等各持己见,相互交战不止,以至于盗贼更加强盛,带给朕深深的忧虑。征求众人的意见,都认为皇太子聪明仁孝,文武兼备,于是我按照已有的成规,任命皇太子为中书令、枢密使、总领天下兵马,诸王、驸马、各道总兵、将吏,所有的军政机要事务,生杀予夺,事情不论轻重大小,一律由皇太子处置,跟朕的处置一样。库库特穆尔,统领本部军马,从潼关向东,肃清江淮;李思齐统领本部军马,从凤翔向西,与侯巴延达世一起进攻川蜀;任命少保图鲁为陕西行中书省左丞相,统领本部军马和张良弼、孔兴、图鲁卜各支军马,进攻襄、樊;王信的本部军马,坚守防地,另外听候调遣。诏书到达之日,你们都应该洗心革面,消除杂念,共同拯救艰难的时局。"

摩该所派的部将到达彰德,假冒使者进城,于是占领彰德。到怀庆的一部,被库库的守将黄瑞察觉意图,关闭城门,无法进去。庚戌(初六),摩该杀害卫辉守将余仁辅、彰德守将范国英,带部队到达清化,听说怀庆有防备,又返回彰德,上奏检举库库特穆尔的罪状。朝廷下诏认为库库特穆尔不遵守皇帝诏命,应该罢免他的兵权,就命令摩该讨伐他。另外,摩该首先倡导维护国家正义,赐给他所带领的将士全部号称"忠义功臣"。

辛亥(初七),特穆尔布哈被晋爵封为淮王。

甲寅(初十),朝廷任命右丞相鄂勒哲特穆尔、翰林承旨达尔玛、平章政事鄂勒哲特穆尔一同知大抚军院事。

癸丑(初九),吴圜丘、方丘和社稷坛建成,都是仿照汉代制度,坛建为二层。

丙辰(十二日),鄂勒哲特穆尔上奏说:"大抚军院专门掌管军机,今后所有北面军务,仍按照原规定由枢密院管辖,其他内外诸王、驸马、各处总兵、行省、行院、宣慰司所有的军事情况,不许超越界限,要直接移送大抚军院。"

朝廷任命詹事院同知李国凤同知大抚军院事,中书参知政事鄂勒哲特穆尔为副使,左司员外郎耀珠、枢密院参议王弘远为经历。

庚申(十六日),鄂勒哲特穆尔上奏说:"所有各军将士如有服从命令效力国家,建立了奇功的,请求在按常规赏赐的任职宣敕之外,再增加'忠义功臣'的名号。"顺帝同意了。

当时诏书虽已颁布,各将帅都不服从诏命。李思齐听说摩该哗变,关保、浩尔齐晚上逃走,于是撤军向西。托音特穆尔将山东百姓、牲口全部抢劫后向西前往卫辉,库库特穆尔率领河、洛所有百姓、军队向北渡过黄河前往怀庆,摩该害怕库库兄弟俩有夹攻卫辉的动向,也抢劫卫辉的百姓、牲口向北,到彰德驻扎,朝廷不知该怎么办。

关保向朝廷列举库库的罪状,带兵攻打他。

辛酉(十七日),朝廷命鄂勒哲特穆尔仍任少保、知枢密院事,伊苏仍任太保、中书右丞相,特哩特穆尔以太尉任添设中书左丞相。

丙寅(二十二日),朝廷在阿南达察罕诺尔设立行枢密院,命陕西行省左丞相图噜仍为少保兼知行枢密院事。

戊辰(二十四日),朝廷命特哩特穆尔仍为太尉、左丞相,知大抚军院事,中书右丞陈敬伯为中书平章政事。

吴王写信对沂州王宣父子说:"你父子几年前写信给我说:'我们虽然已经年老,还是希望阁下激发群雄,如项羽在咸阳杀死子婴、武王在牧野灭亡商辛一样,来澄清天下。'如今我整顿兵马攻打河南,已到达淮安,你们如果能毅然前来归顺,与我一起努力平息战乱,难道不是很伟大的事吗!"

己巳(二十五日),吴太庙建成,四世祖先各有庙,高祖在中间,曾祖在东边第一庙,祖父在西边第一庙,父亲在东边第二庙。

吴王命令参政朱亮祖讨伐方国珍,告诫他说:"这三州的百姓,已经非常疲惫穷困,攻下城池的时候,不要杀一个人。"

九月,甲戌朔(初一),义士戴晋生上书皇太子,阐述治世、乱世的原因。

朝廷命令中书右丞相伊苏带兵前往山东,参知政事法图呼喇分领部分户部官员,一同前往负责军需供应。

乙亥(初二),因为战争,京城以南的百姓供应军需的赋税繁重,朝廷下令,真定、河南、陕西、山东、冀宁等地,除军人自耕自食外,免去民间今年一半田租。

辛巳(初八),吴大将军徐达攻克苏州,活捉张士诚。

当时围城已很久,熊天瑞教城中人制作飞炮,拆掉祠庙、民房作炮具。徐达命令军队架起木板像屋一样,上盖竹笆,士兵埋伏在下面,装载着攻城,箭石无法伤害。徐达指挥将士攻破葑门,常遇春攻破阊门新寨,于是率领大军渡桥,逼进城下。张的枢密唐杰登上城墙抵抗,张士诚在城门内驻军,命令周仁设立木栅修补外城。唐杰和周仁、潘元绍全部投降,张士诚的军队全线崩溃,吴将帅便密如蚂蚁一样爬上城墙。张士诚又派他的副枢密刘毅收集残兵,还有二三万人,亲自率领,在万寿寺东街交战,又失败了,刘毅投降。张士诚仓皇而逃,跟随的只有几个骑兵。当初,士诚对他妻子刘氏说:"我失败将死,你们怎么办?"刘氏说:"必定不会对不起你。"于是在齐云楼下堆积柴薪,城被攻破后,放火自焚。张士诚独自坐在房中,徐达派李伯升劝降,这时天色已晚,张士诚关上门上吊。李伯升冲开门,命降将赵世雄解开绳子,气还未断,又苏醒了。徐达又命潘元绍晓之以理,反复讲了三四次,张士诚闭着眼不说话,便用旧盾牌抬着他出葑门,半路上又换上门板,抬到船中。俘获他的官属平章李行素、徐义、左丞饶介等,还有元朝宗室神保大王、赫罕等人,都送往建康,而将熊天瑞处死。

起初,徐达和常遇春约定,破城之时,从中分为两半分别安抚百姓。先招集将士,讲明吴王的旨意,命令将士每人带着小木牌,下令说:"抢劫百姓财物的处死,拆毁百姓房屋的处死,离开营地二十里的处死!"等到城破后,徐达军队在左边,遇春军队在右边,号令严明,军士不敢随便乱动,城中百姓很安定。

癸未(初十),吴王听说苏州已攻破,命令中书平章政事胡廷瑞攻打无锡州,并命大都督府副使康茂才随后前往。又命虎贲左卫副使张兴,带领勇士千人前往淮安等候出征时期;又命濠州练习平乡山寨军,会同攻打胶州、登州、莱州;又命江淮卫派兵千人守卫邳州。

吴徐达等派兵攻打通州,乙酉(十二日),到狼山,通州守将率领部下投降。

无锡莫天祐献城向吴投降。

起初,莫天祐归附张士诚,士诚多次上表推荐他至任同金枢密院事,也只是为了笼络他。徐达多次派使者招降,天祐将使者都杀了。到这时胡廷瑞等攻打无锡,州人张翼知道情势危急,带领父老见莫天祐说:"张士诚被俘,即使坚守,为了谁呢?一城人的生死存亡,都在今晚,请仔细考虑。"天祐沉思了很久,便答应投降。张翼从城头用绳子吊下,向胡廷瑞投降。胡廷瑞高兴地说:"无锡城不用打仗,都是你的功劳。"张翼返回相告,天祐便出城投降。

己丑(十六日),元朝廷下诏命伊苏任中书右丞相在山东设分省,萨蓝托里任中书左丞相在大同设分省。

吴朱亮祖在新昌驻扎，派指挥严德攻打关岭山寨，平定了。

徐达派人送张士诚到建康。士诚在船中，闭目不吃东西，到龙江，一直躺着不肯起身。抬到中书省，李善长问他，不说话，接着士诚出言不逊，善长愤怒。吴王想保全士诚性命，但张士诚竟上吊自杀。吴王赐给棺木埋葬他。

浙西人口众多，物产丰富，积储非常充足。张士诚兄弟骄奢淫逸，行事又昏庸犹豫，想用得到士人来博得名声，士人前来的，不论他是好是坏，都给予丰厚的赏赐，车马住宅，没有不充足的，士人纷纷前来投靠。到张士信掌权后，疏远怠慢老将，剥夺他们的兵权，因此上下互相猜疑。凡是出兵调派将领，应当出征的借故卧床不起，要求赏赐官爵和良田美宅，当即就按要求赐予。等到损失军队丢失领地返回时，张士诚也不问罪，有的重新任用为将，他没有树立起权威都是这样。

张士信愚蠢狂妄，不识大体，士诚将国事让他处理，终于导致国家灭亡。而张士信的失败，又是被黄、蔡、叶三个参军所害的，到这时三人都被处死，并杀了潘元绍，将莫天祐碎裂处死。

又有叫周佑的人，是山阳炼铁人之子，因为能搜刮钱财而官至上卿。城破被俘，对主事的人说："钱谷盐铁，所有的簿籍都在我这里，你们国家想富裕，就不应杀我。"主事人说："亡国贼子，你还不知道犯了死罪吗？"于是杀了他。百姓非常高兴地说："今天上天开眼了！"

辛卯（十八日），吴设置宣徽院，将太医监改为太医院。

甲午（二十一日），吴朱亮祖的军队到达天台，县尹汤盘投降。

丙申（二十三日），太师旺嘉努被元朝廷追封为兖王，谥号忠靖。

丁酉（二十四日），吴朱亮祖进攻台州，方国珍出兵抵抗，亮祖将他打败，吴指挥严德中箭身亡。严德是采石人。

戊戌（二十五日），吴王派使者带信护送元宗室神保大王和赫罕等九人到顺帝处，又写信给库库特穆尔说："阁下如果想保存君臣的大义，应该整顿军队，服从朝廷命令。否则，名为臣子，而朝廷的权力都在军队之中，即使你心中自认为忠诚，又怎么能避免被人指责！如果有其他打算，就应迅速加强兵力巩固领土。"

己亥（二十六日），沂州王宣派副使权苗芳向吴王谢罪，吴王派镇抚侯正纪前去回报。

辛丑（二十八日），吴王命人到泗州灵璧取石头磨制石磬，到湖州采择桐梓制作琴瑟。

吴王封李善长为宣国公，徐达为信国公，常遇春为鄂国公，分别给以各种不同赏赐。

吴王对所有将帅说："江南平定后，应当往北平定中原。不要贪图暂时的安危而忘记将来的一劳永逸，不要满足眼前的功劳而失去远大的理想。"第二天，徐达等进宫拜谢吴王，吴王问："公等回府以后，饮酒作乐了吗？"回答说："得到恩宠，都喝酒互相祝贺。"吴王说："我难道不想和各位将领一起喝酒欢度一天吗？只是中原没有平定，还不是饮酒作乐的时候。公等没有看到张士诚所做的事吗？整天花天酒地贪图快乐，如今下场怎么样？"

吴朱亮祖攻下台州。

当初，方国瑛听说吴师到了，就想逃跑。正好都事马克让从庆元返回，说方国珍正在整顿兵马守城，劝方国瑛不要离开，方国瑛才指挥将士备战防守。但是士兵心中害怕，不时有逃散的。朱亮祖攻得很紧，国瑛用大船载着妻儿，晚上逃向黄岩。朱亮祖进入台州城，于是攻下仙居各县。国瑛逃跑时，挟带总管赵琬到黄岩，赵琬偷偷登上白龙奥，住到百姓家中，绝食而死。赵琬是赵琏的弟弟。

癸卯（三十日），吴整修内城，式样都很简朴，没有过多的雕饰。吴王命博士熊鼎分类编辑古人所作可以借鉴的事情，写在墙壁上，又命侍臣将《大学衍义》写在两间大屋的墙壁上。吴王说："前代的宫殿，大多在墙上绘画，我用来书写这些文字可以早晚都浏览，难道不比图画有意义吗？"有人说瑞州出产文石，雕琢之后可以铺设地面，吴王说："你用华丽奢侈引导我，这难道是我的心愿吗？"

冬季，十月，甲辰朔（初一），吴王对中书省官员说："军中兵士因战争受伤的，不能让他们再参战。如今新宫殿建成，宫外应设置警卫，可以在宫墙外的四周空地上多建房屋，让伤残的士兵住上，白天谋生，晚上巡逻，并发给粮食赡养他们。"

吴王派起居注吴琳、魏观等人，带着钱币聘礼到各地寻访隐居的贤才，将苏州的富裕百姓迁往濠州充实那里。

摩该带兵进入山西，平定孟州、忻州，攻下郲州，于是攻打真定。朝廷下诏命伊苏从河间带兵与摩该相会，结果没实现，便命伊苏返回河间，摩该返回彰德。

乙巳（初二），皇太子奏请任命淮南行省平章政事王信为山东行省平章政事兼知行枢密院事。在真定路设立中书分省。丙午（初三），加封司徒、淮南行省平章政事王宣为沂国公。

吴王下令百官礼仪都以左为尊，将右相国改为左相国，左相国改为右相国，其他官员都如此。又设定国子学官制，任命博士许存仁为祭酒，刘承直为司业；将太史监改为太史院，任命太史监令刘基为院使。

朱亮祖的军队到达黄岩州，方国瑛逃到海上，守将哈尔鲁投降。

丁未（初四），在太庙举行祭典。

吴王命令礼官说："自古忠臣义士，舍生取义，身虽死而名永存，为天下人做出了典范。像元朝右丞余阙守卫安庆，独自坚守着这南北交通要塞，援兵断绝力量衰竭，全家都死了，大义凛然，令人起敬。又有江州总管李黼，独自守卫孤城，全力抵抗强敌，临危不惧，壮丽牺牲，和余阙完全相同。赞扬推崇前代的忠臣义士，是为了劝勉时代风气。应下令有关官府建立祠堂、塑造形象，每年定时祭祀他们。"

壬子（初九），朝廷下诏免去库库特穆尔的太傅、中书左丞相和他所有兼领的职务，仍为河南王，将汝州作为封地。他弟弟托音特穆尔以集贤学士身份和库库特穆尔同住河南府，而将河南府作为梁王封地。他的随行官属，全部回朝廷。所有由库库特穆尔直接指挥的军队，命令由白索珠、浩尔齐统领；在河南的，由中书平章政事李克彝统领；在山东的，由太保、中书右丞相伊苏统领；在山西的，由少保、中书左丞相萨蓝托里统领；在河北的，由知枢密院事摩该统领；只有关保仍旧统领本部各军。库库特穆尔接受诏书后，当即退军到泽州驻扎。

这一天，大赦天下。

吴设置御史台，任命汤和为左御史大夫，邓愈为右御史大夫，刘基、章溢为御史中丞，刘基仍兼任太史院使。吴王对他们说："国家所设立的只有三大府总管天下政事：中书省是国政的根本,都督府掌管军队,御史台监督所有部门的工作。朝廷的法制,全部寄托在此,这些官职的确地位尊显、职责重要。你们应当考虑端正自己来为下属做表率,忠心勤奋地工作来侍奉国家,不要只占着位子而对任何事不置可否,不要意志消沉、因循守旧而放纵邪恶的势力,不要假公济私而损人害物。《诗经》中说:'坚硬的也不吐出,柔软的也不吃下。'这就是大臣的气度。"

甲寅(十一日),吴王命令汤和为征南将军,吴祯为副,到庆元讨伐方国珍。

壬戌(十九日),吴王命中书省制定法令,任命李善长为总裁官,杨宪、刘基、陶安等为议律官。

当初,吴王认为唐、宋都有现成的法令作为断案的依据,只有元代没有依遵古制,只取用一时实行的事情作为条例,胥吏容易犯奸作弊。从平定武昌以来,就准备制定法令,到这时御史台已经设立,各道按察司即将到各郡县巡视考察,因此想颁布成文的法令,让朝廷内外遵照执行,所以有这一命令。吴王又对他们说:"立法最重要的是简练恰当,使言语明了道理明白,人人都容易懂。如果条例头绪繁多,或者一件事有两种讲法,可以轻重随意,使得贪婪狡诈的胥吏可以借机做坏事,就会使本为禁止残暴的法令,反而成为祸害善良百姓的根据,这就不是好法令了。千万要使法令轻重适中,除掉繁杂的弊病。像渔网太密水中不可能有大鱼一样,法令太严密也会使国家没有无罪的百姓。你们应该认真研究,所有刑法条文,一一开列报上来,我和你们当面商量推敲,以便使这法令可以长期实行。"

丙辰(十三日),吴王派使者带信给李思齐、张良弼,要他们停止战争。思齐等得信后没有回复。

辛酉(十八日),吴王对徐达等说:"中原动荡混乱,人民流离逃散,山东则有玉宣反复无常,河南则有库库专横暴戾,关陇则有李思齐、张思道彼此猜疑。元朝即将灭亡的迹象已经出现,现在要北伐,凭什么可以取胜?"常遇春说:"如今南方已经平定,兵力有余,直捣元都,用我身经百战的军队,去攻打元朝长期安逸的士兵,只需拿着竹竿就可取胜。元都城攻下来后,就可以势如破竹,乘胜长驱直入,其余敌人可以毫无阻遏迅速平定。"吴王说:"元朝建都百年,城池守备必定坚固。如果孤军深入,不能立即攻破都城,兵马停顿在坚城之下,粮饷不能相继,而敌人援兵四面围集,进不能战,退没有地方可以凭借,很不利于我军。我想先夺取山东,毁掉元朝的屏障;接着挥师攻打河南,切断元朝的羽翼;攻拔潼关并坚守它,控制元的门户。天下大势被我掌握,然后再进兵元都城,那样元朝廷势力孤单、援兵断绝,可以不战而胜。攻克元都城后,再大举进攻云中、九原和关陇,便可以席卷而下了。"所有将帅都说:"太好了!"

甲子(二十一日),吴王任命中书右丞相、信国公徐达为征讨大将军,中书平章政事、掌军国重事常遇春为副将军,带领二十五万大军,从淮地进入黄河,北伐中原。

这时说起名将必推徐达、常遇春,两人的才智和勇力差不多,遇春行动迅捷猛烈敢于深入敌境,而徐达更加善用谋略。遇春每次攻下城池,总是有所杀伤;徐达所到之处不骚扰百姓,即使俘虏的勇士和间谍,都用恩义相结纳,让他们为己所用。到这时吴王当面对所有将帅说:"指挥军队沉着稳定、纪律严明,取得胜利、攻克城池,深得大将气度的,没人比得上大将军徐达;面对百万强敌,冲锋陷阵,没人比得上副将军常遇春,但他身为大将,却喜欢和小头目较量,完全不是我所期望的。"

吴王任命中书平章政事胡廷瑞为征南将军,江西行省左丞何文辉为副将军,率领安吉、宁国、南昌、袁、赣、滁、和、无为等地卫军从江西攻打福建,派湖广参政戴德随同出征。又命令平章杨璟、左丞周德兴、参政周彬,率领武昌、荆州、益阳、常德、潭、岳、衡、澧等地卫军队攻打广西。文辉起初是吴王养子,赐姓朱氏,到这时恢复姓何。

乙丑(二十二日),元朝廷任命集贤大学士丁好礼为中书添设平章政事。

吴王派世子和次子前往临濠拜谒祖宗陵墓,命中书省选择官员辅导他们前去,经过各郡邑的所有城隍庙和山川神祇,都用少牢礼节祭祀。

丙寅(二十三日),平章内史关保被元朝廷封为许国公。

吴王发布檄文告诫齐鲁、河洛、燕蓟、秦晋等地官民,命令他们赶紧归顺。

丁卯(二十四日),吴大将军徐达等到达淮安驻军,派人招降王宣和他的儿子王信。

己巳(二十六日),吴王因为大军进取中原,担心托音特穆尔趁机偷袭,命令庐州、安丰、六安、濠、泗、蕲、黄、襄阳等地各自严密戒备。

吴湖广行省派兵攻打宝庆新化县,袭击守将麻周,攻占新化县。

吴朱亮祖进兵温州,攻克温州城,方明善已提前逃走。亮祖分出兵马攻打瑞安,瑞安守将谢伯通献城投降。

辛未(二十八日),沂州王信得到徐达的书信后,便派使者向吴投降,并上表吴王祝贺平定张士诚。吴王派徐唐、李义等前往沂州,授予王信为江淮行省平章政事,他属下的官员将帅都照原职不动,命令他的兵马都听从大将军指挥。当时王信和他父亲王宣,暗怀二心,表面上虽请求归顺,暗地里却整修战备。吴王知道后,便派人秘密命令徐达统率兵马前往沂州以观察王信的动静。

十一月,癸酉朔(初一),吴朱亮祖在乐清的盘屿突袭打败方明善,追赶到楚门海口,派百户李德前去招降。

乙亥(初三),明升派臣子邓良叟访问吴,吴王命良叟跟随大将军参观所攻下的城池。

丙子(初四),吴徐达军队到达下邳,指派同知张兴祖从徐州进攻山东。

己卯(初七),吴徐达军到榆林镇,金院郦毅、镇抚孙惟德投降。徐达命黄逢等守卫该地。

庚辰(初八),吴平章韩政的部队到达梁城,元同知枢密院卢斌、金院程福等投降。

辛巳(初九),吴征南将军汤和攻克庆元。

此前汤和兵马从绍兴渡过曹娥江,进至馀姚,降服知州李密和上虞县尹沈温,于是进兵到庆元城下,攻打西门,府判徐善等率领部属官员父老从西门出城投降。方国珍驱使部下乘海船逃走,汤和率兵追赶。国珍率部众迎战,汤和打败了他,活捉他的将领方惟益等,国珍带着残余兵力逃入海上。汤和回军到庆元,攻下定海、慈溪各县。

吴王派使者到延平,招降元平章陈友定。陈友定摆设酒宴召集所有将领和宾客,杀死吴使者,将血滴入酒坛中,和众人一起饮下,当众发誓说:"我们都受朝廷的厚恩,如有人不拼死抵抗的,碎裂他本人外,还要杀死他妻儿。"于是亲自前往福州视察,整顿军队做好防守抵抗的准备。

徐唐等到达沂州,王宣不想动身,便派儿子王信秘密前往莒州招募兵马,作防守的准备,而派员外郎王仲纲等假借犒劳军队之名前来拖延吴军进攻,徐达接受犒礼而发放他们回去。王仲纲等返回后,王宣立即派兵劫持徐唐等,想杀掉他们,徐唐逃脱,跑到徐达军中,徐达当即带领军队进抵沂州,在北门扎营。徐达还是想降服王宣,派梁镇抚前去劝说,王宣表面答应,随即又闭城抵抗。徐达愤怒了,于是加紧攻打。王宣等待王信招募军队却始终没有返回,自己估计无法支撑,便打开西门出城投降。徐达命王宣写信,派镇抚孙惟德招降王信,王信杀死惟德,和他兄长王仁逃向山西。于是峄、莒、海州和沭阳、日照、赣榆、沂水各县都前来投降。徐达因为王宣反复无常,并愤恨他儿子王信杀了孙惟德,将王宣处死,命指挥韩温防守沂州。

乙酉(十三日),吴制定大都督府和盐运司、起居注、给事中的官制。

方国珍逃入海岛。己丑(十七日),吴王命令平章廖永忠为征南副将军,从海道会同汤和一起讨伐方国珍。方国珍派经历郭春和儿子方文亮前往朱亮祖那里表示归顺。

丙戌(十四日),元朝廷任命平章政事伊噜特穆尔、知枢密院事鄂勒哲特穆尔、平章政事巴延特穆尔同知大抚军院事。

庚寅(十八日),吴王派使者对徐达说:"听说将军已攻下沂州,不知军队将指向什么地方?如果指向益都,应当派精锐将士,在黄河上扼守险要之地,以切断援兵,让敌人向外无法前进,在内又没有指望,我军势力强大而且力量集中,必能获胜。如果没有攻克益都,就应该进取济宁、济南,二郡攻下后,益都以东就会势穷力竭,像囊中之物一样,可以不战而胜。但是战争难以从远处完全预料,如何随机应变,主要在将军掌握。"当时金星、火星在星纪会合,望日即十五日后,火星追逐金星经过齐、鲁分野,太史占卜说"应当大展兵威",所以有这一指示。

方国珍有很多部将向吴投降,汤和又派人带信前去招降。壬辰(二十日),方国珍派郎中承广、员外郎陈永到汤和军中请求投降,又派他儿子方明善、方明则、侄儿方明巩等缴纳省院的各种印信。

乙未(二十三日),元朝廷任命知枢密院事摩该为中书平章政事,太尉、中书左丞相特哩特穆尔为大抚军院使。

这一天是冬至,吴太史院进献下一年度戊申年的《大统历》给吴王。吴王对院史刘基说:"古代在冬季十二月颁布第二年的历法,似乎太晚了,现在改在冬至也还不妥,明年以后,都在十月初一日进呈来年历。"起初,《戊申历》编成后,准备刊印发布,刘基和属官高翼将抄录本送呈吴王,吴王看完后,对刘基说:"这是大家一起编的吗?"回答说:"是我们二人审慎考定的。"吴王说:"天象运行有快慢,古今历法有疏密,如果不得要领,就不可能没差错。春秋时期,郑国一个使节的外交辞令,必定经过拟草、讨论、修饰、润色之后再使用,所以很少有差错。外交辞令都如此谨慎,何况是编制历法呢?公等必须各自尽心,务必特别准确恰当。"刘基等人便将所抄录的再仔细校定以后才刊行。

丙申(二十四日),吴朱亮祖的兵马到达黄岩,方国瑛和他兄长之子方明善前来拜见,将他们送往建康。

丁酉(二十五日)，元朝廷命关保在晋宁设立中书分省。

庚子(二十八日)，吴攻克滕州。

起初，徐达命令平章韩政带部分兵力扼守黄河，以切断山东援兵；韩政便派千户赵实攻打滕州。滕州守将开始准备坚守，接着又逃走了，于是攻克滕州城。

辛丑(二十九日)，吴徐达攻下益都，平章李老保投降，宣慰使巴延布哈、总管胡浚、知院张俊全部死亡。徐达于是攻下寿光、临淄、昌乐、高苑，命指挥叶国珍等人守卫。

当初，吴大军压境，巴延布哈全力抵抗。等到城被攻陷，巴延布哈回家，拜别他母亲说："孩儿忠孝不能两全，有弟弟俩，可以奉养母亲终身。"接着便前往任职衙门，坐在大堂上。吴将领早就听说他的贤能，再三召见他，不肯去，接着便将他捆绑起来。巴延布哈说："我是元朝进士，官位已到最高品级，做臣子的各为其主，怎么可能事奉二姓主子!"于是不肯屈服而死。他妻子阿噜珍和两个弟弟的妻子，各自抱着幼子投井而死。

李老保，是阳武人，又叫保保，跟随察罕特穆尔举兵，多次立功，后来官至平章，留守益都，到这时投降，被送到建康。后来跟随吴王到汴梁，吴王派他去招降库库特穆尔，库库毒死了他。

壬寅(三十日)，吴胡廷瑞带兵渡过杉关，攻打光泽，占领该地。

太常礼仪院使陈祖仁和翰林学士承旨王时、待制黄晢、编修黄肃在皇宫前跪拜上书顺帝说："近来南军侵占整个齐地，不到一月而逼近京师。朝廷虽然命丞相伊苏出兵，兵力很少，势力单孤，而中原各军又互相牵制，调度失宜，京城四面，没有一点遮挡。宗庙社稷的安危，就在今天。臣等认为控制天下的大局，应该考虑到轻重、强弱、远近、先后的不同，不应拘泥于一个方面，因袭过去的老路。以前南军只是占据偏僻一方，而库库特穆尔近在眼前，其趋势即将盗取国家的大权，之所以应先讨伐，是因为南军既远而危险小，库库迫近而危险大。如今库库已经衰弱，而南军突然前来，其趋势将对宗庙社稷极为不利，这时就应该先拯救危难，因为库库已经衰弱而危险小，南军强大而危险大。在这种时刻，应该审察轻重强弱，改变政策，而大抚军院的所有官员也应该以天下为公，看清时势制定时宜。如今库库已是树倒猢狲散，怎能再逞强跋扈! 如果命他统率现有兵马兼程往东，在国难当头时拯救王室，和伊苏互为声援，并派大臣分头宣示旨意督促行动，这也许能适合时势。如果再执着以前的说法，动不动将所提的建议看成替库库游说，以此来堵住天下人的口，万一突然发生意外变故，朝廷也无法听到，那天下大势就无可挽回了。"上奏以后，顺帝没有答复。

吴王召浙江按察佥事章溢进朝，命他儿子章存道守卫处州，对群臣说："章溢虽是儒臣，但他父子俩尽力一方，贼盗全部平定，功劳不在各将帅之下。"又问章溢说："征讨福建的各将帅怎么样?"章溢说："汤和从海道进军，胡廷瑞从江西进军，一定胜利。但福建人特别信服李文忠，如果命文忠从浦城攻取建宁，这是最完整的办法。"吴王当即命李文忠驻扎浦城。

十二月，癸卯朔(初一)，有日食。

甲辰(初二)，吴《律令》编好了，吴王和各大臣又看一遍，去繁就简，减重从轻的地方居多。共制成条令一百四十五条，律则根据唐律有所增减，定为二百八十五条。命有关部门刊印颁布中外。

乙巳(初三),吴徐达等将从益都出发,派使者前往乐安招降俞胜。当时俞胜兄俞宝被部下杀害,俞胜代作平章,统领部众。第二天,徐达的兵马到达长山北河,般阳路总管李至等前来军中投降。于是李至管辖的淄川、新城等县,都望风投降。

丁未(初五),吴都督同知张兴祖到达东平,平章冯德放弃城守逃跑。兴祖派指挥常守道、千户许秉等追到东阿,参政陈璧等带领所属前来投降。许秉又带水军前往安山镇,右丞杜天佑、左丞蒋兴投降。

戊申(初六),孔子的五十六代孙、袭封衍圣公的孔希学,听说吴军前来,率领曲阜县尹孔希章、邹县主簿孟思谅等迎接张兴祖,兴祖很尊重地接待他们,于是兖东的州县全部投降。

方国珍派他儿子方明完上表向吴王谢罪,吴王开始愤恨他反复无常,等看完上表,又同情他。表章是方国珍的属下詹鼎起草的,言语明辨而恭顺,吴王说:"谁说方氏手下没有能人呢!"赐给方国珍手书说:"我将把你的投诚看作是真诚的,而不把过去的过错当成罪过。"

戊申(初六),吴宋迪出使山东回来,陈说张兴祖能够推诚待人,降将有可以任用的,就派他统领原班人马进取。吴王说:"这不是好办法。听说张兴祖部下的降将有统领千多骑兵的,万一面对强敌,势力不能相抗衡时,因而产生变故,凭什么来控制他们呢?"于是命宋迪前去告诫兴祖:"以后获得降将,全部送来建康,不要私自留下。"

吴徐达到达章丘,守将右丞王成投降。庚戌(初八),到达济南,平章达多尔济等献城投降。徐达命指挥陈胜守卫济南。

吴胡廷瑞到达邵武,守将李宗茂献城投降。

吴张兴祖的兵马到达济宁,守将陈秉直放弃城守逃跑,吴军于是进入济宁城防守。

辛亥(初九),吴王派使者对徐达、常遇春说:"多次获胜的军队容易骄傲,长期劳累的军队容易崩溃。能考虑到失败,才能做到不失败;能谨慎地对待成功,才可能取得更大成功。如果稍有懈怠之心,必定会被人趁机而入。将军们以此相勉吧!"

密州守将邵礼前往吴徐达处投降。

方国珍和弟弟方国珉,带领部下到吴军中拜见汤和,获得的士兵、马匹、船只、粮草非常多。接着昌国州达噜噶齐库哩吉斯也来投降,和方国珍一起被送往建康。吴王召见方国珍的所有部属官员,任命邱楠为韶州同知;又因为方国珍上表的草拟出自詹鼎手笔,封他官职,其余的全部迁移到濠州。浙东全部平定。

壬子(初十),乐安俞胜派郎中刘启中等前往徐达处投诚。

癸丑(十一日),吴中书左丞相李善长,率领文武百官上表劝吴王称帝,吴王不答应。群臣坚持请求,吴王说:"中原没有平定,战争没有停止,我打算到天下全部平定后再商议此事,而卿等不断请求。这是大事,应该仔细推敲所有礼节后再实行。"

丁巳(十五日),吴胡廷瑞、何文辉的军队到达建阳,守将曹复畴出城投降,命指挥沈友仁守卫建阳。

戊午(十六日),蒲台守将荆玉和邹平县尹董纲向吴徐达投降。徐达命降将郦毅守邹平,指挥张梦守章丘,唐英守蒲台。

　　己未(十七日)，吴《律令直解》编成，吴王看后高兴地说："前代发行的《通制条格》一书，不是不繁密，但只给官吏们玩弄法令创造了条件，民间知道的很少，这是使天下人在法律上都耳聋目盲，让他们犯法。如今我将《律令直解》通行全国，让所有人都知道，那么犯法的人自然就少了。"

　　庚申(十八日)，元朝廷任命杨诚、陈秉直同为国公、平章政事。

　　吴王命汤和、廖永忠、吴祯率领水军从明州由海路攻打福州。

　　辛酉(十九日)，吴广信卫指挥沐英攻破分水关，攻打崇安县，攻占该处。

　　吴任命凌统为浙东按察使。

　　壬戌(二十日)，俞胜从乐安到济南谒见徐达，徐达让俞胜回乐安，留下郎中杨子华。

　　吴左丞相李善长，率礼官将即位称帝的礼仪进呈吴王。

　　癸亥(二十一日)，吴中书省商议让和、池州、徽、宣、太平等府的百姓出布袋运送粮食，吴王说："国家的科税差役，不能苛刻琐碎，苛刻琐碎就会使百姓无法忍受。如今国库中布不缺少，制作布袋也容易，何必又向民间征取！"没有同意。

　　甲子(二十二日)，元朝廷命中书右丞相伊苏、太尉、知院托和齐、中书平章政事呼琳岱、摩该，知枢密院事萧章、图沁特穆尔、汪文清、噜尔等会合杨诚、陈秉直、巴延布哈、俞胜各部的所有军队一同守卫山东，又命关保珠为山东声援部队。当时朝廷还不知道俞胜已归降吴。

　　吴王来到新建宫殿，将群臣推戴称帝的意思祭告上帝、皇祇，大意说："如果臣可以做百姓的君主，祭告之日，请上帝皇祇降临，天晴气爽；如臣不能作君主，请出现猛烈狂风、奇异景色，使臣能知道不行。"

　　吴徐达派参政傅友德攻取莱阳。

　　丙寅(二十四日)，元朝廷任命庄嘉为中书参知政事。

　　吴王命世子和其他王子称名。因为各位王子年龄逐渐增大，应该学习勤劳，命宦官制作麻鞋给他们穿着行走。凡是出城较远时，就让他们骑马行三分之二，步行三分之一的路程。

　　吴制定内使的帽子、服饰制度。所有内使的帽子采用乌纱、描金、曲角的式样，衣服采用胸背绣花、圆领、窄袖衫，用乌角束带。

　　吴左丞相李善长等进呈仪卫队的式样，吴王看到仪仗队的旗子上有"天子太平、皇帝万岁"的字样，看着李善长说："这是夸大之词，不是古代的制度。"命令去掉它。

　　吴徐达从济南重返益都，进取登、莱各州县。

　　己巳(二十七日)，登州守将董车、莱州守将安然，分别向吴投降。蒲台百姓有供应马料违背军令的，徐达想杀他，他的儿子请求代死，徐达将他们送往建康。吴王称赞百姓之子孝顺，和他父亲一起都饶恕了。

　　庚午(二十八日)，吴征南将军汤和带兵攻克福州。

　　起初，陈友定沿着城外修筑堡垒防备，每五十步又修一台，派兵严密防守。听说吴军进入杉关，便留同金赖正孙、副枢谢英辅、院判邓益带二万兵马防守福州，自己率精锐部队守卫延平，互相声援。这时汤和等军队乘船从明州趁着东北风直到福州，进入五虎门，在南台河口驻扎，派人进城招降，使者被平章库春杀死。

吴军登岸,将包围福州城,库春带领兵众,出南门迎战,指挥谢德成等打败了他们,士众逃散,进城坚守。这天晚上,参政袁仁秘密派人表示归附,吴军从台上纷纷爬上城墙,于是打开南门。汤和带兵蜂拥而入,邓益在水门抵抗,汤和将他杀死。赖正孙、谢英辅从西门逃向延平;库春等都带着印绶、携着妻儿逃跑;参政尹克仁跳水自杀;行宣政院使多尔玛不肯屈服,被投入牢中而死。当时金院拜特穆尔住在侯官,听说吴军攻打很紧急,叹息说:"出战、守城都不是我能做到的,没有什么可以报答朝廷的!"便在楼下堆积干柴,杀死妻、妾和两个女儿,放火焚烧,然后自杀。

汤和进入福建行省衙门,安抚军民,派袁仁和员外郎余善招降兴化、漳、泉各路,福宁等州县没有归附的,分别派兵平定。

辛未(二十九日),吴王因为山东郡县都已攻下,派官员安抚。

吴拟定各县为上、中、下三等,税粮十万石以下的为上县,六万以下为中县,三万以下为下县。

吴减征金华田租。

起初,取得金华时,军粮不够,知府王崇显请增加百姓田租来补充,百姓很担忧苦恼。到这时浙江平章李文忠将事情上报,吴王便下令免除所增加的数目。

这一月,元朝廷下诏:"陕西行省左丞相图噜总统张良弼、图鲁卜、孔兴一路兵马,以李思齐为副总统,守卫关中,安抚军民。图鲁卜、孔兴等出兵潼关,取道便利山路,渡过黄河,联合势力向东行进,共同辅助朝廷大业。"李思齐等都不遵奉命令。

太常礼仪院使陈祖仁又上书给皇太子说:"库库特穆尔的军队,毕竟被南军忌惮,如能恰当使用,怎能没有帮助?但人们都知道却不敢说的缘故,的确是担心被诬陷为接受库库钱财替他游说的罪名。况且听说库库多次上书申明自己的心意,这说明他还没有自绝于朝廷。现在如果突然给他加上叛逆的罪名,使他甘愿接受这一罪名,其中的祸害也许有无法言说的。如今替国家考虑,无非是战、守、迁三事。从出战来说,就要凭借他作为声援牵制敌人;从防守来说,就指望他成为援助朝廷的力量;从迁都来说,就要依靠他的护卫力量。面对这危急的时刻,宗庙、社稷存亡,只在旦夕之间,万一哪天出现唐玄宗仓促出逃的事情,就是将百年的国家基业,全部抛弃,那时候即使肝脑涂地,也将无济于事!所以敢不顾嫌疑,上书陈说。"太子没有答复。

这一年,元离职退休的集贤学士归旸去世。

至正二十八年　(公元1368年)

春季,正月,壬申朔(初一),皇太子命令关保坚守晋宁,总统各军,如库库特穆尔不服从命令,就予以捕捉打击。

元朝廷任命中书平章政事布延特穆尔为御史大夫。

乙亥(初四),吴王在南郊祭祀天地,即皇帝位,定国号为明,建年号为洪武元年。追尊四代父母为皇帝、皇后,立王妃马氏为皇后,世子朱标为皇太子。任命李善长、徐达为左、右丞相,其他功臣分别加官晋爵。

辛巳(初十),元顺帝下诏对库库特穆尔说:"最近伊苏上奏说,卿写信陈述心中之情,非常后悔,省察你心中的想法,我感到非常难过!朕将卿当儿子一样看待,卿为什么受奸险的言论所迷惑,不体谅朕的心情,以致使你先人的名声受到损害呢?卿如今能自己悔悟,的确是我所希望的。卿认真思考过去我委任你肃清江淮的深意,立即带领冀宁、真定各军,马上渡过黄河,直捣徐、沂,以便收复安定齐鲁,那么所有重要的职位,将全部归还给你。卫辉、彰德、顺德都是朝廷的城池,卿不要以摩该为借口,纵容军队侵扰践踏。晋宁的各路军队,已命令关保统一指挥调度,平定山东,将帅们都应该尽心尽力。"

明带刀舍人周宗上书明帝请求教育太子,明帝非常高兴地采纳了。中书省、都督府请求仿照元朝制度任太子为中书令,明帝认为元制不值得效法,命詹同考察历代东宫的官制,选择年高德劭老成持重的人和新起的贤才兼领东宫官职。命李善长兼太子少师,徐达兼太子少傅,常遇春兼太子少保,东宫的詹事、左右率府、谕德、赞善、宾客等,都任命朝中官员兼领。告诫说:"朕对于东宫,不另外设置官员而委任卿等兼领,是因为战争没有停止,朕如果出外有事,必由太子监国,如果另设官员,卿等在朝中,有事要上奏太子,或许太子判断不准处理不当,和你们的意见不一致,卿等必定认为是东宫官属引导的,容易产生矛盾隔阂。又之所以特别设置宾客、谕德等官职,是想辅导太子加强道德修养,选择知名的儒生担任这些职务,就是因为这个原因。过去周公教导成王整束军队,召公教导康王扩展六军,这都是居安思危,不忘武备。因为继位的君主,生长在富贵之中,习惯了安逸的生活,不熟悉军事,一旦有突然情况发生,就会不知所措。周公、召公的话,都要牢牢记住。"

甲申(十三日),明朝廷派使者核实浙江田地,制定天下卫所制度。

壬辰(二十一日),明胡廷瑞攻克建宁。

汤和进攻延平,陈友定和众人商议说:"敌军势锐,难以和他们争高低胜负,不如坚守城池,打持久战困死他们。"众将领请求出战,不同意;不断地请求,陈友定怀疑部下叛变,杀死萧院判,士兵有很多投降的。军器局发生灾变,城中炮声震地,明军知道城中有变,赶紧攻城,陈友定招集部属诀别说:"大事已去了,我将一死以报国家,各位努力吧!"因而退入行省堂中,整顿衣帽向北面拜了两拜,服毒自杀。部下争着开城门迎接明师进城。跑去看陈友定,还没有断气,抬出水东门,正遇天大雨雷鸣,友定又苏醒过来,被囚禁送往建康。明帝责问他,陈友定粗声大气地说道:"不过一死,还有什么话说!"于是连同他儿子陈海一起杀死。陈友定死后,兴化、泉州都投降了,只有漳州路达噜噶齐迪里密实用佩刀刺喉自杀。

这一月,元朝廷命左丞孙景益在太原设立分省,关保派兵为他守卫太原,因为库库特穆尔势力衰弱,想趁机除掉库库。库库立即派兵占据太原,杀死元朝廷设置的官员。

二月,壬寅朔(初一),元朝廷下诏剥夺库库特穆尔的封地,命令图鲁、李思齐等讨伐他,他的将士官吏如有效顺朝廷的免罪,只有孙翥、赵恒不在赦免之列。皇太子又命关保等带兵会同征讨。

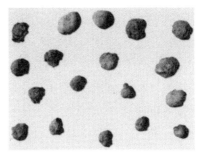

元末农民起义军用的石弹

明朝制定郊社、宗庙的典礼,分别祭祀天地,冬至日在圜丘祭祀昊天上帝,夏至日在方丘祭祀皇地祇,宗庙在每一季度的头一月和年终举行五次祭祀,社稷在春秋两季的第二个月的戊日祭祀。每年皇帝必须亲自祭祀,作为常例。

癸卯(初二),武库有灾变。

明帝任命平章廖永忠为征南将军,参政朱亮祖为副将,从海上攻取广东。

丁未(初六),明朝在国学举行典礼祭祀先师孔子,派使者前往阙里祭祀。

戊申(初七),明帝亲自祭祀大社、大稷。

壬子(十一日),明朝制定衣服、帽子如唐朝式样。

癸丑(十二日),明常遇春攻克东昌,元守将申荣、王辅元战死。遇春于是和徐达在济南会师,杀死乐安的反叛者,回军济宁,带水军沿河而上,进取河南。

甲寅(十三日),明平章杨璟的军队攻取宝庆。

丙辰(十五日),库库特穆尔从泽州退守晋宁,关保便占领泽、潞二州,和摩该军会合。

丙寅(二十五日),明军攻取棣州。

三月,壬申(初二),明左丞周德兴攻取全州。

庚寅(二十日),彗星出现在西北上空。

丙申(二十六日),明征西将军邓愈攻取南阳。己亥(二十九日),徐达等攻打汴梁,元守将李克彝逃走,左君弼、竹昌全部投降。

李思齐、张良弼听说明军日益逼近,带领部队撤退。火烧良弼军营,思齐转移到葫芦滩驻扎,调部下张德敛等守卫潼关。思齐、良弼都派使者前往库库特穆尔处,告诉他以前他们出师讨伐不是出自本意。

明廖永忠率领水军从福州出发,首先写信招纳广东行省左丞何真让他迅速投降,于是航海前往潮州。夏季,四月,辛丑朔(初一),何真派都事刘克佐前来军中,将登有郡县户口的簿籍奉献投降。廖永忠报告朝廷,明帝下诏赞扬何真说:"朕思考古代的豪杰,保护领土安抚百姓,以等待有德的君主,像窦融、李勣,拥有军队,占据险要,角逐群雄之间,不是真正的君主不愿屈服,这样的汉、唐名臣,今天没有见到,朕正为此而感叹。你何真拥有几郡的兵众,却能不烦劳一兵,不浪费一箭,保全境土前来归顺,即使窦融、李勣也只是如此吧!"廖永忠抵达东莞,何真率领属下官员到郊区迎接慰劳,于是奉明帝诏命入朝,被提升为江西行省参知政事。何真投降后,明指挥陆仲亨带兵攻下连州、肇庆各路,广东全部平定。

丙午(初六),天降霜冻伤害菽麦。

丁未(初七),明朝首次在太庙合祭祖先。免除山东三年田租。

戊申(初八),明徐达、常遇春等从虎牢关进入洛阳,托音特穆尔带兵五万在洛水北布列阵势,常遇春单骑冲突敌阵,元军精锐二十多名骑兵集中长矛刺击遇春,遇春一箭射死敌前锋,大喊着直冲过去,随从的勇士跟着冲上,托音特穆尔大败。梁王阿哩衮献河南投降。

己酉(初九),彗星消逝。

丁巳(十七日),明杨璟攻克永州。

甲子(二十四日),明帝前往汴梁。

明徐达平定嵩、陕、陈、汝各州,派都督同知冯胜攻打潼关。李思齐丢弃军需装备逃往凤翔,张良弼逃往鄜城。五月,明军进入潼关,往西攻打到华州。

明廖永忠进取广西,到梧州,达噜噶齐拜珠投降。于是攻占浔州、柳州,派朱亮祖会同杨璟攻取没有归附的州郡。

辛卯(二十二日),明将汴梁路改为开封府。

召徐达到明帝行宫。六月,庚子朔(初一),徐达进宫拜见,明帝摆酒宴慰劳他,并商量北伐。徐达说:"大军平定齐鲁,扫平河洛,库库特穆尔徘徊观望;潼关攻克后,李思齐往西狼狈逃窜,元朝的援兵已经断绝。如今乘胜直捣元都城,可以不战而占有。"明帝说:"好!"徐达又进言说:"元都攻克后元帝如往北逃走,要穷追下去吗?"明帝说:"气运有胜有衰,他如今已经衰弱,不必穷追不舍了。他逃出塞外后,只需坚守防止他侵扰就可以了。"

徐沟地震。

甲寅(十五日),雷雨中有火从天而坠落,烧毁元大圣寿万安寺。

壬戌(二十三日),临州、保德州地震,连续五天不停。

明军攻打清江,久攻不下。杨璟对众将说:"敌人所凭借的是西濠水,决开濠堤,必定能攻破它。"便派指挥邱广攻打闸口关,杀死守堤士兵,将西濠水全部放尽,修筑土堤五道靠近城墙。城中仍旧坚守,加急攻打,攻下来了。此前参政张彬攻打南关,被守城的人诟骂,很愤怒,想屠杀城中百姓,杨璟进城,立即禁止了。杨璟又移师攻打郴州,降服两江土官黄英、岑伯毅等。廖永忠也攻克南宁、象州,广西全部平定。

秋季,七月,癸酉(初五),元京城中红气布满空中,像火一样照人。乙亥(初七),京城中黑气升起,百步之内看不见人。

辛卯(二十三日),明帝将从汴梁出发,对徐达等人说:"过去元朝的祖先,因为德行感动上天,因而拥有天下九州。传到他的子孙,不知道体谅百姓的艰苦,因而又被上天厌弃。元君主当然有罪,但百姓有什么罪呢?前代改朝换代的时候,屠杀无辜如同仇敌,违背天理,残害百姓,我实在不忍心。各将帅攻克城池的时候,不要抢劫,不要纵火烧房,一定要使市场不停止交易,百姓能安定生活。元朝的皇亲国戚,都要善待他们。这样才可以报答上天,成全朕讨伐有罪拯救百姓的心愿。"

丙申(二十八日),明帝命冯胜以右副将军之职留守开封。

李思齐在凤翔大会诸将帅。

当时李思齐总领关、陕、秦、陇的军队,西到吐蕃,东到商、雒,南到矾头,北到环、庆,拥有精兵十多万,只和库库特穆尔寻衅交战,明军日益逼近,大都形势危急,他坐视不救。

摩该、关保在平阳攻打库库特穆尔。

这时库库特穆尔的势力稍微受挫,而摩该、关保的势力很嚣张,多次挑战,库库不应战,或者一出兵立即退走。闰七月,己亥朔(初一),库库侦察得知摩该分出兵马抢劫郡县,立即出兵逼近他的营寨,突然发起进攻,将摩该兵众打得大败,摩该、关保都被活捉。库库特穆尔上奏元顺帝为自己辩解,元顺帝下诏说:"摩该、关保,制造事端,挑起战争,可按照军法处置。"摩该、关保都被杀死。

明大将军徐达、副将军常遇春,在河阴会师,派遣各路偏将分路渡过黄河,攻打河北地区。辛丑（初三），攻占卫辉；癸卯（初五），攻占彰德；丁未（初九），攻占广平。军队到达临清，派参政傅友德开通陆路，使步兵、骑兵通行；指挥顾时疏通河道，于是带兵往北。

浴马图　元

丁巳（十九日），元顺帝下诏废除大抚军院，处死知院事巴延特穆尔等，重新任命库库特穆尔仍为河南王、太傅、中书左丞相，孙翥、赵恒官复原职，带兵从河北往南征讨，伊苏带兵前往山东，图噜出兵潼关，李思齐的军队出七盘、金、商，谋求收复汴、洛，皇太子统一指挥天下兵马，处理一切军政事务。

壬戌（二十四日），白虹横贯太阳之中。

癸亥（二十五日），元朝停止宫中的修河工程。

明常遇春攻克德州，和徐达联合进兵攻取长芦，控制直沽，修架浮桥渡河，水陆并进，伊苏望风而逃。

甲子（二十六日），库库特穆尔从晋宁退守冀宁。

元知枢密院事布延特穆尔与明军在河西务交战，失败阵亡，明军于是逼近通州。

元顺帝下诏令太常礼仪院使阿鲁浑等，侍太庙列室神主和皇太子一起往北行。阿鲁浑和同官陈祖仁、王逊志等说："天子有大事外出，则载神主同行，神主随皇太子，不符合礼节。"于是命令他们返回太庙看守等待。

乙丑（二十七日），白虹横贯太阳之中。元开始停止宫中的所有工程。

元顺帝下诏令淮王特穆尔布哈监国，庆通为中书左丞相，共同守卫京城。

丙寅（二十八日），元顺帝来到清宁殿，召集三宫后妃、皇太子、太子妃，共同商议避兵北行的事。左丞相实勒们和知枢密院事赫色，宦官赵巴延布哈等劝阻，认为不能往北，顺帝不听。巴延布哈大声痛哭说："天下是世祖打下的天下，陛下应当誓死相守，怎么能放弃呢？臣等愿意率领军民和诸集赛出城抵抗，希望陛下能坚守京城。"顺帝始终不听。半夜时分，顺帝打开健德门向北逃走。

特别提示：

　　本书在编写过程中，参阅和使用了一些报刊、著述和图片。由于联系上的困难，和部分作品的作者（或译者）未能取得联系，对此谨致深深的歉意。敬请原作者（或译者）见到本书后，及时与本书编者联系，以便我们按照国家有关规定支付稿酬并赠送样书。

　　联系电话：010-80776121　　联系人：马老师